全訂
警察行政法
解説〔第三版〕

田村 正博

東京法令出版

第三版　はしがき

　本書第二版の出版から7年、第二版補訂版の出版から3年が経過した。その間、警察法の改正など数多くの法律の改正や新法の制定が行われるとともに、情報の取得と管理を中心に重要な裁判例も示されている。また、初版出版以来、10年を超える時を経たことにより、これまでの記述に違和感が生まれたところもある。そこで、今回、全体にわたって記述を見直し、以下の3点を中心に改訂を行うこととした。

　一つ目は、本書の内容を新たな法律に対応させることである。特に、令和5年に完成する個人情報保護法制の一元化に対応して、第7章第1節の多くの記述を改めたほか、民間の防犯カメラ等に係る個人情報保護法の適用などについて新たに書き加えている。また、小型無人機等飛行禁止法が制定されたことを踏まえ、新たにテロ対策法制の項を設けた。このほか、重大サイバー事案対処における国の直接執行を認めた警察法改正など、重要な法律改正については、内容だけでなく、その意義、考え方をできるだけ明らかにするように努めている。他にも、ストーカー規制法、銃刀法、道交法、地方公務員法、労働施策総合推進法など多くの法改正を受けて、必要な記述を追加・修正している。

　二つ目は、近時の法制と判例の基にある考え方を踏まえた実務の在るべき姿を、できるだけ示すように努めたことである。特に情報の取得と管理に関しては、明確な法的規制が少ない中で、問題の重

大性の認識に欠けた運用事例が散見されることを踏まえ、原則を明確に伝えることとあわせて、様々な場面での記述を充実させ、要配慮個人情報の取扱い上の原則などについても新たに記述を加えた。また、超過勤務時間上限制の導入やパワーハラスメントの防止義務の法制化などを受けた警察の組織管理の今日的な在り方についても、できるだけ記述するよう努めている。

　三つ目は、本書の表現を今の時点で有意義なものとするように努めたことである。文章上の表現のみならず、今日の検索社会に対応して、判例の出典表記も裁判所ウェブサイトを中心とするようにしている。

　本書初版、第二版とも、筆者の想定を超える多くの方々に読まれ、いずれも外国語に翻訳出版されたことは、筆者の望外の喜びである。

　本書第三版が、これまでと同様に、警察行政法に関心のある多くの方に読まれることを願っている。

　令和4年7月

田村　正博

第二版補訂版の発行に当たって

　本書は、幸いなことに筆者の予想を超える多くの方に読まれてきた。全訂初版が中国語、第二版が韓国語にそれぞれ翻訳出版されたのは、望外の喜びである。

　一方、第二版の出版から4年近くの間に、多くの法改正が行われた。ことにストーカー規制法の改正は、個人保護のための警察の権限法制のあり方を考える上で、重要な意義があるものとなっている。同様に、多くの国民の声に応えて、個人保護のために、犯罪捜査権限の行使を含めた警察の積極的な対応が一層図られるようになってきたことも特筆すべきことといえる。このほか、すべての職場において、働く人の個人としての尊厳が重んじられなければならず、不当な扱いがあってはならないことが強く求められるようになってきた。警察も、警察官を含めた職員の権利が擁護されるべきことにおいて、例外ではあり得ない。

　このため、今回、法改正に対応して記述を改めるとともに、家族間暴力事案における警察の介入に関するコラムを追加するほか、地方公務員法制や労働法制における新たな制度に対応して、会計年度任用職員と妊娠出産等に関するハラスメントに関するコラムを追加する等の補正を行うこととした。合わせて、研究者による警察法理論に関する新たな見解についても、一部ではあるが対応するコメント等を追加している。

補訂後の本書が、引き続き、多くの方に読まれ、警察の権限行使と警察の組織管理における実務の参考とされると同時に、市民が警察のあり方を考える上での参考とされることを願っている。筆者も引き続き、警察行政法に関する研究に取り組み、成果の発信に努めていきたいと考えている。

　令和元年8月

田村　正博

第二版　はしがき

　本書『全訂　警察行政法解説』の出版から4年の間に、行政不服審査法の全面改正をはじめとする様々な法改正や新法の制定が行われた。新たな制度、新たな規定を理解するには、関係する既存の制度の理解が不可欠である。同時に、新たな制度、新たな規定は、既存の制度の在り方にも影響を与える。このため、改めて本書全体を見直し、以下の3点を中心に改訂を行うこととした。

　一つ目は、上述のとおり、近時の立法に沿った内容とすることである。一例をあげると、行政不服審査法の全面改正に対応し、第11章第2節（行政不服申立て）を全部書き直すとともに、第8章第2節において、公安委員会の課題の一つとして「審査庁としての中立的な権限の行使」を加えている。そのほか、行政手続法の改正、警察権限法規の新設・改正など多岐に及んでいる。

　二つ目は、第5章（警察官職務執行法）の記述の充実である。留置きをめぐる近時の裁判例をはじめ、職務質問、保護、武器の使用などに関して、重要と思える裁判例を踏まえた記述を追加している。

　三つ目は、第9章第3節（都道府県警察の職員）の全面見直しである。特に、警察職員の権利保護に関して、「公務員の権利と都道府県警察の義務」の項を新たに設け、労働法制上の使用者としての義務や、警察職員の尊厳と安全の保護（セクハラやパワハラの防止を含む。）を記述した。警察職員と警察組織の関係をめぐっては、これまで、「警察職務の特殊性」を強調する論述が多くなされてき

た。しかし、警察職員との関係でも、警察組織・管理職が法的な規律に服さなければならないのは当然である。個々の警察職員を守ることは、警察組織のこれからにとって極めて重要な実践的意味を持つものと考えている。

　本書初版は、警察実務家のみならず、研究者を含めて、筆者の予想を超える多くの方に読まれた。特に、第7章の「警察における情報の取得と管理」については、新たな領域の設定として注目され、実務に影響を及ぼすとともに、研究者の方からも様々な評価をいただいている。今回の改訂では近時の裁判例と立法例の紹介の追加にとどまったが、筆者として、引き続き研究を重ねていきたいと考えている。

　本書第二版がこれまでと同様に、警察行政法に関心のある多くの方に読まれることを願っている。

　平成27年8月

田村　正博

はしがき

　本書は、警察行政法上の様々な制度について、できるだけ一貫性のある形で解説することを試みたものである。個々の規定とともに、制度全体を通じた考え方を整理し、課題についても論ずるように努めている。

　筆者は、平成元年に「警察行政法解説」と題した旧著を発表した。旧著は、昭和期に一般的であった「警察権の限界」論を排して、警察行政法の全体をできるだけ分かりやすく説明しようと試みたものであった。幸いにも、旧著は、筆者の予想を超える多くの方に読まれ、研究者からもしばしば引用された。その一方、警察行政にとって重要な法律が旧著出版以降に数多く制定され、近年では従来の論議をそのまま延長することのできない状態が生まれてきた。また、20年余りの間に筆者自身の考えも相当変わってきている。

　そこで、今回、もう一度新たに警察行政法の在り方の全体像を考え、初めから執筆をすることとした。構成を全面的に改め、スタイルも一新し、内容も警察官職務執行法の解説を除き、ほとんどを新たにしている。特に、警察権限法制の指導理念（第3章第1節）、警察における情報の取得と管理（第7章）、国民・住民による警察の統制（第8章）の記述は、問題設定を含めて、私自身にとっても初めての試みである。全体を通じて、国民にとってどのような警察法制が望ましいのか（警察の適切な権力的介入を確保しつつ濫用を防ぎ、効率的でかつ国民の統制を及ぼすことを実現できるのか）と

いう視点を基にしたつもりであるが、不十分な点が多々あるのは否めない。読者の方々からのご指摘ご批判を頂き、今後より良いものにしていきたいと考えている。
　本書は、新たな著作であるが、書名は「全訂　警察行政法解説」とした。本書の内容を表すのに「警察行政法解説」という以上の表題が考えられないことが理由である。旧著同様に、警察行政法に関心のある多くの方に読まれることを願っている。

　　平成23年9月

　　　　　　　　　　　　　　　　　　　　　　　　　田村　正博

凡　　例

1　参照番号

　本文（コラムを含む。）には、記述のまとまりごとに欄外に参照番号を付し、参照が必要な箇所では、（☞315）のように表記した。参照番号は、第1章から第9章までは、最初の1文字が章を意味し、後の2文字がその章内の順番を示している（（☞315）は、「第3章の15番目の記述の部分を参照願いたい。」ということを意味する。）。第10章及び第11章では、初めの2文字が章を意味している（1122は第11章の22番目である。）。

2　法令の時点と法令名

　法令は、原則として令和4年（2022年）5月1日現在のものによった。ただし、近く施行されることが確定している改正法においては、一部未施行のものも取り入れている。

　法令の名称で略称を用いる場合には、全て、初出時に略称を記載した上で正式名称（題名）を（　）で記載し、その後は略称のみとした。

　　　初出時　　　「ストーカー規制法（ストーカー行為等の規制等に関する法律）」
　　　2回目以後　　「ストーカー規制法」

　なお、略称の初出時については、全て事項索引の対象としている。

3　文献

　引用文献は、全て注に記載し、「藤田宙靖「警察行政法学の課題」警察政策1巻1号」のように表記した。同一章内で2回目以降に引用する場合には、「藤田前掲注1」のように表記した。別の章で引用する場合には、最初と同じように表記した。

4　判例

　判例は、原則として注に記載し、裁判所、判決・決定の区分、年月日、出典で表記した。

出典については、裁判所ウェブサイトにあるものは「Ⓦ」の略号を付してその旨を示したほか、最高裁判所刑事判例集又は最高裁判所民事判例集にも掲載されている場合には、刑集、民集の略号をⓌの前に付している。その他の場合は、次の略号を用い、かつ、巻・号・頁数を表示している。

```
                    出典略号
最高裁判所刑事判例集………………………………刑　　　集
最高裁判所民事判例集………………………………民　　　集
高等裁判所刑事裁判特報……………………………高 裁 特 報
高等裁判所刑事裁判速報集…………………………高裁刑速報
東京高等裁判所(刑事)判決時報……………………東高刑時報
東京高等裁判所(民事)判決時報……………………東高民時報
下級裁判所刑事裁判例集……………………………下　刑　集
刑事裁判月報…………………………………………刑 裁 月 報
判例時報………………………………………………判　　　時
判例タイムズ…………………………………………判　　　タ
ジュリスト……………………………………………ジュ　リ
判例地方自治…………………………………………判 例 自 治
ＴＫＣ法律情報データベース………………………LEX／DB
交通事故民事裁判例集………………………………交　　　民
```

目　次

第 1 章　序　論
第 1 節　警察行政と法……………………………………………………1
1　警察の存立及び活動と法……………………………………………1
2　法治主義……………………………………………………………3
第 2 節　警察と国民との関係……………………………………………4
1　警察による国民の利益保護（保護・責任関係）……………………4
2　警察による権限行使対象者の権利制限（対立関係）………………6
3　警察と市民との連携による安全確保（協働関係）…………………7
4　国民による警察の統制（受託・統制関係）…………………………9
第 3 節　警察法制の変遷………………………………………………11
1　旧憲法下における警察……………………………………………11
2　戦後の警察組織改革と旧警察法の制定…………………………13
3　現行警察法の制定…………………………………………………15
4　警察活動法制の変遷………………………………………………19

第 2 章　警察の責務
第 1 節　責務規定とその意義…………………………………………23
1　警察法の責務規定…………………………………………………23
2　警察の責務と活動…………………………………………………25
第 2 節　責務の内容……………………………………………………26
1　個人の生命、身体及び財産の保護………………………………26
2　公共の安全と秩序の維持…………………………………………28
［補論　警察の犯罪捜査の意義と行政法上の規律］………………32
第 3 節　警察の責務と関連する他の機関との関係……………………38
1　権限の分配と他の機関との連携…………………………………38
2　法律に定めのある個別の機関との関係…………………………40

第3章　警察活動の基本原則
第1節　警察権限法制の指導理念……………………………47
1. 指導理念の意義………………………………………………47
2. 権限行使対象者の権利・自由の尊重………………………49
3. 国民の安全確保………………………………………………55
4. 私生活の尊重と家族間暴力事案への介入…………………62
5. 警察の責務とその達成………………………………………67
6. その他…………………………………………………………71

［補論　「警察権の限界」論とその誤り］ ………………77

第2節　警察権限法執行上の留意事項………………………87
1. 法律の規定の遵守と目的外行使の禁止……………………87
2. 権限行使の義務………………………………………………89
3. 過剰な権限行使及び偏った権限行使の禁止………………90

第3節　法律の根拠のない活動の限界………………………92
1. 強制にわたることの禁止……………………………………92
2. 警察の責務の範囲……………………………………………96
3. 相手方の不利益を上回る公益上の必要性…………………96

第4章　警察活動の法的類型
第1節　行政処分………………………………………………99
1. 行政処分の意義………………………………………………99
2. 意思決定と表示…………………………………………… 101
3. 行政処分の手続…………………………………………… 104
4. 行政機関の裁量とその統制……………………………… 112
5. 行政処分の取消しと撤回………………………………… 114
6. 行政処分違反者に対する措置…………………………… 116
7. 許　可……………………………………………………… 117
8. 命令（下命）……………………………………………… 125
9. その他の行政処分………………………………………… 130

第2節　強制的事実行為…………………………………… 134
1. 行政強制の意義…………………………………………… 134
2. 行政上の強制執行………………………………………… 135

3　即時強制……………………………………………… 139
　　4　刑罰を背景にした事実行為………………………… 149
　［補論　行政上の義務履行確保のための手段］……… 158
　第3節　任意活動……………………………………………… 173
　　1　意　義……………………………………………… 173
　　2　国民の権利・自由に関連する事実行為…………… 177
　　3　一般の事実行為…………………………………… 186
　［補論　行政立法、行政契約、私法的活動］…………… 188

第5章　警察官職務執行法
　第1節　警察官職務執行法総説……………………………… 191
　　1　意　義……………………………………………… 191
　　2　特　徴……………………………………………… 194
　第2節　職務質問……………………………………………… 198
　　1　意　義……………………………………………… 198
　　2　職務質問の要件…………………………………… 201
　　3　停止・質問………………………………………… 203
　　4　車両の停止措置（車両検問）…………………… 208
　　5　所持品検査………………………………………… 213
　　6　同行要求…………………………………………… 218
　　7　凶器捜検…………………………………………… 221
　第3節　保　護………………………………………………… 223
　　1　意　義……………………………………………… 223
　　2　保護の対象………………………………………… 225
　　3　保護の実施とその後の手続……………………… 230
　第4節　危険時の措置………………………………………… 235
　　1　意　義……………………………………………… 235
　　2　対象となる事態…………………………………… 236
　　3　警告、避難等の措置……………………………… 238
　第5節　犯罪の予防・制止…………………………………… 240
　　1　意　義……………………………………………… 240
　　2　警　告……………………………………………… 241

3　制　止………………………………………………………… 243
　第6節　立入り……………………………………………………… 247
　　　1　意　義………………………………………………………… 247
　　　2　危険時の立入り……………………………………………… 249
　　　3　公開の場所への立入り……………………………………… 252
　第7節　武器の使用………………………………………………… 254
　　　1　意　義………………………………………………………… 254
　　　2　人に危害を加えない使用…………………………………… 257
　　　3　人に危害を加える使用の許容要件………………………… 259

第6章　主要警察権限法制

　第1節　警察権限法制の概要と個人保護法制…………………… 267
　　　1　警察権限法制の概要………………………………………… 267
　　　2　ストーカー規制法をはじめとする個人保護法制………… 268
　　　3　被害者支援法制……………………………………………… 273
　第2節　安全確保法制……………………………………………… 274
　　　1　銃砲刀剣類所持等取締法をはじめとする安全確保法制… 274
　　　2　道路交通法…………………………………………………… 281
　第3節　その他の法制……………………………………………… 293
　　　1　暴力団対策法とその他の暴力団対策法制………………… 293
　　　2　犯罪対策法制………………………………………………… 298
　　　3　風俗営業適正化法とその他の公共利益保護法制………… 302
　　　4　国際連携のための法制……………………………………… 309
　　　5　テロ対策法制………………………………………………… 311

第7章　警察における情報の取得と管理

　第1節　情報に関わる法的規律…………………………………… 315
　　　1　情報の重要性と法的枠組み………………………………… 315
　　　2　情報に関して規律する法律………………………………… 320
　第2節　情報の取得………………………………………………… 333
　　　1　警察の情報取得における一般原則………………………… 333
　　　2　本人以外からの情報取得…………………………………… 339
　　　3　防犯カメラ等による情報の取得…………………………… 347

第3節　情報の保管と利用……………………………………… 360
　　　1　情報の保管における基本原則……………………………… 360
　　　2　個人情報ファイルの事前通知とファイル簿の公表………… 363
　　　3　本人開示、訂正及び利用停止……………………………… 365
　　　4　警察による情報の利用……………………………………… 367
　　　5　情報の提供…………………………………………………… 372

第8章　国民・住民による警察の統制
　　第1節　警察組織の基本と国民・住民による警察の統制……… 383
　　　1　警察組織の基本……………………………………………… 383
　　　2　国民・住民による警察の統制のための諸制度……………… 384
　　第2節　公安委員会と警察法上の制度………………………… 387
　　　1　公安委員会による政治的中立の確保……………………… 387
　　　2　公安委員会による警察の管理……………………………… 392
　　　3　公安委員会規則等の制定…………………………………… 399
　　　4　警察署協議会………………………………………………… 401
　　第3節　警察事務の地方分権と地方自治法上の制度………… 402
　　　1　警察事務の地方分権………………………………………… 402
　　　2　都道府県の機関……………………………………………… 409
　　　3　住民による統制……………………………………………… 413
　　　4　条　例………………………………………………………… 415
　　第4節　情報公開制度…………………………………………… 423
　　　1　情報公開制度の意義………………………………………… 423
　　　2　行政文書の開示手続と不服申立手続……………………… 425
　　　3　不開示情報…………………………………………………… 428

第9章　都道府県警察
　　第1節　都道府県警察の組織…………………………………… 433
　　　1　都道府県公安委員会………………………………………… 433
　　　2　都道府県警察の実働組織…………………………………… 437
　　　3　都道府県警察相互の関係…………………………………… 441
　　第2節　警察官の権限行使に関する組織法…………………… 444
　　　1　警察官の適正な権限行使に向けた諸制度………………… 444

2　管轄区域と権限行使……………………………………… 447
　　3　管轄区域外の権限行使…………………………………… 449
　第3節　都道府県警察の職員……………………………………… 457
　　1　都道府県警察の職員に係る基本的事項………………… 457
　　2　職員の採用・人事管理及び離職………………………… 459
　　3　公務員としての義務と不利益処分……………………… 467
　　4　公務員としての権利と都道府県警察の義務…………… 476

第10章　国の警察機関
　第1節　国の警察機関の事務と都道府県警察への関与………… 489
　　1　国の警察機関の事務……………………………………… 489
　　2　都道府県警察への国の関与……………………………… 496
　第2節　国の警察組織と職員……………………………………… 505
　　1　国家公安委員会…………………………………………… 505
　　2　警察庁……………………………………………………… 509
　　3　国の警察職員……………………………………………… 514

第11章　行政救済法
　第1節　国家賠償制度……………………………………………… 523
　　1　意　義……………………………………………………… 523
　　2　公務員の不法行為による国家賠償……………………… 528
　　3　営造物の設置・管理の欠陥による国家賠償…………… 535
　第2節　行政不服申立て…………………………………………… 536
　　1　意　義……………………………………………………… 536
　　2　不服申立ての対象………………………………………… 541
　　3　不服申立人と申立先……………………………………… 544
　　4　審査請求に対する審理と裁決…………………………… 548
　第3節　行政事件訴訟……………………………………………… 553
　　1　意　義……………………………………………………… 553
　　2　行政事件訴訟の種別……………………………………… 555
　　3　取消訴訟…………………………………………………… 559

事項索引……………………………………………………………… 569

第1章　序　論

　本章では、序論として、警察行政と法の関係、警察と国民との関係及び警察法制の変遷について、概要を述べる。

第1節　警察行政と法

1　警察の存立及び活動と法

　警察は行政の一分野であり、その組織と活動は、主権者である国民の意思に基づく。
　警察の組織及び活動を規律する法の全体を「警察行政法」と呼ぶ[注1]。
　警察の組織については、警察法（昭和29年法律第162号）が、警察の責務、都道府県警察の設置と組織等について定めている。警察法に定められていない事項については、行政組織に共通する法規範によって規律される。例えば、都道府県警察は、都道府県という地方公共団体の機関であるので、地方公共団体について定める地方自治法の対象となる（都道府県知事との関係、議会との関係、住民訴訟といったことは、地方自治法で定められている。）。都道府県警察の職員は、地方公務員であるので、地方公務員法が適用される。
　警察の活動については、警察官職務執行法（昭和23年法律第136号）をはじめ、刑事訴訟法、道路交通法、銃砲刀剣類所持等取締法、火薬類取締法、ストーカー規制法（ストーカー行為等の規制等に関する法律）、少年

（注1）　警察（警察法に基づいて設置される警察）の組織及び活動に関する法律を「警察行政法」と呼ぶのは、1989年出版の旧著以来の実務的な観点によるものであるが、研究者の間でも、この用法が広がりつつある（例えば、藤田宙靖「警察行政法学の課題」警察政策1巻1号、高木光「警察行政法論の可能性」警察政策2巻1号）。また、荻野徹「新しい「警察法学」の構想」関根謙一ほか編『講座警察法第1巻』（立花書房、2014年）は、組織としての警察に着目した領域設定が、単なる説明の便宜を超えた有益性を持ち得るだけでなく、行政法研究の新たな分野としても一定の意義を持ち得る、と主張している。

法、遺失物法、風俗営業適正化法（風俗営業等の規制及び業務の適正化等に関する法律）、暴力団対策法（暴力団員による不当な行為の防止等に関する法律）など、多数の法律で定められているほか、都道府県によっては、いわゆる公安条例や暴騒音条例などの条例でも警察機関に権限を与えている。行政手続法など様々な行政活動に共通する法規範も、個別の法律で除外されていない限り、警察の活動に適用される。

　これらのほか、違法な行政活動によって権利を侵害された国民の救済のための法律として、国家賠償法、行政不服審査法及び行政事件訴訟法が制定されている。

column　警察行政法の体系

　本書では、序論、警察の責務、警察活動の基本原則、警察活動の法的類型、警察官職務執行法、主要警察権限法制、情報の取得と管理、警察組織の基本と国民・住民による警察の統制、都道府県警察、国の警察機関、行政救済法で構成している。筆者が京都産業大学で開講している「警察行政法」では、学生の関心の所在と理解のしやすさも考え、①警察行政法の概略、②警察権限の行使に関する基本的な考え方（行き過ぎと不足の禁止、比例原則、平等原則）、③行政権限と刑事法（ストーカー規制法を例に）、④私的領域への公権の介入（児童虐待を例に）、⑤個人保護のための公権力行使１（警察官職務執行法の保護、犯罪の制止等）、⑥個人保護のための公権力行使２(暴力団対策法)、⑦犯罪の予防・捜査のための警察の活動１（警察官職務執行法の質問と所持品検査）、⑧犯罪の予防・捜査のための警察の活動２（防犯カメラ等による情報の取得と管理）、⑨道路交通に係る公安委員会等の行政権限と警察官の権限、⑩交通反則制度と放置違反金制度、⑪犯罪被害者と警察行政法、⑫警察組織法１（警察制度の基本及び国と地方の関係）、⑬警察組織法２（国民・住民による警察の統制）、⑭警察行政法の全体像、⑮警察行政法の課題（質疑応答）としている。また、宮田三郎『警察法』（信山社、2002年）は、警察の概念、警察の組織、警察の責務及び権限、警察作用の基本原則、警察作用の法的形式、警察の典型的な侵害措置、警察責任、補償請求権、集会結社に関する警察法、営業に関する警察法、武器及び危険物に関する警察法、交通の取締に関する警察法、外国人に関する警察法で構成している。

2 法治主義

　警察を含めた全ての行政は、憲法の下、法の定めるところに従って行われなければならない。これを「法治主義」という。

　国民の代表で構成される国会が定めた法律が、「法」の典型である。国会は国権の最高機関であり、あらゆる行政機関は、国会の定めた法律に違反してはならない。行政機関は、最高裁判所によってその法律が違憲と判断された場合を除き、制定された法律を誠実に執行しなければならない。また、行政機関が国民の権利や自由を制限し、義務を課すには、法律の具体的根拠規定がなければならない（注2）（法律の規定がなければそのような強制活動を行うことができない。）。法律の規定に違反してはならないことを「法律の優位の原則」、法律の具体的根拠がなければ国民の権利や自由を制限する活動（強制）を行うことができないことを「法律の留保の原則」（注3）、両者を併せて「法律による行政の原理」と呼ぶ。国会が国権の最高機関であり、唯一の立法機関である（憲法41条）以上、当然のことである。ただし、憲法が地方自治を保障し、地方公共団体に法律の範囲内における条例制定権を与えている（憲法94条）こと、条例は住民の代表で構成される議会で制定されるものであることから、条例も、法律の範囲内であれば、国民の権利や自由の制限を定めることができる。言い換えると、「法律の留保の原則」の「法律」には、条例も含まれる。

　法に反する行政活動によって権利を侵害された国民は、裁判所に対して、行政事件訴訟あるいは国家賠償請求訴訟を提起することができる。警察を含めたあらゆる行政機関は、中立的な裁判所によって、行った活動の法適合性が審査される。警察を含めたあらゆる行政機関は、訴訟を提起されないようにするのではなく、訴訟を提起されることを予期して、自らの適法性を主張、立証することに常に努めなければならないのである。

（注2）　ここでいう「権利や自由」には、名誉権や「正当な理由がない限り容貌等を撮影されない自由」などは含まれない。被疑者氏名の報道発表や写真撮影は、一定の必要性があれば、法律の具体的な根拠がなくとも行うことが可能である（⇨357）。
（注3）　学説の上では、国民の権利や自由の制限に当たる強制活動以外でも、重要な行政領域又は権力的な要素のある領域（相手方の国民に事実上の不利益を及ぼすようなもの）については、法律の留保の原則が及ぶ（法律の根拠を要する。）と述べる者が多いが、判例、実務は一貫して権利や自由の制限という強制活動に限定している。

憲法で国民の基本的人権が保障されている以上、法律によっても人権を制限することには限界がある。法律の規定やそれを受けた規則の制定等が憲法に違反するかどうかは、行政機関の活動の法適合性と同様に、裁判所によって判断される（憲法81条）。

警察に関する制度は、憲法の理念を踏まえ、それを実現するものとして構築される。警察の地方分権は、権力の分散化によって、権力集中による弊害防止と国民（住民）による統制の実質化という重要な憲法理念の実現を図るものである。警察の権限濫用の禁止、適正な行使による国民の保護が重要であるのも、憲法理念に基づくものといえる。(注4)

第2節　警察と国民との関係

1　警察による国民の利益保護（保護・責任関係）

104　警察は、国民一人ひとりの安全と、人々の生活の基盤となっているものとを、侵害から守る役割を担っている。保護の対象には、外国人も含まれる。

警察は、個人の生命、身体及び財産の保護に任じ、犯罪の予防、捜査等の公共の安全と秩序の維持に当たることを責務としている（警察法2条1項）。このような活動が、国民が平穏に生活していく上で必要不可欠なものであることはいうまでもない。国権の最高機関である国会において、警察を設置することを定め、現実に犯罪行為を行おうとする者を阻止し、犯人を逮捕し、保護を要する者を保護する等の権限を警察に与えている。したがって警察は、法律によって与えられた責務を達成するために、法律によって与えられた権限を適切に行使しなければならない。

国民は、自らが安全で平穏な生活ができることを強く望み、「犯罪を防止し、国民が安心して生活できるようにすること」を国家の最も重要な役割の一つと認識している。(注5)犯罪等の被害に遭うことは、自らの権利や自由に対する重大な侵害である（性犯罪、児童虐待、人身取引、生命身体への

（注4）　憲法規範の警察における現実的意味については、田村正博『警察官のための憲法講義（改訂版）』（東京法令出版、2021年）参照。

犯罪は、最も重大な人権侵害である。）。警察が侵害行為をする者を排除することによって、個々の国民が権利や自由を実質的に享受できる。暴力団対策法において、暴力団員の行う暴力的要求行為等について必要な規制を行うこと等によって、市民生活の安全と平穏の確保を図り、もって国民の自由と権利を保護することを同法の目的として明示している（1条）のは、その典型である。警察が適切に権限を行使することは、自由と権利を守るものとして、国民から期待・評価されている[注6]。

　警察が当然に行うべきことを行わず、その結果、国民に被害が生じた場合には、警察は強い非難を受けることになる。法的にも、権限の不行使が、違法と評価され、被害者からの国家賠償訴訟が認められることもあり得る（☞350、1114、1115）。

column　犯罪被害者と警察の関係

　警察は、犯罪の被害者（遺族を含む。）と最も密接に関わる機関であって、犯罪による人権侵害から国民を守り、被害を軽減回復する中核的な役割を担う存在である[注7]。警察が権限を行使して、被害状態を解消・軽減すること（継続的被害状況から被害者を救出すること、被害品を回復することなどのほか、犯人を検挙し

（注5）「犯罪を防止し、国民が安心して生活できるようにする」ことが、国家の最も重要な役割の一つと認識されていることについて、村松岐夫『日本の行政』（中公新書、1994年）参照。公的機関の役割として安全確保を求める傾向は、2000年代以降、一層強いものとなった。東京都が毎年行っている「都民生活に関する世論調査」では、「治安対策」が2010年まで7年連続で要望事項のトップであり、東日本大震災以後は防災にトップの座を譲ったものの、2位又は3位（新型コロナウイルス感染症が広まった2020年以降は4位）を占めている。

（注6）京都大学紛争処理研究会が「法意識と紛争調査」として1977年に行った調査において、自由と権利の擁護者として警察が最上位に位置付けられている（設問は、12の社会的存在から擁護者、侵害者各2を選択するもの。擁護者は、1位　警察31.9パーセント、2位　家族30.4パーセント、3位　裁判所25.5パーセントで、そのほかは労働組合8.4パーセント、地方自治体7.3パーセント、隣人7.3パーセント、同業者組合4.9パーセント、地元の有力者3.7パーセント、マスコミ3.0パーセント、政府2.7パーセント、政党1.2パーセント、大企業0.2パーセントの順で、侵害者ではマスコミと大企業が上位で、警察は9位であった（田中成明「権利意識と法の役割評価」『市民法学の形成と展開（下）』（有斐閣、1980年））。同じ設問によるＮＨＫ調査(1974年実施)でも、擁護者は裁判所、警察、家族、侵害者は大企業とマスコミが上位を占めている。この結果の評価について、田中成明「日本人の自由感覚・権利意識と警察イメージ」法学セミナー増刊『現代の警察』（日本評論社、1980年）参照。

て事実関係を解明し、適正な刑罰権が行使されるようにすることによって被害者の正義感情を満たすことを含む。)、被害者の安全を確保し、再被害を防止することは、被害者から最も求められることである。他方で、警察は、犯罪捜査の過程で被害者に二次的な被害を与える可能性を有しているところから、被害者の負担を軽減し、被害者を傷つけないようにすることが求められる。

被害者は、犯罪被害者等基本法において、「尊厳が重んぜられ、その尊厳にふさわしい処遇を保障される権利」を有するものと規定されており（3条1項）、警察を含めて、国及び地方公共団体は適切な支援を講ずべき一般的義務を負う。また、警察は、犯罪被害者支援法（犯罪被害者等給付金の支給等による犯罪被害者等の支援に関する法律）に基づいて、犯罪被害者等給付金の支給を行うほか、民間団体との連携（団体への支援を含む。）を通じた被害者支援にも当たっている。同法の対象となる犯罪被害（人の生命又は身体を害する罪に当たる故意の行為による被害）については、警察は、被害者に必要な援助を行うように努めなければならないことが法的にも求められている。

2 警察による権限行使対象者の権利制限（対立関係）

警察と権限行使対象者（被処分者）とは対立関係に立つ。警察の権限行使は、相手方の国民にとって、自らの利益を侵害するものである。国民（外国人の場合も同様）は、憲法によって基本的人権が保障されているのであって、不当な権限行使を受けない権利を持つ。

警察の責務を遂行する上では、現実に犯罪行為を行おうとする者があれば、実力を行使して強制的に阻止するなど、相手方の権利や自由を制限する活動をしなければならない。この場合でも、国民の権利や自由を制限する警察の権限行使は、あくまでも法律で定められた範囲内でのみ認められるのであって、実際に必要な限度を超えてはならない。

警察は、法律を遵守しなければならず、法律の定める要件を満たしていない場合や、実質的に行う必要のない場合に、権限を行使してはならない。権限の濫用が禁止されることは、国民の権利や自由を制限する権限を有する全ての行政機関に当てはまるものであって、警察だけの問題ではない。

（注7） 犯罪被害者と警察の関係については、田村正博「犯罪被害者に係る人権と警察行政」警察政策4巻1号及び同「犯罪被害者と法執行」指宿信編『犯罪被害者と刑事司法』（岩波書店、2017年）並びに安田貴彦「警察における犯罪被害者政策の展開とその意義に関する一考察」大沢秀介ほか編『社会の安全と法』（立花書房、2013年）参照。

しかし、警察の活動、取り分け警察官による現場的な活動の場合には、ⅰ国民に身近に存在し日常的に権限を行使する、ⅱ権限行使の態勢を整えていて組織的な執行力を有する、ⅲ相手方の身体に対して実力を行使することができる（法的権限が認められているだけでなく、実際に実力を行使できる力を備えている。）、ⅳ武器の使用のように重大でかつ回復できない不利益を与える場合がある（金銭的な不利益であれば賠償によって元に戻すことができるが、違法な武器の使用で相手方に身体に障害が残る結果を生じさせた場合には元に戻すことはできない。）、ⅴ事前の手続的権利保障ができない（行政手続法の定める事前告知と証拠の提出の機会の付与のような仕組みを適用するわけにはいかない。）、ⅵ現場の状況に応じて判断をしなければならず、法律の規定も明白なものとはなっていない場合がある（「相当な理由のある」、「やむを得ない」、「合理的に必要と判断される限度」といった表現が法律で用いられている。）、ⅶ法律上の権限行使主体が個々の警察官であり、組織的な検討を経ないで行使することが認められる（迅速な判断と行動が必要である場合には、上司の指揮を待つことはできない。）、といった特徴があり、権限濫用防止の必要性が一層高いものと考えられている。

　権限行使の対象となった者は、権限行使の違法を理由に裁判所に訴えを提起する（刑事事件の対象となった場合は、その審理において違法性を主張する）権利を有している。警察は、適法妥当な権限行使を行うことと併せて、訴えがあった場合に裁判所に自らの適法性を主張、立証できるようにすることが求められる。

3　警察と市民との連携による安全確保（協働関係）

　警察は、多くの市民(注8)（ＮＰＯのような団体も含まれる。）と連携して、地域における安全の確保に当たっている。

　近年、様々な行政分野で、市民と行政との連携が展開されている。市民の側からすれば、公的な目的の達成を行政機関だけに任せるのではなく、自らが積極的に関わり、公的な役割を担うことを意味する。環境の保護、

（注8）　ボランティア活動を行う主体としては、「市民」という用語が一般的である（特定非営利活動促進法１条参照）ので、この項では「市民」と呼ぶ。

子どもの健全な育成、社会福祉などがその典型である。この場合、市民は行政側と対等の立場にあり、共に目的達成に向けて活動するパートナーであって、行政を補完するものではない。行政側と市民側の協力が求められるが、相互に自立した存在であることがその前提である。^(注9)^(注10)

地域の安全についても、防犯ボランティアをはじめとする多くの市民が、警察や自治体とともに、その実現に向けて努力している。地域の安全は、市民にとっての大きな関心事であり、自主的活動の一つの典型領域となっている。^{(注11)(注12)}市民の側からは、警察に対して、情報の提供などの支援が期待されており、警察はこれにできるだけ応えていくことが求められる。同様に、サイバー空間における安全の問題に関しても、公私協働が進められている。^(注13)

109　協働は法的根拠がなくとも行うことができるが、他者の利益への侵害を防止しつつ、より効果的な協働を行うために、法的な枠組みが設けられる場合がある。例えば、犯罪被害者支援法は、公安委員会に指定された犯罪被害者等早期援助団体に対して、役職員に秘密保持義務を負わせた上で、

(注9)　日本では以前から、民生委員や保護司をはじめ、行政が様々な形で民間を活用しており（警察所管の法律でも少年指導委員（風俗営業適正化法）、地域交通安全活動推進委員（道路交通法）、猟銃安全指導委員（銃砲刀剣類所持等取締法）が定められている。）、行政に協力し、補完する多くの団体が存在している。筆者は、それらの意義を否定するものではないが、今日の新たな自立型組織との関係を、行政の影響下にある組織とは区別することを重視する必要があると考えており、本文では自立型のみを対象として記述している。なお、四方光「警察行政における公私協働」『講座警察法第1巻』は、公私協働を幅広く捉え、「市民感覚・専門知識導入としての公私協働」、「民間へのアウトソーシングとしての公私協働」、「新しい公共的主体との公私協働」、「独立性の高い公共的主体との協力」に分類して論じている。本文で述べているのは、この3番目の類型ということになる。
(注10)　行政と協働の相手方との独自性の保持（行政側では行政の中立性の確保、相手方では自立した意思決定の確保）と、それらを保証するものとしての透明性の確保の重要性が指摘されている。山田洋「参加と協働」自治研究80巻8号参照。
(注11)　NPOの根拠法（特定非営利活動促進法）において列記されたNPOの行う「特定非営利活動」に「地域安全活動」と「子どもの健全育成を図る活動」が含まれている。
(注12)　地域防犯をテーマとした場合には、「住民・地域の理解と参加協力の得やすさ、地域の連帯感の重要性の再認識、新たな出会いや交流の萌芽、実践的な活動の展開」があり、コミュニティの再生、地域協働の促進につながると言われている（生活安全条例と市民生活の安全創造フォーラム「生活安全に対する地方の取り組みと安全・安心まちづくり」における金城雄一発言（警察学論集59巻6号42頁）参照）。
(注13)　四方光「警察のサイバー対策における公私協働」警察政策13巻参照。

被害者情報を提供する仕組みを設けている。

> **column** 条例による市民の責務規定
>
> 　都道府県や市町村で制定されている「安全安心まちづくり条例」（生活安全条例）においては、自治体の安全対策の総合的な計画責任と推進体制とともに、防犯環境設計に関連したガイドラインの整備等が定められている。この中で、市民の責務として、自らの安全を確保するための措置を講じることと並んで、地域の安全に関する活動に取り組むこと、自治体の施策に協力することが定められている場合も多い。
>
> 　条例による「責務」規定は、具体的な法的義務や強制を含まない。しかし、多様な価値観を持った人々によって社会が構成されている中にあって、伝統的な社会規範に代わる新たな社会合意として大きな意義がある。自立した市民が代表を通じて社会合意をし、法（条例）という形式で宣言したものは、多くの市民によって守られ、行政もまた多くの市民が守るであろうことを前提にすることができる。行政と市民の協働関係を形成していく基礎となるのは、自らの行動を律し、公的な目的に向けて行動する市民である。市民自身の責務規定は、新しい市民の在り方を示すものといえる。(注14)

4　国民による警察の統制（受託・統制関係）

　警察は、他の行政機関と同じく、憲法の定める国民主権の理念に基づき、主権者である国民の意思に従わなければならない。(注15)都道府県警察は、地方自治体である都道府県の機関として、住民の統制、監督の下にある。

　国民（外国人は含まれない。）が代表者を選び、その代表者によって構成される国会が制定した法律に基づいて、警察が設置され、警察の任務と権限が定められ、警察に負託される。都道府県警察の組織や定員は住民の代表者で構成される議会の制定した条例によって定められ、議会の議決した予算に基づいて運営され、議会や監査委員のチェックを受ける。さらに、住民による直接請求や住民訴訟の対象ともなる。警察は国民（住民）から

　（注14）　このような義務（シティズンシップ）の重要性について、四方光『社会安全政策のシステム論的展開』（成文堂、2007年）105頁以下参照。
　（注15）　警察と統制者としての市民及び権限被行使者としての市民との関係について、竹内直人「警察行政における『民意』の反映」『警察行政の新たなる展開（上巻）』（東京法令出版、2001年）参照。

与えられた権限を、国民（住民）のために行使しなければならず、国民（住民）によってその適否が判断される立場にあるのである。

　近年、国民（住民）の側において、自らが納めた税の使い途に厳しい目を光らせ、行政運営が国民（住民）のために効率的に行われるかどうかをチェックする傾向が強まっている。これは、憲法に定める国民主権の当然の現れである。全ての行政機関は、最終的な意思決定者としての国民（住民）に対して説明責任を負う。情報公開制度もその一つの手段である。警察の場合、政治的中立性の要請があるので、国民（住民）から選挙によって選ばれた者の統制を直接受けるわけにはいかない。情報公開においても、捜査上の支障の防止や、個人情報の保護の観点から、開示できない情報も多い。それだけに、民衆の代表である公安委員会の管理に誠実に服するとともに、警察署協議会など様々な場を通じて、積極的に国民（住民）に対して説明をしていくことが求められる。

　警察が都道府県に置かれているのは、権力の集中を防ぐとともに、国民に身近な存在とし、地方自治法の仕組みなどを活用した住民のコントロールを及ぼしやすくすることが目的である。したがって、他の機関（国の警察機関や検察機関を含む。）は、この制度の趣旨を十分尊重することが求められる。(注16)

（注16）　警察の犯罪捜査を全面的に検察官の指揮下に置くことを認めれば、国家機関の一元的な指揮命令によって捜査が行われることになり、権力を分散させ、住民の代表による統制を及ぼそうとする警察の地方分権の趣旨を大きく損なうこととなる。同様に、警察庁による都道府県警察に対する関与も、特定の事項を除き、限定的なものでなければならない。

第3節　警察法制の変遷

1　旧憲法下における警察

　近代的警察制度の導入は、明治時代初期から半ばにかけて、当初はフランス、その後ドイツの制度をモデルとして進められた。内務省（警保局）の下に、国の地方機関である警視庁と府県が置かれ、警察事務を所管した。警視総監及び府県知事は、天皇によって任命され、国（内務大臣）の指揮監督を受ける立場であった。(注18)警察活動の中心となる警察署が各地に設置され、その下に多数の派出所及び駐在所が置かれた。(注19)

　警察は、危害防止、健康保全、社会風俗上の逸脱防止及び犯罪の警戒・予防（これらを「行政警察」という。）(注20)を広く所管していた。警察は、政治活動の取締り(注21)、消防、衛生、建築規制、交通事業の監督等も行っていた。また、社会保険や労働に関する事務（賃金統制・労働者保護・争議の調停）

(注17)　府県は国の地方機関と位置付けられ、組織構成や警察官の定員は国が直接定めていたが、独立の法人格を持ち、住民の負担する予算については公選の議員で構成される府県会で審議されるという自治団体的な面も有していた。警察の経費については、府県が原則として負担し、国は警部以上の給与や一部の事務費用とともに、支出総額の一定割合を負担していた。首都である東京については、警視庁が東京府（都制が敷かれた後は東京都）と並んで設置された（東京府は警察事務以外を担当した。）。

(注18)　中央集権的国家警察であったといわれることが多いが、実際の警察活動に関しては知事の判断に委ねられていた（内務省には警察官も配置されず、地方組織もなく、指揮監督する体制はなかったが、特高部門だけは昭和3年以降、警察官が臨時配置され、実際の指揮監督が行われた。大霞会編『内務省史第2巻』（地方財務協会、1970年）751頁参照。）。占領当局の調査報告（バイロン・エングル、A・E・キンバーリング「日本国家警察に関する報告書」『警察制度に関する司令部側調査報告』所収（国立国会図書館所蔵））も、日本の警察は国家警察でなく、「「準国家警察」と呼ばれるべきであり道府県警察の連合体のようなものであり、警保局は大綱方針決定及び調整機関たるに過ぎない」と述べている。

(注19)　派出所及び駐在所の沿革については、田村正博「派出所駐在所制度の創設過程（上）（中）（下）」警察学論集47巻4～6号参照。

(注20)　「行政警察」とは、「人民ノ凶害ヲ予防シ安寧ヲ保全スル」ことを目的とするものを意味する（行政警察規則）。行政警察のうち、社会一般の安全秩序の維持のための活動（当時「保安警察」と呼ばれていた。）は原則として組織上の警察に属していた。

(注21)　政治活動の取締りは、国家という高度な利益を保護する作用として、「高等警察」と呼ばれた。当初は政党の活動全般の取締りが主であったが、昭和期には、社会主義運動や国家主義運動の取締りを主に担当する「特別高等警察」（特高警察）が中心となった。

についても、警察が担当していた。他方で、犯罪捜査については、「行政警察」とは異なる「司法警察」として、裁判所に置かれた司法官としての検事の権限とされ、警察官は、検事の補助者としての立場でその指揮下で捜査するにすぎないものとされていた。(注22)

114　旧憲法下の警察は、極めて広汎かつ強力な権限を有していた。(注23)個別の法律の根拠規定がなくとも、公共の安全と秩序の維持のため必要な強制活動をすることができるものとされ、法規があっても警察に広い裁量を認めるものとなっていた。旧憲法下における警察の職務執行の基本となった行政執行法(注24)では、立入りに関して、夜間における人の現住する邸宅に立ち入る場合についてのみ規定があり（2条）、昼間の立入りについては、何の制限もなく、警察官の判断で行うことができるものと解されていた。さらに、法律の委任がなくとも、「公共ノ安寧秩序」を保持することを目的とした命令を定めることができた（勅令について明治憲法9条）ことから、刑罰規定を含めた多くの法令が警視庁令、府県令として制定された。法律による統制がされていない中で、公共の安全と秩序の維持を目的として一般統治権に基づいて国民の権利・自由を制限するのには、条理上の限界があるとする学説（「警察権の限界」論）が唱えられた（☞341〜343）。

（注22）　旧刑事訴訟法（大正11年制定）は、検事が犯人・証拠を捜査すべきものと規定し（246条）、警察官は、検事の指揮を受けて犯罪を捜査すべきこととされていた（もっとも、指揮を受けなくとも捜査することは可能であり、現行犯の場合の逮捕権や捜索・押収の権限は、司法警察官として当然行使できた。）。実際の犯罪捜査活動の大半は警察によって行われていたが、警察署長等の権限と責任の対象ではなかったことから、組織的な管理統制が十分になされないという問題が生じていた。
（注23）　違警罪（刑法の拘留、科料に当たる罪。現在の軽犯罪法の前身である警察犯処罰令などの多くの法令で定めていた。）について、即決処理する権限すら有していた。
（注24）　行政執行法は、警察及び他の執行機関の行政執行の一般的根拠法であり、本文に述べた立入りのほか、泥酔者・精神異常者・自殺を企てる者の保護のための検束、公安を害するおそれのある者の予防のための検束、凶器・危険のおそれのある物件の仮領置、売淫者の健康診断・強制検診、天災事変時における危害予防・衛生のための土地物件の使用・処分・使用制限、代執行及び執行罰を定めていた（☞448）。このうち、予防検束については、本来は対象でない捜査上の容疑者を対象にしたり、翌日の日没までという期限があるのに警察署間をたらい回しにして長期間拘束するといった運用があったといわれている。

column 請願巡査

　明治から昭和初期まで、団体や会社などが警察官の給与を含めた必要経費を全額負担し、その団体等が指定した場所に警察官（請願巡査）が配置されて勤務するという制度があった(注25)。予算の必要がないので、警察官は本来の定員に追加される。寺社、工場、鉱山などがこの制度を利用した。金を払って安全サービスの提供を受けるという意味ではガードマンに近いが、正規の警察官であり、他の警察官と同じく公権力を行使する。申請者は、配置・勤務場所を指定できるだけで、指揮命令権はない（通常の警察組織によって行われる。）。もっとも、費用負担者の意向が様々に伝えられることもあり、配置される警察官にとっては好ましいものではなかったといわれている。

2　戦後の警察組織改革と旧警察法の制定

　第二次世界大戦後、日本を占領した連合国総司令部（ＧＨＱ）は、戦前期の警察を日本の軍国主義を支えたものの一つであるとし、抜本的な改革、解体の対象とした。その指示に基づいて、軍国主義に関わっていたとされる組織等が廃止され(注26)、続いて、消防、労働行政、社会保険行政等をはじめとする多くの事務を他の機関に移管する措置がとられた。日本側でも、警察事務の縮減、警察事務の地方自治体としての道府県への原則的な移管、警察への政治的影響を防止する仕組みの導入、といった方向で警察制度の在り方が検討され、法案が作られた(注27)。しかし、総司令部は、日本側の案を了承せず、いわゆるマッカーサー書簡として、警察事務の市町村への移管、公安委員会制度の創設等を基本とする警察制度改革案を示した。警察を徹底的に分散化することが、過大な警察権行使を防ぎ、戦前期の弊害を一掃し、再び軍国主義化をすることを防ぐことにつながるという考えが背景にあった。これを受けて制定された法律が、警察法（昭和22年法律第196号。以下、「旧警察法」という。）である。旧警察法は、昭和22年12月に成立、

（注25）　日本だけの制度ではない。イギリスの例について、高橋雄豺『新訂英国警察制度論』（令文社、1956年）417頁参照。
（注26）　戦時に対応した部門や特高部門が廃止され、特高部門在籍者が追放された。
（注27）　昭和21年に国会議員を含む警察制度審議会が設置され、本文に述べたような方向で答申が提出されている。田村正博「昭和21年の警察制度改革審議会答申について（上）（下）」警察学論集55巻7号、8号参照。

翌年3月7日から施行された。

117　旧警察法は、警察の責務の限定、警察の地方分権（市町村警察）、公安委員会による警察の管理を基本としている。責務については、「国民の生命、身体及び財産の保護に任じ、犯罪の捜査、被疑者の逮捕及び公安の維持に当ること」とし、警察の活動がその責務の範囲に限られるべきこと及び「日本国憲法の保障する個人の自由及び権利の干渉にわたる等その権限を濫用することとなつてはならない」ことを規定した。警察の権限濫用を防ぐとともに、衛生、労働等の多くの事項を他の機関に移管したことに対応するものであるが、同時に、従来検察の権限とされてきた犯罪捜査を、警察が自らの事務として行うことを明らかにしたものでもあった。(注28)

118　権力の分散と地方自治を通じた住民による統制の見地から、警察の地方分権が徹底され、市町村（市及び人口5,000人以上の市街的町村）が警察を持つこととされた。この結果、1,605にのぼる多数の自治体警察が生まれた。自治体警察は、運営の面でも、組織の維持（費用負担を含む。）の面でも、国からは完全に独立し、国家非常事態の場合を除き、一切の国の指揮監督を受けない存在であった。一方、非市街的町村については、国の機関である国家地方警察の下部機関である都道府県国家地方警察がその治安維持に当たった。(注29)

119　警察を民主的に管理して独善的なものとなることを防止し、かつ、政治的な中立性を確保するために、国、都道府県及び市町村に公安委員会が設けられた。公安委員会は、民衆（国民・住民）の代表者として警察を管理することを任務とし、内閣総理大臣、知事及び市町村長から完全に独立して、職権を行使するものとされた。委員は、職業的公務員の前歴のない者から、内閣総理大臣・都道府県知事・市町村長によって、国会の両議院・地方議会の同意を得て任命された。市町村警察は、市町村公安委員会の管

（注28）　旧警察法は、犯罪捜査を警察の事務としつつ、検察官と警察官との具体的な関係は別の法律で定めることとした（旧警察法67条）。刑事訴訟法がその後に制定されている。
（注29）　国の警察は、通信・鑑識・教養施設の維持管理に当たるほか、犯罪統計、皇宮警察及び国会等の施設の警備に関する事務を行うものとされた。国家公安委員会の事務部局として、国家地方警察本部が設けられた。国家非常事態においては、内閣総理大臣が布告を発し、一時的に内閣総理大臣が全警察を統制し、国家地方警察本部長官等が市町村警察長等に対して命令、指揮を行うことが特に規定されていた。

理下に置かれ、市町村公安委員会が任命した市町村警察長が職員の任免と指揮監督を行った。都道府県国家地方警察は、人事・組織・予算等に関しては国家公安委員会の事務部局である国家地方警察本部の管理に服し、その活動に関しては都道府県の機関である都道府県公安委員会の管理に服することとされた。

3　現行警察法の制定

　旧警察法は、警察組織の地方分権と民主的管理、政治的中立性の確保の点で、画期的な意義を有するものであった。しかし、多数の市町村警察に分かれていたために、ⅰ市町村の範囲を超えて行われることの多い犯罪に対応する能力が十分でない、ⅱ組織の細分化により、非常に小規模で事案対応能力の乏しい警察が生じている、ⅲ市町村警察と国家地方警察の並存により、組織が重複し非効率となっている、ⅳ警察の設置運営に要する経費負担の有無が自治体によって異なる不合理さがある（非市街的町村の場合は警察についての費用負担は全くないのに対し、市及び市街的町村の場合は警察の設置運営経費全額を自らが負担しなければならない。）、という問題が生じていた。国民の代表によって選ばれ、国民に対して責任を有する内閣が、治安責任を負うことができないといった問題も指摘された。法改正が繰り返し行われたが、問題の解消には至らなかった。(注30)

　昭和27年4月の占領終了以降、警察制度の見直しが政府によって進められ、昭和28年には、都道府県警察の設置、国家公安委員会の廃止等を内容とする警察法案が国会に提出されたが、国会の解散により、廃案となった。(注31)

　政府は、前年の警察法案に対する批判を踏まえ、国家公安委員会を存置することとし、その委員長を国務大臣とし、内閣総理大臣が警察庁長官と

（注30）　町村が住民投票によって自治体警察を廃止することができるとする改正の結果、市町村警察は402（町村は127）にまで減少した。このほか、都道府県知事の要求に基づいて国家地方警察が自治体警察の管轄区域内の事案であって治安維持上重大なものの処理を行うことができる、国家地方警察本部長官及び警視総監の任免について内閣総理大臣の意見を聴くといった内容の改正が行われている。

（注31）　昭和28年の法律案では、警察庁を設け、国務大臣である警察庁長官が警視総監・道府県警察本部長を任免し、一定の範囲で指揮監督する、国家公安委員会を廃止し警察庁長官の監督助言機関としての国家公安監理会を設ける、警視以上の警察官を国家公務員とする、などを内容としていた。

警視総監の任免を行うなどとした警察法の全面改正案を作成し、昭和29年に国会に提出した。法律案は、国会で警察庁長官、警視総監及び道府県警察本部長の任免権者を国家公安委員会とすること、大都市に関する特例を設けること（☞124）という修正が行われて同年6月7日に成立、翌日に公布、同年7月1日に施行された。これが、現行の警察法（昭和29年法律第162号）である。

現行警察法は、民主的かつ能率的な警察組織を作るという見地から、旧警察法の優れた点を堅持しつつ問題点を是正する、という考えに立ち、
① 広域的な地方自治体である都道府県に警察を一元化する。
② 国が警視正以上の人事権を持つなど限られた範囲で関与する。
③ 公安委員会が警察を管理し、政治家の介入（指揮監督権、任命権）を認めない。
④ 最小限の手段により、内閣の治安責任の確保、内閣との意思の疎通を図る。

ことを基本にしている。警察に対する民主的な管理と能率的運営（警察事象に対応する能力を持ち、効率的であること）（注33）の達成、地方分権と国の関与（警察事務が地方的性格と国家的性格を併せ持つことへの対応）、政治的中立性の保障と政府の治安責任の明確化、という問題について、調和のとれた解決を図っている。この制度の合理性は、今日まで制度の基本が何ら変わることなく維持されていることに示されている。平成11年に地方分権改革が行われた際も、警察組織法制には変更がほとんど加えられていな

（注32）衆議院において、自由党、改進党及び日本自由党の三党の共同提案で修正が行われた。政府案では警察庁長官及び警視総監を内閣総理大臣が国家公安委員会の意見を聞いて任免し、道府県警察本部長及びその他の警視正以上の警察官を警察庁長官が国家公安委員会の意見を聞いて任免するとしていたのを改め、国家公安委員会がそれらの全ての任免権を持ち、警察庁長官及び警視総監については内閣総理大臣の承認、警視総監、道府県警察本部長等については都道府県公安委員会の同意を要することとした。政治的中立性に関する疑いが持たれることを防ぐとともに、これによっても政府の治安責任の明確化の趣旨は達成することができることが、修正の理由とされている。
（注33）現行警察法の制定に際して、改正前の警察職員約16万2,000人（警察官（自治体警察の警察吏員を含む。）は約13万3,000人）のうち3万人を減少させることが見込まれ、実際に約2万人（警察官1万9,196人）が削減され、残りの者はその後に生じた警察事象の増大に対処するために充てられた。市町村警察と国家地方警察との併存体制には、それだけ非効率、重複が存在していたことが分かる。

い。

　制定以来の警察法改正は、警察庁の組織に関わるもののほかは、対象事案の広域化、国際化に対応して、国の警察機関の関与する事務を拡大し、都道府県警察の管轄外職権行使を可能とする範囲を拡大することが主であり、大きなものではない（ただし、令和4年の改正は、重大サイバー事案対処を国の機関が直接行うことができるものとした点で大きな変更といえる（☞1005）。）。^{(注34)(注34の2)}

　なお、平成12年の警察改革に際しては、公安委員会の管理が形式的になっているのではないかとする疑念を含め、警察組織に対する厳しい批判があったが、公安委員会の管理機能をより強化するための規定の新設と警察署における事務処理に民意を反映させる警察署協議会制度の創設が行われただけで、制度の基本は変更されていない。

column　大都市と府県との関係

　現行警察法制定の争点の一つは、大都市警察の存廃であった。一般の市町村の場合は、財政力の弱さや警察の規模が小さいことなどから警察事務を失うことへの反発はあまりなかったが、大都市（大阪、京都、名古屋、横浜、神戸の5都市）は市警察の存続を強く主張した。大都市警察が飛びぬけて大規模だったことによる優位意識もあるが、大都市と府県との関係をめぐる激しい争いが背景にある。大都市側は自らを府県と同等なものとすることを求めており、警察の廃止はそれに逆行するものであった。当時の地方自治法では、法律で指定された大都市が府県としての地位も持つ（周りの府県の地域から独立する）という特別市制度が定められていたが、府県側の強い反対があり、府県住民の投票を要するとされたこともあって、特別市を指定する法律は制定されないでいた。[注35]

　昭和28年警察法案は、大都市側の意向を踏まえて、大都市警察の存続を可能とする（市議会の特別議決で市警察を設置でき、市警察が府県警察と同等の機関と

（注34）　警察法制定以来、平成16年までの警察法の改正については、吉田尚正「警察法50年のあゆみ」警察学論集57巻7号参照。
（注34の2）　実際の運営のレベルでは大きな変化があったことについて、田村正博「警察法の60年－理念とプラクティスの変化」警察学論集67巻7号参照。
（注35）　警察法成立後1年間だけ大都市警察と府県警察が併存したが、その時点の警察官の定員基準で比べると、神戸市を除き大都市側が大幅に上回っている（例えば、大阪市警察は7,890人、大阪府警察は2,980人であった。）。

なる）制度を設けていたが、昭和29年の法案では、警察事務の効率性の観点（大都市と周辺地域とは一体性があり、分けると不合理を生ずること、二つの組織を設けると多くのものが二重になり、非効率となること）を重視して、例外を一切認めていない。国会では、大都市のある道府県の公安委員を政府提案の3人から5人に増やし、2人は大都市の市長の推薦によって任命する制度を設ける、道府県警察の下部組織として市警察部を設ける、大都市警察の合併を1年後とするという修正が行われたが、都道府県警察に一元化するという基本は貫かれ、昭和30年7月に大都市警察は廃止された。

　一方、大都市と府県の関係は、昭和31年の地方自治法改正により、特別市に関する規定が削除され、政令指定都市制度が新たに設けられたことで、一応の決着がつけられた。義務教育行政についても、地方教育行政の組織及び運営に関する法律によって、教員の任命権を大都市教育委員会に与えつつ、給与費負担と配置数決定権限を都道府県側が持つこととなった。一連の制度改革の結果、福祉、保健、道路、都市計画といった行政分野を中心に、府県の事務の8割以上は政令指定都市が行うこととなっている。政令指定都市の区域で府県が全面的に保持している事務は警察事務と農業関係などに限られ、そのほかは教育事務の一部（小中学校教員の定員、高等学校の設置・管理）、防災における知事権限（自衛隊の要請）などに限定されている。

4　警察活動法制の変遷

　警察の活動法制に関しては、憲法改正等に伴って、極めて大きな変更が行われ、戦前からの法令のほとんどが全面的に改正され、又は廃止された。[注36]戦後すぐに、旧体制下において政治運動の取締りに用いられていた治安維持法、治安警察法等が廃止された[注37]。現行憲法が制定され、国民の権利・自由を制限してきた命令は失効することとなったことを受けて[注38]、従来の内務省令や警視庁令・府県令に代わるものとして、道路交通取締法（昭和22年）、風俗営業取締法（昭和23年）が制定された。それまで法律があったものも、行政機関の裁量が大きすぎることなどから、要件を厳格にしたものに改める措置がとられた。行政執行法は廃止され、警察官職務執行法と行政代執行法が制定された（昭和23年）。古物商取締法及び質屋取締法についても、古物営業法（昭和24年）及び質屋営業法（昭和25年）に改められた。銃砲刀剣類に関しては、占領下での全面禁止が解除された後に、銃砲刀剣類所持等取締法（昭和33年）が制定された[注39]。

　一方、警察の任務に犯罪の捜査が加えられたことを踏まえ、新たに制定された刑事訴訟法（昭和23年公布、24年施行）では、警察を第一次捜査機関とし、逮捕、捜索等を含めた権限を認め、警察と検察が相互に協力すべ

（注36）　警察の所管法令のうち、そのまま残ったのは、遺失物法（明治32年法律第87号）、未成年者飲酒禁止法（二十歳未満ノ者ノ飲酒ノ禁止ニ関スル法律）（大正11年法律第20号）及び未成年者喫煙禁止法（二十歳未満ノ者ノ喫煙ノ禁止ニ関スル法律）（明治33年法律第33号）だけである。なお、遺失物法は平成18年に全面改正されている。

（注37）　治安警察法は、政治結社・政治集会・屋外集会等の警察への届出義務、警察官の集会等の制限・禁止・解散権限、講談・論議の中止権限、街頭等における文書掲示・配布・発言等の禁止権、内務大臣の結社禁止権等を規定していた。

（注38）　憲法施行までに新たな法律を作るのが間に合わなかったものについては、罰則のある命令は昭和22年末まで一括して有効とされ、一部のものはいったん法律としての効力が与えられて、その後に法律が制定されている。

（注39）　戦前期は銃砲火薬類取締法に基づいて規制されていたが、占領期には所持が全面的に禁止され、昭和25年に所持が認められた後は、銃砲刀剣類等所持取締令（占領期に制定されたいわゆるポツダム政令と呼ばれるものの一つで、法律によらないで国民の権利義務の制限等が可能とされた。出入国管理法も同じように当初は政令として制定されている。）が制定され、独立に際して、法律としての効力が与えられた。昭和33年に銃砲刀剣類等所持取締法が制定され、その後に現在の題名に改められている。なお、火薬類については、戦後は火薬類取締法によって通商産業省（現在の経済産業省）の所管とされたが、昭和35年及び41年の法改正によって、火薬類の運搬及び猟銃用火薬類の授受等の許可に関する権限が警察の所管に移されている。

きことが規定された。このように、戦後の改革によって多くの事務が他の機関の所管とされ、秩序維持ないし安全確保のための警察の行政的介入権限が大幅に圧縮された一方で、犯罪捜査について自らの責任と権限で行うことができることとなった結果、警察組織全体が、発生した犯罪に対して事後的に対応する（犯人を捜し、刑事裁判に向けて証拠を集める）ことを重視する存在になった。(注40)

128　昭和30年代以降には、様々な警察事象に対応する必要から、警察に権限を付与する法令が制定され、あるいは既存の法令の大幅な改正がなされている。(注41) 道路交通法（昭和35年）、酩規法（酒に酔つて公衆に迷惑をかける行為の防止等に関する法律）（昭和36年）、警備業法（昭和47年）等の法律の制定、風俗営業取締法の改正（「風俗営業等の規制及び業務の適正化等に関する法律」に名称（題名）変更）などが行われた。このほか、犯罪被害者等給付金支給法（昭和55年。その後、「犯罪被害者等給付金の支給等による犯罪被害者等の支援に関する法律」に名称（題名）変更。）が制定されている。

129　警察法制に大きな転換をもたらしたのは、平成3年の暴力団対策法の制定である。この法律は、暴力団の不当な行為の被害を受けることから個人を保護し、暴力団による平穏な生活への危害を防止するために、必要な行政権限を警察に付与したものである。刑事罰を科すには十分な証拠がなければならず、立証が困難なものには刑事手続での対応はできないし、そもそも事後的に刑罰を科すだけでは、被害を防ぐには不十分である。犯罪の成否が明確でないグレーゾーンの行為や、被害防止上放置できない行為について、行政権限による事前介入を定めた意義は大きい。同様に、一部の団体等の拡声機による暴騒音によって住民の受ける被害を防止するため、

（注40）　捜査機関であることを重視することが、捜査以外の事前的な対応を全て警察の担当外とするものでないことは当然である。なお、アメリカでは、警察は法執行機関（law enforcement agency）と位置付けられ、戦前期の日本のような「行政警察」、「司法警察」の区分が元々なく、犯罪発生前の現場的措置を含む現場的執行に従事している。行政規制権限を持っていないといっても、犯罪発生後の捜査に特化しているわけではない。

（注41）　戦後から平成10年頃までの警察権限法制の制定状況について、島根悟「戦後警察関係法律の概観」『今日における警察行政の新たな展開（上巻）』参照。

多くの都道府県において、いわゆる暴騒音規制条例が制定された。また、平成12年には、ストーカー被害を防ぐために、刑事罰規定と警察の行政権限規定とを共に定めたストーカー規制法が制定された。

このほか、法的規制を必要とする社会的状況や国際的な要請、法的根拠の明確化をはじめとする様々な情勢に対応して、近年、多くの法律が制定されている。(注42)(注43)(注44)

一方、平成5年に行政手続法が制定されて以降、情報公開法（行政機関の保有する情報の公開に関する法律。平成11年）、行政機関個人情報保護法（行政機関の保有する個人情報の保護に関する法律。平成15年）(注45)、これらに対応する条例など、組織法、活動法のいずれにおいても、各行政機関に共通する法律ないし条例の制定が行われ、警察にも適用されるに至っている。

（注42）　サリン等による人身被害の防止に関する法律（平成7年）、不正アクセス禁止法（不正アクセス行為の禁止等に関する法律。平成11年）、運転代行業法（自動車運転代行業の業務の適正化に関する法律。平成13年）、ピッキング防止法（特殊開錠用具の所持の禁止等に関する法律。平成15年）、出会い系サイト規制法（インターネット異性紹介事業を利用して児童を誘引する行為の規制等に関する法律。平成15年）、探偵業法（探偵業の業務の適正化に関する法律。平成18年）、犯罪収益移転防止法（犯罪による収益の移転防止に関する法律。平成19年）、死因・身元調査法（警察等が取り扱う死体の死因又は身元の調査等に関する法律。平成24年）、日・米重大犯罪防止対処協定（PCSC協定）実施法（重大な犯罪を防止し、及びこれと戦う上での協力の強化に関する日本国政府とアメリカ合衆国政府との間の協定の実施に関する法律。平成26年）、国際テロリスト財産凍結法（国際連合安全保障理事会決議第1267号等を踏まえ我が国が実施する国際テロリストの財産の凍結等に関する特別措置法、平成26年）及び小型無人機等飛行禁止法（重要施設の周辺地域の上空における小型無人機等の飛行の禁止に関する法律、平成28年）が相次いで制定されている。なお、これら以外の警察所管法律として、警察官の職務に協力援助した者の災害給付に関する法律（昭和27年）、自動車の保管場所の確保等に関する法律（昭和37年）などがある。
（注43）　法務省が中心となる法律で警察の権限に関わる改正が行われたものとして、触法少年に対する警察の調査権限を定めた少年法の改正（平成19年）、監獄法を全面的に改めた刑事収容施設法（刑事収容施設及び被収容者等の処遇に関する法律。平成17年に刑事施設のみを対象として制定された後、警察の留置施設に関する部分などが平成19年の改正で追加され、名称（題名）も現在のものに改められた。）などがある。
（注44）　2000年以降の警察における法令と実務の変化並びにその背景等に関して、田村正博「警察における法令と実務の動き」犯罪と非行179号参照。
（注45）　現在は個人情報保護法に統合されている（行政機関個人情報保護法は廃止され、ほぼ同じ内容が個人情報保護法に追加された。）（☞708、710）。

第2章　警察の責務

　本章では、警察法の定める警察の責務規定に関して、意義と内容を解説するほか、警察の責務と関係を有する他の行政機関についても説明する。なお、警察の捜査と行政法の関係についての総括的な説明を第2節の後の補論で述べる。

第1節　責務規定とその意義

1　警察法の責務規定

　警察法2条1項は「個人の生命、身体及び財産の保護に任じ、犯罪の予防、鎮圧及び捜査、被疑者の逮捕、交通の取締その他公共の安全と秩序の維持に当る」ことを警察の責務と規定している。「責務」とは、警察組織（直接的には都道府県警察）の任務を意味するが、責任を負うべきものという趣旨から、「責務」という表現が用いられている。

　旧憲法下における警察組織は、非常に広い範囲の事務を所掌していたが、戦後の警察制度改革において、警察の特性に即した事務に限るべきものとされた。旧警察法は、「警察は、国民の生命、身体及び財産の保護に任じ、犯罪の捜査、被疑者の逮捕及び公安の維持に当ることを以てその責務とする。」と規定した（旧警察法1条1項）。それまで警察の任務とされていた労働、建築規制等の分野を警察の任務から除き、その一方で、警察が担当するのにふさわしいと考えられた犯罪の捜査を任務に加えたものである。

（注1）「任務」という言葉について、本書では、その機関の事務の全体像という程度の意味で用いている。「任務」という言葉を、「その機関が達成すべき最終的な行政目的」という意味で用いるのであれば、警察の任務は、「個人の権利と自由を保護し、公共の安全と秩序を維持する」ことにある（警察法1条）。中央省庁再編に際し、各省庁の任務規定が達成すべき行政目的という意味で用いられたこと及び国家公安委員会の任務の規定（5条1項）が改められたことについて、北村滋「中央省庁等改革と警察組織」警察学論集52巻10号参照。

現行警察法の規定も、犯罪の予防の明記など、若干の修正はあるが、基本的な内容は変わっていない。

202　警察の責務の規定は、組織体としての警察の任務を明らかにしたものである。他の組織体の任務ないし所掌事務の規定と同じく、(注2)
①　警察が担当する事務の範囲を明らかにする。
②　任務を達成するのに必要な活動を警察が行うことを認める。
（責務を達成するために必要な活動であって、国民の権利・自由を制限しないものについては、個別の法律の根拠なしに行うことができる。）
③　法令の特別の規定がある場合を除き、警察が任務以外の活動を行うことを制限する。
という法的意味を有している。

> **column　警察庁の所掌事務規定を通じてみた警察事務の範囲**
>
> 203　警察法は、2条1項とは別に、警察庁の各局の所掌事務についての規定を置いている（21条から25条）。警察庁の各局は、警察庁独自の権限事項を除き、都道府県警察が行う事務を前提としてそれに関与する（制度を企画し、一定の場合に指揮監督する。）ので、各局の事務を合わせれば、警察法2条1項の責務の範囲と基本的に同じくなる。言い換えると、これらの規定は、実質的に、責務の内容を具体化する機能を有する。
>
> 生活安全局、刑事局、交通局、警備局及びサイバー警察局の所掌事務として、「犯罪、事故その他の事案に係る市民生活の安全と平穏に関すること」、「地域警察その他の警らに関すること」、「犯罪の予防に関すること」、「保安警察に関すること」、「刑事警察に関すること」、「犯罪鑑識に関すること」、「犯罪統計に関すること」、「暴力団対策に関すること」、「薬物及び銃器に関する犯罪の取締りに関すること」、「組織犯罪の取締りに関すること」、「国際捜査共助に関すること」、「交通警察に関すること」、「警備警察に関すること」、「警衛に関すること」、「警護に関すること」、「警備実施に関すること」、「サイバー事案（☞1005）に関する警察に関すること」などが規定されている。

（注2）　所掌事務とは、その組織が担当する個別事務について列記したものであり、各省の場合はその設置法において定められている。

2 警察の責務と活動

警察の活動は、責務の範囲内でなければならない。どのような公的機関でもその機関に与えられた任務ないし所掌事務に属しない活動を行うことは許されないが、警察の場合は、その活動が国民に関係するところが多く、国民の権利や自由に影響を与えることがあり得るので、厳格に「責務」の範囲内に限られるべきことが法律で特に規定されている(警察法2条2項)。なお、警察の責務の遂行に当たって、権限を濫用してはならないこと及び「不偏不党且つ公平中正」であるべきことが、併せて規定されている。 204

警察の責務の遂行のための活動には、国民の権利・自由を制限するものと、そうでないものとがある。国民の権利や自由を制限する活動(強制活動)は、法律又は条例の個別の規定で認められた範囲内に限って行うことができる。これに対し、国民の権利や自由を制限しない活動(任意活動)は、警察の責務を達成する上で必要なものであれば、個別の法律の根拠がなくとも行うことができる。すなわち、警察は警察法2条の責務を達成するのに必要な範囲では、種々の任意活動を行うことができる。なお、「警察は、警察法2条の規定に基づいて任意活動を行うことができる。」と述べる見解もあるが、任意活動には元々法律の根拠は不要であって、組織法上の任務規定に「基づく」という言い方(考え方)は妥当でない。責務を達成するために必要な法律の根拠を要しない任意活動であるといえば足りる(☞478、479)。 205

(注3) 個別の法律によって警察に具体的権限が与えられている場合(例えば、平成16年に全面改正される前の破産法では、裁判所の命令を受けて警察が破産者を監視することが定められていた。)には、かりに警察法の責務の範囲外であったとしても、その規定に基づく権限行使をすべきことは当然である。他方、条例で警察の責務以外の事務を都道府県警察に行わせる規定を設けることはできない。

(注4) 最高裁決定昭和55年9月22日〈刑集、⑭〉は、車両検問(自動車検問)をめぐって、「警察法2条1項が「交通の取締」を警察の責務として定めていることに照らすと、交通の安全及び交通秩序の維持などに必要な警察の諸活動は、強制力を伴わない任意手段による限り、一般的に許容されるべきものである」ことを前提として、一定の範囲で適法であると判断している。

(注5) 法律の根拠を要する行政(法律の留保)の範囲について、権利や自由を侵害する場合に限定する判例実務の見解を前提にする限り、このような結論になる。「警察法2条に基づく」という言い方は、全ての行政について法律の根拠を要するという説の場合又は国民の権利や自由を侵害する行為も2条を基に可能であると解する説をとる場合にはあり得るが、いずれの説も適切ではない。

206 　地理案内などの国民に対する情報の提供、各種相談の受付、交通安全教育といった国民の権利や自由を全く制限することのない活動は、警察の責務の範囲内（警察の責務達成に必要な付随的事務を含む。）である限り、当然に行うことができる。これに対し、車両検問や所持品検査など、やり方によっては国民の権利や自由に影響を与えかねない活動の場合には、警察の責務を果たす上で必要な行為であるというだけでなく、責務達成のための必要性の程度が相手方の実質上の不利益の程度を上回ること、その手段が社会通念上妥当なものであることなどの要件を満たしていなければならない（☞364、483以下）。

207 　警察は、国民の代表から与えられた責務を果たすべく、活動をすべき義務を負う。個別の状況の下で、当然に行うべきことを行わなかった場合には、警察の責務に照らして、違法との評価を受けることがあり得る（☞332）。

第2節　責務の内容

　警察の責務は、大別して、「個人の生命、身体及び財産の保護」と「公共の安全と秩序の維持」とに分けられる。「犯罪の予防、鎮圧及び捜査、被疑者の逮捕、交通の取締」は、いずれも「公共の安全と秩序の維持」の例示である。

1　個人の生命、身体及び財産の保護

208 　個人の生命、身体及び財産を保護することは、警察にとって重要な任務である。一部には、警察の本来の任務は公共の安全と秩序の維持であって個人の保護は公共の安全と秩序の維持に関わるものだけが警察の責務の対象であるとする説があるが、「警察の本来の任務」といった不明確な観念で論じても無意味である（同語反復にしかならない）だけでなく、実質的にも個人保護を軽視することにつながるものであって妥当でない。[注6][注7]

（注6）「個人の生命・身体・財産の保護」が「公共の利益のために必要ある場合」に限られるとする考え方が今日、通用しないことを明言するものとして、藤田宙靖「21世紀の社会の安全と警察活動」警察政策4巻1号（『行政法の基礎理論上巻』（有斐閣、2004年）に所収）、磯部力「「安全の中の自由」の法理と警察法理論」警察政策7巻がある。

具体的内容は様々であるが、ⅰ人から危害を加えられている者の保護、ⅱ救護を要する者の発見・保護、ⅲ遺失物の発見・管理、ⅳ各種の事故・災害における人命の救助、ⅴ交通事故等の各種の事故の防止、などが挙げられる。

個人の生命、身体及び財産の保護のための警察の活動の多くは、迷い子等の発見活動をはじめ、指導、助言、情報提供など、強制力を伴わないものとして行われている。しかし、保護の目的を達成するために、国民の権利や自由の制限を行わざるを得ない場合も当然に存在する。そのための根拠規定として、ⅰ精神錯乱者等の保護（警察官職務執行法3条）、ⅱ危険な事態における避難等の措置（同法4条）、ⅲ人の生命、身体に危険が及び、又は財産に重大な損害を生ずるおそれのある犯罪行為の制止（同法5条）、ⅳ公共の場所又は乗物における酩酊者の保護（酩規法3条）、ⅴ暴力団員の暴力的要求行為等に対する措置（暴力団対策法11条、12条）、ⅵつきまとい等をしている者への命令（ストーカー規制法5条）、などが定められている。

保護すべき対象は、「個人」の生命、身体及び財産である。外国人も含まれる（旧警察法の「国民」を「個人」に改めたのは、外国人が除外されないことを明確にする趣旨である。）。財産権の主体としての法人の保護も含まれる。また、個人の「生命、身体及び財産」を保護することには、「生命、身体及び財産」を直接に守ることだけでなく、人が生活し、生存していく上で不可欠な個人的な法的利益の保護が広く含まれる。人の行動の自由、住居の平穏、名誉、社会的信用、さらには人としての尊厳（例えば、児童ポルノという虐待を受けないこと。）も、警察による保護の対象

（注7）　個人の生命、身体及び財産の保護のための活動が同時に公共の安全と秩序の維持にも資することを理由に、独立した責務とする実益がないとする見解があるが、個人の保護をそれ自体として警察の責務とすることは、警察の活動の在り方（どの活動を重視し、何のために行うのかは責務にのっとって判断される。）にとって極めて重要な意味を持つ。旧憲法下の警察が個人の保護を軽視していた理由の一つに、警察を公共の安全秩序維持に専ら結び付ける考えの影響が挙げられている（田村正博「高橋雄豺氏の『過去の警察への反省』を読む」警察学論集58巻8号参照）。

である。(注8)

211　警察は個人の生命、身体及び財産の保護を任務とするが、このことは、「個人の生命、身体及び財産の保護」に関連することの全てを警察が行うという意味ではない。例えば、負傷者を救出することや、犯罪行為等によって物を奪おうとするのを防止し、物の所有をめぐる争いについて相談を受けた際に対応し得る機関を教示するといった活動は、警察の責務に属するが、治療行為とそのための体制の整備を図ることや、特定の物の所有権が誰にあるかを確定し、第三者に対してその者への返還を命ずるといったことは、個人の生命、身体及び財産の保護にとって重要なことではあっても、医療行政として行われ、又は裁判所において行われるべきことであって、警察の責務に属するものではない。

212　平成期以降、個人を保護することの重要性がより広く認識され、警察の介入を認めることを明らかにする法律が制定されてきている。平成3年に制定された暴力団対策法における暴力的要求行為などに対する命令制度、平成12年に制定されたストーカー規制法におけるつきまとい行為等への警告、禁止命令制度がこれに当たる。

2　公共の安全と秩序の維持

「公共の安全と秩序の維持」とは、国家及び社会の公の安全と秩序の維持を意味する。どのような社会においても、公共の安全と秩序の維持は極めて重要であって、いずれの国においても警察の重要な任務とされてきている。

(1)　犯罪の予防及び鎮圧

213　「犯罪の予防」とは、犯罪（刑罰法規上の対象となる行為であって、違法なものを意味する。刑事責任能力を欠いた者による行為も含まれる。）を防ぐことであり、ある時点、ある場所における犯罪の具体的発生を未然に防止する直接的な予防と、将来の犯罪の発生を一般的に防止する間接的

（注8）　ストーカー規制法は、「個人の身体、自由及び名誉に対する危害の発生」と「国民の生活の安全と平穏に資すること」とを目的としている。また、広島県不当な街宣行為等の規制に関する条例は、「人の身体、財産、名誉及び信用に対する危害の発生を防止し、あわせて県民の生活の安全と平穏を確保する」ことを目的としている。

なものとがある。前者には警ら活動や特定の人又は場所を対象とする警護、警備、警戒活動などがあり、後者には、少年の補導等によってその非行化を防ぐことや防犯意識の啓発、防犯指導、地域・職域における自主的防犯活動の支援、優良な防犯機器の普及へのＰＲ、警備業の健全育成、自転車の防犯登録などの広い範囲にわたる措置が含まれる。この目的のために国民の権利や自由を制限することを認めたものとして、犯罪の予防及び制止の規定（警察官職務執行法5条）、古物営業法などがある。

「犯罪の鎮圧」とは、集団的犯罪がまさに発生しようとするのを未然に防ぎ、又は集団的犯罪その他の犯罪が発生した後においてその拡大を防止し、若しくは終息させることをいう。具体的態様に応じて、犯罪の予防及び制止の規定や、刑事訴訟法上の現行犯逮捕の規定などが用いられる。

> **column** 犯罪予防と警察行政法

戦前期の警察法制は危険防除を中心としており、犯罪予防への関心は限られていた。戦後の改革では、犯罪が起きた後での捜査が中心的なものとされ、予防のための法的整備もなされなかった。しかし、現在では、犯罪の予防は警察の主要な任務の一つと位置付けられるに至っている。(注9)国民は犯罪被害に遭わないことを強く願っており、警察はその期待に応えていくことが求められるからである。

旧警察法では、犯罪の予防は責務に定められておらず、公安委員会の運営管理事項の一つに挙げられていたのにとどまっていた。これに対し、現行警察法は、犯罪の予防を公共の安全と秩序の維持の例示として明記した。また、警察組織内の位置付けも、現行警察法制定当時は刑事部（当時の警察庁には局がなく、部が組織の単位であった。）の所掌事務に「刑事警察に関すること」に続いて「犯罪の予防に関すること」が定められていたが、平成6年の法改正によって、「犯罪、事故その他の事案に係る市民生活の安全と平穏に関すること」と「犯罪の予防に関すること」等を所掌事務とする生活安全局が設置されるに至った。(注10)犯罪捜査を中心とする刑事警察に付随する犯罪予防ではなく、市民生活の安全確保を中心的

（注9） 犯罪予防と警察行政法の関係については、田村正博「犯罪予防のための警察行政法の課題」渥美東洋編『犯罪予防の法理』（成文堂、2008年）参照。

（注10） 背景と組織体制について、島田尚武「生活安全局の設置について」警察学論集47巻10号参照。成田頼明「社会の安全と法政策」警察政策1巻1号は、生活安全局について「画期的な組織」と評している。これに対し、同局の設置と筆者らによる「警察行政法」理論の展開とを「警察行政の積極化政策」と捉えて批判するものもある（例えば、白藤博行「「監視社会」と「警察行政法」理論の展開」法律時報75巻12号）。

課題とする組織の中に犯罪予防が位置付けられたことは、市民の安全を確保する作用としての犯罪予防という考え方が実質的に取り入れられたものといえる。

216　一方、権限規定としては、警察官職務執行法の犯罪の予防及び制止（5条）のほか、立入り（6条）と質問（2条）の規定が犯罪予防を目的に含んでいる。事前的規制などの行政的関与としては、古物営業法と質屋営業法が犯罪予防のために定められたほかは、警備業法が警備業務の適正化を通じて民間の防犯力全体の向上を図ってきたのにとどまる。行政規制の多くは、他の行政目的（産業保安、保健衛生、経済発展など）のための規制が、実質的に犯罪予防に寄与していたにすぎない。(注11)

平成10年代以降になって、犯罪の予防を目的に掲げた立法が行われるようになった。その一つは、平成11年に制定された不正アクセス禁止法である。(注12) 平成15年には、ピッキング防止法が制定された（☞633、634）。さらに、犯罪防止を主たる目的とするいわゆる安全安心まちづくり条例が、平成14年以降ほとんどの都道府県で制定され、市町村でも多数制定されている（☞635）。これらは、犯罪予防に対する国民の強い要望の反映といえる。

(2) 犯罪の捜査及び被疑者の逮捕

217　犯罪の捜査は、戦前においては、「司法警察」として検察の任務とされ、警察の任務とはされていなかったが、旧警察法以来、警察の任務とされている。「被疑者の逮捕」は、犯罪捜査に当然含まれるが、重要なものであるところから、特に明記されたものである。犯罪の捜査（被疑者の逮捕を含む。）は、この規定により、組織体としての警察の責務となるが、具体的権限については刑事訴訟法で規定されている。「犯罪」とは、法令によって刑罰を科することとされた行為の総称である。行政上の規制違反に対し

(注11)　他の行政目的での規制の意義が乏しくなった場合には、実質的な犯罪予防機能に着目した規制の再検討が求められる。石油製品輸入業の解禁によって大規模な地方税法違反が生じ、その後の地方税法改正による制度変更で収束した例を教訓とする必要がある（田村正博「規制緩和社会と警察の法執行」ジュリスト1228号参照）。

(注12)　「電気通信回線を通じて行われる電子計算機に係る犯罪の防止」を電気通信に関する秩序維持と並ぶ目的とし、不正アクセス行為の禁止と処罰に加え、アクセス管理者が防御措置を講ずるように努めること、被害を受けたアクセス管理者に都道府県公安委員会が再発防止のための援助を行うこと等を定めている。露木康浩「不正アクセス禁止法の意義と今後の課題」警察政策2巻1号は、犯罪予防を他の目的の制度の付随的なものとしてきたそれまでの立法政策を見直し、犯罪防止を第一の目的とした同法によって、コンピュータ・ネットワークというインフラの設計がなされる意義を述べている。

て刑罰を科することとしている場合（行政犯）や他の地方公共団体の定めた条例において刑罰を科することとされた行為も含まれる。行政上の義務違反であっても、過料（行政上の秩序罰）の対象とされた行為については含まれない。

(3) 交通の取締り

「交通の取締」とは、交通の安全及び秩序の維持のための道路交通の管理を目的とする活動であって、道路における車両、歩行者等の交通の規制、運転免許に関する事務、交通法令違反の防止及び捜査などがこれに当たる（刑罰の対象とされていないシートベルト違反を防止し、違反行為を認定する行為も含まれる。）。交通の取締りについては、道路交通法等で詳細な規定があり、これらにのっとって権限行使がなされることとなる。

(4) その他の公共の安全と秩序の維持

「公共の安全と秩序」とは、法令が遵守され、社会生活が平穏に営まれている状態を意味する。公共の安全と秩序の維持に支障となるものには、法律等によって犯罪とされているものと、そうでないものとがある。犯罪は、公共の安全と秩序の維持に支障となる行為の代表的なものであり、警察としてその予防、鎮圧及び捜査を行うこととなる。刑事責任が追及されない刑事未成年者の触法事案の調査は、「犯罪の捜査」には当たらないが、少年の健全育成のために行うことが求められる（少年法1条参照）。

直接的には法律で禁止されていない行為であっても、公共の安全と秩序を維持するために、警察として取り組まなければならないものがある。例えば、暴力団を結成することや構成員となることは、現行法上禁止されていない。しかし、暴力団の存在自体が公共の安全と秩序の維持の支障となるのであるから、暴力団構成員の個々の犯罪についての防止、鎮圧及び捜査、あるいは暴力団対策法に基づく各種の権限行使を行うだけでなく、警察として暴力団自体の封じ込め、解体のための各種の活動を行うことも、「公共の安全と秩序の維持」の観点から求められる。なお、国の法律では定めがないが、都道府県の条例によって定められているものの場合には、その条例の内容が維持されるべき公共の安全と秩序に当たるものとなる。

これらのほかに、公共の安全と秩序の維持に当たる上で、付随して必要

となる事務も、警察として行うことができる。警察法2条2項が警察の活動について「厳格に前項の責務の範囲に限られるべきもの」と定めているのは、警察の任務が戦前の警察におけるような広範囲なものではなくなったことを踏まえ、従前のようであってはならないということを強調したものであり、責務に付随する事務を行い得ないとするものではない（付随的事務を行わないとすれば、警察がその責務を達成することができないのであるから、法がそれを禁止しているとは考えられない。）。公共の安全と秩序の維持に支障となる犯罪等の事態の発生を予防し、あるいはいったん発生した場合の影響を最小限とするためにあらかじめ態勢を整えることや、その対策樹立等に資する目的で情報を収集することは、責務に含まれる。また、外国で発生した犯罪であって、我が国と関係しないものについて、外国の捜査機関のために協力をすること（国際捜査共助等）(注13)は、それ自体は日本の公共の安全と秩序を維持するものとはいえないが、日本の犯罪捜査に外国の協力を得るのに必要であるから、責務に含まれる。

【補論　警察の犯罪捜査の意義と行政法上の規律】

1　警察の他の事務との同質性（捜査の非特異性）

221　旧憲法下では、犯罪捜査は裁判所に附置された機関である検察の権限であるとされ、「司法警察」と呼ばれ、警察が担当する「行政警察」とは異なるものとされた。現行法制下でも、犯罪捜査を「司法警察」と呼び、警察行政法の範囲外であるなどとする説明も一部でなされてきた(注14)。しかし、現行憲法の下では、行政機関の行う活動は、犯罪捜査に係る事務を含め、全て「司法」ではなく、「行政」の一部であることは明らかであり、戦前

（注13）　外国で起きた事件の捜査の過程で、現場にあった日本製の物について日本からの輸出先を調査するように依頼されるといったケースが典型である。なお、外国で行われた犯罪でも、日本がテロのターゲットになっている場合や日本の暴力団が関係している場合には、かりに国外犯としての刑法の適用がなく、日本で捜査をすることができないときでも、その事案の解明は日本の公共の安全と秩序の維持につながるものに当たる。

（注14）　刑事訴訟法は、「司法警察職員」の権限として規定しているが、これは、従来の「司法警察」という概念を維持したものではなく、警察以外の機関であって犯罪捜査の権限を有する者と警察官との総称が必要であり、また、一定の権限を有する者（司法警察員）とそうでない者（司法巡査）とに書き分ける必要があったことによる立法技術上の手段として用いられた用語であると理解すべきである。

の法体系の下で用いられていた「司法警察」という概念を十分な検討なしに用いて論述することは、適当なものとは言い難い（予審判事や裁判所に附置された検察が捜査を主宰する法制下では、捜査を「司法」の一環として捉える考え方も存在し得るが、今日のように、司法と行政が明確に分離され、警察をはじめとする機関が捜査の主体となり、訴追等を行う検察も内閣の下にある一行政機関とされている法制下においては、捜査を「司法」の一環と位置付けることはできない。^(注14の2)）。

　犯罪捜査のための特定の活動に関しては、憲法で定める特別の制約が課されており、その限度で他の行政活動と違いがあるが、本来の性格が異なったものであるかのように説明すべきではない。例えば、職務質問は、犯罪がなされた後にその捜査の一環としてなされるときも、犯罪がなされようとしているのではないかと判断したときでも（さらに言えば、そのいずれであるかは分からないが、どちらかには当たると判断したときでも）行うことができ、しかもその両者に具体的差異は存在しないのに、前者は司法警察、後者は行政警察として全く別なものと考えることが不適当であることは明らかである。警察法において犯罪の捜査に関することが他の事務と並んで警察の責務の一つとされているのであるから、犯罪捜査も他の活動と同様に警察行政の一部であって、一部他と異なる憲法等の規定が適用されるにすぎないとすれば足りる。同様に、捜査と他の目的の行為とが一体として行われる場合もある。交通違反への対応は、犯罪捜査として行われるが、その書類をみれば明らかなとおり、捜査と運転免許上の処分（につながる点数付与）のための事実確認手続とが一体となって行われる。

　また、「行政目的の権限を捜査目的に用いてはならない」とする言い方も、本来的には法律上与えられた権限を他の目的のために用いてはならないという、法律の授権に関わる一般原則の一場面であるにすぎず、捜査と^(注15)

（注14の2）　小木曽綾「刑事と行政の接近」大沢秀介ほか編『社会の安全と法』（立花書房、2013年）も、予審裁判所が存在しない現行法下においては、「犯罪捜査に当たる警察活動を司法警察と呼ぶのは、実は正しくない。」ことを指摘している。

（注15）　犯罪捜査目的の場合に、他の場合と異なる憲法上の規律が及んでいる限りでは、法律によってもできないという違いが生ずることは当然である。令状主義の潜脱になることが許されないことはいうまでもない。即時強制と憲法の令状主義について（☞456）。

他の目的との関係に限られるわけではない（捜査以外の目的相互の場合でも、例えば、交通秩序維持のための権限をそれ以外の目的のために行使してはならないというように、同じことが成り立つ。）。

　本書では、犯罪捜査に関する具体的な規定については、他に刑事訴訟法の解説書等が多数存在していることから便宜上、解説を省略しているが、これは、犯罪捜査が警察行政法の枠外であるとしたものではない。警察活動上の諸原則は、当然、犯罪捜査についても当てはまるのであって、権限行使の不作為による違法が争われる対象に、捜査権限の不行使も含まれる。

2　都道府県の自治事務

　犯罪捜査については、国家刑罰権行使の一環であるとの説明がなされる。捜査が国家の刑罰権を特定人に対して行使するかどうかを判断する刑事訴訟手続の一つの段階であることは事実である（他の目的との関係は、3で述べる。）が、そのことを理由に様々な効果が国に帰属するという結論をとることはできない。

　警察の犯罪捜査は、他の警察事務と同じく、警察法によって都道府県の自治事務とされているのであって、国の事務ではない。したがって、違法な捜査について、「国家刑罰権の行使の一環である」ことを理由にして国に賠償を請求することはできない。判例も、検察官の補助として行ったような場合を除き、国の賠償責任を否定している(注16)。

　犯罪捜査を含めた警察事務を地方自治の対象としたのは、権力を分散させ、権力の濫用によって生ずる弊害を防ぐとともに、住民のコントロールを及ぼそうとしたものである。したがって、「国家刑罰権の行使の一環である」ことを理由とした検察組織による個別事件の指揮監督権を認めることはできない。都道府県の情報公開条例の対象となることも当然である（個別の規定に関して適用対象から除外されている場合もあるが、それは情報の内容からの制約であり、「捜査は国家刑罰権の行使であるから都道

（注16）　最高裁判決昭和54年7月10日〈民集、㊿〉は、警察法及び地方自治法を基に、都道府県の処理すべき事務とされていることを指摘して、都道府県の公権力の行使であり、損害の賠償の責めに任ずるのは原則として都道府県であることを明言している。

府県条例の対象から除外されて当然」という考えによるものではない。）。

3　国家刑罰権行使以外の目的

　犯罪の捜査は、刑事訴訟法からすれば、個別事件における刑事責任追及の一過程である。このため、捜査の目的が国家刑罰権行使にあるとされてきた。これに対して、警察の捜査は個人の生命等の保護と公共の安全秩序の維持という目的のための手段であると位置付ける説が唱えられているが(注17)、警察の捜査と他の機関の捜査も同じ刑事訴訟法に基づく行為であり、刑事責任追及以外のものではないとの説も改めて説かれている(注18)。

　他方、犯罪捜査の果たしている機能は、刑事責任追及だけではない。現に犯罪状態が継続している場合、反復継続して行われる場合には、被害状態を解消し、その後の被害を防ぐものである。また、人身交通事故（過失運転致傷事件）は大部分が不起訴（起訴猶予）となるが、捜査によって実態が解明され、その結果を踏まえた免許上の処分が行われているのであって、捜査は十分に社会的機能を果たしている。

　警察という組織が、捜査を自らの事務として行うことの根源は警察法にある（組織体としての警察が犯罪捜査を行うことを任務とすることを規定した警察法の規定によって、警察が犯罪捜査のための活動を行い得ることとなったことを前提に、刑事訴訟法が個々の具体的権限を与えている。警察以外の他の機関も基本的に同様に考えることができる。）。警察の捜査の目的がかりに刑事責任追及のみであれば、犯罪捜査における捜査対象の優先度の選択も、とるべき行為の選択も、刑事責任追及の観点から行わざるを得ないこととなるが、それは、警察の捜査が果たしている機能と警察の捜査に対する国民の期待（警察に権限を付与した趣旨）に背くこととなる。

（注17）　例えば、佐藤英彦「警察捜査の意義」『講座　日本の警察第2巻　刑事警察』（立花書房、1993年）参照。

（注18）　福田正信「犯罪捜査の定義と職務質問・検視・行政解剖(上)」警察学論集62巻12号は、これを明言する。同「犯罪捜査以外の目的で強制的に取得収集された資料の犯罪捜査利用の可否」捜査研究699号は、国家刑罰権行使としての捜査が行われないことを理由に個人の国家賠償請求を認める余地はないとし、捜査と並行して行われるべきであった捜査以外の活動の不実施を理由とする賠償か、他の目的のために捜査活動をやめたことを理由とする実質的な損失補償としてのものに限って、訴えることが認められるとする。

したがって、警察の責務の全うという観点からは、個人の保護と公共の安全秩序の維持を、法的にも捜査の目的と捉えるべきである。

　刑事訴訟法に関しては、強制捜査の要件が専ら刑事責任追及との関係でのみ定められており、刑事責任追及上の必要性がないのに権限を行使できないとしても、その強制捜査が他の目的に役立つことは認められている。例を挙げれば、被害品の回復は、刑事訴訟法の定める押収の要件には反映されていない（証拠となるべき物又は没収すべき物のみが押収の対象となっており、被害品回復目的での押収はできない。）が、被害者に還付することが法的に認められており、捜査において被害品回復を目指すことは当然に認められる。

　このことは、捜査が刑事責任追及以外の目的を副次的には持っていることを刑事訴訟法自体が認めていることを意味する。現行犯人の逮捕も、刑事責任追及だけでなく、違法状態の中止、解消を実質的な目的にしている。捜査が行われなかったために人が危害を加えられるに至ったとして提起された国家賠償請求が一部の事例で容認されているのも、警察の捜査が単なる国家刑罰権行使にとどまらないことを端的に示すものである。(注19)

4　犯罪捜査への行政法の適用

　犯罪捜査のための権限のうち、質問とそれに付随する所持品検査は、警察官職務執行法で定められている。それ以外の権限の多くは、刑事訴訟法で定められているが、捜査も行政機関の行う行政作用の一つであるから、様々な場面で行政法の規律が及ぶ。特に、情報の取得と利用に関しては、

（注19）　捜査不実施に対する賠償請求が判例上容認されている（例えば、東京高裁判決平成19年3月28日〈判時1968・3〉（最高裁も上告を棄却し確定している。））。最高裁が国家刑罰権行使であることを理由に個人の国家賠償請求は認められない旨を述べたことがある（最高裁判決平成2年2月20日〈Ⓦ〉）が、それは過去の犯罪の告訴事件の時効満了を理由とするものについての判断であると理解すべきである。仙台高裁秋田支部判決平成31年2月13日〈Ⓦ〉は、捜査が既に発生し、終了した犯罪に対して行使されるときは国家及び社会秩序の維持という公益を図るものであるとして上記最高裁判例を引用した上で、「犯罪の実行又はこれにつながる行為が現に行われている場合、更にはいわゆる継続犯の場合など、国民の重大な法益に対する侵害がまさに行われ、又は行われる危険が切迫しているときには、国民の法益保護、犯罪の予防、公安の維持のための警察活動のための権限行使の必要性が併存する」ので、国家賠償法の対象となる規制権限行使に含まれると述べている。

刑事訴訟法での規律があまり存在していないので、行政法において限界が論じられることとなる。^(注19の2)

違法な捜査活動（本来行うべき捜査活動を行わなかったことによって個人が被害を受けた場合を含む。）に対しては、国家賠償法が適用され、損害を被った者は賠償を請求することができる。既に述べたとおり、警察の捜査は都道府県の公権力行使であるので、賠償請求は都道府県に対して行われる。捜査に関連した活動（例えば、逮捕事実の公表）についても、同様となる。

犯罪捜査のために保有する情報についても、他の情報と同じく、情報公開法（都道府県の情報公開条例）の対象となる。ただし、公にすると「犯罪の予防、鎮圧又は捜査、公訴の維持、刑の執行その他の公共の安全と秩序の維持に支障を及ぼすおそれがある」と行政機関の長が認めるだけの理由がある場合は、不開示とされる。個人情報保護法に関しては、「刑事事件に係る司法警察職員が行う処分」に係る保有個人情報については「開示、訂正及び利用停止」の規定の適用対象外となっているが、個人情報の取扱いの基本原則の部分（利用目的に必要な範囲に限定、正確性の確保、安全確保の措置等）は適用される。

犯罪捜査も警察の重要な活動の一つであり、他の警察活動と同様に、行政組織法上の規律の対象となる。地方自治法に基づく議会の統制の対象となるのが、その例である。犯罪捜査のための予算の支出が違法である場合には、住民訴訟の対象となる。

これに対し、事件自体の処理は刑事訴訟法で行われることから、行政不服審査法、行政事件訴訟法は適用されない。行政手続法についても、他の現場的な活動とともに、司法警察職員として行う処分及び行政指導は、同法の適用除外とされている。

（注19の2）　情報をめぐる問題については、取得時における裁判統制が及びにくいことに加え、保管（保存や利用）の段階を視野に入れる必要があるため、個別事件における個別行為を対象に法適合性・証拠としての許容性を判断する、という刑事訴訟法の枠組自体が機能しにくい。田村正博「犯罪捜査における情報の取得・保管と行政法的統制」『曽根威彦先生・田口守一先生古稀記念祝賀論文集［下巻］』（成文堂、2014年）参照。

5 捜査のための資料を残させる行政法の仕組み

225 　個々の事件の捜査は、その事件が発生した後に、存在している資料をできるだけ収集し、犯人と証拠を探索し、明らかにする過程である。一方、捜査の資料となり得るものが残るようにする仕組みは、個々の事件捜査とは離れた制度として存在し、運用される。

　制度には、関係者の取組として行われるものと、法律によって義務付けられるものとがある。

　銀行のATMで使用者の容貌等が常に写されることは、銀行が自ら行う措置として制度化されている。銀行口座開設時に本人を確認し、確認資料を残すことは、犯罪収益移転防止法によって銀行の義務として行われる（☞636）。携帯電話の契約についても、携帯電話不正利用防止法（携帯音声通信事業者による契約者等の本人確認等及び携帯音声通信役務の不正な利用の防止に関する法律）によって、本人確認等が求められている。これらは、匿名の銀行口座・携帯電話が、犯罪者にとって捜査の追及を及びにくくするものであって、犯罪をしやすくするものであることから、犯罪の予防及び捜査の両方のために制度化されたものといえる。疑わしい取引の届出制度も、同様のことが制度の理由の一つとなっている。

第3節　警察の責務と関連する他の機関との関係

1　権限の分配と他の機関との連携

226 　警察の責務は、個人の生命、身体及び財産の保護と、公共の安全と秩序の維持とである。他の機関にも、一部これと重複し、あるいは密接に関連する任務を有するものが存在する。任務のレベルで重複していても、それぞれが排他的な関係にはならない。他の機関が個人の生命、身体及び財産の保護と公共の安全と秩序の維持の一部を任務としているからといって、警察の責務の対象外とされ、警察の責任が解除されるわけではない。個別の権限事務に関しては、一つの行政機関が所管している事務を他の機関は所管しないのが通例であるが、犯罪捜査における特別司法警察職員制度のように、合理的な理由がある場合には、複数の行政機関が担当することも

あり得る。重複する任務を持つ機関等との間では、相互に連絡をとりつつ、協力してそれぞれの任務を果たすことが求められている。(注19の3)

犯罪捜査に関しては、司法警察職員等指定応急措置法等の規定により、刑事施設職員、労働基準監督官、麻薬取締官（員）、海上保安官、自衛隊の警務官、皇宮警察の皇宮護衛官等が、捜査権限が認められている。これらの特別司法警察職員の捜査権限が限られた地域又は事項に係る事件に限られるのに対し、警察官は全ての事件について捜査権限を有していることから、これらの職員の置かれる機関と警察とが捜査に関して競合することとなる。いずれの機関が捜査をするかという点についての法律上の限定はなく、いずれが第一次的かという区別も存在しない。それぞれの機関が捜査権限と責任とを持つことになる。

227

武器の製造や火薬の保管、消防危険物の取扱いなど、危険な物に関する規制は、警察とは異なる機関が許可等の権限を有しているのが通例である（危険な物に関して、警察が許可等の権限を有しているのは、銃砲刀剣類と猟銃用火薬に限られる。）。それらの規制は他の機関の権限と責任に属するが、危険な事態が現に発生し、又は切迫しているときには、警察として対処する責任を負う。このため、危険物等の規制について定めた法律の多くで、許可をした機関がその旨を都道府県公安委員会に通報すること(注20)とともに、危険な事態が生じた場合に発見した者が警察官に通報すること等の規定が設けられている。警察は、それらの機関と密接な連絡をとって事態に対処することが必要になる。

228

（注19の3）　事故調査機関（事故原因の調査をし、防止に向けた勧告等を行う機関）と捜査機関としての警察との間で、調査・捜査対象者が共通するために調整を要する場合が生ずる。運輸安全委員会との間では、現場保存は警察が行うこと、実況見分と現場物件検査につき事前に協議することなどが、取り決められている。消費者安全委員会との間では、情報提供の要請に支障がない限り応ずること、委員会の原因調査のため処分をする場合には相互に調整を図ることなどが、取り決められている。

（注20）　通報は、危険な事態が生じた場合にあらかじめ備える趣旨で行われる。法律によっては、それらの物がテロ目的等に用いられることを防ぐ趣旨や、それらの物による安全への脅威を防ぐために、許可等の権限を有する機関に警察として意見を述べることが定められている。例えば、火薬類の取扱いに関しては、公安委員会が、公共の安全の維持のために特に必要があると認めたときは、都道府県知事等に対し、必要な措置をとるべきことを要請することができることが、法文上明確にされている（火薬類取締法52条）。

229　国民の安全は、様々な行政機関が広く関わっている。犯罪の予防、テロ防止、食の安全、子どもの安全、災害からの安全、交通事故の防止、犯罪被害者保護・支援といった様々な領域で、警察を含んだ多くの機関の連携が図られている。このうち、交通事故の防止については、交通安全対策基本法が制定され、国を含めた関係者の責務とともに、国、都道府県及び市町村における交通安全対策会議の設置、交通安全計画の作成義務等が定められている。災害からの安全については、災害対策基本法が制定され、国、都道府県及び市町村における防災会議の設置、防災計画の作成義務等とともに、災害発生時における災害対策本部の設置、災害応急対策、災害復旧等が定められている。犯罪の予防やテロ防止に関しては、国の基本法はないが、政府全体として基本的方針が定められ、水際対策をはじめ、多くの行政機関が施策を展開するようになってきている(注21)。さらに、多くの都道府県又は市町村で、安全安心まちづくり条例（生活安全条例）が制定され、犯罪を防ぎ、住民の安全安心を確保するために、関係機関の連携を図る規定等が定められている（☞635）。

2　法律に定めのある個別の機関との関係

(1)　海上保安庁

230　海上保安庁は、「海上において、人命及び財産を保護し、並びに法律の違反を予防し、捜査し、及び鎮圧するため」に国土交通省の外局として設置される機関であり、「法令の海上における励行、海難救助、海洋汚染等の防止、海上における船舶の航行の秩序の維持、海上における犯罪の予防及び鎮圧、海上における犯人の捜査及び逮捕、海上における船舶交通に関する規制、水路、航路標識に関する事務その他海上の安全の確保に関する事務」とこれに附帯する事務を任務としている（海上保安庁法1条、2条）。
　この内容は、海上という場所的限定があるだけで、警察とほとんど同じ

（注21）　全閣僚を構成員とする犯罪対策閣僚会議による「犯罪に強い社会実現のための行動計画」、国際組織犯罪等・国際テロ対策推進本部による「テロの未然防止に関する行動計画」などが制定されてきた。2013年には、「「世界一安全な日本」創造戦略」が内閣によって定められている。

である。領海は全ていずれかの都道府県の区域に属しているので、警察と海上保安庁とが重複して責務を負っている。個別の法律に基づいて、海上保安庁（又は警察）のみの権限が規定されている場合（海上交通安全法、海洋汚染等及び海上災害の防止に関する法律等）を除き、両者は競合する関係に立つ。このため、警察と海上保安庁及び関係行政機関は、連絡を保たなければならず、犯人の捜査等のため必要なときは、相互に協議し、必要な協力を求めることができることが法律に定められている（海上保安庁法27条）。

column 遠隔の離島における犯罪対処

海上保安官の権限は海上で生じた事案を対象とするものであって、陸地（島）において生じた事案には及ばないのが原則である。しかし、人の居住地から遠く離れた島（例えば尖閣諸島や南鳥島）で事案があった場合、警察官が速やかに到着して対処することは困難である。このため、平成24年に海上保安庁法が改正され、海上保安官が特定の離島（海上保安庁長官と警察庁長官との共同告示で示されたもの）における犯罪に対処することができることが定められた（海上保安庁法28条の2）。特別に認められた権限であるため、「海上保安庁長官が警察庁長官に協議して定めるところにより」行われることが、法に明記されている。海上保安官は、警察官職務執行法の質問、犯罪の予防及び制止並びに立入りの権限を行使できるほか、特別司法警察職員としての捜査権限を行使できることになる。認知時に警察官に通報する、警察の側から協力の要請があったときに対処に当たる、対処状況を警察官に逐次連絡する、警察官に引き継ぐことが適当な場合には速やかに警察官にその捜査を引き継ぐ、などの扱いが行われている。

（注22）　領海の範囲は、領海及び接続水域に関する法律により、原則として基線（海岸線）から12海里までの海域とされている。ただし、津軽海峡や対馬海峡などの部分では、例外として3海里とされ、海峡の一部が公海となっている。

（注23）　犯罪捜査に関して海上保安庁の権限と警察の権限とが重畳的に認められる（海上における犯罪捜査が海上保安庁に専属するとはいえない。）ことについては、昭和60年4月2日参議院法務委員会における前田内閣法制局第一部長答弁でも明らかにされている。また、排他的経済水域における漁業等に関する主権的権利の行使等に関する法律などにおいて、外国船舶で違反をした者が担保金を提供すれば釈放する制度が設けられているが、それらの法律の委任を受けた政令において、担保金の告知等を行うことのできる取締官として、海上保安官とともに警察官が定められている。これは、警察官が海上（領海外を含む。）における犯罪の捜査を行うことができることを前提としている。

(2) 消防組織

232　消防は、市町村が設置する組織であって、「その施設及び人員を活用して、国民の生命、身体及び財産を火災から保護するとともに、水火災又は地震等の災害を防除し、及びこれらの災害による被害を軽減する」ことを任務としている（消防組織法1条）。警察が「個人の生命、身体及び財産の保護」一般を責務としているのに対し、消防は、火災等の災害を原因とするものに限って、個人の生命等の保護をその任務の対象としている。したがって、警察と消防組織との関係は、海上保安庁の場合と同様に他の法律によって消防（又は警察）のみの権限とされているものを除き、基本的には火災等について重複している。警察と消防とは、国民の生命、身体及び財産の保護のために相互に協力しなければならない（消防組織法42条）。

(3) 自衛隊

233　自衛隊は、我が国の平和と独立を守り、国の安全を保つため、直接及び間接侵略に対し我が国を防衛することを主たる任務とし、必要に応じ公共の秩序の維持に当たることとされている（自衛隊法3条）。自衛隊の部隊が行動する場合には、警察を含めた関係機関と自衛隊とが相互に協力することが義務付けられている（自衛隊法86条）。このほか、自衛官の採用に関して、警察に協力を求めることができることが規定されている。

(4) 検察庁その他の法務省の機関

234　検察庁は、各裁判所に対応して設置され、検察官の行う事務（公訴の提起、刑の執行指揮等）を統括する機関である。犯罪の捜査は警察が自らの責任で行うものではあるが、公訴の提起等の検察官の事務と密接な関係が

（注23の2）　平成21年の法改正により、「軽減する」の後に、「ほか、災害等による傷病者の搬送を適切に行う」ことが加えられ、救急業務（緊急性のある傷病者の搬送）が消防の任務規定に初めて明記された。

（注24）　警察は、火災についても、危険防止のための措置をとるべき職責を有する（広島地裁判決昭和58年9月29日〈判時1102・109〉参照）。

（注25）　命令による治安出動、要請による治安出動、自衛隊の施設等の警護出動、災害派遣の場合などがある（自衛隊法78条、81条、81条の2、83条）。このうち、自衛隊の施設等の警護出動（自衛隊の施設と在日米軍施設が対象）は、テロ行為による施設破壊等のおそれがあり、被害を防止するために特別の必要があるときに、内閣総理大臣が、あらかじめ都道府県知事の意見を聴き、防衛大臣と国家公安委員会とで協議をさせた上で、施設等を指定して命ずることになる。

あることから、緊密な関係を保ち、協力すべきこと等が法律で特に規定されている。(注26)

　犯罪行為をした者の処遇に関わる機関として、法務省に、刑に処せられた者・刑事被告人等の拘禁を行う刑事施設（刑務所、少年刑務所及び拘置所）、非行少年の収容と矯正教育を行う少年院、少年を収容して心理的特性等の鑑別を行う少年鑑別所、少年に対する保護処分としての保護観察や成人を含めた仮出所者等に対する保護観察を行う保護観察所が置かれている。このほか、出入国管理等を行う地方出入国在留管理局、破壊活動防止法に基づく調査等を行う公安調査庁も、法務省の機関である。それらの機関の設置を定めた法律で、警察との関係等についての規定が置かれている。(注27)(注28)

(5)　**市町村**

　住民に身近な行政は、地方公共団体（地方自治体）にできる限り委ねることが基本とされている。市町村は、基礎的な地方公共団体として、地域における事務を幅広く担当する。都道府県は、広域にわたるものや規模又

（注26）　刑事訴訟法において、検察官と都道府県公安委員会及び司法警察職員とは、捜査に関し、互いに協力しなければならないことを規定するほか、検察官の司法警察職員に対する一般的指示等が定められている。また、警察法で、国家公安委員会及び警察庁長官が検事総長（最高検察庁の長で、全ての検察庁の職員の指揮監督権限を有する。）と常に緊密な連絡を保つことが規定されている。

（注27）　例えば、少年院の在院者が逃走したときには、少年院の長が警察官に対して連戻しのための援助を求めることができる（求められた警察官は強制措置としての連戻しをすることができる。）ことが、少年院法に規定されている。また、出入国管理及び難民認定法では、出入国在留管理庁長官等が警察庁及び都道府県警察を含む関係行政機関に必要な協力を求めることができること、外国人について警察等の関係機関が一定の罪を犯して逮捕状が発せられていることを通知したときは入国審査官は出国確認の留保を行うことができること等を規定している。

（注28）　破壊活動防止法は、公共の安全の確保に寄与することを目的とし、団体の活動として暴力主義的破壊活動を行った団体に対する規制措置等を定めているが、公安調査庁と警察庁及び都道府県警察とが同法の実施に関し情報又は資料を交換すべきこと等を規定している。また、平成11年には、団体規制法（無差別大量殺人行為を行った団体の規制に関する法律）が制定されたが、同法は、公安審査会・公安調査庁が規制を行うとしつつ、規制をより実効あるものにするという観点から、警察との協力関係について規定を設け、警察も調査等を行う権限を有することとした。同法に基づき、公安調査庁長官が警察庁長官の意見を聴いて、オウム真理教を観察に付する処分を公安審査委員会に請求し、同委員会においてその決定が行われ、警察庁長官が都道府県警察に必要な調査を指示し、都道府県警察の警察職員が公安調査官とともに立入検査を実施する（結果に関する報告の内容は、警察庁長官から公安調査庁長官に通報する。）等の運用が行われている。

は性質において一般の市町村が処理することが適当でないと認められるものを担当する。地域において処理されるべき事務には、住民の安全に関わるものが幅広く含まれている。(注29)

犯罪の予防に関して、犯罪行為をしにくくする環境づくり、子どもの健全な育成という両面から、市町村の果たす役割は大きい。安全安心まちづくり条例をはじめとする取組が行われている。(注29の2) 子どもの健全な育成に関しては、学校関係はもとより、地方自治体の福祉的関与（福祉事務所、児童福祉施設の設置等）(注30)と都道府県及び政令指定都市に置かれる児童相談所(注31)が大きな役割を担っている。

災害に関しては、災害対策基本法において、市町村が第一次的な責任機

(注29) 地方分権一括法で改正される前の地方自治法では、地方公共団体の事務として約20項目を例示として挙げ、その1番目（2条3項1号）に、「地方公共団体の秩序を維持し、住民及び滞在者の安全、健康及び福祉を保持すること。」を定めていた（このほか、7号に「清掃、消毒、美化、公害の防止、風俗又は清潔を汚す行為の制限その他の環境の整備保全、保健衛生及び風俗のじゅん化に関する事項を処理すること。」、8号に「防犯、防災、罹災者の救護、交通安全の保持等を行うこと。」が規定されていた。）。現行法は、原則として地域的な事務の全てが地方公共団体に委ねられるものとしており、以前に例示列挙されていたこれらの事務が地方公共団体の事務であることは当然の前提とされている。なお、例示列挙が全てなくなったのは、住民の身近な事務はできるだけ地方公共団体に委ねることを基本とすることが明確となったことなどから、もはや事務の例示は必要でなくなったとする判断によるものである（松本英昭『逐条地方自治法第5次改訂版』（学陽書房、2010年）34頁参照）。
(注29の2) このほか、再犯防止推進法（再犯の防止等の推進に関する法律）が平成28年に制定され、地方公共団体（都道府県及び市町村）が再犯の防止等に関し、国との適切な役割分担を踏まえて、地域の状況に応じた施策を策定し、実施する責務を有することとされ、地方再犯防止計画を定める努力義務が規定されている。国においては、法務省が再犯防止推進計画の案を策定し、内閣が決定する。計画では、就労・住居の確保、保健医療・福祉サービスの利用の促進（薬物依存症対策関係機関の連携強化を含む。）等が定められている。
(注30) 児童福祉施設のうち、児童自立支援施設は、「不良行為をなし、又はなすおそれのある児童及び家庭環境その他の環境上の理由により生活指導等を要する児童を入所させ、又は保護者の下から通わせて、個々の児童の状況に応じて必要な指導を行い、その自立を支援し、あわせて退所した者について相談その他の援助を行うことを目的とする施設」であり（児童福祉法44条）、家庭裁判所の保護処分における送致先の一つでもある。
(注31) 児童相談所は、児童に関する保護者等からの相談への専門的対応、指導、要保護児童の一時保護等を行う機関であり、非行児童の送致先、児童虐待への対応権限を有する機関でもある。都道府県及び政令指定都市が設置義務を負うが、中核市及び東京都の特別区も設置することが可能であり、特別区のほか、金沢市、横須賀市など一部の中核市で設置されている。

関とされ、災害が発生した場合及び発生するおそれがある場合の市町村長の権限規定が置かれている。警察は、災害に対応する一つの機関として、他の機関と密接な連携をとりつつ、他の法律及びこの法律で与えられた自らの権限を行使するほか、市町村長等の要請を受けて、その権限を行使する場合も一部定められている。^(注32)^(注33)

（注32） 災害対策基本法で警察機関の権限を定めたものとしては、災害が発生するおそれがある異常現象の通報を警察官が受けて市町村長へ通報（54条）、警察署長の漂流物の保管（66条）及び公安委員会・警察官の災害時の交通規制（76条以下）がある。

（注33） 事前措置の指示（59条、市町村長の要求があったとき）、避難の指示（61条、市町村長ができないとき又は市町村長の要求があったとき）、警戒区域の設定（63条、市町村長等が現場にいないとき又は市町村長等から要求があったとき）、応急公用負担及び応急措置業務に従事させること（64条・65条、63条の場合と同じ。）が定められている。

第3章　警察活動の基本原則

　本章では、警察権限法制における憲法と法の一般原則に立った指導理念を解説し、法律上定められた権限を行使する場合と法の規定によらない活動を行う場合とで、その指導理念がどのように働くのかを解説する。なお、過去の学説における「警察権の限界」論については、第1節の後の補論で問題点等を指摘する。

第1節　警察権限法制の指導理念

1　指導理念の意義

　警察の権限法制は、他の行政機関に係る法制と同様に、憲法と法の一般原則とに基づく理念にのっとったものであることが求められる。警察に関して他と異なる特別の法原理があるわけではないが、警察が個人の保護及び公共の安全秩序の維持のための強い執行力を持つ組織であることから、他の機関の場合以上に、行き過ぎの防止と、積極的な介入とが共に求められるという特色がある。

　法の制定段階では、指導理念を踏まえて、立法機関が警察への権限付与の可否及び要件等の定めについての判断を行う。法の執行段階では、権限を与えられた警察機関において、法の規定に従うことを第一としつつ、法の解釈等において指導理念を踏まえることが求められる。法の規定のない場合には、国民の権利や自由を制限しない各種の活動を、指導理念にのっとって行うことになる。

　指導理念の一つは、法律による行政の原理である。憲法の定める三権分立（国会を唯一の立法機関であるとしたこと）と地方自治の尊重（条例制定権を認めたこと）がその根拠である。行政機関が法律に従わなければならないこと（法律の遵守）、国民の権利・自由を制限し、義務を課す活動

は法律又は条例の具体的な根拠規定がある場合に限られること（法律の根拠のない強制の禁止）、法律上の権限はその法律の目的を達成するためにのみ行使しなければならないこと（目的外行使の禁止）、法律で負託された権限を必要な場合には執行すべきこと（法律の執行義務）が、この原理から導かれる。

303　指導理念のもう一つは、基本的人権の尊重である。憲法の定める個人の尊重と基本的人権の保障がその根拠である。個人の権利を制限するのは公共の福祉に必要な場合に限られるのであって、不当に侵害することは許されず、相手方の不利益を上回る公益上の必要がなければならない（比例原則、権限行使の過剰の禁止）。同時に、国民にとって他者からの被害を受けないことが極めて重要なことであり、その防止が強く求められているのであって、国家として、国民の生命、身体その他の重要な権利を他者の侵害から防ぐ制度を設け、必要かつ可能な場面では介入をしなければならない（国民を危害から守る義務、過小な保護の禁止）。権限行使の対象者の権利を過剰に侵害することなく国民の安全と利益を守ることが、立法段階及び法の執行段階において、国及び地方自治体に求められる。

304　その他の指導理念として、権限行使の対象及び保護の対象のいずれにおいても人を平等に取り扱わなければならないこと（平等原則）、国民代表から負託された警察組織の任務を果たすように努めなければならないこと（責務達成義務）を挙げることができる。[注1]また、行政の民主的な統制と正当性の付与の観点から、強制でない活動を含めて、できるだけ法令に根拠を設けること（法令化）も近年では重要性を増している。

305　警察組織への役割分担については、立法段階では、上記の各指導理念のほか、公的機関設置運営費用の最少化（効率性の確保）、権力集中の防止と行政の一体的運用の必要性、個人の自律の尊重（適切な自己責任の範囲

（注1）　行政法の一般原則として、比例原則、平等原則のほか、信義誠実の原則と権利濫用禁止の原則が挙げられる（このほか、宇賀克也『行政法概説Ⅰ行政法総論（第7版）』（有斐閣、2020年）は、透明性と説明責任の原則、必要性・有効性・効率性の原則を、大橋洋一『行政法1第2版』（有斐閣、2013年）は、市民参加原則、説明責任原則、透明性原則、基準準拠原則、補完性原則（行政関与の正当性要請）、効率性原則を、それぞれ挙げている。）。なお、権利濫用の禁止は、国民の側の行為にも当てはまる。

の設定）といった行政に関わる基本的な価値に照らして、バランスのとれた制度とすることが求められる。一方、執行段階では、法律で定められた役割分担に忠実でなければならない。

　なお、かつては、「公共の安全と秩序の維持のため、一般統治権に基づいて国民の権利・自由を制限する行政機関の活動」を「学問上の警察」とし、警察消極目的の原則、警察比例の原則などの「条理上の限界」が及ぶとする「警察権の限界」論が指導的学説として唱えられていたが、今日では、この「理論」は内容、根拠とも不明確な（又は無意味若しくは警察に限らない一般原則の現れにすぎない）ものであり、意義を持つものとは考えられていない（☞341以下）。

2　権限行使対象者の権利・自由の尊重
(1)　基本的人権の尊重と比例原則

　憲法は、個人の基本的人権の尊重を基本原理としている。憲法で列記された人権だけでなく、憲法13条に基づいて、正当な理由なく公権力に介入されないという私生活上の自由が広く認められている(注1の2)。したがって、全ての行政機関は、必要な限度を超えて、国民の権利・自由を制限し、あるいは国民に事実上の不利益を与えるような活動を行ってはならない。基本的人権に対して許される制約の限界と公益上の必要性（警察の場合には、個人の保護と公共の安全秩序維持の必要性）とが比例関係にあることから、「比例原則」と呼ばれる。

　比例原則の内容は、ⅰ公益上の必要性が存在すること（規制立法においては、規制の目的が正当であること。）、ⅱその目的を有効適切に達成する他の手段で国民の権利・自由を侵害する程度がより低いものがないこと、ⅲ公益上の必要性が相手方の不利益を上回ること(注2)(注3)、を意味する。立法の段階では、目的の正当性と規制内容の合理性、相当性の判断として、比例原

（注1の2）　最高裁大法廷判決昭和44年12月24日〔刑集、㉔〕（京都府学連事件）で、憲法13条によって私生活上の自由が広く認められることが明言されている。
（注2）　公益上の必要性が相手方の不利益を上回るかどうかは、異なるものを比較する以上、一義的に決まるものではなく、立法段階で様々な事情を踏まえて判断されることになる。裁判所が判断をできるのは、明らかに不利益が上回っているかどうか、あるいは著しく重過ぎる負担であって容認できないものかどうか、といったことに限られる。

則が反映される(注4)。法律を執行する段階では、要件を満たしていれば公益上の必要性が上回るとする国会の判断が存在するので、それを前提とした上で、権限濫用に当たらないようにすることが求められることになる（☞351以下）。

308　なお、違法状態を自ら作出した者など社会通念上責任がある者への権利自由の制限と比べ、社会的な責任のない者への権利自由の制限がより限定的な範囲に限って認められるのは、制限が加えられることが当然視される場合には権利利益の制限による不利益がより小さなものと評価されることによるものといえる（社会的責任の有無は、社会的相当性の判断にも影響する。☞337）。

(2)　権限濫用防止の仕組み

309　行政権限は、大臣や知事といった組織体の長（委員会制度をとる場合には委員会）に付与されるのが通常である。警察の場合にも、許可などについては、公安委員会や警察署長の権限として定められ、組織的な検討を経て行使される。処分を行う場合には、行政手続法の定める事前手続がとられる。違法な処分が行われた場合には、裁判所に取消訴訟が提起され、処分が取り消される。このように、組織的な判断が行われること、事前手続がとられること、違法な場合には裁判所によって元の状態に戻されること

（注3）　経済的自由の制限に関して、福利増進目的による規制が、公共の安全秩序の維持のための規制より広く認められるとする見解（目的二分論）がある。しかし、人の生命等の保護の必要性が福利増進の必要性よりも高いことはあっても低いことはあり得ない。規制される国民の側においても、同じ負担であれば公共の安全秩序の維持の方が納得できることが多いのが通常である。目的二分論は、裁判所の能力上の限界（経済的な発展のためにどのような規制が合理的かを判断する能力が乏しい。）のために裁判所の審査が狭い範囲となることを示したものであって、権利制限が認められる限度に対するものではないと考えるべきである。目的二分論と過去の警察法理論の関係について、岡田健一郎「日本公法学における「警察」についてのメモ：経済的自由規制目的二分論を出発点として」一橋法学7巻2号（2008年）参照。

（注4）　最高裁判決平成15年12月11日〈刑集、Ⓦ〉は、ストーカー規制法の刑罰規定に関し、「目的の正当性、規制の内容の合理性、相当性」に鑑みれば憲法に違反しないと判断している。規制内容の合理性、相当性に関して、i 社会的に逸脱したつきまとい等の行為を規制対象とした上で、その中でも相手方に対する法益侵害が重大で刑罰による抑制が必要な場合に限って、相手方の処罰意思に基づき刑罰を科すこととしたものであること、ii 法定刑が刑法、軽犯罪法等の関係法令と比較しても特に過酷でないこと、を指摘している。実質的な比例原則による判断といえる。

が、個別の根拠規定と並んで、権限行使の行き過ぎを防ぎ、違法な場合の事後救済を確保して、権限行使の対象者の権利・自由を保護する機能を果たしている。

これに対し、警察権限法制では、急を要する事態に対処する場合や、現場で状況に応じた措置をとる必要がある場合には、個々の警察官の権限として規定される。警察官の現場的な権限は、行政手続法の規律が及ばないことが同法で明記されている。(注5) 現実の状態を変える結果を伴うものであるため、取り消して元の状態に戻すことはできない場合が多く（武器を使用して相手方の生命、身体に影響を与えたときが典型である。）、法的効果を持続させるものではないので、不服申立や取消訴訟の対象ともならない（国家賠償訴訟の対象となるのにとどまる。）。現場の状況に応じた措置をその場でとる必要がある場合には、要件ないしとり得る手段について、詳細な規定を設けることが困難な場合もしばしば存在する。警察官職務執行法でも、「相当な理由のある」、「やむを得ない」、「合理的に必要と判断される限度」といった表現が用いられている。

このように、警察官の現場的な権限については、権限行使の主体（組織的検討）、事前手続、事後的救済という違法不当な行為を防止し、是正する仕組みが、他の場合と同様には機能しない。また、様々な事態に迅速に対応することを可能にする上で、権限の根拠規定の要件をある程度以上は詳細に規定できない場合もある。他方で、不当な権限行使による弊害を防ぐことのみを重視し、権限の付与をせず、あるいは権限を認めても迅速な行動ができないような手続にし、現実の執行を阻害することは、関係者の被害を防ぐことを困難にする（☞315）。

警察官への権限付与については、警察の権限行使による関係者の保護及び社会的利益の確保という利益と、権限行使の対象者の権利・利益の保護との間で、バランスのとれた法制とすることが必要となる。要件の規定が

（注5）　行政手続法3条1項13号は、「公衆衛生、環境保全、防疫、保安その他の公益に関わる事象が発生し又は発生する可能性のある現場において警察官若しくは海上保安官又はこれらの公益を確保するために行使すべき権限を法律上直接に与えられたその他の職員」によってなされる処分及び行政指導については、手続的保障に関する各種の規定が適用されないことを定めている。

最も重要であり、工夫が求められるのは当然であるが、それだけでは濫用防止に不十分な場合も生ずる（ある程度は抽象的な規定にならざるを得ないし、現場で容易に分からない事情を要件にはできない。）。このため、運用上の心構え的な規定（例えば、「この法律に規定する手段は、前項の目的のため必要な最小の限度において用いるべきものであつて、いやしくもその濫用にわたるようなことがあつてはならない。」とする警察官職務執行法の規定（1条2項））を設けて、濫用防止に一層の注意が必要であることを明示することも行われる。何らかの手続的な規定、例えば、警察官が立入等を行う際に、相手方からの要求があれば立入りの理由を告げ、身分を示す証票を呈示することを義務付ける（6条4項）ことも、権限濫用防止の機能を有する。解釈運用上の留意事項について公安委員会が定めて公表するといった方法も、権限法と組織法の双方を通じた権限濫用防止のための仕組みの一つである。裁判所の関与（事後的関与を含む。）によって権限濫用を防止することもあり得る。このほか、警察組織の責任者に調査を求め、違法な場合には再発防止措置等を行わせる制度を設けることも、不当な行為によって受けた被害の回復と権限濫用の防止の双方に意義がある。

311　権限濫用を防止し、適正な権限行使を確保するためには、個々の警察官が判断を適切に行い得るだけの能力を有することと、組織的な統制が実態

（注6）　義務付ける内容の全てを厳密に規定することができないときでも、例えば、典型的なものをできる限り例示列挙するなどによって、できるだけ明確化を図っていくことが求められる。本来の規制対象以外のものができるだけ含まれないようにしなければならないことも当然である（最高裁判決平成19年9月18日〈刑集、Ⓦ〉は、広島市の暴走族追放条例について、規定の仕方が適切でない（暴走族と異なるものまで規制対象にしており、文言どおりでは規制の対象が広範囲に及び、憲法上の問題が生ずる。）ことを指摘している。）。
（注7）　保護について、24時間を超える場合に簡易裁判所裁判官の許可を要すること及び保護した者の氏名等を毎週簡易裁判所に通知することが義務付けられている（警察官職務執行法3条3項、5項）。後者は、公正な第三者である裁判所に通知することを通じて、間接的な形で権限濫用の防止を図ったものである（☞538）。
（注8）　現行法では、犯罪捜査及びそれに準ずる手続（触法少年調査等）を除けば、事前に裁判所の判断を得る制度はほとんどないが、関係者の保護や社会的利益のために強制をする必要が高く、同時に権利・自由の制限の程度も大きいという場合には、裁判所の判断を得て介入をする制度を設けることも十分検討に値する。警察の権限ではないが、児童虐待防止法（児童虐待の防止等に関する法律）に基づく知事（児童相談所）の臨検捜索制度はその例である。

的に行われることが必要となる。このため、警察官の教育が警察では特に重視されている。また、指揮監督を及ぼすとともに、組織的なバックアップを行うために、通信手段等が整備されている。警察組織法において、これらの事項を解説する（☞916、917）が、警察官への権限付与の在り方に関して、これらの現実的なレベルが考慮されるべきことは、当然である。

公安委員会や警察署長の権限については、他の行政機関の場合と基本的に異なるものではない。もっとも、流動的な事態に迅速に対応する上で、事前手続をしないで処分をすることが認められる場合や、要件に関して明確に定める上で限界がある場合も存在する。また、相手方の私生活に近い領域に介入する場合のように、他に比べて一層慎重な判断が求められることもある。これらの特殊性がある場合には、警察官の現場措置のときほどではないが、権限濫用防止のための仕組みが求められることになる。ストーカー規制法では、適用上の注意の規定（21条）を設けたほか、命令には原則として聴聞を必要とし、緊急の必要があるときには聴聞をしないで命令をすることができるとしつつ、15日以内に意見の聴取をすることを義務付けている（5条）。

312

column　公安委員会による統制を通じた権限濫用の防止

警察への権限付与に関しては、できるだけ適切な権限行使がなされ、かつ、適切に権限行使がなされているかどうかが国民に分かるための仕組みが構築される必要がある。この点で重要な役割を担うのが公安委員会（都道府県公安委員会）である。公安委員会は、民衆の代表者としての立場で警察を管理し、独善化を防ぐことを使命としている。平成10年代以降、公安委員会に、警察の違法、不当な活動を関係者の申立てを受けて是正する役割が、組織法と作用法の双方で定められてきている（警察職員の職務執行に関する苦情の申出（警察法79条）、被留置者による公安委員会に対する事実の申告（刑事収容施設法232条）など）。

権限濫用を防ぐ上で、解釈運用指針を公表することも重要な意味を持つ。例えば、大阪府安全なまちづくり条例では、棒状の物の携帯禁止に関する規定の解釈運用について、公安委員会が告示をすることを定めている。委員会規則制定権限に基づくものとして、例えば、拳銃の使用に関して、国家公安委員会が拳銃規範（警察官等拳銃使用及び取扱い規範）を定めている（平成13年の改正により、使用の判断基準等を「第一線の警察官にとって分かりやすい形で示す」ものとなっ

313

ている（☞565)。)。運用実態が外から分かりにくいものについては、公安委員会に報告をさせ、制度の趣旨にのっとって行われているかどうかを個別に確認することも、適正さの確保と同時に、国民に分かるようにする仕組みとして重要である。東京都公安委員会が、警視庁における防犯カメラに関して、「街頭防犯カメラシステムに関する規程」を定め、データを活用した場合は公安委員会に報告させることとしているのはその例である（☞756、824)。

　警察の権限濫用への危惧感が抱かれる場合に、公安委員会に権限濫用の防止の責任を負わせ、公安委員会が住民の意見を聴いた上で運用等に関する指針（実務規範）を策定して公表し、問題となり得る事態につながるものを報告させ、必要な場合には適切な補佐機関を用いて(注9)、権限濫用が行われていないかどうかを点検し、違法不当な事態があれば是正させる、一定期間経過後に制度の継続の可否について見解を示す、といった制度が構築されることによって、真に国民の利益となる警察の権限法を設けることができるものと考える。

(3) 損失補償

314　損失補償制度は、行政の適法な行為による私人の権利利益の侵害の一部を負担の公平の見地から国又は公共団体が保障するものであり、実質的な権利自由の保障の一部となっている。財産権に関して、特別の損害を負わせる場合であって、その者に負担を負わせることが不公平と考えられるようなときには、損失補償の義務が生ずる。憲法の定める刑事補償請求権も、損失補償の一つである。

　安全確保のための物の規制は、対象となる物の所有者との関係では、財産権に内在する制約であり、「公共の福祉に適合する」ように財産権の内容を定めたものとして、損失補償を要しないと一般的に考えられている(注10)。所有者以外でも、安全上問題となる事態の発生に責任がある者に各種の負

（注9）　地方自治法により、都道府県の執行機関には、条例に基づいて、審議会、調査会等を設けることができることが定められており（138条の4）、公安委員会にも必要があれば附置機関を設けることが可能である。

（注10）　例えば、ダガーナイフの所持が銃砲刀剣類所持等取締法の改正で全面禁止されたが、所有者の損失は保障されない。他の危険な物の規制でも損失補償が不要とされている（例えば、ガソリンタンクに関して、道路から一定の距離を置く規制があるため、道路が広がって地下道が設けられたことで移動させたことについて、安全のための規制（警察規制）であることを理由に損失補償を要しないものとされている（最高裁判決昭和58年2月18日〈民集、Ⓦ〉)。)。

担をさせることは、それが著しく大きな場合を除き、不公平であるとは通常考えられないので、損失補償を要することにはならない。これに対し、何の責任もない者に大きな損害を負わせる場合は、損失補償が必要となる。警察の権限行使に関しては、社会通念上責任を負うべき者が対象とされていることが多く、内在的な制約として負担を甘受すべきものと考えられており、直接的な責任のない者に対して負担を求めることがあり得る場合（例えば、警察官職務執行法4条の場合）も、現場的一時的な措置であることから、憲法上の損失補償を要しないものとされている。

　一方、憲法からみて損失補償の必要が常にあるとまではいえない場合でも、様々な事情を踏まえて、損失補償を行う規定が設けられることがある。例えば、災害対策基本法では、市町村長が災害時の応急措置として、他人の土地や物を一時使用し、物件を収用する権限を行使した場合（市町村の職員が現場にいないとき又はそれから依頼されたときに警察官が行う場合を含む。）、あるいは災害時の通行禁止区域に置かれている車両等を除く際に警察官がその車両等を破損した場合には、損失補償を行うことが定められている（82条）。災害対策基本法における損失補償の制度化は、負担の公平の見地や、執行の容易化（紛争を回避して現場でスムーズに収用や破損が行えるようにすること）につながるものである。警察の法制の中でも、第三者に重い損害を結果的に負わせる場合や協力を得る上で必要となる場合など、災害対策基本法と類した問題状況があり得る[注11]。ことに、個人の生命、身体の安全を確保するため警察の早期の介入を認めることが必要な場合に、結果として必要でなかったという事態における対象者の権利救済の観点から、損失補償を組み込んだ制度化を新たに行うといったことも検討に値すると思われる。

3　国民の安全確保

(1)　安全確保のための制度構築・執行責任

　国民（国内にいる全ての人）の安全を確保することは、国家にとって最

（注11）　古谷洋一「警察官権限法の整備に関する一考察」『警察行政の新たなる展開（上巻）』は、国民の協力を得ることの困難性を踏まえ、損失補償について法令上明らかにしておくことが望ましいことを指摘している。

も重要な任務である。生命が人にとって最も重要な価値を持つことはいうまでもない。身体的安全に対する他者による侵害（性犯罪、児童虐待、人身取引、生命身体への加害行為）が重大な人権侵害であることは、被害者の実態からみても(注12)、現行法制上も明らかである(注13)。安全が確保されない状態では、国民の行動の自由も存在しない。国民は国家に対して安全の確保を強く希望しており（☞104）、国家は安全の確保・維持を責務としている(注14)(注15)。国は国民の安全を確保することに有効な制度（法的権限と執行態勢）を構築し、執行する責任を負う。例えば、猟銃のような人の生命侵害につながるものの所持については、適格性に疑いが少しでもあり得る者が所持できないような法制を設けることが必要である(注16)。最も重要な価値である人命を保護するために、大半の者にとっては単なる娯楽にすぎないものを制限するのであるから、不許可事由を狭い範囲に限るべきではないことは明らかである（☞610）。

　被害が生ずることを防ぐために事前に介入することが重要であり、「犯罪に至っていない」段階での予防的な権限法制が設けられ、執行される必要がある(注17)。国民からすれば、行政機関は自らの権利や自由が守られるように使うべき対象であり、不当な侵害をしなければいいという存在ではない。

（注12）　全国被害者支援ネットワーク編『犯罪被害者支援必携』（東京法令出版、2008年）参照。岡村勲監修『犯罪被害者のための新しい刑事司法（第二版）』（明石書店、2009年）も、犯罪が一瞬にして平穏で自由な市民生活を破滅させる最大の人権侵害であると指摘する（348頁）。
（注13）　配偶者暴力防止法（配偶者からの暴力の防止及び被害者の保護等に関する法律）は、「配偶者からの暴力は、犯罪となる行為をも含む重大な人権侵害」であり、「人権の擁護と男女平等の実現を図るために」配偶者からの暴力を防止し、被害者を保護することが必要であることを立法目的として明示している（前文）。児童虐待防止法も、児童虐待が児童の人権を著しく侵害するものであることを明記している（1条）。
（注14）　土井真一「憲法と安全」警察学論集62巻11号参照。憲法学における安全に関して、大沢秀介「現代社会の自由と安全」、大石眞「「安全」をめぐる憲法理論上の諸問題」（いずれも公法研究69号）参照。
（注15）　国家の介入による個人保護を「市民的法理の構造転換」として非難する見解に対して、大屋雄裕『自由とは何か』（ちくま新書、2007年）は、そのような見解が国家以外の者（例えば、共同体）の危険性や個人が他者に対して危険を及ぼし得ることを無視するものであって、「個人の自由は国家によって侵害される側面と国家によって守られる側面とを、最初からもっている。そこには何の転換もありはしないのだ」と指摘している。
（注16）　高石和夫「現代社会における銃砲刀剣類規制の法理」警察学論集32巻3号参照。

行政法的考え方自体が、そのような国民の要請に応えるものでなければならないのである(注18)。

(2) **段階ごとの被害予防**

安全確保のための介入や事前規制をどこまで行うものとするかは、被害が起きた場合に生ずる影響、実際に被害に至るおそれの程度、介入によって制限される権利や自由の内容という三つの要素を踏まえて判断されるべきものである(注19)。また、それぞれの手法に応じた適正な手続的な保障をできるだけ行っていくことが求められる。もっとも、行き過ぎを防ぐ見地から様々な制約を設けること（例えば、任意的な措置を事前に行うことを義務付ける、事前手続を常に求めるなど）は、迅速な介入ができず、被害を防ぐことができない事態を招く。ストーカー規制法は、立法時においては、警察が警告をし、警告に反する行為が行われた後に、事前の聴聞を行った上で禁止命令をするというものであったが、平成28年の改正法により、警告なしに、また緊急な場合には事前の聴聞も行わないで、直ちに禁止命令をすることができる制度に改められた。迅速な介入による被害防止を重視する方針が立法者においてとられたものといえる(注19の2)。

事態が切迫している場合には、強い介入が認められる。犯罪がまさに行われようとするのを認めた場合の制止が典型である。この場合、事前手続

(注17) 櫻井敬子「行政警察に関する考察」警察政策6巻は、他の行政組織が担当する危険防止のための権限（感染症予防法（感染症の予防及び感染症の患者に対する医療に関する法律）、消防法）と比べて、警察組織が行う行政警察作用については公権力の最適執行を満たす制度になっていないことを指摘し、「予防的で、直截的、即時的な行政措置の必要性」を主張している。また、磯部力「犯罪予防の法理―行政法の視点から」警察学論集60巻8号は、警察官職務執行法の予防権限が極めて犯罪に近い場合にしか行使されておらず、「行政警察の本来の特性を発揮するどころか、いつの間にか刑事法の枠組みと同質の思考枠組みになってしまっている」と述べ、その背景として、犯罪捜査の場合のような判例と理論の蓄積に乏しく、信頼できる基準が作られていないことを指摘している。

(注18) 行政法判例研究会・行政法理論研究会「行政法の研究教育の課題」自治研究77巻9号の曽我俊文報告は、「これからの行政法学は、国家権力の濫用の防止だけではなく、国家権力を活用して国民の権利・利益を保護することによりいっそう自覚的である必要がある。」と述べている。

(注19) 磯部前掲注17参照。なお、土井前掲注14は、憲法学では伝統的に、国家が保護する法益と規制される人権との比較衡量（目的審査）、規制される行為による法益侵害の可能性（手段審査）とを独立に判断してきたが、両者を相関させた考え方（リスク）も十分に成り立つとし、この場合には総合的な判断が必要になるとする。

をとることはできないが、ある程度の期間を超えて措置を継続するとき（例えば、警察官職務執行法3条の保護を継続するとき）は、裁判所の許可を得るなど相手方の権利保護が図られる必要がある。

317 　社会的に非難される行為によって人を不安に陥れる状態が生じている場合には、さらなる被害防止のために介入できるようにする必要がある。暴力団対策法に基づく暴力的要求行為に対する中止命令は、生活又は業務の遂行の平穏が害されている場合に行われる。ストーカー規制法に基づく警告及び禁止命令は、つきまとい等をされて不安を覚えさせられている場合で、さらに反復してその行為を行うおそれがあるときに行われる（☞同法については、☞602、603）。被害者の視点に立てばより簡易迅速な介入手段の整備が求められるが、実際の運用においては法によらない行為者への指導警告によって多くの事案への対処がなされており、法的介入権限と調査権が規定されたことで、それに至らない任意活動も含めた全体としての有効性が発揮されていると評価できる。

　危険物等に関して具体的な危険がある場合には、介入を認める規定が設けられる。例えば、銃砲刀剣類又は刃物を携帯している者が、「異常な挙動その他周囲の状況から合理的に判断して、他人の生命又は身体に危害を及ぼすおそれがあると認められる」場合には、提出させて一時保管することが警察官の権限として規定されている（刃物等による危害を防ぐために、「まさに危害を及ぼそうとしている」段階まで待つことなく、「おそれ」がある段階で権限を行使できるようにしたものである。人の生命、身体に対する危害を防ぐために、積極的に権限を行使することが求められる（☞613、1115）。）。また、暴力団対策法は、暴力団員に対する損害賠償請求や事務所の使用禁止請求が行われた場合に、請求の相手方の暴力団員が請求者等に対して生命等に危害を加える方法で妨害するおそれがあると認めるとき

（注19の2）　新規立法の段階では、「行き過ぎ」防止の仕組みを多く用いることで新たな権限付与に対する危惧感に応え、実務の積み重ねにより「行き過ぎ」の懸念が払しょくされたことを踏まえて、安全の確保という制度の目的の実現に支障となることを直視して、「行き過ぎ」防止の仕組みをなくす（減らす）ことは、立法者として現実的な態度といえる。なお、ストーカー規制法のこの改正は、国会の両議院とも全会一致であり、安全の確保をより重視する考え方が党派を超えて共有され得ることを示している。

は、妨害を防止するための措置を命ずることができることを定めている。このような場合にまで、何らかの違法行為が実際に行われたり、危害を加えられそうになるまで介入ができないといったことではなく、「おそれ」の段階で命令がなされるようにしたものといえる（☞628）。

抽象的な危険の段階では、その段階にふさわしいレベルの介入が認められるべきものである。特に、状況がよく分からない段階では、警察官が最小限の調査（最初の接触をし、危険性の可能性を判断する。）をし、危険性の可能性があればより詳しく調べ、状況が分かった段階で、それに見合った措置を講ずるといったことが必要であるといえる。このほか、銃砲所持や自動車の運転について許可（免許）制度を設け、一定の基準を満たした者にだけその行為を行わせることも、安全確保のために、国民の権利・自由を制限することである。危険な物を取り扱う営業についての規制も同様である。それらの行為や危険物等によって安全が損なわれることのないように、適切な許可基準等が定められ、不適切な行為をした者の許可が取り消され、あるいは適切な義務付けが行われる必要がある。

(3) 刑事法制と行政法制の関係

旧憲法下において過大な行政権限が弊害を招いていたことから、戦後は刑事罰を科す規定を設けることで事態に対処するという立法方針がとられた。人に危害を加える結果を生じさせたる行為を犯罪とするという伝統的な刑事法制は、事後的責任追及を通じて、応報とともに、危害行為を行わないように人を誘導するものである。加害者の多くが実際に処罰されるのであれば、全体としての被害をある程度の水準以下にする効果が見込まれるが、個々の事案において事前に被害を防ぐものではない。専ら事後処罰のみによって対応することは、事前介入による自由への侵害を防ぐことを意図するものであるが、同時に被害発生まで待つことで個々人に被害が生ずる事態を受け入れることを意味する。

被害防止の必要性が強く求められる中で、近年では、実害の発生を待つ

（注20）　櫻井前掲注17は、自動車の一斉検問の正当性の論議と類似のものとして、危険性がある人物かどうかは分からないのであるから、「最初の行政機関による接触を認めることに伴う不利益は、共同体の一員として甘受すべきもの」と述べる。

のではなく、より早期の段階で権力的な介入をする法制が設けられてきている。その一つは、刑事法として、実害のない段階での行為を処罰対象化する法制であり、事後的責任追及の面だけでなく、刑事訴訟法上の権限行使を含めた警察の介入を可能にするものである。もう一つは、行政法としての介入権限法制である。つきまとい等に対して、警察が警告や命令をするストーカー規制法が典型である。裁判所が一種の行政機関的な立場で介入をするものとして、配偶者暴力防止法の保護命令がある。(注22)

警察への行政権限付与に対して、刑罰法規に触れ得ることを理由に「まずは現行法を最大限活用」すべきという主張がしばしば行われるが、刑罰は一般の行政権限以上に抑制的であるべきとするのが刑事法の基本であり、さらに証拠上の問題もある（合理的な疑いを超える立証を要する以上、被害者からすれば犯罪被害でも、刑事事件としての摘発が困難なものが相当程度存在せざるを得ない。）のであるから、制度創設に反対するための口実を超えるものではない。必要な権限を付与しないとすれば、個人が被害を受け、あるいは社会的利益が大きく損なわれる事態が生ずることは避けられない。刑罰消極主義は個々人に負担を負わせるものとして見直しが求められているが(注23)、それ以上に、行政権限付与と権限行使への抑制的な態度の見直しが必要である。

実際に加害行為をした者への刑罰による人権の制約と刑事手続過程における権利自由の制限、予防的な措置のための関係者の権利自由の制限、被

(注21) 井田良「犯罪の予防と処罰」警察学論集60巻8号は、事後的処罰を中心にした制度について、事前介入は予測による不確実さが避けられないことから、被害を生じさせた場合だけを対象とすることで介入が減り、全体として自由への侵害が少なくなるという考えによると述べる。なお、大屋前掲注15は、事後規制が各人の選択の自由を確保する（と同時に犠牲者を防ぐことができない。）ものであることを指摘している（136頁）。

(注22) 裁判所の命令ではあるが、迅速に行われ、違反には罰則でのみ担保がなされており、本質的には行政作用と変わらない（重大な権利制限にも及ぶため「単純に比較できないが、例えばストーカー規制法における行政機関による聴聞手続と比べて、どちらが手続保障に厚いといえるか微妙なところもある」と評されることもある（横光平「国家による家族への介入と国民の義務」公法研究70号)。）。

(注23) 井田良『変革の時代における理論刑法学』（慶應義塾大学出版会、2007年）は、「刑罰消極主義の立場は、市民が安全の国家的保護を求めている領域に国が介入しないことを意味するが、それは、市民に対し安全保護を自己負担させる結果となる」と述べる（22頁）。

害者の被害による人権侵害という三つの面のいずれをも視野に入れて、バランスのとれた制度の創設が求められる。(注24)(注25)

> **column** 昭和期の日本で行政的介入も刑罰も限定的であり得た背景
> 　戦後の改革で行政権限が大幅に減らされたにもかかわらず問題が生じなかったのは、社会的統制が機能していたこと（社会的圧力によって被害者に負担を強いてきたことを含む。）の結果である。昭和期の日本社会は、建前上は個人の自由が尊重されることになっていたが、実際には権威主義的関係が広く存続しており、行政機関の指導や権威に従う者が大多数であったため、法的権限がなくとも事前の予防がある程度可能であった（ストーカー規制法がなくとも、地域の有力者が加害者側を指導したり、警察官が注意を促すことによって、エスカレートを防ぐことができた。）。また、被害発生がある程度不可避なものとして社会的に受け入れられ、社会的圧力によって犯罪被害者が忍従を強いられていたことで、被害防止の必要性が社会的な認識として広がらなかった。(注26) 刑事法の運用に関しても、起訴猶予、執行猶予が多用され、実刑の期間も短く、仮釈放が積極的に用いられるなど、国民の予期するものより軽かったが、国民が知らされていない以上問題にはならなかった。(注27) 国家の権限行使を行政法、刑事法のいずれの面でも限定的とする過去の制度は、社会の権威主義的体質と国民に対する行政の閉鎖性（情報の非開示）、そして被害者の負担によって成り立っていたといえる。
> 　今日、権威主義的な社会の解体は、行政指導の効果を失わせ、法の不備、法執行の不在の問題を顕在化させた。刑事法の運用実態を隠すことはできなくなった。そして、犯罪被害者が声を上げることによって、被害者を無視し、被害の深刻さ

(注24)　刑事罰に頼ることの問題点を指摘し、行政的予防措置の拡大によって過剰な刑罰の引き上げを避けるべきとの主張がされている（井田前掲注21）が、従来から存在する刑事罰の一層の強化よりも、従来少なかった行政的介入の強化の方が、限界効用逓減の考えからいっても合理的であるといえる（次注参照）。

(注25)　犯罪による被害防止のための手法は、刑事法と行政法に限られない。筆者は、様々な手法を視野に置き、安全とコスト、コスト相互のバランスを、効用逓減といった合理的な考え方を基に探求していく必要があると考えており、社会安全政策論についての見解を明らかにしている（田村正博「犯罪統御の手法」田口守一ほか編『犯罪の多角的検討』（有斐閣、2006年））。多様な手法について、徳永崇「人の行動に対する「働きかけ」手段に関する一考察(1)〜(3)」警察学論集63巻11号、64巻1号、2号参照。

(注26)　犯罪被害者は、大きな声で泣くことすら許されない社会の中で、ひたすら忍従を強いられてきた（山上晧「被害者支援の新たな展開に向けて」警察学論集50巻4号参照）。

(注27)　河合幹雄『安全神話崩壊のパラドックス』（岩波書店、2004年）は、犯罪者及び統制者と、一般市民との間に、犯罪に対する態度とあるべき対策について見解に大きな違いがあることを指摘している（157頁以下）。

を軽視してきた論議は許されないものとなった。その結果、被害防止のための行政措置の強化と、事後的な処罰の強化とが、ともに求められる状態が生まれているのである。(注27の2)

4　私生活の尊重と家族間暴力事案への介入
(1)　私的領域における事態への干渉の限定

323　一般に、基本的人権の尊重の必要性と公的必要性との比較衡量によって行政機関の活動の限界が画されることは前述のとおりであるが、個人の私的空間あるいは専ら私的な事柄に関しては、暴力事案のようなものを除き、他人や社会に影響を与えることが少ないので、公的機関が介入することのできる範囲が公的な空間、領域の場合に比べて限られることとなる。他の個人又は社会に影響を与えないような個人の生活行動に、行政機関が干渉することはできない（相談をした者にアドバイスをするといった、全く当事者に不利益を与えない活動を行うことはできるが、それを超えて干渉にわたることはできない。）。家族や社会に影響を与える場合でも、それが小さいものであるときには、権限行使の必要性が乏しいものと評価される。

立法段階では、個人の私的な自由を制限するだけの必要性があるかどうかが判断される。法律によってある行為を全面的に禁止している場合には、個人の純然たる私生活の問題ではないとする判断がなされているので、私的空間内の行為でも警察としてこれを取り締まることは当然可能である。一方、法律の規定のない場合（刑事法上の犯罪とされていない事態で、介入することの根拠規定もない場合）には、当事者（複数の場合はその一部）から求められたときを除けば、介入できるのは人命の保護上必要なときなどに限られる。もとより、家庭内であっても、家族に対する暴力事案を放置することはできないのであって、個人の保護のために介入すべき場合があることは当然である（☞325以下）。

(2)　住居の平穏の尊重

324　個人の尊重と私的生活の自由の保障の一環として、私的生活の本拠であ

（注27の2）　筆者の見解と共通する認識をもって、新たな事前予防の在り方を検討したものとして、星周一郎「事前予防と秩序違反行為の法的規制」刑法雑誌54巻3号がある。

る住居は、みだりに侵してはならないものとされている。住宅等の特定の人が利用し、管理している場所に、警察官が強制的に立ち入ることは、犯罪捜査手続としての場合（刑事訴訟法の捜索）を除き、警察官職務執行法6条1項の規定に基づき、その要件を満たした場合にのみ行われる。承諾を得て立ち入るのは、法律の根拠がなくとも可能であるが、必要性が低いのに私的な場所へ立ち入る場合や、承諾を得るための説得活動及び立入行為の態様が相当でない場合には、許されないものとされる場合がある。このほか、立入調査として、正当な理由なく応じない場合が処罰の対象とされている場合があるが、通常は事業者の営業所のような場所が対象で、個人の私宅が対象となることは少ない。個人の私宅の場合に特別の限定が付されていることもある。

(3) 家族間暴力事案からの個人の保護

家庭内であっても、家族に暴力を加える行為（児童や高齢者などに対する身体的暴力以外の虐待を含む。）は許されない。被害者からの申告等があった場合において、その被害者の権利を守り、被害者を保護するために、警察として介入することができることは当然であって、「家庭内の問題なので介入できない」といった考え方は誤りである。かつては、家庭内の事案に国家が介入することを問題視するような見解もあった。しかし、家庭内の暴力（例えば、夫の妻への暴力、児童の虐待）が個々人の人権を侵害

(注28) 刑事訴追のための手続については、住居などの不可侵が憲法で直接規定され、捜索・押収は、犯人逮捕の場合のほかは裁判官の令状を要するものとされている（35条1項）。刑事手続以外の場合には、常に令状が求められるわけではないが、大きな権利侵害に当たる以上、それだけの高い必要性が求められることになる。

(注29) 猟銃保管場所への立入検査は、個人の私宅であることが多いため、事前の通告を要することとされている。また、消防法は、火災予防のための立入調査権限を広く定めているが、個人の住居については、「関係者の承諾を得た場合又は火災発生のおそれが著しく大であるため、特に緊急の必要のある場合」に限定している。なお、家族の居住する場所への立入りとしては、児童虐待のおそれがある場合の間接強制としての立入調査（拒否した場合に罰則の対象となる。）と裁判所の許可状を得て行う強制立入（臨検）とが児童虐待防止法で知事（児童相談所）の権限として定められている。

(注30) 昭和30年代には、誤った理解によって警察官の介入（警察官の面前で母親に対して暴力をふるっていたのを制止した行為）を違法とした裁判例も存在した（横浜地裁判決昭和37年5月7日〈下刑集4・〔5・6〕・407〉）が、上級審で破棄されている（東京高裁判決昭和38年3月19日〈下刑集5・〔3・4〕・166〉）。

するものであり、継続性からすれば他の場合以上に大きな被害を与えるものであるのは明らかである。このため、近年では、警察の積極的な介入が求められるようになってきている。(注30の2)

326　配偶者間暴力（身体的暴力に限る。）については、配偶者暴力防止法で、警察官が配偶者からの身体に対する暴力が行われていると認めるときは、法令の定めるところにより、暴力の制止、被害者の保護その他の暴力による被害の発生を防止するために必要な措置を講ずるよう努めなければならないことが定められている（8条）。配偶者からの身体に対する暴力が、一般の暴力（配偶者という関係のない者同士の暴力）と同様に犯罪となる(注30の3)という認識の下に、警察官が被害防止のための権限行使をするように求めたものであるといえる。

児童虐待については、児童虐待防止法によって、虐待が定義され、親権の行使を理由として児童虐待に係る暴行罪等の犯罪の責めを免れないことが明確にされた。なお、同法においては、児童福祉事務に従事する都道府県の職員が児童虐待が行われているおそれがあって立入りをする場合等において、警察官の援助を求めることができる旨が規定されている。

column　家族間暴力事案における警察の介入

327　家族間暴力事案に関しては、配偶者暴力防止法と児童虐待防止法が制定されているが、いずれも警察の権限規定はなく、強制的な介入は、配偶者間暴力に関しては家庭裁判所（保護命令）、児童虐待に関しては児童相談所（又は児童相談所設置自治体の長）の権限（立入り、臨検・捜索）のみが規定されている。したがって、警察が強制として行うことができるのは、一般的な場合と同じく、警察官職務執行法に基づく危険時の措置又は犯罪の制止とそれらのための立入り並びに刑事訴訟法に基づく逮捕とそのための捜索に限られる。警察官職務執行法の権限は実際に危険な状況にある場合に限られているため、刑事訴訟法によるものを除き、

（注30の2）　親密圏内にある者からの被害防止について、青山彩子「家族・近親者からの被害防止」大沢秀介ほか編『社会の安全と法』（立花書房、2013年）参照。

（注30の3）　制定時の配偶者暴力防止法では、前文に「配偶者からの暴力は、犯罪となる行為であるにもかかわらず……」との記載があった。平成16年改正法で「配偶者からの暴力」の定義が身体的暴力以外にも拡大されたことにともなって、現在の表現（配偶者からの暴力は、犯罪となる行為をも含む重大な人権侵害であるにもかかわらず……）に改められている。

ほとんどの場合は任意の活動として行われる。

　配偶者間暴力事案に関しては、被害者からの相談等を受けて、危害防止の必要があると判断されれば、被害届の提出を促し、捜査権限が積極的に行使されている。他の権限がない中で、被害の意思を前提としつつ（被害者の意思と捜査の関係について（☞336））、個人保護のための捜査（個人保護型捜査）が展開されているといえる。(注30の4) 身体的な暴力や脅迫等の証拠があるとは言えないときや、被害者が加害者である配偶者への処罰を求めず、捜査への協力も得られないときは、捜査権限の行使はできない。緊急度の高い場合の現場における一時的な措置（警察官職務執行法の犯罪の制止等）を除けば、加害者への指導警告、被害者への防犯指導などの任意の措置が講じられるにとどまる。

　児童虐待事案に関しては、警察は現場的な措置を講じ、児童相談所に通告する（児童虐待であることが証拠等によって明確にならなくとも、児童相談所による児童の保護支援に資するため、「児童虐待を受けたと思われる」限り、警察は通告する義務がある。）ほか、事案に応じて児童を保護し、あるいは捜査権限を行使する。(注30の5) 児童虐待事案は、密室の中で行われ、被害者による申告が期待できないので、状況（被害児の状態）の確認が大きな課題となる。市民から警察への情報提供（いわゆる泣き声110番など）があった場合には、警察官が関係者の承諾を得て、確認を行っている。承諾が得られない場合には、親族等を通じた様々な働きかけを行い、確認を目指すのが通例である（確認ができない場合、警察は特段の権限を有しているわけではないので、権限と責任を有する児童相談所に立入調査や一時保護等を促すことになる。）。被害児が現に危険な状態にあることが外から判断可能な場合には、即時強制手段である警察官職務執行法に基づく危険時の立入りが行われる。児童虐待事案を警察が認知しても、多くは児童相談所通告にとどまるが、当罰性の高い場合と次の被害防止の必要性が高い場合（危険性・切迫性のある場合）、その他放置できないと判断される場合には、犯罪捜査権限行使の対象となる。(注30の6) 児童虐待の場合には、他機関、取り分け児童相談所との連携が重要とされる。もっとも、警察の強制可能な権限は極めて限定されているため、

(注30の4)　個人保護型捜査とその課題（公安委員会による統制が求められること等）及び個人保護型捜査においても逮捕権行使の抑制に関するこれまで確立されたプラクティスが変更されるべきではないことについて、田村正博「警察の個人保護型捜査の課題」警察政策21巻参照。
(注30の5)　警察官職務執行法3条1項2号に該当するとして、警察の権限と責任で同法の保護を行う場合のほか、児童相談所が行う一時保護の委託を受けて保護する場合がある。
(注30の6)　警察の児童虐待事案を含めた親密圏内事案における捜査権限行使に関しては、田村正博「親密圏内事案における警察の刑事的介入（研究報告）」社会安全・警察学（京都産業大学社会安全・警察学研究所発行）5号参照。

「権限の競合」として調整が必要となる場面はほとんど想定されない。(注30の7)

配偶者間暴力事案、児童虐待事案とも、個人の保護を図るためには、公権力的な介入（強制的な介入）と生活基盤を失う者への支援とが必要となる。現実の場面に応じた実効性のある制度の整備が引き続き検討されることが望まれる。(注30の8)(注30の9)

（注30の7）　米田雅宏『「警察権の限界」論の再定位』（有斐閣、2019年）は、「事態対応の最適者の選定」という観点から、ドイツ法の補完性原理と危険概念が警察と児童相談所の連携問題を適切に整序することに寄与すると述べている（451頁）。注目すべき見解であるといえるが、現行法では、強制権限が極めて限定的であるため、警察官と児童相談所がともに権限行使が可能となる場面がほとんどない（無令状で直ちに立ち入ることができるのは警察官職務執行法6条1項の場合だけであって、その他の場合には、警察が強制として行政上の立入りをすることはできず、児童相談所が間接強制としての立入り又は臨検・捜索をする際に警察は援助に当たることとなる。）ので、権限行使の最適者を選定する余地はない（任意の場合には、相手が応ずるかどうかが決定的な意味を持つことになるが、それが補完性とどのような関係になるか明確にされていない。）。もっとも、この見解は、事態の解決にふさわしい強制を含めた権限を児童相談所と警察に一部重複して与え、その調整・整序を図る法規範を定めるべきだとの立法論を含んだ主張であるとすれば、大変有意義なものだということができる。なお、警察の犯罪捜査権限行使に関しては、「事態対応の最適者」という発想の対象にはならないし、児童相談所の見解を尊重すべきとの見解も当罰性の高い事案に当てはまるとは思い難い。当罰性や危険性・切迫性がそれほど高くない事案において、児童相談所の見解が考慮されるといったレベルにとどまるべきものではないかと思われる（田村前掲注30の6参照）。

（注30の8）　配偶者間暴力事案に関しては、裁判所の保護命令が出されるまでの間の安全確保措置が課題である。現行法では、加害者が逮捕されない限り、被害者が（子どもがいる場合はその子を連れて）自宅から退去するしかない。外国立法例を参考に、警察による短期間の退去命令が検討されることが望まれる（ニュージーランドのPolice Safety Orderに関して、矢作由美子「ニュージーランドにおける家庭内暴力被害者に対する立法及び支援の動向～Domestic Violence Act 1995 から Family Violence Act 2018へ～」社会安全・警察学5号参照。韓国の家庭内暴力防止法による警察の応急措置に関して、田村前掲注30の6参照。）。

（注30の9）　児童虐待事案に関しては、平成16年の児童虐待防止法改正の検討に際して、警察官の強制立入りの導入が与党側から提案されたが、野党側の反対で見送られている（平成19年の改正法により、児童相談所職員が裁判官の許可状を得た上で強制立入り（臨検・捜索）をすることが制度化された。）。柑本美和ほか「刑事政策の課題としての児童虐待－警察の関与の観点から」（日工組社会安全研究財団2015年度研究助成研究報告書、同ウェブサイト）では、韓国の法制を参考にしつつ、警察も児童相談所とともに通告先とし、通告を受けた場合には警察の特別の立入権限を認めることを検討してもよいとの見解を述べている（20、21頁（柑本執筆部分）。かりにこのような法制を設けるとした場合には、同一目的の権限を警察と他の機関とに与えた場合の扱いとして、前注30の7の米田の主張が参考となるものと思われる。）。

5 警察の責務とその達成

(1) 他機関との役割分担

　警察は、個人の生命、身体又は財産の保護と公共の安全秩序の維持に当たる中核的な機関である。危険な事態や保護を要する事態が現実に生じている場合には、原因が何であるかにかかわらず、その場で対応すべき権限（警察官職務執行法4条等）と責任がある。もとより、個人の生命、身体又は財産の保護と公共の安全秩序の維持の任務は、警察だけが負っているのではなく、他の多くの行政機関もそれぞれの分野で権限と責任を有している。例えば、個人の保護のうち、病気への治療と衛生は医療・保健行政、火災の予防と消火は消防行政、自然災害の被害予防と対処は防災行政として行われることであって、中心となって対応する機関が別に定められているし、児童虐待については児童相談所が権限と責任を有している。また、公共の安全と秩序の維持の観点から事業者に対して規制を行うのも、ほとんどの場合、警察以外の行政機関が担当している。

　他の機関の任務と権限に属することは、それぞれの機関の責任において対処されるべきことであるが、警察は、実際に危険な事態が生じている場合に通報を受けて警察官職務執行法等に基づいて現場的一時的な措置を講ずるほか(注31)、必要に応じて、関係機関に意見を伝え、行動を求めるべき立場にある(注32)。安全上放置できない状態で、警察が自ら対処できない場合には、権限や能力のある機関に対処を依頼すべきであり、放置することはその責務に反することとなる(注33)。

　個人の生命、身体又は財産の保護と公共の安全秩序の維持に関する法的な権限、事務を、警察と他の機関とでどのように分配するのかについては、

(注31)　危険物関係法令において、危険な事態が生じた場合の警察機関への通報が義務付けられている。また、災害対策基本法においては、市町村長が行うことができないときや依頼を受けたときに、警察が補完的に市町村長の職権を行使することが定められている。

(注32)　藤田宙靖「21世紀の社会の安全と警察活動」警察政策4巻1号は、「第一次的に責任を負う個人や他の国家機関が本来なすべきことを怠っているならば、当然、総合的な見地から問題を提起し、あるべき方向を提言する権限を有し、責務を負っている。」と述べる。

(注33)　海中の砲弾類が打ち上げられた結果生じた事故について、警察に「自ら又はこれを処分する権限・能力を有する機関に要請する」などして回収する措置を講ずる義務があったとして賠償すべきとした判例がある（最高裁判決昭和59年3月23日〈民集、⑱〉）。

それぞれの機関の特性を踏まえて、どの機関が効果的かつ効率的にその事務の処理ができるかという面と、他の事務との一体的な運用による利点と欠点（権力集中による弊害の防止を含む。）という面とを、総合的に判断して決すべきものである。かつては、警察の過剰な権力による弊害の防止という面が強調され、戦前期に警察に集中していた営業規制などの権限の多くが、戦後の改革において、警察以外の機関に分散された。今日では、それまでの事務配分を前提としつつも、新たな行政需要（行政機関による対処が新たに求められるようになったもの）に対しては、行政機関の特性を踏まえつつ、実質的に対処可能な機関がどこかという面からの検討が行われ、警察が適しているものは警察に権限を付与するという立法判断が行われている。

　警察は、常時対応が可能なこと、強い執行力を有すること、捜査権を持ち犯人逮捕が可能なこと、犯罪実態に関する情報（組織犯罪集団やテロ組織に関しては、その集団に関する情報を含む。）を最も豊富に持っていること、といった特性を有している。現場での大きな体制を要する事務（道路交通法）、逮捕権行使を背景にして初めて実効性のある事務（暴力団対策法、国会議事堂等静穏保持法（国会議事堂等周辺地域及び外国公館等周辺地域の静穏の保持に関する法律））、急を要する対応が必要な事務（ストーカー規制法）、犯罪実態に関する情報分析と密接に関わる事務（犯罪収益移転防止法）などは、警察組織に適したものといえる。

　一方、公共の安全秩序の維持のための各種の事業規制については、事業所管の行政機関が産業の振興と併せて担当するのが一般的である。しかし、近年では、安全確保目的や犯罪予防目的を重視し、産業振興行政とは別なものとする動きも見られる。不正アクセス禁止法が犯罪予防目的を事業の健全な発展と並ぶ位置付けとして警察が援助を行うこと等を定めたことや、消費者庁が設置され、事業の所管とは異なる消費者利益の保護の司令塔と位置付けられたのは、その例である。

> **column** 社会状況の変化と行政機関の任務分担

　昭和期には、国の行政機関が、「事業の健全な発展」の見地から、法的な規制

とともに、業界団体等を通じた行政指導を行って事業者をコントロールしてきた。日本社会全体が権威主義的な体質であったことと、行政側が補助金などの利益付与手段を持っていたことから、事業者は団体秩序の中で指導に従ってきた。このため、事業に参入する時点での許認可以外には法的な措置は行われなかった。しかし、平成期になって、事業者保護的な行政が強く批判され、利益付与手段の多くが廃止されるとともに、経済調整的な規制の廃止、縮減が行われた。社会全体の自由化の中で、事業者が行政指導に従う態度も一般的なものでなくなった。同時に、安全の確保や環境保護に関しては、より厳格な規制が社会的に求められ、行政が十分な措置をとっていない場合には厳しい批判が加えられるようになった。この結果、行政機関は、法的権限を実際に行使することが求められるようになっている。

　行政の力が補助金等を含めて広汎に及んでいた社会、実質的な権威主義的社会では、法的権限の執行態勢を問題とする必要はなく、権限の集中による弊害防止の観点を中心にすれば足りた。一方、行政の力が弱まり、自由化が進んだ社会では、法的な権限が実際に執行される態勢がなければ、法によって守ろうとした社会の利益は失われる。行政機関の役割分担においても、現実の執行がどのようにして確保されるか、ということを踏まえた検討をしなければならなくなった。このような社会的な状況の変化を無視して、既存の「理論」だけを語ることは、弊害が大きいことを認識する必要がある。(注34)

(2) 責務外の事項にわたる職務の追加

　警察の責務の範囲外に当たるものであっても、法律によって、警察機関の権限等を定め、職務を追加することができる。追加された事項は、警察法で定められた責務と同様に、警察機関として行うことができ、行うべきものとなる。

　民法が定める伝染病隔離者の遺言書の作成の成立要件として、警察官の立会いが定められているのは、警察官の中立性、公正性に着目したものである。このほか、国税徴収法等において、捜索を受ける側の関係者が立ち会わないとき（不在のとき又は拒否したとき）に、市町村の職員と並んで

（注34）　磯部力「「安全の中の自由」の法理と警察法理論」警察政策7巻は、理論が特定の社会状況を背景としたものであって、社会の進展によって歴史的使命を終えて退場していくべきものであるのにもかかわらず、日本では「社会の展開に即して各種法理を修正したり取り換えたりするという当然の営み」がうまくいかず、理論の発展と交替という生理現象が機能していないことを指摘している。

警察官が二次的な立会人とされている。

　国の立法においては、警察組織の特性を踏まえて、他の機関に比べて警察機関に事務を行わせることが適当であるかどうかが判断されるのであって、それが厳密に警察法の責務の範囲内かどうかは特別の意味を持たない。他方、都道府県の条例によっては、警察の責務の範囲外にわたるものを、警察の職務として定めることはできないので、条例の検討においては責務の範囲内か範囲外かが綿密に検討される必要がある。(注36)

(3) 責務を果たすべく活動する義務

332　警察は、責務を果たすべく活動する義務を負う。法律によって与えられた権限を行使するだけでなく、具体的な法の規定がなくとも、状況に応じて、可能な任意活動を行う必要がある。警察法2条1項が、通常の組織法における「任務」と異なる「責務」という言葉を用いているのは、責任を負うという趣旨を明示したものといえる。責務規定の存在は、警察が様々な活動を行うべきことを基礎付けるものである。(注37)

　警察という組織が警察法によって設けられ、国民からの負託を受けている以上、その負託に応えるべきであるのは当然のことであるが、国民の身体に関わる安全を守るべく努力することは特に重要である。犯罪捜査権限の行使も、実質的に被害者の救出等につながる場合には、その被害者との

（注35）　犯罪被害者等給付金支給法が制定される段階では、被害者への給付金支給事務のみが内容とされており、給付金支給の裁定をどのような機関が行うことが適切か、という観点からの検討が行われ、公安委員会の所管とされている（村澤眞一郎「犯罪被害給付制度(8)」警察研究52巻10号参照）。

（注36）　条例で責務の範囲外のものを警察に行わせることはできないこととされている。もっとも、地方分権が重視される中で、都道府県の警察組織にのみ新たな任務の付与ができないとすることには疑問もあり、できるだけ責務達成に関連するものとして広く認めていくべきであると考える。

（注37）　第二次世界大戦後に海中投棄された旧日本軍の砲弾類が海岸に毎年打ち上げられていたことによって生じた事故をめぐって、警察がその回収等の事故発生防止措置をとらなかったことに対する国家賠償請求を容認した判決では、警察が責務を負っていることが強調されている（最高裁判決昭和59年3月23日〈民集、㊱〉）。なお、藤田宙靖「警察法2条の意義に関する若干の考察（一）」法学52巻5号は、警察法2条1項が「責務規範」として、権限行使を義務付けることにつながるとの見解を述べている。どの行政組織も与えられた任務を果たすべき義務を負う（他の組織でも権限不行使が違法とされ、任意活動の義務も認められることからすれば、責務規範のみが活動義務の根拠であるとはいえない。）が、警察の場合には責任を負うとの趣旨が法によって明確に示されているといえる。

関係で行うべき義務があるものとされ得る。犯罪があっても被害者が事件化を望まない場合に事件として捜査をしないことが一般的に違法となることはないが、繰り返しの暴力事案があり、その後にもさらに暴力事案の発生が予測されるようなときには、厳重な警告等を行うとともに、警告的な意味を含めた捜査を開始するといったことも求められることになる。^(注39)

　警察以外の組織については、設置法に「責務」という規定はないが、組織が設置され、任務が法律によって負託されたものである以上、その負託に応えるべきものであり、国民の身体の安全に関わるようなものの場合に積極的な行動が求められるのは、警察と同じである。したがって、警察以外の組織も、状況に応じて、適切な行動を行うことが法的な義務となり、権限の不行使ないしとり得る措置の不実施が違法とされる場合がある。

　なお、組織としての義務の不実施は国家賠償で問題となることが通常であるが、その結果、人の死傷を招いた場合には、公務員個人についても、業務上過失致死傷罪の適用という形で問われる場合もある。警察に関しては、花火大会における歩道橋事故で、警察署の警備担当責任者が、流入規制等を行っていれば死者を出す事態は確実に防げたとして、花火大会の主催者である市の職員、警備保障会社関係者とともに有罪とされた例がある。^(注40)警察以外では、薬害エイズ事件に関して、当時の厚生省生物剤製造課長が適切な措置をとらなかったことを理由に有罪とされている。^(注41)

6　その他
(1)　個人の自律の尊重と民事上の背景のある事案への対処

（注38）　捜査権限行使に関しては、一般の権限不行使とは異なり、刑事訴訟法の個別の規定の行使可能性ではなく、捜査活動全体としての不実施不適切が問題とされる（☞1115）。

（注39）　ストーカー殺人事件に関して、大阪高裁判決平成18年1月12日〈判時1959・42〉は、繰り返された暴行等の事件のうち、事件化を被害者が望まない中で、警告をし、誓約書をとるなどした対応は不合理とはいえないとしつつ、その後に発生した際も現場での対応しか行っていなかったことを指摘し、加害者への事情聴取を含めて捜査を開始すべきであり、さらなる加害行為の防止に向けた措置をとっていなかったことを違法とした。繰り返される暴力の全体を把握して、措置をとるべきことが求められたものであるが、判決が求めている捜査は、警告的な意味での加害者からの事情聴取を含めた対応をすることを求めたものと思われる。

（注40）　事故当時の警察署地域官が警備保障会社関係者とともに禁錮2年6月の実刑とされている（最高裁決定平成22年5月31日〈刑集、Ⓦ〉。市職員については原審（大阪高裁判決平成19年4月6日〈刑集64・4・623〉）で執行猶予付有罪が確定している。）。

334 　個人は独立した自律的存在であり、自らの身体及び財産の安全を確保することは、基本的に、本人が自らの責任において判断すべきことである。警察は、個人の保護を責務の一つとしている（☞208）が、当事者の自律が前提となるのであって(注42)、当事者が正常な判断をすることが期待できないような状態にある場合や判断を求めること自体が本人の保護に支障を来す場合（子どもの場合、精神錯乱にある者の場合、暴力団から被害を受けている者の場合など）のほかは、その者が求めた場合に限って、保護を行うこととなる。

　個人の自律に委ねられる範囲は、身体的なものと財産的なものとで異なる。生命に関わるような問題については、本人が自由に決めていいわけではないので、本人のための規制（例えば、シートベルト装着の義務付け）や、本人の意思に反した介入（例えば、自殺企図者の制止）も可能である。これに対し、財産権の行使は、私的自治が全面的にあてはまる。公共の安全と秩序に支障を来すようなものでない限り、警察が介入すべきことではない。また、民事上の権利義務の存否を確定し、民事上の争いを解決することは、裁判所の事務であって、それ自体としては警察の責務外である。

335 　その一方で、民事上の権利義務が背景にある事案についても、個人の保護又は公共の安全秩序の維持の必要から、法律に基づく権限を行使し、あるいは指導等の措置を講ずることは、警察の責務に属する。民事上の紛争が背景にあるからといって、犯罪を放置してよいということはあり得ない。かつては、「民事不介入」という言葉が明確な定義なしに用いられ、警察として行うべき権限行使が許されないものであるかのような言説も存在したが、法律の権限規定に該当する場合にその権限を執行すべきことは当然である(注43)。犯罪がある場合や犯罪が行われるおそれがあると認められる場合

（注41）　最高裁決定平成20年3月3日〈刑集、Ⓦ〉。この決定において、防止措置として求められるものの中には任意の措置を促すことで防止の目的を達成することが合理的に期待できるときは任意の措置も含まれるものであること、組織内の他者が行うべきことを促すことも含まれるものであることが明らかにされている。

（注42）　藤田前掲注32は、旧来の「警察公共の原則」あるいは「民事不介入」といったものは成り立たないとしつつ、その背後にあった理念として、保護の要否及びその程度について「第一次的には個人自らの責任で判断すべきである」ことを強調している。

には、制止等の措置をとり、あるいは刑事事件としての捜査をする。犯罪とならず、該当する法的規定もない場合でも、悪質商法や暴力団が介入するものであるときなどは、警察の責務を果たすために、その行為を防止し、あるいはそれによって生ずる支障を軽減するために必要な指導等の措置を講ずべきこととなる。このほか、債権者が債務者の財産を一方的に持ち出すなど、本来の民事上の手段（当事者の合意又は裁判手続）によらないで事態を解決しようとする場合には、個人の財産権の保護のためその行為を防止することができる。(注44)(注45)(注46) なお、警察が関与できる場合においても、関係者

- （注43）米田雅宏「「民事不介入原則」に関する一考察」稲葉馨・亘理格編『行政法の思考形式』（青林書院、2008年）は、「民事紛争であることが直ちに警察権の行使に影響を及ぼすということがあってはならず、警察権行使の構成要件を規定する法規の忠実かつ適正な執行が求められなければならない。」としつつ、現実的には警察権行使の構成要件を充足しているか否かという判断が難しい民事と刑事の中間的な領域があり、その中で警察が取り得る活動が何かが問われる必要があることを指摘している。
- （注44）「債権」は債務者に一定の行為を行うことを要求する権利であり、債権者であることによって、債務者の財産に直接働きかけることはできない。このことは、譲渡担保権（担保のために債務者の財産の一部の所有権を取得するもの）を有していても同様であり、無断で運び去れば窃盗罪を構成する（最高裁判決昭和35年4月26日〈刑集、⑭〉）。
- （注45）財産権に対する侵害行為が現に行われ、あるいはまさに行われようとしている場合に侵害行為から財産権を守る活動を行うことは、原則として可能である。これに対し、債権の実現を図れるように直接債務者に働きかけるといった介入は特別の事情がなければできない。同じ民事上の権利に関することでも、侵害から現状を守ろうとする場合と、権利を実現するために現状を変えようとして義務者に働きかけることとは異なる。ただし、不当な侵害行為の被害回復が図られるように援助することは、一般の債権の取立て等とは異なり、警察の責務の対象となり得る。犯罪行為によって被害を受けた者や悪質商法によって被害を受けた者の被害回復への協力などがこれに当たる。なお、指定暴力団員の暴力的要求行為の相手方に警察が援助することについては、法律に明記されている（暴力団対策法13条）。
- （注46）米田前掲注43は、ドイツにおける警察の私権保護規定について、i 私法上の請求権が真実らしく見えること、ii 時宜を得た裁判的保護が不可能であること、iii 警察の援助がなければ私権の実現が困難になること、iv 権利者の申請（少なくとも同意）が存在すること、が要件となり、権利者において裁判上実現可能な範囲で、かつ、一時的な保全をする限度で警察が活動すべきものとされている（典型的な例として、債務者の身元の確認措置、既成事実化阻止（例えば、賃貸料不払いの借主が部屋を引き払う際に質権の保全のため所有物を翌日まで暫定的に止めておくこと）が挙げられる。）ことを紹介し、このような立法が刑事と民事の境界線における警察権の行使を適切にコントロールするのに寄与するとし、特に私人側の申請が私的自治の原則の現れであると述べている。日本で強制にわたる警察の私権保護を法律で定めるのが妥当かどうかは検討を要する問題であるが、法律の規定のない段階では、本文で述べたような現状凍結型の措置はできても、任意とはいえ債務者の身元を確認して債権者に知らせることまでは、難しいように思われる。

の私法上の権利を不当に侵害することのないように注意することを要する。

> **column** 被害者の意思と犯罪捜査
>
> 犯罪捜査においては、親告罪の場合を除き、被害者の意思とは無関係に権限行使が可能であると解されている（伝統的な刑事法の思考として、刑事責任追及は基本的に国家の法秩序に関わるものと位置付けられてきたことがその背景にある。）。しかし、現実の犯罪捜査では、被害者が意思を伝えることができないような場合を除き、被害を受けたとする申告（被害届の提出又は被害供述調書の作成への応諾）がなければ、被疑者の逮捕に至る捜査をしないのが通例である（社会的な影響が大きなごく限られた事例を除く。）。被害者の協力が得られなければ刑事裁判で有罪となるだけの証拠を収集することが困難であることと、個人被害犯罪で被害者の希望しないものを摘発するだけの価値が乏しいという判断もあるが、事件の当事者である被害者が望まないのに、刑事手続を進行させ、被疑者側の人権を制約するような措置をとってまで立件をするのは適切でない、という考えが背景にあると思われる。(注46の2)
>
> 配偶者暴力事案をめぐって、被害者が被害届を提出するのを拒んでいたので逮捕しないでいたところ、その後に殺人事件等に発展したことに関して、逮捕しなかったことが問題とされる場合があるが、次の犯行が明らかに切迫しているときを除き、被害者の意思に反して強制捜査をしないという対応は基本的に維持すべきものと考える。(注47) 被害者が被害申告しづらいという問題に関しては、配偶者暴力相談支援センターなどによる被害者の安全確保とサポートを充実させることで対処すべきものである。

(注46の2) 個人被害法益に係る犯罪については、警察の刑事的介入（犯罪捜査又は少年法に基づく触法事案調査）の判断には、被害者の意思、証拠状況と事件捜査価値という三つの面があり、事件捜査価値については、刑事上の当罰性、警察の目的達成上の必要性（再被害防止、社会不安の解消等）と制約要因（体制上の問題と被害者の不利益）の考慮という三つの判断軸が存在している（被害届は、被害者の意思として捜査開始の正当性を支えるとともに、被害者の不利益の問題を被害者の意思によって解消することにつながっている。）ことが、明らかになってきている（田村前掲注30の4参照）。

(注47) アメリカで配偶者暴力事案が原則逮捕されることと対比されるが、アメリカでは、刑事事件は全て逮捕され（日本のような任意立件はない。）、しかも現行犯でない無令状逮捕が一般的であって、身柄拘束の必要性の判断もされないし、逮捕や起訴の時点で証拠が集積されているわけではない（公判中心主義である以上、捜査段階で被害者供述の証拠書類化は行われない。）という運用が前提となっているのであって、日本での逮捕に比較すること自体適当でない（酒巻匡「米国のＤＶ対策法制－比較法制度の視点から－」警察学論集53巻7号参照）。

(2) 社会的相当性

　社会的相当性とは、社会通念からみて、規制又は措置が適切なものといい評価を受けることを意味する。立法の時点では、様々な角度からこの点が検討される。

　ある事態を解決するために義務を負わせる者（権限行使の対象者）についていえば、基本的には、その事態を作り出したこと又はその事態を解決することについて、社会通念上責任を負うものと考えられるような者が定められることになる。違法な行為を自ら行っている者、類似の外観を呈する行動をとっている者、危険な状態の原因となっている物を設置した者などだけでなく、事態に適切に対処する（危害を止める、危険を取り除く、被害を軽減する、行政側が対処に必要な情報を得る）上である程度権利や自由を制限されて当然と考えられる者が含まれる。本人が直接に行為をしていなくとも、従業員が行った行為における事業主のように、その状態に社会的な責任があれば対象となる。放置駐車に関して、使用者（通常は所有者）が放置違反金の納付義務を負うのも、社会通念上責任を負うと考えられる者に対する権限規定の一例である。

　一方、災害時をはじめ、緊急な対応が必要であるときなど、通常の意味で責任を負う者だけを対象としていたのでは、事態の有効な解決が図られない場合もあり得るときには、それ以外の者に対する権限行使も認める立法がなされる。そのような法律の場合（警察が権限を行使する対象を選択することが法律上可能である場合）において、社会的な責任のある者とそうでない者で事態の解決における有用性に差がないときには、社会的にみて責任のある者に対して権限を行使すべきであって、他の者に権限を行使することは相当でない。例えば、危険な事態が生じたときは、その事態の原因を作った者やその場所の管理者に対して措置をとるように命ずべきであって、それでは不適当又は不十分（不確実）な場合に、他の者に対する命令を行うべきことになる。

　任意活動で法律の具体的規定のない場合には、警察の活動は社会的相当性を欠くことがないようにすることが求められる。通常行われる活動ではこの点は問題にならないが、個人の私的な領域に関わる場合や、任意活動

として許容できるぎりぎりに近いような高度の負担を相手方に負わせる場合には、警察としてそこまでする必要があるのか、そこに至る過程が妥当かといったことについて、社会的相当性が問題となる。

(3) 民主的正当性確保のための法規範の整備

339　任意活動について法律の根拠規定を設けることは、職務質問のように、相手方の国民に事実上の不利益を与える活動について、行い得る場合を明確化する（要件を明確にして、その範囲では公益性が上回るという法的判断を示すことにより、行き過ぎを防ぐとともに、警察官が自信を持って行い得るようにする。）という機能が主として注目されてきた。これに加えて、個人情報の収集に関して、個人情報保護法（個人情報の保護に関する法律）上の制限との関係で情報提供を求める法令の根拠が重要な意味を持つようになっている（☞482、726）。

さらに、今日では、相手方の協力を確保するとともに、広く国民の支持を得る上でも、法的な規定を設けて民主的な正当性を確保することの重要性が高まっている[注48][注49]。かつては、多くの国民に共通する社会通念があり、警察をはじめとする行政機関の求めには一応従うことが賢明とする態度も存在した。今日では、それらは失われ、相手方にも、あるいは国民全体に対しても、何のために、何の根拠で介入するのかを、行政機関が説得的に示さなければならなくなっている[注50]。その際、「法律（条例）の規定で決められている」という説明は、どのような相手方に対しても有効性が期待でき

(注48)　土井前掲注14は、安全と自由とをバランスをとりつつできるだけ実現しようとするには、技術的な面とともに、国家活動に対するチェックシステムを含めたコストをかける必要があるとし、リスクとコストを含めた価値判断としての比較衡量である以上、国民代表による合意に基づくシステムづくりが重要であることを指摘している。長期的な方向として、そうあるべきであるといえる。

(注49)　今村哲也「国家活動法定主義と警察」警察政策13巻は、国家の全ての活動に法律の根拠を要する（いわゆる全部留保）としているオーストリアにおける警察法制を紹介し、「法治主義の徹底された立法モデル」と評価している。全部留保を実行するには大きな困難があるが、できるだけ多くの事項を法令で定め、あるいはガイドラインとして公表していくことが望ましいものと考える。

(注50)　警察の場合、強い執行力を持っている機関であることから、他の機関の場合よりも協力要請に応ずる者が多いが、相手方の納得が十分に得られていない場合には、警察全体に対する信頼にマイナスに作用することは否めない。

る。国民（住民）の代表が定めたものであれば、手続的規定や、国民の法的義務に関わる規定も、根拠規定と類似の機能を有する。組織法の規定も、「法的根拠」となるものではないが、国民に説明できるものとしての意義は大きい。警察の場合は、警察の責務の規定だけでなく、警察庁各局の所掌事務の規定（☞203）や都道府県警察の組織に関する条例の規定も、警察が行うこととして法令に定められている内容を示す意味があるといえる。

　法律（条例）に定めがない活動に関しても、基準を法的根拠にのっとって策定するという手法を用いることができる。行政手続法は、一定の条件に該当する複数の者に行政指導をしようとするときは、あらかじめ事案に応じて行政指導指針を定めて公表することを原則とし、その制定においては、法律の委任を受けた命令や処分基準を定める場合と同様に、意見公募手続を経て行うべきことを定めている。これと同じ考えに立って、行政手続法（条例）の意見公募手続を用いて（該当しない場合には、それと同等の手続を踏んで）、公安委員会が指針（実務規範）を作成し、公表するといった手法をとることも、広い意味の民主的根拠付けとしての意義を持つ。公安委員会は、民衆の代表として警察を管理する存在であり、意見を公募して、警察がどのような場合にどのような行為を行うのかを明らかにしておくことは、それにのっとって行われる警察の活動について、説明、説得機能を果たすことが期待できる。

【補論　「警察権の限界」論とその誤り】

1　過去の理論

(1)　概略

　昭和期の警察行政法の教科書等において、「警察権の限界」という標題の下に、「学問上の警察」に関する「理論上の限界」が述べられてきた。研究者のみならず、警察実務家においても、昭和期にはこの「理論」が実

（注51）　非行少年の保護者に対する指導が、平成12年少年法改正で定められたのは、その例である。

（注52）　具体性のない一般的抽象的な義務を課す規定でも意味は大きい。特に、行政機関や社会的な信用を重んじる事業者に対する説得機能は十分にある。田村正博「福岡県暴力団排除条例の意義と今後の課題」（早稲田大学社会安全政策研究所紀要3号、2011年）参照。

際の警察の活動に当てはまることが当然であるかのようにして権限行使に関する説明が行われてきたのである。(注53)

しかし、この「理論」は、法治主義が不十分であった明治憲法下では一定の意味を持ち得たものであったとしても、現行憲法下では無意味なものとなっており、誤解、誤用されることによって、実際の警察の活動に不当な結果をもたらすものとなっていた。(注54)

筆者は、1988年の論文及び1989年出版の旧著において、「警察権の限界」論として当時述べられてきたものが、現行憲法構造の下で意味を持つかどうかについての十分な吟味を行うことなく、また、「理論」が対象としている「学問上の警察」と実際の警察の活動との関係を曖昧にしたままに、過去の記述を繰り返したものにすぎないものであることを指摘し、警察も他の行政機関の場合と同じく、憲法の定める基本的人権の尊重等の制約に基づく限界を考えれば足りることを明らかにした。その後、研究者においても、昭和期に述べられていた「警察権の限界」論が成り立たないことは、ほぼ共通の認識になってきている。(注55)(注56)(注56の2)

「警察権の限界」論に基づいて警察の活動を論ずる意味はないが、過去

(注53) 代表的なものとして、宍戸基男他編著『新版警察官権限法注解（上）（下）』（立花書房、1976年）が挙げられる。

(注54) 問題を指摘したものとして、関根謙一「警察の概念と警察の任務」警察学論集18巻5号及び「警察の概念と警察の任務（二）」同34巻4号に始まる同氏の一連の著作がある。銃砲刀剣類規制における悪影響を指摘したものとして、高石和夫「講学上の「警察」概念と警察行政—現代社会と警察の責務（上）（下）」警察公論35巻10号、11号参照。

(注55) 田村正博「警察の活動上の「限界」（上）（中）（下）」警察学論集41巻6号～8号及び田村正博『警察行政法解説』（東京法令出版、1989年）。

(注56) 藤田前掲注32は、「警察権の限界」論の誤りを指摘した筆者の説に関し、「その理論的な正しさを承認」することを明言している。また、高木光「警察行政法の現代的位置づけ」『警察行政の新たなる展開（上巻）』は、「警察権の限界」論を過去の理論であるとした田村旧著の記述を引用した上で、田村旧著及び論文について、「様々な疑問を集約し、思い切って「権威」に挑んだものとして、立場の違いを超えて評価すべきもの」と述べ、「基本的には田村氏を支持したい」との結論を述べている。

(注56の2) 小山剛「田村警察行政法学－憲法学の視点から」『社会の安全と法』は、「警察権の不文の限界論は、警察国家から自由主義的法治国家に至る道程で、特定の時代的要請と時代的条件の中で形成され、学問上の警察の概念と結びつき、警察の名を冠して確立した。このような限界論に、組織としての警察の活動の、実定法上の限界を探求する田村が満足できなかったのは、むしろ当然であろう。そして、上述のように、田村の指摘は、それ自体としては首肯すべきものである。」と述べている。

の論説を理解するための歴史的な観点と、今日でも、一部ではあるが、「警察権の限界」論を基にした主張が存在することから、以下で「理論」の内容とその問題点を述べることとする。

(2) 「警察権の限界」として述べられてきた内容

昭和期において述べられてきた「警察権の限界」論を、最も権威があるとされていた研究者の見解から紹介すると、おおむね次のようなものであった。
(注57)

　一般統治権に基づき、公共の安全と秩序の維持のため、国民の権利・自由を制限する行政機関の活動を「学問上の警察」（又は「警察権」、「警察作用」）と呼ぶ。公共の安全と秩序の維持（「警察目的」又は「消極目的」）の目的の作用であり、他の目的（例えば、福利の増進を図ること）によるものとは異なる。権力をもって国民に命令・強制し、自然の自由を制限する作用に限る。国の一般統治権に基礎を置くものであり、刑務所内の秩序維持など特別の法律関係に基づく関係と区別される。「警察権」は、原則として、立法府の制定した法律に基づいてのみ発動し得る。例外として、地方公共団体の条例と法律の委任を受け又は法律を執行するための命令を根拠とすることも認められる。

　「警察権」の発動には、「警察消極目的」、「警察公共」、「警察責任」、「警察比例」の四つの条理上の限界がある。「警察消極目的の原則」とは、「警察権」は公共の安全と秩序の維持以外の目的に用いられてはならないことを意味する。「警察公共の原則」とは、「警察権」は公共の安全と秩序の維持に関係しない私的関係に及ぼしてはならないのであって、公共の安全に関わらない純然たる個人の私生活は不可侵であることを意味する。「警察責任の原則」とは、「警察権」は公共の安全と秩序の維持に障害があると

（注57）　田中二郎『新版行政法（下Ⅱ）（全訂版）』（弘文堂、1969年）。なお、『行政法（下）』（弘文堂、1954年）では、「警察権の限界」として、警察公共の原則、警察責任の原則、警察比例の原則を述べていて、「警察消極目的の原則」を掲げていない。「警察消極目的の原則」を掲げたのは『新版行政法（下）』（弘文堂、1958年）以降である。また、学問上の警察の定義については、58年版まで「社会公共の秩序を維持するために、一般統治権に基づき、人民に命令し強制し、その自然の自由を制限する作用」とし、「公共の安全」を含めていない。警察消極目的の原則の追加及び定義の変更を行った理由は述べられていない。

き又はそのおそれのあるときに発動されるが、その状態に責任のない者に対して行使することは原則として許されないということを意味する。この責任は、自らその状態を作出した者であれば故意、過失、責任能力の有無は問わないし、自らが行っていなくとも、その配下にある者が行ったときや自らの工作物に起因してその事態が生じているときも含まれる。「警察比例の原則」とは、「警察権」は公共の安全と秩序を維持する上で容認することのできない障害を除くためにのみ、しかもそのために必要最小限度で人の自由を制限できるのであって、「警察権」の発動は普通の社会人が堪え難い程度の障害が発生しているときに限り行うことができ、「警察権」の発動の程度及び態様は、公共の安全と秩序に対する障害を未然に防止するために必要な最小限度のものでなければならないということを意味する。なお、「警察急状権による例外」として、「警察責任の原則」及び「警察比例の原則」については、緊急状態にある場合には、「警察急状権」の発動として、その限界を超えることが認められる。

(3) 「警察権の限界」論の旧憲法下の意義

343　旧憲法下においては、国民の権利・自由を制限するのに法律の具体的な根拠を要するという原則自体が確立されておらず、法律の根拠なしに、公共の安全と秩序の維持のために国民の権利・自由を制限する多くの命令が制定されていた。また、警察をはじめとする行政機関は広汎な権限を持つことが当然視されており、法律で要件等が厳密に定められていないものも多く存在していた（例えば、当時の警察官の基本的な権限規定とされた行政執行法では、「公安を害する虞のある者」を予防のため必要な場合に検束することが可能とされていたが、「必要な場合」という以上の具体的な要件は定められていなかった（☞448）。また、立入りに関しては、法律の明文の規定なしに可能であると考えられており、同法では夜間の場合だけが定められていた（☞114)。)。

　この「理論」は、法律による規律が働いていない状況において、公共の安全と秩序の維持のために行われる権利・自由の制限に関し、「条理」を根拠として、権限行使が可能な場合とその対象を限定することを図ったものといえる。(注58)

機能的には、警察公共の原則、警察責任の原則、警察比例の原則は、いずれも法律で具体的な定めが置かれていない警察権の行使(例えば、昼間の立入り)に関して、公共の安全と秩序の維持に関わる事態に対応するためにのみ行うべきものであること、原則として公共の安全と秩序の維持に支障を生じさせている事態の責任がある者に対してのみ行うべきであること(責任がない者には緊急事態の場合に限られること。)、その事態が放置できないような場合にのみ行うべきであり、必要性を超えて行うべきものではないこと、といったことを意味していた。(注59)

警察消極目的の原則は、それ自体は定義の同語反復であって意義があったとは言い難いが、独立命令の制定を公共の安全と秩序の維持の目的に限定することの主張に用いられたり、警察機関に権限を与えた法令は消極目的のものが通例であるのでその場合は他の目的に用いてはならないこと、という意味で用いられたりしていた。(注60)

(注58) 旧憲法下で提唱された「警察権の限界」論の内容は論者によって異なっており、本書では、現行憲法下での教科書で多く述べられてきた内容につながる説を専ら取り上げている。旧憲法下での議論とその基となったドイツでの議論については、関根謙一「明治憲法下における警察権の限界の理論」『警察行政の新たなる展開(上巻)』参照(なお、この中で、「警察権の限界」論が旧憲法下の実務には何らの影響も与えていなかったとの記述があるが、裁判所による統制が及んでいなかったとしても、次注にあるように警察組織自身の判断に影響を与えていたことは明らかである。)。
(注59) 昭和初期の警察講習所教授の著作(田村豊『警察法要論』(松華堂書店、1932年)(警察大学校所蔵))では、「警察とは社会の秩序を維持するが為に人民の自然の自由を制限する一般統治権に基づく作用」とした上で、「警察目的に関する原則」、「私生活自由の原則」、「直接原因の原則」、「民事関係不干渉の原則」、「警察比例の原則」、「警察責任の原則」を警察の限界として列記し、警察の作用をなす場合と命令を定める場合とに実益があると述べている。内容的には、「私生活自由の原則」と「民事関係不干渉の原則」が「警察公共の原則」に当たり、「直接原因の原則」は「警察責任の原則」の一部に当たる。「警察目的に関する原則」としては、警察が積極目的のことを行えないわけではないが、通常は社会秩序の障害除去を目的としているので、一般的には消極的目的を基調として発動し得るものであると述べている。他の警察行政実務家の著作(井上泰弘『警察行政法概論』(嵩山房書店、1941年)(警察大学校所蔵))では、警察権の限界として、私生活自由の原則、警察比例の原則、警察責任の原則を挙げている。
(注60) ドイツでは、命令制定権の範囲を限定する(消極目的以外の命令制定権を否定する)意味で用いられた。日本では、消極目的の場合と並んで福利目的の勅令制定権が憲法上明記されていたので、命令制定に関して消極目的原則を述べる見解は一部に限られていた(関根前掲注58参照)。

2　「警察権の限界」論の誤り

(1)　現行憲法下における意義の喪失

344　日本国憲法の制定によって、強制には全て法律の具体的な根拠を要することになったので、以下に述べるように、「学問上の警察」ないし「警察権」という概念を設けて「条理上の限界」を考案する必要性自体が失われた。「警察権の発動には法律の根拠を要する」ことは、憲法上国民の権利・自由を制限する活動は全て法律（条例及び法律の委任に基づく命令を含む。）の根拠を要するとされていることの当然の結果であって、それが「学問上の警察」であるかないか（どのような行政目的か）とは無関係である。

　個別の「原則」として主張されてきたもののうち、「警察消極目的の原則」については、元々「公共の安全と秩序の維持のため（消極目的）」の作用を「学問上の警察」と定義したのであるから、それが消極目的であるのは、同語反復であって意味がない。旧憲法下では、独立命令の範囲を消極目的に限定することや、消極目的の権限を他の目的に用いないことを説明する機能を持ち得たとも考えられるが、現行憲法下では独立命令を制定することはできないし、法律が消極目的の権限を与えている場合にそれを消極目的にのみ用いることは、法律の権限を法律の目的以外に行使してはならないという一般原則から当然に導かれることであって、どのような目的の場合でも同じである。

　「警察公共の原則」は、公共の安全と秩序の維持を目的として行われる国民の権利・自由の制限の作用である以上、その目的達成と関係ない個人

（注61）　田中二郎『新版行政法全訂二版下巻』56頁は、「このような消極的な目的を超えて、積極的に社会公共の福祉を増進する作用は、もはや警察の作用ということができず、このような積極的な目的のためにする警察権の発動は、その限界を逸脱した違法な作用といわなくてはならぬ。」と述べているが、「警察」及び「警察権」という言葉が前記の定義のものであれば、積極的な目的のためにする「警察権の発動」ということはあり得ない（定義上「警察」ではない。）。「警察権」という言葉を、法律によって消極目的のために行使すべきこととされた権限という意味で用いているとすれば、法律によって与えられた権限はその法律の目的以外の目的のために行使してはならないという当然のことを述べたのにすぎない。警察組織の活動が消極目的であることを要するという意味であるとすれば、「学問上の警察」は警察組織かどうかとは無関係であるから、前段の理由は理由とならず、理由のない主張である。「学問上の警察」という言葉を用いた記述は、意味不明であることが多い。

の私生活に介入してはならないという意味では、当然のことである。この点は、権限の目的外行使の禁止の原則の一部にすぎない。

「警察責任の原則」については、権限行使の対象をどのような者とするかは法律の定めるところによって決せられることであって、法律で与えられた権限を行使する時点では原則としての意味を持たない。立法段階での考慮要素の一つにとどまる（⇨337）。

「警察比例の原則」については、国民の権利・自由を制限する場合には必要な限度を超えることが許されないという全ての行政機関に当てはまる憲法上の原則（基本的人権尊重の原理から生ずる原則）であって、その目的が何であるか（公共の安全と秩序であるか否か）とは無関係である。ただし、憲法上の原則といえるのは、必要がない場合の行使の禁止と、目的と手段の比例（過剰規制の禁止）とであって、「警察比例の原則」の名の下に「一般社会人にとって堪え難い程度の支障」があることが「警察権の発動の条件」であると述べられてきたことなどは含まれない。どのようなときに国民の権利・自由を制限することができるかは、基本的には法律の

（注62）「公共の原則」の中に、「私生活自由」のほか、「私住所の不可侵」と「私的法律関係の不関与（民事不介入）」が含まれるとする記述もある。「私住所の不可侵」が立入りを認めないとする意味であれば、憲法上の理念の反映であって、「学問上の警察」に限られるものではない（「学問上の警察」に含まれていない犯罪捜査について、憲法で直接規定されている。）。「私的法律関係の不関与（民事不介入）」について、⇨335。

（注63）法律上権限行使の相手方に限定が付されていない場合であって、どの者に権限を行使してもその事態を解決できるときには、権限の行使は、主として実質的に社会通念上責任を負うべきとされている者に対して行うべきであると思われ、その意味でこの原則が働くといえる余地はある。もっとも、このことは、「公共の安全と秩序の維持」を目的とした作用であるかどうかにかかわらず、より一般的な社会的相当性の現れと考えるべきである（⇨337）。なお、「警察責任の原則」に関して、刑事上の責任とは異なって、自らの監督下にある者が原因を作ったのにすぎないときや行為者の故意・過失・責任能力がないときでも「責任」があるという説明がなされているが、もともと行政機関の権限行使の対象となることと刑事責任追及とは全く別の問題であるのであって、法律で特にそれらの要件が規定されていない以上、刑事責任追及における場合の要件を要しないとされることは当然のことである。

（注64）「比例原則」が、国民の権利・自由を制限する活動（権力行使）一般、さらには事実行為としての行政指導にまで及ぶものであることは、今日広く認められてきている（塩野宏「行政法Ⅰ」参照。ただし、平等原則を憲法上の原理としつつ、比例原則については警察という行政の一分野から発達して広く及ぶ一般原理となったものであるとして憲法上の原理から導かれるものとしていないのは、妥当とは思われない。

規定（要件の定め方）によって定められるものであって、このようなことを常に要するとはいえない。(注65)(注66)

「警察急状権」については、比例原則が憲法の要請である以上、どのような状態であってもその限界を超える権限行使はできないから、今日では維持することができない。緊急なときは、必要性の程度が高いため、通常ではできない程度の権利・自由の制限も認められることがあり得るのにとどまる。武器の使用は、「警察急状権による比例原則の例外」なのではなく、比例原則の適用を受け、その範囲内で認められるものである。

(2) 研究者による誤用又は意図的主張

346　前述のとおり、「警察権の限界」論は、法律の具体的な根拠なしに国民の権利・自由を制限することができることを前提としたものであって、現行憲法が制定され、国民の権利・自由を制限する活動には全て法律の根拠を要することとされたことによって、法的な意義は失われた。現行憲法下で「警察権の限界」として述べられてきたことは、無意味又は誤ったものか、憲法又は一般的な法理の反映であるのにすぎない。

このことを早くから理解し、法治主義が徹底したことによって比例原則以外は実質的な意味がなくなっていることを明言する研究者も当然のこと

(注65)　旧著以来のこの記述に関して、須藤陽子「ドイツ警察法における危険概念の展開」大分大学経済論集48巻3・4号（1996年）（『比例原則の現代的意義と機能』（法律文化社、2010年）に収録）は、法規定の執行のことしか考えないで、立法指針や解釈指針ともなり得る過去の学問的成果を否定するものであると批判しているが、このような一般論がなぜ成立するのかという論拠を全く示していない。法の個別の根拠規定がない（要件が不明確である）場合には、耐え難い程度の障害がなければ権限行使をしないということが妥当であり得るとしても、個別の授権規定を設ける際には、安全確保の観点から早期の介入を求めることは当然にあり得るのであって、公共の安全と秩序の維持に関する立法指針及び解釈指針としてこのような一般論が存在するとはいえない。

(注66)　須藤陽子「日独警察法理論の相違－『警察権の限界論』に対する批判に応えて－」立教法学80号（2010年）」（前掲『比例原則の現代的意義と機能』収録）では、再度この記述を引用しつつ、ドイツにおける危険概念に照らして、危険が存在することが客観的に予測できることが権限行使の要件とされることを主張している。筆者も、危険防除法制を論ずる場合にドイツの危険概念が参考となる（例えば、危険な事態への対処の一般的な根拠規定である警察官職務執行法4条1項の要件として、客観的な危険の存在が求められること、外観上の危険とみせかけの危険が区別されることなど）と考えるが、危険防除のための権限規定以外の場合にまで拡大することはできないし、権限規定を新たに設ける場合には抽象化された危険の段階で介入すべきとする立法判断が例外的なものとされる理由はないと考える。

ながら存在していた。(注67)「警察消極目的の原則」が「原則」になり得ないことも指摘されていた。(注68)

　しかし、その一方で、多くの昭和期の研究者の記述において、「警察権の限界」論が十分な吟味をされることなく、引き続き意義を有するように述べられてきた。戦前期の記述ないし有力な研究者の戦後の記述を無批判に引き写していたことによるもののほか、従来の内容を超えた規制を警察に及ぼすことを積極的に図ったと思われるものもある。「警察権の限界」論が「学問上の警察」を対象としているものであるにもかかわらず、実際の警察の活動と意図的に混同させ、実際の警察の活動を規制しようとするものがしばしば存在していた。(注69)その典型が「警察消極目的の原則」である。「公共の安全と秩序の維持のための活動」を「学問上の警察」と定義したのであるから、それが消極目的（公共の安全と秩序の維持の目的）なのは同語反復で無意味なものであるにもかかわらず、あたかも実際の警察の活動が全て「公共の安全と秩序維持」の目的でなければならないと思わせる主張として用いられていた。

(3)　実務への悪影響

　「警察権の限界」論の結論の中には、必要を超える権限行使の禁止など、今日の警察を含む行政機関の活動を一般的に限界付けるもの（憲法の基本的人権の尊重の原理に基づくものや社会的相当性に基づくもの）と同様の内容のものが含まれている。昭和期の実務家が伝統的な「警察権の限界」を記述し続けたのは、そのためとも考えられる。

　しかし、「警察権の限界」として、例えば「民事不介入の原則」といった現行の法律及び憲法理念等に基づく理論とは関係のないものが「条理上の原則」として述べられてきたことにより、警察が自らの責務を果たすた

（注67）　例えば、杉村敏正「憲法・行政法からみた警察権の理論的限界」戒能通孝編『警察権』（岩波書店、1960年）。

（注68）　例えば、奥平康弘「警察権の限界」行政法講座第6巻（有斐閣、1966年）もこのことを指摘している。

（注69）　「警察権の限界」論が「学問上の警察」について述べたものであるとしつつ、理由付けをしないで、その結論が任意活動を含む警察の活動の全てに及ぶような記述を行ったり、現行警察法2条2項の規定について「警察権の限界から当然に導かれる」といった記述を行ったりしているのは、「限界」をより拡大させようとするものの一例である。

めに当然に必要とされる活動について、それがあたかも許されないものであるかのような誤解を生じさせてきたことは、大きな問題であった。国民の生命・身体・財産を保護し、公共の安全と秩序を維持するためには、暴力団の関与するものに典型的に現れるように、民事的な背景のある事案についても積極的な関与が求められる場合が多いのであって、「警察権の限界」論は、そのような事案への警察の関与を妨げ、警察の責務の達成を阻害し、警察に対する国民の負託を損なう結果を招くものであったといえる。^(注70)「警察消極目的の原則」といった実態のない言葉が存在することで、警察は積極目的につながるような関与をすべきではないといったおよそ根拠の欠いた主張を招き、論議を混乱させてきたことも大きな問題であった。^(注71)

このように、「警察権の限界」論はその根拠を失い、かつ、実務上も適正な警察の権限行使や妥当な立法に向けた検討を妨げるものとなっていた。警察の活動上の原理は、これに代わるものによって構成されなければならない。過去の「警察権の限界」論に代表されるような、対象も立論の具体的な根拠も曖昧にした意味不明な議論ではなく、適用範囲と立論の根拠を明確にした、建設的な論議が求められるのである。^(注72)^{(注73)(注74)(注74の2)}

（注70）　賃借権の存続が争われる中で、一方が妨害のためにバラックを建てたのに、警察が「民事事件」として介入しなかったため、相手方がそのバラックを壊した事案に関し、バラックを建てた行為が犯罪であることを理由に壊した側を無罪とした事例（名古屋高裁判決昭和36年3月14日〈⑩〉）は、「民事不介入」という観念によって、警察の対応が不適切なものとなった例である。

（注71）　須藤前掲注66は、「警察消極目的の原則に対する警察官僚からの批判は、至極もっともなものである。」と述べる。

（注72）　昭和40年代までは、「学問上の警察」のように目的によって行政分野を区分して論ずる「行政法各論」という講義が大学で行われ、教科書も出版されていたが、昭和50年代以降は「行政法各論」が単なる分類と雑ぱくな記述の寄せ集めにすぎず、解釈上実質的な意義がないことが認識されてほとんど論じられなくなり、組織法以外の各論はほとんど取り上げられなくなった。昭和41年に出版された行政法講座第6巻が行政作用法として各論が論じられていたのに対し、昭和50年代末に出版された現代行政法大系（全10巻）では、行政法各論は、組織法と公物及び財政を除いて、全く取り上げられていない。

（注73）　「警察権の限界」論の弊害と是正への取組に関して、田村正博・磯部力・櫻井敬子・神橋一彦「エンジョイ！行政法　第10回　警察行政法」法学教室2007年10月号参照。

第2節　警察権限法執行上の留意事項

1　法律の規定の遵守と目的外行使の禁止
(1)　法律の規定の遵守

　警察を含めた全ての行政機関は、国会という国民の代表機関が定めた法律を遵守する義務を負う。法律の委任を受けて定められた命令（政令、内閣府令、国家公安委員会規則など）や地方公共団体の定める条例についても同様である。警察がこれらの法律等の規定に反することが許されないのは当然である。

　国民の権利・自由を制限し、国民に義務を課す権限を認めた規定につい

（注74）　成田頼明「地域安全と警察・地方自治体・地域コミュニティ（住民・住民団体等）の役割分担」JUSRIレポート41号（都市防犯研究センター、2007年）は、古典的な理論が崩壊していることを前提として、現代社会の現実を踏まえた新しい警察行政法の議論や体系が必要であることを述べる。須藤前掲注66は、警察法理論が発展しているドイツと日本とを比較し、両国の警察法理論の相違として、一般概括条項の不存在、「危険」概念の欠落、「公共の安全と秩序」論の欠如を指摘した上で、警察法ないし「警察権の限界」論を、規範的な意義・役割を果たすことが求められるとして、無用なものではないと述べている。筆者は、立法に対する規範的な理論があるべきであるという点では同氏の見解に同意するが、かつての「警察権の限界」論のような根拠や内容が不明確な主張を基にすることは適当ではなく、新たに構築すべきものであると考えている（本章第1節はその試みである。）。ドイツにおける一般概括条項（ドイツでは、危険防除のために警察が必要な措置をとることができるとする規定が各州の警察法にあり、個別の規定なしに強制が可能となっている。）を前提とした論議が我が国においてそのまま当てはまるものではないが、同論文で指摘している危険と権限行使対象者の範囲、費用負担のように、有益な分析結果が得られるものについては、立法における理念につながるものとなり得ると考える（費用負担について　☞314）。

（注74の2）　米田前掲注30の7は、「警察権の限界」論を「現実の紛争のコンテクストの中に投影させ、我が国の実定警察法令（中略）の上に再定位することの必要性、重要性を論じ、もって警察法理論と警察実務との対話を図ることを目的」とし（同書13頁）、危険概念の規範構造等について論じている。ドイツ法を分析視角としつつ、我が国の法実務を検証することがどこまで有効かについては個別の検討を要する（ドイツ法の議論は警察に権限が付与されているのが前提となっており、権限の付与が極めて少ない場合に解釈論としての有効性がどこまであるのかに疑問があるものの、権限を付与することを含めた立法論としての意義につながる場合もあると考えられる。前掲注30の7参照。）が、旧来の警察法理論の強い反省に立った上で、「分散化した規律密度が低い実定法を、如何に警察権限の実効性の確保とその統制に寄与する"秩序としての法"として体系化するか」という課題に取り組もうとすることは、これまでにない議論として注目すべきものといえる。

て、立法者の意思に反してこれを緩やかに解釈することは、「解釈」という名目で法律に規定のない強制活動を行おうとするものであって、許されない。また、法律の規定が一見すると緩やかな要件を規定しているように見える場合でも、当該規定の立法目的に照らし、厳格に解釈することが必要である。例えば、法律で「必要があると認めるとき」と規定されている場合には、警察官が主観的に必要があると思うことではなく、規定の目的に照らして、その権限を行使するだけの必要性があると客観的に認められる（他の者からみても必要があると判断される）状況が存在することを意味している。「やむを得ないと認めるとき」とか、「相当な理由があるとき」といった表現が用いられている場合も同様である。もとより、抑制的に解釈しさえすればよいという意味ではなく、あくまで規定に即した客観的解釈を行うことが必要である。

　要件を満たす場合には、法で定められた権限を行使することができる。規定に直接定められた手段だけでなく、その手段を行使する上で当然に必要となる付随的な行為についても認められたものと解することができる(注75)。

(2) 権限の目的外行使の禁止

349　警察に権限を付与した法律は、特定の行政目的を実現するために設けられたものであるので、その目的に従って権限を行使しなければならない。ここでいう「目的」とは、組織設置の目的（警察の場合は警察法2条1項）とは異なり、権限付与に当たってより具体化されたものを意味する。

　権限規定の目的は、個々の規定ごとに、法律全体の目的を踏まえて判断される（例えば、道路交通法の目的は1条で交通の安全と円滑及び道路の交通に起因する障害の防止とされているが、運転免許に関する権限規定の目的は「交通の安全の確保」である。）。権限行使の必要性があるかどうかは、その目的を達成するための必要性の有無で判断される。法律が権限を与えた目的以外の目的のためにその権限を行使することはできない。交通

（注75）　人の身体を拘束する場合には、拘束を確実にし、安全を確保するために、相手方が所持する凶器を取り上げることが必要になるので、凶器の有無を確かめることは当然に認められる（逮捕した被疑者の凶器の有無を調べることについては、警察官職務執行法2条4項で明文の規定が置かれているが、かりにこの規定がなかったとしても、逮捕を定めた規定自体から許されるものと解される。）。

規制の権限は、交通の安全と円滑及び道路の交通に起因する障害の防止のために認められたものであるから、それ以外の目的のために使うことはできない。(注76)許可事業の監督のための調査権限は、その事業監督のためにのみ行使することができる（「犯罪捜査のために認められたものと解してはならない」旨の規定が置かれることが多いが、置かれていなくとも同じである。）。その規定の目的達成を名目として、実質的に他の目的のために権限を行使することは認められない。これに対し、規定の目的を達成するための権限行使が、同時に、あるいは結果として、他の警察上の目的にも有益であったとしても、その権限行使が違法になるものではない。

2　権限行使の義務

警察等の行政機関は、国会の定めた法律を誠実に執行すべき義務を負う。憲法は、内閣の事務として「法律を誠実に執行すること」を定めているが、国及び地方公共団体の全ての機関も同様であり、法律を誠実に執行しなければならない。

法律が警察官に権限を与えているのは、要件を満たす場合には「警察官の権限行使によって事態を解決することが、個人の権利・自由の保護や公共の安全と秩序の維持を図る上で必要である」との国会の判断によるものである。したがって、それらの要件を形式的にも実質的にも満たす場合には、警察官は積極的に権限を行使することが求められる。権限行使が真に必要な事態においては、権限を積極的に行使すべきであって、法的にも実態的にも可能な権限を行使しないで国民に被害をもたらすといったことは許されない。一部の事例では、警察の権限不行使が違法とされ、国家賠償請求が容認されている(注77)（☞1114、1115）。

権限行使の義務があることは、各行政機関に共通するものである（警察だけに限られるものではない。）が、警察の場合は、特に個人の生命、身体、財産の保護がその責務とされていることから、他の機関の場合以上に

(注76)　内閣総理大臣が車両で移動する場合に、不測の事態を招いて交通の危険を生じさせるおそれがあると認められたときに交通規制を実施することは、交通の安全と円滑のための行為として可能であり、実際にも行われている（平成19年10月26日、衆議院内閣委員会における末井誠史警察庁交通局長答弁（会議録3号）参照）。

3 過剰な権限行使及び偏った権限行使の禁止

(1) 必要性のない場合の権限行使の禁止

351 　法律で定められた権限については、「その要件を満たすときに権限を行使することが公共の福祉の限度内であり、必要性の程度が相手方の不利益を上回る」とする立法者の判断が既に示されている。したがって、法律の要件を満たす限り、その規定に基づく権限行使をすることが一般的に認められる。しかし、形式的には規定上の要件を満たしていても、法の趣旨目的に照らして、実質的にみれば権限を行使する必要性がないか、あっても極めて乏しいような場合には、国民の権利・自由を最大限尊重しなければならないとする憲法の立場から、権限行使は許されないこととなる。

(2) 人権の制限の程度の低い手段の選択

352 　法律の規定において、複数の手段を選択することができることとされているときは、その事態を解決することができるもののなかで、最も人権の制限の程度の低い手段を選択しなければならない。より人権の制限の程度の低い他の手段で解決できるにもかかわらず、人権の制限の程度の高い手段を選択・行使することは許されない。最も人権の制限の程度の高い手段を行使することは、他の手段では事態を解決できない（解決できる可能性が低い）と認められる場合に限られる。警察官がとるべき具体的手段が明確に規定されず、「必要な措置をとることができる」と規定されている場合にも、同様の考え方から、その事態を解決するために必要最小限度の措置に限って行うことが認められる。

　警察官職務執行法1条2項が、「この法律に規定する手段は、前項の目的のため必要な最小の限度において用いるべきものであつて、いやしくもその濫用にわたるようなことがあつてはならない。」と規定し、警察法2

（注77）　最高裁判決昭和57年1月19日〈民集、㊱〉は、飲食店でナイフを用いて危険な行動をしていた男に対して、警察官が逮捕、保護、引取手配やナイフの領置等を行わず、ナイフを持ったまま帰らせたことについて、そのナイフで他人の生命又は身体に危害を及ぼすおそれが著しい状況にあったとした上で、少なくとも銃砲刀剣類所持等取締法24条の2第2項の規定により本件ナイフを提出させて一時保管の措置をとるべき義務が警察官にあったとし、その男によって重傷を負わされた飲食店支配人からの訴えを容認した。

条2項が「その責務の遂行に当つては、(中略) いやしくも日本国憲法の保障する個人の権利及び自由の干渉にわたる等その権限を濫用することがあつてはならない。」としているのは、いずれも権限行使の過剰の禁止と、後で述べる不平等な権限行使の禁止を明らかにしたものであるが、これらの法律の規定がなくとも、警察及び他の行政機関の活動は当然にこの限界の中で行われなければならない。

　もっとも、権限行使の場面では、それぞれの手段で解決できるかどうか、事前には判断できない場合も多い。「他の手段では解決できない場合」とは、実際に他の手段を行使して解決できなかった場合ではなく、その時点の状態に即した客観的・合理的判断で、他の手段では解決が困難であると認められれば足りる。実際の手段の選択においては、有効性の程度(確率)と、保護する利益の重要性、被侵害法益の重大性という三つの要素の組合せで判断される。より人権制約の程度の少ない他の手段の有効性が同等であれば、当然にその手段を選択すべきであるが、人権制約の高い手段が有効性が高いという場合であればどの手段を選択すべきかは一概にいえない。時間的な余裕があり、ある手段を選択しても、その後に他の手段を用いることも可能であれば、一応の可能性のあるより人権の制約の少ない手段をまず用いるべきである。これに対し、急を要する場合には、人権の制約の少ない手段で解決できる可能性が一応あっても、相当確実とはいえない場合であれば、より人権の制約は大きくても、実際に解決できる可能性が高い手段を選択することができる。ことに、人命のような最も重要な法益を守るためであれば、人権の制約の高い手段を用いても合理性があるといえる。一方、相手方の生命に危険を与える武器の使用のように、被侵害法益が大きな場合には、人命の保護に必要であるといったときを除けば、それ以外の手段でできる限り対応すべきということになる。

(3) **実力行使の限定**

　直接国民に実力を行使して行政自らの手で行政目的の実現を図ることは、法律の規定によって直接これを認めた場合(実力行使について直接の規定がなくとも、その規定の権限を行使する上で実力の行使が当然の前提とされているときを含む。)に限って許される。国民に直接有形力を行使する

ことと、国民に法的義務を課すこととは別の問題であるから、法律で国民に対して命令することができるとされている場合でも、直接有形力を行使して強制できるという趣旨の規定がない限り、相手方がその命令に従わないからといって実力を行使することはできない。実力行使は、その事態を解決するために合理的に必要な限度を超えて行うことは許されない。警棒で足りる場合に、拳銃を使用することはできない。

(4) 偏った権限行使の禁止

354　国民を平等に扱うことは憲法の求めるところであるから、警察も、他の行政機関の場合と同じく、公正に権限を行使しなければならない。権限を付与した法律の趣旨目的に照らして合理的かつ平等に扱うことが求められる（権限規定や処罰規定自体が相手方によって差異を設けている場合に、それに応じて異なった扱いをすることは当然である。）。警察法2条2項が「不偏不党且つ公平中正を旨とし」としているのは、このことを意味する。

第3節　法律の根拠のない活動の限界

1　強制にわたることの禁止

(1)　強制と任意の区分

355　国民の権利・自由を制限し、義務を課すことは、国会の制定した法律と地方公共団体の定めた条例で具体的に規定された場合に限って行うことができる。具体的な根拠規定がない限り、国民の権利・自由を制限し、義務を課すことはできない。

　法的な義務を課すことと自由を奪うことが強制であり、人を拘束すること、承諾を得ることなく建物等に立ち入ること、承諾を得ることなく物を探し、持って帰ることが典型である。当事者の承諾を得ることなく通信を傍受すること、エックス線を照射して内容物の詳細を知ることも強制に当たる。
(注78)(注78の2)

(注78)　最高裁決定平成21年9月28日〈刑集、㊽〉は、宅配便業者から借り受けた物を検証許可状に基づかないでエックス線検査をしたことについて、内容物によってはその品目等を相当程度具体的に特定することも可能であって、プライバシー等を大きく侵害することを理由に、強制処分であるとした。

これに対し、権利行使を事実上制限し、あるいはある程度の自由を制約する行為であっても、典型的な強制と同程度の権利・自由の制限に至らなければ、強制に当たることにはならない。(注79)一時的な説得のために実力で人を停止させるような行為や、職務質問を妨害する行動を制止する行為、所持品検査において承諾を得ないでバッグのチャックを開ける行為は、強制そのものではなく、法律の根拠がなくとも認められる。もっとも、これらの行為は、相手方に相当大きな不利益を負わせるものであるから、行い得るのは相手方の不利益を上回るだけの公的必要性がある（公的必要性が高い）場合に限られるのであって、一般的に認められるものではない。特に承諾のない所持品検査等を容認した最高裁の判例は、法律の根拠を絶対的に必要とする「強制」の範囲を、明確に権利・自由を制限する既存の強制手段と類似のものに限定し、それに至らない程度の権利・自由の制限を一時的に加えるのにすぎないものは、「任意手段」に含めて個別の法律を要しないとした上で、公益上の必要性が極めて高い限られた場合において、公益の程度と不利益の程度の比較、社会的相当性等の判断を加え、具体的事情に応じた妥当な解決を図ったものであるといえる。

　「みだりに容貌等を撮影されない自由」や、「名誉を侵害されない権利」、「個人の情報をみだりに公表されない権利」のように、元々が「正当な理由のない制限を受けない」自由や権利については、正当な理由があれば、

（注78の2）　最高裁大法廷判決平成29年3月15日〈刑集、Ⓦ〉は、GPS機器（GPS端末）を警察が捜査対象者の使用する車両に承諾なしに取り付け、車両の位置情報を半年以上にわたって取得したことについて、公道以外の個人のプライバシーが保護されるべき場所や空間に関わるものも含めて対象車両及びその使用者の所在と移動状況を逐一把握することを可能とするものであることを指摘した上で、個人のプライバシーの侵害を可能とする機器をその所持品に秘かに装着することによって、合理的に推認される個人の意思に反してその私的領域に侵入する捜査手法であり、刑事訴訟法上特別の根拠規定がなければ許容されない強制の処分に当たり、違法であるとした。

（注79）　最高裁決定昭和51年3月16日〈刑集、Ⓦ〉は、飲酒運転の疑いで取調べを受けていた被疑者が呼気検査を拒否して帰宅しようとしたため、説得のために警察官が左手首をつかんだことについて、「強制手段とは、有形力の行使を伴う手段を意味するものではなく、個人の意思を制圧し、身体、住居、財産等に制約を加えて強制的に捜査目的を実現する行為など、特別の根拠規定がなければ許容することが相当でない手段を意味する」とし、その程度に至らない有形力の行使について、具体的な状況に応じて、許され得るとの判断を示した。この考え方は、犯罪捜査以外における強制と任意の別においても当てはまる。

自由や権利の制限に当たらないものと評価される。防犯カメラ等による写真撮影や、逮捕した被疑者の氏名公表は、いずれも強制ではなく、法律の具体的な根拠がなくとも許される。

358　相手方の承諾を得て家屋等に立ち入り、物品を検査し、占有を移転するといった行為については、外形的には国民の権利・自由を制限するものであり、相手方の国民がそれを承諾していることによってはじめて任意活動として行うことが可能となるものである。相手方の自発的申出があったときだけでなく、警察が相手方の国民を説得して承諾が得られた場合も含まれるが、限度を超えた説得によって承諾がなされたときは、真実の承諾が存在しているとはいえず、それに基づいて国民の権利・自由を制限しようとする行為は許されない。承諾がなされていても、その後に相手方が撤回した場合には、その時点から先は承諾がないのであるから、任意活動として行うことは許されない。(注80) 通常人ならば到底承諾するとは考えられないような態様の行為（例えば、留置施設に留置することなど）については、一応の承諾があっても、実態上強制活動とみなされる場合もある。

(2)　法律の具体的根拠のない強制が認められる場合

359　法律の具体的な根拠なしに国民の権利・自由を制限することが認められるのは、強制にわたらない範囲（元々正当な理由があれば制限されることが認められている権利や自由の場合、制限の態様が強制のレベルに至らないものの場合、相手方の承諾が得られている場合）に限られるのが本来である。

これに対し、以下の場合には、例外的に法律の根拠のない強制が認められる。

360　一つ目は、法律で定められた手段よりも権利・自由の制限の小さい手段をとる場合である。法律で定められた要件を満たしているときに、その手段より相手方の権利・自由の制約の軽い他の手段で事態を解決できるのであれば、法的に認めることができる（相手方からすれば、法律で定められ

（注80）　相手方が警察官に対して物を提出した場合に警察官がそれを保管することは可能であるが、その後に相手方が返還するように求めたときは、法律の規定がない限り返還しなければならない。刑事訴訟法の領置の規定及び銃砲刀剣類所持等取締法の一時保管の規定は、返還請求を拒絶する権限を法律によって警察官等に与えたものである。

た手段によって権利・自由が制限されてもやむを得ない立場にあるから、それより軽い手段が用いられることの不利益はない。）。

　二つ目は、何人も行うことのできる行為の場合である。緊急事態であっても法律の規定がなければ強制活動を行うことはできないのが原則であるが、正当防衛、緊急避難の要件を満たす場合に、それに必要な限度で国民の権利・自由を制限することは、個々の法律で規定がなくとも許される。自殺をしようとする行為を阻止するために人を羽交い締めにし、あるいは自殺に用いようとする物を破壊する行為がその典型である（手錠をかけることは、必要な限度を超えるから許されない。）。国民の権利自由を制限する行政機関の活動に法律の根拠を要するのは、一般国民と異なる特別の措置を認めるからであって、一般国民も行い得ることにまで要請されるものではない。一般国民の誰もが行い得る行為については、特定の行政機関が行うことを禁ずる趣旨の法がある場合を除き、その行政機関の任務の範囲であれば、具体的な法律の根拠がなくても行うことができるものと解される(注81)。警察官職務執行法の準用規定が警察法に置かれる前の皇宮護衛官について、何人も行える限度で犯罪の制止等を行い得るとされていたのは、この例である。

　三つ目は、現行犯状態の解消のために必要最小限の措置をとる場合である。国民の権利・自由を制限するには法律の根拠を要するとする原則自体が、現行犯の場合でこれに対処する上で必要最小限度の行為を行うことには及ばないと考えられる(注81の2)。現に脅迫がなされている場合に法律の根拠なしに電話の逆探知を行うことも許されると解されているのは(注82)、この例である。現行犯状態での制止も同様である（☞552）。

361

362

（注81）　占用許可を受けずに設置されたヨット係留装置を法令上の撤去権限のない町長が危険防止のため撤去したことについて、違法な行為の公金支出を町長が賠償すべきとする住民訴訟に対し、最高裁が、町が地方公共の秩序を維持し、住民及び滞在者の安全を保持する任務を負っていることを踏まえ、「船舶航行の安全を図り、住民の危難を防止するため、その存置の許されないことが明白であって、撤去の強行によってもその財産的価値がほとんど損なわれないものと解される本件鉄杭をその責任において強行的に撤去したもの」であり、むしろ「やむを得ない適切な措置であったと評価すべきである」とした上で、民法720条（正当防衛及び緊急避難）の法意に照らしてもその公金支出には違法性が無いと判断している（最高裁判決平成3年3月8日〈民集、⑭〉）ことも参考になると思われる。

2 警察の責務の範囲

363　行政機関は、それぞれ固有の任務を達成するために、法律又は条例で設けられたものであるから、その任務を達成するために必要な範囲に限って活動することが認められる。都道府県警察は、条例ではなく国の法律（警察法）によって任務（責務）が定められているという点で他の地方公共団体の機関とは異なるが、任務の範囲で活動をするという点では、他の機関と同じである。警察の場合、国民に心理的負担等の実質的な不利益を与える活動を行うことがあり得ること、過去における広い範囲の任務を縮小したことを徹底する必要があったこと等から、組織法において、その任務の範囲を超えて活動を行うことを禁止する明文の規定が置かれている（警察法2条2項）。

　法律で定められた権限を行使する場合には、それが警察の責務に属するものかどうかを考える必要はないが、法律に規定のない活動の場合は、警察法2条1項の責務の範囲内でなければならない。もっとも、責務達成に間接的に関わるだけであっても責務の中に含まれる活動であるので、警察の責務と全く無縁なものでない限りこの要件を満たすものといえる。例えば、警察が対応すべき事案を認知するために、警察が対応する必要のない事案についても広く相談を受け付け、相談者にアドバイスをすることや、市民による対警察イメージの向上につながるための音楽隊の演奏活動なども、含まれることになる。

3 相手方の不利益を上回る公益上の必要性

364　国民に何らかの不利益を与え、又は与える可能性のあるものについては、その活動が警察の責務を達成するのにつながるというだけでなく、国民に

（注81の2）　大橋前掲注1は、緊急な場合であっても、授権規定がなければ行政は非侵害的活動を通じて説得を続けるしかない」としつつ、「しかし、市民の生命・身体に関わるような場合には、法律の根拠を欠いた状況下であっても、例外的に行政介入が要請されよう。」とし、その際の要件としては、緊急避難の免責要件を参考にするならば、「①緊急性、②回避手段の相当性、③回避された法益侵害と現に生じた法益侵害との均衡などが考えられる。」と述べている（40頁）。本文で述べた現行犯への対処（のうちの多くの部分）と、自殺企図者への対応（☞361）は、この考え方によっても是認されるものといえる。

（注82）　内閣法制意見昭和38年12月9日。現行犯状態であれば、逮捕ができないときでも一時的な制止等が可能なのも、この考え方によるものと思われる。

与える不利益を上回るだけの責務達成上の必要性がなければならない。例えば、車両検問の場合であれば、警察官に停止を求められる対象となること自体について国民が感じる心理的負担や、停止したことによる時間的ロス、様々なことを尋ねられることへの不快感などが、相手方の国民の不利益となる。警察が行うには、それを上回るだけの公益（警察の目的達成上の必要性）がなければならない。法律の根拠規定がないので、個別の事案ごとに、公的必要性（個人の保護と公共の安全秩序の維持という責務達成の必要性）の程度が、相手方の国民の不利益を上回るものであることを、警察が判断をしなければならない。

相手方の国民に与える不利益の程度の大きい行為については、具体的な状況に応じて、公益上の必要性が高いことが求められる。説得のための実力の行使（職務質問から離脱しようとする者を説得する過程で一時的にその場に押しとどめようとする行為など）、所持品を見せるように強く説得し、爆弾を所持している疑いが強いときに同意なくバッグを開ける行為など、大きな不利益を与える行為は、公益上の必要性が特に高い例外的な状況に限って認められるのであって、具体的な状況に応じて、真にそれだけの必要性がなければならない。さらに、この場合には、行為の態様とその過程が社会通念に照らし、相当と認められるか（その過程が全体として社会通念上是認できるか）どうかが、吟味されることになる。これに対し、相手方の国民に与える不利益が小さいものの場合には、責務達成上の必要性が一応あれば、幅広く認められることになる。

column 任意活動における実力行使の2類型

任意活動は、警察の説得により、相手方が警察の求める行動をし、あるいは警察の行動を容認するようにすることである。警察の説得を受けた相手方の行動ないし同意によって、警察の望む事態が実現されるものといえる。このためには、警察の説得活動の機会が確保される必要がある。説得活動を開始するために相手方に停止を求める、その場から相手方が離脱することを阻止する、説得活動を第三者が妨害することを阻止する、といった場面では、ある程度以上の必要性があれば、実力行使もある程度の範囲で認められる。所持品検査の対象となり得る物を破棄する（飲み込む、捨てる）行為を阻止する、といった場面も同様である。

これに対し、警察の求める事態を実力で実現しようとすることは、任意活動の本来の形態とは異なるものであり、認められることは極めて例外的である。質問に答えるように求める実力行使が認められることはないし、同意を得ないで所持品を取り出すことも、爆発物など危険防止上の必要性が非常に高い場合以外は認められていない。

　必要性の高さの程度と不利益の程度、相当性といった要素が論じられる以前に、その行動の目的が説得の機会の確保にあるのか、説得によらない事態の実現なのか、を区分することが有益であると考える。

第4章　警察活動の法的類型

　本章では、警察の活動の類型として、行政処分、強制的事実行為、任意活動を解説する。なお、行政上の義務履行確保のために用いられる様々な手段について、第2節の後の補論で一括して述べる。

第1節　行政処分

1　行政処分の意義

　行政機関が国民（行政の外部にある者。外国人を含む。）に義務を課し、あるいは国民の法的な地位を形成・変更することを、「行政処分」ないし「処分」という（学説では「行政行為」と呼ぶことが多い。）。

401

　警察署長が暴力的要求行為を行っている指定暴力団員に中止を命ずる（不作為義務を課す。）、警察官が違法駐車をしている車両の運転者に移動すべきことを命ずる（作為義務を課す。）、公安委員会が申請者に運転免許を付与する（適法に車両を運転できる資格を与える。）、公安委員会が風俗営業適正化法に違反する行為をした風俗営業者に風俗営業の許可を取り消す（適法に風俗営業を行うことのできる資格をなくす。）といった行為が行政処分に当たる。申請を拒否する行為（例えば、情報公開法に基づく開示請求の拒否処分）も、行政処分に含まれる。警察が行っている行政処分の類型については、7以下で述べる。

　国民の法的な権利義務の範囲を変動させるものであるから、法律（条例を含む。以下、この章において同じ。）の根拠がある場合に限って行うことができる。行政処分の要件及び効果は、その根拠規定によって定められる（要件の細部は法律の委任に基づいた命令（警察の場合は、政令、内閣府令、国家公安委員会規則、都道府県公安委員会規則）で定められている場合も多い。）。行政処分が、法令（法律のほか、法律の委任を受け、又は

法律を執行するために定められた命令を含む。）の規定に反してはならないことは当然である。

　行政処分に関しては、行政手続法で原則としてとるべき手続が定められている。また、違法な行政処分に対しては、相手方が裁判所に取消訴訟を提起する制度が設けられている。もっとも、警察官が現場で行うような処分は、効果が持続するものではないので、対象とはならない（行政手続法は、警察官の現場で行う処分には適用されない。）。

　行政処分は、法律で権限を与えられた行政機関が行う。行政処分が行われると、それぞれの法律に基づく効果が発生する。権限ある行政機関が取り消すか、裁判所が取り消す判決をしない限り、効果はなくならない。行政処分によって課せられた義務を履行しなかった場合には、刑罰の対象とされ、あるいは別の処分の対象となることが定められているのが通例である。

　行政処分は様々な分類がなされるが(注1)、行政手続法では、相手方の申請に対して行われる処分と相手方に不利益を与える処分が区分されている。行政処分は、特定の相手方に対して行われるのが基本であるが、ある地域で特定の行為をする者全員を対象とするようなもの（一般処分）もある。

　行政処分は、相手方の国民の法的な地位を変動させるものであるが、相手方との関係で問題がなければいいというものではない。許可する要件が満たされていないのに許可をすることは、許可を受けた者は満足でも、許可制度によって守ろうとした公益を損なうものであって許されない。他の者が法的な利益を侵害されたとして、取消訴訟を提起する場合もある（ぱちんこ屋の営業所（パチンコ店）の設置で影響を受ける付近の病院開設者などは、取消しを請求できる。☞1162)。

　また、法令違反状態を是正するために必要がある場合には、処分権限を適切に行使しなければならない。一般人から処分等を求める制度が法制化されているのも、この趣旨を実現するためである（☞415)。

（注1）　学説の上では、下命（国民に義務を課す。）、許可（国民の不作為義務を解除する。）、免除（国民の作為義務を解除する。）、特許・設権（国民に特定の排他的権利を与え、あるいは包括的な権利関係を設定する。）、剥権（特定の権利をはく奪し、あるいは法律関係を解消する。）、認可（国民の行動の法的効果を完成させる。）といった区分もなされている。

column ー 一般処分

　公安委員会や警察署長が行う交通規制（道路交通法4条、5条）は、区域、道路の区間又は場所を定めて、通行禁止、最高速度等を定めるものであって、その場所を車両等で通行しようとする全ての国民に義務を課すもので、「一般処分」と呼ばれる。騒乱等の事態が生じたときに、地域及び区間を定めて銃砲の授受等を禁止し、制限すること（銃砲刀剣類所持等取締法26条1項）も一般処分である。（注2）一般処分は、特定の事態に対処するために、特定の場所における権利・義務の内容を定めるものであって、立法とは異なり、行政機関として法を執行する活動の一種である。一般処分の場合、特定の者に具体的な法的効果を発生させるものであるときを除き、行政不服申立てや行政事件訴訟を提起することはできない。（注3）処分の方式は、標識の設置、告示など国民が一般に了知することが可能な方法によることが求められる。

402

2　意思決定と表示

(1)　行政庁の意思決定

　行政処分は、法律によってその権限を与えられている機関（行政庁）が意思決定を対外的に表示することによって行われる。行政庁の意思決定は、多くの場合、下位の者が案を作成し、行政庁の地位にある個人（大臣、知事、市町村長）がそれを決裁することによって行われる。合議制の機関の場合には、構成員の合議によって行われる（全員一致を要する特殊な例を除き、過半数の者の意思で合議体の意思が決定される。）。特に異論のない場合に、下位の者が作成した案について、合議体の構成員が個別に決裁することで意思決定がなされる場合もある。（注4）

　行政庁が自ら判断することが建前であるが、行政庁の判断で、他の者に実質的な決定権を委ねること（専決・代決）も可能である。内部的な意思

403

（注2）　同じ銃砲刀剣類所持等取締法に基づく処分でも、告示地域内の者に銃砲等の提出を命じ、これを仮領置する行為（26条2項）については、個々の者に対する処分であって、具体的な権利制限に当たる。もっとも、この場合には、明文の規定により、不服申立て（審査請求）を行うことができないとされている（29条の2）。

（注3）　特定の者に限って具体的な効果を発生させるような場合には、対象となる。なお、条例の制定のような立法行為は行政事件訴訟の対象とはならないが、保育所の廃止条例のように現にその保育所に通っている児童とその保護者に直接的に影響を及ぼす場合には、例外的に行政処分に当たることになる（最高裁判決平成21年11月26日〈民集、Ⓦ〉）。

決定の方法であって、法律の根拠を要しないとされている(注5)。大量に行われる行政については、行政庁が全てを判断するのは不可能であるので、あらかじめ一定の者に決定権を委ねること（専決）が広く行われている。例えば、運転免許の付与は、公安委員会の名義で行われているが、実質的な意思決定は、内部専決として、運転免許担当部局の長以下によって行われている。本来の権限を有する者が一時的に他の者に判断を委ねること（代決）も同様に行われている。専決・代決が行われても、対外的には行政庁の名前で表示され、行政庁が責任を負うことに変わりはない。

(2) 権限の委任と代理

404　権限を与えられた行政機関（行政庁）が、他の行政機関に権限行使を任せることを、「権限の委任」という。権限の委任が行われた場合には、委任をした機関は権限を失い、委任を受けた機関が、自らの権限として、自らの名前と責任において行使する。法律によって定められた権限の主体を行政機関の意思によって変更するものであるから、委任を認める根拠規定が法律にある場合に限って行うことができる(注6)(注7)。都道府県公安委員会の権限が警視総監又は警察本部長に委任されるものとして、運転免許の保留と免

（注4）　会議を開催しないで意思決定を行うことを「持ち回り方式」と呼ぶ。内閣の意思決定が持ち回り閣議で行われる場合もある。公安委員会の意思決定も、急を要する場合などは持ち回りで行うことが可能である（京都地裁判決昭和48年2月15日〈刑裁月報5・2・136〉）。なお、持ち回りで決することができるのは、委員の意思が合致していることが前提であり、異なった意見がある場合には決定できないものと解される。

（注5）　行政委員会であっても専決ができないということにはならない。東京高裁判決昭和39年4月27日〈東高刑時報15・4・73〉は、公安委員会のデモ行進許可権限を警視総監以下に専決させていることを適法と認めている。

（注6）　地方公共団体の長の権限については、地方自治法において、その補助機関、委員会の補助機関等に対して、委任させ、又は臨時に代理させることを一般的に認める根拠規定が設けられている（地方自治法153条）。なお、地方公共団体の委員会の権限についても、長の補助機関に委任することが一般的には認められているが、公安委員会の場合にはその例外とされている。

（注7）　北海道の場合には、方面公安委員会が存在することから、道路交通法、風俗営業適正化法、古物営業法、質屋営業法、警備業法、銃砲刀剣類所持等取締法、暴力団対策法において、都道府県公安委員会の権限（暴力団対策法に基づく権限のうち、指定暴力団の指定に係るものを除く。）を政令で定めるところにより方面公安委員会に行わせることが定められ、これを受けた政令で、方面公安委員会に権限が移されている（北海道公安委員会の意思決定なしに、政令によって権限が移されているので、「委任」そのものではない。）。

許の効力の停止（これらの処分の際の弁明の機会の付与・聴聞・意見の聴取に関する事務を含む。）及び仮免許の付与・取消しに関する事務（道路交通法114条の２）、暴力団対策法に基づく仮の命令に関する事務（暴力団対策法42条）がある。暴力的要求行為の中止命令、加入強要の中止命令及び事務所等における禁止行為に対する中止命令等については、都道府県公安委員会から警察署長に委任することが認められている。なお、権限行使の補助的な業務については、権限の委任とは異なり、個別の法律の規定がなくとも補助機関に行わせることが認められる。

　本来の行政機関（行政庁）に代わって他の機関が意思決定を行い、代理という資格で対外的に権限を行使することを、「権限の代理」という。権限の委任の場合とは異なり、権限の所在自体が変更されるものではなく、本来の行政庁が権限を行使したものと同様に扱われる。行政庁の地位にある者に事故（病気、外国出張等のために一時的に権限を行使できない状態）が生じた場合に、法律の規定に基づいて一定の者（法律で具体的に定められている場合と、ある者の指定による場合とがある。）が代理するものを「法定代理」という。行政庁の意思で自らの補助機関等に代理させるものを、「授権代理」という。一部の権限を授権代理させることは、法律の根拠がなくともできるものと解されている。なお、権限を有する者が欠け、又はその者に事故が生じたことにより、本来の者による権限行使が一時的でも全面的に不可能な状態になった場合であって、法定代理の制度の対象となっていないときは、任命権者が他の者に事務代理（又は事務取扱い）を命じ、命じられた者が権限を行使するという方式がとられている。法律の直接の規定はないが、人事権（任命権）の行使の一態様として認められる（特定の官職に誰を配置するかは、人事権の行使によるものであるから、その判断で一時的に他の者を配置することも許される。）。

(3) 行政処分の方式

　行政処分は、相手方に伝えることで行われるのが一般である。(注8) 方式が法

　（注8）　一般処分の場合には相手方が特定されていないので、何らかの形で公示される。なお、指定暴力団の指定については、相手方が存在するが、官報による公示によってその効力を生ずることが法律で定められている（暴力団対策法7条2項）。

律で定められている場合には、その方式によらなければ行政処分があったとはいえない。例えば、運転免許は、免許証の交付によって行われる（道路交通法92条1項）から、それ以外の手段では免許を与えたことにならない。これに対し、法律で方式が定められていない場合には、処分の相手方に伝えることで（郵送によるときは、その文書が相手方の居宅等に到達し、相手方がそれを了知し得る状態になったときに）成立する(注8の2)。口頭によることも可能である(注9)。なお、道路使用許可をしたときは許可証を交付しなければならないとされているが（道路交通法78条3項）、「許可証」は許可のあったことを証明するものにすぎず、かりに許可自体を正式に口頭で示達した場合には、書面の交付を待たずに、その示達の時点で許可の効力が発生する。

3　行政処分の手続

(1)　行政手続の意義

407　行政処分は、根拠法規に照らして内容的に適法であるだけでなく、手続的にも適正に行われることが求められる(注10)。適正手続として求められるのは、

（注8の2）　処分の相手方の所在が分からない場合には、民法98条の定める公示送達によって行うことができる（宮内彰久「行政処分の意思表示に対する民法第98条の適用の有無について」警察学論集68巻6号参照）。なお、ストーカー規制法の禁止命令等（有効期間の延長を含む。）については、令和3年の改正により、書類を送達して行うこととし、住所及び居所が明らかでない場合は公示送達をすることができることが規定上明確にされた。

（注9）　暴力団対策法の中止命令のように、法律では定めがないが、規則のレベルで、中止命令書を送達して行うことを原則としつつ、時間的な余裕がなく、命令の内容が複雑でないときに限って口頭で行うことを認めているものもある。なお、法律で定める権限者以外の者が口頭で表示する場合には、権限者の名で行うことを明らかにすることが適切であるといえる。道路運送車両法に基づく報告要求に関して、大臣権限であるにもかかわらず、その判断を得ておらず、表示もされていないとして、報告違反について無罪とした裁判例がある（横浜簡裁判決平成18年12月13日〈判時2028・159〉）。この判決自体は控訴審で覆されている（東京高裁判決平成20年7月15日〈判時2028・145〉。適法な報告要求があったとして有罪とした。）が、争いを生じさせないために、権限者の権限行使であることを明確にするべきものである。

（注10）　告知、弁解、防御の機会を与えることを基本とする行政手続制度は、憲法31条の適正手続の保障とも無関係ではない。同条は、直接には刑事手続に関するものではあるが、判例上、行政手続の全てが「当然に同条による保障の枠外にあると判断することは相当ではない。」とされている（最高裁大法廷判決平成4年7月1日〈民集、⑭〉）。ただし、「行政処分の相手方に事前の告知、弁解、防御の機会を与えるかどうかは、行政処分により制限を受ける権利利益の内容、性質、制限の程度、行政処分により達成しようとする公益の内容、程度、緊急性等を総合較量して決定されるべきもので」あるとされ、そのような機会を常に与えることが憲法上必要とされているわけではないと解されている。

一般に、
　i　処分の基準を事前に定めて公表しておくこと（基準の策定・公表）
　ii　処分の相手方に行おうとする処分の内容と根拠（根拠となる法令の条項と不利益処分の原因となる事実）を知らせ、相手方の言い分を聴く機会を持つこと（告知と聴聞）
　iii　処分の理由を示すこと（理由の提示）

である。告知と聴聞は、相手方の主張を踏まえることによって、処分が適法、妥当なものとなるようにし、処分を受ける相手方の権利利益を保護することが目的である。処分基準と処分理由を明らかにすることは、行政機関側の一方的な判断による恣意的な運用が行われないようにするとともに、相手方にとっては不服申立てや訴訟の提起を行う際に何を争うべきかが分かる、行政側にとっては自らの処分の合理性を相手方等に明らかにする、という機能を有している。

　行政機関（行政庁）は、行政不服審査法及び行政事件訴訟法によって、不服申立てを行うことができる処分や取消訴訟を提起できる処分を書面で行うときには、不服申立て等を行うことができる旨や訴訟で被告とすべき者、出訴期間などを教示することが義務付けられている（☞1125、1126、1171）。今日の行政は、争われないようにするのではなく、自らの適正さを相手方及びその他の者に説得的に示すことが求められている。適正な手続をとることは、堂々と処分をするためにこそ必要なのである。

(2)　行政手続法

　行政処分等の手続に関しては、平成5年に一般法としての行政手続法が制定された。行政運営における公正を確保し、透明性を向上させる（行政上の意思決定について、その内容と過程が国民にとって明らかになるようにする）ことによって、国民の権利利益を保護することが法律の目的である（1条1項）。行政処分に関しては、申請に対する処分（許可や認可など申請者に利益を付与する処分又はそれを拒否する処分）と不利益処分（申請を拒否する処分を除く。）に分けて、求められる手続を定めている。このほか、行政指導及び届出に関する規定を設けている。また、同法は、命令制定における意見公募手続（いわゆるパブリックコメント）について

も定めている。

　地方公共団体の行う活動のうち、国の法令に基づく処分については原則として行政手続法が適用されるが、国の法令以外に基づく処分（地方の条例及び規則に基づく処分）には適用されない。行政指導については、国の機関が行った場合のみが行政手続法の対象となる。地方公共団体の行う行政指導と、条例等に基づく処分の手続については、それぞれの地方公共団体が定める。各都道府県では、おおむね国に準じた行政手続条例が定められており、それによるべきことになる。

(3) 申請に対する処分に関する手続

409　申請に対する処分については、行政庁は、審査基準をあらかじめ策定し（法令の定めによって判断基準が尽くされている場合や、それまでの審査実績がないといったやむを得ないような場合を除く。）、行政上特別の支障がある場合を除き、公表しておかなければならない。ここにいう「審査基準」には、法令の解釈基準も含まれる。また、行政庁は、申請処理に通常要すべき標準的な期間を定めるよう努め、定めたときは公にしておかなければならない。審査基準の設定は義務であるが、標準処理期間の設定は努力義務である。

410　申請を受けた行政庁は、遅滞なく審査を開始しなければならず、また、形式上の要件を満たさない申請については、速やかに補正を求めるか、許可等を拒否する処分をしなければならない（預かっておくとか、事実上つき返すといった対応をすることはできない。）。「申請を受理する」という行政庁の判断行為とは無関係に、基本的な形式上の要件を満たした申請が到達すればその時点で審査開始義務が生まれる。

　許可等を拒否する場合には、申請者にその理由を示さなければならない。理由の提示は、処分と同時にしなければならず、処分を書面で行うときは理由の提示も書面でしなければならない。どの程度詳しく理由を提示する必要があるかは、それぞれの許可等の性質に応じて異なるが、抽象的一般的なものでは不十分で、申請者が拒否の理由を明確に認識できるものでなければならない（概括的抽象的な規定の場合に、その根拠規定を示すだけでは不十分である。）。(注11)(注11の2)

このほか、申請者の求めがあった場合に審査の進行状況や処分時期の見通しを示すように努めるべきこと、他の行政機関で同一の申請者からされた関連する審査が進行中であることを理由に殊更に判断を遅らせてはならないことなどが規定されている。また、申請者以外の者の利益を考慮すべきことが許可や認可の要件とされているものを行う場合には、必要に応じて、公聴会の開催等によって、申請者以外の者の意見を聴く機会を設けるように努めるべきこととされている。

聴聞等の手続的な権利は認められていない。新たな許可申請の場合だけでなく、いったん許可を受けていて、その有効期間が満了するので更新を申請する場合も同様である。

(4) **不利益処分に関する手続**

不利益処分とは、相手方に直接に義務を課し、又はその権利を制限する処分を意味する（申請拒否処分や事実上の行為は含まれない。また、相手方を特定しない一般処分も除かれる。）。許可の取消しや営業の停止等の命令が典型である。不利益処分でも、客観的に測定できる物理的な基準に該当しないことを理由とするもの、金銭の納付を命ずるもの、不利益の程度が著しく軽微なものの場合には、行政手続法上の「不利益処分」には当た

411

（注11）　理由の記載が義務付けられていた処分について、「いかなる事実関係に基づきいかなる法規を適用して拒否されたかを、申請者においてその記載自体から了知しうる」ものでなければならず、単に根拠規定を示すだけでは、「それによって当該規定の適用の基礎となった事実関係をも当然に知りうるような場合を別として」不十分であるとされている（最高裁判決昭和60年1月22日〈民集、Ⓦ〉）。また、記載する理由の程度は、相手方の知、不知に関わりがなく、後日口頭で説明がなされても付記理由不備の瑕疵は治癒されない、とされている（最高裁判決平成4年12月10日〈Ⓦ〉）。

（注11の2）　いかなる事実関係に基づいて拒否をするのかが、書面の上で分かるように記載される必要がある。かりにそれが相手方に精神的な苦痛を与えるような事実であったとしても、申請者として拒否の理由を了知するのはやむを得ないことであるから、事実を記載しないわけにはいかない。犯罪被害者等給付金支給の申請に対して、被害者が悪質な犯罪行為をしたことがきっかけになって殺害されたという事実を認定しつつ、書面には当該条項の文言（当該犯罪行為に関連する著しく不正な行為があった）のみを記載して不支給とした処分は、違法として取り消されている（福岡地裁判決平成26年1月21日〈判例自治389・78〉）。なお、この判決では事実自体もなかったとしたが、控訴審（福岡高裁判決平成26年11月12日〈公刊物未登載〉）では、拒否理由に該当する事実はあったとしつつ、書面に事実を記載しなかったことは、口頭で補足説明をしていたとしても違法であるとして、一審の取消判決を維持している。）。

らないものとされている。お金だけの問題であれば違法又は不当な処分がなされた後でも元に戻すことが可能であることなどがその理由であるが、個別の法律で相手方に弁解の機会を付与するといった手続規定を設けることもあり得る（放置違反金の納付命令については、道路交通法で弁明書と有利な証拠の提出機会を与えている。）（☞621）。

不利益処分については、判断基準の設定と公開に努めることとされている（申請に対する処分の場合とは異なり、画一的に定めることが困難であることから、努力義務にとどめられている。）。標準処理期間を定めることとはされていない。

一方、不利益処分をしようとする場合には、以下に述べるように、相手方に事前に通知して、意見陳述の機会を与えなければならないとされている。処分理由を具体的に告知し、相手方の主張・立証が行われるようにすることが、手続上の基本原則であり、処分の前に行われることに意義がある。他方、事前に相手方の意見等を聴いていたのでは迅速性が失われるところから、公益上緊急に不利益処分をする必要があるもの等については、この手続を省略することが認められる。例えば、銃砲刀剣類所持等取締法による提出命令の場合には、告知等の手続なしに行われる。手続的な適正さの確保と、公益上の緊急の必要性を両立させるものとして、聴聞等を行わないで一時的な処分を行い、その間に聴聞等を行って本来の処分を行うという制度も、法律によって設けられている（暴力団対策法の仮の命令、道路交通法の運転免許の効力の仮停止など）。

412　許可の取消しその他の資格等のはく奪に当たる不利益処分をしようとする場合には、聴聞を行わなければならない。聴聞は、予定されている不利益処分の相手方が出席し、聴聞の主宰者と行政庁の職員の三者で審理が行われ、行政庁の職員が処分の内容とその原因となる事実を説明し、相手方

（注12）　主宰者は、聴聞の審理をつかさどる者であって、聴聞の期日における審理を主宰し、聴聞の続行又は終結を判断し、審理の経過を記載した聴聞調書を作成し、当事者の主張に理由があるかどうかについての意見を記載した報告書を作成する（これらの書類は、当事者の閲覧の対象になる。）。主宰者は、行政庁がその職員（国家公安委員会の場合は警察庁、都道府県公安委員会の場合は都道府県警察の職員）の中から指名することになっている。なお、公安委員会の委員を主宰者に指名することも可能であるが、行政庁である委員会そのものが聴聞の主宰者となることはない。

（当事者）が意見を述べ、自らに有利な証拠書類や物を提出し、行政庁の職員に質問するといった形で行われる。聴聞の期日における審理は、行政庁が公開することを相当と認めたときを除き、原則として非公開で行われる（道路交通法のように、公開で行わなければならないことを定めている場合もある。）。相手方は、聴聞に備えて、不利益処分の原因となる事実を証する資料の閲覧を求めることができる。行政機関側の持っている資料を確認した上で反論できるようにするためである。行政庁は正当な理由が無い限り閲覧を拒むことができない。(注13)(注14) 正当な理由があれば閲覧を拒否できるが、違法な（正当な理由のない）閲覧拒否をし、その結果相手方の防御権の行使が実質的に妨げられたときは、処分の取消事由となる。

　行政庁が不利益処分の決定をするときは、聴聞の結果を十分考慮しなければならない。聴聞の期日に当事者が出頭せず、陳述書等も提出しない場合には、改めて聴聞の機会を与えることなく終結することができることは当然である。

　営業停止命令など、それほど重大でない不利益処分をする場合には、聴聞ではなく、相手方に弁明の機会を与えることで足りる（個別の法律で取消し以外でも聴聞をすることが定められている場合（風俗営業適正化法の

（注13）　資料の閲覧制度は、被処分者（相手方）にどのような根拠で処分がなされるかの情報を入手する機会を与え、それを踏まえて意見を述べ、自らに有利な証拠を提出することができるようにするというものであり、防御権の充実を図るものである（行政機関の在り方として、「訴訟が提起されないことを願い、相手に手のうちを見せず、相手方が主張してきたことだけに対応する」といったこそくなものであってはならず、「訴訟を受けて立つことを前提に、どこに出されてもいいだけの根拠を持ち、公明正大に対応する」という考えに立つことを求めているといえる。）。閲覧の対象となるのは、その事案の調査結果をとりまとめた書類など、行政機関が取消処分等の原因となる事実があると判断した根拠となる書類その他の物件である。第三者のプライバシーに係る事項が開示されたり、閲覧させることにより取締りの秘密などが漏れることがあってはならないので、支障がある部分を除いた要約資料などを作って、閲覧に供すべきことになる。当該資料の複写を認めるかどうかは、行政側の判断に委ねられている。なお、聴聞とは異なる手続（例えば、道路交通法の点数処分における意見の聴取）の場合には、資料の閲覧制度の対象とはならない。

（注14）　主宰者は、当事者以外の者で、不利益処分について利害関係を有すると認められる者がいる場合には、その者が手続に参加することを許可することができる。許可された参加人は、当事者と同様に、聴聞の期日に出席し、意見を述べ、証拠書類等を提出し、主宰者の許可を得て行政庁の職員に対して質問を発することができるほか、文書等の閲覧をすることも認められる。

営業の停止命令の場合など）には、行政手続法にかかわらず、聴聞を行わなければならない(注15)。）。相手方は、弁明書を提出し、証拠書類等を提出することができる。聴聞の場合とは異なり、行政庁が口頭ですることを認めた場合を除き、書面提出のみによって行われる。なお、弁明書の提出期限までに提出がなければ、弁明の機会を与え終えたことになる。

　行政庁は、不利益処分をするときは、理由を示さないで処分をする差し迫った必要がある場合を除き、処分と同時に相手方にその理由を示さなければならない。理由の記載が求められるのは、「判断の慎重さと合理性を担保してその恣意を抑制するとともに、処分の理由を名宛人に知らせて不服の申立てに便宜を与える趣旨」であり、その趣旨に見合う程度の理由を提示しなければならない。複雑な処分基準が定められている場合には、処分原因となる事実と根拠法条だけでなく、処分基準の適用関係も示すことが求められる(注15の2)。

(5)　適用除外と特例手続

414　行政手続法は、公安委員会や警察署長が行う事業者の許可行政やストーカー規制法に基づく命令などが対象となる。これに対して、警察官のように現場で権限を直接行使する者が現場で行う活動(注16)（行政処分と行政指導）や刑事訴訟法の司法警察職員としての活動、情報収集を直接の目的として行う活動（報告徴収、立入検査）などは、迅速性の必要があることなどから、適用が除外されている。また、一般国民との関係とは異なる特別の関係にある者に対する処分及び行政指導、例えば、留置施設における措置、学校における措置、公務員の身分に関する措置や、試験の結果についての

（注15）　行政手続法の制定前から聴聞の規定を置いていたことによるものが多いが、行政手続法の後に制定されたものでも、より慎重な手続を用いるとの観点から、義務付けについて聴聞を要するとする例もある（例えば、ストーカー規制法の禁止命令等）。

（注15の2）　最高裁判決平成23年6月7日〈民集、㉚〉は、一級建築士の免許取消等処分に関して、行政手続法の規定の趣旨を本文引用のように述べた上で、処分基準が複雑なため、基準の適用関係が示されなければ「いかなる理由によって当該処分が選択されたのかを知ることは困難」であるとして、理由提示が不十分であることを理由に処分を取り消した（本件は、取り消された側の理解と処分庁の側の主張とが実際に異なっていた事例である。）。

（注16）　都道府県の条例では、警察官及び交通巡視員のように法律上直接に権限を与えられている職員の場合だけでなく、少年非行の防止に当たる職員など他の警察職員の行う行政指導についても適用除外とされている。

処分といったものについても、適用が除外されている（留置施設における措置に関しては、刑事収容施設法で別の仕組みが設けられている。これらの除外事項は、おおむね行政不服審査の対象からの除外事項（☞1132）と符合している。

このほか、個別の法律において、この法律の全部又は一部の適用を除外し、異なる手続を定めている場合もある。例えば、道路交通法の免許の取消し及び効力の停止（90日以上）のうち違反の点数処分として行われるものの場合は「意見の聴取」、暴力団対策法に基づく処分については「意見聴取」が行われる。これらは、期日を定めて通知し、相手方が出頭して意見を述べるという点では聴聞と同じであるが、相手方に資料の事前閲覧権が認められていない、相手方が書面を提出して出頭に代えるという手続が無い、審理における相手方の質問権が無いといった点で異なっている（このほか、暴力団対策法の意見聴取については、行政庁である都道府県公安委員会が自ら主宰することもあるといった点も異なっている。）。

> **column** 処分対象者以外の者の意見等を踏まえた処分

行政手続として定められた規定の多くは、処分対象者（相手方）の権利を保護する見地から、対象者に意見を述べる機会等を与えるものである。相手方の正当な権利を侵害しないようにすることは重要であるが、行政機関は、行うべき処分は適切に行い、公益の実現（相手方以外の関係者の権利利益の保護）に当たらなければならない。このため、近年では、処分対象者以外の者の意見を聴くなどの仕組みの構築も図られている。

申請を受けて行う処分に関しては、申請者以外の者の利益を考慮すべきことがその根拠法令で許認可等の要件とされているものの場合には、「必要に応じ、公聴会の開催その他の適当な方法により当該申請者以外の者の意見を聴く機会を設けるよう努めなければならない。」ことが、行政手続法で定められている（10条）。相手方以外の者が受ける影響は様々であり、その程度に応じた制度を設けるべきものである（例えば、情報開示請求の対象となる情報に第三者に関する情報が含まれている場合には、その第三者に通知し、意見書を提出する機会を与えることができる（一定の場合には与えなければならない。）こととされている（☞860）。）。不利益処分に関しては、処分対象者以外の者で法的利害関係を有するものは、聴聞主宰者の許可を得て、聴聞手続における参加人となることができる。

一方、処分（権限発動型の処分）がなされていないことに対しては、法令に違反する事実があるときに、それを是正するための処分をすることを求める制度（処分等の求め）が平成26年の行政手続法改正法によって新たに設けられた（36条の3）。この申出は、職権の発動を促す行為であって、「処分発動請求権」ではなく、法令違反の事実を知っていれば、何人も行うことができる（法的利害関係を要しない。）。申出は、ⅰ申出者の氏名（名称）・住所（居所）、ⅱ法令に違反する事実の内容、ⅲ是正のためにされるべき処分の内容、ⅳ処分の根拠法令の条項、ⅴ処分がされるべきと思料する理由、ⅵその他参考となるべき事項、を記載した申出書を提出して行う。とり得る処分等を複数並記することも可能である。ⅱ及びⅴについては、合理的な根拠によってそう考えられる理由が具体的に記載されている必要がある。行政側は申請者に対して応答する法的義務を負わないが、必要な調査を行い、その結果に基づき必要があると認めるときは、処分等をする義務を負う。(注16の3)

4 行政機関の裁量とその統制

416 　行政機関は、行政処分について、法律で定められた要件に該当するか否か等を判断する。その際には、合理的な範囲内で判断の幅がある（裁量できる）のが通常である（全ての場合に何が適切かを法令で規定し尽くすことができるのであれば、許可や義務付けといった制度を設ける意味はない。行政機関の個別の判断を要するからこそ、行政処分という制度が設けられているのであって、何らかの裁量が認められるのが自然である。）。

　もとより、国民の権利・自由を制限し、義務を課す行政処分については、その裁量には、憲法及び法律の定める限界が存在するのであって、要件が抽象的に規定され、あるいはその場合にどのような措置をとることができるかが明確にされていないとき（例えば、「必要な措置」をとることがで

（注16の2）　法令に違反する事実を改めただす処分を意味し、法令違反事実自体の解消、違反によって生じた影響の除去、原状回復を内容とするものだけでなく、法令違反を生じさせた者等への再発防止（停止命令や許認可の取消し、課徴金の納付命令などを含む。）を内容とする処分も含まれる。また、法令に根拠のある行政指導も、この「処分等の求め」の対象に含まれる（具体的な根拠規定のない一般の行政指導は対象にならない。）。

（注16の3）　調査することは義務であるが、記載に具体性がなく確認が困難である場合や既に詳細な調査を実施済みである場合には、新たな調査を要しない。申請者に対して通知する義務付けはされていないが、相手方の正当な利益が損なわれる場合や事務処理上の著しい負担が生ずる場合等を除き、通知するよう努めるという運用方針がとられている。

きるとされているとき）であっても、その要件に該当するかどうか、あるいはどのような措置をとるべきかは、当該法律の趣旨・目的に照らして厳格に判断しなければならず、行政機関の自由な判断に委ねられていると解することはできない。

　行政機関にある程度以上の裁量が認められる場合には、行政機関に「裁量権」があると位置付けられ、裁判所は行政機関の判断を尊重しなければならないことになる。裁量権の範囲内でなされた行政処分は不当となることはあっても違法の問題を生じないが、裁量権の範囲を超え又はその濫用があった場合には違法なものとなる。(注17)行政事件訴訟法30条は、この考えに立って、裁量権の逸脱及び濫用の場合に裁判所が取り消し得ることを規定している。

　行政裁量は、合理的に行われなければならない。行政手続法は、処分基準を定めて公表することを原則としている。合理的な基準が設定されることは、行政処分が適切に行われることにつながる（行き過ぎを防ぐと同時に、基準があることで処分を自信をもって行うことが可能となる。）。基準と異なる処分をすることは、それだけで直ちに違法となるわけではないが、基準と異なる扱いをする合理性が求められる。

column　基準の設定と意見公募手続

　国の行政機関が申請に対する審査基準や不利益処分の処分基準（これらに関わる法令の解釈基準を含む。）を定める場合には、行政手続法に基づいて、法令としての命令（政令、内閣府令、委員会規則）を定める場合と同様に、意見公募手続をとることが義務付けられている。意見公募手続（パブリックコメント）は、案と関連資料を公表し、原則として30日以上にわたって一般の意見を公募し、提出された意見を考慮し、最終的に定めたものについて意見を考慮した結果（公募した案との差異を含む。）とその理由を公示するものである。地方公共団体の場

（注17）　裁量権が認められる処分の場合でも、重要な事実の基礎を欠く場合、法律の趣旨目的とは異なる目的や動機に基づいて処分が行われた場合、考慮すべき事項を考慮せず、考慮すべきでない事項を考慮して判断した場合、社会通念に照らして著しく妥当性を欠く場合には、違法と評価される（最高裁判決平成18年2月7日〈民集、⑳〉は、教職員組合主催の教育研究集会への学校施設利用拒否について、学校管理上の裁量を認めつつ、社会通念に照らして著しく妥当性を欠いたものとして違法としている。）。

合も、条例でほぼ同様の仕組みが設けられている。

　審査基準や処分基準は、法令としての命令とは異なり、行政機関の内部的な方針にすぎないものであり、裁判所の判断を拘束するものではないが、実質的に影響が大きいところから、広く一般の意見を聴き、実質的な妥当性を確保することと、行政機関の側で広く国民に対して説明責任を果たしていくことが期待されている。法令としての命令は、法律の定める趣旨目的に適合したものでなければならず、制定後にも社会の状況を踏まえて必要に応じ検討、見直しをすべきものであるが、審査基準や処分基準についても同様とされている。

　行政法学では、伝統的に、行政機関が定める法令としての命令を「行政立法」と呼び、その他の行政内部の定めについては「行政規則」として法的効果のないものと整理してきた。これに対して、行政手続法は、この二つを「命令等」として一括し、制定手続において同様の扱いを定めている。これは、基準が内部的なものであるとはいっても、実質的に法令に準ずるような大きな意義を持つことを認めていることを示したものといえるのであって、この手続を経て公表された基準は、その内容が適法妥当なものであれば、裁判でも用いられていくものと思われる。(注18)

5　行政処分の取消しと撤回

(1)　違法な行政処分の取消し

418　法律の規定に違反した行政処分（「瑕疵ある行政処分」という。内部的な通達などに違反していても、それだけでは違法とはならない。）については、行政庁が自ら取り消さなければならないのが原則である。違法状態を放置しておくことは、法律による行政の原理（☞103）に反するからである。もっとも、軽微なものについては、取り消すだけの違法があるとはいえない場合もある（例えば、手続的な誤りがあったが、手続上の保護の必要性の程度もそれほど高くなく、取り消しても同じ処分を再度行うことが明らかであるような場合がこれに当たる。）。取消しの効果は遡る（最初からその処分がなかったことになる）のが原則であるが、相手方に帰責事由がないときには、相手方の利益保護や信頼保護の必要性の観点から、限定されることもあり得る。

　（注18）　野口貴公美「行政立法」磯部力ほか編『行政法の新構想Ⅱ』（有斐閣、2008年）参照。

違法な行政処分によって被害を受けた国民（処分の相手方等）は、行政不服申立てや取消訴訟によって、その取消しを求めることができる（警察官の現場的な処分の場合には、効果が一時的であることから、対象とならないことが通常である。道路交通法に基づいて警察官が行った処分については、行政不服申立ての対象とならないことが法律で定められている（道路交通法113条の2)。)。

　違法な行政処分であっても、権限を持つ機関（処分を行った行政庁、訴えを受けた裁判所又は不服申立てを受けた機関）が取り消すまでは、その行政処分は有効に存在する。したがって、例えば、運転免許の効力を停止する処分に違法性があったとしても、その違法性が重大で明白である場合を除き、公安委員会又は裁判所が取消処分を取り消すまでは、その停止処分は有効であるから、停止期間内に運転すれば無免許運転となる（刑罰との関係は6で述べる。)。権限のある機関によって取り消されるまでは有効なものとされることを、「行政行為の公定力」と呼ぶ。(注19)処分によって生じた法的効果を否定するためには、取消訴訟によらなければならない。

　行政処分に重大で明らかな誤りがある場合には「無効」とされ、取消訴訟以外でも効果を否定することができる。権限を有しない者が行った処分、組織・構成に重大な瑕疵のある合議体によってなされた処分、相手方の申請が法律上の要件である場合にそれを欠く処分、内容が不明確な処分、内容的に重大な違法性がある処分、相手方の利益を守るために法律で必要とされている重要な手続（例えば聴聞）をしないで行った処分、法律で求められている理由等の記載の全くない処分などがこれに当たる。その他の瑕疵の場合には、取り消し得るものにとどまるのが通常である。

　取消訴訟の提起は一定期間に限られることから、その期間を超えるともはや国民の側からは争うことができなくなる。これを「行政行為の不可争力」と呼ぶ。無効な行政処分については、公定力や不可争力はないから、

（注19）　かつては、行政機関という権威のある機関の判断であることに起因する適法性の推定であるとの説明もあったが、今日では、取消訴訟という制度が存在し、他の方式で争うのを認めていない（他の訴訟で処分の効果を否定できない）ことを意味するものとされている。処分が適法であるとされたわけではないから、損害を受けた国民は、その処分の違法性を主張して、国家賠償請求を行うことができる。

何人も取消訴訟以外で無効を主張することができ、取消訴訟の提起期間以後であっても、その効力を争うことができる。(注19の2)

(2) 行政処分の事後的撤回

420　継続的な効力を有する行政処分（営業の許可など）の場合には、処分後の事情に照らして、処分の効力を継続させることが公益に反する場合が生ずる。営業の許可を受けた者が繰り返し法律に違反するようであれば、その者の許可を継続させるわけにはいかない。また、客観的な状況が変化した結果、もはや許可を継続すべきでないという事態に至る場合もあり得る。

　このような場合には、許可等を行った行政機関によって、その効力を将来に向かって消滅させる処分がなされる。これを行政法学では、瑕疵ある行政処分の「取消し」と区別して、行政処分の「撤回」と呼んでいる（法律の規定では「取消し」と定めることがほとんどである。）。(注20)運転免許についてその後に運転者が悪質な違法行為を行ったことを理由として取り消すことが、撤回の典型である。

6　行政処分違反者に対する措置

421　行政処分に違反した者に対しては、より重い行政処分を課すことが定められ、あるいは刑事罰を科すことが定められているのが通例である。例えば、風俗営業の場合、指示に違反したときは、営業許可を取り消し、又は停止することができることが定められている。暴力団対策法の暴力的要求行為に対する中止命令に違反した場合には、刑罰の対象となる。道路交通法に基づく交通規制に係る警察官の現場指示に違反した運転者については、刑罰の対象となると同時に、免許の停止につながる点数が付される。このほか、工作物の除去のように、義務者以外の者が物理的に行うことができる行為を義務付けた場合には、法的には代執行をすることが可能となる（☞444）。

（注19の2）「無効」は、実質的には、取消訴訟の提起期間が過ぎていて通常は争えない場合において、処分の相手方の権利救済の必要性と違法活動是正の必要性が高いときに、例外的な扱いを認めるために用いられる手法である。このため、相手方に帰責事由がある場合には、認められにくくなる。

（注20）　相手方に利益を与える処分の撤回については、明文の規定が置かれるのが通常であるが、明文がなくとも、相手方の不利益を考慮してもなおそれを撤回すべき公益上の必要性が高い場合には処分の撤回が認められている（最高裁判決昭和63年6月17日〈⑩〉）。

警察官が現場で行う命令の場合には、その違反に対して法的な措置を講ずる旨の規定がなく、警察官が直接に行うことが認められているものもある。

　行政処分に違反した者に刑事罰を科すことについて、処分が適法であることを要する（処分の違法性を主張して罪を免れることが可能である）との見解もあるが、重大明白な違法があって無効とされる場合を別として、単に取り消し得るものである場合には、処分を無視することは許されないから、刑罰の成否には影響しないと解される。処分の適法性を要するとする見解は、処分を無視する（適法な処分に対しても、違法性を主張して従わない）者が生じるなど、不当な結果を招くものとなる。これに対し、交通規制の表示が不明確である場合のように、処分の内容が相手方に分からないようなものであるときは、行為の違法性を認識できる可能性がないので、刑事責任は成立しない。

7 許　可

(1) 許可の意義

　許可とは、行政機関の個別の判断によって法的禁止（相対的禁止）を解

（注21）　最高裁決定昭和63年10月28日〈刑集、Ⓦ〉は、免許停止処分の原因となった事件について刑事裁判で無罪となった後も、その免許停止処分が有効であることを前提として他の事件処理が行われたことを是認したものである。同判決の調査官解説（原田國男）法曹時報41巻10号は、停止処分に重大かつ明白な瑕疵がある場合を除き、有効となるという考えが判決の前提にあること、行政処分違反に刑事罰を科すときも同様となることを述べている。なお、行政処分における事実認定と刑事裁判における事実認定とは、求められる立証の程度が異なることから、先行事案が刑事事件で無罪とされたことが直接的に免許停止処分に違法性をもたらすものではない。

（注22）　最高裁判決昭和53年6月16日〈刑集、Ⓦ〉は、個室付き浴場の規制が違法であるとして刑事上の責任を否定しているが、この事件は、個室付き浴場の設置を阻むために、警察が行政機関とともに積極的に行動し、児童遊園の存在を理由に営業禁止区域であるとして届出を受けず、刑事事件として摘発したという一連の過程が行政権の濫用と認定された特異なものであって、行政処分が違法である場合に刑事責任を認めないとしたものではない。

（注23）　処分が違法であることが構成要件であるとすると、適法な処分であっても、被処分者が違法であると思っていた場合には、その認識を欠く（錯誤）として、刑事上の責任を免れる結果も招き得ることが指摘されている（原田前掲注21）。また、処分に違法性がある場合に処分の取消訴訟の提訴期間経過後には争うことができないとしつつ、処分に従わないで刑事制裁を受けることを拒み得るとすれば、実質的に取消訴訟の期間制限の実効性が損なわれることにもなる。

除し、適法に行うことを可能とする処分である。許可は、その行為を自由（適法）に行うことを許すものであって、相手方に特権を付与するものではなく、また、他の法令による制限を解除するものでもない。許可を要する行為を許可なしに行った場合には、刑罰規定が設けられているのが通常である。(注24)

　許可には、申請者の特性に着目するもの（対人許可）と建物、設備の構造等の物的な面に着目するもの（対物許可）の別があるが、両者の性格を併せて持っている許可もある。例えば、風俗営業の許可は、営業者（許可申請者）の人的側面として、一定の刑に処せられてから5年を経過していない者、覚醒剤中毒者等に該当しないことを要する（これらの事由を「欠格事由」という。）ほか、営業所の構造設備が一定の技術上の基準に適合すること、営業場所が制限地域に該当しないこと等の物的要件をも満たさなければならないとされており、対人許可と対物許可を併せ持ったものであるといえる。対人許可の場合には、法律で「免許」という名称を用いることもある（運転免許など）が、法的意味は他の「許可」と同様である。

　警察の機関（公安委員会及び警察署長）が許可を行うものとしては、風俗営業の許可（風俗営業適正化法3条）、古物営業の許可（古物営業法3条）、質屋営業の許可（質屋営業法2条）、銃砲刀剣類の所持の許可（銃砲刀剣類所持等取締法4条）、自動車及び原動機付自転車の運転免許（道路交通法84条）、道路使用の許可（道路交通法77条）、乗車又は積載方法の制限外許可（道路交通法56条）、通行禁止道路通行の許可（道路交通法8条）などがある。営業活動を対象としているもの（風俗営業、質屋営業及び古物営業）と、営業とは異なる活動を対象としているものとに分かれる。

　許可には、付随的な義務付け（法令上は「条件」と呼ばれる。(注25)）が付される場合がある。許可することによって弊害が生ずるおそれがあるが、特

（注24）　無許可でなされた行為の民事上の効力が否定されることにはならない（例えば、質屋営業の許可を受けていない者によってなされた質権設定契約も、当然に無効となるわけではない。）。これに対し、行政機関の処分がなければ民事上の効力も認められないものを、行政法学では「認可」と呼ぶ。法律の明文の規定があるときのほか、当該法律の趣旨からそう解される場合も含まれる。自動車安全運転センターの設立の認可はこれに当たる。警察以外の機関が行うものとしては、農地の売買に対する知事等の許可がその例である。

定の義務を課せばその弊害を防止することができるときに、付されるものである。運転免許に際して、「眼鏡等を使用すること」を義務付ける（条件とする）ことが典型である。道路使用許可については、条件を付すことによって障害を防止できるのであれば、不許可とすることなく、条件を付して許可すべきことが定められている（道路交通法77条2項2号）。処分の時点で付されるのが基本であるが、その後の変化に対応するものとしても用いられる。(注26)不必要な条件を付すことが許されないことは当然である。

(2) 許可制度の概要

どのような許可制度を設けるかは、立法における政策的な判断であるが、一般に以下のような事項が法律で定められている。

① 許可の基本的規定

特定の行為について許可を要する（許可を受けない行為を禁止する）規定が置かれる。無許可行為を処罰する規定が置かれるのが通例である。許可を受けた営業等の内容を変更しようとする場合には、変更の許可（軽微な変更については変更の届出）を要するものとされる。許可の基準（不許可事由、人の場合の欠格事由）については、できるだけ具体的なものとすることが望ましいとされるが、ある程度は抽象的なものとせざるを得ない場合も多く、その場合には該当するかどうかについての行政機関の裁量も認められる。なお、許可申請の時点では基準を満たしていても、許可前に不許可事由が生じた場合には、特別の規定のない限り、不許可とすべきことになる。

許可の手続としては、許可申請の方法、行政機関が許可を行うときの書面（許可証等）の交付などが規定される。申請においては、法律の委任を

（注25） 行政法学では、「負担」と呼ばれる。なお、行政法学では、負担（条件）のほか、期限、条件（行政処分の効力の発生の有無を将来の事実に係らしめるもの。この意味の「条件」の例はほとんどない。）、法律効果の発生の一部除外及び撤回権の留保を、行政機関による付随的な意思表示として一括し、附款（ふかん）と呼んでいる。なお、撤回権の留保は、一定の事態が生じた場合には行政行為を撤回することがあるとするものであるが、撤回をすることができるのは、それだけの必要性が実質的になければならないと解されるのが通常である。

（注26） 処分後の事情の変化により事後的に条件を追加する例としては、視力等の変化に対応して付される運転免許の条件の付加がある。道路使用許可の場合も、事後的に条件を追加・変更することを認めている（道路交通法77条4項）。

受けた命令で定められた一定の形式の書類の提出を義務付けるのが通例である。申請人に手数料の納付を義務付けたり、申請を受けた行政機関において他の行政機関と協議等を行うことを義務付ける規定が置かれる例もある。他の者に分かるようにするため、許可証を掲示することを義務付けている場合もある。

不許可とする場合には、行政手続法により、不許可とする理由を申請者に示さなければならない。許可の取消し等の場合とは異なり、一般に聴聞等を要するとはされていない（例外的に、不許可決定の前に申請者の意見を聴き、証拠の提出を許さなければならないとする規定が置かれていることもある。質屋営業法3条2項参照。）。

② 継続的許可における規定

許可に係る行為がある程度継続することが予定されている場合には、許可の有効期間、許可の更新(注27)、許可の取消し（行政法学上の「撤回」）の規定が置かれるのが通常である。なお、5(1)で述べたとおり、当初の許可に違法な点があったときは、当該行政機関は特別の規定がなくとも本来その許可を取り消すべきであるとする考え方に立って、法律に特別の規定が置かれていない立法例が多いが、相手方が真実に反する申請を行っていたときのほかは法律の根拠なしに取消しできないとする考え方もあるところから、当初の許可に違法な点があった場合の取消しについて規定する法律も増加している（風俗営業適正化法8条1号など）(注28)。

③ 許可を受けた事業者の義務と監督規定

(注27) 許可の更新は、許可に期限を付し、期限の到来によって一度その許可の効力を失わせ、新たに「更新」の手続をとることによって、改めてその行為を適法に行うことができるようにするものである。全くの新規許可の場合とは異なり、継続し難い重大な事由があるようなときを除き、原則として更新すべきものとされるのが通常である。なお、運転免許の場合は、「免許証の有効期間の更新」として定められている。

(注28) これらの「取消し」規定を置く場合には、その効力を許可の時点まで遡らせることとせず、取消処分の時点で失効させる（後述の許可の「撤回」と同様とする。）ことがある。例えば、不正試験による合格決定の取消しを規定した道路交通法100条は、その免許は合格決定の取消しの通知によって失効する（一般の学問上の取消しとは異なり遡及しない。）こととしている。なお、このような規定が置かれていない場合で、許可時点まで遡って効力を失うとされているときでも、刑事罰に関しては、実際に取り消されるまでになされた行為が無許可行為として処罰対象となるわけではないと解されている。

許可を受けた者には、その法律の規定等によって各種の義務が課される。　426
ある事態が生じた場合の届出が義務付けられることもある。その者が許可の範囲を超え、あるいは各種の義務に違反する場合に対処するため、許可の取消し（撤回）、許可の効力の停止又は許可に係る行為の停止命令の規定が置かれるのが通常である。この場合、個別の法律に規定がなくとも、行政手続法によって、許可の取消し、停止など、許可を受けている者の不利益となる処分については、事前に聴聞又は弁明の機会の付与をしなければならないこととされている。営業の許可の場合には、これらに加えて、営業を営む者に対する各種の指示（命令）、報告徴収と営業所等への立入検査（行政調査）、営業の廃止の届出の義務付け等の規定が置かれている。

column 許可後の基準の変更によって不適格となった場合の扱い

許可基準が変更された場合でも、それ以前に許可を受けていた者に対しては、　427
明文の規定が置かれていない限り、許可を取り消すことはできないものとされる。例えば、風俗営業の許可について、許可後に制限地域となった場合には、同じ場所での新たな許可はできないが、既存の事業者の許可を、制限地域であることを理由に取り消すことはできない。新たに営業を行おうとするのをあらかじめ禁止することと既に行っている営業を廃止させることとでは、相手方の不利益の程度が異なるところから、既存の秩序利益を無視することが適当でないとするものである（既存の事業者の正当な利益を守るためのやむを得ない措置であるから、建物の変更等の新たな許可を要する活動を行うことは認められない。）。他方、建物設備に関して基準が変わった場合には、事業者として新たな建物設備を設けることが不可能ではないので、必要性が高いときは、既存の許可事業者にも一定期間経過後には変更後の基準を満たす義務を課すことも行われる。(注29)

許可に類似する届出営業の場合も基本的に同様であり、店舗型性風俗特殊営業について、禁止区域内で禁止される以前から営業をしている事業者には営業の継続が認められる。ただし、届出確認書の交付をしないので、広告宣伝が禁止される結果となる（風俗営業適正化法27条、27条の2及び28条）。また、違法行為を行った場合には、廃業が命じられることも規定されている（30条2項）（☞642）。

(注29)　消防法の規制に関しては、一般の施設には規制強化前のものを容認しつつ、多数人の集まる施設には新たな規制を及ぼしている。

(3) 許可制度の運用

428　許可制度の運用は、その法律が許可という制度を設けた趣旨に沿ってなされなければならない。法律で定めた欠格事由に該当するとはいえない場合には、行政機関は、それ以外の観点からの判断で許可しないとすることは許されず、許可すべき法的義務を負う。同時に、許可制度を設けるのは、様々な弊害を防止するためであるから、欠格事由がある者に対して許可することは許されない。また、いったん許可した者についても、取消しの要件に該当し、かつ、その許可を取り消すことが実際の公益上も必要な場合には、許可を取り消すべきであって、いたずらに相手方の利益のみを重視すべきではない。

　一般的には、許可申請があった場合にその要件に該当するか否かの行政機関の調査があまり長期間にわたることには問題があるが、銃砲の所持許可の場合のように、その対象行為の危険性等に照らし、公益を図る上から調査を徹底しなければならない場合も当然に存在する。行政手続法によって標準処理期間を定めるように努めるべきこととされているが、事案によってこれを相当超過することがあり得ることは当然である。

column　民事法的な権利に係る判断の要否

429　風俗営業の許可の場合、施設に関する許可基準が定められているが、その施設を正当に使用する民事法的な権利（権原）を有していることは含まれていないので、民事法的権利が無くとも許可をしなければならない。これは、風俗営業の許可制度の趣旨に照らし、民事法的な権利の有無が関係しない（その施設が使えないなら営業をしないだけであり、法の目的に反する事態は起きない。民事法上使えない場所を使っても、それは当事者同士の問題であり、風俗営業の許可制度とは関係がない。）ためである。これに対し、制度の趣旨から、民事法的な権利（権原）の有無が関係する場合（その施設等を正当に使うことができることが必要である場合）には、許可等の要件とされ、警察において判断しなければならないことになる。例えば、自動車の保管場所の確保等に関する法律に基づく警察署長の保管場所確保証明（いわゆる車庫証明）は、自動車の保管場所として正当に使用できることが必要であるから、使用する民事上の権利（権原）を有することが要件とされている。火薬類取締法の火薬庫についても、専ら自己の用に供する火薬庫を所持し、又は占有しなければならないことが定められている。

⑷　許可に類似する制度

　ある事業ないし行為を一般的に禁止した上で、特定の場合に警察機関の判断によって禁止を解除する制度としては、許可制度が主として用いられるが、それ以外にも認定制度があり、警備業（警備業法4条）、運転代行業（運転代行業法4条）で用いられている。この制度は、欠格要件に該当していないことについての警察機関の判断があってはじめてその行為を適法に行うことを可能とするものである。許可の場合のような行政機関の裁量がないという趣旨から「認定」という言葉が用いられるが、その点を除けば、実質的に許可と同様なものといえる。認定制度も、許可の場合と同様に、各種の監督等が定められている。(注30)

　許可等とは異なるものに、届出制度がある。一定の事業又は行為を行う場合に、事前に行政機関に届出を要するとするものである。その事業又は行為を行うことが禁止されているわけではなく、法的禁止を解除するというものではない。行政機関が実態を掌握できるようにし、必要に応じて、行政機関側が措置を講ずる機会を確保することが制度の目的である。届出義務が履行されることを確保するために、届出をせず、あるいは虚偽の届出をして事業又は行為を行った者を処罰する規定が設けられる。

　事業を行う際の届出としては、探偵業の届出（探偵業法4条）、インターネット異性紹介事業の届出（出会い系サイト規制法7条）、機械警備業務の届出（警備業法40条）、性風俗関連特殊営業の届出（風俗営業適正化法27条、31条の2、31条の7、31条の12及び31条の17）、深夜における酒類提供飲食店営業の届出（風俗営業適正化法33条）がある。このうち、探偵業とインターネット異性紹介事業については、欠格事由が定められ、それに該当する者には廃業が命じられることが定められている。届出をした営業に関して、違法行為が行われた場合、停止命令や各種の指示を行い得る

（注30）　かつての行政法学では、許可や命令（下命）などを、行政機関の示す意思表示の内容に応じた法律効果を生ずるという意味で「法律行為的行政行為」と呼び、認定、確認、通知などは「準法律行為的行政行為」と呼んで区別し、後者の場合には、行政機関に裁量がなく、附款（付随的意思表示）を付すことができないといった説明が行われた。今日では、両者に本質的な差があるとは考えられていないが、「認定」や「確認」は、画一的で裁量の範囲がない（あっても小さい）ことを意味する言葉として用いられており、そのような差異が示されたものとして理解するのが適当である。

こととされている（停止命令や指示に従わない場合には、刑罰の対象とされている。）。

　個別の行為を行う際の届出としては、火薬類の運搬の届出（火薬類取締法19条）、核燃料物質及び放射性同位元素の運搬の届出（核原料物質、核燃料物質及び原子炉の規制に関する法律59条、放射性同位元素等の規制に関する法律18条）、特定物質（化学兵器に用いられるような毒性物質等）の運搬の届出（化学兵器の禁止及び特定物質の規制等に関する法律17条）、感染症の病原体の運搬の届出（感染症予防法56条の27）がある。いずれも、危険な事態を招き得る物品の運搬に際して、事故あるいは意図的な行為（それを盗んで他者に危害を及ぼそうとする行為を含む。）によって危害が生じないようにするため、警察がその実態を把握し、必要に応じて指示等を行うことができるようにしたものである。

column　届出の「受理」

　届出を義務付けた規定について、行政機関がそれを認める行為（受理行為）がなければ届出がなされたものとはいえないとする運用がかつて存在したが、行政手続法により、要件に形式上適合する届出書が行政機関の事務所に到達すれば、その時点で届出をすべき義務が履行されたものとされることになった。法令に定められた形式上の要件に適合していれば、行政庁の意思や判断が介在するような余地はなく、行政の側で「受け付けない」といった取扱いをすることはできないのであって、その旨を明らかにしたものである。[注31]探偵業やインターネット異性紹介事業の場合、欠格事由に該当する者が届出を行ったとしても、それを審査し、「受理しない」という扱いをするのではなく、欠格事由に該当することを理由に廃業を命ずべきものとされている。

　もっとも、法令の定める形式に適合しない届出書が提出された場合には、届出義務が履行されたことにはならない。このため、行政機関側で書類の形式上の要件を整えているか（記載しなければならない項目がいずれも記載されているか、

（注31）　自動車の保管場所の確保等に関する法律は、軽自動車について、いわゆる車庫証明の対象ではなく届出のみを義務付け、届出を受理した警察署長は保管場所標章を交付することを定めている（届出について5条、受理と標章の交付について6条）。警察署長は、記載すべき事項が記載され、かつ、内容に誤りがあるものでない限り、標章を交付することとなる。かりに形式的にも内容的にも誤りでない届出がなされたにもかかわらず、警察署長が受理せず、標章を交付していなかった場合には、届出義務違反は成立しない。

添付すべき書類が全て添付されているか）を確認し、確認できた段階で「受理」する運用も内部的な措置として行われている（例えば、インターネット異性紹介事業に関しては、法律で届出を受けた場合に都道府県公安委員会が国家公安委員会に報告することとし、規則で「届出受理年月日」等を報告事項としている。）。形式に適合していればその時点で受理し、適合していない場合は指導して後日補完させて受理しているのであれば、有効な届出が行われた日と受理した日とは一致するので法的な問題は生じない。ただし、書類の形式が整っていたにもかかわらず、行政側の誤解で追加的な記載が必要であると指導し、後日に追加記載がなされた届出が改めてなされ、その時点で受理した場合には、１回目の届出の書類が提出された時点で既に有効な届出が行われていたのであるから、２回目の届出が「受理」される前に事業を開始していても、違法性はない。

　なお、戸籍法の婚姻の届出のように、届出を受けた機関が審査し、受理することによって法的な効果が生ずる制度の場合は、単に行政機関に知らせるという意味の届出とは異なり、法律によって「受理」という行政処分が定められたものである。この場合には、受理されなければ、法的効果は生じないことになる。

━━━━━━━━━━━━━━━━━━━━━━

8　命令（下命）

(1)　意　義

　命令とは、相手方の国民に法的義務を課す行政処分をいう[注32]。行政機関の定める法規としての「命令」と区別するために「下命」という言葉が用いられることもあるが、ここでは、日常的に用いられる「命令」という用語を用いる。行政機関と国民との間における命令を意味し、行政機関の内部における職務命令などは含まれない。

　国民に法的義務を課すのは法令の規定によってなされるのが一般であるが、個別具体的な状況に応じて、義務を課すべきか否か、あるいはどのような義務を課すのかを行政機関に判断させることが適当な場合がある。例

（注32）　行政機関の策定する法規範としての「命令」と個々の場面で行政機関が義務付けをする行政処分としての「命令」は全く異なるものであるが、かつては、法令の規定によって直接に国民に義務を課すことと行政行為による義務付けとを一括して「警察下命」とするものもあった。行政機関が独立命令制定権（法律の委任なしに法規範を制定する権限）を持ち、法律の規定があっても一般的・抽象的で行政機関が広汎な処分権限を有していた旧憲法下では一定の合理性があったが、現行憲法下では妥当な説明ではない。

えば、車両の通行方法等に関しては、道路交通法において詳細な規定が置かれ、その規定によって直接に国民に法的義務が課せられているが、危険な事態が生じたときにおいて具体的にどのような行動をすべきかまで法律であらかじめ全て明らかにすることはできないし、現場の状況によっては、通常の通行方法以外によることが必要な場合も存在する。そこで、同法では、交通事故が発生した場合に警察官が運転者等に対して指示することができるものとし（72条3項）、高速道路における道路の損壊などの場合に警察官がその現場に進行してくる自動車の通行の禁止や法の規定する通行方法と異なる通行方法によるべきことの命令をすることができることとする（75条の3）などの規定を設けている。また、法律の規定によって義務付けた内容を実現するために、義務に違反した者に対して行政機関が営業の停止や違法状態の改善などの法的義務を新たに負担させることが必要になるときもある。命令（下命）は、このように、種々の事態に応じた義務付けをすることを可能とするために設けられたものである。国民に法的義務を課すものである以上、法律の規定に基づき、その要件に該当する場合に限って認められることはいうまでもない。

　命令には、国民に一定の行為を行うことを義務付ける作為命令と一定の行為を行わないことを義務付ける不作為命令とがある。銃砲所持の許可の取消事由が生じた場合に所持者に対してその銃砲の提出を命ずることや、違法駐車車両の運転者等に対して車両の移動を命ずることなどは、作為命令に当たる。行政調査として報告を求めること（報告徴収）も、作為命令である。(注33)これに対し、法令の規定に違反した風俗営業者に対して営業の停止を命ずることや、故障車両の運転者に対してその車両の運転を継続してはならないことを命ずることなどは、不作為命令に当たる。なお、作為義務を課すもののうち、金銭の納付を命ずるものを特に「給付命令」と呼ぶこともある。(注34)給付命令に関しては、行政手続法上、不利益処分としての事

（注33）　行政調査のうち立入り（☞458以下）については、相手方はそれを受忍しなければならないが、事実行為の一種であって、相手方に受忍することを命じているわけではない（したがって、「受忍命令」という言い方は適切ではない。）。
（注34）　違法駐車車両の運転者、所有者等に対して、車両の移動、保管等に要した費用について、負担金の納付を命ずること（道路交通法51条16項）は、その例である。

前手続を要しないとされている（個別の法律により、処分を受ける側に有利な証拠の提出を認めるなどの手続が制度化されている場合もある。）。(注35)

　命令の方式には特別の定めがないのが通常であるが、明確性を確保し、他の警察官や関係機関等が命令の内容を認識することを容易なものとするために、一定の書面の記載等を要することとされていることもある。(注36)命令の効果は、命令を受けた者に当該命令の内容を履行すべき義務を課すことにある。この義務は義務を課した国又は地方公共団体とその命令を受けた当事者との間で意味を持つものであって、第三者がその義務の履行を求めることができるものではない。また、その義務は、第三者に移転しないのが原則である。義務の不履行に対する措置は、その命令を規定した法律によって定められるところによるが、罰則が科せられる旨が定められる場合が多い。

　違法な命令（下命）に対しては、被害を受けた国民は、賠償請求をすることができる。また、営業の廃止命令など効果が継続する性格を有する命令の場合には、行政不服申立てや取消訴訟の対象ともなり得る。これに対し、適法な命令の場合には、相手方の国民に損害が生じても、特に補償の規定が置かれていない限り、国あるいは地方公共団体はその損害を補償する責任を負わない。特に、警察機関の行う命令については、危険な事態を防止するために必要なものや、自ら（又はその従業員）が法令に違反する行為を行ったことによって課せられるものなど、それに応じた負担を負うのが社会通念上当然と考えられる場合が大半であるので、通常、補償の規定は置かれていない。

（注35）　放置違反金の納付命令の場合には、公安委員会が命令の前に書面で通知し、相当な期間を指定して、弁明書及び有利な証拠を提出する機会を与えなければならないこととされている。放置違反金の納付命令の場合、履行されない場合に自動車検査証が返されないという金銭以外での不利益を受けるので、慎重な手続がとられているという面もある。

（注36）　火薬類の運搬に関する指示については、運搬証明書に記載すべきものとされ、警察官がその証明書に従って運搬がなされているかを検査することができることとされている（火薬類取締法19条、45条の２）。また、店舗型性風俗特殊営業の停止命令を行った場合及び対立抗争時における指定暴力団の事務所の使用制限の命令を行った場合には、標章を貼り付けるものとされている（風俗営業適正化法31条、暴力団対策法15条）。

(2) 許可等に付随する命令

434　命令は、許可を受けて事業を行う者などに対するものと、一般国民を対象としたものに分けられる。

　事業の許可制その他の事業監督制度の一環として、許可等を受けた事業者又はその従業者に対する命令の規定が置かれるのが通常である。法律の目的を達成するための個別の義務付けとしては、古物商に対する差止め（物品の保管命令）（古物営業法21条）、古物競りあっせん業者に対する競りの中止命令（古物営業法21条の７）、質屋に対する差止め（質屋営業法23条）がある。法令（許可等の基になった法律及びその下位法令だけでなく、関係する他の法律を含む。）や警察機関による個別の義務付けに反した事業者に対する監督手段として、多くの事業規制において、指示、停止命令などが定められるほか、認定制度や届出制度の場合には、許可制度の場合の許可の取消しに対応するものとして、廃業命令が定められる。(注37)実効性確保の観点から、規制される事業だけでなく、同一の施設を用いて関連する営業を行うことを停止するように命ずる場合もある。(注38)許可などの制度が設けられた目的を達成するために行われるものであって、違反状態等の未然防止、改善の上で必要がある場合になされる。原則として、相手方に弁明の機会を与える手続がとられるが、取消処分と同様に聴聞を要するものとしているものもある。このほか、事業監督上必要な情報や資料を入手するために、行政調査の一つとして報告徴収の規定が置かれている。その許可制度等の運営に必要な限度に限られることは当然である。

（注37）　古物商に対する指示、営業の停止命令（古物営業法23条、24条）、質屋に対する営業の停止命令（質屋営業法25条）、警備業者に対する指示、営業の停止・廃止命令（警備業法48条、49条）、探偵業者に対する指示、営業の停止・廃止命令（探偵業法14条、15条）、風俗営業者に対する指示、停止命令（風俗営業適正化法25条、26条）、性風俗関連特殊営業を営む者に対する指示、営業の停止・廃止命令（映像送信型性風俗特殊営業は指示、無店舗型電話異性紹介営業は指示と営業の停止のみ）（風俗営業適正化法29条、30条、31条の４、31条の５、31条の９、31条の14、31条の15、31条の19）、インターネット異性紹介事業に対する指示、事業の停止・廃止命令（出会い系サイト規制法13条、14条）、自動車運転代行業者に対する指示、営業の停止、営業の廃止（自動車運転代行業の業務の適正化に関する法律（22条～24条）などが定められている。

（注38）　風俗営業の場合の同じ施設を用いて行う飲食店営業の停止命令（風俗営業適正化法26条）、店舗型性風俗特殊営業を営む者の場合の同じ施設を用いる浴場営業の停止命令（30条）がある。

直接は許可その他の行政処分の対象となっていない者についても、事業者規制的な命令の対象としているものがある。自動車の使用者に対する自動車運転禁止命令（道路交通法75条）、飲食店営業者、接客業務受託営業を営む者等への指示（風俗営業適正化法34条、35条の4）などはその例である。

事業以外の許可等に付随するものとしては、銃砲刀剣類所持者の許可が失効した場合等における銃砲刀剣類の提出命令（銃砲刀剣類所持等取締法8条、11条）、火薬類、核燃料物質、放射性同位元素、特定物質、病原体等を運搬しようとする者に対する指示（火薬類取締法19条等）などがある。これらに関しても、報告徴収等の調査権限が定められている。

これらの許可等の制度に付随する命令の違反については、ほとんどの場合にその法律で罰則の規定が置かれているほか、許可の取消しや停止等の対象とされている。

(3) **一般国民に対する命令**

警察の場合、他の行政機関とは異なり、許可等の制度と関係ない一般国民に対して命令できる場合が法律で定められている。例えば、危険な事態における避難、危険防止のための措置の命令（警察官職務執行法4条）、道路上の交通の危険防止のための通行の禁止、応急措置等の命令（道路交通法6条、61条、63条、63条の10、75条の3）、交通事故の場合の負傷者救護、危険防止のための指示、命令（道路交通法72条）、違法工作物の設置者、沿道の工作物の占有者等に対する危険防止措置の命令（道路交通法81条、82条）、災害が発生した場合における避難のための立退きの指示、通行禁止区域等における指示、命令（災害対策基本法61条、76条の2、76条の3）などがある。

これらは、危険な事態を防止し、あるいは負傷者を救護するために必要がある場合において、その状態の原因となった者やその場に居合わせた者等に対して必要な措置を命ずることとしたものが主であって、現場的一時的な性格を持ち、許可等に関連してなされる命令とはその性格を異にしている（このため、行政手続法の事前手続に関する規定は適用されない。）。命令に違反した場合に関しては、罰則の規定がある場合も多いが、罰則の

規定を置かず、警察官が自ら必要な措置をとることができることとしているものもある。なお、車両を停止する命令に関しては、職務質問とも密接に関連するので、後述する（☞464、517）。

　法律で一定の行為を禁止した上で、警察機関に命令する権限を付与し、命令に違反した場合に限って刑事罰の対象とすることが、平成期以降の立法で制度化されている。国会議事堂等静穏保持法による拡声機の使用制限違反に対する中止等の命令、暴力団対策法による指定暴力団員の暴力的要求行為などに対する中止命令、ストーカー規制法によるつきまとい等の行為を行った者に対する禁止命令、小型無人機等飛行禁止法に基づく重要施設周辺地域上空で小型無人機等の飛行を行っている者に対する上空からの機器の退去等の命令、いわゆる暴騒音条例による拡声機の音量制限違反に対する命令である。単に特定の行為形態を刑罰の対象とするだけでは、刑事手続上の制約（対象行為を厳密に規定する必要があり、かつ、刑事裁判において厳格な証明が求められること）から、明確でない場合以外の対応が困難であり、実際の被害防止には不十分であるという実態を踏まえ、行政機関である警察にその事態の防止等の権限を与えることがより効果的であると判断されたことが背景にある。

9　その他の行政処分

　国民の権利や義務の範囲を法的に変動させる処分として警察機関が行うものは、既に述べた許可及び命令（下命）が主であるが、そのほかにも、権利付与、指定、通知などが法律によって定められている。

(1) 権利付与（設権）

　犯罪被害者支援法に基づく都道府県公安委員会の給付金支給の裁定は、犯罪被害者等に対して、給付金の受給権を発生させる行政処分である。申

（注39）　施設及びその敷地の上空は命令の対象となるだけでなく、レッドゾーンとして直接の刑罰の対象ともされている。周辺地域上空の飛行は、誤ってその区域まで飛行させてしまう場合があることと、直接刑罰を科す程度の悪質性・危険性があるとはいえないことに対応して、命令違反のみが刑罰の対象とされているといえる。なお、命令違反のみに刑罰を科すものとして、以前から道路交通法の歩行者に対する指示が定められている（道路交通法15条）のは、行為の悪質性の程度が直接刑罰の対象とするほどではないことによるものである。

（注40）　国外犯罪被害弔慰金等の支給に関する法律に基づく裁定も同様となっている。

請者が裁定に不服のある場合には、国家公安委員会に審査請求を行い、その裁決を経た後にのみ取消訴訟を提起できることとされている。

このほか、法人の設立に関して、自動車安全運転センター法によって、自動車安全運転センターの設立に国家公安委員会の認可を要するものとされている。

⑵　指　定

　行政目的の達成のために民間の力を活用する手段として、特定の法人を指定し、行政事務の一部を行わせ、あるいはその指定法人の活動に特別の法的効果を与えるという制度がある。指定講習機関は、公安委員会が行う処分者講習等を代わって行う（道路交通法108条の4）。指定自動車教習所については、その卒業証明書のある者の運転免許実技試験が免除される（道路交通法99条）。教習射撃場については、猟銃の所持許可を受けようとする者が、技能検定を受ける場合を除き、指定された教習射撃場における射撃教習を受けることが義務付けられる（銃砲刀剣類所持等取締法9条の5）。都道府県交通安全活動推進センター及び全国交通安全活動推進センター（道路交通法108条の31、108条の32）として指定された法人については、相談業務、広報活動、委託を受けて行う調査などを行うこととされ、一定の場合に守秘義務等を負う。都道府県風俗環境浄化協会及び全国風俗環境浄化協会（風俗営業適正化法39条、40条）、都道府県暴力追放運動推進センター及び全国暴力追放運動推進センター（暴力団対策法32条の3、32条の15）もこれと類似している。

　また、公安委員会の指定を受けた犯罪被害者等早期援助団体については、警察から被害者等の氏名や住所、犯罪被害の概要に関する情報の提供を受けることができる（警察では被害者等の同意を得て、情報を提供する。）。団体の役職員は、秘密保持の義務を負う。個人情報保護と被害者支援における民間団体の活動の重要性を両立させるため、秘密保持義務を課す仕組みが作られたものといえる。

　指定制度は、一定の要件を満たせば全て指定されることが予定されているものと、行政機関が選択的に指定できるものとがある。犯罪被害者等早期援助団体の指定や、指定自動車教習所の指定は、要件を満たした場合に

は全て指定される。これに対し、都道府県で一つだけしか指定されないようなものの場合には、要件を満たして最初に申請をした者が自動的に指定されるということにはならない。指定された法人については、特定の資格のある者を業務に従事させることなどの義務規定や、各種の監督（命令）の規定、当初の要件を欠くに至ったときなどの指定の解除の規定が置かれている。

column 交通警察事務の民間委託

行政機関がその事務を民間の法人に行わせることは、本文に述べた指定によるもののほか、個別に契約を結んで委託することによっても行われる。非権力的な事務の委託は、法律の根拠がなくとも可能である。例えば、いわゆる車庫証明の受付事務や現地調査の事務は、法律に規定はないが、委託して行われている。この場合には、契約上の義務があるだけであり、権力的な作用として監督等を行うことはできない。交通警察事務は、法律上犯罪とされている交通法規違反を誰が行ったのかを含め、様々な個人情報を扱うものであるほか、取扱いの適正（例えば、平等取扱い）などが強く求められる。このため、法律で事務を委託できる根拠規定を設ける（委託できる範囲を限定するものを含む。）場合が多い。

法律での規定の仕方としては、委託できることと受託者の一般的な要件のみを定めるもの（パーキング・メーター及びパーキング・チケット発給設備に関する事務（道路交通法49条））と、委託を受けた法人に秘密保持義務を課し、秘密を漏らした場合を処罰の対象とするもの（車両移動保管関係事務（同法51条の3）、免許関係事務（同法108条）、講習の実施（同法108条の2）、講習の通知（同法

(注41) 公の事務を代わって行うような特別の地位を与えるのは、行政機関の幅広い裁量に属する。公の事務を代わって行い、あるいは一つしか公認されないような地位を得る権利を法人が持つとはいえない。もっとも、いったん指定した後の解除については、相手方の利益を害するので、一定の事由がある場合に限られる。なお、指定自動車教習所の指定については、現行制度は要件を満たせば一律に指定することとしているが、試験が免除されるという特別の地位を与えるものである（当然に有する自由の回復ではない）ので、行政機関側の裁量をより広く認める制度にすることも可能である（どのようにするかは、立法に当たっての政策判断である。）。

(注42) 指定講習機関への適合命令（道路交通法108条の8）、指定自動車教習所への適合命令、卒業証明書の発行禁止命令（道路交通法99条の7、100条）、教習射撃場の教習射撃指導員の解任命令、備付け銃の番号・記号の打刻命令、保管設備改善等の措置命令（銃砲刀剣類所持等取締法9条の4、9条の6、9条の7）、犯罪被害者等早期援助団体への改善措置の命令（犯罪被害者支援法23条）などの規定が置かれている。

108条の3の4））とがある。

　さらに、放置車両の確認等の事務の委託に関しては、欠格事由を定めるとともに、一定の資格を有する者が確認事務を行うこと等の要件を満たす法人を登録する制度を設け、登録を受けた法人に限って委託できることとし、法人に対する監督の規定や、実際に登録を受けて確認等の業務を行うもの（放置車両確認機関）の役職員について、秘密の保持だけでなく、罰則の適用上公務員と同じものとする、といった規定を置いている（放置車両確認等の民間委託に関して☞622）。

(3) その他

　警察機関の行う行政処分としては、そのほかに、通知、証明などがある。例えば、品触れ（古物営業法19条、質屋営業法20条）は、警察本部長又は警察署長が、ある物が盗品等である旨を古物商等に通知する行為であって、その物を所持している場合又は通知から一定の期間内にその物を受け取った場合に届出義務を課す。警察署長のいわゆる車庫証明（自動車の保管場所の確保等に関する法律4条）も、車両の登録の制限の解除（証明書があって車両の登録を受けることができることになる。）という法的効果を生ずるものであって、行政処分の一種である。

　これに対し、行政処分の内容を通知する行為や、単に事実を知らせるだけで直接の法的効果を発生させない通知などは、法律に規定されている場合でも、行政処分には含まれない。(注43)(注44)

439

（注43）　違法駐車に関し、移動措置に要した費用の負担金の納付を命ずることは行政処分に当たるが、納付期限を経過した場合に行われる督促については、支払を督促する旨の意思の通知にすぎず、権利義務及び法律上の地位に直接具体的な影響を及ぼすものではない（延滞金及び督促手数料を徴収されることも納付命令に従わなかったことから当然に発生する義務である。）ことから、行政処分には当たらないとされている（東京地裁判決平成4年6月23日〈判時1442・83〉）。従業員がその業務に関して道路交通法違反を行った場合に、事業者（道路運送事業者等の場合は、事業者及び監督する行政庁）に通知するのも、法律の根拠規定がある（道路交通法108条の34）が、行政処分としての通知ではない（この規定は、個人情報の第三者提供の根拠となるという法的意義はあるが、法律上の効果を直接生じさせるものではない。）。

（注44）　警察機関が、申請に基づいて基準に適合している旨の認定を行う行為は、認定を受けなければ法律上ある行為ができないとされている場合は行政処分であるが、認定自体に法的な効果がない（基準に適合していれば、認定等を受けていなくとも行うことができる。）場合には、行政処分ではない（行政処分でない認定等について☞490）。

第2節　強制的事実行為

1　行政強制の意義

440　行政機関がその行政目的を達成するために国民の身体・財産に直接実力を行使することを、「行政強制」という。前節で述べた行政処分が法的に国民の権利・義務を変動させるのに対し、行政強制は、行政機関が国民に実力を行使して、行政目的を実現するものである。

　行政が実力を行使する場合の一つは、相手方が法的義務を果たさないときに、その義務内容を強制的に実現するものである。義務の強制的実現という意味で、「行政上の強制執行」と呼ばれる。法律に違反している物件について設置者に除去を命じ、除去しない場合に行政が除去してその費用を相手方から徴収するというのが典型である。法的な義務を課しただけでは、現実の状態は変わらない。現実の状態を変えるためには、相手方が自ら行うようにするか、行政機関が直接に実力を行使することが必要になる。(注45)

　行政が実力を行使するもう一つの場合は、相手方の義務とは無関係に、行政目的実現のために直接的な強制を行うものである。即時に行われるという意味で、「即時強制」と呼ばれる。即時強制には、警察官職務執行法が定める保護や犯罪の制止、危険な事態における立入りのように、行政機関が自ら行うのが当然であるものと、違法駐車車両の移動のように、本来なら責任ある者が行うべき行為を行政側が行うものとがある。(注46)後者は、行政上の強制執行と類似するが、相手方に義務付けをするという段階を経ることなく、その行為を行政側が行うという点が異なる。

　（注45）　私人間では、相手方が法的義務を履行しない場合には裁判所に訴えて、裁判所とその下の機関が執行するという方式（司法執行）が用いられるが、判例上、行政上の義務の履行として用いることは認められない（行政主体の側から国民に対して義務の履行を求めた訴えを裁判所に提起することは、個別の法律がない限りできない。）とされている（最高裁判決平成14年7月9日〈民集、⑭〉、宝塚市パチンコ条例事件）。
　（注46）　この分類に代えて、行政目的を実現するための強制を即時執行とし、調査の一環としての強制手段（例えば、入国警備官による裁判官の許可状を得て行う臨検・捜索・押収）とを区分するものもある。

行政強制は、国民の権利や自由を強く制限するものであるから、法律の具体的な根拠を要することは当然であるし、行政機関がその権限を濫用することは許されない。旧憲法下の行政強制に問題があったことを踏まえ、現行法制では、行政強制の法律は要件が厳しいだけでなく、適用される領域も限られたものになっている。もっとも、行政強制は、国民の生命や快適な環境といった国民の利益を守るために重要な法的手段であることに変わりはない。平成期以降には、児童虐待が疑われる場合の強制立入り（臨検）のような事実確認のための実力行使、災害時における道路上の物件移動など、即時強制の分野において新たな法的権限付与もなされるようになってきているほか、行政上の強制執行についても法的な整備が少しずつではあるが進められている。

　一般の行政機関の多くは、行政処分を行うだけで、行政強制を行うことはほとんどない。これに対し、警察は、警察官職務執行法や道路交通法などに基づいて、行政強制を行うことを本来の職務としている。警察は、相手方の国民の権利や自由の不当な侵害にならないようにすると同時に、与えられた使命を実現すべく、強制権限を適正かつ積極的に行使することが必要なのである。

2　行政上の強制執行

(1)　強制執行

　行政上の強制執行とは、法律（条例及び法律の委任に基づく命令を含む。）又は法律に基づく行政処分によって課された義務を国民が履行しない場合に、行政機関がその義務の内容を強制的に実現することをいう。あらかじめ課した義務の不履行を前提とする点で、即時強制と区別される。

　法律又は行政処分によって国民に義務を課すのは、様々な公益を達成する上で必要であるからであり、その義務内容が実現されることが求められる。旧憲法下においては、行政上の義務の不履行に対して行政機関が自力で強制することが原則とされ、行政執行法において、直接強制及び代執行を一般的にとり得るものとしてきた。行政執行法が不明確な要件の下に行政機関に広い強制権限を認めるものであったことから、戦後の改革において廃止され、新たに要件を厳しく定めた行政代執行法と警察官職務執行法

が制定された。このため、現在では、行政上の強制執行は、代執行と金銭債権の強制執行を除けば、ごく一部の法律で定めがあるにすぎない。行政代執行法において、行政上の義務履行確保の手段として、代執行以外は法律で定めることを要すると規定しているため、条例では、強制執行の根拠規定を設けることはできないと解されている。(注47)

　強制執行が限られているため、制裁措置によって相手方に義務を履行させることが一般的に行われている（強制執行以外の義務履行確保手段について☞467以下）。

(2) 直接強制

443　義務内容を行政機関が直接実現する行為が、直接強制である。現行法上は、極めて少ない。成田国際空港の安全確保に関する緊急措置法において、規制区域内の工作物が暴力主義的破壊活動に用いられている場合等に、国土交通大臣が禁止を命じ、命令を守らないときにその工作物を封鎖する等の措置をとることができることを規定している例がある。

　このほか、阪神淡路大震災の後に改正された災害対策基本法において、通行禁止区域の車両等が緊急通行車両の通行の妨害となる場合に、警察官が、占有者に移動等の措置をとることを命じ、命じられたものがその措置をとらなかったときに警察官が自らその措置をとることができることが定められている（災害対策基本法76条の3）。やむを得ない限度で、車両等の物件を破損することも認められている。命じるべき相手方が現場にいない場合には、同じ措置が即時強制として行われる。

(3) 行政代執行

444　行政機関が義務者のなすべき行為を自ら代わって行い、又は第三者に行わせ、その費用を義務者から徴収するのが「代執行」である。代執行は、個々の法律に規定はなくとも、行政代執行法に基づいて行うことができる。

（注47）条例が住民代表の定める自主立法として、様々な義務を住民等に課し、さらに刑罰や即時強制についての根拠規定を定めることができるのに、強制執行手段を定めることができないのは、地方分権、住民自治の観点から大きな問題である。住民の暮らしを守るため、即時強制によって対応する例もみられるが、本来からすれば、代執行以外の強制執行手段について、国で法的手段のメニューを定め、条例でそれを適用できるようにするといった法的整備が求められる。

代執行は、代替的作為義務（他の者が代わって行うことが可能な何らかの行為を行う義務）の場合に限って認められる。物を移動させたり、壊したりするのは、代替的作為義務に当たるから、代執行の対象とすることができる。これに対し、営業の禁止・一時停止などは、不作為義務であって代替的作為義務ではないから、「代執行」として違反して営業する所を撤去したり、閉鎖したりすることはできない。ある人について、特定の場所から立ち退くことを義務付けた場合には、立ち退き義務自体は代替的作為義務ではないが、その場所に置いてある家具等の物を搬出することは、代替的作為義務であって、代執行の対象とすることができる。(注48)

　代替的作為義務を義務者が履行しない場合に、常に代執行を行うことができることにはならない。他の手段によって履行を確保することが困難であり、かつ、その不履行を放置することが著しく公益に反すると認められることが要件とされる（行政代執行法2条）。代執行は、原則として、あらかじめ相当な履行期間を定めて、その期間内に履行がなされなければ代執行をすることを文書をもって義務者に戒告し、期間内に履行がなかったときに、その行政機関において、代執行を行う時期、執行責任者の氏名、代執行に要する費用の見積額を、代執行令書によって通知するという手続をとらなければならない（行政代執行法3条）。非常、緊急の場合には、戒告・通知の手続を省略することができる。現場に派遣される執行責任者は、証票を携帯し、求めがあれば、それを呈示しなければならない（行政代執行法4条）。

　警察機関が命じた義務及び警察に関する法律で国民に課した義務で、代替的作為義務に当たるものについては、原則として、行政代執行法に基づく代執行をすることができる。道路における違法工作物等について、警察署長が除去等を命じた（道路交通法81条1項）のに相手方がこれに応じな

（注48）　実務上、土地収用裁決後に物件を占有している場合がしばしば問題となる。土地収用法によって土地・物件の引渡し自体を代執行として行うことができることが規定されているが、実際には主として物件の移転の代執行として行われている。この場合、不法占拠者を代執行自体として退去させることはできないが、物件等の移転の代執行に付随して、警察において、その占拠者を犯罪の制止あるいは危険な事態の避難の措置として移動させることができる場合がある。

い場合などがこれに当たる。(注49)

　代執行は、行政上の強制執行の基本とされているにもかかわらず、要件が厳しく、執行するのに相当の体制と準備を要するため、実際に用いられることが少なく、社会生活に影響を与える違法事態を是正できていない状態となっている。必要性の高い分野では、行政代執行の要件緩和とともに、他の実効性確保手段も検討されている（☞467以下）。(注50)

(4) 強制徴収

445　国や地方公共団体の有する金銭債権については、多くの場合に、行政機関が強制的に徴収することが法律によって認められている。国税や地方税のように法律ないし条例で直接に金銭支払義務が規定されているもののほか、行政処分によって支払を命じた場合も対象になる。強制徴収の具体的手続としては、国税債権についての滞納処分が主なものであって、他の多くの場合もこの方式によるものとされている。代執行の場合にも、それに要した費用を元の義務者から徴収するのは、国税滞納処分の例による（行政代執行法6条）。なお、違法駐車車両の移動に要した費用の徴収については、督促等に関して特別の手続規定が置かれている（道路交通法51条）。

　金銭債権のうち、強制徴収の対象とならないもの（水道料金、公営住宅の家賃、学校給食費など）については、民事訴訟を提起し、裁判所の判決

　（注49）　道路交通法では一定の工作物等の設置を禁止しているが、これによる義務は不作為義務であるから、代執行の対象とはならない。警察署長が除去等を命じることによって、初めて代替的作為義務が生じ、代執行の対象となる。相手方を知ることができない場合には、命令を行うことができないため代執行を行うことができないことになるが、同法では、警察署長が即時強制として除去等を行って、その費用を徴収することができるものとし、代執行可能な場合との均衡を図っている（道路交通法81条）。
　（注50）　相手方が分からない場合に、公告をして代執行を可能とする制度が設けられている。さらに、屋外広告物法は、違法な屋外広告物について、行政代執行法2条の要件を不要とし、除去等の措置を命ぜられた者がその措置を履行しないとき、履行しても十分でないとき又は履行期限までに完了する見込みのないときには、除去等の措置をすることができることを定めている。また、同法では、違法性が明確なはり札等の簡易な広告物で管理されずに放置されていることが明らかなものについては、実質的な権利侵害性の少なさを踏まえ、特段の公告等をしないでそのまま除去する制度（簡易除去）を設けている。簡易除去は、対象が極めて膨大であり、地域住民の要望に対応するものであるところから、地域住民等に委託されて行われている（平成15年に年間1600万件実施されており、平成16年の法改正によってさらに対象が拡大されている。）。御手洗潤「屋外広告物法の理念と運用をめぐる諸問題(1)～(4)」自治研究83巻7号～84巻5号参照。

を得て、回収することが必要となる。(注51)

> **column** 道路における違法工作物の除去と経費の徴収
>
> 　道路における違法工作物（道路使用許可を受けないで設置した物を含む。）であって設置者の氏名、住所が不明のために除去を命ずることができない場合には、警察署長は、自らが除去することができる。除去した物は保管した上で公示し、占有者等に返還することになる（一定の場合には売却し、その代金を保管し、返還する。6月以上不明の場合には、工作物や換価代金の所有権は都道府県に帰属する。）が、除去、保管等に要した費用については、占有者等の負担となる。この負担金については、警察署長が納付すべき金額、納付の期限及び場所を定め、文書で納付を命じ、納付期限内に納付がないときは督促状によって督促し（この場合には、年14.5％の延滞金及び督促に要した経費が加算される。）、督促状による指定期限までに納付がないときは、警察署長が地方税の滞納処分の例により、徴収することが規定されている（道路交通法81条）。地方税の滞納処分は、国税の滞納処分の例によるので、国税徴収法の財産の差押え、差押財産の公売等による換価、換価代金の配当という手順で行われることになる。放置違反金の場合も、納付命令に対して支払がなければ、同様の手順で徴収することが可能となっている。

446

3　即時強制

(1)　意　義

　行政機関が、国民の身体・財産に直接実力を行使し、行政目的を達成するのが即時強制である。緊急の必要があって事前に国民に義務を課す余裕がない場合、義務を課すべき相手方が分からない場合などのほか、事柄の性格上行政機関が直接実力を行使することが必要な場合に行われる。相手方が拒否、抵抗しても直接実力で排除することができる権限であり、物理的に抵抗する場合には公務執行妨害罪が成立する（このため、強制に応じない相手方を処罰するといった規定は置かれない。）。

　即時強制は、国民の義務の不履行を前提としないで国民の身体・財産に直接実力を行使するものであるから、国民の生命・身体・財産の保護上

447

（注51）　逆に、行政上の強制徴収が可能なものについては、一般の民事訴訟と執行によることはできないとするのが判例である（最高裁大法廷判決昭和41年2月23日〈民集、Ⓦ〉）。

で緊急の必要がある場合など、それだけの高い公益性がある場合に限って認められる。個別の法律（又は条例）の規定がある場合に限られること、行政機関がこの権限を濫用してはならないとされていることはいうまでもない。即時強制としてどのようなことを行うことができるかは、根拠規定の定めるところによるが、必要な限度を超えた有形力の行使は許されない。

なお、即時強制は、行政上の強制執行とは異なり、行政機関が国民の行うべき義務をその国民に代わって行うというものではないから、通常は、それに要した費用を国民から徴収すべきことにはならないが、本来その者が行って当然と考えられるものについては、公平性等の観点から費用を徴収することが定められている場合もある(注52)。

即時強制は、緊急時に必要とされる場合が多いため、個々の警察官などの権限とされ、行政機関の長の権限とはされていない（行政処分が主として行政機関の長の権限とされているのとは異なる。）。また、即時強制は、法的効果が一時的であるのが通常であるため、不服申立てや取消訴訟の対象とならない場合が多い(注53)。違法な即時強制によって国民に損害を与えた場合に国等が賠償責任を負うこととなるのは当然である。これに対し、適法な即時強制の場合には、それによって損失が生じても、損害賠償の対象とはならず、損失補償の制度も設けられていないのが通常である（☞314、1107）。

警察は、個人の生命・身体・財産の保護と、公共の安全と秩序の維持を任務とするものであるため、その任務達成上、多くの場合に即時強制を行うことが必要となっている（警察以外では、税務、消防、衛生、外国人の

(注52) 違法駐車車両の移動のように、本来は運転者が履行するのが当然であるものについては、運転者が不在のために移動を命ずることができない場合に警察が移動し、その移動・保管に要した費用を徴収するものとされている（道路交通法51条）。道路における違法工作物の除去についても、同様である。費用負担・費用徴収の規定がない限り、費用を国民から徴収できないことはいうまでもない。
(注53) 即時強制も「公権力の行使に当たる行為」として不服申立てや取消訴訟の対象になり得るが、状態や効果が継続していなければ、申立て（審査請求）や訴訟を提起できない。物の留置や人の収容など、その状態が継続するものについては、不服申立てや取消訴訟の対象となる（ただし、状態が終了してしまった後は、不服申立てや取消訴訟を提起する利益はなくなる。）。

出入国・在留管理などの行政分野では即時強制が行われるが、その他の行政機関では、即時強制権限の行使は少ない。)。警察の即時強制権限を規定しているもののうち、最も主要なものが警察官職務執行法である。そのほかにも、道路交通法、銃規法、災害対策基本法などで警察官の権限が定められている。

column 行政執行法の即時強制

　行政執行法は、明治33年に制定され、昭和23年まで行政上の強制執行と即時強制について定めた中心的法律であった。権限行使主体は、「当該行政官庁」と規定されていたが、即時強制の多くは警察官によって執行されていた。

　即時強制について一般的に定めたのが1条前段で、「当該行政官庁ハ泥酔者、瘋癲者（精神疾患によって正常な判断能力を欠いた状態にある者を意味する。）自殺ヲ企ツル者其ノ他救護ヲ要スルト認ムル者ニ対シ必要ナル検束ヲ加エ戎器、凶器其ノ他危険ノ虞アル物件ノ仮領置ヲ為スコトヲ得」とし、救護を要する者に対する保護と危険物の仮領置の権限を認めていた。続いて後段では、「暴行、逃走其ノ他公安ヲ害スルノ虞アル者ニ対シ之ヲ予防スル為必要ナルトキ亦同シ」とし、予防のための検束（いわゆる予防検束）と危険物の仮領置を定めていた。同条2項で、「前項ノ検束ハ翌日ノ日没後ニ至ルコトヲ得ス又仮領置ハ三十日以内ニ於テ其ノ期間ヲ定ムヘシ」とし、期間を定めていたが、予防検束をして、その翌日の日没前にいったん解放し、別の警察署でまた検束をするといった方法で、期間を潜脱する例もあったといわれている。このほか、2条で立入り、3条で売春を行っている者の検診と伝染性のある疾患にかかっている者の治療義務付け及び外出禁止、4条で災害・事変時の危害予防及び衛生のための土地、物件の使用、処分、使用制限について定めていた。

(2) 人の身体に対する即時強制

　人の身体に対する即時強制は、相手方の人権（人身の自由、生命の権利）に対する重大な侵害である。このため、行うことができるのは限られた場合である。憲法33条は刑事手続における身体拘束に関して令状主義の原則を定めているが、刑事手続に準ずる非行少年に対する保護手続の場合（少年法に基づく少年鑑別所や少年院への収容、引致状や同行状の執行など）を除けば、刑事手続以外には実質的に及ぶことにはならず、裁判官の許可

状のない拘束も法律によって認められている。

　警察官は、刑事手続上の逮捕権限に加えて、危険な事態（本人又は他者の生命、身体に危害が及ぶおそれが現実に生じている事態）において、本人又は他者を守るために、一時的な措置として身体の自由を制約する権限が認められている。警察官職務執行法に基づく精神錯乱者等の保護（3条1項1号）及び酩酊者の保護（酩規法3条）の場合は、24時間以内（精神錯乱者等の保護で簡易裁判所の裁判官の許可を得た場合には最長で5日間）の限度で、継続的な拘束が認められる。これに対し、犯罪の制止（警察官職務執行法5条）、危険な事態における措置（4条1項）、酩酊者の著しい粗野・乱暴な言動の制止（酩規法5条）、酒気帯び運転等を行おうとする者への応急措置（道路交通法67条4項）などは、身体の自由を一時的に制約するものである。このほか、身体に直接の侵害を加える行為である武器の使用について、犯人逮捕や個人の生命保護のための実力行使に限られ、特別の定めが置かれている（警察官職務執行法7条）。

450　警察以外の機関が刑事手続（少年法に基づく保護手続を含む。）以外で行う人の身体に対する即時強制としては、警察官とほぼ同様の権限が海上保安官に認められている（海上保安庁法18条、20条）ほか、感染症患者である疑いのある者に対する健康診断と入院（感染症予防法17条及び19条）が知事の権限として定められている。このほか、外国人の退去強制手続における入国警備官による容疑者の収容と退去強制令書の執行（出入国管理及び難民認定法39条以下及び51条以下）、都道府県知事による自傷他害のおそれのある精神障害者に対する診察と入院措置（精神保健法（精神保健

（注53の2）　身体の拘束は、身体の自由及び移動の自由を制限し、日常生活における自由を一定範囲で制限するものであるが、その拘束の制度の目的に反しない限り、被拘束者の生命・身体の維持に必要な活動が保障されなければならないし、通常伴うとはいえないような精神的・肉体的苦痛を与えることは許されない。逮捕後留置までの間に食事を提供することを定めた法令はないが、通常食事をとることが想定される時刻をまたいで相当長時間拘束されているときには、食事の希望があるかどうかを確認し、希望に応じて食事を提供する義務があるとされている（東京高裁判決令和2年1月15日〈⑩〉）。
（注54）　感染症予防法の措置は、即時強制ではあるが、いずれも勧告をした後で行うこととされている。入院は72時間を限度としている。
（注55）　収容令書及び退去強制令書は、行政官である主任審査官が発布する。裁判官の関与はない。なお、主任審査官の依頼を受けたときは、警察官が留置施設で留置できる。

及び精神障害者福祉に関する法律）27条及び29条）、心神喪失等の状態で重大な他害行為を行った者の審判による入院（心神喪失者医療観察法（心神喪失等の状態で重大な他害行為を行った者の医療及び観察等に関する法律））の制度が存在する。外国人の収容と退去強制を除き、本人及び他者の安全を確保することが制度の目的である。

なお、居続けることができない空間から退去させる行為は、行政機関に限らず、それぞれの施設管理権に基づいて、必要最小限度の実力を用いて行うことができるものと解される。判例は、鉄道係員が旅客及び公衆を車外又は鉄道地外に退去させることができるとする鉄道営業法の規定に基づいて、鉄道係員が具体的事情に応じて最小限度の強制力を行使することを容認している。

（注56）　精神障害者で入院させなければ自身を傷つけ又は他人に害を及ぼすおそれがある者については、精神保健法に基づき、都道府県知事が、精神科病院等に入院させることができる（☞540）。警察官は、自傷他害のおそれのある精神障害者と認められる者を発見したときは、保健所長を経て知事に通報することになっている。

（注57）　精神障害のある者が殺人、放火、傷害等の重大な犯罪を行い、心神喪失として無罪とされた場合（心神喪失で不起訴となった場合、心神耗弱により執行猶予となり若しくは不起訴となった場合を含む。）については、平成15年に、心神喪失者医療観察法が制定され、その者の病状の改善と同種行為の再発防止のため、検察官の申立てを受けた裁判所の審判により、入院させる制度が設けられた。裁判官と医師（精神保健審判員）の合議で入退院などの処分が決定される。

（注58）　他に、児童相談所長の行う要保護少年の一時保護（児童福祉法33条）の制度があるが、親権者に代替する立場になるにすぎず、「自由に出入りのできない建物内に子どもを置く」ことはできても、狭い部屋に鍵をかけて閉じ込めるなど身体の自由を直接的に拘束することはできない、と解されている。拘束でなくとも子どもの行動の自由の制限であり、親権の制限でもあるところから、平成29年の法改正で2月を超える親権者等の意に反する一時保護は家庭裁判所の承認を要するものとなった。さらに、令和4年改正法により、一時保護を開始する際に、親権者等が同意した場合を除き、司法審査（事前又は保護開始から7日以内に裁判官の一時保護状を求めるもの）が導入されることになった（施行は令和7年）。

（注59）　最高裁大法廷判決昭和48年4月25日〈刑集、Ⓦ〉は、自発的な退去に応じない場合又は危険が切迫する等やむを得ない事情がある場合には、鉄道係員において、具体的事情に応じて必要最小限度の強制力を用いることができるとしている。かりに、このような規定がない場合でも、空間に侵入し、あるいは退去要請に応じない場合には、住居侵入罪が成立するので、犯罪状態を解消するために、事実上の強制力を及ぼすことも認められるものと考える（☞362）。

> **column** 他機関からの依頼に基づく一時的な保護・拘束

451　他機関が本来の権限を有する場合でも、警察の執行力・組織力を踏まえ、警察に発見等を依頼し、依頼を受けた警察がその対象者を一時的に保護・拘束することが、いくつかの法律で定められている。精神保健法と心神喪失者医療観察法に基づく無断退去者に対する措置、少年院法に基づく逃走在院者の連戻しがこれに当たる。児童福祉法に基づく一時保護を、児童相談所長から委託された場合は、警察も一時保護をすることとなる。そのほか、刑事手続の一環ないしこれに準ずるものとして、更生保護法に基づく引致状の執行（保護観察所長からの嘱託）、少年法に基づく同行状の執行、刑事訴訟法に基づく勾引状・勾留状・収容状の執行、逃亡犯罪人引渡法に基づく拘禁許可状等の執行が、法律で定められている。

> **column** 被留置者に対する即時強制措置

452　警察の留置施設に留置されている者（「被留置者」という。警察官が逮捕（私人が逮捕し、警察が受け取った者を含む。）して留置される者と勾留される者が大半である。）については、刑事収容施設法によって、権利制限の具体的な根拠規定が定められている。身体に関しては、留置開始時における識別のための身体検査（女子については、女子の留置担当官又は女子職員が行う。）、規律及び秩序を維持するための身体・着衣・所持品及び居室の検査、捕縄・手錠・拘束衣及び防声具の使用などが規定されている。このうち、拘束衣の使用については、身体への影響及び人権上の問題があるところから、「被留置者が自身を傷つけるおそれがある場合において、他にこれを防止する手段がないとき」に留置業務管理者の命令によって行う（命令を待つといとまがないときには留置担当官の判断で使用し、速やかに留置業務管理者に報告する。）、捕縄、手錠又は防声具と同時に使用することはできない、使用期間は3時間とし、特に必要があるときに通じて12時間を超えない範囲で3時間ごとにその期間を更新することができる（期間中でも必要がなくなったときは、直ちに使用を中止しなければならない。）、使用し、更新した場合には、その被留置者の健康状態について医師の意見を聴く、といったことが定められている。(注60) 防声具についても、保護室が設置されていない留置施設で、大声を発し続けていて他に抑止する手段がないときに使用が限られるほか、期間を3時間までとし、医師の意見を聴くことなどが定められている。

(3) 私的空間及び物に対する即時強制

　警察官の権限として、警察官職務執行法では、危険な事態における措置（4条1項）、犯罪の制止に必要な場合及び危険な事態が発生した場合の立入り（6条1項）が認められている。急を要する場合であり、刑事責任追及のためのものではないから、立入りに令状を要しない。危険な事態における措置は、その状況下で適切なものであれば、特に制限はない。同様の趣旨から、特に必要がある場合に、武器製造事業者が武器を保管する場所や高圧ガスの貯蔵所などに、即時強制として立ち入ることができる（武器等製造法25条、高圧ガス保安法62条）[注61]。なお、銃砲刀剣類所持等取締法で仮領置・一時保管の権限が規定されている（8条、11条、24条の2、25条）が、これらはいずれも実力をもって占有を強制的に取得するものではなく、相手方から（仮領置の場合は提出命令に基づく義務の履行として、一時保管の場合は任意に）提出された物について保管し、返還請求を拒絶することを認めたものであって、即時強制には当たらない。そのほかの物に対する即時強制として、ドローンなど小型無人機等が重要な施設（国政の重要な施設や外国公館、空港、原子力発電所など）周辺の上空を飛行している場合に、対象施設に対する危険を未然に防止するために、飛行の妨害、飛行に係る機器の破損その他の必要な措置をとることが認められている（☞

（注60）　現行法制定前の事案であるが、逮捕されて留置された者が大声を上げ続けたため、警察官がベルト手錠、鎮静衣及び旧型防声具を装着し、旧型防声具が外れたので元の位置に戻してさらにその上に重ねて新型防声具を装着した（その後鎮静衣は外したが、代わりにベルトで両足を固定し、布団を頭から体にかけた）ことなどにより、呼吸困難な状態が継続し、遷延性の窒息によって死亡したことについて、使用方法等についての説明文献を参照する等の調査すらしていなかったことなどを指摘して、警察官の過失を認め、県に損害賠償を命じた裁判例がある（大阪地裁判決平成21年2月18日〈⑩〉）。現行法下のものとして、手錠をしたまま拘束衣を使用したことについて、内側のマジックバンドを使用していないとしても、禁じられた同時使用に該当し、違法とされた裁判例がある（千葉地裁判決平成24年10月4日〈LEX/DB25483215〉）。

（注61）　武器等製造法及び高圧ガス保安法では、それぞれ事業監督者である経済産業大臣の立入検査権とは別に、特に必要があるときの警察官の立入検査を規定し、事業監督のための立入りを拒んだ場合にのみ刑罰を科すことを定めている。これは、事業監督のための間接強制にとどまる立入権とは異なる直接強制としての警察官の立入権を定めたものである。なお、立ち入った際の質問については、警察官の場合を含めて、虚偽の答弁をした者は処罰の対象となっている（高圧ガス保安法の場合は、これに加えて答弁をしなかった者を処罰の対象にしている。）。

652)。

454　警察官以外の権限では、災害時等の対応を含む危険防止のためのものと、重要な事実を調査するためのものとがある。危険防止のためのものとしては、感染症の病原体に汚染された場所の消毒、物件の廃棄、建物の封鎖等の措置（感染症予防法27条、29条、32条）、火災時における消火のための緊急措置（消防法29条）、災害時における応急措置の実施に支障となる物件の除去等の措置（災害対策基本法64条。市町村長ないし委任を受けた市町村の職員が現場にいないとき又はこれらの者から要求があったときは、警察官もこの措置を講ずることができる。）、不衛生食品等の廃棄（食品衛生法59条）などがある。

重要な事実を調査するために、臨検（強制立入）・捜索・差押えを裁判官の許可を得て行うものがある。国税局・税務署の査察部門の職員が犯則事件の調査として行うもの（国税通則法132条）、税関職員が間接税の調査として行うもの（関税法121条）、公正取引委員会の職員が犯則調査として行うもの（独占禁止法（私的独占の禁止及び公正取引の確保に関する法律）102条）、証券取引等監視委員会の職員が犯則調査として行うもの（金融商品取引法211条）の場合には、事実が確認されれば告発ないし通告処分が予定されており、刑事手続につながるものとしての性格を持つ。同様に、入国警備官が違反調査をする場合にも、裁判官の許可を得て、臨検・捜索・差押えをすることが認められている（出入国管理及び難民認定法31条）。犯罪捜査の捜索・差押えと同様に、相手方の抵抗を実力で排除し、錠を開く等の必要な処分を行い、強制的に物の占有を取得することができる。事実の調査のために直接実力を行使する場合でも、滞納処分のために滞納者

（注62）　間接国税に関して、現に犯則を行い又は行い終わった者がある場合などにおいて、証拠を集取するため必要であって、急速を要するときは、裁判官の許可を得ないで、臨検、捜索、押収をすることができる（135条）。一種の現行犯状態であり、裁判官の許可を得なくとも、憲法に反するものではない。

（注63）　出入国管理及び難民認定法の臨検・捜索・押収は、退去強制事由の一に該当すると思料される外国人（同法では「容疑者」と呼ぶ。）についての違反調査として行われるものであって、告発など刑事手続につながるものではないが、「憲法35条の趣旨を尊重して」裁判官の許可状によることとしたとされている（坂中英徳・齋藤年男『出入国管理及び難民認定法逐条解説（改訂第三版）』（日本加除出版、2007年）558頁参照）。

の財産を調査する上では、強制としての捜索をすることが認められている（国税徴収法142条）。

また、児童虐待が行われている疑いがあり、出頭要求に保護者が応じないで、立入りも拒んだときには、都道府県知事は、裁判官の許可状を得て、児童福祉に従事する職員に臨検させ、児童を捜索させることが認められている（児童虐待防止法9条の3）。児童の生命又は身体に重大な危険を生じさせるおそれがあることから、特に設けられた規定である。

なお、国税犯則事件調査、間接税調査、独占禁止法と金融商品取引法の犯則調査及び児童虐待防止法の児童の安全確保として、裁判官の許可を受けて行われる臨検・捜索・差押えに関しては、それぞれの法律に基づいて、警察の援助をそれらの機関が求めることができることが定められている（国税通則法141条、関税法130条、独占禁止法110条、金融商品取引法218条、児童虐待防止法10条）。援助に当たる警察官は、それぞれの機関が即時強制権限を行使するに際して、妨害や抵抗によって目的を達成できなくなるという事態が起きないように、同行してそれぞれの機関の職員に対する公務執行妨害事案を警戒し、相手方に必要な警告を与え、犯罪を行った場合には犯罪として制止し、あるいは現行犯逮捕等の措置をとることとなる。民事執行法の執行官の職務執行の確保についても同様である（民事執行法6条）。

column　即時強制と憲法の令状主義

即時強制は、国民の身体・財産に対する実力の行使であり、その意味では、刑事訴訟法に基づく強制処分と異なるところはない。一方、憲法では、刑事手続における身体の拘束や住居等への立入り・捜索・差押えについて、裁判官の令状を要することが定められており（憲法33条、35条）、これが即時強制にも適用されるかが問題となる。これらの規定は、行政手続には適用がないとする説も過去にはあったが、今日では、刑事責任の追及を直接の目的としていない場合でも、実質上刑事責任の追及に関わる手続であって、物理的強制又はそれと同視できる程度の強制については、適用があると解されている(注64)。したがって、国税通則法に基づく臨検等については、裁判官の令状を要することになる（現行犯と同等の場合は、犯罪捜査の場合と同様に、事前の令状を要しない。）。

これに対し、刑事責任の追及と全く関係のない手続については、これらの規定の適用の対象とはならない。警察官職務執行法等に基づく警察の即時強制権限は、いずれも刑事責任の追及に関わるものではなく、憲法のこれらの規定の適用の対象とはならない。したがって、緊急時の立入等を裁判官の令状なしに行うことは憲法に違反しない。刑事責任の追及と関係のないそれらの即時強制権限を、刑事責任の追及のために用いることが許されないことは当然である。

もっとも、事前の裁判官の許可状を要することが憲法上の直接の要請でなくとも、人権とのバランスをとるために、裁判官の許可状を要するという制度が設けられる場合もある。児童虐待防止法の臨検・捜索は、そのような立法政策的判断として、裁判官の令状を要するものとされている。(注64の2)

(4) 管理者不在物件に対する即時強制

457　違法な状態にある物件で管理者等が判明せず、早期に対処することが求められる場合又は危険な事態に対処する上でその妨げとなっている物件でその場に管理者等がいない場合には、それを除去する等の権限が法律で認められている。なお、違法状態にある物件のうち、特に経済的な保護の必要性が乏しいはり札等については、その設置者が分からないときに、即時強制として除去することがやや広く認められている。

警察官の権限としては、現場に運転者がいない場合の違法駐車車両の移動（道路交通法51条）、道路における交通の危険の防止・交通妨害の排除のための設置者不明の工作物等の除去（道路交通法83条）、災害時の通行禁止区域等における車両その他の物件の移動等の措置（災害対策基本法76

（注64）　最高裁大法廷判決昭和47年11月22日〈刑集、㉖〉（川崎民商事件）は、憲法35条1項について、「本来、主として刑事責任追及の手続における強制について、それが司法権による事前の抑制の下におかれるべきことを保障した趣旨であるが、当該手続が刑事責任追及を目的とするものでないとの理由のみで、その手続における一切の強制が当然に右規定による保障の枠外にあると判断することは相当ではない」とし、即時強制であってもこの適用の対象となるものがあり得ることを認めている。国税犯則事件の調査手続中の強制処分はこれに当たる。

（注64の2）　川崎二三彦『児童虐待』（岩波新書、2006年）は、本制度の導入前において、重要な二つの権利侵害（立ち入ることによる権利侵害と、子どもの生命に関わる法益侵害）の調整として、裁判所が関与することの必要性を述べている（129頁）。改正法の制定に関して、馳浩『ねじれ国会方程式－児童虐待防止法改正の舞台裏』（北國新聞社、2008年）参照。

条の3）などが規定されている。このほか、無店舗型性風俗特殊営業又は無店舗型電話異性紹介営業のはり札等が学校周辺等の広告制限地域に置かれていて、違反した事務所等が分からないときには、除去することが定められている（風俗営業適正化法31条の4、31条の19。店舗型の場合は、営業所が明確であるので、指示によって対処することとなっている。）。

4　刑罰を背景にした事実行為

(1)　意　義

　行政機関が立入等を行うことについて、相手方が応ずる法的義務を負い、応じない場合には刑罰が科されることが定められている場合は、間接強制と呼ばれる。強制そのものではない（相手方の身体や物に直接実力を行使して目的を達成することはできない。）が、単なる任意の活動ではない。強い説得を行うことができるし、要件を満たせば、拒否した者を現行犯として逮捕することもできる。このため、本書では、「刑罰を背景にした事実行為」として、本節の「強制的事実行為」の一つとして解説する。

　行政調査のための立入りが、刑罰を背景とした事実行為として広く行われている。それ以外でも、例えば、走行中の移動タンク貯蔵所（タンクローリー）を、警察官又は消防吏員が特に必要がある場合に停止させること（消防法16条の5）は、応じない場合に処罰の対象とされている。このほか、許可証（免許証）等の携帯を義務付け、一定の事由がある場合には、提示させることができることとし、応じなければ処罰することを定めているものがある。

(2)　許可事業者の事業所等への立入り

　許可を受けて事業を営む者の事業所、営業所等に対して、事業者に対す

（注65）　立入りを拒否した者を処罰する規定がある場合には、即時強制ではない（即時強制であれば、相手方が拒否しても実力を行使できるし、実力の行使を物理的に妨害すれば公務執行妨害罪が成立するから、別に刑罰を設ける必要はないことになる。）。一方、罰則がなければ当然に即時強制であると解することはできない。応ずべき義務を定めつつ、即時強制も刑事罰も設けないこともあり得る。例えば、東京都の暴力団排除条例では、立入検査に応じない者には、刑罰規定を置かず、公表で担保することとしている。

（注66）　現行犯の場合でも、明らかに逮捕の必要性（罪証隠滅又は逃走のおそれ）がないときには、逮捕できないものと解されている（逮捕の必要性があることが一般的に推定されていて、具体的に判断する必要はないが、明らかに必要性がないときは逮捕できない（松尾浩也監修『条解刑事訴訟法（第4版）』（弘文堂、2009年）409頁参照）。）。

る行政上の監督の一環として、行政機関の職員が立ち入って、書類等を検査することを、立入検査という。行政機関側が行う事実行為である点で即時強制と共通するが、相手方に応諾義務を課すだけであって、直接に国民の身体・財産に強制を加えるものではなく、相手方が拒んだ場合にその抵抗を排除して強制的に立ち入ることはできない。法律で立入権限を定めている場合のほとんどは、即時強制ではなく、応諾義務を課し、応じない場合には刑罰の対象とするにとどめている。警察官（警察職員）の立入りも、警察官職務執行法6条1項に基づく立入りや、武器等製造法及び高圧ガス保安法に基づくものを除けば、強制的事実行為としてのものがほとんどである（警察官職務執行法6条2項に基づく公開の場所への立入りは、相手方に応諾するよう要求できるが、拒否した場合に処罰等の対象とされていないので、強制的事実行為にも当たらない。）。

　立入検査は行政機関が許可事業者等の実態を知るための手段であるが、同様の目的のものに、行政処分としての報告徴収がある。相手方に報告し、資料を提供する義務を課すもので、報告せず、又は虚偽の報告をした場合には、刑罰を科する規定が置かれ、あるいは許可の取消等の対象とされているのが通常である。報告徴収の方が相手方の不利益の程度は少ないといえるが、それだけでは実態を把握することはできないので、立入検査も広く用いられている。

　許可事業者に対する行政上の監督のために認められている立入検査の場合には、無許可で行っている事業者は、その法律上の各種の監督処分の対象とならないから、対象とならない。(注67)これに対し、広く一般の事業所を対象としている規制であって、基準に適合していない場合に命令等を行う制度が設けられている場合（環境保護の立法に多い。）は、それらの行政措置をとる観点から、許可等を受けていない事業者に対しても、立入検査が行われる。(注68)立入検査権限を犯罪捜査のために認められたものと解してはな

（注67）　ある特定の行為をしている事業者に義務付けを行い、改善命令等の対象としている場合には、無届等の者も含めて、立入検査をすることがあり得る。運転代行業法では、認定制がとられているが、認定要件を欠いて事業を営んでいる者に対して、営業の廃止を命ずる制度が存在するので、認定を受けた事業者だけでなく、認定を得ないで事業を営んでいる者も立入検査の対象になっている。

らない旨の規定が置かれていることが多いが、目的外の権限行使が認められないのは当然のことであり、かりに規定がなくとも同様に解しなければならない。

立入検査は、「公安委員会は、警察職員に、〇〇に立ち入り、書類その他必要な物件を検査させ、関係者に質問させることができる。」と定められていることが多い。(注69)行政上の監督権限を有する公安委員会が、必要となる各種調査を警察職員に行わせるものである。実際には、公安委員会は、どのような場合に行うかをあらかじめ定めること等により、個別の判断を内部的に職員に委ねている。立入検査をする警察職員は、身分を示す証明書（身分を証明する証票）を携帯し、関係者に提示（呈示）しなければならない（関係者の請求の有無にかかわらず提示が義務付けられている場合と、関係者の請求があったときに限って提示が義務付けられている場合とがある。風俗営業適正化法は前者、火薬類取締法は後者の例である。）。

警察の許可等の監督を受ける立場の事業者に対する立入検査としては、古物商の営業所若しくは仮設店舗・古物の保管場所・古物市場・競り売り場（古物営業法22条）、質屋の営業所・質物の保管場所（質屋営業法24条）、探偵業者の営業所（探偵業法13条）、警備業者の営業所、基地局、待機所（警備業法47条）、風俗営業の営業所・店舗型性風俗特殊営業の営業所・派遣型ファッションヘルスの事務所受付所待機所・店舗型電話異性紹介営業の営業所・特定遊興飲食店営業の営業所・夜10時以降に営業する酒類提供飲食店営業の営業所・深夜に酒類を提供し飲食させる営業の営業所（風俗営業適正化法37条。なお、客の在室する個室は対象から除かれている。）、指定射撃場・教習射撃場・練習射撃場（銃砲刀剣類所持等取締法27条の2）、自動車運転代行業を営む者（運転代行業法21条）に対するものが定められ

（注68）　例えば、廃棄物の処理及び清掃に関する法律では、広く事業者や運搬、収集処分等を業とする者について規制を及ぼし、廃棄物だけでなく、「廃棄物であることの疑いのある物」を扱う者の事務所、事業場等に対して立入検査をすることを認めている（同法19条）。

（注69）　古物営業法及び質屋営業法では、個々の警察職員（質屋営業法では警察官）が必要性を判断して行うことができると定められている。この2つの法律の場合、立入検査は、物を確認すること等によって、盗品を発見することを目的として行われることもあるので、専ら事業者を監督する（事業者が法令を遵守しているかを確認し、必要な命令等をするかどうかの判断に資する）目的で行われる立入検査とは、性格を異にしている。

ている。これらにはいずれも、立入りを拒む行為を処罰する規定が置かれている。立入後は、書類等の検査をすることができ、それを拒み、妨げ、忌避した者は処罰の対象となる（風俗営業適正化法の場合は、立ち入った後の活動について個別の根拠が置かれていないので、各種の任意活動を行うことができるのにとどまる。）。なお、関係者に対する質問については、質問権限の規定を欠くもの（警備業法）と、質問権限は規定されているが罰則が付されていないもの（古物営業法、質屋営業法、探偵業法、銃砲刀剣類所持等取締法、運転代行業法）に分かれている。

　他の機関が許可等を行っている事業者で、運搬に関する権限のみを警察が持っている場合には、それに必要な限りでの立入検査が認められる。核燃料物質等の運搬に関連する事業者、放射性同位元素等の運搬に関連する事業者、化学兵器の製造に用いることのできる特定物質の運搬に関する事業者であって、いずれも許可等を受けてそれらの物質を管理しているものが対象であり、運搬を受託した事業者は含まれない。

　他の機関が監督をしている事業者でも、警察が意見を述べる権限等を持っていることを背景に、独自の立場で立入検査をすることが認められている例がある。火薬類取締法では、都道府県公安委員会が運搬に関する権限及び猟銃用火薬類等の取締りに関する権限に加えて、公共の安全の維持のた

（注70）　指定自動車教習所に対する立入検査（道路交通法99条の6）は、応じない場合の処罰規定が置かれていないので、刑罰を背景とした事実行為に含まれない。なお、立入検査に応じなかった場合には、同法の監督上必要な命令（99条の7）の対象になり、それにも応じなければ指定の取消等の対象となる。このような制度とされたのは、指定自動車教習所が拒むことが実質的に想定されていなかったことによるものと思われる。
（注71）　警察以外の行政機関の立入検査では、物の収去（少量の物を持ちかえって、検査等をすること。）について定めている場合もある。警察の所管法では、そのような検査等をする必要があるものがないので、収去を定めていない。
（注72）　警備業法では、検査を拒み、妨げ、忌避した者を処罰することのみが定められている。検査のための立入りを拒めば、検査を拒否したものとして、処罰の対象になるものと解される。
（注73）　探偵業法は、「立入検査を拒み、妨げ、若しくは忌避した者」を処罰する旨を定めている。銃砲刀剣類所持等取締法、運転代行業法も同様である。
（注74）　他の行政機関が主たる監督機関である場合には、質問に対する虚偽の答弁についてのみ罰則が付されているもの、質問に答えない場合も罰則の対象となるものがある。火薬類取締法は、検査を拒み、妨げ若しくは忌避したものと並んで、「質問に対して陳述をせず、若しくは虚偽の陳述をした者」を処罰する旨の規定を設けている。

めに経済産業大臣又は都道府県知事に必要な措置をとるべきことを要請する権限を有しているので、それらの権限を行使するために、許可を受けた事業者の火薬類の製造所、販売所、火薬庫、消費場所、保管場所に立ち入り、必要な物件を検査し、関係者に質問することが認められている。このほか、貸金業の取立てを行っている者に対して、警察職員が質問をし、応じない場合に処罰の対象とする制度が貸金業法で設けられている。(注75)

column 警察庁職員の立入検査

　現行警察法は、警察の事務を都道府県の機関である都道府県警察が行うこととし、国の警察は、皇宮警察と重大サイバー事案対処を除けば、制度の企画、都道府県警察に対する指揮監督に当たることを基本としている。しかし、平成期以降、国家公安委員会（又は警察庁）が、直接に行政事務を担当し、行政調査権限を国家公安委員会が持ち、警察庁職員に立入検査をさせることが規定される例が生まれている。建物錠について、防犯性能の表示に関する勧告及び命令、緊急時の勧告と公表を国家公安委員会が行うこととし、そのための報告徴収と立入検査がピッキング防止法で定められた。また、他の行政機関に意見を述べる権限を行使するために、警察庁の職員に立入検査をさせる例もある。債権管理回収業に関する特別措置法では、法務大臣が許可や取消しを行う場合に暴力団員等をその業務に従事するおそれがないかといったことについて警察庁長官の意見を聴くこととされていることなどを受けて、一定の条件の下で、報告を徴収し、警察庁の職員に立入検査を行わせることができることを規定している。原子力事業者等の事務所・工場・事業所に対する警察庁職員の立入り（核原料物質、核燃料物質及び原子炉の規制に関する法律。核物質防護のための意見を述べる権限を適切に行使することが目的である。）、特定病原体等所持者等の事務所・事業所に対する警察庁職員の立入り（感染症予防法56条の38）もおおむね同様である。

　他方、国家公安委員会ないし警察庁長官が他の行政機関に対して意見を述べる

（注75）　貸金業法は、貸金業への暴力団の関わりを排除することとし、警察から意見を述べる規定を設けているが、その意見を述べるために、警察職員に、貸金業の債権取立ての現場において、取立てをしている者に対して、貸金業者の名称、取立てを行っている者の氏名、弁済を受ける民事上の権限の基礎となる事実（貸金業の従業員であるかなど）の質問をする権限を認め（44条の4）、相手方が答えない場合や虚偽の答弁をした場合を処罰の対象としている。貸金業者その他の者から債権の取立てを委託された者に当たると認められれば足り、登録を得た貸金業者の従業員でない者の取立ても調査対象としている、罰則を背景とした質問である、事業所といった場所的制限がない、といった特徴がある。

権限を有する場合でも、調査自身は都道府県警察が行うこととしているものもある。犯罪収益移転防止法では、国家公安委員会が制度全体を所管し、個別の事業者に対する監督は事業者を所管する他の行政機関が行うこととされているが、国家公安委員会が特定の事業者に対して処分をすべきとする意見を所管の行政機関に伝えることができ、そのために国家公安委員会が報告徴収権を持つこととしつつ、立入検査については、都道府県警察に調査の指示を行い、警視総監又は警察本部長が都道府県警察の職員に行わせるという仕組みになっている。団体規制法においても、公安審査委員会が団体を公安調査庁の観察処分に付する決定を行うが、警察庁長官が意見を述べる権限があり、警察庁長官から調査の指示を受けた都道府県警察の職員が一定の条件の下で立入検査を行うことができることとされている。

column 行政調査結果の犯罪捜査への使用

行政機関が法律に基づいて調査を行うのは、それぞれの法律の規定を施行する（行政上の監督を行って、それぞれの法律が定めた目的を実現する）ためであり、それに必要な限度で行われる。法律違反に対して刑事責任を追及することは含まれていない。このような行政調査は、強制的に立ち入ることがあっても裁判官の許可状等を要することにはならないが、犯罪捜査の目的（刑事責任追及の資料を得る目的）で行うことは許されない。もっとも、行政監督目的で行われた行政調査の結果、犯罪の疑いがあることが判明した場合に、立入検査で得られた資料を捜査に用いることは認められる。(注76)

これに対し、国税当局の行う犯則調査や公正取引委員会の行う犯則調査の場合は、一般の行政調査とは異なり、刑事責任追及につながる手続の一環として証拠を収集するものである。調査が犯罪としての処罰につながることが制度上予定されているところから、裁判官の許可状を得て、物的な証拠を強制的に収集することが認められている。

（注76）最高裁は、税務調査中に犯則事件が探知された場合に、それが端緒となって犯則事件としての調査に移行することを禁ずる趣旨ではない（したがって、行政調査がその後に犯罪捜査につながることは否定されない。）としている（最高裁判決昭和51年7月9日〈Ⓦ〉）。また、法人税法の調査（質問、検査）に関して、犯罪の証拠資料を取得収集し、保全するような捜査あるいは犯則事件調査のための手段として行使することは許されないが、取得収集される証拠資料が後に犯則事件の調査の証拠として利用されること（犯則調査を経て刑事責任追及に用いられること）が想定できたとしても、そのことによって質問、検査の権限が犯則事件の調査あるいは捜査のための手段として行使されたことにはならない、との見解を明らかにしている（最高裁決定平成16年1月20日〈刑集、Ⓦ〉）。

(3) その他の立入り

事業以外の許可制度に伴うものとして、銃砲の所持許可を受けて猟銃を保管している場合に、警察職員が立入検査を行うことが認められている（銃砲刀剣類所持等取締法10条の6）。猟銃と実包の保管場所に立ち入って、保管設備、帳簿等の物件を検査し、関係者に質問する(注77)。検査を拒み、妨げ、又は忌避した場合には、刑罰の対象となる。一般に、立入検査は、事前の通告等を要しない（事前の通告がないからこそ、法律を遵守させる手段として有効なものとなる。）が、この場合は、一般人の住居であることが多いことから、事前通告を義務付けている。

許可等の制度とは異なるものとして、暴力団対策法は、同法の施行のために、指定暴力団の事務所に警察職員が立入検査することを認めている(注78)。立入検査を拒み、妨げ、忌避した者が処罰対象となるのは、他と同様である。このほか、団体規制法に基づいて、公安審査委員会の観察処分を受けている団体について、再発処分の請求に関して警察庁長官が意見を述べるために必要があると認められるとして警察庁長官からの指示を受けて調査を行う都道府県警察において、特に必要があると認められるときは、警察庁長官の承認を受けて、立入り、設備、帳簿等を検査することが認められている（14条）。この立入検査の拒否については、他の場合とは異なり、懲役刑を含めた刑罰規定が設けられている。

現場的な措置に関連する立入りとしては、いわゆる暴騒音条例において、車両内で大音量を発している場合に中止等を命ずる制度を設け、その施行のために車両への立入検査規定を置き、違反を処罰している例がある。

（注77）当初この規定はなく、その後も報告徴収が制度化されただけであったが、昭和53年の改正で立入検査権が認められた（平成20年改正で実包の保管場所への立入りが加えられている。）。事前通告を要することは、平素の保管状況の把握、法令遵守の確保という目的達成にとっては不十分なものであるが、立入検査を受ける側の利益を重視したものといえる（それまで全く立入検査がなかった状態からみれば、このような条件を付しても管理強化に資するという判断があったものと思われる。）。なお、銃砲等又は刀剣類の所持許可を受けた者に対して、立入りを行わないで、指定した日時場所に物と帳簿等を持参させて検査することが同法では別に定められている（13条）。

（注78）法の委任を受けた同法施行規則で、立入検査をする具体的要件を定めている。平成21年に施行規則の規定が改められたが、同法の施行状況を踏まえつつ、より実効的なものとするための立入りの在り方が検討されるべきである。

警察以外では、児童相談所が児童虐待の疑いがある場合に安全確認のための立入りを行う（児童虐待防止法9条）。児童福祉法上の立入りとみなされ、応じない場合に同法により50万円以下の罰金の対象となる。警察に対する援助の申出の対象とされている。また、市町村長は、養護者による高齢者虐待によって高齢者の生命又は身体に重大な危険が生じているおそれがあると認めるときに、職員に立入りをさせることができ、応じない場合に30万円以下の罰金の対象となること、警察署長に援助を求めることができることが定められている（高齢者虐待防止法（高齢者虐待の防止、高齢者の養護者に対する支援等に関する法律）11条、12条）。[注79]

(4) 運転中の車両の停止

464　道路交通法では、道路の交通に危険を及ぼす運転が行われている場合、警察官に、車両を停止させる権限を与えている。(2)及び(3)の立入検査が主として公安委員会の権限であるのとは異なり、現場的なものとして、個々の警察官の権限とされている。停止させることができるのは、車両の状態が危険である場合（過積載をしていると認められる車両が運転されているとき（58条の2）、車両等の乗車・積載・けん引について危険を防止するために特に必要があると認めるとき（61条）、整備不良に該当すると認められる車両（軽車両を除く。）が運転されているとき（63条））と、運転者が正常な運転ができないおそれのある状態にある場合（無免許運転・酒気帯び運転・過労運転等を禁止した規定に違反して運転していると認めるとき）である。警察官は停止させ、検査することができる（過積載車両の場合は自動車検査証等の提示を求め、積載物の重量を測定する。整備不良車両の場合は自動車検査証等の提示を求め、車両の装置について検査する。運転者に関わるものの場合は、免許証の提示を求める。）。それらの違反を行っていることが、車両の外観や、運転の状況等（酒気帯び運転の場合は、運転者の様子や、アルコール飲料の存在などを含む。）からみて、合理的に判断できる場合に限られる。警察官の停止に従わなかった場合、書類提

（注79）　養護者による障害者虐待に関しても、障害者虐待防止法（障害者虐待の防止、障害者の養護者に対する支援等に関する法律）が制定されており、高齢者虐待防止法と同様に市町村長の立入りと警察署長の援助を定めている（11条、12条）。

示の要求を拒み、測定を拒み妨げた場合には、刑罰（罰金だけでなく、3月以下の懲役もある。免許証の提示違反は5万円以下の罰金の対象にとどまる。）の対象となる。したがって、停止や検査に応じない車両に対しては、直接の強制はできないが、犯罪であるので、強く説得し、強制にわたらない限度で必要最小限の実力を行使し、状況によっては運転者の現行犯逮捕等の措置をとることとなる。

　危険性のある物を運搬している車両について、一定の場合には、警察官が停止等を行う権限が認められている。停止させることができるのは、走行中の移動タンク貯蔵所（タンクローリー）について危険物の移送に伴う火災予防のため特に必要があるとき（消防法16条の5）、核燃料物質等を運搬する車両について災害防止及び特定核燃料物質防護のため特に必要があると認めるとき（核原料物質、核燃料物質及び原子炉の規制に関する法律59条）、放射性同位元素等を運搬する車両について放射線障害を防止するために特に必要があると認めるとき（放射性同位元素等の規制に関する法律18条）、感染症の病原体等を運搬する車両について盗難等の事故を防止するために特に必要があると認めるとき（感染症予防法56条の27）が定められている。いずれも、停止に応じない場合や、必要な書類等の提示を拒む場合には、処罰の対象とされている。

(5)　**銃砲刀剣類に係る許可証等の提示要求と仮領置**

　銃砲刀剣類（銃砲等又は刀剣類）を携帯し、又は運搬している者は、許可証等を携帯する義務を有しており、警察官は、その提示を求めることができる（銃砲刀剣類所持等取締法24条）。(4)に定める運転免許証の提示要求とは異なり、違法行為の存在が疑われることや危険な事態の発生といった要件はない。提示を拒み、妨げ、忌避することは、刑罰の対象となる。鳥獣等の捕獲等を許可を受けて行う者又は狩猟者登録を受けて狩猟を行う者などに対して、警察官が許可証や登録証の提示を求めることも同様である（鳥獣保護法（鳥獣の保護及び管理並びに狩猟の適正化に関する法律）9条、62条等）。いずれも、許可証等の携帯義務の履行を確保することが目的である。

　銃砲刀剣類の所持許可が失効した場合に、許可を受けていた者又はその

相続人は、50日以内に適法に所持できる者に売り渡す等によって処分をする必要があり、その間は適法に所持することが認められるが、他人の生命等に対する危険を防止するため必要があるとき及び適法所持期間を経過したときは、公安委員会が提出を命じ、提出された銃砲刀剣類を仮領置することとされている（銃砲刀剣類所持等取締法8条。教習射撃場又は練習射撃場の指定の解除（9条の8、9条の12）、許可の取消事由が生じて危険防止上の必要がある場合（11条）、許可を取り消した場合（同条）、災害騒乱等の事態に際して銃砲刀剣類の授受、携帯等を禁止制限し、告示地域内において所持する者から提出させる場合（26条）も同様の規定が置かれている。）。仮領置した銃砲は、適法に所持できる状態になった場合に限って、譲受人等に返還される。この提出命令に応じない場合は、罰金の対象となる。また、許可を受けた者に取消事由に該当する疑いがあって調査をする必要があり、その間銃砲刀剣類を保管させておくことが適当でないと認めるときは、提出を命じ、保管することができることが規定されている（13条の3）。

【補論　行政上の義務履行確保のための手段】

1　間接的な強制による義務履行確保の必要性

467　行政上の義務（法令によって定められた義務及び行政処分によって課された義務）のうち、行政が強制的に実現できるのは、法的に限られているだけでなく、事実上の困難性もあるため、強制的な金銭徴収と財産的価値のない看板の類の除去、違法駐車車両の移動措置等を除けば、あまり行われていない。

　このため、義務を課されている者がその義務を履行しなかった場合に不利益（制裁）を受ける制度（又は義務を履行したときに利益が得られる制度）を設けることによって、義務者がその義務を果たすようにすることが図られている。違反に対して是正するように求める行政指導が効果を発揮するのも、不利益となる事態を避けたいとする相手方の考えがあるからである。[注80]

　現行法で広く用いられているのは、義務違反に刑事罰（行政刑罰）を科

する旨の規定を設けることと、許可等を受けている事業者あるいは個人に対して違反を理由に営業の停止を命じ（許可の効力を一時停止し）、許可を取り消すことである。違法な事態を改善するよう命ずる行政処分も、違法状態解消の手段として当然に行われるべきものであるが、場合によっては相手方に大きな負担を負わせることもあり、処分を公表することなどと相まって、「制裁」ともいえる効果を持ち得る。近年では、刑事罰の適用が十分に行われないことを踏まえ、金銭支払義務の賦課（過料）、民事責任追及の容易化、社会的評価を低下させることにつながる公表など、様々な方法が検討、導入されている。

　間接的な強制手段は、規制を守ることが自らの利益になると被規制者が考えて行動するようになることが目標であるから、規制によって守ろうとする利益だけでなく、規制に違反した場合に被規制者が得る利益の程度、被規制者のタイプ（遵法意識、社会的評価の重視の程度）、被規制者数及び想定される違反の量、規制を執行する態勢と違反の摘発対処可能性、といった様々な状況を踏まえて検討することが求められる。事業を行う者が行政側から様々な助成を受けている場合や、社会的評価を重視する者のみによって構成されている場合には、名目的な制裁の規定があればよく、行政指導によって義務が履行されることが期待される。過去の許可事業者を対象とした行政は、このような関係が主であり、行政の実効性確保手段を重視する必要がなかったともいえる。これに対し、多くの者が規制の対象となる場合や規制を守らないことによる利益が大きい場合には、十分な制裁手段が確保されなければ抑止できない。大量の違反が存在する場合には、

（注80）　平田彩子『行政法の執行過程』（木鐸社、2009年）は、水質汚濁防止法の執行実態調査とゲーム理論による執行過程分析を行った研究であるが、違反がほとんど行政指導による対応で解決されていることの背景として、被規制者が一般の事業者であって長期的利益を志向すること、フォーマルなサンクション（行政の改善命令）がインフォーマルなサンクション（改善命令が公表されることによる評判の低下）を伴って被規制者に抑止効果を生んでいること、サンクションの規定が実際に用いられなくとも威嚇値として具体的改善内容に影響を与えていること、被規制者からサンクションが用いられないと認識されてしまえば抑止効果も消滅すること等を明らかにし、規制法の周知、規制当局と被規制者のコミュニケーションの促進（ただし、なれ合い（行政が被規制者に取り込まれる事態）が生じないように注意する必要がある。）、威嚇値としてのサンクション規定を維持し、規制法の抑止機能を弱体化、消滅させないようにすることの重要性を指摘している。

迅速に処理できる定型的なものとする必要がある。さらに、長期的な事業継続を当初から考えず、規制を守らないことによって短期的に大きな利益をあげることを狙う者に対しては、行政指導はもとより行政命令も機能しないので、違反情報が警察に早期に入るシステムを作り、重い刑罰が迅速に科されるようにすることが必要になる。

2 行政刑罰とその執行
(1) 一般的な行政刑罰の執行

469　行政上の義務違反に刑事罰を科すものを、行政刑罰と呼ぶ。刑罰による威嚇効果が期待できること、裁判所の判断による適正さが担保されることといった利点があると考えられ、各種の行政法違反に対して用いられている。両罰規定が置かれ、実行行為者だけでなく営業主又は法人も処罰されることが定められている場合も多い。(注81)(注82)

　刑罰は、厳格な手続によってのみ科することができる。このため、摘発し、処罰することが可能なものは限られる。合理的な疑いを超える立証を要するので、十分な証拠を入手できなければ訴追できないし、明確な違反以外は罰することに困難を伴う。警察や検察、裁判所の体制上の問題もあって、大量の事件を処理することは不可能である。警察の捜査資源は限られており、軽微で名目的な違反に向けることができない場合も多い。このことは、刑罰は重い処分でありそれほど必要性の高くない場合にまで適用すべきものではないという刑罰謙抑的な考えとも合致する。もっとも、法定刑の低い刑罰規定の違反でも、人の生命、身体を守るために軽視できない場合もあるし、暴力団の資金源となっているなど悪質性の高い場合もある。行政機関が告発をしたようなときは、公益上の必要性が高いものといえる。

（注81）　両罰規定は、法人又は人（個人営業の場合の営業主）の従業員が、業務に関して、罪を犯した場合に、実行行為者とともにその法人又は人が処罰されることを定めたものである。従業員の選任監督についての過失がなかった場合には、処罰されない。

（注82）　過失犯について、明文の規定がなくとも処罰可能であることが行政刑罰の特徴として説明されることがある。携帯義務違反、記帳義務違反等について、過失犯を処罰する旨の明文の規定がなくとも、その事柄の本質に鑑み過失によるものを包含する趣旨であるなどとして肯定した判例がある（最高裁決定昭和28年3月5日〈刑集、⑩〉、最高裁判決昭和37年5月4日〈刑集、⑩〉）が、そのような扱いは例外的なものというべきである。

現状では、道路交通法をはじめとする警察所管の法律の違反と廃棄物の処理及び清掃に関する法律などの一部の法律の違反を除けば、実際に処罰されるのは限られている。

違反が犯罪とされることは、それ自体によってある程度の範囲の人の行動を変化させ、違反行為をしないようにする効果がある。しかし、規制をされる者の中には、摘発される可能性がないのであれば、違反をしても構わないと考える者も存在する。このため、今日では、刑罰を科す規定を置けば違反が防止できるというような考えによることなく、刑罰以外の手法による実効性確保を図るとともに、刑罰が科される可能性が認識されるようにすることも求められる。

刑罰による不利益は、何よりも身体の拘束にある。執行猶予のない懲役刑を受けることの不利益は、極めて大きい。行政刑罰違反で実刑となることはこれまでほとんどなかったが、廃棄物の不法投棄事犯のように、法律改正で刑の上限を5年にまで上げた結果、実刑となった例も生じている。(注83)(注84)
また、最終的には執行猶予となる場合でも、捜査の過程で逮捕勾留されることは、実名の報道がなされることもあって、本人にとって極めて大きな不利益であると認識されている。(注85)これに対し、罰金は、上限額が数万円から数十万円程度までの規定が大半であり、金銭的な負担としてみた場合に

（注83）廃棄物の処理及び清掃に関する法律の不法投棄罪に対する刑罰（上限）は、制定時は罰金5万円であったが、懲役3月罰金20万円などを経て、1991年改正で一般廃棄物は1年300万円、産業廃棄物は3年300万円となった。しかし、廃棄物が多量に投棄されている事件では、一般廃棄物と産業廃棄物とを区分して立証するという困難性が生ずることから、2000年の改正で一般廃棄物と産業廃棄物の区別なしに5年1000万円（併科可能）とし、2003年の改正で未遂処罰も加えられた。現在では、法人の罰金は3億円に引き上げられている。

（注84）産業廃棄物を「埋め戻し材」（リサイクル製品）として10万トン以上（訴追されたもので13万トン、総投棄量は70万トンと推定されている。）不法に投棄した事件で、責任者に懲役2年の実刑（会社は罰金5000万円）判決が言い渡された例がある（津地裁判決平成19年6月25日〈公刊物未登載〉）。

（注85）北村喜宣『行政法の実効性確保』（有斐閣、2008年）は、少額の罰金刑の場合、相手方に「必要経費」という程度の認識しかもたれず（194頁）、捜査現場での士気にも影響を与えることを指摘する（296頁）一方で、漁業調整規則の常習的違反者を逮捕することの効果の大きさ（「潜在的違反者に対して、県の毅然としたスタンスをアピールできた」、「手錠の効果が絶大だとわかった」という高知県の特別司法警察職員のインタビュー結果）を紹介している（292頁以下）。

はそれほど重いものではない。近年、罰金額の上限を百万円ないし千万円の単位にまで引き上げ、法人には数億円という額にしたものがあり、そのような場合には経済的な不利益性を確保することができるが、いまだに大半の法律では低額である。一部の高額な場合を除き、刑罰を科されるという不名誉感、摘発を受けたということによる社会的信用の低下、さらには刑罰を科されることによる資格の喪失（他の関連する法律における許可の欠格事由ともなり得る。）といった、刑罰の間接的な影響の方が大きい意味を持つ。

　逆にいえば、犯罪とは無縁で社会的地位を有する者ほど刑罰の効果は大きく、繰り返し摘発をされているような者にとっての効果は小さい。このため、社会的な評価を気にしないで違反を繰り返し、行政側の措置に応じない者がいることが想定される規制（規制に違反することによって大きな利益が得られる場合には、そのような可能性が高い。）に関しては、罰金の上限を高くすることに加えて、実刑が宣告されることがあり得る程度に懲役刑の上限を引き上げ、同時に、行政側が早期に違反を認知し、警察に通報するといった摘発態勢の整備を図っていくことによって、刑事制裁の効果を現実に発揮できるようにすることが求められる。併せて、犯罪を行った者だけでなく、犯罪によって実質的に利益を得ている者（例えば、不法投棄をした者に安い費用で処分を依頼した者）について、犯罪捜査の過程で事実を解明し、規制当局の執行に有益な資料の入手を図ることが、行政法規の実効性確保につながるものといえる。

(2)　大量違反の場合の執行

　大量に違反がある場合に刑事罰を科すことは、関係機関の事務処理上の困難さを招くだけでなく、刑罰の感銘力が低下する（刑罰が多くの者に科されることで、刑罰を受けたことの重みがなくなる）という問題も生ずる。このため、軽微・明白・定型性を有する大部分の道路交通法違反事件に関して、警察本部長が反則金の納付を通告し、反則者が通告に係る反則金を

（注86）　刑法制定時（1907年）には、罰金額は20円以上（傷害罪の罰金の上限は400円）であった。当時の警察官（巡査）の初任給が月額12円であったのと比べると、高額であったことが分かる。現行刑法の罰金額の下限は1万円（傷害罪の罰金の上限は50万円）にとどまっている。

納付した場合には起訴されないとする交通反則制度が導入され、大量の違反の迅速な処理に有効に機能している（☞619）。間接国税及び関税に関する国税犯則事件においても、同様の制度が設けられている（道路交通法の反則制度が、これらを参考に作られた経緯がある。）。

道路交通法違反については、反則事件以外でも、年間数十万件にのぼる違反が刑事罰を科されており、その大量処理のために実務上の工夫が加えられている^(注87)。もとより、道路交通法に反する行為の中で悪質性の高いものについては、厳正な処理が必要であり、実際に相当数の実刑が加えられているほか^(注88)、飲酒運転では制裁強化によって、実際の違反を激減させる効果を発揮している^(注89)。

3　規制当局による行政執行

(1)　一般的な行政執行

事業活動を行う者による行政上の義務違反に対しては、規制する行政機関は、是正命令や指示等の権限を持ち、さらに営業の一時停止（許可の効

（注87）　書類が簡略なものとされ（通称「赤切符」）、呼び出しての取調べ、検察官による取調べと略式起訴、裁判が全て同じ場所（簡易裁判所）で1日で終わるシステム（三者即日処理方式）が確立されている。なお、交通事件即決裁判手続法という法律があるが、今日では全く用いられず、相手方が同意する限り、略式裁判で行われている。

（注88）　令和元年に刑務所に入った受刑者（男性）のうち、道路交通法違反は5.1％で、窃盗、覚醒剤取締法違反、詐欺に次いで4番目となっている。

（注89）　酒気帯び運転の罰金額の上限を5万円から30万円に引き上げた2001年の改正法が翌年6月に施行された（改正法の施行にあわせて、酒気帯び運転として処罰される範囲が血液中のアルコール濃度が1ミリリットル中0.3ミリグラム（呼気1リットル中0.15ミリグラム）にまで拡大され、行政処分の点数も従来の酒気帯びの場合は6点から13点に引き上げられて、人身事故を起こせば相手方の負傷の程度が軽くとも取消しの対象となった。）。この制裁強化が飲酒運転の減少につながったことは、飲酒を伴う交通事故件数の減少（法改正前1年間と2004年6月からの1年間を比べると、39.1パーセント減少している（この間の一般の交通事故の減少率は0.2パーセント）。）に明確に現われている（国家公安委員会・警察庁「事業評価書　飲酒運転」警察庁ウェブサイト）。その後も飲酒運転処罰強化が続き、2007年の法改正では、罰金の上限額が50万円とされ、車両の貸与や依頼同乗行為が処罰の対象として明記された。飲酒を伴う死亡事故の件数は、2001年が1,191件であったのに対し、2010年は287件にまで大きく減少している（減少率は76パーセントであり、この間の死亡事故全体の減少率43パーセントを大きく上回っている。）。飲酒運転取締り件数も2001年が22万件余りであったのに対し、2010年は4万件弱、2020年は約2万件にまで減少している。

力の一時停止)、営業の廃止(許可の取消し)等の処分をする権限を持っていることが多い。事業以外の行為でも、許可を受けて継続的に行う者に対しては、許可の効力の一時停止や許可の取消しの権限がある。

　これらは、前節で述べた行政処分(不利益処分)であって、法的には、違法状態の解消、不適格者の将来に向けた排除(許可の撤回)といった制度であり、行政刑罰とは全く異なったものであるが、被処分者からすれば、大きな不利益であり、実質的に制裁の一環と捉えられている。これらの命令に違反した場合や許可の取消後に当該行為を行った場合(無許可の営業等)については、刑事制裁の対象となる(その意味で、行政執行も最終的な担保は刑事制裁にあるといえる。)。

　警察の場合、運転免許についての停止処分が年間数十万件、取消処分も数万件という規模であるほか、風俗営業に関しても、年間1万件近い指示が行われ、1,000件近い取消し又は停止処分が行われている。これに対し、他の規制当局では、処分の執行件数は極めて少ないのが通常である。生活経済事犯に対応する行政機関についてみると、廃棄物の処理及び清掃に関する法律違反での許可の取消しが1,000件前後(改善命令、措置命令は200件前後)、特定商取引に関する法律違反による命令・指示及び貸金業法による取消停止命令が数百件といったものが、最も多い部類に属する(これらの法令違反も、かつては処分の数が年間数十件程度であった。)。そのほかは、さらに少なく、全く命令がなされていないものも存在する。行政指導に相手方が速やかに従って違法行為が改善され、同一の事業者等による違反が繰り返されていないのであれば問題はないが、相手方が指導に従わないのに命令等を行っていないのは、違法な事態を是正すべき行政機関としての責任を果たしていないことを意味する。規制当局の執行を確保することが必要と考えられてきており、国に消費者庁が設けられたのも、消費

(注90)　個人が、行政機関に権限の発動を促す仕組みの一つとして、銃砲行政に関して、何人も付近に居住する者等で銃砲刀剣類を所持する者について、他人の生命や身体を害するなどのおそれがあると思料するときは都道府県公安委員会に申し出る(公安委員会は必要な調査を行い、申出が事実であると認めるときは必要な措置をとらなければならない。)ことが銃砲刀剣類所持等取締法で定められている。法令に違反する事実があるのに処分等が行われていないときは、是正するための処分等をすることを求める制度(処分等の求め)が平成26年の行政手続法改正法によって新たに設けられている(☞415)。

者の利益を保護するために、権限を持つ行政機関に執行をさせることが狙いの一つとされている。環境行政では、情報公開等を通じて、受益者である市民側が行政の不作為を監視し、責任追及を行う動きも生まれている。法令遵守の意識が低く、違反することで利益をあげている事業者に対しては、規制当局は、インフォーマルな解決を願うのではなく、行政調査をして行政処分を積極的に行い、従わなければ警察に告発をするという対応が必要であり、そのための態勢の整備が求められる。

あわせて、法令遵守意識の低い事業者と取引することによって利益を得ている事業者（例えば、廃棄物の処理を違法な処理をする事業者に安い価格で委託している事業者）に対して責任を追及できる仕組みを設け、それらの社会的評価を重視する事業者に行政機関が指導等を行っていくことも、効果的なものとする上で必要なことといえる。

(2) 過　料

行政上の義務違反に関して、過料を制裁として科すことを定めている法

（注91）　消費者庁は、消費者行政の「司令塔」として、各省庁の取組を強力に主導するために設けられた機関であり、消費者安全法に基づいて、各省庁に措置要求をする等の権限を有している。消費者庁設置の意義と関係法の内容に関して、例えば、齋藤憲道編著『消費者庁』（商事法務、2009年）参照。

（注92）　四方光「罰則適用過程からみる行政法」警察政策11巻（2009年）は、規制対象事業者を、通常の企業（組織的違法行為を意図していないもの）、犯罪者グループ（組織的な犯罪活動を展開するもの）、「行儀が悪い」事業者（違法意識が低く、利益のために違法活動も致し方ないと考えているもの）の三つに区分し、通常の企業は従来型の行政指導、犯罪者グループは警察の捜査によって対処することとなるが、第三のグループについては、行政機関が従来型の対応では無意味な指導の繰り返しになり、警察も可罰性があるもの以外は捜査に着手しないため、違法自体の放置を招くことにつながることを指摘し、行政の積極的かつ毅然とした対応のために、組織の整備が必要であることを述べている。

（注93）　警察官の派遣・出向、警察官ＯＢの雇用が環境行政の執行態勢整備に大きな役割を果たしていることについて、北村前掲注85参照。産業廃棄物の不法投棄等の監視及び適正処理指導に当たる職員は、令和元年度に専任職員が1,945人、うち警察関係職員（退職者を含む。）が558人である。平成14年度の946人、うち警察関係職員278人に比べ大きく増加している。このほか、早朝・夜間・休日における監視業務の民間委託、監視カメラの導入も行われている。

（注94）　産業廃棄物について、排出事業者の責任が追及されやすい仕組みが設けられている。違法な投棄を行った事業者が倒産し、原状回復義務を行使できない場合に、排出事業者に回復を命じ、あるいは自ら責任を認めて自主的に廃棄物を撤去させる、といったことが行われている。

規がかなり存在する。過料は、刑事罰のような倫理的な非難を伴わないものとしての行政上の秩序罰とされ、届出義務違反、報告義務違反、名称独占規定違反などについて用いられている。金額自体は、罰金と比べて低いものも多いが、数百万円になるものもある。刑罰ではないので、刑法総則の適用を受けない（過失に制裁を加えるのに、明文の根拠を要しない。）し、刑事訴訟手続のような厳格な証明が求められることにもならない。

　国の法律で定めた過料は、非訟事件手続法に基づき、裁判所によって科されるので、「行政執行」とはいえないが、裁判所が手続を開始するのは、通常は行政機関からの事実の通知があってからであるので、行政機関の活動に依存している。国の過料は、民事上の支払を命ずる判決と同じように強制執行できる（検察官の指揮で執行される。）が、罰金と異なり、支払わない者を労役場留置にすることはできない。

　一方、地方公共団体の条例に基づく過料は、その長の行政処分として行われる。地方自治法は、条例で過料を定めることができることとし、上限額を5万円としている。過料の処分をするには、相手方にあらかじめその旨を告知するとともに、弁明の機会を与えなければならない（地方自治法

（注95）　現行法上の「過料」は行政罰としての過去の行為に対する制裁である。昭和23年に廃止された行政執行法では、他人が行うことができない行為（非代替的作為義務）と不作為とを強制する場合に、義務の履行確保のための「過料」を定めていた。繰り返して科すことができるもので、「執行罰」と呼ばれていた（同じものは、現行の民事執行法でも定められている。）。現行法制上は執行罰の制度はないが、制度を導入すべきとの意見もある。なお、執行罰としての過料を条例で設けることはできない。

（注96）　佐伯仁志『制裁論』（有斐閣、2009年）は、行政制裁の場合には、過失につき明文の規定を要しないこと、「疑わしきは被告人の利益」といった扱いにする必要がないことを是認する一方で、法定主義（法律（又は条例）で定めるべきこと及び遡及処罰の禁止）、責任主義（非難可能性を要すること）、違法行為と制裁との均衡という原則は、刑罰の場合と同様に当てはまることを述べている（17頁以下）。

（注97）　ドイツでは、過料の不払いに対して、裁判所が最長6週間の強制拘禁を加えることができる。また、アメリカでも、制裁金の不払いに対して、行政機関が裁判所に命令を請求し、裁判所の命令に従わない場合は裁判所侮辱として身柄拘束の対象となる。様々な行政法規違反について、ドイツやアメリカにならって非犯罪化すべきとする主張もあるが、両国にある過料ないし行政制裁金の支払義務を担保する一般的な根拠を欠いたままで「非犯罪化」することには問題がある。

（注98）　平成11年の地方分権一括法による改正で、過料に関する部分が追加された。改正前は、刑罰しか定められておらず、分担金の規制や公の施設の規定で個別に過料を科すことを定めていたため、自主条例では過料を規定できないという解釈が一般的であった。

255条の3）。地方公共団体の過料は、自ら執行するものとされ、税金と同じく滞納処分によって徴収される。実際に執行される例は多くはないが、千代田区の生活環境条例（路上禁煙地区での路上喫煙と吸い殻のポイ捨てが禁止され、2万円以下の過料の対象とすることが定められたもの）の違反に対して、実際に多数の過料処分がされている例が注目されている。(注99)

(3) 違反金（制裁金）

違反を理由として金銭を納付することを行政機関が命令する制度が、平成期半ば以降拡大されつつある。「課徴金」（独占禁止法、金融商品取引法）と「放置違反金」（道路交通法）は、名称だけでなく、趣旨や金額（独占禁止法の課徴金は売上額によって決まり、数十億円に達することもあるのに対し、放置違反金は車種等に応じた定額で、2万円前後である。）、刑事罰との併科の有無等で大きな違いがあるが、違法な行為が行われたことを理由に、責任があると考えられる主体に、行政機関が金銭の納付を命ずるものであって、実質的な制裁として機能することが期待されていることは同じである。(注100)脱税をした者に対して付加的に課される加算税も、違反を理由とした不利益処分である点で、共通の性格を有する。

実質的な制裁として金銭の納付を命ずることは、行政処分として比較的容易に行うことができるだけでなく、刑事罰の場合と異なり、責任の推定、資料提出の義務付け、摘発に協力した者への責任免除など、執行のための様々な仕組みを設けることが可能であるという利点がある。なお、刑事罰と行政制裁（過料）ないし違反金（制裁的要素のある金銭納付命令）を併せて科したとしても二重処罰として憲法に反することにはならないが、(注101)制裁が全体として罪刑の均衡に反するものとなってはならない。(注102)

（注99） 一律2,000円の過料を、多いときは月間で1,000件、現場で科している。そのうち、4分の3は現金で現場で徴収し、捨てられる吸い殻が大きく減少している。その背景には、明確な区長の方針と、警察官OBを十数人嘱託職員として雇用し、執行態勢を整備したことがあげられる。北村前掲注85参照。
（注100） 佐伯前掲注96は、制裁金の活用がふさわしい領域として、「①大量・類型的処理の必要な領域、②違反行為に対する社会的・倫理的非難の程度が比較的小さい領域、③違法な利益の剥奪が必要な領域、④法人に対する制裁が重要な領域、⑤専門的判断が必要でそのための専門機関が存在している領域」を挙げている（273頁）。放置違反金は①、課徴金は③から⑤の領域に該当する典型といえる。

独占禁止法の課徴金は、導入当初は不当利得のはく奪であるとされてきたが、平成17年の改正で、大幅に金額が増やされ、同時に、申告した者について免除又は減額する制度（リーニエンシー制度と呼ばれている。）が導入された。その結果、多数の入札談合等のカルテル参加企業がその事実を申告し、極めて大きな成果が上がっている。

　道路交通法の放置違反金（51条の4以下）は、違法駐車をした運転者ではなく、車両の使用者に対して納付を命ずるものであり、平成16年の改正法（同18年施行）で導入された（☞621）。同時に導入された確認事務の民間委託による執行資源の増強と相まって、違法駐車を大きく減らす成果を上げている。なお、納付命令の実効性を確保する手段として、滞納処分の例による執行が可能であるだけでなく、放置違反金を滞納している者がその車両について車検を受けようとしても手続が完了されない（自動車検査証の返付がされない）という制度が設けられている（51条の7）。

4　その他の手法
(1)　給付、資格付与の拒否

474　法律上の義務の不履行を理由に、他の法律に基づく処分をし、あるいは給付をしないとすることも、実質的に間接強制としての意味を持つ。自動車関係の税の支払をしていないことを理由に、自動車検査証の返付を受けられない（車検を受けられない）という制度があり、警察の放置違反金納付命令についても、同様に、納付等を証明する書面の提示がなければ自動車検査証の返付を受けることができないものとされている。このほか、不許可事由として、他の法令に違反した場合や義務を履行していない場合を定めるのは、実質的に間接強制としての機能を有するものとなる。もとよ(注103)

（注101）　判例は、脱税で刑罰を受けた者が追徴税（現行法の加算税。納税者が隠蔽仮装という不正手段を用いた場合には、「重加算税」の対象となる。）を課されることについて、憲法39条は刑罰としての罰金と行政上の措置としての追徴税を併科することを禁止する趣旨ではない、との判断を示している（最高裁大法廷判決昭和33年4月30日〈民集、Ⓦ〉）。
（注102）　佐伯前掲注96は、行政制裁と刑事罰の双方を科しても、懲役と罰金、没収の刑を併せて科する場合と同様に、二重処罰にはならず、罪刑の均衡が満たされれば良いとし（21頁）、独占禁止法の課徴金を明確に制裁と位置付けた上で、刑事罰を加えても、二重処罰に当たらないとの見解を示している（同113頁以下）。

り、法律上の根拠なしに、法律上の義務の履行を拒否する（水道の供給等を拒否する）ことは許されない。

(2) 公　表

　違法行為を行った者（主として事業者）の名前を明示して公表することは、違法行為を行った者の社会的信用を損ない、社会的非難が加えられる結果を生む。実質的な制裁であり、義務の履行を促す効果が期待できる。違法行為を行った事業者に対して是正するように勧告し、正当な理由なく応じないときに公表することが典型である。法律や条例で定められている場合（例えば、道路交通法では特定交通情報提供事業を行う者が勧告に従わない場合、公表することができることを規定している（109条の3）。福岡県暴力団排除条例などでは、暴力団に利益を与えた事業者について、一定の場合に公表をすることが規定されている。）のほか、個別の法令の根拠なしに、行政指導の要綱などで公表することとしている場合もある。違法行為を行った者の社会的信用が高く、違法とされる行為の内容が社会的非難を受ける程度が高いほど、その効果は大きい。これに対し、問題とされる違法行為が、被規制者と関わる者の間でも、一般市民との間でも、それほど重視されない場合には、公表の持つ効果は小さいものとなる。

　法律や条例に定めがある場合の公表は、それらの要件に従って行われる。制裁としての公表には法律や条例の根拠を要するとする見解もあるが、相手方に不利益を与えるものであっても公的利益のために情報を国民に示すことには具体的な根拠を要しない（例えば、被疑者の逮捕は通常公表される。社会的に重要な意味を持つ行政執行としての処分（例えば、環境を損なう行為の是正命令）についても事実が公表されている。いずれも、法的な根拠を要するものとは考えられていない。）こと、事業者については情報公開が広い範囲で求められていること[注104]からすれば、少なくとも事業者の

（注103）　関連する他の法令に違反していることを欠格事由とし、許可申請を拒否し、あるいは許可を取り消すことを定めている法令は多い。このほか、義務の不履行を取消事由ないし不更新事由とすることもあり得る。かつての風俗営業適正化法で、まあじゃん屋、ぱちんこ屋の営業の許可を1年ごとの更新制とし、娯楽施設利用税が滞納されているときは更新をしないとする規定が置かれていた例がある（消費税の導入によって、この制度はなくなった。）。

違法行為に関しては、法律や条例がなくとも、公益上の必要の観点から公表をすることができるものと解される。不法投棄がなされた場合に、排出事業者の責任追及の一つとして、原状回復命令を行ってその事業者名を公表するといったことが行われている。

事実に反する公表に対しては、被害を受けた者が損害賠償を請求することができる。なお、公表が公益上の観点から行われた場合、その時点では公益があるので適法であるとしても、ある程度の期間が経過した後になれば、公益上の必要性が低下するので、改めて公表をする（公表を継続する）ことが違法とされる場合もある。

(3) 私人による責任追及の容易化

476　違法な行為によって被害を受けた者が民事上の損害賠償を請求することは、違法行為者に利益を残さないようにする意味でも、違法な行為の上位者ないし関与者に対する個人責任の追及の観点からも、重要な意味を持つ。通常の民事訴訟手続のみによっていたのでは被害者個々人が訴訟を提起することが期待できない又は容易でない場合（多数の被害者がいても個々人としての被害額はそれほど大きくない場合、相手方が暴力団である場合など）には、私人による責任追及を行いやすくするための仕組みが求められる。

指定暴力団の構成員が対立抗争で行った暴力行為による被害、指定暴力

（注104）　情報公開法制上、個人の場合には個人識別情報が含まれる限り原則として公開できないのに対し、事業者（法人等の団体又は事業を営む者としての個人）に関する情報については、公にすることによって事業者の「権利、競争上の地位その他正当な利益を害するおそれがあるもの」以外は原則公開である（☞864）。

（注105）　事業者に対して一定の要件・手続の下で制裁のための公表をする規定がある場合には、その他の場合に制裁のための公表をすることは認められない。もっとも、勧告に応じないことの制裁としてではなく、違反があった事実自体を公益上の観点から公表することは、違反の悪質性が高いときや、公益的な性格を持つ事業者が違反をしたときなど、公益性が高い場合には許される（暴力団と関係した事業者の公表に関して、田村正博「福岡県暴力団排除条例の意義と今後の課題」早稲田大学社会安全政策研究所紀要３号参照）。また、情報公開請求が行われた場合に非開示にできない情報（事業者の正当な利益を害するとはいえない情報）については、公表制度の対象外であっても、公表可能である（何人にも開示されるものである以上、事業者が公表を拒む正当な利益があるとはいえない。）。違反を行った事業者のうち、悪質なものに対して勧告し、公表する制度がある場合に、違反を行った事業者のリストの情報公開法に基づく公開は否定されない（「障害者雇用率未達成企業の一覧等の一部開示決定に関する件」情報公開審査会平成14年11月22日答申参照）ので、このような情報が公表されることはあり得ることになる。

団の威力を利用して行った資金獲得行為の過程で受けた被害については、暴力団対策法によって、指定暴力団の代表者等が損害賠償責任を負うことが定められている（31条、31条の2）ほか、損害賠償請求等の妨害の禁止と中止命令及び妨害を防止するための措置命令制度が設けられ（30条の2、30条の3、30条の4）、都道府県暴力追放運動推進センターが、被害者に対する民事訴訟の支援等を行うことが定められている（32条の3）。(注105の2) 警察が自らの行政事務の実施（犯罪の捜査を含む。）によって得た情報や資料を個人の民事訴訟に提供することは一般的に認められるものではないが、暴力団の場合には、暴力団対策という公益性と、警察による被害者に対する支援がなければ被害者の権利行使が困難になることが明らかであることから、認められるものと解される(注106)（個人情報の私人への提供について☞753、754）。

企業の違法事案に関して、会社の株主による代表訴訟も、会社の経営者の個人的な責任を追及するものとして、大きな意義がある。

column 企業経営者の責任追及と違法行為の予防

企業が行政法規に違反した場合の経営者への責任追及と違法行為の予防のためにどのような制度が適切かは、違法行為に対する企業トップの関わりの違いなど、違法行為の態様と企業の在り方とによって異なる。

経営者自身が利益獲得のために意図的に法を無視する場合は、経営者個人の刑事責任を追及することが必要である。多くは中小企業であって、違反が発覚した時点では、既に倒産しているか、発覚による取引先からの排除等によって倒産に至ることになるので、企業への制裁金の制度を作っても有効性はない。経営者個人の刑事責任追及のみならず、違法行為によって得た利益を本人の手元に残さないようにするため、個人の民事上の責任追及も行われるように配意する必要がある。あわせて、企業内又は取引先で共犯関係になり得る者について、刑事責任を

（注105の2） 認定を受けた都道府県暴力追放運動推進センターにおいて、付近住民等の委託を受けて、事務所の使用差止めの訴訟を提起する制度も設けられている。消費者被害に関して適格消費者団体が差止めを請求できる制度（消費者団体訴訟制度）と類似するが、住民等の委託を受けることが要件とされている。

（注106） 中川正浩「暴力団を相手方とした民事訴訟の支援について」警察学論集60巻12号参照。

免れないことを知らしめることも求められる。刑事責任が追及されることを周知し、あわせて、共犯関係になり得る者からの申告が求めやすいシステム作りが重要である。

　入札談合のように、企業が継続的に行っている違法行為の場合には、いわゆる組織ぐるみの違反ではあるが、企業経営トップは個別の違法行為の内容を承知していないのが通常である。総会屋に対する利益提供も、同様の構造がある。発覚した違法行為について、刑事責任を追及できるのは、その内容を知って判断した責任者にとどまる。企業の体質に問題があり、その改善が求められるが、企業自体に対する罰金や制裁金は相当高額でも、大企業であれば実質的な負担が大きいことにはならない。営業の一時停止の命令は企業に対して有効な打撃となり得るが、取引先の保護等の観点から、広範囲にわたることは困難である。企業に対する社会的な責任追及と、罰金や制裁金を含めた企業の損害について、株主代表訴訟等を通じた経営者個人に対する民事上の責任追及が、実質的な効果を有するものとなる。もとより、経営トップが何らかの形で関与している場合には、刑事責任追及ができれば大きな意味がある(注108)。企業が体質を改めたかどうかが判断される上で、違法行為の内部告発制度など社内コンプライアンス態勢の整備と実施が重要な意味を持つ。

　組織の一部の者のみによって違法行為が行われている場合には、個人への責任追及に併せて、それが全くの個人によるものか、何らかの組織的な背景によるものかを明らかにし、企業がどれだけの予防措置を講じていたかに応じて、企業に対する責任の追及が異なるというものが合理的である。

(注107)　罰金や行政制裁金、様々な信用の低下の結果を含めた会社の損害に対して、取締役としての善良な管理者としての注意義務に違反していれば、賠償をする義務が生ずる。総会屋への利益提供に関連して株主代表訴訟が提起され、経営トップ（元社長）が請求を認諾し、3億円余りの和解金を支払うことなどを内容とする和解が成立した例がある（平成14年4月5日。経営トップが、違法行為を防止する実効性ある内部統制システムの構築をすべき法的義務があること等を明らかにした神戸地方裁判所の所見が和解の前に示されている。）。なお、佐伯前掲注96は、制裁は課された者が負うべきであり、罰金の場合に会社が取締役に賠償を求めることは不当であるとするが、会社の損害全体について取締役は賠償責任を負うのであって、罰金の場合だけ除かれることにはならない（東京地裁判決平成8年6月20日〈判時1572・27〉は、罰金を含めて賠償責任を認めている。なお、控訴審では、取締役が1億円を支払う和解が成立している。）。

(注108)　自動車メーカーのリコール隠しがあったことで、車両の欠陥が放置されたため、交通事故で人が死傷した事件で、企業経営トップの刑事責任が認められた（横浜地裁判決平成20年1月16日〈公刊物未登載〉）。また、大手ガス器具会社製器具の不正改造が原因となったガス中毒死事件でも、製造企業経営トップの刑事責任が認められている（東京地裁判決平成22年5月11日〈判タ1328・241〉）。

第3節　任意活動

1　意　義
(1)　任意活動と法律の根拠

　行政機関の活動のうち、国民の法的な権利や義務を変動させることなく、また、国民の自由に直接的な制約を課すものでない行為を、任意活動と呼ぶ。任意活動であっても、行政機関の活動である以上、法の統制に服し、種々の法的限界が画されている。

　任意活動は、今日の行政において、極めて広い範囲で行われ、重要な役割を果たすものとなっている。実際の警察の活動においても、国民の権利・自由を制限する権限を行使する場面は限られており、大半は任意活動として行われている。強制権限を行使できる要件に該当しても、その権限を行使しないで事態を処理できるのであればその方が望ましいことから、可能であれば警告等を事前に行い、説得等を試みる運用が広く行われている。また、行政機関は、様々な事態に対応することが国民から求められており、法律で具体的な権限が定められていないときは、任意活動を行うことによって対処するほかない。(注109)

　任意活動は、法律の個別の根拠がなくとも行うことができる。法律の個別の根拠が必要となるのは、国民の権利・自由を制限し、義務を課す活動の場合に限られる（第3章第1節2参照）のであって、任意活動などそれに当たらない活動には個別の根拠を要しない。判例及び実務とも、従来から一貫してこの見解に立っている。(注110) 学説の上では、任意活動にも原則として法律の根拠を要すると主張するものもあるが、あらゆる活動に法律の根拠を要するとすることは、変化していく社会事象への行政の対応を不可能にするものであって非現実的であるところから、少数説にとどまっている。(注111) このほか、強制以外のうち、権力的要素の強い場合には具体的法律の

(注109)　いわゆる薬害エイズ事件では、行政指導を行わなかったことを理由として、刑事上の責任が認められている（最高裁決定平成20年3月3日〈刑集、Ⓦ〉）。

根拠を要するとする説もあるが、法律の根拠の要否の限界が不明確になるという問題が避けられない。このため、近年では、法律の根拠の要否ではなく、何らかの法的統制を及ぼす方法が論じられ、基準の策定と公表、意見募集といった手法が取り入れられてきている。

(2) 任意活動の限界

479　行政機関の行う任意活動には、一般に、次のような限界がある。このうち、①及び②については、行政指導に関して、行政手続法で明文化されている。また、任意活動であっても、国民に実質的な不利益を与え、又は与える可能性があるようなものについては、2で述べるように、国民の不利益を上回るだけの公益上の必要性が求められる。

① その行政機関の任務・所掌事務の範囲内であること

あらゆる行政機関は、一定の目的（任務）を達成するために設けられ、その任務を達成するために必要な範囲のものを所掌事務としている。行政機関の活動は、任務・所掌事務の範囲外にわたることは許されない。一般に、行政機関の任務・所掌事務は、その機関の設置法によって明らかにされているから、任意活動も、個々の法律で根拠規定が設けられている場合のほかは、その行政機関の設置法で定められた任務・所掌事務の範囲内に限られることとなる。警察（都道府県警察）の場合には、個人の生命・身体・財産の保護と、犯罪の予防・鎮圧・捜査、交通の取締り等の公共の安

(注110) 内閣が国会に提出した答弁書において、「いわゆる行政指導は、相手方の任意の協力を得て行うものであって、国民の権利を制限し、又は国民に対して義務を課するような法律上の強制力を有するものではないから、個別に法律の根拠を必要とするものではなく、行政機関がそれぞれの設置の根拠である法律によって与えられた所掌事務の範囲内で行うことができる。」とされている（第103回国会・昭和60年12月20日衆議院本会議議事録14号）。また、行政指導による建築確認の留保の適否が争われた事件で、最高裁は、行政指導が法律の個別の根拠がなくとも一般的に許容されるものであることを当然の前提として、その限界を判断している（最高裁判決昭和60年7月16日〈民集、⑳〉）。行政手続法も、個別の法律の根拠なしに行政指導を行い得ることを前提とした上で、基本原則や手続規定を設けている。警察の車両検問を適法とした後述する判例（最高裁決定昭和55年9月22日〈刑集、⑳〉）も、これと同様の考え方に基づくものであるといえる。

(注111) 「法律の根拠を要する」としつつ、そのうちの一部は組織規範（組織の任務の規定）や一般的な手続規範で足りるとする見解もある。この説の場合には、本文で述べたような問題が直ちに生ずるとはいえないが、「法律の根拠」という概念を具体的根拠以外のものにまで広げること自体に疑問がある。

全と秩序の維持とがその責務（任務）とされているから、この責務を達成するために、その範囲で種々の任意活動を行うことができることとなる。なお、過去において「警察法2条に基づく活動を行うことができる。」と述べたものがあったが、任意活動には法律の根拠を要しないから、「基づく」という言い方は適当ではなく、「警察法2条1項の（責務を達成するために必要な）範囲内で行うことができる。」というべきである。

② 事実上の強制にわたることの禁止

任意活動は、国民の権利・自由を制限しないものを意味しているから、事実上の強制にわたることは許されない。「指導」等に際して他の権限等を利用して不当な影響力を行使することや、相手方の承諾を強要することは違法となる。

③ 法令に違反することの禁止

行政機関の活動は法令に違反してはならないことは当然であり、任意活動について法律の規定がある場合には、それに従って行うことが必要となる。なお、一定の要件の下で特定の任意活動を行うことができることが規定されている場合に、その要件に該当しないときに同種の行為が禁止されているものとは直ちにはいえない。規定を設けた趣旨が適法な範囲を限定するところにある場合には、要件を満たさないときの同種行為は違法となる。これに対し、確認的に設けられた場合には、その要件に該当しないときに行うことを否定するものとはならない。例えば、警察官職務執行法2条2項は、その場で質問することが本人に不利である場合及び交通の妨害になる場合に同行を求めることができることを規定しているが、他の場合に同行を求めることを禁止したものではないと解されている。もっとも、後で述べるとおり、相手方の国民に不利益を与える活動については、その不利益を上回るだけの公益性が求められるところから、確認的な規定であっても、公益と不利益とを比較した結果を示すものであるから、要件に該当しない場合には、要件を満たす場合と同等以上の公益性があるときに限って、同等の不利益を与える任意活動を行うことが許される（そうでないときは、より軽度の不利益を与える活動が可能であるのにとどまる。）ことが多いことに、注意を要する。

(3) 法的効果を持つ任意活動

481 　法律で定められた任意活動の中には、一定の法的効果を有するものがある。銃砲刀剣類・刃物や運転免許証の提出を求め、提出された物を保管する権限を定めた規定では、提出は任意でも、ある期間は相手方の請求があっても返還を拒否できることとなっている（銃砲刀剣類所持等取締法24条の2、道路交通法104条の3、同法109条）。交通反則事件の告知は、反則金の納付を命ずるものではないが、その後の警察本部長による通告の要件となる（告知がなければ通告はできない。）ほか、告知を受けた者はこれに基づいて仮納付をすることができる（道路交通法126条以下）。そのほか、拾得者から物件の提出を受ける行為（遺失物法4条）は、拾得者の民事上の権利取得に関わるものであり、提出を受けたことを証する書面（拾得物件預り証）の交付を警察署長が行う義務がある。警察の働きかけを受けたことによって、相手方が法的な措置を講じることが可能になるものとして、携帯電話不正利用防止法に基づいて、警察署長から携帯音声通信事業者に対して、契約者確認を求める制度がある（8条以下）。確認の求めを受けた事業者は、契約者確認を行うことができ、確認に応じないときは役務の提供を拒否できることとなる。

　法的効果を生じさせる任意活動を警察官が行った場合には、警察署長（又は警察本部長）に対して報告し、あるいは物を引き継ぐこと等が義務付けられている。

482 　法的効果を持つ任意活動の一種に、相手方に応ずべき観念的な義務を課すが、履行しない場合の制裁対象とはされてはいないものがある。公開の場所への立入りの承諾要求（警察官職務執行法6条2項）のほか、公務所、公私の団体に照会して回答を求める規定が多くの法律で定められている。報告徴収の場合とは異なり、不履行に対して刑罰等は置かれていない。刑事訴訟法の照会（197条2項）の規定と同様のものであるが、個人情報に対する近年の意識の高まりから、情報提供を受けるために、この種の規定の必要性が著しく増大している（☞726）。銃砲刀剣類所持等の不許可事由該当の有無に係る調査（銃砲刀剣類所持等取締法13条の2。公務所、公私の団体のほか、「その他の関係者」も対象となっている。）、遺失者への返

還のために必要があるときの照会（遺失物法12条）、触法少年の調査における報告の要求（少年法6条の4）は、いずれも平成期半ば以降の改正で新たに盛り込まれたものである。

2 国民の権利・自由に関連する事実行為
(1) 意義と限界

警察官が相手方の国民の承諾を得て行う所持品検査や行政機関が事業者に対して行う行政指導などは、任意活動ではあるが、国民に負担をかけ、態様によっては事実上の強制にわたるおそれを有する。以下では、このような行為を、国民の権利・自由に関連する事実行為と呼ぶ。行政側が自ら行う任意手段と、相手方の国民に行為を求める指導（行政指導）とに分けられる。

国民の権利・自由に関連する事実行為については、国民の不利益を上回るだけの公益上の必要性（その行政機関の設置目的達成上の必要性）があることが求められる（☞364）。特に国民の不利益の程度の高いもの（実力の行使を伴うものなど）については、その行為及びそれに至る状況全体を通じた社会的相当性も求められる（☞365）。実質的な強制にわたることが許されないことは、いうまでもない。

国民の権利・自由に関連する事実行為のうち、国民の不利益の程度の高いものについては、法律の規定が設けられていることが多い。国民の不利益の程度の高い活動については、公益上の必要性の程度と国民の不利益の程度との比較が常に問題となるところから、一定の場合にその活動を行うことができることを明確にしたものである。法律の規定がある場合には、要件を満たしたときにその活動を行うことができるとする国会の判断が示されているから、行政機関において個別に不利益と公益の程度を比較することを要しない。警察官職務執行法において、職務質問等の警察官の任意活動の根拠規定が置かれているのは、法律上の要件を満たす場合にその活動を行うことが警察の任務達成上必要であり、かつ、一般的に公益上の必要性が相手方の国民に生ずる不利益を上回ると考えられることを意味している。警察官は、法律の要件に該当すると判断できれば、実質的な必要性が乏しいといった特別の事情があるときを除けば、定められた行為をする

ことができる。

　これに対し、法律の根拠規定のないものについては、行政機関は、公益性の存在とそれが国民の不利益を上回ること等を個別に判断しなければならない。

(2) 任意手段

484　任意手段には、相手方の承諾なく行えば国民の権利・自由を侵害する行為（即時強制と同様の行為）を相手方の承諾を得て行うものと、もともと即時強制には当たらない行為（国民の権利・自由を制限するとはいえない行為）とがある。承諾を得て行う場合の「承諾（任意）」は、相手方の自発的なもの（積極的承諾）に限られるものではなく、説得をされて承諾したときも含まれる。任意手段は、それ自体では、相手方の権利・自由を制限するものではない。しかし、承諾を得る過程において相手方に心理的負担を与えるなど、国民に実質的な不利益を与え、あるいは全体として強制にわたる可能性があるのであって、行政機関が自由に行うことができるわけではない。

　任意手段は、即時強制の場合と同じく、一般の行政機関が行うことは少ないが、警察の場合には、警察官の職務質問、所持品検査、相手方の承諾の下での立入りなど、実務上極めて重要な意義を有している。犯罪捜査における任意処分（実況見分、取調べなど）もこれと同様の性質のものであり、その限界等も基本的に同様である。任意捜査の場合に許される有形力の限界について、特別の法律の根拠を要する強制手段の程度に至らないものであれば、必要性、緊急性などをも考慮した上で、具体的状況の下で相当と認められる限度で許容されるとした判例の結論は、任意捜査だけでなく、任意活動全般について当てはまるものと解されている。(注112)(注113)

　相手方の承諾を要するものについては、承諾が任意に得られたものでなければならない。承諾を得るために行政機関が説得活動を行い、それによってしぶしぶ承諾した場合でも認められるが、説得が行き過ぎ、相手方の意思を事実上拘束してしまうことは許されない。相手方が明確に拒否しているのに、その意思を排除して、強制的に行うことができないことは当然である。逮捕権限の行使ができないにもかかわらず「従わなければ逮捕する」

と告げることや、拳銃の使用要件がないのに「止まらなければ撃つぞ」と告げることは、強制そのものであって、それによって承諾を得ても、任意の承諾とはいえない。

　強制にわたらない限度で具体的にどの程度の活動を行うことができるかは、個々の場合ごとに異なる。例えば、警察官職務執行法に基づく職務質問の場合には、その必要性が高いときに、説得の範囲で実力を行使すること（例えば、逃走しようとした場合に肩に手をかける行為など）も認められている。さらに、状況によっては、強制にわたらない限度で、承諾のない所持品検査を行うことも判例上認められている（☞519）。もっとも、承諾のない所持品検査のような強制に近い行為が容認されるのは、必要性が極めて高い場合に、十分な手順を踏み、社会的にも相当とされるときに限られるのであって、例外的なものといえる。

　一方、警察官職務執行法の質問の要件を満たさない場合の車両検問については、職務質問より国民の不利益の少ない態様に限って認められている（☞516）。警察の責務を達成する上での必要性が乏しいものについては、

(注112)　最高裁決定昭和51年3月16日〈刑集、㉚〉。この事案は、飲酒運転をした者について取調べを行っている段階で、本人が帰宅を申し出た際に、母親を呼んでおり、来るまで待つように申し向け、部屋から出ようとするのを手をかけるなどして阻止したものであり、判例は、強制手段とは「個人の意思を制圧し、身体、住居、財産等に制約を加えて強制的に捜査目的を実現する行為など、特別の根拠規定がなければ許容することが相当でない手段」を意味するもので、この「程度に至らない有形力の行使は、任意捜査においても許容される場合がある」とし、「必要性、緊急性などをも考慮したうえ、具体的状況のもとで相当と認められる限度において許容されるものと解すべきである。」という一般論を明らかにした上で、本件では呼気検査に応じるように説得するために行われたものであって、その程度もさほど強いものでなく、退室しようとしたためさらに説得のためにとられた抑制の措置であって、その程度もさほど強いものではなかったことを理由に、適法であるとの判断を示している。

(注113)　福岡高裁判決平成19年12月13日〈判時2004・96〉は、警察署で飲酒運転事案の供述調書の作成、告知票・免許証保管証の交付等を行い終わった後、帰路に発端となった事案の相手方のところに押し掛ける等の事態が予想されたので、身柄引取りを従前の稼働先会社の者に要請していたが、その事実を知った本人が立腹して帰宅を強く希望し、それを阻止しようとして40分間引き留め、その間に本人の頭を脇に挟んで固めるといった有形力を行使したことについて、犯罪捜査としての必要性が終了した後に物理的な力を加えることは違法であり、その後の有形力の行使も、本人の暴行に対抗してされたものではあるが、相当に強度でかつ本人の暴行も違法な引き留めに誘発されたものであることから正当防衛ともいえない、として賠償請求を容認している。

積極的な承諾がある場合に限られ、承諾を得るための説得を行うことができないこともあり得る。また、承諾を要しない活動の場合にも、その公益上の必要性の程度に応じ、行い得る態様（国民に与える不利益の程度）は異なることになる。

なお、個人に関する情報を収集・保管することは、全く公開・公然の情報の場合を除き、その収集過程で収集活動の直接の相手方に不利益を与えるときはもとより、収集活動の相手方に不利益を与えなくとも、収集される個人との関係では、個人の情報の収集・保管自体が「不利益」を与えるものと考えられ得るので、公的必要性等の要件が求められることとなる。情報の収集・保管に関しては、第7章で解説する。

485　警察の任意手段として、警察官職務執行法で職務質問、迷い子等の保護、公開の場所への立入り（相手方は承諾の義務を負うが、義務違反に対する制裁等の定めはない。）が定められているほか、道路交通法で交通の調査のために特に必要があるときに車両の運転者に対して一時停止を求め、経路について質問すること（111条）、少年法で触法少年に対する警察官等の一般的調査権限（6条の4）に加えて、少年、保護者又は参考人を呼び出し、質問すること等が規定されている(注114)。このほか、ストーカー規制法では、申出があった行為者などの関係者に対して報告若しくは資料の提出を求め、警察職員に質問させることができることが規定されている（報告・資料提出・質問とも、行うことができる根拠が規定されているだけで、相手方が行わなかったとしても、制裁を加えることはできない。）。

相手方に提出を求め、提出された物を法律に基づいて警察官が留め置く（提出者の要請があっても返却しない。）行為は、提出を求める場面だけについてみると指導であるが、全体としては、相手方の承諾に基づいて警察

(注114)　少年法は、このほか、公務所又は公私の団体に照会して必要な事項の報告を求めること、さらに強制処分としての押収、捜索、検証又は鑑定の嘱託を行うことができることを定めている。触法少年については、これらの調査権限規定があり、犯罪少年については刑事訴訟法の捜査権限規定が適用されるが、ぐ犯少年に対する調査権限の規定はない。ぐ犯少年については、一般原則に戻り、警察法2条の責務を達成するために必要な任意の活動として、行われることとなる。国家公安委員会規則である少年警察活動規則において、ぐ犯少年の調査のための呼出し、質問等を含めて、内部的な準則が定められている。

官が物の占有を取得する任意手段とみることもできる。法律の規定に基づいて、領置した物の返還を拒むことができる場合でも、任意による占有の取得と法律に基づく返還拒否との組み合わせであって、「物に対する即時強制」ではない。銃砲刀剣類所持等取締法に基づく銃砲刀剣類及び刃物の一時保管（24条の2）や刑事訴訟法の領置がこれに当たる。なお、相手方に提出義務があり、提出しないと刑事罰の対象とされている場合には、刑罰を背景にした事実行為の一種である（☞466）。

(3) 行政指導

　行政機関が国民に対し、一定の行為を行い又は行わないように求めることを行政指導という。行政手続法は、「行政機関がその任務又は所掌事務の範囲内において一定の作為又は不作為を求める指導、勧告、助言その他の行為であって処分（公権力の行使）に該当しないもの」をいうと定義している。国民に対して法的な義務を課すものではなく、個別の根拠規定がなくとも行うことができるが、実質的な負担となるところから、必要性と態様の相当性が求められる。任意手段と異なり、警察に限らず多くの行政機関において実際に用いられている。行政手続法において「行政指導」として法的に位置付けられるとともに、原理、原則が法定されることになった。なお、個別の法令では、勧告、警告等の名称が用いられることも多い。

　警察の行う行政指導のうち、現場的なものとしては、警察官職務執行法で危険な事態における関係者等への警告（4条）、犯罪予防のための警告（5条）が定められている。現場における指導について法律で定められているのは、公益上の必要性が高い場合であるところから、他の場合に比べて相当強い程度の説得を行うことも可能なものと解される。法律で国民に義務を課している場合に、その義務を履行するように求めることは、指導を行うことが特に法律で規定されていなくとも、ある程度は強い態様によることができる。

　これに対し、法律で義務が課されていない者に対して、警察法2条の責務達成のための一般的な必要から指導を行う場合には、個々の必要性の程度等によって認められる態様は異なるが、国民に過大な心理的負担をかけることは許されない。特段の事情のない者に対する運転免許証の提示の要

求は、相手方に義務のない行為であるから、態様において過大なものとなってはならない(注115)。もとより、運転をしている者の免許証の不携帯は犯罪であり、提示要求に応じないことが、周囲の状況に照らし、免許証不携帯を含む犯罪を行ったという疑いを生じさせるものとなれば、職務質問の要件を満たし、より強い対応を可能にすることになる。

　公安委員会や警察署長等が行う行政指導としては、ストーカー規制法で、警告の規定が置かれている(制定時には警告に違反した場合に限って禁止命令の対象となるという法的な意味があったが、現行法上は、警告無しに命令をすることができるので、特別の法的な意味はなくなっている。もっとも、法律に基づく警告によって事態が解決できることも多く、軽視すべきものではない。)。このほか、ピッキング防止法では、指定建物錠の表示が国家公安委員会の告示に従っていないときは、国家公安委員会が告示に従うべきことを勧告することが定められている(正当な理由なく勧告に係る措置をとらなかった場合で、建物への侵入が多発するおそれがあるときは、命令の対象になる。)。さらに、緊急の必要があるとして措置をとるべく勧告したにもかかわらず従わなかったときは、公表できることが同法で規定されている。

column　法律・条例に根拠規定のある行政指導

　平成期以降、行政指導(勧告)を定める法律・条例が増加している。相手方が応じない場合に、制裁としての公表を定めたり、その後の措置を定める場合も多い。法律・条例を根拠とする行政指導は、国民の権利義務を変動させるものではなく、従う法的義務はないといっても、法的な権威を背景とし、社会的に正当かつ重要なものと受け止められ、従わないことで事実上の不利益(社会的評価の低下)が及ぶ。一般の行政指導と比べて実効性を持ち、事態解決の機能を発揮することが期待される一方で、行政処分であれば相手方は争うことができるのに、法

(注115)　無免許、酒気帯び、過労・薬物等で運転を行っていると認めるときには、停止させて免許証の提示を求めることができる(道路交通法67条)。運転者が道路交通法規に違反した場合又は事故を起こした場合であって、引き続き運転させることができるかどうか確認するため必要があると認めるときにも、免許証の提示を求めることができる(同)。これらの場合には、提示命令に反した場合には処罰の対象とされている(道路交通法95条)ので、刑罰を背景とした事実行為といえる。それらに該当しないときは、任意の協力を得るものとしてのみ行うことができるにとどまる。

的な義務付けではないために、原則として取消訴訟等の対象とはならないという問題もある。

　このため、行政手続法は、処分と同様に、法令に根拠のある行政指導を、処分等の申出制度（☞415）の対象として位置付けた。何人も、法令違反事実があることを発見した場合に、根拠を明確にした上で、その是正のための処分又は行政指導を行うことを求めることができる。また、逆に、法的な要件を欠いた行政指導がなされている場合には、相手方は、その中止等を申し出ることができる（☞487⑧）。いずれの場合も、行政機関は必要な調査をし、その結果に基づいて、必要があると認めるときには、求められた行政指導をし、あるいは逆に行っている行政指導の中止等の措置を講じなければならない。法令に根拠のある行政指導の重要性に鑑みて、公正の確保と透明性の向上を図り、一般国民又は指導の相手方の権利利益の保護を図る見地から、設けられたものといえる。

　行政指導に関して、行政手続法（32条以下）は、以下の①から⑧までの規定を置いている。公安委員会や警察署長（及びそれらの補助者）の行う行政指導に関しては、都道府県の行政手続条例の対象となるが、条例の内容は基本的に国と同様であり、適用除外とされているものを除き、これらの義務が及ぶ。特に、⑤及び⑦の明確化のための方式（責任者の明示と、求められた場合の書面交付）が行政手続法（条例）で義務付けられたことに留意する必要がある。

① 　当該行政機関の任務又は所掌事務の範囲を逸脱してはならないこと及びあくまでも相手方の任意の協力によってのみ実現されるものであることに留意しなければならないこと。
② 　相手方が行政指導に従わなかったことを理由として、不利益な取扱い

（注116）　地方公共団体の機関がする行政指導については、行政手続法の規定は適用されず、個々の地方公共団体の条例（行政手続条例）で定められる。なお、処分については、国の根拠法令に基づくものについては地方公共団体の機関であっても、行政手続法の適用対象となる。

（注117）　公安委員会及び警察署長並びにそれらの補助者が行う行政指導のうち、留置施設において収容目的達成のために行われるもの、学校等において研修生等に対して行われるもの、職務の遂行に必要な情報の収集を直接の目的として行われるもの、公務員の職務、身分に関してされるものについては、行政手続法で適用除外と定められており、条例でも同様とされている。

をしてはならないこと。(注118)

③　申請に関連して行政指導を行う場合に、申請者が行政指導に従う意思がない旨を表明してもなお指導を継続するなどにより、申請者の権利の行使を妨げてはならないこと。

④　許可やそれに関連する命令などをする権限を持つ行政機関が権限を行使できない場合又は行使する意思がない場合に、その権限を行使し得ることを殊更に示すことにより相手方に従うことを余儀なくさせることをしてはならないこと。

⑤　相手方に対して、その行政指導の趣旨・内容及び責任者を明確に示さなければならないこと。

⑥　許可やそれに関連する命令などをする権限を有する機関が行政指導をする際に、それらの権限を行使し得る旨を示すときには、相手方に対して、根拠となる法令の条項と、その条項に規定される要件に適合する理由等を示さなければならないこと（相手方が、根拠及び要件並びにその権限を行使し得る理由を明確に認識できるように、具体的に示されなければならない。）。

⑦　口頭で行政指導を行った場合に、相手方から、行政指導の趣旨・内容及び責任者並びに⑥に該当する場合にはその内容を記載した書面の交付の求めがあったときは、行政上特別の支障がない限り、書面を交付しなければならないこと（相手方に対してその場において完了する行為を求めるものの場合や既に文書（電磁的記録を含む。）で相手方に通知されている事項と同一の内容を求める場合とは除かれる。）。

⑧　法令に違反する行為の是正を求める行政指導であって、その根拠や要件が法律に規定されているものについて、相手方から、要件に適合しな

（注118）　処分の法的要件を満たしている場合にその処分を行うことは、「従わなかったことを理由とした不利益な取扱い」には当たらない。行政指導に従わないことを理由に公表等を行う定めが法令にある場合に、その定めに従って処理する場合も同様である。また、法律又は条例で義務付けられている行為をするよう指導されて従わなかった場合にそれを公表することも、この規定に反しない（違法行為の公表がこの規定によって禁じられることにはならない。北村前掲注85（73頁以下）参照。）。法令に根拠のない公表が制裁に当たり許されないとする見解の誤りについては、前掲注105参照。

いことを理由に、その行政指導の中止等が求められた場合には、行政機関は、必要な調査を行い、要件に適合しないと認めるときは、行政指導の中止等の必要な措置をとらなければならないこと（誤った判断で指導を行い、かつ、公表をしたときであれば、指導を撤回するだけでなく、行政指導が違法であったことを公表し、相手方の社会的信用を回復するといったことも当然に行うべきこととなる。行政機関側は、調査等の対応をした結果について、申出人に対して通知する法的な義務はないが、通知するよう努めるという運用方針がとられている。）。(注119)

これらに加えて、ある行政目的を実現するために、一定の条件に該当する複数の者に対して行政指導をしようとするときは、行政機関は、事案に応じて、あらかじめ行政指導指針を定め、行政上特別の支障がない限り、これを公表しなければならないことが行政手続法で定められている。行政指導指針を制定するには、法律に基づく命令、審査基準や処分基準と同様に、意見公募手続を経なければならない（意見公募手続について☞492）。行政機関が継続的に行政指導を行っていく場合について、意見公募手続を経て行政指導指針を定め、公表をすることを通じて、違法、不当な行政指導が行われることのないように図られているといえる。

警察官が現場で行う行政指導及び司法警察職員として行う行政指導に関しては、これらの規定は適用されない。もっとも、①及び②は、行政指導が任意の活動であることから、当然に求められることであり、この法律の適用の有無を問わず、遵守すべきものである。これに対し、⑤以下（特に⑤及び⑦）については、行政手続法や各都道府県の行政手続条例の適用がある場合に限って行うべきものである。したがって、警察官が現場的な活動や犯罪捜査に付随して指導をする場合には、相手方に責任者を明示したり、書面を交付する法的義務はない。

（注119）弁明その他の意見陳述のための機会を経て行われたものは除かれる。申出は、ⅰ申出をする者の氏名（名称）と住所（居所）、ⅱ行政指導の内容、ⅲ行政指導の根拠法律の条項、ⅳ行政指導の要件、ⅴその行政指導が要件に適合しないと思料する理由（要件に適合するという行政機関の判断が誤っていることや、事実誤認であることなどを具体的かつ合理的に示すものである必要がある。）、ⅵその他参考となる事項、を記載した申出書を提出して行う。

3　一般の事実行為

489　行政機関の行う活動には、広報活動、相談の受付といった、国民に負担をかけず、権利・自由の制限にわたる可能性もないものがある。このような活動については、その行政機関の任務の範囲内であることが求められることのほかは、法的な問題が生ずることは少ない。このため、国民の権利・自由に関連する事実行為の場合のような法律の規定は置かれないのが通例である。もっとも、近年では、新たに都道府県や市町村に事務を行うことを義務付けるときは法律又はそれに基づく政令の規定が求められるようになったことや、法律でトータルな施策を示す（例えば、個人を保護する上で、加害者側に対する措置とともに、被害者側への援助を含めた全体を法律で定める。）ことを重視する場合もあって、非侵害的な活動を法律で定める例も目立つようになってきている。(注120)(注121)

警察の場合も、地理案内、道路交通情報の提供、ミニ広報紙の発行、相談の受付等のサービス的業務、公道上での一般的な警戒・監視活動、迷い子の発見活動など、国民に負担をかけない多くの事実行為を行っている。これらは、国民に不利益を与えるものではないので、警察の責務達成の上で何らかの必要性さえ一応あれば行うことができる（この場合に求められる「必要性」は、警察の責務達成の上で間接的な必要性、あるいは付随的な関連性しかないものも含まれる。）。

これらの活動であっても、態様によっては、国民に不利益を与えるものとなることがある。例えば、相談の場合には、相談を受けて相談者にアドバイスをすることや、相談者の了解を得た上で関係機関に連絡することは、

（注120）　配偶者暴力防止法、児童虐待防止法、高齢者虐待防止法、障害者虐待防止法は、いずれも行政（配偶者暴力防止法の場合は裁判所）の介入権限とともに、支援等の規定が置かれている。

（注121）　ストーカー規制法では、規制的な行政と被害者等への支援の双方が必要であるとの観点から、警察が各種の援助を行うことについても規定している。暴力団対策法では、事業者等への援助（暴力的要求行為の相手方に対する援助の場合は、要求行為をした者への連絡など一方の当事者に負担をかけるものが含まれている。）を規定し、不正アクセス禁止法では、不正アクセスを受けた管理者への都道府県公安委員会による援助を定めている。このほか、特定の行政機関の任務として行い得ることを明示したり、あるいは、その事務を委託する先を設けること等を目的として規定が置かれる場合もある。

全く不利益を与えることのない活動であるが、事案の解決のために警察官が相談者以外に指導・注意・助言などを行うことは、その方法によっては相手方に心理的圧力を加えるものとなることがあるのであって、国民に与える不利益を上回るだけの警察の責務達成上での必要性がなければならない。相談を受けることができる範囲と、相談者以外に警察が働きかけを行うことができる範囲とは異なる。例えば、家族関係に関する相談を受けること自体は、それを通じて、警察が対処すべき問題（保護を要する者、少年非行、背後にある犯罪など）を発見するといった点などで、警察の責務達成上の意味があり、警察として行うことができるが、相談者以外の者に注意などを行うことは、受ける側にとって不利益なものとなり得るので、それだけの警察の責務達成上の必要性がなければ許されない。

　また、付随して、関係者のプライバシーの権利を害するおそれのある情報を他の者に提供することには制限がある。関係者のプライバシーに属する事項を第三者に伝え、あるいは公開することは、それだけの必要性があり、相手方が同意した場合などに限られる。例えば、迷い子の捜索において、警察官が自ら捜し、あるいは他の者にその服装等を伝えて協力を要請すること自体には問題はないが、その際、迷い子になった原因でその親のプライバシーにわたることを他の者に伝えることは、それを伝えることが迷い子の発見に必要不可欠である場合などを除き許されない。

　このほか、警察等の機関が、国民の便宜のために、申請に基づいて認定等を行う制度がある。風俗営業適正化法の遊技機について、違法とされる基準には該当しないものであることを都道府県公安委員会が認定するもの（風俗営業適正化法20条）、原動機付歩行補助車、身体障害者用の車などについて、法令の定めに適合するものであることを国家公安委員会が型式認定をするもの（道路交通法施行規則）、警備員の知識及び能力の検定（警備業法23条）などである。それ自体では法的効果を持つものではなく、事業者は認定等を受ける必要はないが、認定されていれば違法なものではないということで安心して制作し、取引し、用いることができるというメリットがある。認定等の事務を行う試験機関等に秘密保持義務を課す場合や、認定を受けた事業者以外には同様の表示を認めない（表示をした者は、刑

事罰や過料の対象とする。）場合には法律の規定を要する(注122)が、サービスとしての認定を行うこと自体には、法律の根拠を要しない。

【補論　行政立法、行政契約、私法的活動】
　行政機関の行為としては、これまでに述べた行政処分や行政強制、任意活動（行政指導）のほかに、行政立法、行政契約、私法的活動等がある。
(1) 行政立法

491　行政立法とは、行政機関が法律の委任に基づき、又はその実施のために、国民が従うべき一般的・抽象的な法規範を定めることを意味する。風俗営業適正化法、道路交通法などの法律の委任に基づくものとして、政令、内閣府令、国家公安委員会規則、都道府県公安委員会規則などが制定されている。法律の委任（法律の委任を受けた政令等から再委任されている場合を含む。）を超えて定めることはできない(注122の2)。行政手続法は、行政立法に当たっては、根拠となる法令の趣旨に適合するものとしなければならないこと、制定後の実施状況、社会経済情勢の変化等を踏まえて、検討し、適正を確保するように努めなければならないことを、一般原則として定めている。

492　また、原則として、意見公募手続をとらなければならない。意見公募手続は、「パブリックコメント」とも呼ばれるもので、広く国民に案を示して意見を求め、提出された意見を十分に考慮した上で最終的な内容を決め、その結果（意見を踏まえて変更したもの、変更しなかったもの）と理由を明らかにするものである。行政立法のほか、審査基準や処分基準、行政指導指針を定める場合でも、意見公募手続をとることが義務付けられている（行政手続法の意見公募手続は、国の機関が制定する場合だけが対象であるが、都道府県の場合もおおむねこれと同様の手続が都道府県の行政手続条例として定められている。）。

　　（注122）　古物競りあっせん業者が基準に適合することの認定（古物営業法21条の5、21条の6）、運転免許取得者等教育が基準に適合することの認定（道路交通法108条の32の2）などがある。
　　（注122の2）　委任を受けた命令に関し、田村正博『警察官のための憲法講義（改訂版）』（東京法令出版、2021年）217頁以下参照。

column 施行令と施行規則

　内閣等の行政機関は、法律を実施するため、又はその委任に基づいて、命令を定めることができる。法律の委任がない限り、国民の権利・自由を制限し、義務を課す命令を定めることはできない。委任命令（法律の委任を受けた命令）が法律の委任の範囲内でなければならないこと、執行命令（法律を実施するための命令）が書類の様式、届出先、部数等の手続的・細目的な事項のみに限られ、新たな義務を課すものとなってはならないことは当然である。一つの命令の中に、委任命令としての規定と執行命令としての規定の双方が置かれることが通例である。

　内閣の定める命令を「政令」という。政令は、閣議において決定され、主任の大臣が署名し、内閣総理大臣が連署した上で、天皇によって公布される。「○○法施行令」という名称が多く用いられる。警察の所管する法律に関して、警察法施行令、警察庁組織令、古物営業法施行令、銃砲刀剣類所持等取締法施行令、風俗営業等の規制及び業務の適正化等に関する法律施行令、遺失物法施行令、道路交通法施行令などが制定されている。(注123)

　内閣総理大臣及び各省大臣が定める命令を、「内閣府令、○○省令」という。内閣府令・省令は、法律及び政令を実施するため、あるいはそれらの委任に基づいて制定される。政令より下位であり、法律及び政令に反することはできない。警察に関しては、内閣府令が内閣総理大臣によって公布される。道路標識、区画線及び道路標示に関する命令（内閣府令・国土交通省令）のように、複数の大臣が定める共同命令もある。

　国家公安委員会の定める命令を「国家公安委員会規則」という（国家公安委員会規則は、法令としてのものと、法令としての性格を持たず警察職員のみを拘束するものとがある（職員のみを拘束するものについて☞821以下)）。法令としての国家公安委員会規則は、委員会によって公布される。政令、内閣府令より下位にあり、それらの委任を受けて定められることもあるが、法律によって国家公安委員会に直接委任されることも多い。

　警察の所管法を施行するために制定された「○○法施行規則」には、内閣府令である場合と、国家公安委員会規則である場合とがある。警察法施行規則、警備

(注123)　警察の組織又は権限を定めた法律が該当する。法律及び政令には、主任の国務大臣（警察の場合は内閣総理大臣）が署名することが、憲法上求められている。刑事収容施設法のように、複数の大臣が署名する場合（共管）もある。なお、刑罰法規（違反行為を刑事罰の対象とする規制を定めた法律及び政令を含む。）のように、警察の所管外でも警察の業務に実質的に関係する法令は数多く存在する（例えば、毒物及び劇物取締法と規制対象を定めた毒物及び劇物指定令など。）。

業法施行規則、銃砲刀剣類所持等取締法施行規則、道路交通法施行規則等は内閣府令である。これに対し、ストーカー行為等の規制等に関する法律施行規則、風俗営業等の規制及び業務の適正化等に関する法律施行規則、暴力団員による不当な行為の防止等に関する法律施行規則等は国家公安委員会規則である。法令としての効力や制定可能な範囲について、両者に変わりはない。(注124)

(2) 行政契約

494　行政契約とは、行政主体（国又は公共団体）が他の行政主体又は国民と公法上の効果を発生させることを内容とする契約を締結することを意味する。補助金を交付する契約などが、これに含まれる。事務の委託（放置違反車両の確認事務の委託など）は行政契約に当たる。行政契約については、様々なものがあるが、法律による行政の原理に反してはならない（強制の根拠を定めることはできない、法律の規定に反してはならないなど）ことは当然であるが、それ以外にも、平等取扱いの要請、公正性・透明性の要請に応えるべきものとされている。

(3) 私法的活動

私法的活動とは、行政機関が私人と同じ立場において各種の活動を行うことを意味する。施設の工事について請負契約を締結すること、物品の購入について売買契約を締結することなどである。私法的活動の場合には、基本的には私人と同じ立場の者として民法等の適用を受けるが、契約締結権者、契約締結の方法等の契約に関する会計法上の規定にのっとって行わなければならない。地方公共団体の場合には、一定額以上の契約は、議会の同意を要することとされている。

（注124）　かつては内閣府令に全て委任されていたが、国家公安委員会規則の方が委任先として適切ではないか（警察の事務に関して間接的な関与をする内閣総理大臣が命令を定めるよりも、事務を所管する国家公安委員会に命令を定めさせた方が、委員会規則という法形式を設けた趣旨にも沿う合理的なものではないか。）という指摘もあり、昭和59年に風俗営業適正化法の大幅改正（題名も風俗営業取締法から風俗営業の規制及び業務の適正化等に関する法律に改められた。）に際して、国家公安委員会規則に委任する規定が置かれたのを皮切りに、他の行政目的との調整の必要がないものについては、国家公安委員会規則で定める例が増加している。例えば、古物営業法施行規則は、かつては内閣府令（総理府令）であったが、平成7年の法改正によって委任先が改められ、国家公安委員会規則として制定された。遺失物法施行規則も、平成18年の遺失物法の全部改正によって、国家公安委員会規則として制定されている。

第5章　警察官職務執行法

本章では、警察官職務執行法を逐条的に解説する。

第1節　警察官職務執行法総説

1　意　義
(1)　法律の構成

警察の活動の根拠となっている法律のうち、警察官の職務の執行において、最も一般的に用いられているのが警察官職務執行法（昭和23年法律136号）である。

警察官職務執行法は、全部で8条からなり、1条で目的を規定し、2条から7条までで質問、保護、危険時の措置、犯罪の予防・制止、立入り及び武器の使用という警察官の権限をそれぞれ規定している。8条では、警察官がこの法律の規定によるほか、他の法令に基づく職権職務を遂行すべきことを定めている。(注1)これは、この法律が警察官の権限に関する一般法であって、同法以外の警察官の権限が失われるものではないことを明らかにし、警察官がそれらによる職権職務を忠実に遂行すべき立場にあることを念のために規定したものである。

(2)　目的

警察官職務執行法は、「警察官が警察法に規定する個人の生命、身体及

（注1）　警察官の職務権限を規定した他の法令については、田村正博『現場警察官権限解説　第三版（上・下巻）』（立花書房、2014年）及び古谷洋一編著『注釈　警察官職務執行法〔五訂版〕』（立花書房、2021年）484頁以下参照。なお、他の行政機関からの要請を受けて援助をすることが法律で規定されていても、原則として、依頼者の権限を行使し得ることにはならない（民事執行への援助要請を受けても、執行官の権限を行使することにはならない。）。例外的に行使できるのは、公職選挙法に基づく投票管理者の請求（59条）があったときで、管理者の有する秩序保持権限（60条の制止権及び退去強制権）を行使することができる。

び財産の保護、犯罪の予防、公安の維持並びに他の法令の執行等の職権職務を忠実に遂行するために、必要な手段を定める」ことを、同法の立法目的として定めている（1条1項）。

「個人の生命、身体及び財産の保護、犯罪の予防、公安の維持」とは、警察法による警察の責務を指す。警察法2条1項と異なり「（犯罪の）鎮圧及び捜査、被疑者の逮捕、交通の取締」が例示として明記されていないが、これらはいずれも「公安の維持」に含まれているのであって、特にこの法律の権限行使の目的から除外されたものではない（警察法2条1項で「公共の安全と秩序の維持」の例示とされたもののうち、犯罪の予防を重視して、明記したものといえる。）。犯罪の捜査が1条に直接明記されていないことを理由に、本法が犯罪捜査のための権限を与えたものではないとの主張があるが、誤りである（☞508）。

503　「他の法令の執行」とは、警察法2条の責務に含まれているか否かを問わず、警察官が法令によって与えられた権限を行使することを意味する。したがって、警察官が、国会の各議院の議長の指揮を受けて議長のいわゆる議院警察権を行使する場合や法廷において裁判長等の指揮を受けて法廷の秩序維持に当たる場合(注2)においても、この法律に基づく権限を行使することが認められることになる。もっとも、議院警察権・法廷警察権を行う場合にこの法律の権限を行使するのは、議院警察権等に基づく公務に対する抵抗を抑止するための武器の使用があり得るのにとどまる（犯罪の制止や危険時の措置であれば、議院警察権等によるものでなく、本来の警察官としての権限行使である。）。他の特別の規定による職権職務の行使の場合も、

（注2）　国会の議院内部及び裁判所の法廷内の秩序維持作用のうち、個人の生命等の保護や公共の安全と秩序の維持の問題に至らないものは、議院警察権・法廷警察権に属する。したがって、国会法及び裁判所法の手続に従い、議長・裁判長の指揮を受けることによって、はじめて警察官が行うことができることとなる。これに対し、議院の内部や法廷であっても、個人の生命等の保護や公共の安全と秩序の維持に支障となる事態が生じた場合に対応することは、警察の本来の任務の範囲内であり、指揮等を受けることなく行うことができるが、その権限行使によって国会・裁判所の活動に不当な影響を与えることがあってはならないことから、議長等の許諾等を受けることを要するものとされている（議場における現行犯逮捕は、議長の命令がなければならないことが衆議院規則及び参議院規則に定められている。法廷警察権の及ぶ範囲内における現行犯人の逮捕についても、裁判長の了承を要するものと解されている。）。

これと同様である。

(3) 制定の経緯

　旧憲法下において、警察は、法律のほか、勅令等(注3)に基づいて広範な権限が認められてきた。しかし、日本国憲法の制定により、警察の権限を規定していた多くの勅令等の効力が失われ、さらに、行政強制一般について規定していた行政執行法（☞448）も行政代執行法の施行（昭和23年6月14日）により廃止され、それまで警察官が行使してきた権限の根拠のほとんどが失われた。このため、精神錯乱者等の保護や緊急時の立入りなど、個人の生命・身体・財産の保護と公共の安全と秩序の維持に必要不可欠な活動の根拠を早急に設けることが必要となった。また、それまで特別の法的根拠なしに行われてきた犯罪の制止、危険な事態における措置及び武器の使用についても、法律の根拠を要するのではないかという問題も生じてきた。

　警察官職務執行法は、このような中で、警察官が責務を達成するために行うことが必要な強制活動について根拠を設けるとともに、日常的に行われる任意活動についてもその要件等を明らかにすることにより、個人の人権を守りつつ、個人の生命等の保護と公共の安全・秩序の維持を図ることを目的として、制定されたものである。同法は、政府の提案が衆議院で一部修正され(注4)、昭和23年7月12日に公布、即日施行されている。

　警察官職務執行法は、若干の形式的な修正が加えられたことはあるが(注5)(注6)、実質的な改正は全く行われることなく現在に至っている(注7)。

（注3）　旧憲法下においては、勅令等により、警察機関に極めて広汎な権限が与えられていた（☞114）。行政警察規則（明治8年太政官達29号）においても、人命救助、往来妨害物の取除き、迷い子の保護、奔馬等の処置、精神病者の取押え、狂犬の打ち殺し、不審尋問・連行などを警察官が行うことが規定されていた。

（注4）　権限の濫用につながることを防止するため、保護の対象、武器の使用などについて、政府の提案より限定する修正がなされた。なお、国会での修正を含む同法制定の経緯並びに制定に当たって参考とされた行政執行法及び米国統一逮捕法との関係については、古谷前掲注1、3頁以下参照。

（注5）　制定当時の警察組織は、国家警察と自治体警察とに分かれ、「警察官」と「警察吏員」とが置かれていたことから、当初の題名は「警察官等職務執行法」であったが、現行警察法の施行に伴って現在の名称に改められている。

（注6）　精神疾患に関する誤解を防止する観点から、法令上の「精神病院」を「精神科病院」にする等の法改正の関連で、3条の規定中で、「精神病者収容施設」が列記されていたのが削除されたのが、警察官の名称以外の唯一の改正である。

2 特　徴
(1) 権限の主体

505 　警察官職務執行法は、個々の「警察官」の権限を規定している。警察官一人ひとりが権限の主体であり、自らの判断によって行使することができる。警察官は組織的な統制の下に職権を行使するが、緊急な対応が求められる以上、上位者の判断を待つわけにはいかない場合も存在するため、個々の警察官の権限とされている。かりに、内部の指揮監督に違反してこの法律の権限を行使したとしても、権限行使自体が違法になるわけではない（職務命令違反として、懲戒の対象となるのにとどまる。）。都道府県警察の警察官である限り、内部的な職務分担と関わりなく、権限の主体となる（警察庁の警察官は、応援派遣された場合と現行犯逮捕の場合に限って、この法律の権限を行使できる。）。

　警察官以外の警察職員はこの法律の権限主体にはならないが、皇宮護衛官については、質問、危険な事態における措置、立入り、武器の使用等について、この法律の規定が準用されている。そのほか、治安出動した自衛隊員などについても、この法律の全部又は一部が準用されている。(注8)

column　皇宮護衛官と警察官職務執行法上の権限

506 　平成12年の警察法の改正により、武器の使用に関する7条の規定が、平成16年の警察法の改正により、2条（質問）、4条（危険時の措置）、5条（犯罪の予防及び制止）、6条1項（危険時の立入り）の規定が、皇宮護衛官についてそれぞれ準用されることとなった（2条2項の同行要求の行き先が皇宮警察本部の施設

（注7）　昭和33年に、職務質問に際して凶器等を所持している疑いのある場合に提示させて調べ、凶器等を一時保管することができるとする規定の新設、保護の対象の拡大（自殺するおそれのある者、ぐ犯少年等の追加等）、犯罪の制止及び立入りを可能とする場合の拡大（公共の安全と秩序が著しく乱されるおそれがあることが明らかで、急を要する場合などにも行うことができることとすること。）などを内容とする「警察官職務執行法の一部を改正する法律案」が国会に提出されたが、廃案となっている。銃砲刀剣類及び刃物を提示させて調べ、一時保管することに関しては、昭和37年の銃砲刀剣類所持等取締法の改正で、同法に加えられている。

（注8）　治安出動及び防衛出動の場合の自衛官について、本法が準用されている。武器の使用に関する7条の規定については、海上保安官、麻薬取締官、海上における警備行動を行う自衛官などにも準用されている（海上保安官については、7条が準用されるほか、特別の規定も置かれている（海上保安庁法20条）。）。

（護衛署、護衛官派出所等）に読み替える規定が置かれている。）。他方、3条（保護）及び6条2項（公開の場所への立入り）については、実態上の必要性がないので準用されていない。4条については、皇宮護衛官が警備の職務（皇居、御所その他皇室用財産である施設における安全確保）を執行する場合だけが準用の対象とされている。[注9]

　警察官職務執行法の規定が準用される以前は、皇宮護衛官がこの法律の権限主体となることはなかったが、同種行為を全く行うことができなかったというわけではない。質問や犯罪予防のための警告等の任意活動については、皇宮警察の任務を達成する上で必要な場合に、その必要性が相手方の不利益を上回る限度で行うことは可能と解されていた。強制活動については、法律の規定がない限り原則として行うことはできないが、現に犯罪が行われている場合の制止、緊急避難の要件を満たす場合の必要な措置などは、何人も可能な行為として必要かつ相当な限度で許され得るものと解されてきた（☞361、362）。このほか、武器の使用について☞566参照。

(2) 権限の内容

　この法律は、主として、警察官の即時強制と国民に不利益を与える任意活動について規定している。権限行使対象者の権利・自由の尊重の観点から、権限行使は必要最小限度でなければならず、濫用することは許されない。権限の濫用が禁止されることは、全ての行政機関の活動について当然に求められるものであるが、行政執行法等の運用の実態に問題があったこと等を踏まえて、この法律では確認的に規定し、強調している（1条2項）。

　警察官の即時強制権限として、逮捕時の凶器捜検（2条4項）、精神錯乱者等の保護（3条1項1号）、危険な事態における措置（4条1項）、犯罪の制止（5条）、危険時の立入り（6条1項）、武器の使用（7条）について規定している。武器の使用及び逮捕時の凶器捜検は、他の強制権限を行使するための付随的な強制について、明確にするための規定である。[注10]即

507

(注9)　皇宮警察の職務には、警備の職務と側衛の職務（側近で護衛に当たること）とがある。警備の職務の場合には、施設で災害が発生した場合に施設内の人を避難させる指示を行うことがあり得るので準用されている。これに対し、側近で護衛に当たっている場合には、地域的な安全確保の任にないので、準用の対象とされていない。

(注10)　付随的強制は、個別の根拠規定がなくとも、基になる強制権限の行使に必要かつ相当な限度で行うことができる（☞348、563、566）。

時強制は、有形力の行使も伴うことから、特にその限界が問題となりやすいことに注意を要する（即時強制の一般的な特徴及び限界について☞447以下）。他の法律で警察官の即時強制権限を規定している場合には、原則として、この法律が一般法となる。

警察官の任意活動で国民に事実上の不利益を与えるものとして、質問（2条1項）、同行要求（2条2項）、迷い子等の保護（3条1項2号）、危険な事態における警告（4条1項）、犯罪の予防のための警告（5条）について規定している。これらの活動は、法律の具体的な根拠規定がなければできないというものではないが、法律の規定がない場合には、公的必要性が相手方に与える不利益を上回ることの判断を個別に警察官が行わなければならない（☞364、483）。個別に判断をすることは容易なことではないし、争いも生じやすい。法律で根拠規定を設けることは、行き過ぎを防止するとともに、警察官の行為に民主的な正当性を付与し、自信を持って適正な判断をすることを可能とするものであり、人権の保障と公益の実現の双方で重要な意義を有している。なお、この法律による任意活動の規定は確認的なものであって、要件に該当しない場合に同種の行為を行うことを一般的に否定するものではない。(注11)

これらのほか、行政処分（義務付け）に当たるものとして、危険な事態を避けるために管理者等に対して危害防止のための措置をとることを命ずること（4条1項）、公開の場所への立入りを要求すること（6条2項）の規定も置かれている。ただし、一般の行政処分とは異なり、従わなかった場合に罰則の対象とする規定は置かれていない。義務があることを前提に説得をし、あるいは危険な事態を避けるために自ら措置を講ずることになる。

(3) 犯罪捜査との関係

犯罪の捜査は、警察の重要な任務である。個別の権限行使に関しては刑事訴訟法の対象となるが、警察行政の一環として警察行政法の規律を受け

（注11）　2条1項に該当しないときに人に質問することや、同条2項に該当しないときに同行を求めることが、一般的に否定されるわけではない。ただし、要件に該当しない場合には、要件に該当したときと同等以上の必要性があるといえない限り、行い得る行為の態様はより限定的なものにとどまる。

る（☞221以下）のであって、他の警察行政と基本的に異なるものではない。

　本法も、旧警察法が警察の責務として犯罪の捜査を規定したことを受け、犯罪捜査目的のものを含めた警察官の権限を規定している。具体的には、質問（2条1項）は、何らかの犯罪を犯したと疑うに足りる相当の理由のある者及び既に行われた犯罪について知っていると認められる者を対象として行うことができる（何らかの犯罪を犯そうとしている疑いのある者及び犯罪が行われようとしていることについて知っていると認められる者に対しても行うことができる）とされており、犯罪予防及び捜査のために認められた権限であることが法文上明らかである(注12)。凶器捜検（2条4項）についても犯罪捜査として行われる逮捕に付随した処分として認められ（☞528）、武器の使用（7条）についても逮捕のために行うことが規定されている。

　これに対し、保護、危険時の措置、犯罪の予防・制止及び立入りの規定は、犯罪捜査のための権限を定めたものではないので、これらの権限を犯罪捜査のために用いることは許されない。法律で規定する権限は、それぞれの規定が設けられた趣旨・目的に従って行使されなければならず、他の目的のために行使することはできない以上、当然のことである（「捜査かそれ以外か」ではなく、例えば、行政監督目的のために保護の規定を用いることも許されない。）。特に、犯罪捜査のための身体の拘束、強制的立入り及び証拠の強制的取得については、憲法上一定の場合に限定されている（憲法33条、35条）から、保護、立入り等の規定を犯罪捜査の目的に利用することは、その意味からも許されない。これに対し、規定の目的を達成するために権限を行使したことがきっかけとなって知った情報を端緒として捜査を行い、あるいはその場で遭遇した犯罪について捜査することが禁

　（注12）　この法律の提案理由説明において、「第2条は犯罪の予防または捜査上必要な質問をすることができることを定めたものであります。」と述べられ、捜査のための権限であることが明らかにされている（昭和23年6月15日斎藤国家地方警察本部長官、第2回国会衆議院治安及び地方制度委員会議録38号5頁）。なお、「何らかの犯罪」の疑いであって、特定の犯罪の嫌疑を要しないことを理由に、職務質問が「捜査」に含まれないとする見解もあるが、犯罪を特定して行う職務質問もある（例えば緊急配備の場合）のであって、犯罪捜査として行われる場合があることは否定し得ない（☞510）。

止されているわけではない（危害予防の名目で立ち入って捜査することはできないが、危害予防に必要があって立ち入った際に、その場で犯罪行為を行っている者を発見した場合には、逮捕することも可能である。）。

今日においても、警察の活動のうち犯罪捜査を「司法警察」と呼んでそれ以外の「行政警察」と区別し、警察官職務執行法についても、主として「行政目的」を実現するための手段を定めるものであるといった記述を行うものがあるが、そのような考え方は旧憲法下での区分を前提とし、実際の法律の規定や立法の趣旨を無視したものである（☞221）。「司法警察」や「行政警察」のような曖昧な意味の言葉を明確な定義なしに用いることは、厳密な議論を進めることを妨げるものであって妥当でない。(注13)(注13の2)

第2節 職務質問

1 意 義

509　警察官職務執行法2条は、警察官の職務質問とこれに付随する同行要求等について規定している。また、法律に直接規定されてはいないが、職務質問に関連するものとして、所持品検査及び車両検問が判例上認められている。

（注13）　例えば、所持品検査が認められるのは、捜索・押収に至らないものであること（任意活動の範囲であること。）と必要性が高いことによるものであり、その限界は、公益と不利益との比較及び社会的相当性等によって定まる。公益性の判断において、嫌疑の程度、容疑犯罪の種類・性質など、犯罪捜査としての必要性の程度が反映されていることは、実質的に犯罪捜査のための手段であることを示すものである。「行政警察」であることを理由とするのは、捜索・押収でないことを言い換えただけにすぎない（過去に行われた犯罪の嫌疑の程度を反映する「行政警察」とは具体的に何を意味するのか明確でない。）。質問に際して、供述拒否権の告知を要するかどうかについても、同様の問題が生ずる。

（注13の2）　金子章「職務質問における「停止」行為について―行政警察活動と捜査に関する議論の一断面―⑴、（2・完）」（横浜国際経済法学21巻1号、2号）は、国家は「犯人を特定し処罰することによって、国民一般の生命・身体・財産等の権利利益を保障すべき義務」を負っており、国家による捜査活動は、その義務を担保ないし実現する手段・措置として位置付けられるという理解を前提に、「捜査」を「犯人を特定し処罰するための証拠を収集・保全するための活動」と定義した上で、職務質問における停止が「捜査」のための活動とは異なることを述べている（逮捕も「捜査」すなわち取調べによる証拠収集を目的にした活動であるとする。）。本文に述べた筆者の記述とは異なるが、このように定義を明確にして論ずるのであれば、その主張は理解可能である。

職務質問とは、何らかの犯罪を犯し、若しくは犯そうとしている疑いのある者又は何らかの犯罪が行われたこと若しくは行われようとしていることについて知っていると認められる者を、警察官が停止させて、必要な質問をすることを意味する。犯罪の捜査及び予防という警察の責務を達成する上で極めて重要な手段として、日常的に用いられている。街頭や人の立入り可能な場所などにおいて、警察官が出会った者に対して質問するといった形態が一般的であるが、逮捕、捜索のために立ち入った場所に居合わせた者に対して行われる場合もある。相手方の居宅に警察官が行って事情を聞くといったことは、この規定の対象には含まれない（一般の任意活動として行われる。）。

職務質問における停止・質問は、相手方に応答等の義務を課すものではなく、相手方の権利・自由を制限するものでもないが、相手方に心理的負担等の不利益を与えるものである。停止して質問に応ずることは、当人にとって迷惑であり、プライドが傷つけられるように感じられ、自らのプライバシーが害されるといった点で不利益であり得るし、立ち止まって回答するように説得され、さらには説得の一環として体に手をかけられるようになれば、より大きな不利益が及ぼされる。相手方に不利益を与える行政機関の活動については、公益達成上の必要性が相手方の不利益を上回ることが求められるのであって、濫用を防止し、同時に公益上の必要に応えるために、法律の規定によってその判断の基準が定められることが望まれる。この規定は、定めた要件を満たした場合には、公益上の必要性が相手方の不利益を上回るものとして職務質問を行うことができることを明らかにしたものである。

もっとも、この規定は、要件を満たしていない場合に街頭で警察官が人に何かを尋ねることを禁止しているわけではない。2で述べるように、要件を満たした職務質問の場合には、説得などある程度の負担、不利益を与えることになるが、それに至らないようなものは、要件を満たしていなくとも可能である。職務質問の要件があるかどうかを確かめるために、要件があるとはいえない者に対して質問をする場合は、2で述べる停止・質問のような程度に至らない態様（一応聞くだけで説得等を行わないなど、実

質的に相手に与える不利益の少ない態様）でなければならない。車両検問が認められるのも、これと同じである（☞516）。[注14][注15][注16]

停止・質問及び同行要求において、刑事訴訟法の規定に基づいて逮捕するときを除き、相手方の身柄を拘束し、その意に反して警察署等に連行し、答弁を強要してはならないことが定められている（2条3項）。停止・質問及び同行要求は、いずれも強制活動ではないから、拘束、連行、答弁強要等が許されないことは当然ではあるが、この法律の制定以前において拘束、連行、答弁強要に類する活動が行われていたことの反省に立って、特にこのことが規定されたものである。停止等において、任意（説得）の範囲内で一時的な実力の行使が許されることがあるが、拘束・連行に至ることは許されない。

column 職務質問によって実現される公益

職務質問（法の要件を満たさない質問（声かけ）、車両検問を含む。）は、犯罪捜査に大きな役割を果たしている。刑法犯被疑者検挙（被疑者の逮捕又は送致）の主たる端緒として、職務質問は概ね1割程度を占める。[注16の2] 被疑者の検挙は、それぞれの犯罪に対して刑事責任の追及が行われるというだけでなく、本人の次の犯行の阻止、制裁の予告を実現することを通じた犯罪の予防（一般予防）、刑事手続を通じた本人の改善による予防（特別予防）、被害者との関係における正義感

(注14) 例えば、広島地裁判決昭和62年6月12日〈判タ655・252〉は、職務質問の要件を満たしていない場合について、警察法2条1項の「趣旨に則り、相手の任意の応答のみを期待してなされた」適法な質問であるとしている。
(注15) 東京地裁判決平成5年4月16日〈判時1475・98〉は、警備を要する事情がある集会への危険物持ち込み参加防止のための検問は、集会参加者であるということで職務質問の要件を満たすわけではないが、任意の協力を求めるものであれば認められるとしつつ、本件では自由な意思決定を阻害するおそれの高い形態で行われていたとして、違法なものと判断している。
(注16) 犯罪の予防及び捜査以外の責務を達成する目的で人に質問をすることについては、何ら規定されていない。一般の情報収集であれば、職務質問のような程度の態様になることはできない。これに対し、人の生命の保護の上で必要性が高い場合（行方不明の人を早急に保護する必要があるときなど）であれば、それについて情報を持っていると思われる者に対して、質問に応ずるように強く説得し、実質的な不利益を与えることも許される。
(注16の2) 令和元年の刑法犯検挙の主たる端緒別では、職務質問が3万1,599件と全体（28万4,584件）の11％余りを占めている。重要犯罪の本件事件検挙では8％、重要窃盗犯の本件事件検挙では12％が職務質問によるものであった。

情の回復など、多面的な効果を発揮する。薬物事犯においても、使用者の職質検挙は、薬物依存深化の阻止・改善、家族等の被害防止、組織犯罪者の利益の抑止とともに、日本全体の薬物規範意識の維持・強化につながるものとなっている。

さらに、職務質問は、犯人の検挙に至らなくても、自ら又は周囲の者が対象となったことにより、潜在的な犯罪行為者（犯罪をしようと思っている人間）に対して、犯罪をすれば検挙される可能性があることを実際に認識させ、断念させることで、犯罪（銃砲刀剣類の不法所持、飲酒運転、テロなどを含む。）を予防する機能がある。

職務質問の必要性（公益上の価値）として、専ら個別事件の捜査という成果が語られがちであるが、被害者及び社会全体に与える価値、さらには質問が行われることが広く印象づけられることを通じた犯罪の予防という多面的な価値があることを前提に、相手方の不利益との比較を行っていくことが望まれる。

2　職務質問の要件

職務質問は、「異常な挙動その他周囲の事情から合理的に判断して何らかの犯罪を犯し、若しくは犯そうとしていると疑うに足りる相当な理由のある者」又は「既に行われた犯罪について、若しくは犯罪が行われようとしていることについて知つていると認められる者」に対して行うことができる（2条1項）。不審者に対するものと、参考人的立場にある者に対するものとに分けられる。

(1)　不審者に対する職務質問

不審者として職務質問の対象となるのは、「何らかの犯罪を犯し、若しくは犯そうとしていると疑うに足りる相当な理由のある者」である。「何らかの犯罪」とは、具体的な犯罪事実が分かっていなくとも、何かの犯罪を行い、又は行うであろうと思われればよいということを意味する。具体的な犯罪の疑いを持つに至らない段階において、犯罪捜査の端緒取得のために行うことができ、実際も大半は犯罪捜査の端緒取得のためになされている。もっとも、犯罪が具体的に特定している場合も「何らかの犯罪」でなくなるわけではないので、具体的な犯罪の捜査としても、職務質問を行うことができる。(注17)犯罪被害の発生を現認した現場で行われる場合、犯罪発生後の緊急配備において行われる場合、指名手配中の被疑者によく似た者

に対して行われる場合などは、いずれも犯罪を特定した上でなされる職務質問である。

　この規定は、犯罪捜査の目的の場合と犯罪予防の目的の場合とで違いを設けていないのであって、犯罪を犯したか、これから犯すかのいずれか分からない場合でも、職務質問を行うことができる。

　「何らかの犯罪を犯し、若しくは犯そうとしていると疑うに足りる相当な理由のある者」かどうかは、「異常な挙動その他周囲の事情」から合理的に判断しなければならない。単なる警察官の主観的な思い込みで「疑わしい」と判断しても、客観的・合理的にみて「何らかの犯罪を犯し、若しくは犯そうとしていると疑うに足りる相当な理由」があるといえなければ、この規定に基づく職務質問を行うことはできない。

　「異常な挙動」とは、その者の態度・着衣・携行物等が、通常（犯罪と無関係な状態）ではなく、怪しいと思われることを意味する。場所・時間帯によって異なるのであって、例えば、通常の場所であれば何ら不審とはいえないような挙動の者でも、厳重に出入りを規制された場所の付近にいる場合などではこの要件を満たすこともあり得る。また、「客観的な判断」

　　（注17）　犯罪を特定した場合には刑事訴訟法に基づく処分（捜査に必要な取調べ）によるとする説もあるが、「何らかの犯罪」のうち犯罪が特定された場合が除かれると解すべき理由はない。職務質問に付随する所持品検査を認めたいわゆる米子銀行事件判決（最高裁判決昭和53年6月20日〈刑集、⑭〉）は、銀行強盗事件の発生による緊急配備において行われた職務質問に関するものである。
　　（注17の2）　人目につかない場所に潜んでいる場合や血痕の付いた服を着ている場合が典型であるが、犯罪と直結するような状況がなくとも、警察官の姿を見て急に反転するといった警察官から逃れるような行為もこれに当たり得る。例えば、東京高裁判決平成26年6月12日〈判時2236・63〉は、「道路の左端を歩いていたが、警察官と目が合うと、急に俯（うつむ）いて視線をそらし、警察官を避けるように道路の右端に向かって斜めに歩き、道路の右側にある店舗に入るわけでもないのに道路の右端を足早に歩いて警察官の前を通り過ぎた後、道路の左端に移動し、警察官から声をかけられても行過ぎようとした」行動を、「異常な挙動」に当たるものと認定し、「合理的根拠が客観的に欠如していることが明らか」とした原審の判断を否定し、職務質問の適法性を認めている。また、一つひとつでは必ずしも該当しない事由でも総合的にみれば該当するという判断ができる場合も含まれる。東京高裁判決平成23年3月17日〈東高刑時報62・〔1～12〕・23〉は、地域特性（覚醒剤事犯等の犯罪の多発地帯）、車両の状況（レンタカーであるのに、ドアミラーカバーが外れるなどの損傷）、車内に積載されていたゴルフクラブの状況（同種クラブが10本程度むき出しに積載）等に照らせば、要件は満たされていたと判断している。

といっても、警察官の合理的な知識・経験が反映されるのは当然であって、一般人が見て不審と分かる場合に限られない。事前の情報がある場合には、それを基に判断することができるのは当然である。緊急配備の場合には、一般的な意味では何ら異常ではなくとも、逃走犯人の人相・着衣に類似していれば、職務質問の対象とすることができる。

当初は疑いがあるために職務質問を適法に開始することができた場合でも、当初の疑いが解消した（あるいは著しく減少し、当初からそこまで分かっていれば職務質問を開始しなかったであろうと思われる状態になった）場合には、その間に新たな合理的な疑いが生じていない限り、職務質問を継続することは許されない。

(2) **参考人的立場の者**

職務質問は、他の者によって犯罪が行われたこと又は犯罪が行われようとしていることについて知っていると思われる者（参考人的な立場の者）に対しても、行うことができる。不審者の場合と異なり、その者自身が異常な挙動等を行っていることを要しない。具体的な状況に照らして、客観的に知っていると思われると判断できれば足りる。犯罪現場にいる者などがこれに当たる。

この規定による場合には、停止させて質問することができるのであって、質問に回答するように説得し、必要によっては、相手方に対して説得の限度内でのある程度（不審者自身の場合よりは、限られた範囲になる。）の実力の行使も許され得る。これに対し、単に一般的に聞いてまわる行為（犯罪について知っているかどうかも分からない者に対して一般的に聞いてまわる行為）については、この規定の要件がなくとも行うことが可能であるが、説得のための実力の行使までは認められない。

3　停止・質問

警察官は、2で述べた者に対して、停止させて、質問することができる。この権限を行使することができるのが警察官に限られる以上、相手方に警察官であることを了知させて行うべきであることは当然である。(注18)

(1) **停止**

「停止させ」という規定は、相手方に停止するように求める権限を意味

する。相手方に停止義務を負わせる命令権でもなく、実力で停止させる権限でもない。あくまで相手方の意思で停止するように求め、説得するという任意活動であり、停止を強制することはできない。相手方の意思で停止した限り、警察官の説得を受けて、内心では迷惑に感じ、いやいやながら仕方ないと思って停止していたとしても、任意活動であることに変わりはない。後述のとおり、必要な場合には説得のための限定された実力の行使も認められるが、強制にわたるものとなってはならない。

　停止させる方法は、警察官が言葉によって相手方に停止するように求めるのが原則である。初めから強い語調で呼び止めるのは、不審と思える度合いが強いなど、それだけの必要性がある場合に限られる。言葉によって呼び止める行為でも、相手方に対する脅迫（心理的強制）になることは許されない。「止まらなければ逮捕する」あるいは「止まらないと（拳銃を）撃つぞ」と言うことは、相手方に対する心理的強制であって、職務質問においては許されない（実際に強制権の行使として、逮捕や武器の使用が認められる場合に言えるだけであり、職務質問における説得としては認められない。）。身振り等の動作によって停止を求めることも可能であるが、最初から相手方に手をかけて引き止めるといった方法によることはできない。

513　停止するように警察官が求めたにもかかわらず、相手方がそれに応じない場合、あるいは、いったん停止していた者が立ち去ろうとする場合には、警察官は、その者に対して、停止要請に応ずるように説得することができる。説得は、言葉によって行うことが原則である。相手方が立ち去ろうとするのであるから、説得のために並行して歩行し、追随することも、その態様が社会通念上許されないような場合を除いて可能である。前に立ちふさがる行為は、その状況からみて相当と認められる限度で許される。走り去ろうとする者に対して、説得のために追跡することができることは当然

　　（注18）　警察官であることが外観上明確でない場合には、警察手帳等によって警察官であることを示して行うべきものである。これに対し、制服警察官の場合には、その服装によって警察官であることを明らかにしているので、警察手帳等を示す必要はない。警察官であることを明確にすれば十分であって、この法律上は官職、氏名を伝える必要はない（東京高裁判決昭和55年9月4日〈判時1007・126〉）。

である。

　走り去ろうとする者に対しては、不審な状況が強く、停止させて質問を行う必要性が高い場合には、説得に必要な限度で、一時的な実力行使を行うことも認められる。(注19)相手方の身体の自由を直接制圧するものとなってはならない。肩・腕に手をかけて呼び止めるといった軽微で一時的なものに限られ、数人で羽交い締めにするといったような拘束する程度に至ることは許されない。実力行使は、不審の程度、犯されたと思われる犯罪の種類等から、公益上の必要性が高く、放置することができないと考えられる場合に許されるのであって、停止を求められた者が走り去ろうとすれば常に行い得るといったものではない。(注20)自動車を運転する者に対する関係でも、同様に一定の限度で実力行使が認められている（☞515）。また、特別の状況があってホテルの宿泊者に対して職務質問をする際に、ドアが閉まるのを阻止する行為が認められた例もある。(注21)このほか、停止を求めた対象者から、警察官が攻撃を受けたことに対処する上で、一定限度の実力行使も容認される。(注22)

　実力の行使の対象は、職務質問の相手方であるのが通常であるが、他の者が停止するのを妨害しようとする場合などでは、その職務質問の相手方

（注19）　最高裁は、駐在所内で職務質問中に逃げ出した者を130メートル追跡し、「どうして逃げるのか」と言いながらその背後から腕に手をかけて引き止めた行為について、適法とした原審（名古屋高裁判決昭和28年12月7日〈刑集8・7・1144〉）を正当と認めている（最高裁決定昭和29年7月15日〈刑集、⑭〉）。追跡行為が人の自由の拘束に当たらないことはいうまでもない（最高裁判決昭和30年7月19日〈刑集、⑭〉）。停止要求に応じず、逃げようとする気配があった者の肩に手をかける行為（札幌高裁函館支部判決昭和27年12月15日〈⑭〉）、自転車に乗ったまま立ち去ろうとした者に対し、交通の妨害にならない道端に寄せようとして腕を抱え込むようにして誘導する行為（東京高裁判決昭和52年10月31日〈刑裁月報9・〔9・10〕・675〉）などが適法とされている。これに対し、必要性、緊急性はあっても、立ち去ろうとする者のズボンの後ろをベルトと一緒に持ち、首筋をつかんだりすること（大阪地裁判決平成2年11月9日〈判タ759・268〉）や、フェンスを乗り越えて逃げようとするところを首に手を回して引きはがし、道路にうつ伏せに倒れたところを1～2分程度背中に覆い被さるようにして押さえ続けた行為（東京高裁判決平成28年4月15日〈東高刑時報67・〔1～12〕・28〉）などは、違法とされている。

（注20）　実力行使が認められたものは、盗難品の疑いのある物、犯罪に使われていた疑いのある車両、薬物取引の疑いのある場所といった犯罪との関わりが具体的に想定される不審事由のあった事案や、何らかの違法行為をしたのがはっきりしている事案の場合が多くを占めている。

以外の者に対しても、相当かつ必要な限度で行うことができると解される。(注23)

(2) 質問

514　警察官は、停止させた者に対して、質問を行うことができる。質問に答えるように相手方を説得することも、当然に認められる。もっとも、答弁を強要してはならない（3項に明記されている。）のであって、説得が相手方の意思を制圧するような態様になることは許されない。停止させることと異なり、質問に答えるように説得する目的で、相手方に実力の行使を行うことはできない。質問に応じるように説得している過程で、第三者が妨害する場合に、職務質問・説得行為を行う上で付随的に必要となる限度で、妨害行為を排除することが可能であるのにとどまる。質問に際して、証拠品となりそうな物を破壊する行為を制止することは、質問に付随する行為として認められる。(注24)

質問に答えない者に対して、繰り返し質問し、答えるように求めて説得

（注21）　最高裁決定平成15年5月26日〈刑集、Ⓦ〉。ホテルの客室内に宿泊客の意思に反して立ち入ることは原則としてできないとしつつ、本件ではチェックアウト予定の時間を過ぎても出ないまま長時間を経過し、その間に不可解な言動をしたことでホテルの責任者に不審に思われて110番通報されたことから、もはや通常の宿泊客ではなくなっていたことを指摘し、警察官がドアを叩き、返事がなかったので無施錠のドアを開けて内玄関に入り、料金の支払を督促する来意を告げたところ、制服姿の警察官に気付くといったん開けた内ドアを急に閉めて押さえるという不審な行動に出たという事案で、質問を継続するために内ドアを開け、足を踏み入れて閉められるのを防いだことは、職務質問に付随するものとして適法な措置であった、と認定している。

（注22）　名古屋高裁判決平成13年10月31日〈高裁刑速報（平13）号181〉は、質問に対して胸ぐらをつかまれた警察官がつかみ返してもみ合いとなり、その際、相手方の着衣を破る有形力を用いたことについて、違法とした原審の判断を改め、深夜の路上で連続して発生した傷害事件について嫌疑が認められたこと、職務質問を続ける必要性が高く、警察官が一人で対処していたという事実を認定した上で、全体として違法性はないとの判断を示している。

（注23）　犯人が集団内に紛れ込んだ場合に、その集団自体を職務質問の準備のために停止させる行為も許されるとした裁判例もある（東京高裁判決昭和55年5月22日〈刑集38・3・326〉）。この事件自体については、最高裁で「犯人検挙のための捜査活動」として適法であると判示されている（最高裁決定昭和59年2月13日〈刑集、Ⓦ〉）が、これは、職務質問において第三者に対する実力行使を行うことを一般的に否定する趣旨のものではない。

（注24）　水溶メモ紙片を水の入ったコップに入れようとするのを制止した行為（東京地裁判決平成14年3月12日〈判時1794・151〉）、薬物様のものが入っていると疑われる小袋を飲み込もうとするのを止め、吐き出させる行為（東京高裁判決昭和55年9月22日〈東高刑時報31・9・115〉）などが、いずれも適法とされている。

していくことは、極端に威圧的にならない限り、認められる。なお、質問の過程で、相手方からいったん預かった物については、その後に返却することは当然であるが、返却が求められた時点で一時的に預かったままの状態で説得を継続することも違法ではない。(注25)

いったん質問に着手した後において、返答の状況等から、より不審さが増大した場合には、さらに答えるように説得することができるが、一応の回答がなされ、当初考えられた不審さが減少し、もはやその者が「何らかの犯罪を犯した者」と疑うに足りる相当の理由のある者とはいえなくなった場合には、職務質問を続行することはできない。不審さが減少したにもかかわらず、さらにしつこく質問し、回答するように説得する行為は、違法とされ得る。質問への回答によって当初の不審点が解明されても、その過程で新たに別の不審点が生じ、それが新たに職務質問を行うに足りる程度のものである場合には、新たな不審点を解明するために、質問を続行し、必要な限度で説得活動を行うことができる。

質問は、犯罪の予防又は捜査に必要な情報を獲得するためになされる。個別の事件捜査の過程として行われることも、特定の犯罪の嫌疑を持たずに捜査の端緒を取得する目的で行うことも可能である。いずれの場合であっても、不審点の解明を目的としてなされる限り、刑事訴訟法に基づく供述拒否権の告知を要しない。供述拒否権の告知は、被疑者から供述証拠を収集しようとする場合に求められるものであって、犯罪捜査目的でも、それ以外の場合にまで求められるとはいえないからである。(注26)不審な点があった

(注25) 運転免許証を預かって照会し、前科のある覚醒剤について質問をしたところ、免許証の返還を求められたが、いずれ返還する旨を告げただけで質問を継続した場合について、違法であるとはいえないとされている(東京高裁判決平成5年7月7日〈東高刑時報44・〔1～12〕・56〉)。

(注26) 「職務質問は、捜査の端緒を取得するためのものであって、犯罪捜査のためのものではない」ことを理由に供述拒否権の告知を要しないと述べるものがあるが、緊急配備における場合や指名手配犯人に似た者に対する場合のように、犯罪が特定された上で行われる職務質問もあるのであって、このような説明は誤りである。職務質問の場合に供述拒否権の告知を要しないのは、被疑者本人の応答によって証拠を収集しようとするものではないことによる。指名手配犯人に似ている者に対して行う職務質問は、特定の犯罪の捜査のためになされるものであるが、指名手配された者との同一性を知るための質問であって、供述証拠を収集しようとするものではない(本人と分かれば逮捕するだけであり、本人との同一性に関する供述は証拠とならない。)から、供述拒否権の告知を要しないのである。

ことから質問を開始し、特定の犯罪の被疑者であると判断される状態になった後に、証拠収集を目的として質問する場合には、供述拒否権の告知を要する。^(注27)

質問は、通常の場合には、それほど長時間にわたることは想定されていない。不審点の解明のために行われる所持品検査（☞518以下）を含めた質問の目的が達成されれば、終了すべきは当然である。所持品検査や同行要求などに応じない対象に対して説得を行うことはできるが、時間的に無制限ではない（☞526）。

4　車両の停止措置（車両検問）

(1)　職務質問としての車両の停止

515　走行中の外見あるいは乗車している者に関する通報等から、車両に乗っている者について、2条1項の要件に該当すると判断できる場合には、職務質問として、その車両を停止させることができる。盗難車両である場合、手配車両と似た車両である場合、犯罪現場方向から走行してきたと思われる場合、その車両の外形・走行方法に不審な点がある場合などがこれに当たる。^(注27の2)停車した車両又は当初から停車中の車両に乗車している者について職務質問を行う場合には、質問自体は一般の場合と変わらないが、車両を発進させようとするのを止めることの限界が問題となる。

職務質問として停止させるのは、歩行中の者に対する場合と同様に、警察官が停止するように求めることによるのが一般であるが、要請に応じない者に対しては、強制にわたらない限度での実力行使も許される。合図を送って停止するように求めたのに応じない場合、あるいはいったん停止した後で発進した場合には、追跡して誘導するだけでなく、前後から挟み撃ちにする等の方法によることも認められる。^(注27の3)具体的な状況によっては、発

(注27)　被疑者と判断された者に対して、その事件に関して質問することは、他の目的がない限りは供述証拠の収集目的であると考えられる（供述調書を作成しないからといって、供述証拠収集目的でないとはいえない。）から、特定の犯罪の被疑者であると認められた後において、さらに供述を求める場合には、原則として供述拒否権の告知を要する。

(注27の2)　交通法規の違反をして警察官の指示で停止した車両が、その後に突如として高速度で逃走を企てた場合には、その車両の運転者につき、挙動不審者として何らかの犯罪に関係があるものと判断することができる（最高裁判決昭和61年2月27日〈民集、⑩〉参照）。

進しようとする車両のスイッチを切り、エンジンキーを取り上げることも認められる(注28)。車両が逃走手段としての力を持つものであること、人の身体に対する実力行使ではないことから、歩行者の場合に比べ、車を一時的に停止させ、その状態を継続するために実力を行使することが認められやすいと考えられる(注29)(注29の2)。また、急発進によって、質問をしている警察官を含めた者への危害を防止する必要からも、止めるための行為が容認されやすいといえる。もとより、職務質問の段階では、強制になってはならない(犯罪

(注27の3) 警察官は職務質問や現行犯逮捕の職責を負うので、対象となる車両を追跡することができるのは当然である。最高裁判決昭和61年2月27日〈民集、Ⓦ〉は、「追跡が当該職務目的を遂行する上で不必要であるか、又は逃走車両の逃走の態様及び道路交通状況等から予測される被害発生の具体的危険性の有無及び内容に照らし、追跡の開始・継続若しくは追跡の方法が不相当である」場合でなければ、逃走車両によって第三者が損害を被っても違法とはならないとの判断を示している。大阪地裁判決平成25年4月17日〈交民46・2・554〉も、同様に、警察官が職務質問のために急発進をした車両をパトカーで追跡した行為について、当該車両に衝突されて死亡した者の遺族からの訴えを退けている。

(注28) 最高裁は、信号を無視した者に下車を求め、降りてきた者に酒臭がしたため酒気検知すると告げたところ、車に乗って発進しようとしたので、運転席の窓から手を入れてエンジンキーを回転させてスイッチを切った行為について、「職務質問を行うため停止させる方法として必要かつ相当な行為」であり、同時に道路交通法67条3項(現4項)の規定に基づく危険防止のための応急措置としても適法であるとの判断を示している(最高裁決定昭和53年9月22日〈刑集、Ⓦ〉)。また、覚醒剤使用の嫌疑があり、周囲の状況を正しく認識する能力の減退などをうかがわせる異常な言動が見受けられ、滑りやすい状況にあったのに自動車を発進させる状態があったとして、エンジンキーを取り上げた行為を、同様の理由で適法と認めている(最高裁決定平成6年9月16日〈刑集、Ⓦ〉。なお、後注51参照。)。

(注29) 一時停止違反の車両に対し、警笛、手信号で停車を求めるとともに、運転席ドアを両手でつかんだ行為(東京高裁判決昭和34年6月29日〈Ⓦ〉)、免許証の提示を求めたところ、急発進した無免許運転の疑いの濃厚な者を追跡して停止させ、再び発進しようとしたので窓から手をのばしハンドルをつかむ行為(東京高裁判決昭和45年11月12日〈東高刑時報21・11・390〉)、飲食店から出てきて車両に乗り込んだ者が酒臭をさせていたため、逃走しようとした車両のハンドル等をつかむ行為(仙台高裁秋田支部判決昭和46年8月24日〈刑裁月報3・8・1076〉)、覚醒剤を携帯した密売人が乗車しているとの情報のある車両を数台の車で取り囲む行為(東京高裁判決平成9年4月3日〈東高刑時報48・〔1~2〕・32〉)、自動車3台で発進しようとした車両の進路をふさぐ行為(大阪高裁判決平成11年12月15日〈判タ1063・269〉)、発進を阻止するためにエンジンキーを抜こうとする行為(東京高裁判決平成19年8月10日〈高裁刑速報(平19)号290〉)などが適法とされている。このほか、過激派のアジトから出発した手配車両について、停車させた後、車止めを装置した行為について、急発進による危険を回避するためのやむを得ない措置であり、約30分後には取り外しているとして強制ではないとされた例がある(東京高裁判決平成8年6月28日〈判時1582・138〉)。

の制止、現行犯逮捕に至る段階で初めて強制が可能になる。)。また、説得行為が認められるといっても、必要を超えた実力行使を行ったり、あまりに長い時間車両の発進を止める行為は、違法な強制と評価されることになり得る。[注30]

(2) 一般の車両検問（自動車検問）

516　犯罪の予防・捜査等（犯罪とされていない道路交通法違反行為（シートベルト装着義務違反やチャイルドシート使用義務違反など）の防止及び調査を含む。）のため、職務質問の要件を満たしていない走行中の車両に停止するよう求め、その車両に乗っている者（運転者・同乗者）に対して質問することを、車両検問（自動車検問）という。車両検問は、法律で規定されてはいないが、任意の活動として、警察法2条の責務を達成するために行われる。社会生活における車両の重要性、交通事故防止の必要性等から、実務上広く行われている。

車両検問は、相手方の国民に不利益を与えるものであるから、必要性が

(注29の2)　交通事故の危険性が高い行為をして事故に至った場合には、相当と認められる限度を超えたものとの判断がなされることがある。広島高裁岡山支部判決平成19年6月15日〈交民41・4・865〉は、暴走している自動二輪車の追跡の際における車両の停止措置として、赤色の警光灯をつけず、サイレンも鳴らさずに片側一車線を完全にふさいでパトカーを停車させた行為について、「職務質問を実施するために当該車両を停止させる必要性および緊急性が大きかったと認められるとしても、交通事故発生の危険性を高めるものであり、相当と認められる限度を超えるものである」として、衝突して死亡した自動二輪車の同乗者の遺族からの国家賠償請求を是認している（上告審〈最高裁判決平成20年7月4日〈W〉〉は、上記部分を是認した上で、同乗者が運転者と共同して暴走していたことを理由に、運転者の過失を過失相殺の対象とすべきとして原審の判決を破棄している。原審は過失割合を運転者3、死亡した同乗者1、警察1と認定しており、最高裁判決の考えによれば、警察側の賠償責任は5分の1にとどまることになる。)。

(注30)　駐車違反の車両が逃走しようとしたのに対して、フロントガラス等を警棒で数回にわたり殴打し、破損させた行為（奈良地裁判決平成3年3月27日〈判時1389・111〉)、窃盗容疑のある者が自動車に乗って発進しようとしたのを車外に引っ張り出した行為（千葉地裁判決平成16年11月29日〈W〉）などが違法とされている（後者では、エンジンキーを取って発進を阻止したことは適法とされている。)。また、薬物前科のある者に対して、所持品検査及び自動車内の検査に応じるよう3時間半にわたって留め置いたことが、任意捜査の限界を超えて違法所持品検査となったとされた例がある（東京高裁判決平成19年9月18日〈判タ1273・338〉。自動車を発進させた行為を公務執行妨害で逮捕し、逮捕に伴う捜索で発見した大麻の所持罪とともに起訴された事件が、いずれも無罪とされている。留め置きの限界に関し⇨526)。

相手方に与える不利益を上回るものでなければならない。また、職務質問の要件を満たしていないのであるから、犯罪の防止・捜査を目的とする限り、職務質問と同程度の不利益を与える態様によることはできず、職務質問で認められるような実力行使も許されない。判例は、職務質問の要件を満たさない交通検問について、「交通違反が多発する地域等の適当な場所」において、「短時分の停止を求めて、運転者などに必要な事項について質問等を行う」ことは、「それが相手方の任意の協力を求める形で行われ、自動車の利用者の自由を不当に制約することにならない方法、態様で行われる」限り、適法であるとしている。(注31)この判例の考え方は、交通検問だけでなく、特段の不審事由等のない自動車に対して行う警戒検問にも当てはまる。

　このため、特別の不審点等のない車両を無差別に停止させることについては、原則として、動作等によって停止を求め、停止のための実力の行使を行わないこと、停止した車両に対する質問・観察も短時分のうちに行い、相手方に対してさらに追及・説得しないことといった限界がある。もっとも、公益上の必要性が特に高いと認められる具体的な事情があるときには、説得活動を行うことも許され得る。

　車両検問（自動車検問）として停止を求められた車両がこれに応じない場合には、そのことだけで不審車両に当たるとはいえない。しかし、具体的な状況によっては、停止しなかったことと他のこととを考えあわせれば「何らかの犯罪を犯した」などと疑うに足りる相当の理由がある（職務質問の要件を満たす）ことになる場合もある。この場合には、職務質問の要

（注31）　最高裁決定昭和55年9月22日〈刑集、Ⓦ〉は、「警察法2条1項が『交通の取締』を警察の責務として定めていることに照らすと、交通の安全及び交通秩序の維持などに必要な警察の諸活動は、強制力を伴わない任意手段による限り、一般的に許容されるべきである。」として、任意手段に法律の個別の根拠が不要であることを明らかにし、「それが国民の権利、自由の干渉にわたるおそれのある事項は、任意手段によるからといって無制限に許されるべきものでない。」ことも明言している。この決定に対して、「警察法2条に基づく車両検問を認めた」と評するのは、決定の文言に即した主張とはいえない（任意活動と法律の根拠について☞478）。この決定が、自動車利用を許されたことによる負担として交通取締りに協力すべきものであることを理由に挙げていることから、「交通検問の場合のみを認めたもの」とする説もあるが、決定で述べたその部分は、車両検問を行い得る態様を判断する際の利益衡量の一要素として挙げられているにすぎない。

件を満たした時点で職務質問としての停止を求めることができることとなる。停止した後に行った質問・観察によって不審な点が判明するなど、職務質問の要件を満たすこととなった場合には、そのとき以降は職務質問として必要な質問を行い、応ずるように相手方を説得し、発進しようとする車両に対して一定限度の実力行使を行うことも可能となる。

(3) 道路交通法に基づく車両の停止

517 　道路交通法は、車両等の乗車・積載・牽引について危険を防止するために特に必要があると認める場合（61条）、整備不良車両に該当すると認められる車両が運転されている場合（63条1項）及び無免許運転の禁止・酒気帯び運転の禁止・過労運転等の禁止等の各規定に違反して車両等が運転されていると認める場合（67条1項）には、警察官がその車両等を停止させることができることを規定している(注32)（☞464）。警察官に停止命令権を与え、応ずべき法的な義務を相手方に負わせたものであり、警察官に停止を直接強制する権限を与えたものではない（これらの規定を基に、強制的に車両を停止させることはできない）が、相手方に対して法的義務を履行するように強く説得し、説得のために強制にわたらない限度で実力を行使することが可能となる(注33)。また、従わなかった者は刑罰の対象となるのであるから、必要に応じ、逮捕し、又は犯罪の制止若しくは現行犯状態を解消する行為としての強制を加える（物理的に停止させる）ことも可能となる（☞360、362、552）。

　さらに、無免許運転・酒気帯び運転・過労運転等については、即時強制として応急の措置を講ずることができる（67条4項）から、運転行為を強制的に制止し、あるいはその制止のために必要な行為として車両を強制的

（注32）　67条2項で、運転者が違反をし、あるいは交通事故を起こした場合に、警察官の運転免許証の提示要求権を定めているが、車両等の停止を求める権限を定めていないことに注意を要する。

（注33）　相手方は停止要求に応ずる法的義務を負っているのであるから、強制（拳銃等を用い、あるいは物理的な強い力を用いて強制すること）に至らない限度であれば、職務質問の場合を超える実力の行使も可能と解される。したがって、「これらの規定を根拠として車両検問（自動車検問）を行うことができる」といういい方は、その規定自体が警察官に停止を強制する権限を与えたものと主張するのであれば誤りであるが、それらの規定があることによって強い説得・実力行使ができるという意味であれば成り立つ。

に停止させることができる。

5 所持品検査

警察官が、職務質問の相手方等の所持品を調べる行為を所持品検査という。所持品検査は、通常は、職務質問に付随する不審点解明の手段として、相手方の国民の承諾を得て実施されている。

(1) 承諾を得て行う場合

相手方に所持品の提示・開示を求め、承諾を得て所持品を調べることは、国民の権利・自由を制限するような強制活動ではないから、個別の法律の根拠がなくとも行うことができる。もっとも、所持品を検査されるということは本人にとって不利益なことであって、応ずるように説得されること自体が精神的な負担となるものであるので、相手方の不利益を上回るだけの公益上の必要性を要する。

所持品検査のうち、職務質問に付随して行われるものは、不審点の解明に所持品を調べることが必要である限り、公益上の必要性が認められ、承諾を得るための説得活動を行うことが許される。したがって、適法な職務質問に付随し、相手方の承諾を得てなされる通常の所持品検査（相手方が提出した物を調べるという形態のもの）は、職務質問の目的達成上で不必要・不相当であったり、説得が強要となったりした場合を除き、適法に行うことができる。これに対し、相手方の承諾を得て警察官が携帯品の内部を調べ、持ち物を取り出すという形態の場合には、通常の所持品検査に比べて相手方の不利益が大きく（バッグ等の中を探られることは、単に所持品を見せること以上の負担となる。）、それだけ高い必要性がなければ相手方に応ずるように求めることは許されない。特に、相手方の服のポケットなどに手を入れて探すといった態様の場合には、相手方の真実の承諾があっ

(注34) 所持品検査という言葉に、所持品の内容について相手方に尋ねることや相手方の所持品を外部から観察することを含める場合もあるが、それらは職務質問自体として当然に行うことができる。

(注35) 傷害事件の捜索差押許可状で暴力団事務所を捜索中に、挙動不審で覚醒剤所持の疑いのある者に対して所持品の提示を求め、「ガサビラでガサする」といい、これに渋々応じたことを根拠にポケットから所持品を取り出した行為は、違法な所持品検査とされている（名古屋高裁金沢支部判決昭和56年3月12日〈判時1026・140〉）。

たかどうかも疑われるのであって、相当な手順を尽くした上でどうしても行う必要がある場合など例外的なときに限って認められる。自動車の車内の検索についても、徹底して調べる捜索と同じような態様（例えば、乗り込んで背もたれやシートを動かすなど）であれば、同様のことが問題となる。なお、相手方の承諾は、明示のものに限られず、黙示のものも含まれるが、その経緯に照らして、実際に黙示の承諾があったかどうかが争われる。

　職務質問の要件を満たさない場合については、相手方の協力を得て所持品検査を行うこと自体は可能ではあるが、その態様が公益を上回る不利益

(注36)　所持品提示の要求に応じながら、殊更その所持品の一部を残し、警察官が承諾を得て着衣の外側から触れたところ、中に注射器様のものがあったのに、在中品について尋ねられると何もないと強弁するといった状況において、相手方の承諾の態度を確認した後に、着用するコートの外ポケットに手を入れて注射器、覚醒剤等を取り出したことについて、「承諾を伴う、職務質問を遂行するために必要かつ相当な行為」として適法であるとされた例がある（大阪高裁判決昭和62年11月4日〈判時1262・139〉）。
(注37)　自動車内の検索について、相手方が「しようがない」といった趣旨のことを述べたとしても、それまでの経緯に照らせば任意の承諾があったとはいえず、違法とされたものとして、東京高裁判決平成6年7月28日〈Ⓦ〉がある。他方、免許証を探すよう求めたところ「探すなら勝手に探せ」と答えたためダッシュボードを探したことについて、適法と判断したものとして、福岡高裁判決昭和50年6月25日〈刑裁月報7・6・660〉がある。
(注38)　黙示の承諾の認定は、経緯や行為の態様を含めた総合的な判断がなされる。相当程度犯罪の嫌疑を抱いた状態の下で、質問に黙秘し、外部からの着衣接触にも拒否の態度を示さなかった者に持ち物を見せてもらうぞといっても拒まなかった場合に、黙示の承諾があったと判断された例がある（大阪地裁判決昭和47年12月26日〈判タ306・300〉）。これに対し、抵抗している者を警察署に搬送し、署内で所持品検査を求めたところ、相手方がふてくされた態度で上衣を脱いで投げ出したことについて、意思に反して警察署に連行されたことなどを考えると、黙示の承諾があったとは認められないとされた例もある（最高裁決定昭和63年9月16日〈刑集、Ⓦ〉）。
(注38の2)　東京地裁判決平成25年5月28日〈判例自治379・57〉は、2条1項の要件を欠く場合には職務質問をすることはできず、相手方の同意があっても、違法な職務質問に付随する所持品検査は違法であるとする（同判決は東京高裁判決平成26年6月12日〈判時2236・63〉で2条1項の要件を満たしていたとして破棄されている。）が、2条1項に該当する場合と同程度の負担を及ぼすような行為はできないとしても、相手方に質問をし、相手方の同意があれば、所持品を検査すること自体は法的に可能である。このことは、これまでの多くの裁判例からも明らかである（例えば、東京地裁判決平成24年12月18日〈LEX/DB25499348〉は、「警察の責務について定めた警察法2条1項の趣旨に照らすと、警察官による職務質問、任意同行及び所持品検査は、警察官職務執行法2条1項の要件を満たさない場合においても、一切許されないわけではなく、相手方の任意の協力を求める形で行われ、相手方の自由を不当に制約することにならない方法、態様で行われる限り、適法なものと解される。」ことを明言し、任意の協力を得て行われたとして、質問、同行及び所持品検査を適法としている。）。

を与えるものとなってはならないという制限がある。具体的な必要性が高いという特別な事情がある場合を除けば、職務質問に付随して行うような態様で所持品検査に応ずるように説得することはできない。

(2) 承諾なしに行う場合

相手方の承諾を受けないで行われる所持品検査は、権利・自由の制限にわたるようなものであるとすれば、法律の規定がない以上許されない。しかし、例えば、バッグを開けてちらっと中を見るといった程度のものであれば、捜索のように権利・自由を制限するものではない（この程度の一時的制約は、法律の根拠を要する「権利・自由の制限」には当たらない。）から、個別の法律の根拠がなくとも許される場合がある。もとより、承諾なしになされる所持品検査は、相手方の国民に大きな不利益を与えるものであるから、高度の公益的必要性がなければ行うことはできない。

判例は、職務質問に付随してなされる所持品検査については、相手方の承諾を得て行われることが原則であるとしつつ、捜索に至らない程度の行為は、強制にわたらない限り、「所持品検査の必要性、緊急性、これによって害される個人の法益と保護されるべき公共の利益との権衡などを考慮し、具体的状況のもとで相当と認められる限度」においては例外的に許容される場合があるものとし、その要件として、適法な職務質問に付随し、実施する上で必要であること（不審点の解明の上で必要である場合をいうが、凶器の有無を調べることも質問自体を行う上で必要なことであるからこれに含まれる。）、捜索に当たらないこと、強制にならないこと、公益上の必要性が相手方の不利益を上回ること及び社会通念上相当であることを挙げている。[注39]

このうち、捜索となってはならないことは憲法上の要請であり（捜索であれば、令状を要する。）、証拠収集の目的で強制力を行使することは許されない。また、法律の規定がない以上、強制にわたることは許されないから、強い有形力を行使し、あるいは脅迫的な言動によって、相手方の抵抗を排除することはできない。例えば、数人で押さえつけて抵抗不能な状態

(注39) 最高裁判決昭和53年6月20日〈刑集、⑩〉（米子銀行事件判決）。

として検査を行うといったことは許されない(注40)。必要性・相当性等の判断は、個々の具体的な状況によって異なるが、容疑犯罪の種類、容疑の程度、物件所持の疑いの程度、物件の危険性の有無、検査の態様等によって判断されることになる。

　このような例外的にのみ許容される行為については、所持品検査の時点だけではなく、職務質問の開始の時点から所持品検査に至るまでの職務執行全体の相当性も求められる。承諾を得るための説得を行って拒否され、一層不審点の解明の必要性が増加する等の経過を経て、どうしてもやむを得ない措置として行ったものでなければならず、いきなり承諾を得ずに検査を行うことは相当性があるとは認められ難い(注40の2)。

520　行為の態様としては、承諾なしに所持品を外部から触れる行為については、プライバシーの侵害は少ないので比較的広く認められる(注41)。特に、危険物・凶器の所持が疑われる場合にその有無を確認するために行うことは、職務質問に当たる者も含めた安全確保に必要であるから、実力行使を行うことのない限り、一般的に認められる。これに対し、所持している携帯品（バッグ等）を承諾なしに開けて中を見る行為については、プライバシーを害するなど、重い法益の侵害であって、容疑犯罪の重大性・危険性、容疑の確実性、凶器等の存在の可能性などから高度の必要性が肯定される場合に限って認められる。重要凶悪事件の緊急配備がなされているとき、爆弾等を所持・集合するおそれがあるといった緊迫した情勢にあるときなどが該当する(注42)。もっとも、必要性が高くとも、強制にわたることはできないから、鍵を破壊するといったことまでは許されない(注43)。

　　（注40）　東京高裁判決平成13年1月25日〈東高刑時報52・〔1～12〕・2〉は、数人で体を押さえつつ、ポケットの中で所持品を握っている手を引き抜いて、数分間にわたって体を押さえるなどして腕を制止させて手に握っているものを確認し、抵抗を断念して提出した物を検査したことを、違法としている。
　　（注40の2）　東京地裁判決平成24年2月27日〈判タ1381・251〉は、交番前を歩いていた覚醒剤の前歴のある者に対して、いきなり所持品検査の協力を求め、拒否の余地がないような状況に置いた上で、ズボンの中まで見せるように求めるなどしたことについて、違法であって、それによって得られたものの証拠能力は否定されると判断している。
　　（注41）　最高裁判決昭和53年9月7日〈刑集、㊺〉は、覚醒剤所持の疑いのある者の上衣とズボンのポケットを上から触った行為を違法とはしていない（ポケットに手を入れた行為を違法としている。）。

相手方の承諾なしにバッグ、着衣などに手を入れて調べ、所持品を取り出すといった行為については、バッグ等の中を見るのに比べて相手方の不利益がより大きく、捜索に近いものであって、極めて異例な場合を除き認められないと解されている。
(注44)

一方、相手方が所持品検査の最中に所持品を隠匿しようとした場合にこれを制止することは、捜索とは全く態様を異にする行為であって、所持品検査に付随する実力行使として、必要かつ相当な限度で行うことができる(注45)（実力行使をできるのは、破棄したり、飲み込んだりするのを止めるところまでであって、それを超えて、破棄しようとしたものを実力で取り出すことまではできない(注46)（この二つの行為の違いについて☞366）。）。職務質問の相手方が仲間に渡そうとした物についても、仲間が持って行くのを阻止

(注42) 凶器・危険物以外では、銀行強盗事件の緊急配備の下で認められた例がある（前掲米子銀行事件最高裁判決）ほか、ホテル内で覚醒剤による影響と思われる異常な言動をした者への職務質問に際し、バッグのポケットから注射器がのぞいているという状態の中で、ホックが外れているバッグの上蓋を開披した行為について、抵抗するのを押しとどめたり、身体に手をかけたり、着衣のポケットに手を突っ込んで内容物を取り出すといった態様のものでないことを指摘し、具体的状況のもとでは相当な行為であって適法であるとした裁判例がある（福岡高裁判決平成4年1月20日〈判夕792・253〉）のにとどまる。

(注43) 前掲米子銀行事件最高裁判決は、ボーリングバッグのチャックを開けた行為を適法としつつ、アタッシュケースをこじあけた行為については、緊急逮捕に先行する捜索と同視し得るものとして証拠能力を肯定するにとどめており、所持品検査としては行えないことを前提とした判断を示している。

(注44) バッグの中に手を入れて底に触れた行為について適法とした裁判例がある（東京高裁判決昭和51年2月9日〈刑裁月報8・〔1・2〕・6〉）が、この事件は、事前の情報があり、車両から既に鉄パイプが発見され、そのバッグを外から触ったところ金属のようなものがある感じがしたといった特異な状況下でのものである。これに対し、服のポケット等から覚醒剤を取り出した行為は、必要性・緊急性の高い場合を含めて、全て違法とされている（前掲最高裁判決昭和53年9月7日〈刑集、Ⓦ〉など）。自動車内に警察官が乗り込んで、座席の背もたれを前に倒すなどして丹念に調べたことについて、本人の同意がない限り違法との判断が最高裁でも示されている（最高裁決定平成7年5月30日〈刑集、Ⓦ〉）。

(注45) 警察署に同行して所持品検査を行っているときに、ビニール袋様のものを被質問者が口に入れたため、飲み込むのを制止しようとして顎や手足を押さえ、鼻をつまんだ行為は、所持品検査の必要性、被質問者の生命・健康の保護の必要性などを総合的に考察し、違法でないとされている（東京高裁判決昭和61年1月29日〈刑裁月報18・〔1・2〕・7〉）。口に飲み込んだ覚醒剤が入っていると思われるビニール袋を強い力を加えて口から出す行為についても、同様に適法とされている（東京高裁判決平成10年7月14日〈東高刑時報49・〔1〜12〕・38〉）。

することは可能であるが、それを警察官が開けることができることにはならないのも同様である。[注46の2]

522　なお、銃砲刀剣類所持等取締法では、銃砲刀剣類又は刃物を携帯・運搬している疑いのある者が他人の生命・身体等に危害を及ぼすおそれがあると認められるときは、その物を提示させ、又はそれが隠されていると疑われる物を開示させて調べることができることを規定している（24条の2）が、これは、警察官に所持品検査を行う即時強制権限を与えたものではなく、承諾のない所持品検査が当然に認められることにはならない。もとより、この要件に該当する場合には、法律で特にその必要性が明らかにされているから、強い態様によって提示・開示を説得することができ、さらに、承諾なしに行うことについての公益と私益との比較等においても公益上の必要性の重大性が反映される（中をのぞくといった行為の相当性が、他の場合に比べて認められやすい。）ものと解される。

6　同行要求

523　職務質問に際し、その場で行うことが本人に対して不利であり、又は交通の妨害になると認められる場合においては、警察官は、質問をするために、付近の警察署、派出所（交番）又は駐在所に同行することを求めることができる（2条2項）。同行要求は、職務質問を行う上で付随的に認められた権限である。警察署等へ警察官と一緒に行くことを被質問者に求めることができるとしたものであって、警察官に強制的に同行させる権限を与えたものではない。相手方に同行するように説得し、相手方がこれに渋々であっても応じた場合には、適法な同行（任意同行）である。

（注46）　職務質問に際して、相手方が着衣から証拠物となる疑いのあるもの（注射器の入ったちり紙）を破棄するために取り出したと認められる状況下で、その手をつかむなどして制止することは職務質問に伴う有形力の行使として適法としつつ、指をこじあけて持っていたものを取り上げることは違法とされている（東京地裁判決昭和63年2月2日〈判時1299・148〉）。

（注46の2）　東京高裁判決平成30年3月2日〈判タ1456・136〉は、職務質問を受けている者が知人を呼び出し、「預かってくれ」といってバッグを投げたところを、警察官がすぐに拾い上げてバッグの中から内容物を取り出したことについて、占有を放棄したものではなく、至急確かめなければならない緊急性もないのに、プライバシーの侵害の程度の大きい態様で行ったもので、違法性が強いもの（証拠排除対象）と認定している。

その場所で質問を行うことが本人に不利な場合としては、周りに人がいて本人の名誉・プライバシー等を傷つけるおそれがあるとき、悪天候であるときなどがあげられる。交通の妨害になる場合には、質問がきっかけとなって人が集まって交通に支障が生ずるおそれがあるときも含まれる。

　警察署等に同行を求めることは、相手方の権利・自由を制限するものではないから、2条2項の要件を満たしていない場合でも、公益上の必要性が相手方の不利益を上回る限度で行うことができる（2条2項は、その要件を満たしたときに同行要求が可能であることを確認的に規定したものであって、他の場合を否定する趣旨ではない。）。行うことのできる範囲は、必要性の程度に応じて個別に判断されることになる。嫌疑が高く質問を継続して行う必要性が高いときや、事態の沈静化のための必要性があるとき(注47)などは、ある程度の説得を伴う同行要求をすることができる。そうでない場合には、同行するよう求めること自体は可能であっても、態様はより緩やかな範囲に限られることになる(注48)。同行先について、法律で定められているのは警察署、派出所及び駐在所であるが、その他の場所（例えば、近くの犯罪現場）に同行するように求めることも、具体的な状況の下で必要かつ相当であれば可能である。

　同行要求に際しては、説得を行うことはできるが、相手方の意思に反して連行してはならない。その意に反して警察署等に連行されないことは、同条3項で特に明記されている。職務質問の停止として一時的な実力行使が多くの場合に認められているのに対し、同行要求において、手をつかんで交番に引っ張ったり、パトカーに無理やり乗せて警察署に連れていくと

（注47）　秋田地裁大館支部判決平成17年7月19日〈判タ1189・343〉は、2条2項の要件を満たさず、さらなる質問を行う上で任意同行をする必要があったともいえないとしつつ、放置すれば業務妨害等の犯罪に発展するおそれもなしとしない状況にあったとして、場所を変えて話を聞き、事態の終息を図る目的で任意同行を求めたものとして適法と認めている。

（注48）　東京地裁判決平成2年6月26日〈判タ748・135〉は、派出所（交番）に同行した後に警察署に再移動することを求めたことに関して、2条2項の場合に強制手段にわたらない限り有形力の行使も含めて必要かつ相当の手段を行使し得るのに対して、より緩やかな態様のものしか許されないとの判断を示した上で、いったん拒絶した者にあまり時間はとらせないと言って肩付近に手を触れて説得したのに対して、少し考えた上で自らパトカーに乗り込んだという本件では、違法とまでは言い難いとしている。

いった実力の行使は、「連行」又は「逮捕」とされ、違法とされている。(注49)
嫌疑が高く、警察署等で質問をする必要が高いと認められる場合でも、説得を継続することができるだけであって、連行をしてはならない。説得によって渋々でも同行に応ずる意思が生じたのであれば、同行することができる。説得中に立ち去ろうとする者に対しては、職務質問における停止のための実力の行使と同様の行為を行うことは、状況に応じて可能である。立ち去ろうとする者の腕を引き止めて立ち止まらせ、さらに説得することはできても、連れていくために腕を引っ張っていくことはできない(注49の2)(☞366)。

任意活動としての実力行使は、その場から相手がいなくなったり、妨害をしたりするのをやめさせて説得を継続するために必要な範囲で認められるのであって、警察官の望む結果を実力で実現すること(警察署に連れていくこと、所持品を取り出すことなど)は強制とされる。(注50)

> **column** 留め置きの限界
>
> ひととおりの質問と所持品検査のための説得活動が行われた後の段階については、警察官職務執行法には規定されていない。引き続いて、証拠収集等に向けた活動をどこまで行うことができるかは、「任意捜査の限界」として論じられる。当初

(注49) 同行を拒否し逃走しようとする者を両側から挟んで、途中これを相手方が振り払おうとしたり助けを求めたりしたのにもかかわらず、やめなかった行為(名古屋地裁決定昭和44年12月27日〈刑裁月報1・12・1204〉)、同行要求の説得に応じず、しゃがみ込んだ者を引き上げるようにして立たせ、抵抗するのに車両に乗り込ませた行為(大阪高裁判決平成16年10月22日〈判タ1172・311〉)などが違法とされている。

(注49の2) 職務質問中に体調不良を訴えた者を、病院に搬送するために有形力を行使するのは、状況に応じて認められる。広島高裁判決令和2年11月17日〈⑲〉は、病院に行きたいと言っていた者が、「警察官が周りにいたら救急車に乗りたくない」と言って乗るのを拒み、説得に応じずアパートの外階段の手すりをつかんで抵抗していたところを、警察官が指を引きはがし、両脇と両太ももを持って階段から降ろして、ストレッチャーに乗せたことについて、有形力の行使が相当強度なものであったとしつつも、警察の責務に反するものではないとの見方も成り立つとし、かりに有形力の行使の限度を超えていたとしても違法の程度はさほど大きくないとして、搬送後の病院で令状により差し押さえられた尿の証拠能力には問題がないとの判断を示している。

(注50) 例えば、職務質問に際して、逃げ出した相手方を追い掛けて肩の付近をつかんで停止させ、さらに、なおも逃げようとするところを腰付近を後ろからつかんだことは適法としつつ、同行を承諾していないのに後ろから軽く押しながら警察車両まで移動させ、乗車を拒むのを何度も背中などを押して乗車させようとしたことは違法とされている(札幌高裁判決平成4年6月18日〈判時1450・157〉)。

の質問の開始とそのための停止措置が適法であっても、停止措置を講じたままで数時間にわたって説得をすることは、限界を超えたもので違法との評価を受ける。(注51)

　警察署に同行した後の取調べや令状執行のための留め置きに関しては、相手方が立ち去りたいとしているのに、数時間にわたって留め置くことは、特段の事情がなければ、違法との評価を受ける。一方、令状（特に覚醒剤事件における強制採尿のための捜索差押許可状）請求をした後に関しては、引き止める必要性が高いので、それ以前の純粋の任意捜査の段階とは異なる「強制手続への移行段階に至った」ものとして、ある程度の時間内は強くその場にとどまるように説得をして留め置いても、適法なものと認められる傾向がある。(注51の2)

7　凶器捜検

　警察官が、逮捕されている者について、凶器を所持しているかどうか調

（注51）　最高裁決定平成6年9月16日〈刑集、⑭〉は、エンジンキーを取り上げ、6時間半以上にわたって現場に留め置いて同行するよう説得を継続した事案について、エンジンキーを取り上げた行為は適法であるが、留め置いた行為は、当初は適法なものであったことを考慮しても、「任意同行を求める説得行為としてはその限度を超え、被告人の移動の自由を長時間にわたり奪った点において、任意捜査として許容される範囲を逸脱したものとして違法」との判断を示している。また、東京高裁判決平成23年3月17日〈東高刑時報62・〔1〜12〕・23〉は、覚醒剤事犯の犯歴を有する者が警察官の制止を振り切って立ち小便をして運転席に乗り込もうとしたのを制止し、エンジンキーを抜き取り、一定期間留め置いた行為は適法としつつ、職務質問開始後約2時間経過した時点での2回目のエンジンキーの返還要求を拒絶した以降の留め置きは違法としている（強制採尿手続を既にとっていたことなどから、尿の鑑定書の証拠能力は是認している。）。

（注51の2）　東京高裁判決平成21年7月1日〈判タ1314・302〉は、原審が現場での職務質問と所持品検査及び警察署への同行を適法としつつ、取調べ室で強制採尿令状の執行まで3時間半近く留め置いた（退出しようとするのを繰り返し阻止した）行為を任意捜査として許容される限度を超えたとしたのに対し、純粋に任意捜査として行われている段階と、令状の執行に向けて行われている段階（強制手続への移行段階）とを分けて判断すべきとし、取調べ室に入ってから30分後には令状請求準備に着手しており、場所的な行動の自由を最小限制約することは任意捜査として許容される範囲を逸脱したものではない、との判断を示している。また、東京高裁判決平成22年11月8日〈⑭〉も、強制採尿のための捜索差押許可状が提示されるまで4時間にわたって職務質問の現場に留め置いたことについて、令状請求の手続に取りかかった後は、「強制手続への移行段階に至った」ものであって、令状請求が行われていることを本人に告げていれば相当程度強くその場にとどまるように求めることも許されるとし、適法と判断している。二分論を批判する裁判例もないではない（例えば札幌高裁判決平成26年12月18日〈判タ1416・129〉）が、現在の裁判実務では、二分論を前提とした上で、留め置いている時間の長さだけでなく、令状請求までの時間、留め置いている間の行動の自由度、当事者からのその間の具体的な要求なども含めて判断されている。

べることができることを規定している（2条4項）。逮捕に関連して、警察官の危険防止と、被逮捕者の自傷行為の防止のために、凶器を捜す権限を与えたものである(注52)。所持品検査と異なり、即時強制権限であって、本人の意思に反しても強制的に行うことができる。凶器を発見した場合の措置については定めていないが、その趣旨から凶器を取り上げて保管することまで認めたものであると解される。

　この規定の「凶器」とは、人を殺傷する能力を有する器具をいう。銃砲刀剣類などの本来的な凶器のほか、用法によっては人を殺傷できる用法上の凶器（例えば、こん棒など）も含まれる。「逮捕されている」者に対して行うことができるから、私人が逮捕して警察官がその引渡しを受けた場合にも行うことができる。この規定の「逮捕」は、広く刑事訴訟法に基づく身体の拘束全体を意味しており、勾留状、収容状の執行を受けた者も対象となる。

　警察官の危険防止・被逮捕者の自傷防止のためのものであるから、その目的に必要な限度で行わなければならない。証拠品の収集・身体の検証の必要がある場合には、逮捕の現場における捜索、差押え若しくは検証（刑事訴訟法220条）又は裁判官の令状による処分（刑事訴訟法218条）として行わなければならない。

column　警察官職務執行法と「逮捕」

　被疑者の逮捕は刑事訴訟法に定められているが、警察官が逮捕した場合の凶器捜検は警察官職務執行法に定められている。凶器捜検の規定が警察官職務執行法で規定されているのは、職務質問によって容疑が明らかになった者を逮捕する際に、現場で凶器捜検が行われることが多いことに着目したものと思われる。同時に、職務質問と逮捕等が一連のものであるというこの法律の考え方が反映している。このほかにも、7条では、武器の使用について定めているが、正当防衛等のためと逮捕のために用いることとされている。

　警察が個人の保護と犯罪の予防及び捜査に当たる存在であることは、昭和22年

（注52）　身体を拘束する権限が与えられている以上、それを安全、確実にするために、凶器その他の危険物を取り上げることは当然にできるものと解される。警察官職務執行法に基づく保護については、凶器捜検の規定はないが、身体拘束権限自体によって、凶器等の所持の有無を調べることができるものと解される。

に制定された（旧）警察法で明らかにされ、そのための権限が昭和23年に制定された警察官職務執行法によって明確にされた。

凶器捜検を定めた2条4項の規定は、旧憲法下であった「司法警察（捜査）と行政警察とは別の作用であり、異なった法体系に属する」といった考え方が否定され、今日につながる新たな警察制度が誕生したことを示すものともいえるのである。

第3節 保　護

1　意　義

警察官職務執行法3条は、精神錯乱者、泥酔者、迷い子等で応急の救護を要する者についての一時的保護を定めている。個人の生命・身体の保護のために認められた権限である。精神錯乱者等の場合には、本人の保護のためであると同時に、他の者の被害防止とそれによる公共の安全と秩序の維持の意義も有している（自己又は他人の生命・身体・財産に危害を及ぼすおそれがあることが要件とされていることも、これを反映している。）。

保護の制度は、本人のためであり、他の目的のために行使することは許されない。戦前の行政執行法の運用において、実質的に他の治安目的のために人を拘束していたことが問題とされてきたことを踏まえ、保護の要件と期間を真に必要な範囲に限定するとともに、簡易裁判所にチェック機能等を与えることによって、権限の濫用の防止を図っている。

保護の権限を、犯罪の捜査・予防などのために用いることが許されないことはいうまでもない(注53)。被保護者を犯罪捜査の対象とすることができなくなるわけではないが、保護を捜査に利用したと認定されれば違法となる(注54)。

この規定に基づく保護は、保護者等に引き渡すことを予定してなされる一時的なものである。継続的な治療・養護等を行うことは、保護者又はそれを担当する機関の任務であって、警察の任務ではない。保護の過程では、警察署等に連れていくなど、目的を達成する上で必要な限度で実力行使を行うことができる。精神錯乱者又は泥酔者の保護の場合には、即時強制手段として、本人の意思にかかわらずに行うことができ、本人が抵抗したと

きは、これを排除するために強制力を用いることもできる。迷い子、病人等については、本人があくまで拒んだ場合には、保護を実施することはできない（その意味では、強制ではなく任意活動に属する。）が、相手方の明示の拒絶がない限り、意思を確認することなく実力を行使して警察署等へ連れてくることができるという点で、強制に近い権限を認めたものといえる。(注55)

530 　個人の生命・身体・財産の保護という警察の責務達成に必要な任意の活動として、この規定によらない一般的な保護が行われる。家出少年に対しては、自活する能力に乏しく、犯罪等の犠牲になりやすいといった事情があることから、警察として発見に努め、説得を行い、警察署等への同行を求め、家族に連絡するといった措置をとることができるし、立ち去ろうとする場合に一時的に引き止めるといったことも可能であると解される。(注56)こ

(注53)　覚醒剤所持容疑者などを保護したことについて、「保護の名目でなされた事実上の逮捕である」との指摘を受ける事例が存在する（例えば、大阪高裁判決昭和60年11月26日〈判時1187・153〉、大阪地裁判決昭和61年5月8日〈判時1219・143〉。）。なお、ホテルで異常な言動に及んだ者を制圧して警察署に連行し、保護取扱簿の作成等を行うことなく捜査を進め、覚醒剤使用で逮捕したという事案について、「警察官らがその職務執行の法的根拠を明確に認識していなかったという点はあるが、客観的には警察官職務執行法3条1項1号所定の場合に当たり、必要な保護として是認しうる」として、その後の捜査を適法とした例がある（札幌高裁判決平成4年7月21日〈判タ805・238〉）が、取扱いとしては明確に保護手続をとった上で、並行して覚醒剤事件捜査を進めるべきものであったといえる。

(注54)　保護されている者に対して捜査をすることは可能であり、錯乱状態にある保護中の者について令状を得て強制採尿を行ったことを適法とした最高裁の判例もある（最高裁決定平成3年7月16日〈刑集45⑩〉）。ただし、正常な精神状態にない者の「同意」があったことを理由に任意捜査の手段をとることは、実際に認識した上で同意をしたのかが問われることとなる（精神錯乱の状態で保護を要する者でも、提出すべき目的物とそれを警察官に提出することを正確に認識し、欺罔や強制等を受けない自己の意思に基づいて判断できていれば、同意として認められる（岡山地裁判決昭和54年9月28日〈ジュリ712・97〉）が、状況によってそうと認定されない場合もあり得る。）ほか、保護による拘束状態を捜査に利用したという疑いを招くこともあり得る。警察署に保護のため連れていく途中、あえて方向の異なる交番に移動させ、ひったくり事件の被害者に面通しをさせたことが違法とされた例がある（大阪高裁判決平成19年9月6日〈判例自治303・73〉）。

(注55)　迷い子、病人等の保護については、政府が提出した法律案では、正当な理由を挙げて拒んだときのみを除外しており、強制としての性質を有していたが、国会の修正で本人が拒絶すれば全て行えないことになったため、即時強制とはいえないものとなった。もっとも、明示の拒絶がない限り、人の身体に手をかけて運ぶといったことも可能であって、強制的要素を有している。

れに対し、成人の家出については、居住地は本人の自律的な判断に委ねられるものであるので、家族からの届出（行方不明者届）があること等の事情を伝えることはできても、特別の事情がある場合（自殺のおそれがある場合、精神的に正常でない場合など）を除き、強く説得することはできないし、本人が拒否すれば家族に居場所を連絡することもできない。[注56の2]

　自殺しようとする者に対しては、この法律に基づいて保護することはできないが、任意活動として強く説得をすることができるほか、まさに自殺をしようとしている場合には、制止するための一時的な実力の行使を行うことも認められる（☞361）。

2　保護の対象

(1)　保護の対象と判断

　警察官職務執行法上の保護は、

○　精神錯乱又は泥酔のため、自己又は他人の生命・身体・財産に危害を及ぼすおそれのある者で応急の救護を要すると認められる者（1号該当者）

○　迷い子、病人、負傷者等で適当な保護者を伴わず、応急の救護を要すると認められる者（2号該当者）

のいずれかに該当することが明らかである者に対して行うことができる。「異常な挙動その他周囲の事情から合理的に判断」することが求められ、警察官の主観的・恣意的判断で行うことは許されない。[注57]「応急の救護を要する」とは、本人のために保護を行うことが求められる差し迫った状況にあることを意味する。例えば、泥酔状態で路上で一人でいるのであればこ

（注56）　児童虐待の被害を受けている疑いのある少年の場合には、児童相談所への通告措置をとることとなる。このほか、養護者による虐待を受けたと思われる障害者又は高齢者については、市町村に通報することとされている。

（注56の2）　行方不明者発見活動に関する規則では、警察職員が行方不明者を発見した場合には、発見場所の警察署長が安全を確認するとともに、行方不明者及び届出人の意思を尊重しつつ、行方不明者に対して届出人等に連絡するよう促すなどの措置をとり、行方不明者届を受理していた警察署長が届出人に発見時の状況等を通知する（行方不明者の意思等を考慮して適当と認めるときは通知せず、又は通知する事項を限ることができる。ストーカーや配偶者暴力被害の場合は通知しない。）こと等を定めている（25条及び26条）。意思能力と自救能力のある行方不明者の場合には、安全を確認したという事実を超える情報を、本人の意思に反して連絡することは原則としてできない。

れに当たるが、家族や友人と共にいてそれらの者が世話をすることが可能な状態であれば、保護の対象とはならない。

同居者の側から、異常な挙動をしていて怖いという通報があったとしても、それが実際に「精神錯乱又は泥酔のため、自己又は他人の生命・身体・財産に危害を及ぼすおそれがある」に該当するかどうかは、対象者の状態を確認して、警察官において判断をしなければならない。一時的に大声を出す等の行為をしていても、その後に落ち着いてきているような状態であれば、他に特別の事情がなければ、要件に該当するという判断にはならないものと思われる。(注58)

(2) 1号該当者の要件

532　精神錯乱の状態にある者と泥酔者とが1号の対象となる。「精神錯乱」状態の者とは、精神に関する病気によって正常な判断、意思能力を欠いた者のほか、一時的な原因（例えば、極度の興奮、薬物等の影響）によって、精神の病気による者と同程度の状態にある者が含まれる。(注58の2)「泥酔」状態にある者とは、アルコールの影響によって、意識が混濁し、正常な判断能力・意思能力を欠いた状態にある者を意味する。医学的な意味での「泥酔」か

(注57) 酔っぱらいが暴れているとの通報はあったが、実際はいささか飲酒酪酊していたにすぎず、警察官が現場に到着した時点では既に騒ぎは収まっていたにもかかわらず、この保護を行おうとしたことが違法とされた裁判例がある（福岡高裁判決昭和30年6月9日〈Ｗ〉）。

(注58) 精神錯乱には当たらないとして違法とした裁判例がある（福岡高裁那覇支部判決平成15年3月25日〈高裁刑速報（平15）号141〉）。もっとも、同居者が加害を恐れて連行を懇願している中では、けんかの再燃を避けるために警察署への同行を求め、可能であれば冷静さを取り戻したと確実に判断できるまでの間、警察署に留め置くことが望ましいという警察の判断は当然のことと首肯できると述べている。

(注58の2) 福岡高裁判決平成24年1月10日〈Ｗ〉は、自転車で蛇行し、警察官の警告に従わず、信号待ちをしていたバイクに追突して転倒し、起き上がってバイクのフェンダーを足蹴りにし、制止しようとした警察官の手を振り払おうとして激しく暴れて抵抗した者について、「「精神錯乱者」とは、必ずしも精神障害者に限られるわけではなく、一時的に、正常な意思能力や判断能力を欠いた状態にあると認められる者も含む概念である」とし、知的障害者であることを知らなかった警察官が本号に当たると判断したことを、相当であったと認めている（なお、同じ事案についての国家賠償訴訟において、佐賀地裁判決平成26年2月28日〈LEX/DB25503198〉は、保護に着手するためには、同号記載の事由（「……おそれのある者」）が存在し、その者について「……と信ずるに足りる相当な理由」）があれば足りるのであって、知的障害者であるかどうかは関係ないと判断している。）。

どうかではなく、社会理念上深酔いして正常な判断能力、意思能力を欠く程度に至れば該当する。アルコールの影響で正常な状態と異なっている場合でも、普通の酩酊の程度では当たらない。

精神錯乱又は泥酔の者のうち、自己又は他人の生命・身体・財産に危害を及ぼすおそれがあり、応急の救護を要すると認められる場合のみが、この規定の保護の対象となる。2号該当者とは異なり保護者がいないことが要件となってはいないが、精神錯乱等の程度がひどく、保護者がいてもその手に負えない場合があり得るからである（その場に保護者がいて、かつ、実際にその者が対処可能な程度であれば、「応急の救護を要する」者には該当しないことになる。）。

酒に酔っていても「泥酔」に当たらない者は、警察官職務執行法の保護の対象とはならないが、公共の場所又は乗物において、粗野又は乱暴な言動をし、本人のため応急の救護を要するときは、酩規法の保護の対象となる。酩規法3条に基づく保護は、酒に酔っていれば泥酔であることを要し(注59)ないが、道路・公園・駅・興行場・飲食店・鉄道・バス・船舶・航空機等の公共の場所又は乗物において、粗野又は乱暴な言動を行っていることが要件とされている。本人のため応急の救護を要するときに限られていることは同じである。酩規法の場合の保護も、警察官職務執行法の保護の場合（後述）と類似した扱いがなされ、親族等へ通知して引取方の手配を行うこと、保護の期間が24時間以内に限られること（延長制度はない。）、保護した者の氏名等を簡易裁判所へ通知することといった規定が設けられている。

このほか、精神科病院の無断退去者であって、自身を傷つけ又は他人に害を及ぼすおそれのあるものとして精神科病院の管理者から探索を求め(注60)られた者については、警察官は、発見した場合に管理者に通知し、管理者が

（注59） 泥酔者については、この法律の対象外とされているわけではないが、警察官職務執行法が適用されるべきとするのが立法時からの考えであり、実務の扱いである。
（注60） 精神科病院の管理者は、入院中の者で自身を傷つけ又は他人に害を及ぼすおそれのあるものが無断で退去し行方不明になったときは、所轄の警察署長に、退去者の住所・氏名、症状の概要、人相・服装、保護義務者の住所・氏名などを通知し、探索を求めなければならないものとされている。

引き取るまでの間、24時間を限り、保護することができる（精神保健法39条）。この保護に当たっては、警察官が自傷他害のおそれがあるかどうかの判断をする必要はない。

column　酩規法

この法律は、酩酊者（アルコールの影響により正常な行為ができないおそれのある状態にある者）の行為を規制し、救護を要する酩酊者を保護する措置を講ずることにより、過度の飲酒が個人・社会に及ぼす害悪を防止することを目的として、議員提案によって制定されたものである。正式名称は、「酒に酔つて公衆に迷惑をかける行為の防止等に関する法律」であるが、「酩酊者規制法」（略して「酩規法」）と呼ばれることが多い。「すべて国民は、飲酒を強要する等の悪習を排除し、飲酒についての節度を保つように努めなければならない。」（2条）ことを規定し、本文で述べた保護（酩酊者が公共の場所・乗物で粗野又は乱暴な言動をし、本人のため応急の救護が必要である場合に保護すること。）のほか、酩酊者が公共の場所・乗物で公衆に迷惑をかけるような著しく粗野又は乱暴な言動をする行為（軽犯罪法1条5号と異なり、現実に迷惑をかけた結果を要件としていない。）を処罰（拘留・科料）の対象とすること（4条）、警察官は、現に前記行為をしている者に対して、その言動を制止しなければならないこと（5条1項）（制止を受けた者が、制止に従わないで前記の行為を行い、公衆に著しい迷惑をかけたときは、罰金刑が科せられる（5条2項））、という規制手段を定めている。このほか、警察官がこの法律又は警察官職務執行法に基づく保護を行った場合において、その酩酊者がアルコールの慢性中毒者（精神障害者を除く。）又はその疑いのある者であるときは、速やかに最寄りの保健所長へ通報すべきこと（7条）（通報を受けた保健所長は、必要と認める場合には、診察を受けるように勧める（8条）。）が定められている。

なお、酩酊者が住居内で親族等に暴行をしようとするなど、親族等の生命・身体・財産に危害を加えようとしている場合において必要があるときは、警察官職務執行法6条1項の規定に基づいて、住居内に立ち入ることができるという規定（6条）が置かれているが、警察官職務執行法6条1項の要件を満たす場合にその権限を行使できることは当然のことであって、格別の法的意義を持つものではない（同法の提案理由説明によれば、このような場合に警察官が立ち入る場合があることを一般に周知させようとするのが立法趣旨であるとされている。）。

(3) 2号該当者の要件

　自救能力がないのに適当な保護者がいないため、応急の救護を要する状態にある者が2号に該当する。自己の生命・身体の安全を確保できない状態にある者であれば、その理由を問わない。「迷い子、病人、負傷者」が例示として挙げられているが、このほかにも高齢者であって自救能力がないものなどが含まれる。適当な保護者（その者を救護できる者）がいない場合のみが対象となるのであって、適当な保護者がいれば該当しない。2号該当者については、明文の規定によって、「本人がこれを拒んだ場合を除く」こととされている。したがって、病人等で応急の救護を要する者であっても、本人が明確に拒んだ場合には、警察官は、強制的に保護することはできない。1号該当者の場合とは異なり、正常な意思能力のある本人のための措置であるから、当人が明確に拒絶した場合にまで強制すべきではないとの考え方に基づくものである。なお、正常な意思能力を欠いている場合（意思能力のない幼児の場合、けがなどで意識を半ば以上失っている場合など）には、拒絶するような言動を行ったとしても、「本人がこれを拒んだ場合」には当たらないから、保護を行うことができる。

　正常な意思能力を有している者が拒んだ場合には、この規定に基づいて強制的に保護することはできないが、保護の客観的な必要性はあるのであるから、警察官の行う保護に応ずるように強く説得することは可能であり、立ち去ろうとするときに抱き止めるなど、説得を継続するのに必要な限度で一時的に実力を行使することも許され得る。さらに、本人が拒んでいても、長期間のハンストの結果衰弱が進み、そのまま放置すれば死に至る（ないしは回復不能な重い障害に至る）ことが確実に見込める状態になったときには、そのような極端な場合にまで放置すべきであるとはいえないのであって、本人の意思に反して病院に無理に搬送する行為は違法にはならない。(注61)

535

　（注60の2）　同法が制定されたのは昭和36年であるが、当時は家庭内事案への公権力的介入を問題視する考えが広く存在していた（⇒325）。家庭内でも、酒に酔って危害を加える状態があるときには、警察官が法律に基づいて立ち入ることがあることを法的に宣言することは、その時代において実質的な意義があったものといえる。

3 保護の実施とその後の手続

⑴ 保護の実施

536　2に該当する者を発見した場合には、警察官は、取りあえずの措置として、警察署等の適当な場所において、保護しなければならない。「保護しなければならない」とされているのは、要件を満たす場合には、相手方のためにその権限を行使することが当然に求められるからである（本人のために本人の権利を制限するものであるから、要件を満たす限り、権限行使を行わない方が良いということは考えにくい。）。保護を行うには、相手方の承諾を要しない（2号該当者については、相手方が拒絶した場合には保護することができないが、拒絶しない限り、承諾がなくとも保護を実施することができる。）。保護は、警察署、病院、救護施設等（保護をするのに適当な施設が広く該当する。）において行う。警察施設以外でも、警察の責任で保護をすることができる（病院等の施設を用いて、警察が保護をすることができる。これに対し、病院等に引き継ぐ場合には、その後は病院の責任になる。）。

　警察官は、保護すべき場所に相手方を移動させ、保護を実施するために必要な限度で、実力を行使することができる。1号該当者については、保護を拒んで抵抗する場合には、抵抗を実力で排除し、強制的に連行・確保することができる。必要な場合には、手錠等を用いることも可能であるが、過剰な使用は許されない。(注62)制圧と移動の過程の有形力の行使によって相手方が負傷したとしても、それぞれの段階で必要かつ相当な限度内であれば、違法となるものではない。(注63)結果として対象者が死亡したとしても同様であ

(注61)　自殺をしようとする者を物理的に阻止することが可能であるのと同じ（何人もできることであるから、警察官も行い得る。）で法律の根拠のない強制と解するか、警察の責務の規定と本条の規定を全体として捉えて、そのような場合は「本人がこれを拒んだ場合」から除かれており（国会の修正でこのような規定にしたのも、そういった場合までを想定していない。）、本条に基づく保護として可能であると解するか（藤田宙靖（「警察法二条の意義に関する若干の考察（二）」法学53巻2号）のいずれによっても、違法とはならない。

(注62)　後手錠をかけたことについて、保護の際の戒具の使用は真にやむを得ない限度に限られるのであって、通常の手錠の使用では措置し得ないような事情がある場合のほかは安易に行うべきでないとして、違法とされた例がある（高知地裁判決昭和48年11月14日〈判時741・94〉）。

る。保護に当たっては、保護される者、保護を行う警察官等の安全を確保するため、保護される者が所持する危険物・凶器を取り上げて（所持している疑いがある場合には点検する。）、保管することができる。(注63の2)

　2号該当者についても、拒絶している場合には実力で強制することはできない（手錠等の使用は認められない。）が、保護されることを拒絶していない限り、連れていくのに必要な限度で相手方の身体に直接有形力を行使することができ、相手方の無意識的な動作が保護の実施の障害となる場合には、それを実力で排除することも認められる。

(2) 引取り等の手配と期間の延長

　この法律に基づく保護を実施した場合には、警察官は、できるだけ速や

(注63) 激しく暴れている者を両手両足に手錠をし、舌をかみ切って自殺しようとしていたので口元にタオルを押し当て、抵抗の程度に応じて力を入れたり緩めたりしつつ押さえつけて搬送したところ、心肺停止状態になって死亡した事案（裁判では、死因は血管障害があったところに多大な肉体的、精神的ストレスがかかった結果としての虚血性心筋障害と認定）について、保護のために真に必要なやむを得ない措置であり、死を招くような著しく危険なものであったと評価することはできないとして、違法性はないとされた裁判例がある（徳島地裁判決平成18年3月24日〈判例自治291・100〉）。一方、口の中にタオルを入れた上で、別のタオルをかませ、さらにその上から風呂敷で猿ぐつわをしたことについて、後ろ手錠をされ、足もタオルで縛られていて身動きが取れない状態で呼吸困難となったことなどを外部に知らせる手段も奪われていたことを指摘して、明らかに過剰で危険な措置であったとして、必要な最小限度を逸脱したものとされた例もある（仙台高裁判決平成23年11月8日〈判時2139・23〉）。また、警察署内で転倒した対象者を、警察官が保護室まで22メートルにわたって引きずる行為は、違法とされている（津地裁判決平成26年2月20日〈判時2228・64〉）。

(注63の2) 取り押さえ時に保護対象者が死亡した事案に関して、警察官が殴打していたとして付審判により起訴されたが、福岡高裁判決平成24年1月10日〈Ｗ〉は、暴行を加えたとするには合理的な疑いが残るとして無罪とした一審判決を是認し、保護しなければならない義務を負っている警察官が、激しく暴れる対象者を制止させ落ち着かせる必要があると判断し、取押え行為（うつ伏せにし、右手を後ろに回して片手錠をかけ、応援にかけつけた警察官と一緒に両手錠をかけた）に及んだと認めることができること、その際、警察官が行使した有形力の内容、程度は、対象者の力が強く、抵抗も激しかったことにも照らすと、警察比例の原則を逸脱するものであったとまでは認められない、との判断を示している（最高裁で上告が棄却され警察官の無罪が確定している。国家賠償訴訟でも、佐賀地裁判決平成26年2月28日〈LEX/DB25503198〉は、対象者が抵抗を続けていたことと、取押えの時間が長くとも10分程度の短時間であったことを指摘し、警察官の用いた強制力は必要最小限度の範囲内のものであり、保護行為としての相当性を有していたとして、請求を棄却し、上訴審でもその結論が維持されている。）。

かに、家族、知人その他の関係者に通知し、引取方について必要な手配をしなければならない（3条2項）。社会通念上その者を保護する責任があると考えられる者に通知し、引取りの手配を行うのが原則であり、同居の家族があって、その者が保護能力を持ち、現に引取りを行うことができる限り、その者に通知して手配を行うこととなる。(注64)保護責任を有する適当な者がない場合には、保護の意思と能力を有するそれ以外の関係者（例えば、職場の上司）に通知等を行うことができる。引取方の手配とは、それらの者に保護した者を引き渡すために必要な手段を講ずることを意味する。

　保護する意思と能力のある家族、知人等が見付からない場合には、適当な公の機関等に連絡して引き継ぐものとされている。引継先の機関としては、保護能力を有する公衆保健又は公共福祉のための機関（病院、保健所など）と法令によりその種の者の処置について責任を有する他の公の機関（精神障害者（アルコール依存症の者を含む。）については市町村長又は都道府県知事（障害者総合支援法（障害者の日常生活及び社会生活を総合的に支援するための法律）2条、精神保健法23条）、麻薬中毒者については都道府県知事（麻薬及び向精神薬取締法58条の3）、保護者のいない児童については市町村、福祉事務所及び児童相談所（児童福祉法25条）、病気の者については都道府県知事及び市町村長（生活保護法19条、行旅病人及行旅死亡人取扱法2条））とがある。

　保護に着手してから24時間を超えて保護することはできない。その時間内に保護の責任を有する者等に通知し、引き渡すことになる。保護を要しなくなった場合（例えば、泥酔であった者がその状態から脱却した場合）には、24時間以内でも、保護を要しなくなった時点以降は継続することはできない。(注65)

（注64）　被保護者の状態からみて、家族等に引き渡すことが適当でない場合（例えば、精神錯乱で暴れている場合）には、引取要求があっても、24時間以内は拒むことができる。親族等の面会、引取要求を拒んだこと等を違法でないとした裁判例として、福岡地裁判決昭和56年11月20日〈判タ460・123〉参照。

（注65）　泥酔の者を午後8時35分から翌日午後2時27分まで保護した事案について、特段の事情がない限り12時間を経過すれば泥酔状態は脱するものと考えられ、遅くとも翌日正午までには保護を解除すべきであったとして、必要以上の身体の自由の拘束を理由に違法とされた例がある（大阪地裁判決平成5年7月12日〈判時1478・146〉）。

適当な引渡先がなく、24時間を超えても保護を継続すべき必要性がある場合には、例外的な扱いとして、簡易裁判所の裁判官の許可を得て、24時間を超えて保護を行うことができる（3条3項）。警察署の所在地を管轄する簡易裁判所の裁判官に対する警察官の請求に基づき、裁判官がやむを得ないと認めた場合に限って、延長の許可状が発せられ（3条4項）、延長に係る期間は、通じて5日を超えてはならない。[注66]

(3) 簡易裁判所への通知と関係機関への通報

この法律に基づいて保護した者については、氏名、住所、保護の理由、保護・引渡しの日時及び引渡先を毎週、簡易裁判所に通知しなければならない（3条5項）。期間の潜脱、保護権限の濫用の防止を図るために設けられたものである。[注67]

538

精神障害のために自身を傷つけ又は他人に害を及ぼすおそれがあると認められる者については、保健所長（を経て都道府県知事（政令指定都市の市長を含む。））に通報しなければならないことが、精神保健法で規定されている（23条）。発見をした場合には、保護をしないとき（例えば、逮捕した被疑者が該当すると判断したとき）も通報の義務がある。この規定に基づいて通報がなされた場合において、知事が必要があると認めるときは、指定医に診察させ（27条）、精神障害者であって医療及び保護のために入院させなければ自身を傷つけ又は他人に害を及ぼすおそれがあると認めたときは、入院措置をとることができるものとされている（29条）。[注68]診察や入院は病院で行われるが、そこまで移送することは、都道府県知事の責任に属する。[注69]保護した相手方がアルコール慢性中毒者（精神障害者を除く。）

539

(注66) 戦前期において、保護のためという名目で長期間の拘束が行われるという問題があったこともあり、延長には裁判所の許可を要するとともに、警察署をたらい回しにして期間制限を免れることを防ぐために、「通じて」5日という上限を規定している。

(注67) 人身の自由を侵害する行為の重要性を踏まえ、本人の保護以外の目的のために濫用されるおそれを防止し、また、適正に行われていることを明確にする観点から、裁判所への通知は意味がある制度であると評価できる（この点につき、裁判所は警察に対して何ら監督権限を有するものではないことを理由に合理的な立法といえるのか疑わしいとした旧著の記述を改める。）。

(注68) 通報の要件と入院の要件は異なる。したがって、通報がなされたが入院措置がとられないという事態は法的に当然に予想されることである。

である疑いがある場合には、酩規法によって、保健所長へ通報しなければならないこととされている。

column 精神障害者の入院

精神障害者の入院に関しては、他の疾患の場合とは異なり、入退院を全て本人の意思によって決定させるわけにはいかないという特質がある。入院は、本人の同意に基づくもの（任意入院）が原則ではあるが、医療及び保護のために入院の必要があるのに任意入院が行われる状況にない場合には保護者（保護者がいないとき又は保護者が義務を行うことができないときは、市町村長）の同意に基づくもの（医療保護入院）が行われる。任意入院の場合、本人から退院の申出があれば、精神科病院の管理者は退院させるのが原則であるが、その者の医療及び保護のために入院を継続する必要があると認めた場合には72時間に限って、退院させないことが認められる（その間に医療保護入院が行われることがある。）。

都道府県知事が入院させなければ精神障害のために自身を傷つけ又は他人に害を及ぼすおそれがあると認めた場合には、指定医の診察（2人の診察結果が一致することを要する。）を経て、入院措置が知事の権限で行われる（措置入院）。精神科病院の管理者が入院を継続させる必要がないと認めたときは、知事に申し出る。知事は、入院を継続しなくとも、その精神障害のために自身を傷つけ又は他人を害するおそれがないと認められるに至ったときは、直ちに退院させなければならない。近年の精神科医療では、入院措置を限定し、在宅医療とすることが基本とされており、措置入院が行われても、強い症状が出ている状態が収まれば、早期に退院させる運用が行われている。

精神科入院をめぐっては、近年、特に入院患者の人権を守る観点からより限定的にすべきものとされ、本人の同意以外による入院の限定（医療保護入院における要件の厳格化）、入院中の措置に関する基準の設定、病院による定期報告の義務付け（精神科病院の管理者が定期的に報告し、報告を受けて精神医療審査会が審査する。）が制度化されている。

なお、殺人や放火、強盗、強制性交等、強制わいせつ及び傷害（傷害以外は未遂を含む。）の犯罪を行った者が精神疾患を理由に、心神喪失であったとして無罪となり、あるいは不起訴になったときには、心神喪失者医療観察法に基づいて、裁判官と医師の合議体の審判によって、入院をさせること等の措置が行われる。

(注69) 入院措置のために病院に移送することの責任は都道府県知事が負う（保護者の同意を要件とする医療保護入院の場合も、同様に知事が移送責任を負う）ことが、明確にされている（29条の2の2）。

この法律に基づく入院の場合には、退院には裁判所の許可を要するものとされている。

第4節　危険時の措置

1　意　義

　警察官は、危険な事態においては、危害防止のため、関係者に警告し、必要な措置をとるように命じ、又は自ら必要な措置をとることができる（4条1項）。個人の生命・身体・財産の保護という警察の責務を達成するために、即時強制を含む必要な権限を警察官に与えた規定である。

　救助のために相手方の身体に手をかけ、あるいは物を破壊するといったことは、承諾（黙示の承諾を含む。）がある限り、任意活動であって特別の法的根拠を要しない。救助のための法的な根拠は、問題とはならない場合が大半である（実際に、この規定の適用の可否が争われるケースは極めて少ない。）。しかし、相手方が拒んだ場合や第三者の所有物を破壊するといった必要がある場合には、任意活動としては行うことができない。この規定に該当する場合には、警察官は強制的に救助等を行うことが可能になり、相手方が救助されることを拒んでいても必要な措置を講ずることができる。人の生命等に対する差し迫った危険がある場合には、警察として、危険な事態の原因を除去し、あるいは危害を受けるおそれのある者を救助するなどにより、人に対する危害の発生を防止しようとしなければならないのであって、この規定に基づく権限を積極的に行使することが求められる。

　この規定は、現実に危険な状態が生じている場合に対処するために認められたものである。一般的・抽象的な危険があるのにすぎない場合には、安全確保のための各種の許可・監督制度等の対象となることがあるのにとどまる。現実に危険な状態が生じた場合には、安全確保のための許可等の権限が他の機関に与えられていてもいなくても、警察官は必要な措置を講ずることができる。危険な状態が生じた場合等において警察に通報すべきことが法律に定められているのも[注70]、行政上の監督機関とは別に、警察にお

543　警察官の権限を認めた法律の特別の規定が他にある場合には、特別の規定に基づく権限が行使され、この規定に基づく権限は補充的に行使されるのにとどまる。一方、危険な事態が現実に生じた場合に対処する権限が他の機関（の職員）に与えられている場合でも、警察としての権限と責任とが失われるものではなく、警察は、関係機関と連絡をとりつつ、必要に応じて、警察官職務執行法等に基づく権限を行使することとなる（他機関との役割分担について☞328）。他の機関の職員の権限行使を警察の権限行使に優先させるという特別の規定がない限り、警察の権限と他の機関の権限との間に優劣の差はない。^(注72)

2　対象となる事態

544　人の生命若しくは身体に危険を及ぼすおそれがある事態又は財産に重大

（注70）　危険な事態に対処するための警察官の権限の規定には、次のものがある。
① 道路交通法～6条4項（警察官等の交通規制）、61条（乗車・積載・牽引に関する危険防止の措置）、63条2項（整備不良車両に関する命令）、67条4項（無免許・酒気帯び・過労運転等に対する危険防止の措置）、72条（交通事故の場合の措置）、75条の3（高速道路における危険防止等の措置）、83条（工作物等に対する応急措置）
② 火薬類取締法～45条の2（火薬類運搬に関する応急措置命令）
③ 災害対策基本法～61条1項（災害発生時における避難のための立退きの指示）、63条2項、76条の3（通行禁止区域等における措置）

（注71）　危険な事態又はそれにつながり得る事態について、警察への通報又は届出を規定したものとしては、河川法（ダムの放水）、地すべり等防止法（地すべり等防止のための立ち退き指示）、火薬類取締法（火薬庫又は火薬類に係る危険な事態）、高圧ガス保安法（高圧ガス関係施設又は高圧ガス充てん容器に係る危険な状態及び事故時）、消防法（危険物の流出等の事故）などがある。

（注72）　各種の取締法規の中で、現実に危険な事態が切迫した場合の権限が対応する機関の職員に与えられている場合について、「当該職員の権限と本条による警察官の権限とが競合する場合は、当該職員の権限は警察官のそれに優先」すると述べるものがある（宍戸基男ほか編『警察官権限法解説新版（上）』（立花書房、1977年）67頁）が、特に法律がそのような趣旨で定めていない限り、優劣があることにはならない。なお、災害の場合に避難のための立ち退きを指示することや、警戒区域を設定することについては、災害対策基本法によって、市町村長が行うこととされ、警察官は市町村長が行うことができないとき及びそれから要求のあったときのみに行うこととされており、それらの権限行使については、警察官が補充的なものであることが明らかにされている（消防法に基づく火災警戒区域・消防警戒区域の設定と退去命令等についても、同様に、消防機関がいない場合又は要求があったときに、警察官が権限を行使できることとなっている。）。

な損害を及ぼすおそれがある事態が対象となる。財産に対する危険については、人の生命・身体に対する危険の場合とは異なり、単に軽微な損害が生ずるおそれがあるのにすぎない場合は対象外とされている。

現実に具体的な危険が生じている場合が対象であり、単に危険な事態が生ずることがあり得る可能性があるという段階ではない。なお、一人の者に危害が生ずるおそれがあれば足りるのであって、多数人に危険を生じさせることを要するものではない。

規定の上では、天災（暴風雨、地震、噴火、津波等の異常な自然現象）、事変（暴動、騒乱、火災等の異常な社会現象）、工作物の損壊、交通事故（道路交通上の事故だけでなく、鉄道や航空機、船舶を含めた交通機関によって人が死傷し、物が破壊されることを総称する。）、危険物の爆発、狂犬、奔馬の類等（動物園から逃げた猛獣や人にかみ付くような野犬など）の出現、極端な雑踏が例示されている。例示されたもの以外であっても、これらと同様に人の生命・身体に危険を与え、財産に重大な損害を及ぼす危険を与えるような事態は、自然現象であると社会現象であるとを問わず、全て対象となる。その原因あるいは状態が適法であるかどうか、正当なものであるかどうかも問わない。本人が自らの意思で危険な状態を作った場合（危険な場所に入り込んだ場合など）でも、この措置の対象とすることができる。

（注73）　災害対策基本法の場合には、暴風雨などの異常な自然現象、大規模な火災、爆発及びこれらに類する被害をもたらすもののみを「災害」とし、対象としている。警察官職務執行法の危険な事態はこれより広い。

（注74）　住民同士の紛争も、切迫した危険が現実に発生してくれば含まれる（和歌山地裁田辺支部判決平成10年1月16日〈判時1669・116〉は、住民同士の紛争事案で、相互に罵り合って、激しく口論応酬を続け、相当興奮し、近隣住民らがフェンスを乗り越えるかのような気勢を示し、それに応ずるような態度を示すという極めて切迫した危険な状態に至ったので、当事者の一方を警察車両に乗せて運ぼうとして実力を行使したことについて、警察官職務執行法4条に基づく強制的措置として、適法と認めている。）。

（注75）　自衛隊の実弾演習が行われている場所に妨害の意図で入っていった者、行政代執行で家が取り壊されるときにその場にとどまっている者などについても、現実に危害を受けるおそれがある限り、この規定を基に、強制的に外へ連れ出すなどの措置をとることができる。

3 警告、避難等の措置

(1) 警告

545　2の事態があるときは、警察官は、その場に居合わせた者、その事物の管理者、その他関係者に必要な警告を発することができる。「警告」は、警察官が、それらの者に対し、危険な状態を防止するために必要な行為を行うこと又は危険な状態から避難することを求めるものである。指導するのにとどまり、それに従うべき法的義務を課すものではない。「その事物の管理者」とは、危害の発生・継続・拡大に直接に関係のある物、施設（場所）、事態について管理・支配している者を意味する。危険物の保管者、建物の管理人、会合の責任者などが当たる。

警告の態様としては、口頭で伝えるのが一般であるが、文書を掲示して危険であることを告知し、立ち入らないように求めることや、警笛を鳴らし、縄を張るなど、行動によって行うことも可能である。警告をきかない者に対して、従うように説得活動を行うこともできる。従わないことにより、現実に危険が切迫してきた場合には、次の強制的な措置を講ずることができる。

(2) 強制的措置

546　2の事態において、現実にその危険が切迫し、単に警告を行うのでは不十分であって、措置を講じなければ危害を避けられないような状況となった場合（特に急を要する場合）には、警察官は、以下の三種類の強制的な措置をとることができる。

①　危害を受けるおそれのある者を引き留め又は避難させること。警察官は、危険な状態となっている場所に入ろうとする者を抑止し（引き留め）、危険な場所にいる者を他の場所へ移動させる（避難させる）ことができる。即時強制であって、相手方の意思にかかわらず、実力を用い、強制的に行うことができる。手段・態様が、その事態を解決するために必要な限度に限られることはいうまでもない。

②　その場に居合わせた者、その事物の管理者その他関係者に対し、危害防止のために通常必要と認められる措置を講ずることを命ずること。警察官は、危害を防止するために必要な措置を講ずることを命ずるこ

とができる。現実なものとなっている危害を直接防止する上で必要な範囲に限られ、それを超えて事態の抜本的・長期的な解決を図ることは含まれない。命令の対象は、管理者など事態の発生・収拾について責任を有すると考えられる者が通常であるが、現場の状況に応じて必要があれば、それ以外の者に対しても行うことができる。(注75の2)

　命令を受けた相手方は、措置を行う法的な義務を負う。命令に従わなかった者について、この法律では直接の規定はないが、一定の場合には軽犯罪法の適用の対象となる。(注76) なお、命令によって生じた損害については、比較的軽度であるのが通常であり、緊急の事態における危害防止のための措置に伴う損害は、社会通念上受忍すべきものと考えられているので、その損失を補償する必要はないと解されている。

③　危害防止のために警察官が通常必要と認められる措置を講ずること。関係者等の措置を待っていては間に合わない場合、関係者等が命令に従わない場合及び警察官自身が行うことが適当である場合には、警察官は、危害を防止するために必要な措置を講ずることができる。相手方の意思にかかわらずに行うことができ、必要な限度で実力を行使することができる。なお、②の命令に従わない場合に警察官が措置を行ったときも、相手方の義務を警察官が代わって行うものではない（代執行ではない。）。

(3) **事後手続**

　警察官が措置をとった場合（警告を行っただけの場合を含む。）には、警察官は、順序を経て（職務上の指揮・命令系統を通じて）、所属の公安委員会に報告しなければならない。(注77) 公安委員会は、他の公の機関に対し、その後の処置について必要と認める協力を求めるために適当な措置を講じ

（注75の2）　住宅街に熊が現れた場合に、猟銃の使用能力のある者に駆除を命ずることがこれに当たる。
（注76）　軽犯罪法1条8号（変事非協力の罪）は、「風水害、地震、火事、交通事故、犯罪の発生その他の変事に際し、正当な理由がなく、現場に出入するについて公務員若しくはこれを援助する者の指示に従うことを拒み、又は公務員から援助を求められたのにかかわらずこれに応じなかつた」者を処罰（拘留・科料）の対象としている。
（注77）　他の都道府県警察に応援派遣された警察官の場合には、応援先の公安委員会に対して報告すべきものとなる。

なければならない（4条2項）。危険な事態を抜本的・長期的に改善することが必要となるなど、警察が他の公の機関と密接な連絡をとることが必要となる場合があるためである。なお、危害を防止するためでも、この法律による措置以外の措置を専ら講じた場合には、この規定による報告等を要するものではない。

第5節　犯罪の予防・制止

1　意　義

548　警察官は、犯罪がまさに行われようとしている場合には、予防のために関係者に警告することができ、さらに、人の生命への危険等があって急を要するときは、その行為を制止することができる（5条）。犯罪を予防して公共の安全と秩序を維持し、犯罪によって被害を受ける国民の生命・身体・財産を保護するという警察の責務を達成するために、犯罪による危険が切迫した場合に対処する上で必要な権限を警察官に与えたものである。

警告は、相手方に一定の行為を行うように求めるもの（指導）であって、法的な義務を課すものではない。一方、制止は、相手方に直接実力を行使する行為であって、即時強制に当たる。制止については、警告と異なり、生命・身体に危険が及ぶ場合と財産に重大な損害を生ずるおそれがある場合とに限って行うことができることとされている。犯罪が発生するまで待って捜査・処罰するよりも、犯罪の発生を未然に防ぐことの方が、社会全体としても、犯罪によって害を受ける国民の立場からも、さらに犯罪行為を行う者の人権に対する制限の程度を低くする上でも望ましいといえるのに、犯罪の制止ができるのを特定の犯罪に限るのは不合理ではないかとする見解もある。しかし、犯罪の捜査等の手続は、実際に犯罪が起きてからなされるのに対し、予防のための制止については、実際に犯罪が発生する以前の段階でその可能性に着目して行われるものであるから、実際には犯罪を行う意図がない者についても、外形的に犯罪を行おうとしていると判断されれば制止の対象になるのであって、未然防止の活動は過剰介入となる可能性を常に有している。この規定は、過剰介入による権利利益の侵害と、

未然防止のための制止を限定することによって生ずる犯罪の発生とそれによる公益及び被害者の利益の侵害の程度を勘案して、制止を行い得るのをその犯罪によって生ずる害が大きい場合に限定したものといえる。

犯罪を防止するための警察の活動のうち、国民の権利・自由を制限しないものについては、特別の法律の根拠なしに行うことができる。「まさに犯罪が行われようとしている」前の段階は、警察は、警ら活動、一般の防犯活動など様々な活動を行っている。相手方の国民に実質的にある程度の不利益を与える活動も、必要性が不利益を上回り、社会的に相当と認められる態様であれば、行うことが可能である。

犯罪の制止のように権利・自由を制限する行為については、法的な根拠がない限り行うことができないのが原則であるが、犯罪が既に成立しているとき（現行犯の状態になっているとき）には、直接の根拠規定がなくとも行うことができるものと解されており、5条の要件を満たさない場合にも制止をすることが認められる（☞552）。

この法律以外にも、酩規法は、酩酊者が公共の場所又は乗物において、公衆に迷惑をかけるような著しく粗野又は乱暴な言動をしている場合には、警察官はこれを制止しなければならない（酩規法5条）として、警察官に制止権限を与えている。また、一部の公安条例でも、無許可などの場合に制止権限を与えている。(注78) 警察官は、それらの法律又は条例によって与えられた制止権限を、それぞれの法律又は条例の趣旨にのっとり、その要件に従って行使することが求められる。

2 警告

警察官は、「犯罪がまさに行われようとする」のを認めたときは、予防のため関係者に必要な警告を発することができる。「犯罪がまさに行われ

549

（注78）　東京都及びその他の一部の府県の公安条例（集会、集団行進及び集団示威運動に関する条例）は、集団行進等が無許可で行われ、あるいは許可申請書の記載事項や公安委員会の付した条件に反している場合に、警告やその行為の制止等の措置をとる権限を警察機関に与えている。無許可デモで警告を行っても従わなければ、制止の措置をとることができる（最高裁判決昭和52年5月6日〈刑集、⑭〉は、明白かつ現在の危険がなければ制止できないとした原審を破棄し、制止にはそのような要件を要しないことを明らかにしている。）。

ようとする」とは、刑罰法規に該当する違法行為が行われる可能性が高いことが客観的に明らかになったことを意味する。犯罪行為がなされることが差し迫っているときがこれに当たる場合が多いが、犯罪行為が行われることが明確になっていれば、犯罪行為が行われる直前まで待たなければならないというものではない。(注79)単なる主観的な判断ではなく、客観的に判断しなければならない。犯罪行為が既に行われている場合でも、犯行・被害の拡大を防止する必要性がある限り、警告をすることができるのは当然である。

「犯罪」とは、刑罰法規に該当する違法行為を意味する。刑事未成年者の行為など、刑法上の責任要件を欠いている場合でも、警告の対象となる。犯罪行為によって生ずる国民の被害及び公共の安全と秩序の侵害を防止することを目的としたものであって、行為者に対する刑事責任追及手続とは異なること及び被害防止等の観点からは刑事上の有責行為に限るべきではないことによるものである。これに対し、正当防衛行為や正当業務行為として、刑法上の違法要件を欠く場合には、刑罰法規に該当しても、その行為自体は適法であって、警察官がそれを行わないように警告すべきものではないから、対象には含まれない。制止の場合とは異なり、犯罪の種別についての限定はない。

550　警告とは、警察官が、犯罪行為を行おうとしている者等に対し、その行為を止めることなどを求めることを意味する。任意活動としての「指導」の一種であって、相手方に対して従うべき法的義務を課すものではない。犯罪行為を行おうとしている者に警告するのが通常であるが、犯罪の被害を受けるおそれのある者、保護者、建物の管理者などの関係者に対しても、この規定に基づいて、何らかの行為を行うように求めることができる。例えば、未成年者が犯罪行為を行おうとしている場合に、その場にいる保護者に止めさせるように求めることがこれに当たる。

警告の方法としては、警察官が口頭で伝えるのが一般であるが、拡声機、警笛、サイレンを用い、身振り等の動作によることも、具体的な状況に応

（注79）犯罪が行われることが客観的に明らかであれば、警察官として犯罪を予防するための警告を行うのが当然であり、直前に限るという解釈をとることはできない。

じた方法による限り適法である。不法に庁舎に侵入しようとする者の前に立ちふさがることや、暴行を行おうとする者の前に立ちはだかることも、「警告」として行うことができる。犯罪を行わないようにするために、説得を行うことができるのは当然である。何人も犯罪を行ってはならないのであるから、強制にならない範囲である程度の実力を行使することも認められる。警告は任意の範囲であるから、物理的又は心理的な強制を行うことは許されない。拳銃等の武器を使用することは、相手方に危害を与えるものではなくとも、心理的な強制を加えるものであるから、警告として行うことはできない。これに対し、警棒を構えることは、それだけでは心理的強制となるものではないから、警告としても行うことは可能である。

3 制　止

(1) 警察官職務執行法上の制止

犯罪がまさに行われようとする場合であって、その行為により、人の生命・身体に危険が及び、又は財産に重大な損害を受けるおそれがあり、急を要するときは、警察官はその行為を制止することができる。客観的にみて、警告等の手段では対応できないほど事態が切迫し、その時点で制止しなければ犯罪行為が行われてしまうと判断できる場合（急を要する場合）に、犯罪行為を行うことを強制的にやめさせる権限を警察官に与えたものである。国民の権利・自由を制限する作用として、必要な範囲を超えて行使することは許されないが、同時に、被害者となり得る国民の生命等を保護する上で必要な場合に、警察として権限の行使に消極的となってはならない（☞315）。制止をする要件に該当するという判断は、犯罪が発生する前である以上、予測としての性格を常にもたざるを得ない（明白になるまで待っていては人の生命、身体に対する危害が起きることを防ぐことができない事態を想定すると、明白になる前に警察として行動せざるを得ないときもある。）が、具体的な事実を踏まえた客観的な判断であることが求

（注80）　前者について神戸地裁判決昭和40年11月1日〈下刑集7・11・2039〉、後者について東京高裁判決昭和38年7月30日〈東高刑時報14・7・147〉がある。後者の事件では、手で肩を押さえて帰宅を促した行為についても、手をこまねいていることができない状態の下では必要かつ相当な行為であるとして、適法と認めている。

められる。
(注80の2)

　制止は、警告とは異なり、その犯罪行為によって生命・身体に危険が及ぶ場合及び財産に重大な損害を受けるおそれがある場合に限って行うことができる。殺人、傷害、暴行、強盗、放火といった犯罪の場合がこれに当たるが、そのような罪種でなくとも具体的な事実関係の下で生命等への危険が生ずるのであれば含まれる。道路交通法等の種々の法令に違反するものについても、直接に生命・身体等に危険を与えるものであれば、対象となり得る。窃盗、器物損壊などの財産に損害を与える犯罪については、軽微なものは対象にならない。相手方に実力を加えて制止するだけの必要があると考えられるような程度の財産上の損害が生ずると思われる場合に限られる。生命・身体・財産に直接危険を与えないような犯罪、例えば、不退去罪、公然わいせつ罪、名誉毀損罪、多くの規制法令違反などについては、制止を行うことはできない（既に犯罪が行われている場合には、後で述べるように、この規定によらない制止行為を行うことができる。）。刑罰法規に該当する違法な行為であれば、刑法上の責任要件に該当しなくとも「犯罪」に当たることは、「警告」の場合と同様である。

　「制止」とは、犯罪行為を行おうとするのを、実力で阻止する行為を意味する。犯罪行為を行おうとする者を抱き止めること、一時的に押さえつけること、他の場所に連れ出すこと、凶器を取り上げることなどが、この制止として行われる。多数人による犯罪を制止するために必要な場合には、放水車によって放水することも、「制止」として認められる。制止のために必要である場合には、警棒を使用し、さらに武器使用の要件を満たす限
(注81)

（注80の2）　警護対象者の乗る車両に向けて突進する者がいた場合に、危害を加える犯罪を念頭に置いて制止をすることは、この規定に従ったものとなり得る（札幌地裁判決令和4年3月25日〈LEX/DB25591984〉は、首相の街頭演説にヤジをとばした者を移動させたことを違法としたが、演説中の首相の乗る車両に向けて突進した者を抱き止め、肩や腕をつかんで移動させたことは、本条に基づく制止として適法と認めている。）。もっとも制止行為の程度は、切迫性がより強い事案において認められるものよりは低い範囲に限られることが多いものと思われる。

（注81）　威力業務妨害については、常にこの要件を満たす罪であるとはいえないが、態様によっては、直接又は間接に重大な財産上の損害が及ぶものとなり得る（東京高裁判決昭和41年8月26日〈Ⓦ〉は、威力業務妨害罪が制止の対象となり得ないとした原審の判断を否定し、その状況下では対象となるとの判断を示している。）。

り、武器を使用することもできる。

制止として行う実力行使は、その事態に応じて必要な限度に限られる(注82)。また、社会通念上で相当と認められるものでなければならない(注83)。犯罪行為を行うおそれがある時点での措置を行うものであるから、事態が解消した後にまで継続することはできない。一時的に制圧し、あるいは他の場所へ連れ出すといった行為はできるが、逮捕した場合のように継続的に拘束することはできない(注84)。凶器・危険な物件を取り上げた場合でも、危険な状態でなくなれば相手方に返還しなければならない。

(2) 現行犯に対する制止行為

警察官職務執行法5条では、犯罪のうちの一部のものに限って制止を認めている。しかし、犯罪の制止について特定の場合に限定したのは、実際に犯罪が行われていない段階における規制であることから過剰な範囲になってはならないということによるものであって、現実に犯罪が発生している場合にはそのような問題は生じない。

このため、現実に犯罪が行われている場合には、法律の直接の規定はないが、生命・身体に対する危険又は財産に対する重大な損害のおそれがなく、警察官職務執行法の規定の要件を満たしていないとき(例えば、デモ行進が公安条例違反、道路交通法違反に該当している場合、労働争議におけるピケッティングが不退去罪や威力業務妨害罪に該当している場合)で

(注82) 例えば、酒酔い運転は、放置することが生命・身体に対する危険を生じさせるものということができる。なお、道路交通法上では、一定の危険な運転を防止するために応急の措置を講ずることができることが定められている(道路交通法67条4項)。

(注83) 数回にわたって投げ飛ばした上で押さえつけた行為が適法とされた裁判例もある(東京高裁判決昭和32年3月18日〈高裁特報4・6・137〉)が、相手方が警察官に対して積極的な攻撃をしてきたという事実関係を前提とし、自己の保身を兼ねたものとして認められたものであって、ここまで一般的に認められるとまではいえない。

(注84) 東京高裁判決平成11年8月26日〈判時1729・173〉は、薬物の容疑で職務質問を受けた者が自動車を前進後進を繰り返し、さらに疾走させて金網フェンスに激突させ、はさまった状態でも発進を試みていたため、警察官が窓ガラスを破壊してドアロックを解除し、ハンドルにしがみついているところを車外に引きずり出し、さらに激しく抵抗するのを後ろ手錠をかけ、薬物に対する質問を行い、発見した大麻の所持の現行犯人として逮捕した事案について、暴走による器物損壊、人身被害の発生を防止するための犯罪の制止行為として適法としつつ、大麻取締法違反として現行犯逮捕するまで手錠を継続していたことは違法としている。

も、警察官はその犯罪を制止することができると解されている。反対運動としての座込みを行っている行為が道路交通法違反に当たる場合に、逮捕しないで排除することも、現行犯状態での制止として行うことができる。現行犯逮捕に代えて制止することだけでなく、一時的に制止した上で、その後に逮捕することも、違法となるわけではない。

制止は、あくまでもその犯罪による被害の拡大を防止する上で必要がある場合に行われるものであって、既に犯罪行為が終了し、制止をする必要性がない場合には、制止の名目で人の身体の自由を奪うことは許されない。制止として可能な行為の範囲は、犯罪を終息させる（犯罪を続行拡大させない）ために必要な限度であり、一時的に制圧し、あるいは他の場所へ連れ出すことはできるが、継続的に拘束することはできない。

（注85）　制止できないとした地裁段階の判決は、全て上訴審で否定され、制止が可能とされている（福岡高裁判決昭和44年3月19日〈刑裁月報1・3・207〉、東京高裁判決昭和47年10月20日〈⑩〉など。）。

（注86）　現行犯として逮捕されることもある以上、より軽微な権利・自由の制限を受けてもやむを得ない立場にあることが、認められる理由として述べられることが多い。しかし、現行犯であっても住所不定等でなければ逮捕できないとされている罪の場合及び全体としては犯罪が既に実行されているが、個々の参加者との関係では犯罪が成立していることが一見明白とまではいえない場合にまで、「現行犯逮捕に代わる措置として許される」といえるか疑問がある。より端的に、現行犯の場合には現場で鎮圧する上で必要な一時的行為が許される（国民の権利・自由を制限するには法律の根拠を要するとする原則自体が、現行犯に対処する上で、犯罪を行っている者に対して必要最小限度の行為を行うことには及ばない。）というべきである（☞362）。現に脅迫がなされている場合には、法律の根拠なしに電話の逆探知を行うことも許されると解されている（内閣法制意見昭和38年12月9日）のも、同じ考えによると思われる。

（注87）　奈良地裁判決平成6年3月2日〈判例自治129・95〉。この判決では、800人にのぼる者が違反状態を構成していた中で、指導者のみを逮捕し、他の者を排除したことが適法とされている。

（注88）　続行する可能性が高い場合には、物理的に犯罪状態を終わらせるだけでなく、ある程度以上、隔離した場所まで引き離すことも認められる。東京高裁判決平成18年10月11日〈判タ1242・147〉は、不退去罪及び業務妨害罪に当たる行為を行っている者を警察車両に乗せて900メートル離れた警察署まで連行した行為について、違法とした一審判決を破棄し、それまでの経緯から排除しただけではまた戻って犯罪を続行する蓋然性が高く容易に終息する状況になかったことを認定して、適法としている。なお、この事案は、その後に緊急逮捕されているが、そのことは制止の評価に影響を与えていない。

第6節 立入り

1 意義

警察官は、危険な事態が発生し、人の生命・身体・財産に対する危害が切迫している場合には、人の家屋を含む場所に立ち入ることができる（6条1項）。また、警察官は、公衆の集まる場所について、管理者等に対して立入りを要求することができる。要求を受けた管理者等は正当な理由がない限り拒むことはできない（6条2項）。

警察の責務を達成するためには、個人の居宅を含む様々な場所に警察官が立ち入って活動することが必要となる場合がある。個人の居宅等に強制的に立ち入ることは、個人の私生活上の自由やプライバシーなどを制限するものとなるので、それを上回る公的必要性があるとして、法律で警察官に立ち入る権限を与えた場合に限って行うことができる。1項の規定は、人の生命・身体等の危害防止上の緊急の必要がある場合に限って、警察官に強制的に立ち入る権限を与えたものである。一方、公衆が出入りする場所については、警察官が立ち入る必要性が一般的にあり、公共的場所の管理者としては拒絶すべきではない（拒絶する自由を認める必要性がない。）ことから、2項において、警察官が一般的な犯罪予防・危害予防のための立入りを要求できること及び要求を受けた者が拒んではならないという義務を負うことを明らかにしている。

相手方（建物・場所を管理する者）の承諾がある場合には、法律の根拠がなくとも、立ち入ることができる。もっとも、私的な性格の個人の居宅

（注89）ホテルの客室内については、通常の場合はホテル側の承諾だけで立ち入ることはできないが、通常の宿泊者とはみられない状況になっている場合には、職務質問に際して開けられたドアを閉めるのを阻止することが認められるものとされている（最高裁決定平成15年5月26日〈刑集、Ⓦ〉）。ほかにも、犯罪行為がなされている疑いがある場合や不穏当な言動をする場合には、ホテル等の施設側にも、管理権に基づき、客室に宿泊者の意思に反して自ら立ち入って事情を聴取し、あるいは警察官に通報して、立入りを許し、犯罪の嫌疑等の解明をその職務質問に委ねることができるとし、ホテルの居住者から退去の要請があっても、警察官は職務質問に必要な時間はその場にとどまって事情を聴取することができるとした裁判例がある（福岡高裁判決平成4年1月20日〈判タ792・253〉）。

などについては、プライバシーを尊重しなければならないから、相手方からの要請があった場合は別として、特に立ち入らなければならないという必要性がある場合に限られ、立入りとその説得の態様も社会通念上相当なものでなければならない。公益上の必要性がそれほど高くないにもかかわらず、私的な場所に立ち入ろうとし、承諾するように相手方に強く求める行為は、違法となり得る。

554　犯罪捜査のために個人の住居に強制的に立ち入ることは、被疑者を逮捕する場合のほかは、裁判官の発する令状によらなければならないことが憲法で規定されており（憲法35条）、これに対応した規定が刑事訴訟法で定められている（218条1項、220条1項）。犯罪捜査の目的で、警察官職務執行法上の立入りの権限を行使することは許されない。もっとも、危害防止の目的等で立ち入った後に、その場所で犯罪を認知した場合には、現行犯として逮捕するなどの捜査活動を行うことも、一般的にはこれに反することにならない（捜査をするために、危害防止を名目に立ち入ることは許されない。）。

555　なお、警察官職務執行法と刑事訴訟法以外にも、許可を受けて営業を営む業者の監督等のために、警察官（又はその他の職員）の立入りを規定した法律がある。それらの規定は、警察官に即時強制として立ち入る権限を与えたものではなく、相手方に警察官の立入要求に従う義務を負わせ、拒絶した者に刑事罰を科することとしているものが大半である。この場合には、警察官は、立入要求に従うように強く求めることができる（☞440）が、相手方があくまで拒絶した場合には、強制的に立ち入ることはできない（拒絶は犯罪であるので、逮捕の必要性がある場合に逮捕することはあり得る。）。立入りが、その権限を認めた規定の目的を達成するために限られるのは当然である。

このほか、他の機関の立入権行使に関して、警察が援助を求められる場

（注90）　憲法35条の規定は、刑事手続のみに限って及ぶというわけではない（最高裁大法廷判決昭和47年11月22日〈刑集、㉚〉、川崎民商事件）が、実質的には刑事罰を科することにつながるような手続以外の場合には、実質に応じて令状を要するかどうかが異なってくる。警察官職務執行法6条1項の立入りは、急を要するものであり、刑事責任追及にもつながるものではないので、令状を要しないものとされている。☞453、456。

合がある。警察が立入りをするのではないので、本条の問題ではないが、立入拒否が犯罪となる場合には、必要に応じて警告をし、犯罪発生後には制止し、刑事訴訟法に基づく措置を講ずることができる。

2 危険時の立入り

(1) 要件

警察官は、4条及び5条に規定する危険な事態が発生し、人の生命、身体又は財産に対する危害が切迫した場合において、その危害を予防し、損害の拡大を防ぎ、又は被害者を救助するためにやむを得ないと認めるときには、他人の家、土地等に立ち入ることができる。

4条に該当する場合(人の生命・身体に危険を及ぼし、又は財産に重大な損害を及ぼすおそれのある危険な事態がある場合)と5条に該当する場合(犯罪がまさに行われようとするのを認めた場合)が対象となる。3条の保護の規定は挙げられていないから、単に保護を行う必要があるのにすぎない場合には、立入りを行うことはできず、承諾を得て立ち入ることとなる(精神錯乱者又は泥酔者が暴れる等によって、本人又は他の者の生命・身体等に現実に危険を与えている場合には、4条又は5条(責任無能力者の行為でも、5条の「犯罪」に当たる。)に該当することとなり、6条1項に基づいて立ち入ることができる。)。

4条又は5条に該当する場合でも、人の生命、身体又は財産に対する危害が切迫したときでなければ、この規定による立入りはできない。犯罪がまさに行われようとしている場合でも、その犯罪によって人の生命等に対して危害を与えるとはいえないようなときには、立入りの対象とはならない。4条に基づく避難等の命令・措置をとることができる場合又は5条に基づく制止を行うことができる場合が、この立入りの対象となる。[注91]

(注91) 犯罪が現に行われている場合には、生命等に対する危険を及ぼすものでなくとも制止することができるものと解されている(☞552)が、立入りに関しては、犯罪行為を行っている者に対して行う一時的な法益侵害とは異なるものである(他者の居宅の場合、その居住者のプライバシーを侵害するものとなるので、犯罪行為を行っている者以外の権利自由を損なうものとなる。)ので、人の生命等に対して危害を加える場合以外にも当然に可能であるとは解されない。もっとも、現行犯逮捕のために立ち入ることは刑事訴訟法上できるのであるから、少なくとも他者の居宅以外の場所については、逮捕に代えた制止のための立入りが実際に必要である場合には、行い得るものと解すべきである。

危害が切迫した場合でも、危害を予防し、損害の拡大を防ぎ、又は被害者を救助するためにやむを得ないと認めるときに限られる。

(2) 立入りの実施

557　要件を満たす場合には、警察官は、合理的に必要と判断される限度において、各種の場所に強制的に立ち入ることができる。立入りを妨害する者がある場合には強制的に排除するなど、必要な実力を行使することができる。

　要件を満たし、実際にも立入りの必要がある場合には、個人の居宅であって、その中の家人が助けを求めていなくとも、警察官は立ち入ることができる。酒に酔った者が住居内で同居の親族等に暴行をしようとしているなどで、要件を満たす場合に立ち入ることができることは、酩規法で特に確認的に定められている（酩規法6条）。

　立ち入ることのできる場所については、必要性がある限り、特別の制限はない。法文上は「他人の土地、建物又は船車」とされているが、およそ他人の管理する場所を全て含むことを明らかにする趣旨のものであって、限定的なものではない。航空機、水面など、この文言に含まれるかどうか明らかでない場所についても、当然に立ち入ることができる。

　走行中の自動車、船等に立ち入ることが必要である場合には、直接の文言はないが、立入権限の行使に必要な手段として、強制的に停止させることができる。危険な事態が発生している場所に立ち入るために、他の場所を通過することが必要である場合にも、この規定に基づく付随的な権限として、強制的に入り、通過することができる。

558　なお、立入りに関して、警察官は、みだりに関係者の正当な業務を妨害してはならないとする規定がある（3項）が、1項の要件を満たしたときに必要な範囲に立ち入ることは「みだりに」に当たることにはならない。警察官は、立入りに際して、その場所の管理者又はこれに準ずる者から要求された場合には、立入りの理由を告げ、かつ、身分を示す証票（法律上は、その様式等の限定はない。警察手帳等が当たる。）を呈示しなければならない（4項）。

　立ち入った後の活動については、特に規定はない。4条又は5条の権限

を行使することが一般的に考えられるが、それに限定されるものではない。他の権限を行使することもできる。例えば、精神錯乱者が暴れている場合であれば、立ち入って制止する一方で、保護を要するときには保護することができる。もとより、この規定による立入りを名目にして、実質的に他の規定の権限を行使するために立ち入ることは許されない。

column 家庭内における被害防止のための他機関による立入りへの援助

児童虐待に関しては、児童相談所が児童の安全の確認を行い、あるいは知事が児童相談所職員等に立入調査をさせる場合に、警察署長に援助を求めることができる（必要に応じ、適切に援助を求めなければならない。）ことが定められている（児童虐待防止法10条）。立入りは、児童福祉法の立入りとみなされ、正当な理由なく拒んだ者は刑罰（50万円以下の罰金）の対象となる（児童虐待防止法9条、児童福祉法61条の5）。援助に当たる警察官は、同行し、保護者が児童相談所職員や児童に対して犯罪をまさに行おうとする場合には警告をし、身体に危険が及ぶ場合には制止し、危害が切迫しているときは被害児童の救助のために立ち入り、実際に犯罪が行われれば保護者を現行犯で逮捕するといった措置を講ずる。立入拒否の場合にも、犯罪であるので、犯罪として捜査することもあり得る。また、知事は裁判官の許可状を得て、児童相談所職員等に臨検、捜索させる（即時強制としての立入りを行わせる。）ことができる（児童虐待防止法9条の3）が、その場合に援助の求めを受けたときは、援助に当たる警察官は、間接強制の場合と基本的に同様に援助をするが、相談所職員に対する公務執行妨害事案には、迅速に対応し、現行犯逮捕等の措置を講ずることが求められる。児童虐待防止法上の即時強制の主体は児童相談所等の職員であるから、警察官が臨検、捜索することはできないが、現場で警察官職務執行法6条の要件が満たす状況が判明し、児童相談所の職員が抵抗を受けて迅速に目的を達することができないときは、自らの権限としての立入りを行うこととなる。

養護者による高齢者に対する虐待に関しては、高齢者虐待防止法により、市町村長が立入調査権限を有しており（行い得るのは、単に高齢者虐待があるというだけでなく、「養護者による高齢者虐待により高齢者の生命又は身体に重大な危険が生じているおそれがあると認めるとき」と限定されている。）、正当な理由なく拒んだ者は刑罰（30万円以下の罰金）の対象となる。この立入りについても、警察署長への援助要請が規定されている（高齢者虐待防止法12条）。警察官のとるべき措置は、児童虐待における立入りへの支援と同様である。このほか、同様の規定が養護者による障害者に対する虐待に関して、障害者虐待防止法に置かれている。

3 公開の場所への立入り

(1) 要件

560 　警察官は、多数の客の来集する場所について、犯罪の予防又は人の生命等に対する危害予防のために、その公開時間中において、その場所の管理者等に対して、立入りを認めるように要求することができる。要求を受けた管理者等は、正当な理由なくこれを拒むことができない。

　「多数の客の来集する場所」とは、公衆が出入りすることのできる公開の場所・施設を意味する。場所・施設に入ることについて、料金を徴収しているかどうかを問わない。法文上に挙げられた興行場、旅館、料理屋及び駅のほか、公共交通機関、デパート、遊園地等が広く含まれる。多数の者が来集する場合であっても、特定の者に限られているときには、含まれない。多数の客の来集する場所・施設であっても、非公開（客が入ることができない）部分がある場合には、その部分は対象とならない。

　現実に場所・施設を公衆の出入りに供している時間が、「公開時間」に当たる。法令によって営業時間が制限されている場合に、それに違反して営業しているときは、法令上の営業時間以外でも現実に公開されている限り「公開時間」に含まれる。

　公開の場所で、かつ、公開時間中であれば、他の要件を要しない。犯罪が発生する具体的なおそれや、人の生命等に対する影響を及ぼし得る状態が発生する具体的な危険がなくても行うことができる。犯罪の予防と人の生命等に対する危害防止とを目的としたものではあるが、立法に当たって、多数の人が来集していれば、それだけで抽象的な危険があり、立入りをする必要があるという判断が行われたものといえる。

(2) 立入りの実施

561 　警察官は、公開時間中の公開の場所について、その管理者等に立入りを認めるように要求することができる。要求は、場所・施設の管理者又はこれに準ずる者に対して行う。「準ずる者」とは、管理者からその場所・施設の出入りのチェックなどを任されている者（改札を行う者など）を意味する。

　管理者等に応諾義務を課すものであって、要求を受けた管理者等は、正

当な理由がない限り、要求を拒むことはできない。管理者が、犯罪の発生や危害の発生の可能性がなく、警察官の立入りを認める必要性がないと考えたとしても、拒絶することは許されない。公開時間中の公開の場所について、警察官の立入りのみを拒絶することが正当となる理由は特にないから、現に多数の客に公開しているわけではないという場合のほかは、この要求を拒絶する「正当な理由」には当たらない。また、その場所・施設への入場が有料となっている場合でも、警察官は権限行使として立ち入るのであって、施設等のサービスの提供を受けるものではないから、入場料を支払う義務はなく、入場料を支払わないことを理由に拒絶することは許されない。(注92)

　正当な理由なく管理者等が警察官の立入要求を拒絶した場合には、警察官は応ずるように説得を行うことができるのにとどまるのが原則であって、相手方を実力で排除して強制的に立ち入ることはできない。(注93) しかし、相手方は要求に応ずべき義務を負っているのであるから、相当強い態様の説得活動を行うことも許される。

　この規定を基に立ち入った警察官は、犯罪の予防又は生命・身体・財産に対する危害を防止するために、各種の法令によって与えられた権限を行使し、責務を達成する上で必要な行為を行うことができる。立ち入ったことによって、特別の権限が与えられたり、権限の行使に制限が加えられることにはならない。犯罪を認知した場合に、必要な捜査等を行うことは当

(注92)　警察官が身分を秘匿して入場料を支払って入ることは、この規定による立入りではないが、一般人と同じように公開の場所に立ち入ることは、特別の場合を除けば、他の者の権利や自由を制限する活動ではないので、警察の責務を達成するために必要がある限り当然に行うことができる。特別の場合に当たり得るものとして、警備情報収集のために大学教室内の演劇発表会に入場券を購入して入ったことが、集会の平穏性等を理由に、集会の自由を侵すものとなると述べられた例がある（東京地裁判決昭和40年6月26日〈下刑集7・6・1275〉、東大ポポロ事件差戻後の第一審判決。もっとも、この判決は、それに対する学生等の暴行について、違法性は阻却されないとして有罪としたものであり、この説示の部分が刑事責任の有無の判断に影響を与えているものではない。)。

(注93)　2項の立入りが広い範囲で認められていることからすれば、即時強制を認めるだけの高い必要性があるとはいえない。もっとも、現に犯罪が行われている可能性が高いときなど、その時点で立ち入るべき必要性が特に高い場合には、物理的な強制を伴わない範囲で、相手方の承諾を得ることなく立ち入ることが許される（承諾があったものと擬制する）こともあり得ると思われる。

然に可能である。

　もっとも、関係者の正当な業務を害してはならないことが定められている（3項）ことから、その点に十分注意する必要がある（1項の立入りとは異なり、どうしてもその時点で立ち入らなくてはならない強い必要性があるとはいえないのであるから、相手方の正当な業務を害することのないように気を付けて権限を行使することが求められる。）。管理者等から要求されたときには、その理由を告げ、その身分を示す証票を呈示することが義務付けられていることは、危険時の立入りの場合と同様である（4項）。

第7節　武器の使用

1　意　義

563　警察官職務執行法7条は、警察官が一定の場合に武器を使用することができることを規定している。警察官は、警察法67条によって職務遂行のため小型武器を所持することが認められているが、同法には武器の使用についての定めはなく、警察官職務執行法の規定が使用の根拠となる。

　武器を使用することは、強制としての実力行使の一つの手段ではあるが、通常の実力行使とは異なり、相手方を殺傷する危険のある重大な加害行為であるため、その加害を上回るだけの高い公益上の必要性がある緊急やむを得ない場合に限られる。[注94]根拠規定がなければ行うことができない行為であるとはいえない（☞566）が、公益と加害との比較をした上でどのような場合に行うことができるかを法律で規定することが、人権の保障の見地及び警察の職務執行上の判断の明確化だけでなく、公の権力機関が人の命を奪う可能性がある行為をどのような場合に行うべきかを国民の代表が定めるという意味からも、強く求められるものである。この規定は、警察官の武器の使用を犯人の逃走防止等の場合に限定し、武器を用いて人に危害

（注94）　武器の使用について、昭和期には、「警察急状権」であり、「警察権の限界」の例外として認められるという説明がなされたことがある。武器の使用が通常の警察活動で認められない行為という意味で用いられていたと思われるが、そのような不明確な言葉を用いる意味はない。武器の使用が比例原則の下にあり、必要最小限度の範囲であるべきこと自体は、他の場合と異なるものではない（☞345）。

を加えることは正当防衛等の場合に限るものとして、極めて厳格な制限を加えている。警察官の職務執行における武器使用の必要性を全体として勘案した上で、一定の要件を定め、要件を満たさない場合の武器の使用を否定している趣旨と解される。

　この規定の「武器」とは、人の殺傷の用に供する目的で作られ、現実に人を殺傷する能力を有するものを意味する。(注95)拳銃（けん銃）、ライフル銃がその典型である。これに対し、警棒、警じょう（警杖）などは、用い方によっては人を殺傷することができるものであるが、本来人を殺傷することを目的としたものではないから、武器には含まれないので、相手に危害を与えない使用についての本条の制限は及ばない。しかし、人を殺傷するために用いる場合には、実質的に武器の使用に類するものとなることから、武器に準ずるものとして、相手に害を加える要件を満たすことが求められる。一方、単に軽度かつ一時的な障害を与える程度であれば、人に対する傷害にはならず、その程度の障害を与えるための用具は「武器」に当たらない。例えば、催涙ガスについては、現在警察が使用している程度のものであれば、人に対して一時的催涙効果を及ぼし、人の行動力を短期間減退させるものではあるが、永続的機能障害を与えるものではないから、武器には当たらない。(注95の2)もとより、相手方に害を与えるものである以上、強制的に実力を行使することのできる要件が存在し、用いるだけの高い必要性がなければならない。(注96)

（注95）　警察法に基づいて所持が認められている小型武器（拳銃等）だけでなく、たまたまその場にあった刀などを用いるような場合も、武器の使用に当たる。

（注95の2）　アメリカでは、近年、テーザー銃と呼ばれる銃（電極針を発射し、相手に刺さった状態で電気を通し、電気ショックにより筋肉収縮を引き起こして行動能力を一時的に失わせるもの）が警察官の装備として広がっている（Clair Report No.452「テーザー銃について」自治体国際化協会発行2017年参照）。テーザー銃自体に殺傷能力があるわけではないので、日本で警察が装備・使用したとしても、武器の使用には当たらないものと解される。

（注96）　本来の催涙効果だけが見込まれる状態での使用は、武器の使用にも、準ずる使用にもならない。通風不良の室内に大量に打ち込んだり、大量の粉末を浴びせるなど化学熱傷を負わせるおそれが大きい場合（長時間にわたって洗浄できない状態で継続する場合を含む。）に限って、武器に準ずる使用になるのにとどまる。東京地裁判決昭和47年4月25日〈刑裁月報4・4・801〉参照。単に、浴びた後長時間そのままにしていれば皮膚炎等を起こす可能性があるというだけで武器に準じるものとする解釈をとるべきではない。

この規定は、職務上武器の所持・携帯が許されている皇宮護衛官、自衛官、海上保安官及び麻薬取締官（員）についても準用されている。(注97)入国警備官等については、他の法律の規定によって、武器の所持及び使用の根拠規定が設けられているが、おおむねこの規定と同様の限界が定められている。(注98)

565　警察官と皇宮護衛官による拳銃の使用に関しては、国家公安委員会規則として、拳銃規範が制定されている。(注99)拳銃規範は、警察の内部的な準則であるが、実質的には拳銃の使用に関する法律の規定を具体化するものとなっている。なお、拳銃規範には、使用の基準的なものだけでなく、使用以前の段階であるあらかじめの取り出しや、部隊組織として行動する場合の判断権についても定められている。(注99の2)

■column■ 皇宮護衛官の武器の使用の根拠についての解釈

566　皇宮護衛官については、以前は、警察法で小型武器の所持に関する規定があったが、武器の使用に関する規定はなかった。武器の使用には、直接の根拠規定がなければならないとすると使用ができないという結論になるが、武器の所持が法

（注97）　自衛官については、自衛隊法で武器の所持が認められ、治安出動が命じられた場合には、警察官職務執行法の規定が準用される（ただし、正当防衛及び緊急避難以外のときには、部隊指揮官の命令によらなければならない。）ほか、職務上警護する人・物に対する侵害排除等に必要があるときにも、武器を使用することが認められている。また、海上保安官については海上保安庁法で、麻薬取締官等については麻薬及び向精神薬取締法で、武器の携帯が認められ、この規定が準用されている。

（注98）　入国審査官及び入国警備官については出入国管理及び難民認定法で、税関職員については関税法で、武器の携帯及び使用が認められている（税関職員は法的には認められているが、実際には所持していない。）。刑務所の刑務官については、刑事収容施設法によってその使用が認められている。

（注99）　以前は拳銃と警棒等の双方を定めた「警察官けん銃警棒等使用および取扱い規範」であったが、平成13年の改正により、拳銃については拳銃規範、警棒及び警じょうについては「警察官等警棒等使用及び取扱い規範」に分離された。このほか、「警察官等特殊銃使用及び取扱い規範」が平成14年に制定されている。なお、催涙ガスに関しては、委員会規則ではなく、警察庁長官の訓令として、「催涙ガス器具の使用および取扱いに関する訓令」が昭和43年に制定されている。

（注99の2）　部隊組織の場合における拳銃の使用については、部隊指揮官の命令によらなければならないものとしつつ、「状況が急迫で命令を受けるいとまのないときはこの限りでない」として、個々の警察官の判断による使用を例外的なものと位置づけている。

律上認められるのに、使用が全く許されないというのは不合理である。

　武器の使用は、強制としての実力行使の一形態にすぎない。したがって、実力行使に際して真に必要な場合には、公益上の必要性が相手方の不利益を上回る限度で、許されるはずの行為である。しかし、武器の使用による不利益が重大なものであるだけに、法的な基準なしに適否を判断するのは容易ではない。警察官職務執行法7条の規定は、警察官について、武器の使用が認められる場合を明確にし、かつ、その要件を満たした場合以外は認めないこととしたものである（なければ行えなかったことを可能にした規定（創設的な規定）ではなく、なくてもできたはずの行為について可能な範囲を明確にした規定と位置付けるべきものである。）。したがって、警察官については警察官職務執行法7条の定めに従わなければならないが、皇宮護衛官については、何の定めもなかった（準用しないことで禁止する趣旨でもなかった。）のであるから、強制権限の行使において必要最小限度で、かつ、社会的に相当とされる範囲であれば、携帯する武器を使用することができるものと解することになる。実際に使用できる範囲は、おおむね警察官の場合に準ずるといえる。

　以上が、皇宮護衛官について、武器の使用規定が置かれるまで筆者が記述してきた解釈の考え方である。平成12年の警察法の改正で、皇宮護衛官への警察官職務執行法7条の準用規定が置かれたことにより、上記の解釈をとる実益はなくなったのであるが、法律の根拠がどこまで求められるか（法律がなければ絶対に行えないことはどの範囲か）という問題を考える上で、今後も参考となると思われる。

2　人に危害を加えない使用

　警察官は、犯人の逮捕若しくは逃走の防止、自己若しくは他人に対する防護又は公務執行に対する抵抗の抑止のために、武器を使用することが必要であると認める相当な理由がある場合に限り、人に危害を加えない方法で、武器を使用することができる。

(1)　要件

　拳銃等の武器を、人に危害を加えない方法で使用できるのは、犯人の逮捕・逃走の防止、自己・他人の防護又は公務執行に対する抵抗の抑止のために、客観的にみて必要と認められるときである。武器を使用せずに目的を達成できるときは、それによるべきことは当然である。武器の使用は、それによらなければ目的を達成できない場合に限られる。

「犯人の逮捕若しくは逃走の防止」のために必要がある場合とは、被疑者、刑事被告人又は有罪判決が確定した者を逮捕（刑事訴訟法上の逮捕のほか、勾留状の執行及び収容状の執行を含む。）する上で武器を使用する必要がある場合を意味する。危害を与える場合とは異なり、犯罪の罪種等の制限はない。逃走の防止が逮捕と並べられているが、犯人逮捕のために必要な場合に含まれる（逮捕に着手する以前に逃走した場合も含むことを明確にしたものといえる。）。職務質問の対象などで、その時点で逮捕することのできない者が職務質問等を免れようとしてその場から逃れようとした場合は含まれない。この要件を満たす場合には、相手方が警察官に抵抗し、あるいは自己を防護する必要性がなくとも、武器の使用が許される。

「自己若しくは他人に対する防護」のため必要がある場合とは、職務執行中の警察官本人や他の者の安全を確保するために、武器を使用することが必要である場合を意味する。警察官やその他の者に危害が加えられるなどの正当防衛や緊急避難に当たる場合はもとより、警察官が他の者の生命・身体の保護を図るため、警察官職務執行法3条の保護、4条の措置、5条の犯罪の制止の権限を行使する上で武器の使用が必要となる場合も含まれる。

「公務執行に対する抵抗の抑止」のため必要がある場合とは、警察官の適法な職務の執行に対する妨害行為が行われ、その排除のために武器の使用が必要となる場合を意味する。警察官に対して積極的な攻撃を行うことだけでなく、一定の場所から動こうとしないなどの形での抵抗も含まれる（ただし、消極的な抵抗に対して武器を使用することが必要不可欠となる場合に限られる。）。公務執行に対する抵抗の抑止として武器を使用できるのは、抵抗を物理的に排除することが認められた公務、つまり強制権限を行使する場合に限られる。(注100)

(2) 使用

（注100） 警察官の任意の活動でも、暴行等を相手方がふるう場合には、武器を使用することが認められることがあるが、それは公務執行妨害という犯罪を行っている者に対する逮捕のためか、自らの防護のために行うものであって、任意活動に対する抵抗の抑止として認められるものではない。

人に危害を加える使用については、3で述べる要件（加害要件）を満たすことが必要である。したがって、加害要件を満たしていない場合の使用は、人に危害を加えない方法に限られる。拳銃を人に向かって構えて威嚇すること、威嚇射撃を行うこと、動物等の物に向けて撃つことが、危害を加えない方法に当たる。なお、単に拳銃を取り出すことは、相手を畏怖させるためのものでない限り、使用の準備であって、この規定にいう使用には当たらないので、前記の要件を要しない。

使用することができる場合でも、その事態に応じて合理的に必要と判断される限度でなければならない。構えで足りるのに発射することは許されないし、威嚇射撃を行わざるを得ないときでも、その回数等は必要な限度に限られる。なお、拳銃を撃つ前には、相手に予告するのが基本であるが、事態が窮迫しているときや、予告することによって事態が悪化するおそれがある（相手の違法活動等を誘発する可能性がある）場合には、予告することを要しない（拳銃規範参照）。

加害要件を欠く場合には、警察官は人に危害を加えることがないように注意する義務を負うことはいうまでもないが、注意義務を十分尽くしたにもかかわらず、不可抗力的に他の者に危害を生じさせたとしても、本条に反することにはならない。

3　人に危害を加える使用の許容要件

人に危害を加える武器の使用は、2(1)の使用要件に加え、以下に述べる正当防衛、緊急避難又は一定の場合の犯人逮捕等のいずれかに該当する場合でなければ、許されない。加害要件を満たすときには、人に向けて拳銃を撃つことができるが、その場合でも、必要最小限度の範囲でのみ危害を加えることができるのにとどまるのは当然である。

(1)　正当防衛における使用

正当防衛（刑法36条1項）は、「急迫不正の侵害」に対して、「自己又は他人の権利を防衛するため」やむを得ないものとしてなされる反撃行為を意味する。警察官自身又は他の者に対して違法な加害行為を行う者がある場合に、これに対する反撃として武器を使用することが当たる。なお、この規定で正当防衛を定めているのは、武器の使用要件としてであり、この

規定に従って武器を使用したときの刑事法上の評価は、法令による正当業務行為（刑法35条）として犯罪が不成立となる。

正当防衛が成立するためには、違法な侵害行為があること（侵害者が刑事未成年、あるいは心神喪失状態にあるなど、責任要件を欠いた場合も含まれる。）、侵害行為を行っている者に対してなされること、防衛手段として相当性を有することが要件となる。過剰な反撃行為は正当防衛とはならない（刑法上は過剰防衛となる。）。防衛手段として相当であれば、反撃行為によって結果として生じた法益侵害が、守ろうとした法益より大きくとも、なお正当防衛となる。(注101)

正当防衛の要件を満たす場合には、人に危害を加える武器の使用も適法なものとして許される。ただし、他の手段で事態を解決できるときは、刑法上は正当防衛になっても、この規定による武器の使用は認められない。

正当防衛のためでも不必要な攻撃を行うことはできないが、防衛行為として適切なものであれば結果的に人が死亡しても違法となるものではなく、(注102) さらに真に必要である場合（銃器をもって多数人を人質にしている場合などで、生命に対する危害を防止するために必要やむを得ないとき）には射

（注101）　最高裁判決昭和44年12月4日〈刑集、⑭〉は、生じた傷害の大きさに鑑みて過剰防衛であるとした原判決を破棄し、「その反撃行為が正当防衛行為でなくなるものではない」との判断を示している。

（注102）　東京地裁八王子支部決定平成4年4月30日〈判タ809・226〉は、複数の者に警棒を奪われて強打され、拳銃を取り出して警告したのに対して、つかみかかって奪い取ろうとした相手2人に拳銃を発射して死傷させた行為について、適法と認めている。また、大阪地裁判決平成10年10月27日〈判時1686・79〉は、通行人の多い車両通行禁止道路に侵入して人を跳ねた自動車の運転者に対して、腕を狙って発砲したが死亡させた事案について、過失はないと判断している（狙いがはずれることの予見可能性はあっても、結果回避義務を課すことはできない（結果回避を求めることは発砲を中止させることを意味し、通行人の生命等を保護するための正当防衛として必要なことと矛盾する。）と述べている。）。また、東京高裁判決平成26年9月25日〈判時2252・37〉は、警察官が重い石で抵抗する者を公務執行妨害の現行犯で逮捕する際に拳銃を1回発射して死亡させた事件で、相手方が石で襲い掛かろうとしていた状況であり、逮捕のための使用として適法であるほか、正当防衛における使用としての要件をも満たすとして、国家賠償請求を棄却している（石を持ちあげて対峙していただけであって威嚇射撃を試みずに発砲したのは違法だとした控訴審判決を、最高裁が破棄差し戻しをした（最高裁判決平成26年1月16日〈LEX/DB25502783〉）のを受けた判決である。なお、同じ事案で付審判請求が認められた警察官を被告とする刑事裁判においても、無罪とする判決（宇都宮地裁判決平成23年2月10日〈LEX/DB25470408〉）が確定している。）。

殺する意図で武器を使用して相手方を殺害することもできる。(注103)

(2) 緊急避難における使用

　緊急避難の認められる要件は、以下のとおりである。もっとも、緊急避難の措置として武器を使用して人に害を与えることは、実際にはあまり想定されない（動物に対して使用するのは、「人に害を与える使用」には当たらない。）。

　緊急避難（刑法37条1項本文）は、自己又は他人の生命、身体、自由又は財産に対する現在の危難を避けるためにやむを得ないものとして行われる行為であって、その行為で生ずる害が避けようとした害を超えない場合を意味する。危難の原因が適法であるときや人間の行為以外のものも含まれる。不正な侵害があった場合にその者の法益を害する反撃行為を行うことは正当防衛であるが、他の者の法益を害するのは緊急避難に当たる。他の方法をとり得るときに行うことや、被害を上回る害を与えることはできない。なお、刑法では、業務上特別の義務のある者（警察官など）については、緊急避難の規定を適用しないことが定められているが、これは、危険な場所に身を置く者が、自己の利益のために他の者に害を加えることを許さない趣旨であるから、警察官が他の者の利益を守るための緊急避難を行うことには問題はない。

(3) 一定の場合の犯人逮捕等のための使用

　一定の場合の犯人の逮捕等（犯人の逮捕又は現に行われている犯罪の制止）において、相手方の抵抗・逃走を防止し、又は逮捕するために武器を使用する以外の手段がないと警察官において信ずるに足りる相当な理由のある場合には、人に危害を与える武器の使用が許される。

　対象となる一つ目は、重大凶悪な罪を現に犯し、若しくは既に犯したと疑うに足りる十分な理由のある者が、その者に対する警察官の職務の執行に対して抵抗し又は逃走しようとするときである。逮捕等を行おうとする場合に、第三者がその犯人等を逃走させようとして警察官に抵抗するときも含まれる。重大凶悪な罪とは、死刑・無期・長期3年以上の懲役又は禁

（注103）　広島地裁決定昭和46年2月26日〈刑裁月報3・2・310〉（シージャック事件付審判請求）参照。

錮に当たる罪（緊急逮捕し得る罪）であって凶悪なものを犯した者を意味する。刑が重い罪というだけではなく、凶悪なものに限られる。殺人罪、強盗罪、強制性交等罪、身の代金目的誘拐罪、現住建造物放火罪、内乱罪、騒乱罪などのほか、相手方に重大な傷を負わせ、あるいは凶器を用いてなされた傷害罪や、凶器を所持してなされた侵入窃盗罪など、その態様から国民に重大な脅威と感じられるような犯罪の場合を含む(注104)。逮捕（現行犯逮捕又は緊急逮捕）だけでなく、実際に行われている犯罪の制止を行おうとするときも、これに含まれる。

対象の二つ目は、逮捕状で逮捕し、又は勾引状・勾留状を執行する際に、その対象となる者が、その職務の執行に抵抗し、又は逃亡しようとするときである。現行犯逮捕又は緊急逮捕を行う場合とは異なり、罪種等の限定はない。逮捕等を行おうとする場合に、第三者がその犯人等を逃走させようとして警察官に抵抗するときも含まれる。

574　いずれの場合も、武器を加害のために使用する以外の手段がないと信じるに足りる相当な理由があることが求められる(注104の2)。他の手段を実際に使ってみることが可能であると思えるだけの余裕のある状況であれば試みるべきである（他の手段を尽くすべきである）が、切迫していればその状況の下では他の手段を試みることができない場合もあり得る。撃つことを告げ、威嚇射撃を行ってそれでも従わない場合に加害使用するというのが一般的であるといえるが、時間的余裕がない場合（例えば実際に刃物を突き刺してきた場合）には直ちに使用せざるを得ない。そのほかにも、有効性が見

（注104）　拳銃規範では、「不特定若しくは多数の人の生命若しくは身体を害し、又は重要な施設若しくは設備を破壊するおそれがあり、社会に不安又は恐怖を生じさせる罪」、「人の生命又は身体に危害を与える罪」、「人の生命又は身体に対して危害を及ぼすおそれがあり、かつ、凶器を携帯するなど著しく人を畏怖させるような方法によつて行われる罪」に区分し、罪名を例示列挙している。公務執行妨害罪については、「団体若しくは多衆の威力を示し、凶器を示し、又は格闘に及ぶ程度の著しい暴行」によって行われる場合を対象に挙げている。

（注104の2）　事後的にみれば他の手段で対応できた可能性があったとしても、緊急な状態でとっさの判断が求められる中で、知り得たものを基にした警察官の合理的な判断として、「他に手段がないと信じるに足りる相当な理由がある」といえるのであれば、拳銃を人に向けて使用することができるものと解しなければならない（旧版で「手段がないことが求められる。」と記述していたが、適当な表現ではないので改めた。）。

込めない場合もあり得るし、状況によってはそうできない場合又は適切でない場合（相手方が一層の違法行為をする可能性のある場合や周囲に被害を生ずる可能性がある場合）もあり、常に威嚇射撃を行わなければならないということにはならない。(注105)(注106) 一方、凶悪性がそれほどあるとはいえず、切迫性がないような状況下では、無理に武器を用いることなく、応援を待つといった対応で足りるとして、武器を使用する以外の方法がないとはいえないとされる。(注107)

　逮捕等のための武器の使用は、必要最小限度で行わなければならない。正当防衛の場合とは異なり、犯人を逮捕する目的の場合には、死亡させる武器の使用を行うことはできない（死亡させてしまえば、逮捕の目的を達成することはできなくなる以上、そうなる武器の使用は許されない。）。もっとも、相手方に対して許される限度での危害を加えることを目的としつつ、具体的な状況の下で必要な注意を十分尽くしたにもかかわらず、相手方に

575

（注105）　威嚇射撃なしに加害使用したことについて、威嚇射撃を行い得る状況であれば行うべきこと等を理由として付審判決定された事件において、福岡高裁判決平成7年3月23日〈高裁刑速報（平7）号151〉は、加害使用は他の手段をとるべき暇がない場合を除き他の手段を尽くした上で行うべきものとしつつ、事前に威嚇射撃を必ず行わなければならないというものではないとして無罪としている（最高裁でも維持されている。）。

（注106）　拳銃規範では、「事態が急迫であつて威嚇射撃をするいとまのないとき、威嚇射撃をしても相手が行為を中止しないと認めるとき又は周囲の状況に照らし人に危害を及ぼし、若しくは損害を与えるおそれがあると認めるとき」には、威嚇射撃を先にする必要がないものとしている。東京高裁判決平成21年12月16日〈判時2071・54〉は、車両の停止の指示を無視し、赤信号無視などの無謀運転を繰り返して逃走を図ろうとする者に対して、撃つことを告げ、警告をしたのにさらに無謀運転を始めたので、逮捕のために拳銃を発射し、両下肢機能全廃の後遺症を負わせた事案について、注意義務に違反するところはないとして、適法と判断しているが、その中で、原審が威嚇射撃をするべきとする拳銃規範に違反していて違法として一部賠償を命じたのに対し、威嚇射撃をしても中止することはなかったと認定してこれにも違反しないとしている。なお、この判決では、公権力行使の違法性は結果の重大性によるものではなく、具体的な状況下で職務上の注意義務に反したかどうかによるものであることを述べている。

（注107）　小型ナイフを用いて警察官に抵抗した者に関し、相当強度であるとはいえ、その態様が警察官の接近を拒むようなものにとどまり、接近しない限りは、積極的加害行為に出たり、付近住民に危害を加えたりするような状況がなかったと認定された事案（相手方死亡）では、逮捕行為を一時中断して他の警察官の到来を待って逮捕する等の他の手段をとることも可能であったとして、加害行為要件を満たしておらず、違法とされている（最高裁決定平成11年2月17日〈刑集、Ⓦ〉）。

より重大な危害を加えた場合には、違法なものとはならないのであって、逮捕をするために武器を用いたことで結果として死亡させたとしても、当然に違法とされるわけではない。(注108)

column 平成13年の拳銃規範の改正

平成13年の改正前の規範（警察官けん銃警棒等使用および取扱い規範）では、拳銃の使用に慎重を期す観点から、警棒の使用を優先させること、警告・威嚇射撃を人に向けた射撃の前に行うことなどを定めていた。その結果、拳銃の使用は文字どおりの最後の手段であるという意識が極めて強くなり、警察官職務執行法上拳銃の使用が可能な場合でも使用しない、使用をためらうケースが多くみられた。

このため、拳銃使用の判断基準を第一線警察官にとって分かりやすい形で示すとともに、拳銃の使用に対する過度に抑制的な意識を払拭することにより、警察官が拳銃を撃つべきときに撃つことができるようにする（警察官が職務執行上必要な場合に適正かつ的確に拳銃を使用することができるようにする）観点から、国家公安委員会において、平成13年に規範を改正した（同年12月施行）。

具体的には、拳銃の使用に先立って一律に警棒を優先して使用すべきこととしていた規定の削除、拳銃の使用を構え、威嚇射撃等、相手に向けて撃つ射撃に分離して規定、予告・威嚇射撃することなく相手に向けて拳銃を撃つことができる場合があることの明確化、第三者に対する危害防止のための注意義務の範囲の明確化、人に危害を与えていない場合の報告義務の簡素化、が行われている。あわせて、加害要件に該当する罪に関して、例示として具体的な罪名と態様を列記

（注108）　逮捕をするため、ナイフを所持していた右腕を狙って発砲したが、相手方が移動したため胸に当たったものと認定し、人体枢要部を狙ったものでないことを理由に適法と判断したものとして、福岡高裁判決平成7年3月23日〈高裁刑速報（平7）号151〉がある。また、奈良地裁判決平成24年2月28日〈判夕1403・361〉は、車両で逃走中の公務執行妨害等の現行犯人逮捕に当たり、2人の警察官が拳銃を各1回発砲し、同乗者を死亡させた事案に関し、逃走等を防止するために他に手段がなく、発砲の必要性が認められ、かつ、運転者の左前腕部の負傷を超える結果を生じさせるとは考えていなかったこと、逃走の態様自体が警察官や一般市民の身体等に対する危険性の高いものであり阻止する必要性が高かったことなどの事情に照らし、運転者の腕を助手席窓ガラス越しに射撃する行為は合理的に必要と判断される限度を超えていたものではないとして、適法な武器の使用であったと認めている（付審判請求が認められた警察官を被告とする刑事事件で無罪としたもので、控訴、上告されたが、棄却され確定している。なお、国家賠償訴訟でも、奈良地裁判決平成22年1月27日〈判時2081・85〉及びその控訴審である大阪高裁判決平成24年3月16日〈判時2151・17〉で、いずれも拳銃発砲の適法性が認められている。）。

し、現場警察官が判断しやすいようにしている(注109)。なお、規範の名称は、平成13年の改正時には「警察官等けん銃使用及び取扱い規範」であったが、令和4年3月の改正銃刀法の施行に合わせて、「警察官等拳銃使用及び取扱い規範」に改められている。

(注109) 警察官の拳銃の使用(構えを含む。)の件数は、平成11年から13年の3年間の平均が23.3件(うち相手に向けて撃ったものは6.3件)であったのに対し、平成14年から16年の3年間の平均は53.7件(うち相手に向けて撃ったものは10件)に増加している(拳銃規範の改正と当時の使用の実態について、吉村博人『警察改革(第三版)』(立花書房、2009年)208頁以下参照。)。

第6章　主要警察権限法制

　本章では、警察官職務執行法以外の警察権限法制のうち主要なものについて、個人保護、安全確保、暴力団対策、犯罪対策、社会公共利益保護、国際連携、テロ対策という目的によって区分し、概要を説明するとともに、重要な論点について簡単に述べることとする。

第1節　警察権限法制の概要と個人保護法制

1　警察権限法制の概要

　警察権限法のうち、警察のどの分野でも用いられるものとして、前章に述べた警察官職務執行法及び警察官の捜査権限の根拠としての刑事訴訟法がある。
　生活安全の分野では、古物営業法、質屋営業法、警備業法、探偵業法、ストーカー規制法、ピッキング防止法、遺失物法、銃砲刀剣類所持等取締法、火薬類取締法、風俗営業適正化法、不正アクセス禁止法、出会い系サイト規制法などがある。一部の規定で警察機関の権限を定めたものとして、少年法、消防法などがある。

（注1）　本章では、個々人を保護するための権力的介入法制と支援（個人保護）、人の身体的安全を確保するための規制法制（安全確保）並びに暴力団のもたらす危害から市民生活を守るための暴力団の規制と排除法制（暴力団対策）、犯罪の予防と犯罪収益移転の防止等のための法制（犯罪対策）、風俗環境など様々な社会公共の利益保護（公共の利益保護）、国際連携及びテロ対策に区分した。重複する目的を持つ法律もあり、一応の整理にとどまる。
（注2）　刑事訴訟法は警察にとって重要な権限法であるが、ほかに多くの解説書があり、また、警察権限以外の場面（検察官の起訴、公判における証拠調べなど）とつながるものとして理解する必要があることから、本書では解説をしない。
（注3）　危険な物の運搬規制に関して、核原料物質、核燃料物質及び原子炉の規制に関する法律、放射性同位元素等の規制に関する法律、感染症予防法などが関連の規定を置いている。

刑事・組織犯罪対策の分野では、刑事訴訟法をはじめとする捜査関連法制のほか、暴力団対策法、犯罪収益移転防止法などがある。(注4)

交通の分野では、道路交通法が特に重要な法律であるが、そのほかに、運転代行業法、自動車の保管場所の確保等に関する法律がある。

警備の分野では、災害対策に関して災害対策基本法が定められており、警察官も一定の権限が認められている。国会議事堂等静穏保持法、小型無人機等飛行禁止法、団体規制法などでも警察機関の権限が定められている。また、国際テロ対策のため、国際テロリスト財産凍結法が制定されている（☞650）。このほか、都道府県において、暴騒音条例やいわゆる公安条例が定められている。

上記のほか、刑事収容施設法が警察の留置施設についても適用される。また、犯罪被害者支援法が定められている。

2 ストーカー規制法をはじめとする個人保護法制

(1) ストーカー規制法の目的と規制対象

602　ストーカー規制法は、ストーカー行為等について規制を行うとともに、相手方に対する援助の措置等を定め、個人の身体、自由及び名誉に対する危害の発生を防止し、あわせて国民の生活の安全と平穏に資することを目的として（1条）、平成12年に制定された。(注5)(注5の2)

規制の対象となるのは、「つきまとい等」と「位置情報無承諾取得等」である（2条）。「つきまとい等」とは、特定の者に対する恋愛感情その他

(注4)　通信傍受法（犯罪捜査のための通信傍受に関する法律）、国際捜査共助等に関する法律などがある。また、携帯電話不正利用防止法は、警察署長が携帯音声通信事業者に契約者確認の求めをすることを定めている。同法の制定過程と内容について、親家和仁「『携帯音声通信事業者による契約者等の本人確認等及び携帯音声通信役務の不正な利用の防止に関する法律』について」警察学論集58巻8号参照。

(注5)　参議院の地方行政警察委員会委員長の提案によって、国会に提出された。本法の制定過程及び内容の詳細については、檜垣重臣『ストーカー規制法解説（改訂版）』（立花書房、2006年）参照。法制定の意義について、露木康浩「戦後警察作用法制とストーカー行為規制法」前掲『警察行政の新たなる展望（上巻）』、裁判例等について、中川正浩「ストーカー規制法の検討」警察学論集62巻6号参照。

(注5の2)　平成25年に、規制対象行為の追加（電子メールを送信する行為の規制対象化）、警告に係る申出者への通知の義務化等の法改正が行われている。また、平成28年には、規制対象の拡大のほか、禁止命令制度の合理化・実効性確保の観点からの改正（警告が禁止命令等の前提となることの廃止、緊急の必要のある場合における聴聞の省略許容、公安委員会権限の警察本部長等への委任など）が行われている。

の好意の感情又はそれが満たされなかったことに対する怨恨の感情を充足する目的で、恋愛感情等の相手方やその関係者に対して、つきまとい・待ち伏せ・住居等（住居など通常所在する場所のほか、現に所在する場所も含まれる。）の付近での見張りやうろつき・住居等への押し掛け、監視していると告げる行為、面会・交際などの要求、乱暴な言動、無言電話や連続した電話・文書・ファクシミリ・メール・SNSのメッセージ等、汚物などの送付、名誉を傷つける行為、性的羞恥心の侵害という8つの類型の行為を行うことである。「位置情報無承諾取得等」とは、同様の目的で、相手方の承諾を得ないで、GPS機器等により位置情報を取得する行為又は相手方の所持する物にGPS機器等を取り付ける行為を意味する。「つきまとい等」や「位置情報無承諾取得等」をして、相手方に身体の安全、住居等の平穏若しくは名誉が害され、又は行動の自由を著しく害される不安を覚えさせることが禁止される（3条）。つきまといや待ち伏せ、面会・交際などの要求といったことは、日常生活の中でもあり得る行為であることを踏まえ、不安を覚えさせるものが禁止され、かつ、恋愛感情等の場合に規制が限定されている。^(注6)

> **column** GPS機器等を用いるストーカー事案への対応 ････････････
>
> 令和3年の改正法により、「位置情報無承諾取得等」が新たに規制対象として追加された。この改正は、GPS機器等を用いて無断で相手方の位置情報を把握する行為が、被害者からすると自らの居場所を常に監視される重大な侵害であるにもかかわらず、ストーカー規制法の「見張り」に該当しないとされたことを受^(注6の2)

(注6) 本法は、私生活に近い領域に関する規制を新たに行うに当たり、正当な目的があるものや、社会的に許される範囲と考えられるつきまとい等があり得ることを踏まえ、数の上で多くを占め、実際に事案が起きていて規制が必要なことが明らかであった「恋愛感情その他の好意の感情又はそれらが満たされなかったことに対する怨恨の感情を充足する目的」で行われる場合に限って、規制の対象とした。「正当な目的の場合を除く」とすると警察側の判断によって本来規制すべきでない対象まで及ぶ可能性がある（権限が濫用される可能性がある）ので、被害防止よりも、濫用防止を優先させたものといえる。しかし、恋愛感情等を背景としていない場合でも、ストーカー被害は起きており、実際に殺人事件に至ったものもある。正当な目的の場合を除くべきであるとしても、「ねたみ、そねみ、恨みその他の悪意の感情を充足する目的」を規制対象から除外する合理的な理由があるとは考えにくい。多くの都道府県の迷惑防止条例で、これらの目的による行為を処罰対象としている。

けて、法の規制対象に追加したものである。新たに規制対象となったのは、承諾
を得ないでGPS機器等によって位置情報を取得する行為と、承諾を得ないでGPS
機器等を取り付ける行為である。位置情報アプリを相手方のスマートフォンに承
諾を得ないでインストールし、位置情報を取得する行為も、前者に該当する（恋
愛対象との間で、このような行為を重大性の認識なしに行ってしまう者がかなり
いる可能性もある点に注意する必要がある。）。なお、位置情報無承諾取得等につ
いては、一般のつきまといや見張りなどがその態様によっては社会通念上許され
るものであり、相手方に不安を与えるようなものに限って規制されるのに対し、
そういった限定は付されていない（相手方が知れば不安を与えるようなものであ
ると位置付けられている。）。また、位置情報の送信がされる都度に情報の取得が
行われるので、すべてストーカー行為として処罰の対象となる。

(2) 規制等の概要

603　ストーカー規制法は、不安を覚えさせるような「つきまとい等」を反復
し、あるいは「位置情報無承諾取得等」を反復することを、ストーカー行
為として処罰することを定める（1年以下の懲役又は100万円以下の罰金）
とともに、警告・命令という行政介入をする権限を警察機関に与えている。
　警察本部長等（警視総監・道府県警察本部長又は警察署長）は、つきま
とい等又は位置情報無承諾取得等をされたとして警告を求める申出を受け
た場合に、「つきまとい等又は位置情報無承諾取得等をして不安を覚えさ
せることの禁止」（3条）に違反する行為が実際に行われ、行為者が更に
反復して行うおそれがあると認めるときは、警告をすることができる（4

（注6の2）　元交際相手等の自動車にGPS機器をひそかに取り付け、位置情報を取得して
　　いたことについて、住居等の付近における見張りには該当しないとした2件の高裁判決に
　　対する検察官の上告を、最高裁が棄却した（最高裁判決令和2年7月30日〈刑集、Ⓦ〉）。
（注6の3）　交際関係にあった際に位置情報の取得を認めていたとしても、「今後位置情報
　　の取得を認めない」ことを告げられた後になお引き続いて位置情報を取得した場合には、
　　「承諾を得ないで」に該当する。
（注7）　つきまとい等の行為のうち、つきまとい・待ち伏せ・見張り・押し掛けなどについ
　　ては、不安を覚えさせるような方法によるものに限られることが定められている。これに
　　対し、汚物の送付や、名誉を傷つける行為、位置情報無承諾取得等にはそのような限定は
　　付されていない。したがって、位置情報無承諾取得等を繰り返したとしてストーカー行為
　　の刑事責任を追及するに当たっては、被害者が実際に不安を覚えさせられたことは要件と
　　ならない。

条)。警告は任意の措置であるが、法律に基づく行為としての実効性を有する(注9)。

　公安委員会は、3条に違反する行為があり、かつ、更に反復するおそれがあると認めたときは、更に反復してその行為をしてはならないこと及びそれを防止するために必要な事項を命ずることができる(禁止命令等)(5条)。禁止命令等は、聴聞の手続を経て行われるが、行為の相手方(被害者)の身体の安全、住居等の平穏若しくは名誉が害され、又は行動の自由が著しく害されることを防止するために緊急の必要がある場合には、聴聞を省略することができる(その場合は命令をした日から15日以内に、意見の聴取をすることとされている。)。なお、行為の相手方(被害者)の申出がなくても、職権で(警察機関の判断のみで)禁止命令等を発することができるが、聴聞を省略可能なのは、相手方の身体の安全が害されることを防止するために緊急の必要があると認めるときに限られる。禁止命令等の有効期間は、1年間であるが、延長が認められる。命令違反は刑罰の対象となる(注9の2)。公安委員会の権限に属する事務は、警察本部長等に行わせるこ

(注8)　ストーカー行為については、いずれかの行為をすることを反復すれば該当すると解されており(最高裁決定平成17年11月25日〈刑集、W〉参照)、同一の号に当たる行為を繰り返す場合のみに限定されない。制定当初は、同じ号に当たる行為をしてはならないという警告・命令がされていたが、最高裁決定を踏まえて、3条の禁止行為全てについて行ってはならないという警告・命令をすることに改められている。

(注9)　警察の警告を受けた者のほとんど(約9割)は、その後つきまとい等の行為を行わなくなっている。平成26年の有識者検討会の「ストーカー行為等の規制等の在り方に関する報告書」6頁参照。

(注9の2)　命令違反に刑罰を科すことによって命令の実効性を担保するのは、多くの行政命令の通例である。しかし、命令を無視し、実際に加害行為をする者も存在する(この点は裁判所の保護命令の場合も同様であり、保護命令を受けていた者が、相手を殺害した事例もある。)。命令が加害者を物理的に拘束するものではない以上、それだけで危害を全面的に防ぐことはできない。個人の保護のためには、例えば裁判所の命令によってGPSを装着させ、被害者が加害者の接近を認識し危険回避行動をとることができるようにする制度の創設が望まれる(保護観察中の者の遵守事項の担保としてや裁判所の保護命令を受けている者による危害を防ぐ上でも、同様のことがいえる。川出敏裕ほか「[座談会] 犯罪被害者支援の現状と課題」論究ジュリスト20号(2017年)における川出発言(155-156頁)参照。安田貴彦「被害者支援をめぐる法制度の課題」(日本被害者学会第30回学術大会におけるシンポジウム「被害者学の展望」における報告)は、「警察が常時位置情報を取得するものではなく、電子監視ではない」とした上で、「被害者が自ら安全を確保するための、加害者の情報の被害者に対する開示命令と位置づけられるべきものである」と述べている。)。

とができる。

　警察本部長等は、警告又は命令に必要な限度で、3条に違反する行為をしたと認められる者その他の関係者に対し、報告若しくは資料の提供を求め、又は警察職員に質問をさせることができる（13条）。^(注10)

　このほか、警察本部長等がストーカー行為等の相手方から、自らが被害を防止するために援助を受けたいとの申出があり、相当と認めるときは、被害を防ぐための措置の教示その他の援助を行うこと（7条）、国、地方公共団体、関係事業者等の支援、職務関係者による相手方（被害者）の安全の確保と秘密保持等の配慮、ストーカー行為等に係る情報提供の禁止などが本法で定められている。

　なお、制定時の本法では、警告・命令や処罰は申出や告訴が要件とされていたが、被害者の判断に係らしめることがかえって被害者にとって不利な事態を招く可能性があること等から、平成28年の法改正により、命令は職権でも可能とされ、処罰規定も非親告罪化された。

(3)　その他の個人保護法制

604　暴力団対策法は、指定暴力団員による暴力的要求行為（暴力団の威力を示して行う不当贈与要求行為、用心棒料等要求行為、みかじめ料要求行為、不当債権取立行為など27の類型に当たる行為）を禁止し、暴力的要求行為によって相手方の生活の平穏又は業務の遂行の平穏が害されていると認めるときは、公安委員会が中止を命ずるとともに、更に反復して類似の行為をするおそれがあるときに防止するために必要な措置を命ずるという制度を設けている。被害者への不当な圧力等が行われることがあり得ることを踏まえ、法的には被害者の申告は要件とはされていないが、個人保護を目的としたものといえる。同法では、加入の強要、指詰めの強要、少年に対する入れ墨の強要の禁止と、それに対する中止等の命令が同様に定められている。

605　このほか、広島県においては、街宣屋（街宣車の威力を背景として不当な要求を行い、利益を得ようとするもの）による威圧的な言動による被害

（注10）　報告・資料提出要求と質問の権限が定められているが、事業規制における報告徴収等とは異なり、相手方が応じなかった場合の法的制裁は規定されていない。

について、被害者の申立てに応じて警察が介入することを定めた条例（広島県不当な街宣行為等の規制に関する条例）が平成17年に制定されている。この条例は、人の身体、財産、名誉及び信用に対する危害の発生を防止し、あわせて県民生活の安全と平穏を確保することを目的として、特定街宣行為等（特定の者に対して事務所付近で街宣車の拡声機を使用してひぼう又は中傷をすることなど）をして不安を覚えさせることを禁止し、警察本部長等が警告し、それに従わずに違反行為をしたときは公安委員会が禁止命令をするといった規制を設けるとともに、警察官による立入検査権限も定めている。

3　被害者支援法制

　犯罪被害者支援法は、「犯罪被害者等給付金支給法」として昭和55年に制定され(注12)、平成13年に支援に関する規定が盛り込まれ(注13)、平成20年の改正により目的規定に「支援」が明記され、現在の名称（題名）となった(注14)。犯罪行為（日本国内（日本国外にある日本船舶又は日本航空機内を含む。）で行われた人の生命・身体を害する罪に当たる故意の行為(注14の2)。刑事未成年者や心神喪失者による行為を含む。）により不慮の死を遂げた者の遺族又は重傷病を負い若しくは障害が残った者の被害を早期に軽減し、再び平穏な生活を営むことができるように支援することを目的としている。都道府県公安委員会が遺族・被害者の申請を受けて調査を行い、裁定をする（この裁定は、国からの法定受託事務である。支給裁定により受給権が発生し、国が支給をする。）。支給最高額は約4,000万円である。不服がある場合には、

(注11)　内容と成果については、増田武志「広島県不当な街宣行為等の規制に関する条例の制定とその効果」警察学論集59巻10号参照。

(注12)　制定時のものとして、大谷實・斎藤正治『犯罪被害給付制度』（有斐閣、1982年）、村澤眞一郎「犯罪被害給付制度（一）〜（八）」警察研究52巻1号〜10号参照。

(注13)　平成13年改正に関して、住友一仁「被害者に対する援助の措置について」警察学論集54巻7号参照。

(注14)　平成20年改正に関して、「特集・改正犯罪被害者支援法」警察学論集61巻7号の各論文参照。

(注14の2)　国外の犯罪行為による被害は本法の対象とならないが、平成28年に制定された国外犯罪被害弔慰金等の支給に関する法律に基づいて、死亡した日本人1人当たり200万円の弔慰金、障害（障害者等級一級相当）が残った日本人被害者に100万円の見舞金が支給される。裁定を都道府県公安委員会が行うことは本法と同様である。

国家公安委員会に審査請求を行い、裁決を経たのちに限って訴訟を提起することができる。国家公安委員会には、このための専門委員が置かれている。国家公安委員会及び都道府県公安委員会の権限行使に関して、警察庁又は都道府県警察が補佐をする旨の警察法の規定は、この法律の附則によって追加されたものである。

被害者への支援に関し、警察自身による被害者支援に加えて、関係機関との連携及び調和を確保し、民間団体の自主的な活動の促進のための措置を講ずるよう努めるべきことが定められ、民間団体の活動のために、公安委員会が犯罪被害者等早期援助団体を指定し、被害者の同意を得て必要な情報を提供する仕組みが設けられている（☞109）。

607　犯罪被害者に関しては、犯罪被害者等基本法に基づき、政府が犯罪被害者等基本計画を策定するとともに、国及び地方公共団体が相談及び情報の提供、安全の確保、保護捜査等の過程における配慮などについての施策を講ずるべきものとされている。個別の法律としては、前記のストーカー規制法のほか、配偶者暴力防止法及び暴力団対策法で警察本部長等（暴力団対策法では公安委員会）による被害者に対する援助が定められている。

第2節　安全確保法制

1　銃砲刀剣類所持等取締法をはじめとする安全確保法制

(1)　銃砲刀剣類所持等取締法の概要

608　銃砲刀剣類所持等取締法は、銃砲刀剣類等の所持、使用等に関する危害予防上の規制を定めた法律で、昭和33年に制定された。銃砲及び刀剣類が人の殺傷機能を備え、犯罪の凶器として使用され、あるいは誤射、暴発等によって人の死傷を伴う事故を引き起こすという危険性を有するところから、所持等についての規制が行われる。

銃砲刀剣類所持の原則禁止、拳銃等の輸入・譲渡譲受・発射の禁止、銃砲刀剣類の所持許可制度、古式銃砲及び刀剣類の登録等の制度を定めるほか、準空気銃の所持の禁止、正当な理由のない刃物の携帯禁止、模造拳銃の所持の禁止、模造刀剣類の所持の禁止、許可証等の携帯義務、銃砲刀剣

類等の警察官による一時保管、災害時等における銃砲等の携帯制限、指定射撃場等への立入検査とともに、罰則規定が設けられている。(注15)

拳銃等について銃器犯罪取締りの観点から刑罰強化等が行われてきたほか(注16)、銃砲等の所持許可要件の厳格化、銃砲に該当しない準空気銃の所持禁止、刀剣類に該当する範囲の拡大(注17)などの改正が行われてきている。(注18)

> **column** **クロスボウの規制**
>
> 　令和3年改正法により、クロスボウ（引いた弦を固定し、これを解放することによって矢を発射する機構を有する弓のうち、人の生命に危険を及ぼし得るもの）(注18の2)が、基本的に銃と同様に位置付けられ（クロスボウを含めて「銃砲等」という。）、所持が許可制となった（無許可所持は、空気銃等の無許可所持と同じく、3年以下の懲役又は50万円以下の罰金となる。）。許可を受けることができるのは、標的射撃（射撃指導を含む。）と動物麻酔等の用途に限られる。許可要件のうち、人的欠格事由は、猟銃及び空気銃の場合と同様となっている（申請に当たっては医師の診断書の添付も必要となる。）。クロスボウ射撃指導員以外は講習を修了し

(注15) 規制以外のものとして、平成20年の改正で、猟銃安全指導委員の制度が設けられた。長年、猟銃の所持許可を受けていて社会的信望のある適任者を公安委員会が委員に委嘱し、猟銃所持者に対する危害防止のための助言、警察の猟銃検査への協力、民間団体の活動への協力などに当たるものである。

(注16) 拳銃等（拳銃のほか、小銃、機関銃又は砲が含まれる。）に関しては、道路や乗物等での発射や営利目的密輸の最高刑が無期懲役とされるなど、重い刑が科されており、一種の特別刑法という位置付けがされている。拳銃等の部品や実包を処罰対象に加える、刑を重くする類型を設ける、拳銃等を所持して自首した場合の刑の減免規定を設ける、警察官等が捜査のために拳銃等を譲り受ける行為を公安委員会の許可の下に認める、といった刑事上の手段が法改正によって整備されてきている。警察における本法の所管は生活安全部門である（警察法の「保安警察」に含まれる。）が、銃器（銃砲刀剣類所持等取締法の拳銃等）に関する犯罪の取締りに関することは刑事・組織犯罪対策部門の所管となっている。

(注17) 従前は刀も剣も同じ刃渡り15センチメートル以上が刀剣類とされてきたが、剣については、ダガーナイフが凶悪事件に用いられたことを受け、平成20年改正で刃渡り5.5センチメートル以上が刀剣類に含められた（突き刺して用いるので、刃渡りが短くても殺傷能力が高いこと及び道具として社会的に有用な用途がないことも理由である。）。

(注18) 多くの改正があり、実際の条文数は120条近くに上っている。平成20年改正に関しては「特集・銃刀法の一部改正」警察学論集62巻4号に掲載された各論文参照。本法の解説として、大塚尚『注釈　銃砲刀剣類所持等取締法』（立花書房、2011年）がある。

(注18の2)　法改正の時点で市販されていたクロスボウ（通称ボウガン）は、小型のピストルクロスボウを含め、すべて規制対象に該当する。

ていなければならない。猟銃・空気銃と同じく、個々のクロスボウごとの許可を要するとともに、3年ごとの更新制となっている。標的射撃で許可を受けた場合には、その使用は、危害予防上必要な措置がとられている場所に限られる。

既存所持者については、法の施行後6月間のうちに、所持許可を申請して許可を得るか、廃棄又は適法に所持する者に譲渡しなければならない（法の公布から上記期間終了までの間、回収・廃棄を確実に進めるため、警察署において無償で引き取る。）。

(2) 銃砲の所持許可制度

609 　銃砲刀剣類（銃砲等又は刀剣類）を適法に所持できるのは、法令により職務のため所持する場合、都道府県教育委員会が登録した古式銃砲又は美術刀剣類を所持する場合（この場合は、何人が何の目的で所持しても不法所持にはならない。）、射撃教習等において射撃場内で指導員等が所持する場合、製造や販売に携わる従業者が事業に関して所持する場合などを除けば、公安委員会の許可を受けた場合に限られる（3条1項）。

銃砲刀剣類の所持許可は、目的ごとに、個別の銃砲刀剣類ごとに行われる（4条1項）。最も多いのが、狩猟、有害鳥獣駆除又は標的射撃の用途に供するための猟銃の所持許可である。このほか、標的射撃の用途のための空気銃（空気拳銃を除く。）、人命救助、動物麻酔、と殺、漁業や建設業などのための救命索発射銃、麻酔銃、と殺銃、もり銃や建設用びょう打銃などが許可対象となっている。[注19]

不許可とすべき事由として、年齢、病気等[注20]、前歴等[注21]が定められているのに加え、暴力団と何らかの関わりがあり得る者を排除するための規定（「集団的に、又は常習的に暴力的不法行為その他の罪に当たる違法な行為で国家公安委員会規則で定めるものを行うおそれがあると認めるに足りる

(注19) 人命救助や建設業などのための許可銃については、許可を受けた者の監督下で作業をする従業員も、その銃を所持することができる（許可を受けた者があらかじめ公安委員会に届け出ておかなければならない。）（3条2項）。

(注20) 統合失調症等のほか、アルコール等の中毒者、認知症の者が含まれる。平成20年改正で、猟銃又は空気銃の許可の場合は、申請書に医師の診断書（要件に該当するかどうかに関する医師の所見）を添付することが義務付けられた。また、75歳以上の者は、認知機能検査を受けるべきものとされた。

相当な理由がある者」^(注22))と、包括的な排除規定(「他人の生命、身体若しくは財産若しくは公共の安全を害し、又は自殺をするおそれがあると認めるに足りる相当な理由がある者」。自殺のおそれについては平成20年の改正で追加。)が定められている(5条1項)。同居の親族がこれらの不許可事由のある者に該当するときは、不許可とすることができる(5条5項)。猟銃については、年齢や前歴に関わる要件がより厳しくなっている(空気銃の場合も同じ。)ほか、現に猟銃を所持している場合を除き教習等の受講要件が加えられ、ライフル銃のときは原則として猟銃の所持許可を10年以上受けていなければならないという要件が加えられている。猟銃又は空気銃の所持許可は3年ごとの更新制となっている。

　このうち解釈上最も重要なのは、包括的な排除規定である。今日において、猟銃の所持の目的はほとんどが趣味にすぎない。一方、銃が悪用されれば、人の生命が奪われることになる。そのような許可をめぐる法益の状況を踏まえれば、「他人の生命若しくは財産又は公共の安全を害する現実的危険性及び明白性があるか否かで判断」すべきではなく、抽象的であっても危険性が認められる事情があれば、該当すると解されなければならない^(注23)。申請者がこの包括規定に当たるかどうかに関して十分な調査を行い、不適格な可能性のある者を確実に排除する運用をすべきものである(☞315)。なお、調査において、公務所等への照会をすることができることが、平成

610

―――――――――――――――――――――――――――――――――――
（注21）　平成20年改正で、許可の取消歴、刑罰歴のほか、ストーカー規制法のストーカー行為をした者(刑罰を科されていない者も含む。また、つきまとい行為等を行って同法に基づく警告・命令を受けた者を含む。)、配偶者暴力防止法の命令を受けた者についても対象に追加された(これらの行為歴や自殺のおそれが不許可事由とされているのは他の許可には例がない。)。なお、前歴等のほか、破産手続を経て復権を得ない者、住居不定の者も不許可事由となっている。

（注22）　射撃教習を受ける資格の認定の申請に対して本号該当を理由に却下した処分に対する取消訴訟で、一審が、現在の原告を取り巻く具体的状況を調査、検討する必要があるのに行っていない、公安委員会の専門的な判断を尊重すべきであるといっても極めて広範なものではなく、裁量の範囲を逸脱しているとして請求を認容した(横浜地裁判決平成18年3月15日〈判例自治285・105〉)のに対し、控訴審が、過去に暴力団の積極的な協力者であったことを認定した上で、申請より数年前の時点での状況を基に、申請の10年前頃に暴力団との関わりを断ち切ったという原告の主張を認めるには疑わしい点が多いとして、公安委員会の本号に該当するとした判断には違法な点はないとし、一審判決を取り消して請求を棄却した事例がある(東京高裁判決平成19年5月16日〈平成18年(行コ)第107号〉)。

20年改正で明記されている（13条の2）。

611　いったん許可を行っても、その後に不許可事由に該当すれば速やかに取り消すことが求められる(注24)。許可を受けている者に対して、公安委員会は、あらかじめ日時場所を指定して、銃砲刀剣類や帳簿などを持参させて検査をすることができる（13条）。銃砲等の所持許可を受けた者には報告徴収ができるほか、あらかじめ関係者に通告した上で、猟銃・空気銃の保管場所に立ち入って、検査をすることができる（10条の6）。違反があったとき、公安委員会は、危害予防上必要な措置をとるべきことを指示することができる（10条の9）。不許可事由に該当した場合、この法律の規定や命令・指示に違反した場合には、許可を取り消すことができる（11条）。許可基準に適合しているか（不許可事由に該当していないか）を調査するために、許可を受けた者の報告を求め、指定する医師の受診を命ずることができる（12条の3）。異常粗暴な言動をしていて該当する疑いがあると認められる場合には、調査の間、一時的に提出させて警察側が保管することが制度化されている（13条の3）。付近の住民等が、他人の生命等を害するおそれがあると認めるときは、公安委員会にその旨を申し出る（申出を受けた公安委員会は、必要な調査を行い、申出が事実であれば適当な措置をとらなければならない）とする規定が設けられている（29条）(注25)（行政手続法の定める類似の制度につき☞415）。

(3)　携帯規制と危害防止

612　正当な理由がある場合以外は、銃砲刀剣類（銃砲等又は刀剣類）を携帯

（注23）　猟銃の所持許可を受けた者がその銃で隣人を殺傷した事件をめぐり遺族から提起された国家賠償訴訟において、宇都宮地裁判決平成19年5月24日〈⑳〉は、包括的な欠格事由に関して、「不許可の幅を広げる意味で認定者の要件該当判断の裁量を広く認めていることからすれば、同号に該当すると判断するには、他人の生命若しくは財産又は公共の安全を害する抽象的危険性の存在をもって足りると解すべきである」と述べ、請求を認めた。控訴審では県側の責任に触れることなく和解が成立しており、地裁判決は本件における民事訴訟上の意義を持たないが、判決で示された法解釈は正当であると考える。

（注24）　取り消すだけでなく、物理的な所持状態を早期に終了させることが必要である。このため、仮領置が制度化されている。仮領置について☞466。

（注25）　適当な措置には、本法に基づく調査権限の行使（立入調査を含む。）、許可の取消し（取消しの可能性がある場合の保管命令を含む。）などのほか、行政指導（例えば、猟銃を保管委託するような指導）も含まれる。

し、運搬してはならない（許可を受けた銃砲刀剣類につき10条、登録刀剣類等につき21条）。露出させることも、正当な場合以外は禁じられる。許可証又は登録証を常に携帯していなければならず、警察官は、携帯義務の履行を確保するため、銃砲刀剣類を所持、運搬する者に、許可証又は登録証の提示を求めることができる（☞466）。不携帯の場合、提示に応じない場合は処罰の対象となる。刃体の長さが6センチメートルを超える刃物（一定の形状等のものを除く。）は、所持許可の対象ではないが、正当な理由がある場合を除いて携帯が禁止される(注26)(注26の2)（22条）。

警察官は、銃砲刀剣類又は前記の刃物を携帯し、運搬していると疑うに足りる相当な理由のある者が、異常な挙動その他周囲の事情から合理的に判断して他人の生命又は身体に危害を及ぼすおそれがあると認められる場合には、銃砲刀剣類等であると疑われる物を提示させ、又はそれが隠されていると疑われる物を開示させて調べることができる（24条の2）。強制ではないが、「提示させ」「開示させ」と規定されており、強く説得し、拒否して立ち去ろうとする者を一時的に止めるような任意の範囲での実力行使も認められると解される。危害を防止するため必要があると認めるときは、提出させて、一時保管することができる。提出は相手の任意ではあるが、提出された物は警察署長に引き継がれ、一時保管の必要がなくなれば返却される。いずれの権限についても、銃砲刀剣類等による危害を防止するために必要最小限で用いるべきものと定められている。(注27)

(注26) けんか抗争に備える目的で刃物を自動車内のダッシュボードに入れておく行為は、不法な所持に当たる（最高裁決定平成17年11月8日〈刑集、Ⓦ〉）。
(注26の2) 刃体の長さが6センチメートル以下の刃物（刃渡り5.5センチメートル以上の剣や飛出しナイフのように刀剣類に該当するものを除く。）の場合、本法の規制の対象とはならないが、軽犯罪法の規制の対象となり、正当な理由がなくて隠して携帯していれば、犯罪となる。「マルチツール」と呼ばれる商品は、ナイフ、はさみ、爪ヤスリ、ドライバー、栓抜きなどが組み合わされているが、不法な意図を有していなくとも、業務その他正当な理由がない限り、バッグ等に入れていれば、軽犯罪法1条2項に違反したことになる（東京高裁判決平成26年6月12日〈判時2236・63〉）。
(注27) 過剰な権限行使が許されないのは当然であるが、行うべきときに権限を行使しないことも違法となり得る。最高裁判決昭和57年1月19日〈民集、Ⓦ〉は、「必要最小限に用いられるべきである」ことを理由に権限不行使に違法性がないとする主張を排し、本件ではナイフを携帯したまま帰宅することを許せば他人の生命又は身体に危害を及ぼすおそれが著しい状態であったので、少なくともナイフを提出させて一時保管をとるべき義務があったとの判断を示している。

(4) その他の安全確保法制

614　安全確保法制には様々なものがあるが、以下では火薬類取締法と出会い系サイト規制法について述べる（道路交通法については、2で述べる。）。

　火薬類取締法は、火薬類の取扱いを規制することにより、火薬類による災害を防止し、公共の安全を確保することを目的とした法律であり、昭和25年に制定されている。火薬類の製造、販売営業等の許可は、経済産業大臣又は知事の権限であるが、公安委員会が運搬に関する規制権限を持つ（運搬する者に運搬証明書を交付し、必要な指示を行う。災害の発生の防止又は公共の安全維持のために緊急の必要がある場合は、一時禁止や火薬類の廃棄と収去を命ずることができる。）ほか、公安委員会が警察職員に事業者の製造所や火薬庫などに立入検査させることができる規定が置かれ、知事等に必要な措置をとるべきことを要請することが制度化されている。また、実際に危険な事態になったときは、警察官が届出を受け、運搬中の自動車等を停止させ、検査し、災害発生を防止するため必要な応急措置をとるべきことを命ずることができる（応じない場合には、処罰の対象とされている。）。このほか、猟銃用火薬については、都道府県公安委員会が譲渡譲受などにおける許可の権限を有している。

615　出会い系サイト規制法は、出会い系サイト（インターネット異性紹介事業）の利用に起因する児童買春等の犯罪から児童を保護することを目的として、平成15年に制定された法律である。当初は、児童に係る誘引の規制と処罰、事業者の年齢確認義務等を定めていただけであったが、平成20年の改正により、事業規制の強化（事業者の届出義務、欠格事由、公衆閲覧防止措置義務（削除義務）、事業者への指示、停止命令・廃止命令）が行われるとともに、民間活動を促進するための登録誘引情報提供機関制度が設けられた。(注28)(注28の2)

(注28)　改正ではこのほか、児童の誘引の禁止対象の拡大（不正誘引行為以外の誘引行為を罰則のない禁止行為とする。）、資料提出要求の追加も行われている。改正に関して、福田正信「インターネット異性紹介事業を利用して児童を誘引する行為の規制等に関する法律の一部を改正する法律について」警察学論集61巻9号参照。制定時に関しては、西村芳秀「「出会い系サイト」をめぐる現状と「インターネット異性紹介事業を利用して児童を誘引する行為の規制等に関する法律」の概要について」警察学論集57巻5号参照。

2 道路交通法

(1) 制度の概要

　道路交通法は、道路における危険を防止し、その他交通の安全と円滑を図り、及び道路の交通に起因する障害の防止に資することを目的とした法律であって、昭和35年に制定された(注29)。国民にとって最も身近な法律であり、交通規制と歩行者及び車両の一般的な義務、歩行者の通行方法、車両の交通方法(注29の2)（通行の基本ルール、速度、横断、追越し、踏切の通過、交差点の通行方法、横断歩行者保護、緊急自動車、徐行・一時停止、駐車・停車、違法駐車・停車に対する措置、灯火・合図、乗車・積載・牽引、整備不良車両の運転禁止、自転車の通行方法）、運転者及び使用者の義務（交通事故の場合の措置を含む。）、高速道路での特例、道路の使用（道路における禁止行為、危険防止の措置）、運転免許、講習、罰則、反則手続などについて定めている。

616

　道路交通法制は、膨大な数の国民が日常的に関わるものであるだけに、

(注28の2)　最高裁判所は、本法の目的は正当であり、事業について規制する必要性は高く、届出事項を把握することが各規定に基づく監督等を適切かつ実効的に行うことに資するものであることを指摘した上で、事業者の届出義務について、正当な立法目的を達成するための手段として必要かつ合理的なものであって憲法21条1項の表現の自由の保障に反するものでない、との判断を示している（最高裁判決平成26年1月16日〈刑集、⑭〉）。

(注29)　道路の交通に起因する障害の防止の目的は制定当初にはなく、道路交通に起因する公害の防止を図るための通行禁止等の権限を行使できるようにする観点から、昭和45年の改正で追加された。規定事項の多さと、様々な制度が導入されたことにより、現在の条文数は300近くにのぼっている。本法の解説として、道路交通法研究会編著『注解道路交通法[第5版]』（立花書房、2020年）がある。

(注29の2)　身体障害者用の車、歩行補助車及び移動用小型車については歩行者とされ、車両には含まれない。自転車は、軽車両として、全車両に共通の規制の対象となるが、運転免許制度等の対象とはならない（☞625）。原動機付き自転車と自動車については、運転するのに運転免許を要するのをはじめ、必要な規制とそれを支える制度が整備されている。
　一方、令和4年改正法によって、特定小型原動機付自転車（電動キックボード）について、新たな交通方法等が定められた（令和6年に施行）。特定小型原動機付自転車は、運転免許を要しないが、16歳未満の運転は禁止される。車道通行を原則とするが、最高速度が一定の速度以下に制限されているものについては、自転車通行可の歩道の通行が認められる。危険な違反行為を繰り返す者には講習の受講が命じられる。これらは自転車と類似する規制であるが、違反については、自動車等の場合と同じく、交通反則通告制度及び放置違反金制度の対象とされている点で異なっている（なお、本改正に伴い、原動機付自転車として従来と同様の規制を受けるものは、「一般原動機付自転車」という名称が付されている。)。

適切な内容のルールを設定するだけでなく、違反行為に対する十分な執行が行われるものでなければならない。実際に、毎年数百万件から一千万件という膨大な違反の摘発が警察によって行われている。法改正による悪質違反に対する制裁の強化、シートベルトの着用義務化、放置車両に対する新たな措置の導入、優良運転者制度を含めた運転免許の機能拡大、執行手段の拡大は、交通死亡事故の大幅な減少と駐車秩序の回復等に効果をあげている。

(2) 交通規制と道路使用許可

617 　交通規制は、都道府県公安委員会が、本法の目的を達成するために必要があると認めるときに、信号機又は道路標識等を設置・管理して行う（4条）(注30)。場所、区間又は区域において、道路を通行する者（通常は車両の運転者）に、一定の行為を禁止し、制限し、又は一定の行為（例えば、警音器を鳴らす行為）をなすべき義務を課すものである。交通整理（一方の道路の側からの交差点への通行許容と他方の禁止を短時間で交互に行うこと。）は、交通規制の一種で信号機によって行われる。そのほかの規制は、道路に設置される標識又は道路標示によって行われる(注31)。最高速度規制、駐車禁止、信号機による規制などの交通規制については、様々な要望が寄せられており、実態の分析結果を踏まえつつ、より合理的なものとすることが常に求められるといえる。交通規制のうち、短期間のものは、警察署長に公安委員会から権限が委任される（5条）。

　警察官と交通巡視員は、手信号で交通整理をすることができる（信号機と異なる意味を手信号で行うのは、道路における危険を防止し、その他交通の安全と円滑を図るために特に必要がある場合に限られる。）。警察官は、混雑緩和のための措置（車両の運転者への命令、関係者への指示）、道路

（注30） 要式行為であるので、公安委員会の意思決定があっても、信号機や道路標識等で内容が表示され、客観的に認識可能な状態になければ規制の効果は生じない。一部不完全であっても、客観的に認識可能であれば効果が認められる。

（注31） 道路交通法に基づく交通規制としてなされる道路標識と、道路法に基づく警戒及び案内を表示する道路標識とは、法的には全く異なるものであるが、同じ名称で呼ばれ、種類と様式は「道路標識、区画線及び道路標示に関する命令」という内閣総理大臣と国土交通大臣との共同命令によって定められている。

における危険が切迫した場合の規制の権限を有している（6条）。

618　警察署長は、一部の法令等による制限を解除する許可（通行禁止道路通行許可、乗車・積載の制限外許可など）を行う。このうち道路使用許可は、年間約300万件にのぼり、社会的な影響も大きい。許可を要するのは、道路において工事・作業をすること、道路に工作物を設けること、道路に露店等を出すこと、道路における祭礼行事やマラソンなど公安委員会規則で定める行為をすること(注32)である。現に交通の妨害となるおそれがなければ、無条件に許可される。交通の妨害となるおそれがある場合には、条件（☞423）を付してそのおそれがなくなると認められるときか、公益上又は社会の慣習上やむを得ないと認められるときのいずれかであることを要する。この場合には、警察署長は条件を付し、特別の必要が生じたときにはその後に新たに条件を付し、前の条件を変更することが認められる。道路使用許可と同時に、工作物の設置等で道路管理者による道路占有の許可を要する場合（道路法32条）については、片方を経由して他方への許可申請を行うことができる。許可に当たって両機関が協議をすることとされている（道路交通法77条、道路法32条）。

(3) 交通反則制度

619　道路交通法違反は極めて多数にのぼるため、刑事制裁を科すことが関係機関にとって大きな負担となる。同時に、一般の国民の多くが刑事制裁を科されると、刑事制裁全体の感銘力が失われることが危惧される。このため、昭和42年の法改正で、交通反則制度が導入された（125条以下）。比較的軽微であって、警察官が現認して取り締まる定型的で明白な違反類型について、反則行為と位置付け、無免許運転、酒気帯び等運転（過労運転や薬物影響運転を含む。）、交通事故を起こした場合のいずれかに該当するときを除き、居所及び氏名が明らかで逃亡するおそれがなければ、警察官が相手方に反則を告知し、警察本部長が通告をして10日以内に反則金が納付(注32の2)

（注32）　一般通行に著しい影響を及ぼすような通行の形態・方法により道路を使用する行為と、道路に人が集まり一般通行に著しい影響を及ぼすような行為とが対象であって、都道府県公安委員会が、その土地の道路又は交通の状況により、道路における危険を防止し、その他交通の安全と円滑を図るため必要と認めて定めたものが対象となる。公安委員会規則によって、道路における集団行進も対象とされている。

されれば、公訴の提起が行われない（少年の場合には、家庭裁判所の審判に付されない。）とするものである。関税法の国税犯則通告制度を参考に考案されたもので、刑罰対象であることを維持しつつ、行為者側の判断で刑事手続外での処理が行われる仕組みである。制定前には様々な「理論的」反対が存在したが、合理性、実効性から、完全に定着している。なお、反則金は、国庫に入った後、交通安全施設交付金として、都道府県及び市町村に配付されている。

通告は、あくまで相手方に支払の機会を与えるだけで、納付の義務を負わせるものではない。相手方は支払わないで、刑事訴訟が提起されたときに事実関係を争うことが当然に可能である。このため、通告に対して取消訴訟を提起することは認められない。反則金が支払われると、それによって終結する。言い換えると、最終的な処理がなされたものであるから、事

(注32の2) 相手方が告知する書面の受領を拒んだときは、この制度の適用の対象とならず、一般の刑事事件としての手続が行われる。違反（信号無視）告知の受領を拒絶した者が逮捕され、検察官の取調べの際に車載カメラにある映像を見せられて信号無視を認めて反則の適用を希望したが、検察官は起訴したという事案において、違反の映像があるかを問われた警察官がないと答えていたことを理由に、不誠実な態度であり反則の適用を認めないのは信義に反するとして起訴を違法とした高裁判決があったが、最高裁で破棄され、有罪とされている（最高裁判決令和元年6月3日〈刑集、⑭〉。判決の中では、映像が存在していたのに警察官がないと述べたことがあったとしても、受領拒絶に該当しなくなるわけではないと述べているのにとどまるが、池上裁判官の補足意見として、「反則者の求めに応じて反則行為となるべき事実を証する資料・証拠等を提示ないし教示することは求められていない。また、同事実及びその犯人の確定は同法違反の罪についての捜査として行われるものであるが、捜査の手続上、司法警察職員としての警察官が被疑者である反則者に収集された証拠等を提示ないし開示する必要があるとする理由を見いだすことができない。」ことが述べられている。)。
(注33) 通告は、警察本部長が告知の事実を確認し、書面で理由を付して行う。被通告者は、出頭して通告を受けた場合以外は、反則金に通告書の送付に要した費用を加えた額を納付しなければならない。通告前に仮納付をするときは、反則金額のみで足りる。
(注34) 制定前における反対論とそれに対する反論について、安西温「交通反則金通告制度に対する若干の所見」ジュリスト370号参照。ドイツで1968年に非犯罪化された（秩序違反とされた）ことを受けて、刑罰対象外とすべきとする見解もあるが、ドイツの秩序違反法では、捜査権限がほぼ認められ、現場で逃走した場合の一時的な身柄の拘束をすることができ、過料の支払を拒む者を強制拘禁できる制度となっていることを踏まえる必要がある（川出敏裕「交通事件に対する制裁のあり方について」『宮澤浩一先生古希祝賀論文集第3巻』（成文堂、2000年）参照）。
(注35) 制度導入時には、「金さえ払えば違反ができる」のを避けるために過去1年以内に免許停止歴のある者を除外していたが、免許処分における点数制度が実効性を発揮しているため問題は起こらず、昭和61年の改正でこの除外要件は削除されている。

第 2 節　安全確保法制　285

後的に効力を争うことは認められない。^(注36の2)

(4)　違法駐車に対する制度

　違法駐車に対しては、警察官等の移動命令と移動措置、警察署長による移動と保管（レッカー移動・保管についての法人への委託を含む。）などが定められているほか、罰則規定が置かれている（一般の駐車は10万円以下、放置駐車の場合は15万円以下の罰金であり、他の多くの違反より重い。）。違法駐車がまんえんすることは、都市における交通渋滞の原因となるだけでなく、交通事故の原因ともなり、市民生活に大きな支障をもたらす。一方、取締りにおいては、放置車両の場合、違法状態にあることは明白でも、行為者が明白ではないという基本的な問題がある。

620

　このため、平成16年の改正法により、使用者に対する放置違反金制度（51条の4以下）と、放置車両の確認等の事務の民間委託制度（51条の8以下）が設けられた。平成18年に施行されて以降、駐車秩序の回復に大きな成果を上げている。制裁の実効性確保を図る制度として、外形的に認定

621

（注36）　最高裁判決昭和57年7月15日〈民集、Ⓦ〉は、「道路交通法は、通告を受けた者が、その自由意思により、通告に係る反則金を納付し、これによる事案の終結の途を選んだときは、もはや当該通告の理由となった反則行為の不成立等を主張して通告自体の適否を争い、これに対する抗告訴訟によってその効果の覆滅を図ることはこれを許さず」、不成立等を主張するのであれば刑事手続の中で争う途を選ぶべきであるとしていると述べ、取消訴訟の提起は不適当であると述べている（もし行政訴訟が許されるとすると、「本来刑事手続における審判対象として予定されている事項を行政訴訟手続で審判することになり、また、刑事手続と行政手続との関係について複雑困難な問題を生ずる」ことを指摘し、「同法がこのような結果を予想し、これを容認しているものとは到底考えられない。」ことを付言している。）。通告が直接の効力を発生させないことに加えて、制度が刑事訴訟で争うべきことを理由としており、取消訴訟の対象となる処分を広く認める近年の判例の傾向を前提としても維持される判断であるといえる。この判例の考え方からすれば、取消訴訟や無効確認訴訟（☞1151）だけでなく、当事者訴訟（☞1155）として争うことも認められないこととなる。

（注36の2）　警察の側から反則通告を取り消すことはあり得るが、通告を取り消した上で公訴の提起をすることは相手方の期待と法的安定性を損なうものであるので、できるのは相手方の作為があった場合のような例外的な場合に限られる（名古屋高裁判決昭和47年11月20日〈Ⓦ〉は、免許証を偽造していた場合について、通告を取り消して行った公訴の提起を有効なものと認め、通告の取消しを認めなかった原審の判決を破棄している。）。

（注37）　法改正の考え方については、北村博文「違法駐車対策に関する制度改正について」警察学論集57巻9号参照。改正の詳細については、直江利克・松下整・森實悟「違法駐車対策の推進を図るための規定の整備」同参照。改正を積極的に評価するものとして、例えば、宇賀克也「道路交通法の改正」自治研究80巻10号がある。

できる事実に基づく非刑事責任追及、公権力行使に密接に関わる事務の民間委託は、いずれも画期的なものといえる。

警察官等が放置車両を確認して確認標章を取り付け、公安委員会が、放置車両と認めたときは、その車両の使用者(注38)に対し、弁明手続をとった上で、放置違反金の納付を命ずる。使用者の責任は放置駐車違反防止義務が履行されなかったことによる責任であり、放置違反金は行政上の秩序罰としての過料の一種である(注39)。運転者の責任とは独立して存在するが、補完的なものと位置付けられ、運転者への責任追及が行われていない場合に限って命じられる（反則金の納付・起訴が行われた場合には、命令は行われない。命令後に反則金の納付・起訴があったときは、納付命令は取り消される。）。納付命令の不履行に対しては、滞納処分の対象となるほか、車検拒否制度（滞納して督促を受けた使用者は、その車両の車検を受けることができないとするもの）を創設し（51条の7）、実効性確保が図られている。なお、放置違反金は命令をした都道府県の歳入となる。

622　一方、確認をして標章を取り付ける事務については、法的な判断・法的義務付け自体ではなく、納付命令の準備段階の事実行為であることを踏まえ、秘密の保持と行動の公平性・公正性を担保する仕組みを導入した上で、委託を可能とした(注40)。委託は警察署ごとに行われ、約2,000人に及ぶ駐車監視員が活動するに至っている。

(5) 運転免許

623　運転免許は、公安委員会が、自動車又は原動機付自転車の道路上の運転に関して、運転適性及び能力の認められた者(注41)について一般的な禁止を解除

(注38)　使用者は車両の運行について包括的な決定権を有する者であり、通常は所有者であって、車検証に記載されている（所有権留保付売買の場合には、販売業者が所有者、購入者が使用者に当たる。）。使用者には、運転者に駐車規制等を遵守させるように努める義務（74条）に加え、駐車に関して車両の適正な使用のために必要な措置を講ずる義務が課されている（74条の2）。違反が反復された場合には、公安委員会が使用者に一定期間車両の使用を禁ずることができる（75条の2）。

(注39)　国の法律による過料は、裁判所が非訟事件手続法によって科す（条例で定めた過料の場合には、地方公共団体の長が行政処分として科す。）のが基本である（☞472）が、大量性等を踏まえて、本法で特別の制度が設けられている。責任主義が及ぶので、不可抗力の場合には免れる。

する行政処分であるが、8,000万人に達する免許保有者との関係で交通安全における様々な機能を担っている。運転適性及び能力は、試験で判断されるが、一時的に運転能力を喪失し又は減少させるような病気の場合には、公安委員会が運転免許付与の可否（既に免許を与えている者については取消し等の要否）を判断することになる。(注41の2)

自動車等の運転に関して道路交通法の規定等に違反した者に対する免許の効力の停止又は取消しの処分は、各違反行為に点数を付し、その点数が一定の基準に達したときに行われる。(注42)(注43) 点数が付されるのは年間数百万件に達し、不利益処分である取消しが数万件、効力の停止は数十万件に及ぶ

(注40) 北村前掲注37は、国民の権利義務に与える影響とその事務に含まれる判断における裁量の大きさを勘案し、かつ、その事務の安定的供給の必要性の大きさを踏まえて委託の可否が決められるとし、単なる事実調査で裁量的判断を含まないものの場合は法律がなくとも委託可能、権限行使の判断そのものは委託不能、その間については法令の規定等で「公務員が行う場合に期待される程度の公平・公正性、信頼性、安定性が期待できるということになれば委託できる」との見解を示している。この法律では、法人の登録要件と適合命令、駐車監視員資格者制度、秘密保持義務などが導入されている。さらに、委託に当たって、ガイドラインによりその実施方法が指定され（裁量がないことが明らかにされ）、公表されている。

(注41) 指定自動車教習所の卒業生について技能試験が免除されている（公安委員会の技能試験の判断を教習所が代行している。）のは、比較法的にみて異例である（他国では免許当局の技能試験を受けて合格しないと免許を得ることができない。）。

(注41の2) 平成13年改正法施行以前は、特定の病気は欠格事由とされ、一切免許を保有できないという制度であったが、その病気にかかっていることを行政側が知る手段はなかった（昭和40年代に免許取得時及び更新時にその病気でないことの証明書の提出を求めたことがあったが、膨大な数の人に診断書を求めるのは現実的に不可能であったためすぐに廃止されている。）。平成13年改正法は、障害者の社会参加と交通の安全確保の両立を図る観点から、欠格事由を廃止しつつ、拒否制度を設け、一定の基準の下に拒否・取消し等をすることとし、併せて対象となる病気の範囲を広げるとともに、改正法の施行に合わせて申請書の様式に病状等の申告欄が設けられた。しかし、申告欄の不記載を処罰する法律の規定はなく、記載をしないで免許を保持し、重大な事故を起こした事案があったことから、平成25年の法改正によって、免許取得時及び更新時に質問票を交付する（虚偽の記載をして提出した者は処罰される。）等とする制度が設けられた。平成25年法改正につき、廣田耕一「「道路交通法の一部を改正する法律」の背景と今後の課題について」警察学論集66巻10号参照。

(注42) 点数が付されること自体は行政処分ではなく、取消訴訟の対象とはならない。福岡高裁判決平成18年4月27日〈判タ1223・141〉は、点数が付されたことで個人タクシー事業許可申請ができなくなった（点数付加がないことが地方運輸局長の審査基準とされていた。）として、点数付加の取消しを求めたのに対し、タクシー事業許可が法律上点数付加によって受けられなくなるという法的効果は生じないとして請求を却下した原審を支持している。

(他の行政分野には例がない規模である。)。90日以上の免許の効力の停止及び取消しを行う場合には、意見の聴取を公開で行うことを要する。点数処分は不適格者の排除及び是正のために行われるが、長期間運転できなくなることの不利益は運転者が違法行為を抑制することにつながるのであって、通常の額の罰金刑より実質的に大きな制裁機能がある。(注44)交通事故の場合には、違反行為に加えて、被害程度の大きさ（及びそれが一方的なものかどうか）(注45)に応じた付加点が加算され、事故の結果等に応じた責任追及が行われる仕組みになっている。(注46)(注47)運転免許の取消処分及び効力の一時停止処分について、被処分者から違反事実の存否が争われる場合には、処分の根拠となった事実の存在を公安委員会として明らかにすることが必要になる。(注47の2)もとより、行政処分と刑事処分とは異なる（求められる事実認定に必要な嫌疑の程度に違いがある）ので、嫌疑不十分として起訴されなかった場合でも、行政処分として求められる程度に根拠事実を明らかにできるのであれば、処分をすることができる。本人が運転をしていない場合でも、「重

(注43) シートベルト違反、チャイルドシート違反は、刑事罰の対象とはならず、点数のみが付される。なお、重い違反を除いて、点数が付されても、一定期間内に他の違反がなければ行政処分につながらないが、違反が摘発された事実が免許証の更新に影響する（5年間無違反である者に限って優良運転者と表示された免許証が交付される。）ことから、免許保有者にとって不利益な影響が及ぶ（注50参照）。

(注44) 平成12年に発覚した点数不正抹消事案では、酒気帯び運転の罰金刑を受けた者が依頼をして停止を免れていた。免許上の処分が社会的に刑罰よりも重大な意味があるにもかかわらず、警察組織の担当者の側に「刑事罰の方が大きな制裁であり、免許処分は付随的なもの」という認識があったことが不正事案の一つの背景になったと思われる。

(注45) 専ら一方当事者の不注意である場合には、事故の付加点数がそうでない場合に比べて高いものとなる。専ら一方当事者の不注意かどうかをめぐって、最高裁判決平成18年7月21日〈⑱〉は、公安委員会の判断を否定した原審を破棄し、取消訴訟の請求を棄却している。

(注46) 道路交通法違反の捜査と免許上の処分のための事実調査とは、一体となって行われる。交通事故事件が多くの場合に不起訴（起訴猶予）となっているが、明らかになった事実関係が点数に反映され、不適格者の排除と行政的制裁につながっている。

(注47) 死亡事故付加点は、かつては原則9点であり、多くは免許停止60日となっていた。しかし、死亡事故を起こしたのに免許を引き続き保有できるのはおかしいとする遺族の会の意見を踏まえ、平成14年の道路交通法施行令の改正で、付加点が原則13点に引き上げられ、特別の事情がない限り取消処分の対象となった。

(注47の2) 事実があった（警察官が現認した）とは認められないとして、処分の取消しを求める請求が容認されたものとして、例えば、東京地裁判決平成25年1月22日〈判タ1389・124〉(進路変更禁止違反の現認地点が争われた事件）がある。

大違反の唆し等」をしているときは、免許を取り消すことができる。
　運転免許証の更新制度は、免許の同一性を前提に、一定期間ごとに視力等を確認した上で、新たな写真を基にした免許証を作成するものである。現在では、安全教育（更新時講習、高齢者講習）、無事故無違反者の「優良運転者」としての優遇、高齢運転者の認知機能検査などが行われる機会となっている。なお、免許証の有効期間は、優良運転者と一般運転者が同じ５年（一定以上の違反をした者と初回更新者は３年）であるが、優良運転者である旨の記載のある免許証の交付を受けることは法的な利益であって、取消訴訟で争うことができるとするのが判例である。

column　運転免許証と個人番号カードの一体化

　令和４年の道路交通法改正により、運転免許証と個人番号カード（マイナンバーカード）を一体化させることが可能となった（令和７年３月に施行予定）。具体的には、本人が申請すると、個人番号カードに、特定免許情報（運転免許証のICチップに含まれている情報と同じで、運転免許証の券面に記載されている氏名、生年月日、免許証交付年月日、有効期間の末日、免許種類、免許証番号、条件等と顔写真及びICチップにのみ記録されている本籍が含まれている。）が電磁的に記録される。政府全体の行政のデジタル化推進の一環と位置付けられている。運

（注47の３）　東京高裁判決平成23年７月25日〈判タ1368・86〉は、深夜から早朝まで同僚と飲み明かした者が同僚から自動車で送るという申出を承諾したことが、酒気帯び運転をすることを心理的に容易にしたもの（重大違反をすることを助けたもの）と評価することができるとして、公安委員会の免許取消処分を適法としている。
（注48）　取消処分をめぐる訴訟中に更新期間が満了した場合には、免許の取消処分を取り消す判決が確定した時点で、更新のための適性検査を受ける時期に至ったものとして取り扱うことが判例で求められている（最高裁判決昭和40年８月２日〈民集、Ｗ〉）。
（注48の２）　運転を支える視力などの適性の検査は行われるが、運転能力自体の再確認は行われない。ただし、75歳以上で一定の違反歴のある者については、運転技能検査の受検が義務付けられ、合格しないと更新を受けることができないものとなっている。
（注49）　規制緩和として更新制度廃止が平成10年代初めに一部で強く主張されたが、本人確認機能と安全確保機能（教育及び不適格者排除機能）に照らして更新制度の必要性は明らかであり、負担軽減を図りつつも、機能の一層の発揮が図られている（田村正博「運転免許制度の改正と今後の課題」警察学論集54巻９号参照）。
（注50）　最高裁判決平成21年２月27日〈民集、Ｗ〉は、無違反であると主張する者が、優良運転者と表記されていない免許証が交付されたことに対する取消訴訟を提起したのに対して、訴えの利益を容認している。

転免許情報管理システムの全国共通化が前提となるが、当初令和8年度末の予定が2年短縮され、令和6年度末に実施されることとなった。免許保有者は、運転免許証と免許情報記録個人番号カードの双方を保有することもできるし、その後に一方だけにする（運転免許証を返納し、あるいは個人番号カードから特定免許情報の抹消を受ける）こともできる。免許情報記録個人番号カードのみを保有する者の場合には、住所や本籍を変更したときに、公安委員会（警察）への届出を要しないこととなっている。

運転免許証の携帯及び提示義務に関しては、免許情報が記録された個人番号カード（免許情報記録個人番号カード）は運転免許証とみなされる。警察官は、携帯端末を用いて免許固有情報にアクセスして内容を確認する（違反の場合はその電磁的記録情報を交通反則切符の自動作成に用いる）ことができる。(注50の2)

運転免許証の更新制度には特段の変更はないが、免許情報記録個人番号カードのみを保有する者の場合の運転免許証の更新は、免許情報記録個人番号カードのデータの更新として行われる。なお、免許証の一体化とは別に、マイナンバーカードを本人確認に用いた上で、優良運転者の免許更新時講習をオンラインで受けることも行われている。

(6) 警察官の現場措置権限

625　既に述べた現場での交通規制、違法駐車に対する措置、反則行為の告知のほか、警察官の権限として、過積載の疑いのある車両の停止と書類提示要求及び重量測定（58条の2）、過積載車両への措置命令（58条の3）、積載等に係る危険防止の措置（61条）、整備不良車両の停止と検査及び故障車両の運転禁止命令等（63条）、制動装置不良自転車の停止と検査及び運転禁止命令等（63条の10）、酒気帯び運転等の場合の危険防止の措置（67条）、交通事故の場合の措置(72条)(注51)、工作物等に係る応急措置(83条)(注52)、免許処分手配者への出頭命令（104条の3）などが規定されている(注53)（車両の停止に関して（☞464））。警察官の命令等に従う義務があり、出頭命令を除き、拒んだときは罰則（刑罰）の対象とされている。

(注50の2)　改正後の95条の2で、法の規定に基づく免許証の提示要求に対して「免許情報記録個人番号カードの提示を受けたときは、当該提示をした者に対し、警察官が当該免許情報記録個人番号カードに記録された特定免許情報を確認するために必要な措置を受けることを求めることができる。この場合において、当該求めを受けた者は、これに応じなければならない。」と定められている（8項）。

第 2 節　安全確保法制　291

　このうち、67条の規定は、酒気帯び運転等と認められる車両の停止と免許証の提示要求、法令違反等の場合の免許証の提示要求、呼気検査、危険防止上の必要な措置の権限を定めている。停止と免許証の提示要求（応ずる義務は95条に規定）及び呼気検査[注54]は、応じない場合に刑罰を科す間接強制である。応急の措置は、指示のように罰則のない命令として行われるものだけでなく、物理的に阻止することも含まれる[注55]。

> **column　自転車への措置**
>
> 　自転車は、自動車との間では被害者となるが、歩行者との間では加害者となり得る存在であり、近年では自転車の乱暴な運転を問題視する声も大きくなっている。軽車両として、道路交通法の規制の対象になり、信号無視、無灯火運転や酔っ払い運転などは、刑罰の対象となる[注55の2]。一定の場合を除く歩道の通行、乗車方法違

（注51）　交通事故があったときは、運転者等は、直ちに運転を停止して、負傷者を救護し、道路における危険を防止する等の必要な措置を講ずるとともに、警察官に事故の発生日時・場所や負傷者の程度などを報告する義務を負う（いわゆるひき逃げ（事故の責任のある者による救護措置義務違反）は、懲役10年以下という重い罰則の対象となっている。）。現場にある警察官は、運転者等に、負傷者を救護し、道路における危険を防止し、その他交通の安全と円滑を図るため必要な指示をすることができる。

（注52）　警察署長の権限としては、違法工作物等に対する措置（81条）、転落積載物等に対する措置（81条の2）、沿道の工作物等の危険防止措置（82条）が定められている。

（注53）　本文に列記したもののほか、免許処分手配者への出頭命令をした場合の免許証の保管（104条の3）及び罰則に触れる行為をした者の免許証の保管（109条）が警察官の権限として規定されているが、運転免許証と個人番号カードの一体化を可能とする改正法（☞624）が施行されると、運転免許証を保管することの意義が失われる（免許情報記録個人番号カードでの運転が可能であるし、個人番号カードを警察が保管することは適切でない。）ところから、保管規定が削除されることとなっている。免許処分手配者に対する出頭命令及び罰則に触れる行為をした者への出頭命令（新設）に従わない場合、10万円以下の過料に処すことが新たに規定される。なお、反則行為の場合には、免許証の保管規定は用いられておらず、改正後の出頭命令の適用も想定されていない。

（注54）　呼気検査は、酒気を帯びて車両を運転することを防ぐためにアルコール保有の程度を調べるものであり、拒んだ者を処罰することは憲法38条1項に違反しないことが判例で明確にされている（最高裁判決平成9年1月30日〈刑集、Ⓦ〉）。

（注55）　最高裁決定昭和53年9月22日〈刑集、Ⓦ〉は、酒気帯び運転の疑いのある者を職務質問している中で、自動車に乗り込んで発進させようとするのをエンジンスイッチを切った行為について、警察官職務執行法に基づく停止させる方法として必要かつ相当な行為であるのみならず、道路交通法67条3項（現4項）の「規定に基づき、自動車の運転者が酒気帯び運転をするおそれがあるときに、交通の危険を防止するためにとった、必要な応急の措置にあたる」として適法性を認めている。

反(幼児を除く2人乗り)も同様である。携帯電話を使用しながらの運転などについては、都道府県道路交通規則で禁止行為とされ、法所定の罰則が及ぶ。一方、自転車については、運転免許制度がない(安全教育を受ける法的な仕組みや不適格者の排除等の仕組みがない)し、交通反則制度の適用もないので、ルール違反者に対して実効性のある措置を講ずることは容易ではない。

平成25年の道路交通法改正では、制動装置不良自転車(制動装置が付いていない自転車を含む。)について、警察官が停止させ、制動装置について検査することができ、危険防止その他交通の安全を図るために必要な措置をとることを命じ、必要な整備ができないと認められる自転車については運転継続を禁ずる命令をすることができることが新たに定められた(63条の10。検査拒否等をした者及び命令に違反した者は刑罰の対象となる。)。また、違反を繰り返す自転車運転者に対して、講習の受講を義務付ける制度も導入されている。

column 自動運転に係る道路交通法

自動運転については、警察では、技術上の安全性が十分に確保されれば、運転者のミスに起因する交通事故の削減や交通渋滞の緩和に資するものと位置付け、早期の実用化に向けて進展を支援している。この観点から、公道における実証実験のためのガイドライン等を作成するとともに、法的な対応が必要なものについては、道路交通法の改正に取り組んできた。

令和元年の改正法では、運転者が乗車しつつ、自動運行装置を使用するもの(いわゆるレベル3の段階)が認められた。使用条件を満たしているときは、運転者は、携帯電話の使用など、他のことをすることも認められる(条件外となった場合には直ちに適切に対処できる状態でいることが前提となるので、飲酒等は認められない。)。自動運行装置の作動記録の保存が義務付けられ、本来の性能が発揮できていない場合(整備不良車両と認められるとき)は、警察官はその記録の提示を求めることができることが規定された。

令和4年の改正法では、運転者が乗車しない自動運行(いわゆるレベル4の段階)について、許可制度を創設することとした。自動運行装置によって自動車を運行すること(特定自動運行)を「運転」から除外し、運行計画を都道府県公安委員会に提出して、許可を受けなければならないこととしている。公安委員会は、許可に当たっては、運輸当局及び経路上の市町村長の意見を聴かなければならな

(注55の2) 酔っ払い運転に至らない酒気帯び運転は禁止されているが、刑罰対象にならない。交差点における自転車の通行方法については、違反している場合に警察官の指示の対象となり、指示違反のみが刑罰対象とされている。

い。危険防止等のために必要な条件を付けることもできる。自動運行が認められるには、使用条件を満たさない場合あるいは本来の性能が発揮できない場合に、直ちに自動的に安全な方法で自動車と停止させることができるものであることが前提となっている。交通事故その他の理由により、特定自動運行が道路において終了した場合には、安全に停車させることは自動運行装置でできても、その他については人が対応する必要が生じる。このため、運行実施者が特定自動運行主任者を指定し、その主任者が警察官の現場における指示等に対応するようになっている。

　令和4年の改正法では、遠隔操作型小型車（自動配送ロボット）の交通方法についても新たに規定が設けられた。これまで公道での実証実験が行われていたが、法令で定められるのは初めてである。人又は物の輸送用に供するための原動機を用いる小型の車で遠隔操作により通行させることができるもののうち、車体の大きさ及び構造が歩行者の通行を妨げるおそれのないもので、かつ非常停止装置が備えられているものが対象となる。歩行者と同様の交通ルール（歩道・路側帯の通行、横断歩道の通行等）が適用される。使用者は、都道府県公安委員会に届け出なければならない。警察官は、遠隔操作型小型車が著しく道路における交通の危険を生じさせ、又は交通の妨害となるおそれがあり、かつ、急を要すると認めるときは、道路における交通の危険を防止し、又は交通の妨害を排除するために必要な限度において、その車を停止させ、又は移動させることができる。

第3節　その他の法制

1　暴力団対策法とその他の暴力団対策法制

(1)　暴力団対策法の目的と概要

　暴力団対策法は、暴力団員の行う暴力的要求行為等について規制を行うなどによって、市民生活の安全と平穏の確保を図り、国民の自由と権利を保護することを目的（1条）として、平成3年に制定された。治安上重要な事象に対して、行政上の権限を警察機関に付与することで対処することとした画期的な法律であるといえる。いわゆる団体規制は、憲法との整合性が問題となるだけでなく、適用に関する国民の危惧感があることから、本法制定前にはほとんど行われていない状態にあった（破壊活動防止法が

昭和27年に制定されていたが、実際に規制が行われたことはなかった。)。これに対し、本法は、ⅰ対象を指定・公示することで、規制が本来の暴力団以外に及ばないことを明確にする、ⅱ指定を団体の解散等と結び付けず、個別の行為規制にとどめる（特定の行為が実際に行われ、又は行われるおそれがあるときに限って、具体的な処分を個別の指定暴力団員に対して行うものとする。）、という制度とすることで、国民の危惧感を解消するとともに、実際に発動できるものとしている。[注56の2][注57]

規制の対象となるのは、一定の要件を満たした暴力団として、公安委員会が指定し[注58]、官報によって公示された暴力団（指定暴力団）の構成員（指定暴力団員）である。指定暴力団員の暴力的要求行為の禁止とそれに対す

(注56) 制定の経過については、吉田英法「北大立法過程研究会資料 暴力団員による不当な行為の防止等に関する法律の立法過程」北大法学論集43巻5号、制定時の法律の内容等については、暴力団対策法制研究会編著『逐条暴力団員による不当な行為の防止等に関する法律』（立花書房、1995年）参照。平成9年改正については、藤本隆史「暴力団員による不当な行為の防止等に関する法律の一部を改正する法律」警察学論集50巻8号、平成20年の改正については、「特集・暴力団対策法の一部改正」警察学論集61巻9号、平成24年改正については、「特集・暴力団対策法の一部改正」警察学論集65巻11号参照。
(注56の2) 暴力団の存在を禁止することは、他の団体と区別する実体法的要件と厳重な手続を設けることが必要になり、実効的制度を設けることは容易ではないと思われる（橋本基弘「結社の自由と暴力団規制」危機管理研究会編『実戦！社会VS暴力団〜暴対法20年の軌跡』（金融財政事情研究会、2013年）は、「憲法上、暴力団結成の自由は保護を受けないが、結社規制を行うに必要なコストは、規制効果に見合わない」と述べている。また、露木康浩「コラム・暴力団対策法と団体規制」『講座警察法第1巻』は、調査をする十分な法的権限が実効性確保のために必要となることを指摘している。
(注57) 団体の解散のような重い処分の場合、事前手続や要件が極めて厳重なものとなり、実質的に使うことが困難になる（オウム真理教が大量殺人を行った団体であるにもかかわらず、破壊活動防止法による解散の指定はなされていない。）。これに対し、本法では、日本にある暴力団勢力のほとんどを指定し、年に約2,000件に及ぶ命令を行っている。
(注58) 指定は、都道府県公安委員会が公開による意見聴取をし、国家公安委員会の確認を得て行う（3条〜6条）。指定は官報に公示されることによって有効となる。有効期間は3年で、実態がある限り再指定が行われる。指定に不服がある者は国家公安委員会に審査請求をし、その裁決を経た後でなければ取消しの訴えを提起できない。国家公安委員会に確認及び不服申立てについて調査審議するための専門委員が置かれている。なお、法律上は、暴力団の指定のほかに、暴力団連合の指定が規定され（4条）、指定暴力団と指定暴力団連合を含めて「指定暴力団等」が規制対象とされているが、暴力団連合としての指定は行われていない（このため本書では、法文上「指定暴力団等」とされていても、全て「指定暴力団」として記述する。）。3条のほかに4条を設けた背景を含めた立法時の状況について、竹内直人「暴対法30周年に思う（中）」捜査研究850号参照。

る公安委員会の命令、対立抗争時における指定暴力団の事務所の使用制限、指定暴力団員の各種行為の規制と公安委員会による命令（加入の強要等の規制・事務所等における禁止行為・損害賠償請求等の妨害の規制・暴力行為の賞揚等の規制）と、法律の施行のための報告徴収・立入検査が定められている（特に危険な団体については追加的な規定が設けられている。(注58の2)）。暴力的要求行為の相手方への被害回復のための援助（13条）、事業者への被害防止のための援助（14条）、暴力団から離脱の意志を有する者に対する援護（28条）の規定が関連して置かれている。

さらに、法改正によって指定暴力団の代表者等の損害賠償責任（31条、31条の2）の制度が設けられている。(注59) このほか、民間活動の促進として、国及び地方公共団体の責務、都道府県暴力追放運動推進センター及び全国暴力追放運動推進センターの指定についても定めている（32条以下）。(注59の2)

(2) 指定暴力団員に対する命令制度

本法は、ⅰ暴力的要求行為又は準暴力的要求行為に対する中止命令又は

（注58の2）　平成24年改正で、市民に対する危害防止の観点から、特定抗争指定暴力団と特定危険指定暴力団の制度が設けられた。特定抗争指定暴力団は、危険な抗争行為があって同様の行為のおそれがあるときに、公安委員会が指定する（3月間）もので、指定された警戒区域内では、事務所の新設、相手方の指定暴力団員へのつきまとい等、多数での集合等が禁止されるほか、既存事務所への立入りが全て禁止される（これらの行為は刑罰の対象となる。）という強力な規制がなされる（露木前掲注56の2は、「団体の活動を遂行することが事実上困難になるような規制を受けることとなる」と述べている。）。特定危険指定暴力団は、不当要求に応じない者に対する危険な暴力行為があって同様の行為のおそれがあるときに指定する（1年間）もので、指定された警戒区域内では、指定暴力団員による不当要求目的で行われる面会要求行為等が禁止される（中止命令の対象）ほか、暴力的要求行為が刑罰の対象となる。あわせて、事務所が多数の指定暴力団員の集合の用等に供され、又は供されるおそれがあると認めるときは、3月以内の期間を定めて、その暴力団の活動の用に供してはならないことを命ずることができる。

（注59）　平成16年の法改正により、対立抗争によって被害が生じたときの損害賠償責任が代表者等に課された。さらに、平成20年の法改正により、威力利用資金獲得行為によって被害が生じたときの責任についても、原則として負うことが定められた（代表者側が直接間接に利益を得ていないことと、過失がなかったことについての立証責任を負う。）。

（注59の2）　都道府県暴力追放運動推進センター（暴追センター）は、各都道府県に一つ指定され、民間の暴力団排除活動に対する援助、相談事業（暴力団員の組織離脱支援を含む。）、被害者への見舞金の支給・民事訴訟の支援等を行うもので、役職員は秘密保持義務を負っている。平成24年法改正により、国家公安委員会の認定を受けた適格都道府県センターは、付近住民等から委託を受けて、暴力団事務所使用差止請求をすることができることとなった。

防止措置命令（11条以下）、ⅱ対立抗争時の事務所使用制限命令（15条）、ⅲ加入の強要等（威迫による加入強要・脱退妨害を含む。）・指詰めの強要等・少年に対する入れ墨の強要等に対する中止命令又は防止措置命令（18条以下）、ⅳ事務所における禁止行為違反に対する中止命令（30条）、ⅴ損害賠償請求等への妨害行為に対する中止命令又は妨害を防止するための命令（30条の4）、ⅵ対立抗争等に係る暴力行為の賞揚等をするおそれがある場合の金品等の供与・受領等を禁ずる命令（30条の5）、を定めている。事務所使用制限命令及び防止措置命令については、意見聴取を経て行われるが、緊急を要する場合にはそれをしないで15日間有効の仮の命令ができる。中止命令は警察署長、仮の命令は警察本部長に権限が委任される。

　制定時は、禁止行為が行われた場合（ⅰ、ⅲ、ⅳ）と、暴力団の対立抗争があって事務所が暴力団員の集合等に供され又はそのおそれがあり、付近住民の生活の平穏が害され又はそのおそれがある場合（ⅱ）に限られていた。これに対し、改正で追加された損害賠償請求等の妨害に関する命令制度（ⅴ）は、指定暴力団構成員を相手として行う損害賠償や事務所の使用差止め請求があった場合に、違反行為を行ったときの中止命令だけでなく、請求者やその配偶者等の生命、身体又は財産に危害を加える方法で違反行為をするおそれがあると認めるときに防止のための命令をすることができる。また、暴力行為の賞揚等に関する命令制度（ⅵ）も、指定暴力団員が対立抗争等で暴力行為を行って刑に処せられた場合において、他の構成員がそれを賞揚し、あるいは慰労する目的で金品等を供与するおそれがあるときに、金品等の供与と受取りをしないように命ずるものである。いずれも、違反行為のおそれの段階で介入できることとしたところに特徴がある。

(3)　その他の暴力団対策法制

　暴力団対策とは、暴力団がもたらす危害から市民生活の安全と平穏を確保するために行われる各種の活動を指すが、暴力団に打撃を与え、最終的に暴力団を壊滅することを目指すものである。(注60)

　暴力団対策に有効な法制として、犯罪収益移転防止法が制定されている（☞636）。また、近年では、様々な事業規制法において、暴力団員を資格

要件等から排除する規定が盛り込まれている。警察所管法では、例えば、探偵業法では暴力団員等（暴力団員と暴力団員でなくなってから5年を経過しない者）であることを欠格事由とし、廃業命令の対象としている（3条、15条）。他機関の所管法では、例えば、貸金業法では暴力団員等であることを貸金業の登録拒否事由とし、貸金業者が暴力団員等を業務に従事させ、又はその業務の補助者として使用することを禁じている（6条、12条の5）[注61]。廃棄物の処理及び清掃に関する法律も、暴力団員等であることを産業廃棄物処理業の許可の欠格事由として定めている[注62]。これらは、事業の健全化を通じて事業規制法の目的を達成すると同時に、暴力団による社会への悪影響を阻止し、暴力団の資金源を封じることで、暴力団対策上も大きな意義を持つ。

暴力団の排除に関しては、福岡県で暴力団排除条例が平成21年に制定されて以降、全ての都道府県で同様の目的の条例が制定されている。暴力団排除条例は、ⅰ暴力団を全面的に排除すべきものと位置付けていること、ⅱ暴力団に利益を与える行為や、暴力団事務所に用いる不動産を譲渡する行為など、暴力団でない者を名宛人とした規制を中心としていること、ⅲ事業者、行政機関等に対する制裁のない法的義務付けを重視していること、といった特徴がある[注63][注64]。暴力団排除条例は、存在を誇示して企業・市民から

(注60) 警察法の「暴力団対策」は、暴力団がもたらす危害から市民生活の安全と平穏を確保することを目的として行われる、暴力団に係る犯罪の予防、暴力団に係る犯罪の捜査、暴力団員による不当な行為の防止等に関する法律の施行等の作用をいう（警察制度研究会編『全訂版 警察法解説』（東京法令出版、2004年）194頁）。

(注61) 登録等の権限を有する内閣総理大臣（金融庁長官）が警察庁長官、都道府県知事が警察本部長（警視総監又は道府県警察本部長）の意見を聴くこととされているほか、警察庁長官又は警察本部長が措置をとることが必要であると認めた場合に意見を述べるといった規定も置かれている（44条の2以下）。なお、このような規定がない場合における警察からの情報提供について☞763。

(注62) この条項に基づく産業廃棄物処理業許可の取消処分が適法とされた例として、青森地裁判決平成19年2月23日〈W〉がある。

(注63) 条例の内容等については、黒川浩一「福岡県暴力団排除条例の制定について（上）（下）」警察学論集62巻12号、63巻1号参照。制定の背景等に関して、田村正博「福岡県暴力団排除条例の意義と今後の課題」早稲田大学社会安全政策研究所紀要3号参照。

(注64) 全国的な条例の制定状況と主な内容につき、重成浩司「暴力団排除条例の概要及びその適用事例について」前掲注56の2『実戦！社会VS暴力団』参照。東京都暴力団排除条例については、飯利雄彦「東京都暴力団排除条例の制定について」警察学論集64巻5号参照。

不法に資金を集めるという暴力団にとって、その存立基盤に影響を与え、存続を困難にさせるものといえる。(注64の2)もっとも条例で制定可能な事項には限界があり、国の法律で定めるべき課題が多く存在している。(注65)(注66)

2 犯罪対策法制

(1) 古物営業法・質屋営業法

631　古物営業法が昭和24年、質屋営業法が昭和25年に制定されている。盗品等が売買されることを防ぐことを通じて窃盗その他の犯罪の防止を図り、被害の迅速な回復に資することがこれらの法律の目的である。(注67)古物営業法は、古物営業を許可制とし、許可を受けた古物商又は古物市場主に、名義貸しの禁止、管理者の設置、営業場所又は相手方の制限、買受けに際しての相手方の氏名等の確認と帳簿記載、不正品の疑いのある場合の警察官への申告、品触れに該当する古物を所持しているとき又は受け取ったときの(注68)警察官への届出を義務付け、警察本部長が盗品等であると疑うに足りる相

（注64の2）　暴力団に資金を提供する者がいなくなれば、暴力団は存続できなくなる。暴力団排除条例は、被害者的な立場にある場合を含めて、暴力団に資金を提供する行為を社会にとって有害なものとし、非難の対象としたものである（刑罰法上は被害者でも他の関係で法的責任を負うことがあることは、恐喝被害を受けた会社の経営者について、警察に届け出るなど適切な対応をすることができたなどとして、会社に対する損害賠償責任を免れないとした判例（最高裁判決平成18年4月10日〈民集、⑩〉）の考え方と同じである。）。条例に違反して社会的非難の対象となることは事業者にとって大きなダメージとなるので、事業者側への規制は、刑罰規定がなくとも、高い実効性を持ち得る。田村正博「暴力団排除条例と今後の組織犯罪法制」産大法学48巻1・2号参照。

（注65）　堀内恭彦「民事的手法による暴力団対策の実践」警察政策研究13号は、単位弁護士会の民事介入暴力対策委員長としての経験を踏まえ、行政側ないし第三者機関が訴訟提起を被害者に代わって行う制度の創設を求めるとともに、立法の不備によって国民・市民が被害に遭っている実態を指摘し、暴力団の非合法化、通信傍受、司法取引等の捜査手法などを、真剣に議論すべきと述べる。

（注66）　橋本基弘「暴力団と人権」警察政策13巻は、現行法及び条例が間接的な規制方法を複合的に用いることに重点を置いてきたことに合理性があり、結社規制よりも正しい方向であろうとする。一方、新井誠「暴力団対策を憲法から考える」警察政策研究14号は、真に悪質な集団への強力な措置（例えば、結社罪の制度化）は憲法上も許されるとし、条例のように事業者に義務を課して厳しい選択を迫ることに疑問を呈している。

（注67）　古物営業法1条で目的を明示している（質屋営業法には目的規定はないが、実質的に同じである。）。なお、これらの営業を警察が所管し、盗品処分をできなくさせていたことが重要な犯罪抑止機能を果たしてきたことについて、河合幹雄『安全社会崩壊のパラドックス』（岩波書店、2004年）227頁以下参照。

（注68）　品触れとは、警視総監又は警察本部長が、盗品等の発見のために必要があると認めたときに、古物商等に対して被害品を通知する行為を意味する。

当な理由があるときに一定の期間の保管を命ずる（差止め）権限を定めている。このほか、古物競りあっせん業者の届出義務と遵守事項、警察職員による古物商の営業所・古物保管場所等への立入り及び調査、公安委員会による事業監督規定（指示、営業の停止等）に関する規定が置かれている。質屋営業法も、質屋営業の許可など、おおむね古物営業法と同種のことが定められている（質屋に特有のものとして、質物の返還に関する規定などがある。）。

このほか、警備業法が警備業務の実施の適正を図ることを目的として、昭和47年に制定されている。(注69)同法は犯罪の予防を直接の目的としたものではないが、警備業務が適正に実施され、警備業が安全産業として発展することは、犯罪予防に寄与するものである。

(2) 不正アクセス禁止法及びピッキング防止法

犯罪防止を法の目的として規定している平成期の立法として、不正アクセス禁止法及びピッキング防止法がある。

不正アクセス禁止法は、不正アクセス行為の禁止と罰則を定め、再発防止のための公安委員会の援助措置を定めることによって、電気通信回線を通じて行われる犯罪の防止と電気通信に関する秩序の維持を図ることを目的に、平成11年に制定された。(注70)ただし、具体的な行政権限規定は定められていない。

ピッキング防止法は、建物に侵入して行われる犯罪の防止に資することを目的に（1条）、平成15年に制定された。(注71)この法律は、特殊開錠用具の所持の禁止及び指定侵入工具の隠匿携帯を禁止して刑罰の対象とするとと

（注69）　警備業法は、警備業の認定制度、警備業務の基本原則と制限、教育等の責務、公安委員会の検定とこれに代わる登録講習機関による講習会、機械警備業の届出と即応体制の整備義務、警備員名簿、報告徴収・立入検査、指示、営業の停止等について定めている。
（注70）　法律制定の意義と経過については、露木康浩「不正アクセス行為禁止法の意義と今後の課題」警察政策2巻1号参照。
（注71）　経緯等について吉田英法「侵入犯罪対策の現状と課題」警察学論集56巻12号、内容について坂口拓也「特殊開錠用具の所持の禁止等に関する法律の概要」同参照。なお、坂口拓也「犯罪予防のための対物規制」『講座警察法第2巻』は、同法3条及び4条の特殊開錠用具の所持等の禁止とその違反に対する処罰規定に関し、抽象的危険犯の処罰規定であるが、他とは異なり、確定的な犯意を持った者の早期隔離に真価を発揮するものであるとの見解を述べている。

もに、建物錠等の製造業者が防犯性能に関して表示すべきものを告示し、それに従っていない場合には国家公安委員会が勧告、命令をする、特殊な開錠の手口による建物への侵入が急増するおそれがあるときは国家公安委員会が勧告する（従わない場合には、公表する。）といった制度を設け、報告徴収・立入検査を行うとする規定を設けている。

(3) 安全安心まちづくり条例

635　地域における犯罪の防止に関して、「大阪府安全なまちづくり条例」が平成14年に制定されて以降、多くの都道府県で同種の条例が制定されている。条例の内容は同じではないが、大阪府の条例では、知事部局、警察及び教育委員会の共管で、府、事業者及び府民の責務を定めるとともに、市町村及び民間団体との協働による安全なまちづくり推進体制を整備すべきこと、学校等における児童生徒の安全の確保のために必要な指針を定めること、犯罪の防止に配慮した道路・公園等の普及に努めること、犯罪の防止に配慮した共同住宅の普及等に努めること、犯罪による被害の防止のための規制を設けること、などを内容としている(注72)。多くの規定は、環境設計に基づく犯罪予防の考えに立って、ガイドラインに沿って、道路や学校等における安全確保のための設備を整備すべきことなどを一般的に義務付けるものである。なお、大阪府の場合には、他の都道府県の条例とは異なり、公共空間における鉄パイプ等使用犯罪による被害を防止するために、それらの空間での鉄パイプやバットなどの正当な理由のない携帯を禁止し、違反に対して刑罰の規定を置くほか、警察官に、開示を求めて調べる権限及び提出を求めて一時保管する権限を与えている。

(4) 犯罪収益移転防止法

636　犯罪収益移転防止法は、金融関係事業者や宅地建物取引事業者などに取引相手の本人確認を義務付け、記録等の保存と疑わしい取引の届出義務等を定めるとともに、国家公安委員会の役割等について定めた法律である。犯罪による収益の移転防止を図り、併せてテロリズムに対する国際条約等の的確な実施を確保することで、国民生活の安全と平穏を確保するととも

（注72）　制定経過と内容について、後藤啓二「大阪府安全なまちづくり条例について」警察学論集55巻8号参照。軽犯罪法との関係について☞843及び第8章注84参照。

に、経済活動の健全な発展に寄与することを目的として、平成19年に制定された(注73)。

当初、薬物犯罪対策として犯罪収益の隠匿・収受（マネー・ロンダリング）を処罰することが国際条約で求められ、その実効性確保の見地から、金融機関による本人確認と取引記録の保存及び疑わしい取引の届出を行わせることが国際的に要請された。その後、薬物犯罪以外の犯罪についても同様の取組をすべきこと、疑わしい取引に関する情報の担当組織であるＦＩＵ（情報を一元的に集約し、整理分析して、捜査機関等に提供するとともに、外国の対応機関と情報交換に当たる機関）を作るべきことが国際的な要請となった。テロ資金供与防止条約でも、テロ資金提供の犯罪化、テロ資金の凍結とともに、金融機関による本人確認、疑わしい取引の届出義務等の制度化が求められた。これを受けて、マネー・ロンダリングの処罰、疑わしい取引の届出義務と金融庁へのＦＩＵ任務付与、金融機関による本人確認と記録の保存義務が、麻薬特例法（国際的な協力の下に規制薬物に係る不正行為を助長する行為等の防止を図るための麻薬及び向精神薬取締法等の特例等に関する法律）、組織的犯罪処罰法（組織的な犯罪の処罰及び犯罪収益の規制等に関する法律）及び金融機関本人確認法（金融機関等による顧客等の本人確認等及び預金口座等の不正な利用の防止に関する法律）によって行われた。さらに、金融機関以外の不動産業者や宝石業者もマネー・ロンダリングに用いられることを防止するために本人確認等の対象とすべきことが国際的な要請となったことを受けて、対象事業者を金融機関以外にも拡大するとともに、ＦＩＵを国家公安委員会に移管するために、金融機関本人確認法が廃止され、犯罪収益移転防止法が制定されるに至った。

事業者にはそれぞれの事業に対応する行政庁が監督権限を行使するが(注74)、国家公安委員会は、制度全体の責任機関としての立場から、関係機関に意

（注73）　制度の概要については、江口寛章「犯罪収益移転防止法」時の法令1790号、詳細な内容については、江口寛章・松林高樹『逐条解説　犯罪収益移転防止法』（東京法令出版、2009年）参照。

（注74）　古物営業法の許可を受けた事業者が貴金属等の売買を業務とする場合については、都道府県公安委員会が行政庁となる。

見を述べることとなる。

(5) 死因・身元調査法

637　死因・身元調査法は、警察が取り扱う死体について、死因・身元を明らかにすることで、被害の拡大防止などのための措置が実施できるようにし、遺族の不安の緩和・解消等に資することを通じて、市民生活の安全と平穏を確保することを目的とした法律である。犯罪対策立法ではないが、犯罪死の見落とし防止も実質的な目的に含まれている。(注74の2)

本法は、死体の検査（体内から体液を採取して行う出血状況の確認、体液又は尿を採取して行う薬物又は毒物に係る検査、死亡時画像診断など）の権限、死因を明らかにするために特に必要があると認めるときは解剖を実施する権限及び身元を明らかにする上で必要と認めるときに死体の一部を採取し、又は人の体内に植え込む方法で用いられる医療機器を摘出するために死体を切開する権限を、警察署長に与えている。これらの権限は、専門的知識・技能を要しないものや組織の採取の程度が軽微なものを除き、医師に行わせるものとされている。この規定にのっとって行われる限り、死体損壊に該当することにはならない。

3　風俗営業適正化法とその他の公共利益保護法制

(1) 風俗営業適正化法の概要

638　風俗営業適正化法は、「風俗営業取締法」として昭和23年に制定され、昭和59年に大きな改正が行われて、現在の名称となった。(注75)善良の風俗と清浄な風俗環境を保持すること及び少年の健全な育成に障害となる行為を防ぐことが、規制の目的とされている。

風俗営業に関する規定のほか、性風俗関連特殊営業、特定遊興飲食店営業、深夜飲食店営業、興行場営業、特定性風俗物品販売等営業、接客業務(注75の2)

（注74の2）　犯罪によるものであると判断される死体（犯罪死体）については、専ら刑事訴訟法に基づいて各種の処分（鑑定処分許可状による死体の解剖等）が行われる。犯罪死体かどうかが分からない死体（変死体）については、刑事訴訟法に基づく検視が行われるほか、本法に基づく検査、解剖の対象ともなり得る（検視が行われた後に本法の措置が講じられる。）。それ以外の死体については、専ら本法に基づく措置の対象となる（本法に基づく調査等によって犯罪によると判断されれば、その後は犯罪死体として、捜査手続の対象となる。）。なお、海上保安庁の取り扱う死体についても本法の各規定が準用される。

受託営業に関する規制のための規定、さらに、少年指導委員・風俗環境浄化協会・風俗営業者の団体などに関する規定が置かれている。このうち、深夜飲食店営業については、遵守事項が定められるほか、深夜における酒類提供飲食店営業の場合の届出と条例による地域規制、飲食店営業が法令違反をした場合における指示と営業停止命令が制度化されている。興行場営業の規制と特定性風俗物品販売等営業の規制は、性風俗関連特殊営業に至らない営業に関して、一定の罪を犯した場合に営業の停止を命ずるものである。接客業務受託営業については、従業者に対する拘束的行為等が禁じられ、違反があった場合の指示又は営業停止命令が定められている。

風俗営業者、性風俗関連特殊営業（映像送信型を除く。）、特定遊興飲食店営業及び酒類提供飲食店営業等を営む者には、従業者名簿の作成備付けと、接客従事者の生年月日と国籍等の確認が義務付けられている。また、公安委員会の報告徴収権限とともに、警察職員が営業所等に立入りを行う権限が認められている。

(注75) 本法の詳細な解説として、蔭山信『注解風営法』（東京法令出版、2008年）がある。判例に関しては、中川正浩「風俗営業適正化法をめぐる若干の問題」警察学論集63巻3号参照。

(注75の2) 平成27年の改正法により、特定遊興飲食店営業の規制に関する規定が設けられた。ナイトクラブなど設備を設けて客に遊興させ、かつ、客に酒類を提供して飲食をさせる営業で、午前零時を超えて営業するものが該当する。改正前までは設備を設けて客にダンスをさせる営業は全て風俗営業に含まれていたが、接待を伴うもの（キャバレー）以外は含まれないこととなった（低照度飲食店といった別のジャンルで風俗営業に含まれることはあり得る。）。ダンスホール（飲食を伴わないもの）は風俗営業適正化法の適用を受けない。ナイトクラブ（クラブ）などで深夜まで営業するものは、特定遊興飲食店営業としての許可を受け、照度や騒音等の規制、接客従事者に対する拘束的行為の規制、客引きの禁止、午後10時以降に少年を客として立ち入らせることの禁止といった風俗営業に準じた規制を受ける。同改正に至る経過に関し、辻義之「平成27年風営適正化法改正について」警察学論集68巻10号及び駒崎弘樹・秋山訓子『社会をちょっと変えてみた―ふつうの人が政治を動かした七つの物語』（岩波書店、2016年）101頁以下参照。

(注76) ストリップ劇場及びアダルトグッズ専門店は、性風俗関連特殊営業としての規制の対象となる。これに対し、ストリップショー専用でない劇場は、興行場として、公然わいせつ等の罪を犯したときに、営業停止の対象となる。アダルトグッズ専門店以外でアダルトグッズを置いている店は、特定性風俗物品販売等営業として、わいせつ物の頒布、児童ポルノ法（児童買春、児童ポルノに係る行為等の規制及び処罰並びに児童の保護等に関する法律）の罪を犯したときに、営業停止の対象となる。

(2) 風俗営業の規制等

639　風俗営業は、歓楽的な雰囲気を醸し出す方法で客をもてなす営業と射幸的な遊技を客にさせる営業とを意味する(注78)(注79)。人が本能的に有する歓楽への欲求を適度に満たすサービスを提供する事業であり、健全なサービスが提供されれば社会的に有用であるが、過度に欲求を満たすようなものが広まると善良な風俗を害する等の弊害が生じる。また、大人のための娯楽であり、少年に影響が及ばないようにすることが求められる。規制に加えて、健全化に資するための適正化促進も目的規定の中に定められている。

　風俗営業は、営業所ごとに公安委員会の許可を要する。人（過去の犯罪歴、暴力団との関係など）及び構造設備（一定以下の照度、著しく射幸心をそそる遊技機など）に関する許可基準に加えて、地域的な限定が行われる。制限地域は、良好な風俗環境を保全するために、政令の基準（住居集合地域にある場合又は学校等の施設から一定以内の距離にある場合）に従って条例で定められる(注80)(注81)。制限地域内で許可された場合には、学校等の施設の側から、取消訴訟を提起できる(注82)（☞1162）。

640　禁止行為（客引き、少年（18歳未満の者）を客として立ち入らせること、遊技の賞品としての現金提供など）を行った場合には、無許可営業や名義貸しと同様に、処罰の対象となる。一方、遵守事項（営業時間制限、騒音振動規制、広告宣伝規制、料金表示など）に違反したときは刑事罰の対象

(注77)　個室等で客が在室しているところは、立入権限の対象外とされている。なお、通常の行政監督法規では、公安委員会の権限として職員に立入検査をさせることが定められているのに対し、本法では、職員の権限として規定されるとともに、立ち入った後の権限（質問権）が規定されていないという違いがある。

(注78)　接待飲食等営業と呼ばれる。設備を設け、接待をして客に飲食をさせる営業が主である。

(注79)　まあじゃん屋、ぱちんこ屋のように設備を設けて客に射幸心をそそるおそれのある遊技をさせる営業と、ゲームセンターのように、本来の用途以外の用途として射幸心をそそるおそれのある遊技に用いることができるものを備えて、客に遊技をさせる営業がある。後者に関しては、他の風俗営業とは異なり、午後10時までは少年が客として立ち入ることが認められる。

(注80)　都道府県の条例に委任されており、市町村が同じ目的で独自に条例で制限を定めることはできない。宝塚市がパチンコ店等の建築について市長の同意を要するものとする条例を定めて規制を行ったことによって出店することを断念させられた事業者が市に対して求めた損害賠償が容認されている（神戸地裁判決平成17年3月25日〈⑩〉）。

とはならず、指示処分等の対象となるのにとどまる。営業に関する法令違反(注82の2)（この法律に基づく条例を含む。）があったときは、公安委員会は、指示処分をすることができるほか、「著しく善良の風俗若しくは清浄な風俗環境を害し若しくは少年の健全な育成に障害を及ぼすおそれがある」（第2要件）と認めるときは、営業の停止を命じ又は許可を取り消すことができる（26条）(注83)。指示、営業停止命令や許可条件に違反した場合は、停止、取消しをすることができる（第2要件を要しない。）。

(注81) 既存の事業者が、他の事業者が許可を得ることができないようにするために、別の者に土地を寄付して児童遊園等の保護施設を開設させる行為は、民事上の不法行為を構成する（最高裁判決平成19年3月20日〈Ⓦ〉）。また、国分寺市がパチンコ店の出店阻止のために図書館条例を改正し、予定地付近に図書館を設けたことについて、東京地裁判決平成25年7月19日〈Ⓦ〉は、営業上の権利を侵害するもので、出店予定者との関係では社会的相当性を逸脱する行為として違法となるとの判断を示している（その後、市は和解金4億5千万円を支払った。）。なお、注84の事例とは異なり、規制権限を有しない市の行為が事業者との間の損害賠償上の問題として違法と評価されるのにとどまるものであって、規制する効力がないということにはならない（許可申請がなされたとした場合に、公安委員会としては、本条例の有効性を前提として不許可とすることに違法性はない。）ものと思われる。

(注82) 最高裁判決平成6年9月27日〈Ⓦ〉は、診療所に原告適格を認めた（距離制限には該当しないとして請求は棄却した。）。なお、付近住民に関しては、最高裁判決平成10年12月17日〈民集、Ⓦ〉で原告適格が否定されている（☞1162）。

(注82の2) 従業員が外部者と共謀して、遊技機の主基板を不正に改造されたものに取り替え、大量の出玉が出るようにしたことについて、その従業員の「営業に関する」行為かどうかが争われた事案で、従業員が防犯システムの作動をさせないようにするなど、関与の程度は軽微とはいえないが、外部者を主犯としたグループの不正出玉行為の一環であり、社会通念に照らし、全体として見るともはや「代理人等による法令違反行為であると評価できない」として、処分が取り消された例がある（広島高裁松江支部判決平成21年3月13日〈判タ1315・101〉）。

(注83) 名義貸しを理由にした取消処分をめぐって、最高裁判決平成12年3月21日〈Ⓦ〉は、名義貸しの場合も第2要件がなければ処分できないとした上で、本法の規定に違反する場合は第2要件に該当する蓋然性が高く、特に名義貸しの場合は基準に該当することを確認した者にのみ営業を認めるという風俗営業許可制度を根底から危うくするものであり、法の目的に著しく反する類型の行為であることを指摘し、法の目的を著しく害するおそれがあるとは言い難いような特段の事情が認められなければ、名義貸しは類型的に第2要件に該当する場合に当たるという解釈を示し、第2要件を満たしていないとした原審を取り消し、取消請求を棄却した。なお、判決の中で、この規定について、本法（と本法に基づく条例）の違反行為と他の法令違反行為とを区別せずに要件を定めるなどした結果、「名義貸しがされた場合の営業許可の取消し等の要件について解釈上の疑義を生じかねないものとなっていることは否め」ないとの指摘がされている。

(3) 性風俗関連特殊営業の規制

641　性風俗関連特殊営業は、性的サービスを提供する「いかがわしい」とみられる営業であり、警察として違法行為の有無を注視し、あれば行政処分を課す対象である。届出義務があり、公安委員会の届出確認書を受けなければ広告宣伝が禁じられる。社会実態の変化に対応した規制対象の拡大、規制の実効性の確保のための改正が行われてきている。

642　店舗型性風俗特殊営業（個室付浴場（ソープランド）、ファッションヘルス、ストリップ劇場、ラブホテル、アダルトショップなど）の場合、学校等のほか条例で定める施設の敷地から200メートル以内は営業禁止とされるのに加えて、条例によって広い範囲が営業禁止地域として定められている。また、広告宣伝についても、同様に定められる広告宣伝禁止区域・地域で行ってはならないほか、他の地域でも、人の住居にビラを配ったり、少年に配ったりすることが禁じられる。禁止行為として、客引きや少年を客とすること及び少年に接客させることが禁じられる。違反行為が行われた場合には刑罰の対象となるほか、指示、営業の停止命令（同じ施設を用いて営む浴場業営業、興行場営業、旅館業の停止を含む。）が行われる。停止命令の場合には、標章が貼り付けられ、取り除くことが禁止される。なお、営業禁止・制限区域で規制前から営んでいる者が違反をした場合には、廃業を命ずることができる。

（注84）　行政側が営業を阻止するために保護施設を急きょ設置し（山形県が余目町を指導して児童遊園の設置を指導し、知事が直ちに児童遊園施設を承認した。）、営業を開始した事業者に公安委員会が営業停止を命じたことに対し、最高裁は、遊園施設の設置承認は行政権の著しい濫用であるとして違法であるとし、停止によって生じた損害の賠償請求を容認した（最高裁判決昭和53年5月26日〈民集、⑳〉）。また、営業停止違反に対する刑事事件に関して、最高裁は、行政権の濫用に相当する違法性のある設置許可は被告の営業との関係で規制し得る効力を有しないとし、有罪とした原判決を破棄し無罪とした（最高裁判決昭和53年6月16日〈刑集、⑳〉）。なお、この判決を、行政処分の違法性がある場合にその処分違反が刑事罰を受けない例として挙げる学説もあるが、行政権の濫用という極端な評価がなされた結果であって、一般の行政処分の違法性をめぐるものとは異なる（違法な行政処分と刑事罰の関係について⇨421）。

（注85）　歓楽街的な地域を除いて禁止地域とする条例が多いが、県内全域を制限地域とする条例もある（以前は、県内全域とすることが過剰な規制となるのではないかとの考えから、都市部から遠く離れた場所を非制限地域とした条例もあった。前注の事件を受けて、山形県では、余目町を含む県内全域が制限地域とされている。）。

このほか、無店舗型性風俗特殊営業（デリバリーヘルス、アダルトグッズ通販など）、映像送信型性風俗特殊営業、店舗型電話異性紹介営業（テレクラ）、無店舗型電話異性紹介営業（店舗のないテレクラ）について、届出義務、広告宣伝規制などのほか、それぞれの実態に応じた規制が定められている。(注86)(注87) 地域規制については、店舗型はその店舗、無店舗型の場合は受付所がその対象となる。

(4) 歓楽街における環境保全のための条例

大阪府では、客引きの横行や無料風俗案内所による過度な歓楽的雰囲気の表示に対処するため、いわゆる迷惑防止条例（大阪府公衆に著しく迷惑をかける暴力的不良行為等の防止に関する条例）の改正と新たな条例の制定とが平成17年に行われた。(注88) 迷惑防止条例の改正は、客引き等の規制対象の拡大（しつような方法によらない客引き等の規制）と誘引（接客行為の客となり、あるいは役務に従事するよう勧誘することなど）の規制、直罰対象以外の行為に対する警察官による中止命令、無料冊子の迷惑ビラとしての規制、事業者に対する行政処分（指示と事業の停止）を定めるものである。大阪府特殊風俗あっせん事業の規制に関する条例は、青少年の健全育成と繁華街等における健全なまちづくりを目的に、風俗案内事業者の届出義務、禁止行為（時間制限、騒音、写真等の掲示、少年を立ち入らせることなど）、禁止行為に対する公安委員会の中止命令、報告徴収立入検査などの規定を設けるものである。外周又は外部から見通すことのできる内部に、公安委員会規則で定める基準に該当する写真や文字を表示すること等を規制する外観規制が行われているのが特徴であるといえる。同様に外

(注86) 無店舗型性風俗特殊営業に関して、営業の禁止区域ではり紙、はり札及び立看板が置かれている場合で、事務所を知ることができないときは、公安委員会が警察職員に撤去させることが定められている（31条の4）。指示をすることで対処するのが通常であるが、無店舗型の場合には、指示すべき先が分からないところから設けられた規定である。管理者不在物件に対する即時強制について☞457参照。

(注87) 映像送信型性風俗特殊営業に関して、公安委員会が年少者利用防止のための命令をする規定のほか、プロバイダーに対して、映像送信型性風俗特殊営業を営む者がわいせつな画像を記録していることを知った場合に、映像の送信を防止するために必要な措置を講ずる努力義務を課し、勧告の対象としている。

(注88) 条例制定の経過及び内容について、伊藤智「安全・安心なまちづくりの具体的な取組みの紹介（3・完）」警察学論集59巻10号参照。

観を規制する条例が、東京都など主として大都市を管轄する都府県で制定
されている。(注88の2)

645　東京都では、いわゆるぼったくり防止条例が平成12年に制定され、当初は個人の身体及び財産に対する危害の発生を防止することを目的としたものであったが、平成19年改正によって性関連禁止営業への場所提供規制が加えられ、「性風俗営業等に係る不当な勧誘、料金の取立て等及び性関連禁止営業への場所の提供の規制に関する条例」という現在の名称となり、都民生活の平穏及び清浄な風俗環境の保持が、目的に追加された。性風俗営業等（ぼったくりが起きているのと同様のファッションヘルスやバーなどが該当する。風俗営業適正化法の規律対象かどうかとは関係がない。）に関して、客引き等を行った場合の指示、営業の停止のほか、新宿歌舞伎町などの指定地域内での営業の場合には、料金の表示、不当な勧誘料金の取立て等の禁止と、それらに違反した場合の指示、営業の停止を定めている。また、性関連禁止営業（刑法上のわいせつ物の販売、児童ポルノの販売など）に関して、建物のオーナー規制として、何人も場所提供をしてはならないことを定め、特定の繁華街等においては、貸し付ける際の誓約をさせること、使われた場合には解除特約を定めるべきこと、年に2回以上確認することを義務付け、それらが行われずに性関連禁止営業に使われたときは、公安委員会が勧告してその旨を公表し、なお従わなかったときはその措置をとるよう命令することができるとする規定を設けている。

(5)　静穏の確保

646　国会議事堂等静穏保持法は、それらの周辺地域における拡声機の使用について規制を行い、静穏を保持して、国会の審議権の確保と良好な国際関係の維持に資することを目的として、昭和63年に制定された。国会議事堂

（注88の2）　京都府風俗案内所の規制に関する条例が、学校等から200メートル以内で風俗案内所を営むことを全面的に禁止していることについて、風俗営業の規制（当該地域では学校等から70メートル以内で禁止）を超えていて過剰な規制で違憲であるとの主張に対し、最高裁は、京都府議会の合理的な裁量の範囲を超えるものではないとして、合憲であるとの判断を示している（最高裁決定平成28年12月15日〈⑩〉）。

（注89）　制定経過と制定時の条例の内容については、北村博文「「ぼったくり防止条例」の概要について」警察学論集54巻5号参照。

の周辺のほか、衆議院議長又は参議院議長の要請があったときに議員の所属する政党の主たる事務所とその周辺について総務大臣が、外国公館及び外国要人等の来訪に関わる場所について外務大臣が、それぞれ指定したところが規制地域となる。当該地域の静穏を害するような方法での拡声機の使用が原則として禁じられ、警察官が命令をし、それに違反した場合には処罰の対象とすることが規定されている。

一方、多くの都府県では、いわゆる暴騒音条例として、一定以上の暴騒音（10メートル離れたところで測定した場合に85デシベルとなるような音）を出す行為を規制し、違反に対して命令の対象とし、調査のために必要があるときに立入検査を行うことができることを定めている。

4　国際連携のための法制

(1)　国際連携のための法制の概要

人と物の国際化の中で、一国だけの取組では、重大な犯罪やテロによる脅威から国民を守ることは不可能になっている。事件捜査等のために外国と相互に協力するだけでなく、国際社会が一致して問題に対処する（どの国も一定の水準の取組を行い、規制の抜け穴を作らないようにする）努力もなされている。FATF勧告に対応する本人確認の義務付け、疑わしい取引の届出制度を定める犯罪収益移転防止法（☞636）はその例である。さらに、近年では、日・米重大犯罪防止対処協定（PCSC協定）実施法や、国際テロリスト財産凍結法といった法律が、警察庁の所管として新たに制定されている。これらは、国の警察機関が責任を持って当たることとされている。

(2)　日・米重大犯罪防止対処協定（PCSC協定）実施法

日・米重大犯罪防止対処協定（PCSC協定）は、日本とアメリカ合衆国との間で、指紋を基にした迅速な情報交換をし、重大な犯罪の防止・捜査を行うことを目指すものである。必要があると判断した場合（現場に残さ

（注89の2）　国際連携の観点からの権限立法として、本文に述べたもののほか、外国の刑事事件の捜査に必要な証拠の収集や国際刑事警察機構への協力等について定めた国際捜査共助等に関する法律と、国際航空の安全を図る観点から締結された条約を実施する上で必要となる警察官の権限を定めた「航空機内で行われた犯罪その他ある種の行為に関する条約第13条の規定の実施に関する法律」（東京条約実施法）がある。

れた指紋があるとき、被疑者を逮捕したとき、テロの予告などがあって入国審査時に不審者をチェックするときなど）に、指紋を相手国当局に送り、相手国が保有する指紋に合致するものがあるかどうかが自動的に回答され、その後、目的等を明らかにした上で改めて照会を行って、人定事項や犯罪経歴等が回答される、という仕組みを設けることにしている。実施法では、警察庁長官が、アメリカ側の連絡部局からの照会に対してオンラインで回答すること、追加の情報提供要請に対して、その指紋情報の個人識別情報（氏名・生年月日・出生地・性別・身長体重）、刑事処分経歴、指紋採取年月日と採取情報のうちから照会の目的に照らして必要かつ相当と認められるものを提供すること、などを定めている。個人が特定された照会に対しては、有罪判決が確定した者と、逮捕された成人で公判中・起訴猶予・処分保留中の者に限って、回答がなされることになる（無罪判決が確定している者、嫌疑なし・嫌疑不十分で不起訴となった者、保護処分に付された少年、身体不拘束で起訴猶予となった者については、回答対象から除外される。）。

(3) 国際テロリスト財産凍結法

650 　国連安保理決議1267号、1373号等において、国際テロリストの財産の凍結等の措置をとることが国連加盟国に求められている。この法律は、国内取引において、国際テロリストの財産を凍結する等の措置を講ずるために必要な権限（対象者が贈与を受けることや預貯金の払出しを受けること等についての許可、規制対象財産の提出命令・仮領置、贈与等の違反行為をした者に対する命令及び職員による立入調査）を、都道府県公安委員会に与えるものである（対外取引については、外為法（外国為替及び外国貿易

（注90）　この協定にいう「重大な犯罪」には、殺人などの凶悪犯だけでなく、詐欺、窃盗、住居侵入、密入国、薬物銃器犯罪、偽造、知的財産に係る犯罪、環境犯罪、児童ポルノ、コンピュータ犯罪なども含まれている。

（注91）　アメリカ合衆国は、2001年の9.11同時多発テロ以降、指紋による照会を行う協定を各国と締結しており、日本国民がこれまでと同様に同国の査証免除（ビザなしの入国）を受けるためには協定の締結が必要であったことが、実質的な理由となっている。

（注92）　協定と実施法については、佐野朋毅・竹田令「日・米重大犯罪防止対処協定の背景及び概要について」警察学論集67巻10号、露木康浩・児玉誠司「日・米重大犯罪防止対処協定実施法について」同参照。

法）で従来から規制されている。）。規制の対象となる国際テロリストは、安保理制裁委員会によって指定されている者のほか、国家公安委員会によって指定される。(注93) 警備警察の分野で、警察が全面的に所管する法律は本法が初めてである。(注94)

5 テロ対策法制

(1) テロ対策法制の状況

　テロ対策としては、テロ行為をするおそれのある者・組織への対策、テロに用いられるおそれのある物への対策、テロのターゲットになるおそれのある施設・人への対策が必要となるが、日本では他国の例と比べるとテロ対策法制は限られている。(注95)

　団体を規制する法律には、破壊活動防止法と団体規制法（無差別大量殺人行為を行った団体の規制に関する法律）があるが、いずれも規制権限を有するのは公安審査委員会である。警察は、団体規制法において、警察庁長官が観察処分又は再発防止処分の請求の必要性について公安調査庁長官に意見を述べることと、観察処分を受けている団体の調査のための立入検査を警察庁長官の指示を受けた都道府県警察の職員が実施するのにとどまる。個人を対象とした特別の法律はないが、出入国管理及び難民認定法に

(注93)　安保理決議1267号及びその後継決議の対象となるアル・カーイダ関係者及びタリバーン関係者については、安保理に設置された制裁委員会が指定した者（名簿に記載された者）が対象となる。一方、1373号決議では、各国が対象を指定するようになっており、センデロ・ルミノソ関係者らが関係国によって指定されている。国家公安委員会は、外為法の規制対象となる者であって、他の国でも措置がとられている者（日本と同等水準にあると認められる制度を有している国により1373号が求める財産凍結等の措置がとられている者）を指定することになる。なお、法的には、公衆等脅迫目的の犯罪行為を行い、行おうとし、又は助けたと認められる者で、将来更に行い、行おうとし、又は助けるおそれがあると認められる十分な理由があるものについても、外為法の規制対象となる者であれば、国家公安委員会が指定することが可能な仕組みとなっている。

(注94)　警備警察部門は、地方自治体の条例を所管する例はあった（いわゆる公安条例のほか、暴騒音条例が制定されている。）が、国のレベルで法律を所管するのは、この法律が最初である。本法が平成26年に国会のほとんどの政党（日本共産党を含む。）が賛成して成立したのは、その意味で画期的であるといえる。

(注95)　警察白書平成28年版特集「国際テロ対策」第2節第3項、大沢秀介・小山剛編『市民生活の自由と安全－各国のテロ対策法制』（成文堂、2006年）、大沢秀介・小山剛編『自由と安全－各国の理論と実務』（尚学社、2009年）、大沢秀介・新井誠・横大道聡編『変容するテロリズムと法』（弘文堂、2017年）参照。

より、法務省（出入国管理庁）において、入国時の個人識別情報（指紋、顔写真）提供の義務付け、テロリストと認定する者等の退去強制（認定に当たって警察庁長官等の意見を求めることになっている。）、乗員・乗客名簿の事前提出の義務付けが行われている。[注96]

テロに用いられることを防止する観点から、核物質又は放射性同位元素に対する防護のための規制、病原微生物の管理のための規制、化学兵器原料の管理のための規制が導入されており、その中には、安全確保の観点からの運搬に関する公安委員会への届出及びそれに対する指示と、テロ防止のための警察庁の関与及び警察庁職員の立入検査の権限が設けられている（☞461）。また、テロ資金対策のための規制も犯罪収益移転防止法で定められ（☞636）、さらにテロリストの資金封鎖の国際協力のために国際テロリスト財産凍結法が定められている（☞650）。

ターゲットになるおそれのある施設を守るものとしては、小型無人機等飛行禁止法が制定されている（☞652）。

このほか、広い意味のテロ対策として、テロの被害者の救済がある。「オウム真理教犯罪被害者等を救済するための給付金の支給に関する法律」[注97]は、一連のオウム真理教による犯罪行為が、「悪質かつ重大なテロリズムとしての犯罪行為」であると位置付け、国において「被害者等の救済を図ることがテロリズムと戦う我が国の姿勢を明らかにする意義を有する」ことにかんがみて、給付金を支給することを定めている。

(2) 小型無人機等飛行禁止法

652　小型無人機等飛行禁止法（重要施設の周辺地域の上空における小型無人機等の飛行の禁止に関する法律）は、国会議事堂、内閣総理大臣官邸その他の国の重要施設等（危機管理行政機関の庁舎、最高裁判所、皇居、政党事務所）、外国公館等（大使館、領事館のほか、外国要人が所在する場所を含む。）、防衛関係施設（自衛隊の施設のほか在日アメリカ軍に提供して

(注96)　平成18年の改正法によって行われた。法律の規定上はテロ対策との直接の関連はないが、同法の趣旨説明において、「第一は、テロの未然防止のための規定の整備でございます。」として上陸審査時に個人識別情報の提供を義務付けることを述べている（衆議院法務委員会、平成18年3月15日）。

(注97)　衆議院の内閣委員長提案で、衆議院、参議院とも全会一致で成立している。

いる施設を含む。)、空港及び原子力事業所の周辺地域の上空における小型無人機等（ドローンなど）の飛行を禁止することにより、これらの重要施設に対する危険を未然に防止して、国政の中枢機能、良好な国際関係、国の防衛基盤並びに国民生活及び経済活動の基盤の維持並びに公共の安全の確保に資することを目的として、平成28年に議員提案で制定された。[注98]

対象となる施設（とその敷地及び区域並びに周囲おおむね300メートルの地域）の指定は、国の機関についてはそれぞれの行政機関の長、政党事務所については総務大臣、在外公館等については外務大臣、防衛関係施設については防衛大臣、空港については国土交通大臣が、それぞれ警察庁長官（海域の場合は警察庁長官及び海上保安庁長官）と協議した上で行い、官報で公示される。対象原子力事業所については、国家公安委員会が必要であると認めるものを指定する。周知のため、指定された地域に関する地図を作成し、インターネット等で公表することとされている。

対象施設周辺地域の上空において、小型無人機の飛行等を行うことが禁じられる。[注99]違反して小型無人機等の飛行が行われていると認められる場合には、警察官は、飛行を行っている者に対し、上空から退去させることその他の危険を未然に防止するために必要な措置をとることを命ずることができる。命じられた者が措置をとらないとき、命令の相手方が現場にいないために命ずることができないとき、命じるいとまがないとき（すぐに対処しなければならないとき）は、警察官は、対象施設に対する危険を未然に防止するためにやむをえないと認められる限度において、飛行の妨害、飛行機器の破損その他必要な措置をとることが認められている。この警察官の措置は、即時強制に当たる。ドローンが攻撃的な意図であるのかどうか、何らかの攻撃的な装置を積載しているのかどうかは、すぐには分から

(注98) 制定時の法の名称は「国会議事堂、内閣総理大臣官邸その他の国の重要な施設等、外国公館等及び原子力事業所の周辺地域の上空における小型無人機等の飛行の禁止に関する法律」であったが、令和元年の改正法により、防衛施設が加えられ、現在の名称に改められた。令和２年の改正法で空港施設が追加されている。なお、改正法はいずれも内閣が提案している。

(注99) 対象施設の管理者又はその同意を得た者については、小型無人機等を飛行させることができるが、あらかじめ都道府県公安委員会と対象施設管理者等にその旨を通報しなければならない。土地の所有者等が自らの土地の上空で飛行を行う場合も同様である。

ないので、操作者を視認できて命令を伝達することがすぐにできるときでなければ、外形的に危険だと判断してその場でとり得る手段を尽くすことは、「危険を未然に防止するためにやむをえないと認められる限度」を超えるものとはならないと考えられる（もっとも、軽い程度の手段で対応できることが明らかであれば、より重い手段を用いることはできない。容易に捕捉できることが見込まれる場合に破壊するのは違法となり得る。）。警察官の権限は、海上保安官及び施設を職務上警護する自衛官の職務執行に準用されている（自衛官については、警察官がその場にいないときにおいて、防衛大臣が警察庁長官と協議して定めたところによって行う場合に限って認められる。）。空港の管理者の指定した職員についても、同様となる。

本法においては、規定に違反して小型無人機等の飛行を行った者以外の者が、警察官等がとった措置によって損失を受けた場合には、通常生ずべき損失を補償しなければならないことが定められている。適法な行為であれば国家賠償責任を負わないが、機器を提供している者が損失を受けることが想定される中で、損失補償の規定を設けたことは、違法行為を行った者以外との関係で生ずる争いを避け、正当な職務執行を現場の職員が積極的に行う上で有意義な仕組みであると評価できる。

命令に違反した者及び対象施設の敷地上空で小型無人機等を飛行させた者は、1年以下の懲役又は50万円以下の罰金の対象となる。警察官の命令に違反した者についても同様とされている。

第7章　警察における情報の取得と管理

本章では、主として個人情報に関して、情報に関わる法的規律、警察における情報の取得、情報の保管と利用について、解説する(注1)。なお、情報公開に関しては次章第4節で解説する。

第1節　情報に関わる法的規律

1　情報の重要性と法的枠組み

　警察は、様々な事象に対処するために多くの情報を取得し、活用している。情報とは、伝達処理可能な無体物で、何らかの意味ないし事実の存在を示すものを意味する。特定の時間に特定の場所を特定の車両が通過したという情報、特定人が暴力団のためにある行為を行ったことについてある者が明らかにしたという情報、特定の時間に特定の場所で撮影された人の顔画像情報など様々なものがある。遺留体液の中に含まれるDNAに関するDNA型情報のように、物の分析結果としての情報もある。情報は、有体物とは異なり、物理的有限性がなく、完全な複製が可能で、電磁的データとしてコンピュータシステムによって蓄積、処理（分析、照合）することができる。捜査は証拠となり得る資料だけでなく、様々な情報資料を総合的に判断して進めていくべきものであり(注1の2)、今日ではデータ化された情報

（注1）　情報の取得と管理は、警察実務にも警察行政法学にとっても重要な課題である。本章の記述に対する憲法学からの指摘として、小山剛「田村警察行政法学－憲法学の視点から」『社会の安全と法』及び山本龍彦「警察による情報保管・データベース化の「法律」的統制について」『社会の安全と法』があり、いずれも示唆に富む。

（注1の2）　犯罪捜査規範は、「捜査を行うに当つては、すべての情報資料を総合して判断するとともに、広く知識技能を活用し、かつ、常に組織の力により、捜査を総合的に進めるようにしなければならない。」、「犯罪に関する有形または無形の資料、内偵による資料その他諸般の情報等確実な資料を収集し、これに基いて捜査を進めなければならない。」と定めている（5条及び81条）。

を活用することが基本となっている。また、暴力団のような組織犯罪やテロ組織に対しては、情報を分析して、対策を講じることが不可欠である。マネー・ロンダリング等を防止する観点から、疑わしい取引に関する大量の情報が銀行等から関係行政機関を通じて警察に届けられ、分析して捜査に活用されることが制度化されている（☞636）。このほか、暴力団排除のための暴力団情報の提供、個々人が犯罪被害を回避するための犯罪ないし不審な事態の発生に関わる情報の提供のように、警察の側から市民に情報を提供することも、暴力団対策、市民の防犯対策において重要な役割を果たしている。このように、警察の活動、そして市民を含めた活動による安全の確保において、情報の取得と活用が重要になっているのが今日の特徴である。

702　過去の法制では、有体物の収集と人の身体や私的空間への侵入が専ら問題とされてきた。情報は、それ自体が法的な規律の対象ではなく、情報の基になる有体物を収集し、あるいは人の身体や私的空間に対して侵入する行為だけが法的な規律を受けていた。情報を収集し、あるいは情報の基となる有体物を得るための過程で、働きかける対象者（情報自体のターゲットとしての対象者と一致するとは限らない。）の権利・自由を侵害するものでなければ、情報を取得し、その後に情報を保有し、加工、活用することに法的な問題はなかったのである。

703　これに対し、今日では、特定の個人に関わる情報が保有されることによって、その個人の権利利益が損なわれる事態を引き起こすことがあり得ることを踏まえ、そのような情報を保有するために取得する行為、保管する行為、利用、提供する行為自体が、個人の正当な利益に対する侵害行為となり得るものであるとし、法的に規律されるべきものと位置付けられるようになってきている。最高裁は、個人の私生活上の自由として、何人もその承諾なしにみだりにその容貌等（容貌と姿態）を撮影されない自由を有することを明らかにし、警察が正当な理由なく個人の容貌等を撮影することは許されないものとしている(注2)。さらに、最高裁は、公権力行使から保護されるべき私生活上の自由の一つとして、「何人も、個人に関する情報をみだりに第三者に開示又は公表されない自由」を認めている(注3)。個人情報につ

いては、その取扱いによって個人の人格的、財産的な権利利益が侵害されるおそれがあることに着目して、個人情報保護法が定められ、取得、保管、利用の各段階において規制をするとともに、本人が行政機関に対し、開示、訂正、利用停止を請求する権利を有するという制度が導入されるに至っている。

警察は、個人情報に関する取得、保管及び利用における法的規制を遵守しなければならない。個人情報保護法制によって、第三者への提供制限が行政機関にも民間の個人情報取扱事業者にも課されるため、警察が他の行政機関に保有情報を提供したり、一般に広報したりする場合の限界だけでなく、警察が個人情報を収集する場合に相手方から協力を得るための根拠付けについても、法的検討が必要となってきている。

情報は物理的な制約を受けず、国境を越えて流通することも多い。このため、警察等の行政機関を含めて、国際的に情報交換が行われると同時に、情報の保護に関しても、国際的な取組が行われている（☞706）。

column データ取得（保存）による正義の実現

防犯カメラの画像情報をはじめ、様々なデータが保存され、警察が取得することに関するこれまでの論議では、被撮影者のプライバシー保護が一方で主張され、他方で犯罪の予防（とそのための捜査）の必要性が対比されている。

しかし、画像情報をはじめとする正確なデータが保存され、警察がそれを取得

（注2）　最高裁大法廷判決昭和44年12月24日〈刑集、Ⓦ〉は、デモ行進の際の許可条件違反を撮影した行為について、憲法13条は「国民の私生活上の自由が、警察権等の国家権力の行使に対しても保護されるべきことを規定している」「個人の私生活上の自由の一つとして、何人も、その承諾なしに、みだりにその容ぼう・姿態を撮影されない自由を有する」ことを明らかにし、正当な理由のない撮影は許されないとしている。なお、本件では、正当な理由が認められている（☞732）。

（注3）　最高裁判決平成20年3月6日〈民集、Ⓦ〉（住基ネット事件）は、住民基本台帳法に基づく情報ネットワークの合憲性が争われた事件で、この自由の存在を認めつつ、個人に関する情報をみだりに第三者に開示又は公表するものとはいえないので、憲法13条に反しないとの判断を示している。

（注4）　「情報プライバシーの権利」や「情報自己コントロール権」といった権利が個人に認められるとする説も多いが、「プライバシー」のようにある範囲での権利性が認められるものがあるとしても、権利として認められるべき内容が定まっているとはいえないので、法律の規定上はそれらの「権利」があるとはされていない。

することの意義は、単に犯罪の予防に還元されるものではない。正確なデータがあることによって、様々な事態において、正当な側の権利が擁護され、その主張が認められて正義が実現されることの重要性にも着目する必要がある。例えば、交差点における交通事故において、双方が交差点進入時に青信号であったと主張する場合には、いずれか一方は虚偽の主張であるが、その解明は容易なことではない。特に、一方が死亡し、生存している側が青であったと主張する場合には、疑わしきは被告人の有利にという原則を超えた立証ができない限り、実質的に死者の側に責任があったものとされてしまうことになる。事故時の映像がデータとして存在することは、捜査に要する人的コストを減らすだけでなく、虚偽の主張を排し、法を守っている側の主張を明確に是認するものである。新宿歌舞伎町における街頭防犯カメラシステムでも、これを用いた最初の事例は、タクシーに対して、自らが衝突された「被害」を主張する者を、恐喝未遂で逮捕したものであった（東京新聞平成14年3月22日記事）。映像情報がなければ、タクシーの運転手は、本当は被害者であるにもかかわらず、加害者的な者と位置付けられ、その正当性が認められるまでに相当な困難があったものと思われる。

　裁判になる場合もそうでなくとも、当事者（刑事事件における被害者を含む。）にとって、正当な主張が証拠不十分として排斥されるのは、耐え難いものであり、不正義である。データ（記録）の存在は、正義の実現において重要な意味を持つのであって、その意義を含めて、プライバシーとの利益較量がなされるべきである。
(注5)

column　OECD8原則

　プライバシーを保護しつつ、個人データの円滑な国際流通を図るために、1980年9月に、日本も加盟するOECD（経済協力開発機構）において、「プライバシー保護と個人データの国際流通についてのガイドラインに関するOECD理事会勧告」が採択された。勧告で示された8つの原則は、プライバシー保護における官民共通の国際的な基本原則となっている。(注6) 8原則の大まかな内容は、以下のとおりである。

　① 収集制限の原則　個人データは、適法かつ公正な手段によって、かつ、適

（注5）　アメリカの憲法学者レッシグは、ビデオがあるために自らが宿泊しているホテルの部屋に若い女性（実は自分の娘）が入ったことが問題とされるおそれを述べている（ローレンス・レッシグ（山形浩雄ほか訳）『CODE』（翔泳社、2001年）271頁）。しかし、画像情報があれば自分の娘であることを容易に明らかにできるのに対し、ホテル従業員の記憶の場合には疑いを晴らせないことがあり得るのであって、この例は、逆に、正確な記録の保存の意義を明らかにしたものといえる（大屋雄裕『自由とは何か』（ちくま新書、2007年）141頁）。

当な場合においては、データ主体に知らしめ、又はその同意を得て取得されるべきである。
② データ内容の原則　個人データは、その利用目的に適合したもので、かつ、利用目的に必要な範囲において正確、完全で最新な状態に保たれなければならない。
③ 目的明確化の原則　個人データの収集目的は、収集の時までには明確にされている必要があり、データの利用は収集目的（当初の収集目的に矛盾しない範囲で変更が明確化された他の目的を含む。）の達成に限定されなければならない。
④ 利用制限の原則　個人データは、明確にされた目的以外の目的のために開示、利用、その他の使用に供されてはならない。データの主体が同意している場合と、法律による場合には例外が認められる。
⑤ 安全保護の原則　個人データは、紛失、不正アクセス、破壊、使用、改ざん、漏えい等の危険に対し、合理的なセキュリティ措置によって保護されなければならない。
⑥ 公開の原則　個人データに関する開発、運用及び方針については、公開政策がとられなければならない。個人データの存在、性質、主たる利用目的及びデータ管理者の氏名住所を知り得る手段が容易に利用できるようにしなければならない。
⑦ 個人参加の原則　個人は、自己のデータを保有しているかどうかについてデータ管理者から確認を得ること、自己に関するデータを合理的な期間内に、合理的な方法で、かつ、容易に理解できる方法で知らされること、拒否されたときは理由を提示され、争うことができること、不服申立てが認められれば、自分のデータを消去、訂正、保管、補正させることについて、権利を有する。
⑧ 責任の原則　データ管理者は、①から⑦の原則を実施するために措置を遵守する責任を有する。

（注6）　その後、ＥＵでは「個人データ処理に係る個人の保護及び当該データの自由な移動に関する欧州議会及び理事会の指令」が1995年に示され、ＥＵ加盟各国にこの指令を遵守するために必要な国内法の制定を求めた。さらに、ＥＵでは、一般データ保護規則（GDPR）を制定し、2018年から施行している。この規則は、日本では個人情報とされていないIPアドレスなども個人データとみなされ、従来以上に厳しい規制が及んでいる（指令と異なり、加盟国の法制化を経ることなく、ＥＵ域内の個人情報を取り扱う事業者等に直接的に適用される。）。また、ＥＵ域外へのデータ移転が規制され、十分な保障をしているものと認められないと大きな制約が課される（日本は十分性の認定を受けている。）。

2 情報に関して規律する法律

(1) 法律の制定状況

707　警察を含めた行政機関が情報を保有することに関しては、職員の職務上知ることのできた秘密を守る義務が公務員法（国家公務員法及び地方公務員法）で定められる（違反は1年以下の懲役又は50万円以下の罰金）ほかは、特別の規制はなかった。「行政機関の保有する電子計算機処理に係る個人情報の保護に関する法律」が昭和63年に制定され、コンピュータ処理される個人情報ファイルに関して、保有目的の公示、本人開示などが初めて定められた。同法には、取得に関する規定はなく、個人情報ファイル以外の情報に適用されないこともあって、行政側への影響は限られたものであった。

　その後、企業を含む様々な組織において大量の個人情報がデータとして蓄積処理されるようになってきた中で、個人情報の不適正取扱いによる権利利益侵害の危険とそれに対する国民の不安感が高まってきたのを受けて、平成15年に、個人情報保護法と、行政機関個人情報保護法（この法律は旧法（行政機関の保有する電子計算機処理に係る個人情報の保護に関する法律）の全部を改正したものである。）が制定され、いずれも平成17年から施行された。都道府県でも、国の行政機関個人情報保護法とおおむね同内容の個人情報保護条例が制定された。一方、市町村では、国に先んじて個人情報保護条例を制定していたところも多く、国とは異なる内容のもの（第三者に提供可能な情報の範囲をより限定し、あるいは審議会の承認を要するといったもの）もかなり存在していた。

708　令和3年にデジタル社会形成整備法が制定され、個人情報の保護については、民間部門、公的部門（国、地方公共団体）とも共通の法律（個人情報保護法）で規律されることとなった（☞710）。国の行政機関個人情報保護法は、令和4年4月に廃止され、個人情報保護法に一元化されている。また、地方公共団体についても、令和5年4月に国の個人情報保護法が及ぶようになる。以下では、令和5年の一元化以降の内容を記述する。

　公的機関の場合、個人情報保護法の第5章の規定が適用される。(注6の2)個人情報の保有の制限と利用目的の特定、適正な取得、正確性の確保、安全管理

措置、他目的利用及び他者への提供の制限、個人情報ファイル作成の個人情報保護委員会への事前通知とファイル簿の作成・公表、本人請求に対する開示と訂正及び利用停止（本人の開示請求権、訂正請求権、利用停止請求権）などが定められている。国の行政機関の場合、根拠法律は変わったが、具体的な規律の内容は、ほとんど変わっていない。なお、他者に提供し又は盗用した場合、職権を濫用して職務用以外に用いる目的で収集した場合の処罰は、第8章で定められている。

民間部門については、個人情報保護法の第4章の規定が適用される。警察を含めた行政機関への個人データの提供が、一定の場合を除き、第三者提供の制限や利用目的外使用として規制されるため、警察を含めた行政機関の情報の取得に影響を及ぼすものとなる。

これらの個人情報保護関連法制が整備される一方で、犯罪予防や捜査における情報の重要性から、事業者等に対して、正確な情報を保管し、一定の事態が生じた場合に行政機関への提供等を義務付ける制度も設けられてきている（犯罪収益移転防止法等）。

行政機関が保有する情報に関しては、情報公開法が制定されている。情報公開法は、不開示情報の範囲等で個人情報保護法と対応する部分があるが、行政機関を国民が統制するための法律であり、情報の収集保管を被収集者との間で規律する個人情報保護法とは目的、機能を異にする。情報公開法については、警察組織に対する国民・住民の統制を扱う第8章第4節で解説する。

column　デジタル社会形成整備法

デジタル社会（インターネットを通じて自由で安全に多様な情報を入手・共有・発信するとともに、情報通信技術を用いて多様で大量の情報を適正かつ効果的に活用することにより、あらゆる分野における創造的で活力ある発展が可能な社会）の形成に向けて、令和3年にデジタル社会形成基本法が制定され、デジタル庁が設置されるとともに、デジタル社会形成整備法（デジタル社会の形成を図るため

（注6の2）　地方公共団体が一元化されるまでは、都道府県警察の場合は、その都道府県の個人情報保護条例の適用を受ける。

の関係法律の整備に関する法律）が制定された。データの活用が不可欠な社会になっており、悪用・濫用からの被害防止の重要性が増大するとともに、少子高齢化や自然災害などの社会的な課題解決のためにデータ活用が強く求められている、という現状認識が基になっている。

　この法律の中心は個人情報保護制度の見直しである（他に、マイナンバーカードの活用の拡大（☞711）と押印・書面の交付等を求める手続の見直し（押印を不要とするとともに、書面の交付について電磁的方法によって行うことを可能とするもので、48の法律が改正された。）が規定されている。）。この法律で、個人情報保護を定める法律を統合するとともに、地方公共団体の保有する個人情報についても統合後の法律で全国的な共通ルールで取り扱うものとし、国・地方の公的部門を含めて、全体の所管を個人情報保護委員会に一元化することになる。合わせて、個人情報の定義を国・地方・民間で統一する（個人情報保護法で従来から定めていた定義に統一する）こと等も行われている。デジタル社会の進展や個人情報の有用性の高まりを背景として官民や地域の枠を超えたデータの利用・活用が活発化する中で、民間部門と公的部門で「個人情報」の定義が異なる、地方公共団体の間で個人情報保護条例の規定やその運用が異なることが大きな支障となるという問題が強く認識されたことが、改正につながったといえる。

　改正により、個人情報保護とデータ流通の両立に必要な全国的共通ルールが法律（改正後の個人情報保護法）で設定され、地方公共団体を含めて直接的に規律を及ぼすこととなった。具体的な運用に関しては、国（個人情報保護委員会）がガイドラインを策定する。なお、地方公共団体の既存条例は改廃をすることになる（個人情報保護法が直接適用されるため条例を残す必要もない。）が、法律の範囲内で、必要最小限の独自の保護措置を地方自治体が条例で定めることは可能とされている。(注7)

（注7）　地方公共団体の機関が保有する情報のうち、法律で規定する要配慮個人情報以外のもので「地域の特性その他の事情に応じて、本人に対する不当な差別、偏見その他の不利益が生じないようにその取扱いに特に配慮を要するもの」があるときは、地方公共団体が条例で「条例要配慮個人情報」を定めることができる。その地方公共団体に限って特に配慮を要するものとなる。そのほか、個人情報の適切な取扱いを確保するため特に必要な場合に限って、審議会等からの意見聴取手続を条例で定めることも認められる。これらの条例は個人情報保護委員会に届け出ることになっている。

column 番号法（マイナンバー法）

　主として税や社会保障における公平性の確保の観点から、全ての個人（住民票を有する者）と法人に固有の番号を付ける制度を設けることを定めた「行政手続における特定の個人を識別するための番号の利用等に関する法律」が平成25年に制定され、平成27年に施行された。税と社会保障（年金、労働、福祉）に関して、関連する機関相互において同一人の情報をその番号に結び付けて相互に活用することにより、正確な所得把握を可能として社会保障や税の負担の公平化が図られ、行政事務の効率化・国民の利便の向上が図られることとなる(注7の2)。個人番号（マイナンバー）は、市町村が指定し、本人に通知される。

　個人番号（又はこれに対応する符号等を含む。）を含んだ情報（特定個人情報）については、活用の範囲が、法律によって、税と社会保障のほかは、災害対策のみに限定されていて、たとえ本人の同意や他の公益上の必要があっても、他の目的に用いることは、本法に列記されている場合のほかは許されない(注7の3)。本人の申請により、個人番号と氏名・住所・性別・生年月日が記載され、顔写真の付いた個人番号カードが発行される。一方、法人については、国税庁がそれぞれの法人に固有の番号を付すが、法人の番号については利用の制限はなく、他の機関、民間でも利用することができる。

　マイナンバー制度については、制定時には上記のように、限られたものにのみ用いる（「国民の生活が番号ですべて明らかになってしまう国民総背番号制に反対！」といった批判を受けないようにする）方針がとられてきたが、より良いデジタル社会をめざす中で、マイナンバー制度を積極的に活用することが政府全体の方針となり、デジタル庁がこの法律を所管し、今後の利用拡大に向けた検討等を行っている。令和3年の改正法で、医師免許等の国家資格に関する事務へのマ

(注7の2) 平成27年に制定された法律により、制度の利用範囲が金融や医療の分野に拡大された。さらに、平成30年に制定された法律により、社会保障、地方税、防災に関する事務その他これらに類する事務であって地方公共団体が条例で定める事務にも利用可能となった。

(注7の3) 通常の個人情報の場合には、「法令に定めのある場合」といった第三者提供許容条項があるが、個人番号を含んだ情報の場合には、本法19条に個別に列挙された場合に限られる。「刑事事件の捜査」は例外として明記されている。そのほか、「人の生命、身体又は財産の保護のために必要がある場合において、本人の同意があり、又は本人の同意を得ることが困難であるとき」にも第三者提供が認められる。これらに該当しない限り、何人も他人の個人番号を含んだ特定個人情報を収集し、保管してはならない（20条）。例えば、本人確認を個人番号カードで行った場合に、個人番号の記載されている部分をコピーするといった行為はこれに該当する。一般人の違反は勧告又は命令の対象となるのにとどまるが、国又は地方公共団体の職員が、職権を濫用して個人の秘密に属する特定個人情報が記録されたものを収集した場合には、2年以下の懲役等の罰則が適用される。

イナンバーの利用範囲の拡大、マイナンバーカードの機能（電子証明書）のスマートフォンへの登載、任意で公金受け取りのための口座をマイナンバーとともに登録し緊急時の給付金などの受け取りに口座が利用できる仕組みなどが導入された。令和4年の道路交通法の改正によって、マイナンバーカードに運転免許情報を記録することで一体化することも可能となる（☞624）。観念的な反対論・批判が一部で強硬に主張される場合に、極めて限定的なものとして制度を創り、その後に実態や必要性に対する認識が高まる中で、合理的な制度に変わっていく一つの例だといえる。

(2) 個人情報保護の基本と個人情報保護委員会

712　個人情報保護法は、「個人情報の有用性に配慮しつつ、個人の権利利益を保護すること」を基本的な目的としている（行政機関にとっては、「行政機関等の事務及び事業の適正かつ円滑な運営」を図ることも目的となる。）。個人の権利利益の保護のみが絶対的に追求されるのではなく、個人情報の有用性も十分に考慮されなければならない（☞718）。犯罪捜査をはじめとする公益上の有用性、民間の事業活動の効率化のような他人にとっての有用性だけでなく、本人にとっての有用性も含まれる。

「個人情報」とは、生存する個人に関する情報（個人の属性・行動、個人に対する評価だけでなく、個人に関連したすべての情報が含まれ、映像や、位置情報も含まれる。公知の情報でも、公的な立場の者の情報でも、個人情報でなくなるわけではない。）であって、その情報に含まれる氏名等の記述によって特定の個人を識別できるものと、個人識別符号が含まれる(注8)ものを意味する。その情報だけでは個人が特定できなくても、保有者が他の情報と照合することで容易に個人を特定できるものであれば、個人情報に含まれる。個人識別符号が含まれていれば、実際に容易に個人を特定(注8の2)できるかどうかとは関係なく、自動的に個人情報となる。一方、「死者の

(注8)　個人識別符号は、政令で定められており、身体特徴を個人特定データとしたもの（指紋、DNA配列、虹彩、静脈など）と、運転免許証番号、旅券番号など個人証明に使えるようなものの番号が該当する。携帯電話番号、クレジットカード番号は含まれない（携帯電話番号等が含まれている情報の中の他の部分によって本人が特定できる場合には、携帯電話番号等の部分も含めて全体が個人情報として保護すべきものとなるのは当然である。）。

情報」は個人情報には当たらない（ただし、死者の情報が生存者にとっても個人情報に当たる場合には、その生存者の個人情報として扱う必要がある。）。なお、個人が特定できないように加工すれば個人情報ではなくなるが、どのようにすれば「特定できない」となるかなどに関して法律で定めが置かれている。^(注8の3)

「個人情報は、個人の人格尊重の理念の下に慎重に取り扱われるべきものであることに鑑み、その適正な取扱いが図られなければならない。」ことが基本理念として同法で定められている。

個人情報保護に関する責任行政機関は、個人情報保護委員会である。^(注8の4)委員会は、ガイドラインを策定する（合わせてそのＱ＆Ａも公表している。）。個人情報保護委員会のガイドラインとそのＱ＆Ａは、法律の解釈運用において非常に重要な意義を有する。そのほか、個人情報保護委員会は、個人情報取扱事業者の監督（報告徴収・立入検査、指導及び助言、勧告及び命令であるが、事業所管大臣に一部委任されている。）、苦情へのあっせん等も行っている。

令和4年4月以降、個人情報保護委員会は、国の行政機関の監視（資料の提出の要求、指導及び助言、勧告、勧告に基づいてとった措置についての報告の徴収）も行うこととなった。行政機関にとって、それまでの総務大臣の行政内部管理的な関わりから、官民共通の個人情報の保護に任ずる外部的な組織としての委員会の監督を受けることになったものといえる。

(注8の2) 統合される前の行政機関個人情報保護法では、「容易に」という要件がなく、他の情報と照合することで個人を特定できる場合はすべて個人情報とされていた。統合に当たって、民間側の規制に合わされたため、特別のことをしないと個人が特定できないような場合には、個人情報に含まれないものとなった。もっとも、「容易に」特定できるかどうかは、保有者が有する他の情報等によって異なる。

(注8の3) データ利活用（及び誤った利用防止）の観点から、個人情報に復元できないようにして用いる匿名加工情報の制度と本人が復元しないで使用する（第三者提供が制限される）仮名加工情報の制度が設けられている（仮名加工情報は民間のみ）。

(注8の4) 個人情報保護委員会は、個人情報保護法に基づいて、内閣府に置かれる独立行政委員会であり、委員長と8人の委員によって構成されている。番号法（マイナンバー法）に基づいて設置された特定個人情報保護委員会が、平成28年に改組されて、個人情報保護委員会となった（委員会は、個人情報保護法に基づく権限のほか、番号法に基づいて、特定個人情報に関して、行政機関、地方公共団体、民間を含めて監視・監督に当たっている。）。

(3) 要配慮個人情報の取扱い上の原則

713　個人情報の中でも、犯罪経歴など、本人に対する「不当な差別、偏見その他の不利益が生じないようにその取扱いに特に配慮を要するもの」を「要配慮個人情報」という。個人情報保護でも特に重要なものであり、定義と取扱い上の原則についてこの項で解説する。

「要配慮個人情報」は、法律と政令で具体的に定められ、人種、信条、社会的身分、病歴、犯罪の経歴、犯罪により被害を被った事実、心身の障害などが該当する。病気と判断されていなくても、健康診断等の結果や、医師の診察を受けたことも含まれる。同様に、厳密な意味での犯罪経歴以外でも、本人が被疑者又は被告人として逮捕・捜索・差押え・勾留・起訴その他の手続が行われたことや少年法に基づいて調査・観護措置・審判・保護処分その他の保護手続が行われたことも含まれる（無罪判決も被告人としての刑事手続の対象となったことに変わりはないから該当する。）。一方、犯罪行為が疑われる行動が監視カメラに写っていても、刑事手続が行われていない場合には、要配慮個人情報には含まれない。

民間の個人情報取扱事業者は、あらかじめ本人の同意を得た場合以外には、要配慮個人情報の取得が原則として禁じられる。例外的に認められるのは、法令に基づく場合、人の生命、身体又は財産の保護のために必要がある場合で本人の同意を得ることが困難であるとき、公衆衛生の向上又は児童の健全な育成の推進のために特に必要がある場合で本人の同意を得ることが困難であるとき、国の機関や地方公共団体（それらから委託を受けた者を含む。）が法令の定める事務を遂行することに対して協力する場合で本人の同意を得ることによりその事務の遂行に支障を及ぼすおそれがあるときなどである。これらは本人の意思よりも優先する利益の保護のために要配慮個人情報を取得する必要性がある場合を認めたものである。もっとも、法令に基づく場合を除き、それぞれの必要性があっても、本人の同意が原則であり、同意なしに取得するには、同意を得ることが困難であったり、同意を得ることで公務に支障を及ぼすおそれがあることが要件として加えられている。もう一つは、既に公開されている場合である。本人が公開している（例えばブログやSNS等に記載している）ときのほか、国

の機関、地方公共団体が公開しているとき、報道機関が報道をしているときも、本人の同意なく取得することができる。そのほか、外形上明らかに分かる場合（例えば車椅子を恒常的に使用していて身体の障害が外観上明らかな場合）も取得が認められる。

　公開されているなどの理由で取得が認められる場合でも、本人の事前同意のない他者への提供は制限される（民間の場合に、本人が反対しなければ第三者に提供するという方式（オプトアウト方式）があるが、要配慮個人情報の場合は認められない。）。本人が自らの病状をブログ等に記載していた場合でも、要配慮個人情報でなくなるわけではないので、取得や保管をする必要があるかどうかは目的に照らして厳格な判断が求められるし、他者に提供するのはより一層高いハードルがある。

　このことは、公的機関の場合もまったく同様である。公的機関の場合、取得を直接に制限した規定はないが、要配慮個人情報の取得及びその後の取扱いに慎重を期すべきことが、当然のこととして求められる。要配慮個人情報の漏えいがあった場合には、個人情報保護委員会への報告が必要になる（☞744）。警察は、業務の性格から、多くの要配慮個人情報を本人の同意なく取得し、保有しているが、それだけに、利用目的の達成に必要な限度に保有が限られること、他者への提供には厳格な制約があること、漏えいが絶対起きないようにすることに一層留意しなければならない。

(4)　民間部門の規律の概要

　個人情報データベース等を事業の用に供している者が広く「個人情報取扱事業者」として規制の対象となる。営利目的の会社だけでなく、NPO、法人格のない団体（自治会、同窓会など）、事業をする個人も対象となる。保有している情報が少なくても例外とはならない。個人情報データベース等とは、特定の個人に関する情報を検索できるようにしたデータベースや

714

（注8の5）　報道機関、政治団体、宗教団体が報道、政治活動、宗教活動のために保有する場合には、報道の自由、政治活動の自由、宗教活動の自由を尊重して、個人情報取扱事業者から除外されている。なお、大学その他の研究機関については、以前は対象から除外されていたが、国内外の他の組織との共同研究の際の個人情報共有の必要性を踏まえて、デジタル社会形成整備法による改正により、規制の対象とした上で、一定の範囲で例外を設けることとされた。

紙媒体でも容易に特定の個人の情報を検索できるようにしたものを意味する。なお、個人情報取扱事業者となるかどうかは「個人情報データベース等」があるかどうかで決まるが、取得の制限等はデータベースに用いられることのない個人情報も含めて対象としている。

個人情報取扱事業者は、ⅰ利用目的の特定、ⅱ利用目的による制限（利用目的に必要な範囲を超えた個人情報取扱いの禁止）、ⅲ不適正な利用の禁止（違法又は不当な行為を助長し、又は誘発するおそれのある方法により個人情報を利用してはならない。）、ⅳ適正な取得（偽りその他不正手段によって個人情報を取得してはならない。原則として要配慮個人情報を取得してはならない。）、ⅴ取得に際しての利用目的の通知、ⅵ個人データの内容の正確性の確保、ⅶ個人データの安全管理措置と漏えい（要配慮個人情報が含まれる個人データの漏えい、大規模な漏えいなど影響の大きい場合）時の個人情報保護委員会への報告義務）、ⅷ個人データの第三者提供の制限（法令の定めのあるときその他一定の事由に該当する場合でなければ、本人の同意なしに第三者に提供してはならない。提供した場合は記録を作成しなければならない。）、ⅸ保有個人データに関する事項の公表、ⅹ保有個人データに関する本人からの開示請求（第三者に提供した記録を含む。）、ⅺ保有個人データに関する本人からの訂正請求（内容が事実でないとき、訂正、追加、削除を請求することができる。）及び利用停止請求（利用目的の制限に違反しているとき、不適正な利用がされているとき、不適正な取得がされたときに行うことができる。）、などが定められている。取得の制限等（ⅴまで）は個人情報全体、内容の正確性確保など（ⅵ以下）は個人データ（個人情報データベース等を構成する個人情報）が対象となっている。

個人情報取扱事業者が、本人の同意なしに、警察を含めた国又は地方公共団体の行政機関に個人データを提供することは、第三者提供に当たるの

(注9) 一般の文字列検索により個人名での検索も可能な状態になっているだけの場合（例えば文書作成ソフトにより作成された文書のうちから個人名を含めた任意の文字列によって検索が可能となっている場合）は、「体系的に構成されている」わけではないので、個人情報データベースには当たらない。

で、法令に基づく場合、法令で定めるそれらの機関の事務の遂行に協力する必要があり、本人の同意を得ることがその事務の遂行に支障を及ぼすおそれがある場合などに限られる（☞725）。また、個人情報を取得した際に利用目的を通知しなくてもよいのは、通知公表によって本人又は第三者の権利利益や個人情報取扱事業者の正当な利益を害するおそれがある場合、公務の遂行に支障が生ずるおそれがある場合、取得の状況から利用目的が明らかである場合に限られる。

　個人情報取扱事業者の役員や従業員（派遣労働者を含む。）が、その業務に関して取り扱った個人情報データベース等（全部又は一部をコピーし、又は加工したものを含む。）を、不正な利益を図る目的で提供し、又は盗用したときは、1年以下の懲役又は50万円以下の罰金に処することが、規定されている。

　なお、法律は、事業内容ごとの規定を置いてはいないが、金融、医療・介護、電気通信事業などに関して、それぞれの事業の特性を踏まえた関係省庁（一部は関係省庁と個人情報保護委員会との共同）によるガイドラインが公表されている。

(5) 公的部門の規律の概要

　国又は地方公共団体の行政機関が、組織的に保有する個人情報（保有個人情報）が広く対象となる（「個人情報」の定義について☞712）。組織として保有しているものは、どのような媒体上であっても、決裁や供覧を経ていなくても、含まれる（「個人メモ」と書いてあっても、担当者が変わった後も保存されているのであれば組織的に保有するものに該当する。）。保有目的を問わない。犯罪捜査に関して保有する情報についても、捜査書類に含まれる場合に開示や訂正等の規定が適用されないといった例外はあるが、原則としてこの法律の規制が及ぶ。

　行政機関における個人情報の取扱いに関し、ⅰ個人情報の保有等の制限（保有は法令の定める所掌事務を遂行するために必要な場合に限り、その利用目的をできる限り特定する。利用目的達成に必要な範囲を超えて個人情報を保有してはならない。）、ⅱ本人から直接書面で個人情報を取得する場合に利用目的を明示、ⅲ不適正な利用の禁止、ⅳ適正な取得、ⅴ正確性

の確保、vi安全管理措置、vii漏えいがあった場合の報告と本人への通知、viii利用及び提供の制限といった規定が設けられている。

　個人情報は、保有する目的（特定された利用目的）に限って利用することが原則である。保有目的以外のために自らが利用することは、法令の規定に基づく場合又は本人の同意を得た場合を除き、原則として許されない。他の者への提供も同様である。例外として可能となるのは、行政機関が利用目的以外の目的のためにその内部で利用し、あるいは他の行政機関（地方公共団体を含む。）に対して提供する場合であって、i 情報を保有し又は提供を受ける機関が法令の定める所掌事務の遂行に必要な限度で利用する、ii 利用又は提供に相当な理由がある、iii 本人又は第三者の権利利益を不当に侵害するおそれがない、という三つの要件を満たすときに限られる。行政機関や地方公共団体以外の者に提供するのは、本人又は第三者の権利利益を不当に侵害するおそれがないことに加えて、特別な理由がなければならない。

716 　個人情報を体系的に検索できるようにファイルしたものについては、個人情報ファイル簿を作成し、公表しなければならない。このうち、コンピュータ処理されているファイルについては、個人情報保護委員会にあらかじめ通知するものとされている。なお、犯罪の捜査等のために作成し、取得する個人情報ファイルについては、通知、公表の対象外とされている。

　さらに、この法律では、自己に関する個人情報について、開示を請求し、その内容が事実でない場合に訂正を請求し、その情報が適法に取得されていない場合等に利用停止（消去、提供停止を含む。）を請求することができるという権利が認められている。ただし、刑事事件や少年の保護事件に係る処分等についての個人情報については、この制度の対象から除外されているほか、訴訟に関する書類等に係る文書に記録された個人情報についても、刑事訴訟法で適用対象外とすることが定められている。

　行政機関の職員が、個人の秘密に属する事項が記録された個人情報ファイルを正当な理由なく提供する行為、保有個人情報を自己や第三者の不正な利益を図る目的で提供し、あるいは盗用する行為、さらに、職権を濫用して、その職務以外の用に供する目的で個人の秘密に属する事項が記録さ

れた文書等を収集する行為について、処罰規定が置かれている。

(6) 特定秘密保護法

　特定秘密保護法（特定秘密の保護に関する法律）は、我が国の安全保障に関する情報のうち、特に秘匿することが必要であるものについて、漏えいを防止し、国と国民の安全を確保することを目的として、平成25年に制定された。対象は極めて限定されたものであるが、情報取扱者に対する「適性評価」が初めて法定されたこと及び都道府県警察と警察庁との関係に関する規定もあることから、以下で説明を加えることとする。

　法律の規制の対象となる「特定秘密」は、防衛、外交、特定有害活動（スパイ活動）の防止、テロリズムの防止の４分野の中で、法律で列挙された事項に関するもの（例えば、テロリズムの防止のための措置、テロリズムの防止に関する外国政府からの情報など）のうち、特段の秘匿の必要性があるものについて、基準に従って、行政機関の長が指定する（警察関係では、都道府県警察保有の情報も含めて、警察庁長官が指定する。）。秘密を漏えいした者は、10年以下の刑罰の対象となる。本法では、行政機関内外で特定秘密を提供し、共有する仕組みの創設も図られている。

　特定秘密については、様々な保護措置が講じられるとともに、適性評価（その者が特定秘密の取扱いの業務を行った場合に漏らすおそれがないことについての評価）をクリアした者のみに取扱い業務を行わせる。適性評価は、特定秘密の取扱いの業務を新たに行うことが見込まれることとなった者などを対象に、国の行政機関の職員については行政機関の長、都道府県警察の職員については警察本部長が行う。適性評価においては、ⅰ特定有害活動・テロリズムとの関係に関する事項（評価対象者の家族及び同居人の氏名、生年月日、国籍（過去の国籍を含む。）及び住所を含む。）、ⅱ犯罪及び懲戒の経歴、ⅲ情報の取扱いの非違の経歴、ⅳ薬物の乱用及び影響、ⅴ精神疾患、ⅵ飲酒についての節度、ⅶ信用状態その他の経済的な状況についての調査が行われる。適性評価は、本人にあらかじめ告知し、同意を得て実施する。調査結果によって得られた個人情報等は、適性評価以外に用いてはならないことが原則である（懲戒処分等の対象となる疑いが生じた場合にそれに用いることは認められる。）。職員の側は、適性評価に関し

て、苦情の申出をすることが認められる。

　警察庁と都道府県警察とは、法的に別個の主体であるが、同一の責務を担うものであり、かつ、特定秘密の対象となるような情報については全体を通じて警察庁が判断をすべき立場にあることから、指定は警察庁長官が一元的に行い、都道府県警察が保有するものについては、警察庁長官が取扱いの業務をする職員の範囲等を都道府県警察に指示し、警察本部長がその指示に従って適切な保護のための必要な措置を講じ、及びその職員に秘密の取扱いの業務をさせることとなる。警察庁長官が都道府県警察に特定秘密を提供し、あるいは警察本部長に提供を求めることができる。

column　情報をめぐる4つの価値の実現

718　　情報をめぐって異なる4つの価値が存在することに着目して整理することが、情報関係法制を理解する上で有益である。①情報を保有する組織にとっての価値。行政機関が保有する情報であれば、その機関の担う公益（任務）の実現を意味する。保有組織が望まない限り、情報は秘匿されなければならない。公務員法による秘密保護規定、刑事訴訟法などで証言の拒絶を認めた規定が従来から存在するほか、特定秘密保護法が制定されている。②情報の流通・統合によって生ずる価値。代表的なものとして、個人番号を基にして情報を結び付け（データ・マッチング）、脱税等を防止し、公正な社会を実現するために、番号法（マイナンバー法）が制定されている。行政機関と関係団体との情報共有化の根拠規定を設けることも、この価値実現の例である。③情報に含まれる個人の権利利益の保護。個人情報保護法が制定されている。④行政機関の保有する情報を開示させ、透明性の高い行政を実現すること。国民が行政を統制する作用に属する。情報公開法、情報公開条例がこのために制定されている。これらの価値が対立する場合に、どれか一つが他に絶対的に優越するということにはならない。他の価値を大きく損なうことがないように、限界が設けられる。情報公開制度における不開示事由の定めは、④の価値実現を目指しつつ、①及び③の価値と調整した結果である。

第2節　情報の取得

1　警察の情報取得における一般原則

(1) 情報取得と法律の根拠

　情報の取得（保有する目的で情報を入手する行為）は、警察官が見聞きするなど直接に入手する場合と、情報を保有している者（他の行政機関、私人）から入手する場合とがある。いずれも取得の過程で強制を伴うものでなければ、法律の根拠なしに行うことができる。任意活動が、法律の根拠がなくとも一般的に可能であるとされているのと共通である。

　自動車ナンバー自動読取システム（Nシステム）について争われた事件でも、個別法の根拠がない車両検問を適法と認めた最高裁の判例（最高裁決定昭和55年9月22日〈刑集、⑭〉）を参照に掲げ、「我が国においては、警察は、警察法2条1項の規定により、強制力を伴わない限り犯罪捜査において必要な諸活動を行うことが許されていると解される」ことを前提に、同システムの車両データの収集、利用を適法と認めている。容貌等の撮影行為のように、正当な理由がなければ行うことができないものであっても、強制ではなく、法律の根拠規定は要しない。

　これに対し、プライバシーを大きく侵害し、あるいは私的領域を侵害するものについては、一般の情報の取得とは異なり、「強制」として法律の根拠を要することになる。判例上、犯罪捜査の目的でエックス線検査をすることは、強制処分としての検証に当たるものとされている。GPS機器を車に装着して位置情報を知るGPS捜査のように、公道以外を含めて個人の行動を継続的網羅的に把握するものであってプライバシーを侵害し得るものであり、かつ、それを可能とする機器を個人の所持品に秘かに装着することも、判例上、私的な領域に侵入するものとして、強制処分と位置付けられている。もとより、これらの判例は、「公道上の所在を肉眼で把握したりカメラで撮影したりするような手法」とは異なっているからこそ

（注10）　東京高裁判決平成21年1月29日〈判タ1295・193〉。なお、上告されたが、棄却され（平成21年11月27日）、確定している。

強制とされるのであって、公道上の防犯カメラやNシステムによる情報の取得を違法視するものではない。

　警察が情報保有者から入手する行為に関しては、情報が記載されている有体物を差し押さえることは強制であって法律の根拠を要するが、保有者に提供を要請し、相手方の意思に基づいて提供を受けることは、法律の根拠を要しない。

(2)　情報取得の範囲と一般原則

720　警察が情報を取得する範囲は、責務の達成に必要な範囲に限定されるが、そのために必要である限り、事項的限界はない。私生活の自由が憲法上保障されることから、みだりに私生活に関する情報を収集保管することはできないが、責務達成に必要な範囲であれば可能である。人が一般に知られ
_(注11)

（注10の2）　最高裁は、運送中の荷物に対して捜査機関が行ったエックス線検査について、「荷物の形状や材質をうかがい知ることができる上、内容物によってはその品目等を相当程度具体的に特定することも可能であって、荷送人や荷受け人の内容物に対するプライバシー等を大きく侵害するものである」から検証としての性質を有するとして、検証許可状によることなく行ったことは違法であるとした（最高裁判決定平成21年9月28日〈刑集、Ⓦ〉）。犯罪捜査のために機器によって情報を取得する行為が強制に当たる場合には、憲法35条の規定から、原則として裁判官の令状が必要となる。エックス線検査のように検証令状で行うことができる場合のほか、複数の検証令状又は検証令状と他の令状を組み合わせて行うことができる場合、検証令状に条件を付加して行うことができる場合、検証令状ではできない場合があることについて、大川隆男「機器による五官の拡張により新たにもたらされた認識手段と検証」警察学論集75巻2号参照。これに対し、捜査以外の行政手続の場合には、強制となるときに法律の根拠が必要であるとしても、裁判官の令状を要することにはならない（最高裁判決平成28年12月9日〈刑集、Ⓦ〉は郵便物の税関検査について、行政手続としての特質を明らかにした上で、令状がなくても可能であるとしている（もっともこの判決は、単に捜査手続でないというだけでなく、税関検査が国際的に広く行われているものであることを指摘し、プライバシーへの期待が元々低いことを理由の一つとして述べていることにも注意する必要がある。）。

（注10の3）　捜査機関が車両にGPS機器（GPS端末）を設置して継続的に位置情報を取得する行為について、最高裁は、「公道上のもののみならず、個人のプライバシーが強く保護されるべき場所や空間に関わるものも含めて、対象車両及びその使用者の所在と移動状況を逐一把握することを可能にする。このような捜査手法は、個人の行動を継続的、網羅的に把握することを必然的に伴うから、個人のプライバシーを侵害し得るもの」であることを指摘した上で、「個人のプライバシーの侵害を可能とする機器を個人の所持品に秘かに装着することによって、合理的に推認される個人の意思に反してその私的領域に侵入する捜査手法」であるとして、刑事訴訟法上強制処分に当たるとともに、「令状がなければ行うことのできない処分と解すべきである。」としている（最高裁大法廷判決平成29年3月15日〈刑集、Ⓦ〉）。

たくないと思っている情報（機微な情報、センシティブな情報とも呼ばれる（いずれも扱いにおいて細心の注意を要するという意味である。）。犯罪経歴や犯罪被害、病歴など法律で定められている「要配慮個人情報」（☞713）が典型であるが、それに限られない。例えば、特定の政党が発行する新聞・機関誌を購入している事実や、ある宗教に関する本を購入したという事実は、「信条」を推知させるとしても信条そのものではないので要配慮個人情報には当たらないが、知られたくないと思っている人が存在することが予測される。また人の性的嗜好についても知られたくないのが一般であり、センシティブな情報といえる。）については、多くの機関や組織で収集しないことを原則としているが、警察の場合には、犯罪捜査等において、これらの情報を取得することもあり得る。もっとも、たとえ警察であっても、犯罪捜査の場合を除くと、これらの情報の場合、取得が本当に必要であるのかが吟味されることになるし、利用や安全確保等に特別の

(注11) 最高裁は、個人の私生活上の自由の一つとしてみだりに容貌等を撮影されない自由を認めているほか、みだりに個人情報を第三者に提供、公表されない自由を認めている。Nシステムの適法性が争われた東京高裁判決平成21年1月29日〈判タ1295・193〉は、「みだりに私生活に関する情報を収集・管理されない自由」も保障されるとしている。

(注12) 例えば、金融分野のガイドラインでは、要配慮個人情報並びに労働組合への加盟、門地、本籍地、保健医療及び性生活に関する情報（公開されているもの又は本人を目視し、若しくは撮影することにより取得する外形上明らかなものを除く。）を「機微（センシティブ）情報）」として、法令等に基づく場合、国の機関等の法令で定める事務に協力する必要がある場合などを除き、取得、利用又は第三者提供を行わないこととしている。

(注13) 個人情報保護法制の制定前であるが、被疑者の弁護士の所属団体及び政党を警察官が他の警察官に聞いて捜査報告書に書き、検察官が略式命令の記録にその捜査報告書を添付して他の者の知り得る状態に置いたことに対して国家賠償訴訟が提起された事件では、一審は違法としたが、二審は警察官の収集自体は違法ではない（調査対象者の私生活の平穏をはじめとする権利利益を違法不当に侵害するといったおそれのない方法によって行われたものである限り、プライバシーを、違法、不当に侵害するものとはいえない。）とし、略式命令の記録に添付した検察官の行為のみを違法とした（東京高裁判決平成12年10月25日〈判時1753・50〉）。この判決の中で、捜査が「広く当該被疑事件に関係すると考えられる事項や公訴提起後の公判活動をも視野に入れた当該事件の処理にとって参考となると考えられる事項について、積極的に情報の収集が行われ、その過程で、時として関係者のプライバシーに関わるような事項についても調査が行われ」ることは当然のことであると述べられている。

(注13の2) 国際テロ対策のため、モスクへの出入り状況等の個人情報を収集することが、適法とされた例がある（東京地裁判決平成26年1月15日〈判時2215・30〉）（☞723）。

注意が求められることになる。(注13の3)

721 　個人情報を保有することについては、法令の定める所掌事務（警察の場合は、警察法2条の責務）を遂行するため必要な場合に限られることに加えて、利用目的をできる限り特定しなければならず、利用目的の達成に必要な範囲を超えて保有してはならないことが個人情報保護法で規定されている（61条）。ここでいう「保有」には、作成、取得、維持・管理がいずれも含まれる。したがって、情報の取得は、利用目的をできるだけ特定しなければならず、その目的に必要な範囲でなければならない。

722 　本人から直接書面で個人情報を取得する場合には、原則として、あらかじめ利用目的を本人に明示しなければならない（62条）。予想外の目的に利用されるのではないかという、本人の不安感を緩和するのが目的である。例外として、ⅰ 人の生命、身体又は財産の保護のために緊急の必要があるとき、ⅱ 利用目的を本人に明示することにより、本人又は第三者の生命、身体、財産その他の権利利益を害するおそれがあるとき、ⅲ 利用目的を本人に明示することにより、国の機関や地方公共団体の行う事務又は事業の適正な遂行に支障を及ぼすおそれがあるとき、ⅳ 取得の状況からみて利用目的が明らかであると認められるとき、には利用目的を明示しないことができる。犯罪捜査のために犯罪の嫌疑のある者から個人情報を取得する場合に、捜査目的であることを示せば逃亡や証拠隠滅のおそれがあるので、本人に対する捜査目的であることを明示しないで個人情報を取得する必要のあるときが、ⅲの典型例である。

　情報の取得は、これらの規定に反しないことはもとより、適法、適正に行われるべきものである。「偽りその他不正の手段により個人情報を取得してはならない」ことが法律で明記されている（64条）が、当然のことである。

　（注13の3）　衆議院及び参議院で個人情報保護法案の審議をした特別委員会では、いずれも附帯決議の中で、「思想、信条、宗教、病気及び健康状態、犯罪の容疑、判決及び刑の執行並びに社会的差別の原因となる社会的身分に関する個人情報の取得又は保有に当たっては、利用目的を厳密に特定するとともに、可能な限り法律その他の法令等によって取得根拠を明確にし、その利用、提供及び安全確保に特段の配慮を加えること。」を掲げている。

column 警備情報収集と保管に関する裁判例

警察の警備情報収集は、公共の安全と秩序を維持するため、重大な不法事案の予防及び鎮圧の観点から必要となる情報を収集し、保管・分析するものである。テロ事案その他の公共の安全と秩序を侵害する行為を行い、企て、あるいはそのおそれのある団体や個人に関する情報が典型であるが、それに限定されるわけではない(注14)。警察法の責務を果たすための任意活動として行われる(注14の2)。犯罪の嫌疑のある対象については、犯罪捜査としての過去の事実の解明と将来の予防のための情報収集とが一体のものとして行われることもある。憲法上の権利との関係で争われた近時の裁判例を以下に紹介する。

一つは、革マル派の動向や活動実態を把握することを目的とした集会参加者視察について、集会主催者側の自由(集会を開催する自由)への侵害を理由とする国家賠償請求を退けたものである(注14の3)。判決は、このような目的の情報収集活動は警察の責務に含まれ、「法令に違反せず、その目的、態様、程度に照らし社会通念上相当と認められる範囲で行われる限り」適法としつつ、犯罪捜査でもなく、犯罪が行われる等の危険が切迫していて緊急かつ高度の必要性があるような場合にも当たらないので、集会の自由を侵害すれば違法となる(「公共の福祉による制限」として正当化されない)との判断枠組を示し、他方で集会に参加することが秘匿されることまで集会の自由として保障されているわけではない(集会に参加することが外部から認識され、場合によっては個人が識別され、特定される危険があることも自ら覚悟し、自己の責任において参加するかどうか決定すべき)ことを述べ、警察の活動の態様、程度が参加者のプライバシー等を広範囲に侵害し、強度の威圧感を与えて萎縮させ、集会に参加することを事実上困難にするものである場合には集会の開催の自由を侵害するが、本件では、集会が予定どおり開催されたことを指摘し、約60名の私服警察官が会場側歩道に立ち、単眼鏡を使用して集会参加者の顔を確認し、メモを取り、人数を数えていて、威圧感を与えるも

(注14) 違法な事態が起きる可能性が高いかどうかは、情報を収集して初めて判断が可能になるから、「可能性が高い団体に限って情報を収集する」わけにはいかない。また、その団体の活動をきっかけに対抗的主張をする団体が不法な活動をするおそれがある場合には、違法な活動をする可能性がうかがえなくても情報を収集する必要性が生ずる場合がある。幅広い対象について情報を収集することが、警察の責務達成上必要になる(もっとも、どこまで深く情報を収集するべきかについては、個別に検討すべきものである。)。

(注14の2) 団体規制法と国際テロリスト財産凍結法(☞650)の規定に該当する対象については、法律の規定に基づく立入検査等が行われる場合がある。

(注14の3) 東京高裁判決平成25年9月13日〈LEX/DB25502099〉(上告されたが、上告棄却・不受理とされ(平成27年1月21日)、確定している。)。なお、本判決は、原告が請求の根拠とする「集会の開催の自由」に限定した判断であることを述べており、全ての参加者との関係で適法であると宣言しているわけではない。

のであったとしても、多数の制服警察官が集会参加者の前に立って行動を制止したり、集会参加者全員を対象として一人ひとり網羅的にその住所、氏名等の個人情報を聴取したり、顔写真を撮ったり、ビデオ撮影をしたりするなどの行為に及んだものではなく、また集会を妨害する目的でなされたものともいえないので、集会の開催の自由の侵害に該当しないとした。(注14の4)

　もう一つは、国際テロ防止のための個人情報の収集とその流出をめぐる国家賠償訴訟に対する判決である。(注14の5)(注14の6) モスクへの出入り状況等が含まれていて信教の自由を侵害する、イスラム教徒であることを理由としたもので法の下の平等に反する、信仰に関する情報を収集されないという自由を侵害するといった点が主張されたのに対し、判決は、日本国内において国際テロが発生する危険が十分に存在すること、発生した場合の被害は重大であること、発生を未然に防止することは容易でないことを指摘した上で、国際テロを防止するためにイスラムコミュニティとその活動を把握する必要を認め、モスクに通う者の実態を把握することは、警察法により犯罪の予防をはじめとする公共の安全と秩序の維持を責務とされている警察にとって、国際テロの発生を未然に防止するために必要な活動であって、適法であるとした。信教の自由との関係では、信教を理由とする不利益な取扱いを強いたり、宗教的な制限などを加えるものでもなく、情報収集は外的行為を記録したにとどまること、影響があったとしても嫌悪感を抱くといった程度にとどまることなどを総合すると、仮に一部の信仰活動に影響を及ぼしたとしても国際テロ防止のために必要やむを得ない措置であって、憲法20条に違反しないとした。平等原則との関係では、信教に着目した取扱いの区別ではあるが、国際テロをめ

(注14の4)　会場付近の視察とは別に、他の警察署の警察官が集会参加者の隠し撮りをしていたことも争われたが、特定の視察対象者の活動実態を把握するために限定された期間と対象について行われたもので、内容を確認した後に消去したことが認められるとし、集会の参加者の肖像権やプライバシー等が広範囲に侵害されたとはいえないとして、「集会開催の自由に関する限り」それを侵害するものとはいえないとした。

(注14の5)　警察庁は、インターネットに掲出されたデータについて、「警察職員が取り扱った蓋然性が高い情報が含まれている」としつつ、関係者の権利利益、関係国との信頼関係、以後の情報収集活動等の適切な遂行の観点から、警察が作成し、又は保管しているものであるか否かを個別に明らかにしていない（「国際テロ対策に係るデータのインターネット上への掲出事案に関する中間的見解等について」参照）。本文の記述は、判決での認定事実を前提としている。

(注14の6)　東京地裁判決平成26年1月15日〈判時2215・30〉。警視庁による収集は適法としつつ、流出に至った管理の不全は違法であり、プライバシーの侵害及び名誉毀損の程度は甚大であるとして、被害を受けた各人につき500万円（「容疑情報」欄の記載のなかった1人のみ200万円）とその1割の弁護士費用を含めた支払いを東京都に命じた。控訴審（東京高裁判決平成27年4月14日〈LEX/DB25506287〉）も一審判決を是認している。なお、国（警察庁）の責任は、一、二審とも否定されている。

ぐるこれまでの歴史的事実に着眼してのものであることなどを指摘し、合理的な根拠を有するもので憲法14条1項に違反しないとした。信仰内容等を収集されない自由という主張については、外形的行為は第三者に認識されることが全く予定されていないわけではなく、国際テロ防止の観点から必要やむを得ない活動で憲法13条に違反しないとした。控訴審では、情報の収集の局面だけでなく、保管、利用の局面において憲法上の問題として検討する必要があるとの原告の主張に対して、見解は傾聴に値するとしつつ、情報の継続的収集、保管、分析、利用を一体のものとみて、それによる個人の私生活上の自由への影響を前提として、上記の憲法上の適合性を判断したことを明らかにしている。原告側が全てのイスラム教徒を対象とした調査であり、信条などを含む詳細な個人情報を集め、膨大なデータベース化が図られていることを問題としたのに対し、厳しい国際テロ情勢を踏まえて、幅広い対象についてセンシティブ情報を含めて収集と分析等を行うことを認めたものといえる。同時に、厳格な情報管理が警察に求められることから、(注14の7)判決では、収集された個人情報が絶対に漏えいすることのないよう、徹底した対策を行うべき情報管理上の注意義務を負っていることを指摘し、情報流出をもたらしたと認められる場合には過失責任を負うことが明確にされている。

2 本人以外からの情報取得

(1) 事業者及びその他の私人からの取得

　警察が情報保有者から情報を入手することは、保有者からすれば警察への提供行為である。警察が強制的に入手できるのは、情報が記録（電磁的記録を含む。）されている有体物を、裁判所の許可状等に基づいて占有を取得する場合に限られる。それ以外の場合は、保有者の意思によって提供してもらわなければ入手できない。本人以外の者から個人情報の提供を受けることに関しては、警察の側では問題がなくとも、保有者からすれば第三者への提供に当たるため、個人情報保護法の適用の有無にかかわらず、本人との関係で違法とされる場合があり得る。(注15)

　個人情報保護法により、個人情報取扱事業者は、本人の同意がなければ、

（注14の7）　収集される情報が個人のプライバシー性の高いものの場合には、情勢を踏まえた必要性の判断が一層影響を与える。控訴審は、「本件個人データを収集した当時の状況を踏まえてのものであり、本件情報収集活動が、実際にテロ防止目的にどの程度有効であるかは、それを継続する限り検討されなければならず、同様な情報収集活動であれば、以後も常に許容されると解されてはならない。」と述べている。

原則として個人データを第三者に提供することはできないこととされ、ⅰ法令（条例を含む。）に基づく場合、ⅱ人の生命、身体又は財産の保護のために必要がある場合であって、本人の同意を得ることが困難であるとき、[注15] ⅲ公衆衛生の向上又は児童の健全な育成の推進のために特に必要がある場合であって、本人の同意を得ることが困難であるとき、[注17] ⅳ国の機関若しくは地方公共団体又はその委託を受けた者が法令の定める事務（組織規範でその組織の事務とされたもの。警察の場合は警察法2条1項の責務がこれに当たる。）を遂行することに対して協力する必要がある場合であって、本人の同意を得ることにより当該事務の遂行に支障を及ぼすおそれがあるとき、に限って認められる（27条）。警察が犯罪捜査や事故等への対応のために本人以外から個人情報を取得する場合には、全てⅳの「地方公共団体……が法令の定める事務を遂行する」に該当するが、「本人の同意を得ることにより当該事務の遂行に支障を及ぼすおそれがあるとき」に当

(注15) 外国要人が大学で行う講演会に関して、出席者の個人情報（学籍番号、氏名、住所及び電話番号）を大学が警察に提供したことに関して、大学側の行為を違法とし、賠償責任を認めた判例がある（最高裁判決平成15年9月12日〈民集、Ⓦ〉・早稲田大学江沢民事件。この事件は個人情報保護法の制定以前であり、制定後も近年まで大学は適用外となってきた。）。判決の中では、これらの情報は慎重に取り扱われる必要があること及びあらかじめ本人の同意を得ることも容易であったことを指摘し、「プライバシーに係る情報の適切な管理について合理的な期待を裏切るもの」としている。なお、この判決で2人の裁判官は、他者に対して完全に秘匿されるような情報ではないことと、警備の必要性が極めて高いことを指摘し、反対の意見を述べている。

(注16) ⅱの「同意を得ることが困難」である例としては、交通事故や災害で病院に運ばれた者のように物理的に同意が得られない場合のほか、本人に不利な情報で同意が得られることが期待し難い場合も含まれる。個人情報保護委員会のガイドラインでは、「大規模災害や事故等の緊急時に、被災者情報・負傷者情報等を家族、行政機関、地方自治体等に提供する場合」と並んで、「事業者間において、暴力団等の反社会的勢力情報、振り込め詐欺に利用された口座に関する情報、意図的に業務妨害を行う者の情報について共有する場合」、「不正送金等の金融犯罪被害の事実に関する情報を、関連する犯罪被害の防止のために、他の事業者に提供する場合」を挙げている。人の生命、身体又は財産の保護のために、他の方法を用いることが可能である場合には、ⅱに当たらないことに注意を要する。

(注17) ⅲは、病気の予防治療の研究や児童虐待防止への取組等が念頭に置かれた規定であるが、例外的なものであり、「特に必要がある場合」に限定されている。個人情報保護委員会のガイドラインでは、「児童生徒の不登校や不良行為等について、児童相談所、学校、医療機関等の関係機関が連携して対応するために、当該関係機関等の間で当該児童生徒の情報を交換する場合」、「児童虐待のおそれのある家庭情報を、児童相談所、警察、学校、病院等が共有する必要がある場合」を挙げている。

たるかどうかは、事務の性質内容によって異なる。同意を得ようとすると、警察の動きと狙いが相手方に察知され、証拠となり得るものが隠滅されてしまうおそれがあったり、配偶者暴力への対処において、相手方が察知すれば事態がより危険になるおそれがあったりするような場合が典型である。そのほか、極めて多数の者の同意を要することになり、協力が事実上不可能になる場合も該当する。警察が任意で協力を求める場合には、実態としても、同意を得ることにより、当該事務の遂行に支障を及ぼすおそれがある場合が多いものと思われる。なお、個人データを第三者提供したときに記録を作成する義務が規定されているが、本人の同意がなく提供される前記のⅰからⅳの場合は、不正流通が想定されないので、記録作成義務の対象から除外されている。

　個人データ以外の個人情報については、第三者提供の制限が法的には定められていない。しかし、目的外利用になるのが一般である。目的外利用についても、原則として本人の同意が求められる。例外として認められる範囲は、第三者提供が認められる範囲と同様となる。言い換えると、実質的に、個人データ以外の個人情報についても、目的上含まれている場合を除けば、個人データと同様に第三者への提供が制限されている。

　警察への提供が法的に可能な場合が多いと思われることは前述のとおりであるが、提供可能な要件に該当するかどうかは個人情報の保有者が判断することである（警察がⅳに該当するから提供可能であると告げても、保有者が該当しないと判断すれば、保有者としては提供できないということになる。）し、提供可能であるとしても実際に提供するかどうかは、保有者が決めることである。近年の個人情報保護意識の高まりの中、本人との間でトラブルになることを避けたいとする考えもあって、個人情報取扱事業者はもとより、法律の規制が及んでいないその他の私人の場合でも、情報提供に消極的な傾向が生まれている。警察として、協力を得ることの必要性及び提供可能要件該当性を様々な形で説明し、説得をしていく必要がある（同時に、提供を受けた場合の提供者を秘匿することも、これまで以上に求められる。）。この観点から、個別の作用法において情報収集の根拠規定を設けることは、今日極めて重要な意味がある（☞482）。「法令に基

づく場合」に該当することは、保有者にも容易に理解が得られるし、法的な義務がある場合には強く提供を求めることができる[注18]。法的な義務があるものとしては、報告しなければ処罰する場合はもとより、制裁のない観念的な義務付けを行う場合も含まれる。捜査のために公務所又は公私の団体に照会して報告を求める刑事訴訟法の規定（197条2項）は、その典型である[注19][注20][注20の2]。

column　情報提供を促す仕組み

727　犯罪に関わる情報をはじめとする違法又は有害な事態に関する情報が、警察などの行政機関（捜査権限を有する機関又は行政処分権限を有する機関）に適切に提供されることは、犯罪等の被害から国民を保護し、社会の秩序を維持するため

（注18）　義務付けがなされている場合には、その法令に基づいて個人データを提供しなければならない（個人データ以外の個人情報の場合も同じ。）。一方、「提供することについて具体的根拠が示されてはいるが、提供すること自体は義務付けられていない場合には、必ず個人情報を提供しなければならないわけではなく、「当該法令の趣旨に照らし、第三者提供の必要性と合理性が認められることを確認した上で対応することが、個人情報保護法の趣旨に沿う」と解されている（ガイドラインＱ＆Ａ　7―14）。

（注19）　個人情報保護委員会のガイドラインにおいて、個人データの第三者提供及び個人情報の目的外利用の「法令の定める場合」の最初に「警察の捜査関係事項照会に回答する場合」が挙げられている。要配慮個人情報であっても、本人の同意を要しないことは当然である。回答義務を課すことは刑事訴訟法の通説的な理解である（例えば、松本時夫ほか編『条解刑事訴訟法［第4版］』（弘文堂、2009年）374頁参照。）し、政府もこの考えを明確にしている（第160回国会における質問主意書（衆院質問20号）に対する平成16年8月10日答弁書）。回答者側が秘密保持義務を負っている場合でも、通信の秘密のような特別の場合を除き、照会に応ずることが義務違反とはならない（内閣法制意見昭和43年5月7日は、職業安定法に基づく秘密保持義務があっても刑事訴訟法197条2項による照会に応ずることは妨げられないとする。一方、内閣法制意見昭和28年1月30日は、郵便法に基づく信書の秘密に関しては、照会に応ずることはできないとしている。前田正道編『法制意見百選』（ぎょうせい、1986年）533頁以下（片桐裕執筆）及び758頁以下（君嶋護男執筆）参照。）。個人情報保護委員会のガイドラインのＱ＆Ａでも、照会が回答義務を課すものであることが述べられている（7―17）。

（注20）　刑事訴訟法の照会への回答のように、公の機関への報告義務がある場合に、それを履行することが本人との間で違法となることは、考えられない。個人情報保護委員会のガイドラインのＱ＆Ａでも、捜査機関からの照会について、「相手方に回答すべき義務を課すものと解されており、また、上記照会により求められた顧客情報を本人の同意なく回答することが民法上の不法行為を構成することは、通常考えにくいため、これらの照会には、一般に回答をすべきであると考えられます。」との見解を明らかにした上で、「ただし、本人との間の争いを防止するために、照会に応じ警察等に対し顧客情報を提供する場合には、当該情報提供を求めた捜査官等の役職、氏名を確認するとともに、その求めに応じ提供したことを後日説明できるようにしておくことが必要と考えられます。」と述べている（7―17）。

に重要である。

　情報を提供した者に報奨金を支払うことは、法律の規定がなくとも行うことが可能であり(注21)、近年、重要な犯罪に対する捜査特別報奨金制度（公的懸賞金制度）(注22)、匿名通報ダイヤル制度（匿名による情報提供受付と情報料の支払制度）(注23)、拳銃110番制度(注24)が運用されている。

　このほか、公益通報者保護法により、国民の生命、身体、財産その他の利益（消費者の利益、環境等）を保護するために、対象となる法律に係る犯罪行為や法令違反行為について、その事業者で雇用されている者が公益のために通報した場合に、公益通報者を解雇すること等が禁じられ、通報に伴う賠償責任も免除されるという制度が設けられている。通報先は、原則として、その企業自身か権限のある行政機関(注24の2)であるが、犯罪行為に関する通報の場合は、警察等の捜査機関も対象となる(注24の3)。

（注20の2）　回答する法的義務があるのに民事上違法となり得るのではないかという論議が生まれるのは、弁護士法23条の2の規定に基づく弁護士会からの照会に回答したことが違法とされた例があるからである（最高裁判決昭和56年4月14日〈民集、Ⓦ〉。この事件は、解雇をめぐって係争中の当事者（会社側）の弁護士が弁護士会を通じて一方の当事者の前科を照会したのに対して、市が回答したことが違法とされたものである。）。しかし、弁護士法の制度は、裁判所の公正な判断に資するという公共的な側面もあるとはいえ、元々弁護士が受任事件について依頼者のために職務を行うためのものであり、国民の負託を受けた公的機関が国民代表の統制の下で行う公益を実現するための行為とはまったく異なるものである（判例の事例をみれば、それに公的な意義があるとはいえない。弁護士法の照会に対して、地方公務員が地方公務員法又は地方税法の秘密に該当する事項を回答することは、特段の事由がなければ違法となるとするのが政府の見解である（第151回国会における質問主意書（衆院質問33号）に対する平成13年4月6日答弁書）。）。したがって、この判例は、弁護士法の照会に回答する場合に限定されたものであり、公的機関が公的な必要に基づいて行った照会への回答の場合には違法となる可能性は想定し難いというべきである。

（注21）　法律に規定のある例として、出入国管理及び難民認定法の退去通報対象者の通報に対する報償金の支払がある（66条）。通報に基づいて退去強制令書が発付されたときに、5万円以下の報償金が支払われる。ただし、国又は地方公共団体の職員が職務の遂行に伴って知り得た事実に基づく場合には、支払対象とはならない。

（注22）　平成19年度から警察庁が行っているもので、凶悪事件の犯人検挙につながった情報の提供者に対して、被疑者の特定につながった情報の場合は最高300万円、指名手配被疑者の発見につながった情報の場合は最高100万円の懸賞金を公費で支払うものである。民法の優等懸賞広告の規定が適用される。匿名者、警察職員とその家族、共犯者、情報入手過程で犯罪を行った者は対象とならない。なお、公的機関が懸賞金を支払うことに疑念を唱える者も当初あったが今日では異論は見られない（私人が可能な行為を公的機関はできないとすることは、資力のない被害者の事件で犯人検挙の可能性のある手段を得られなくさせるものとなり、明らかに不公正な結果となる。）。

(2) 事業者等に対する情報保存と提供の義務付け

728　警察から求めた場合に情報の提供が義務付けられる制度としては、報告徴収がある。事業者等に対して行政監督上の観点から報告を求める場合には、報告義務違反が刑罰の対象とされているものが多い。事業監督以外では、回答すべき法的義務を課すが、不履行に対して刑罰等の制裁の定めがないものもある。公務所又は公私の団体に対する刑事訴訟法197条の照会のほか、犯罪被害者支援法13条、遺失物法12条、少年法6条の4、銃砲刀剣類所持等取締法13条の2（団体以外に「その他の関係者」も対象とされている。）、国際捜査共助等に関する法律18条、ストーカー規制法9条などがある。

一定の事態が生じ、又は発見した場合に、警察機関に対して情報を伝えることを義務付けているものとしては、交通事故が発生した場合における報告（道路交通法72条）がある。この報告義務違反は刑罰の対象となる。事業者に情報提供（申告、届出）を義務付けているものとしては、古物商及び質屋による不正品の疑いのある場合の申告（古物営業法15条、質屋営

（注23）　警察庁の委託を受けた民間団体が、暴力団対策に有効な情報、薬物・拳銃事犯、特殊詐欺、人身取引事犯などに関する情報を、インターネット又は電話により匿名で受け付け、犯人検挙等に有効であった場合に警察庁が情報料を支払う制度である。平成19年に人身取引事犯などの被害者の早期保護等を図るための制度として始められたが、その後、組織犯罪対策を中心とする制度に変わっている。なお、インターネットにおける違法有害情報については、報奨金等の支払いはないが、インターネット利用者から広く情報を受けることを、警察庁から民間団体に委託して行っている。

（注24）　銃器情報に関して、全国統一フリーダイヤル番号を通じて匿名通報を受け、拳銃が押収された場合に1丁につき10万円を目安に報奨金を支払う制度である。

（注24の2）　事業者に対する内部通報は、「通報対象事実が生じ、又はまさに生じようとしていると思料する」場合は、不正の目的（不正の利益を得る目的、他人に損害を与える目的）でない限り、保護の対象となる（加えて、安心して通報できるように、通報を受けて内部調査等に従事する者に通報者を特定させる情報についての秘密を守ることが義務付けられ、違反は刑罰の対象となっている。）。権限を有する行政機関への通報は、「通報対象事実が生じ、又はまさに生じようとしていると信ずるに足りる相当の理由がある場合」とされてきたが、令和2年改正で、内部通報と同様に「思料する場合」で、氏名等を記載した書面を提出しているときも同様に保護されることになった。

（注24の3）　消費者庁では、犯罪行為については、一般的には警察、検察等の捜査機関が通報先となる「権限を有する行政機関」となるが、処分等の権限を有する行政機関が別にある場合には、その行政機関にも通報することができるものとしている（通報者・相談者向けQ&A（2017年8月版）Q13への回答）。

業法12条)、金融機関等による疑わしい取引の届出（犯罪収益移転防止法8条）があり、不履行の場合は行政処分（指示又は命令）の対象となる。このほか、危険な物品について許可を受けて扱う事業者の場合には、それが盗難又は紛失した場合に警察官への届出が義務付けられ、行わなかった場合に罰則の対象とされている（例えば、火薬類取締法46条）。他方、危険な事態を生じたときに発見した者には、警察官への届出（通報）義務が課されているが、違反の処罰等の規定はない（例えば、火薬類取締法39条）。

事業者等が情報を保有していなければ、情報の提供を受け、あるいは警察が記録等からその情報を得ることはできない。事業者に情報の正確性を確認し、その保存を義務付ける制度としては、古物の買受け又は質に際しての古物商・質屋の確認と記録及び保存（古物営業法15条以下、質屋営業法12条以下）、接客従業者（接待飲食等営業に該当する風俗営業、店舗型性風俗特殊営業、無店舗型性風俗特殊営業、特定遊興飲食店営業、夜間も営む酒類提供飲食店営業で客に接する従業員）の生年月日・国籍の確認等（風俗営業適正化法36条の2）などがあるほか、今日の社会で極めて大きな意味を持つ銀行口座開設や携帯電話の利用契約等に関し、金融機関等が顧客について行う本人確認と記録（本人確認記録及び取引記録）及びその保存、携帯音声通信事業者が契約の相手方について行う本人確認と記録及びその保存が、それぞれ法律で義務付けられるに至っている（犯罪収益移転防止法4条以下、携帯電話不正利用防止法3条以下）。また、自動運転（☞626）に関して、自動運行装置を備えている自動車の使用者は作動状態記録装置によって記録された記録を保存しなければならない（作動状態の確認に必要な情報を正確に記録することができるものでなければ運転させてはならない）こと、警察官は整備不良車両に該当すると認められる車両（自動運転が適正に行われないときは自動運行装置が求められる性能を果

(注25)　金融機関本人確認法では銀行等に限って対象とされていたが、平成19年に、犯罪収益移転防止法が制定され、クレジットカード会社、宅地建物取引業、貴金属商、いわゆる私設私書箱、さらには関連する法的資格者（弁護士、司法書士、行政書士、公認会計士及び税理士）に関しても、本人確認等の義務が及ぼされることになった。ただし、弁護士に関しては、本人確認義務はあるが、その内容は日本弁護士連合会の会則で定められ、疑わしい取引の届出義務は及ばないこととなっている。

たしておらず、整備不良車両に該当すると認められる。）の運転者に、その記録の提示を求め、装置を検査することができることが規定されている（道路交通法63条、63条の2の2）。

このほか、警察行政にも関連するものとして、出入国管理及び難民認定法によって、日本に入国する以前に日本に向けた航空機又は船舶の乗員及び旅客に係る情報の提供を航空機又は船舶の長に義務付け、さらに、上陸審査時に外国人（特別永住者等を除く。）について指紋等の個人識別情報を提供することが義務付けられている。(注26)

(3) 他の行政機関からの取得

730　行政機関が警察を含めた他の行政機関に個人情報を提供することができるのは、法令に基づく場合と本人の同意がある場合、そして、「他の行政機関が法令の定める事務又は業務の遂行に必要な限度で提供に係る個人情報を利用し、かつ、当該個人情報を利用することについて相当の理由があるとき」である（69条）。法令に基づく場合以外は、「本人又は第三者の権利利益を不当に侵害するおそれがあると認められる」ときには提供できない。これらの要件は、その行政機関が利用目的以外の目的のために内部利用するときと同じである。

法令に基づく場合の典型は、刑事訴訟法に基づく照会（捜査関係事項照会）への回答として行われる場合である。回答義務があり、回答することが国家公務員法や地方公務員法の守秘義務規定に反することにはならない。(注27)

法令に基づかず、本人の同意もない場合には、「相当な理由」が必要となる。提供する立場にある行政機関の判断すべき事項であるが、例外として認められるものであることを踏まえて、それにふさわしいだけの社会通念上客観的にみて合理的な理由がなければならないと解されている。警察から他の行政機関に情報を提供する場合にも、同様なことがいえる（☞759

(注26)　関税法により、外国貿易船の積荷、旅客等に関する事項の入港前の報告も、同様に義務付けられている。
(注27)　各都道府県に対する総務省の通知（原動機付自転車の所有者関係情報の取扱いについて）においては、刑事訴訟法に基づく照会に対しては、原動機付自転車の所有者関係情報（氏名、住所、車体番号等）を法的義務に従って回答することが相当であり、地方税法上の秘密保持義務違反にならないことが明記されている。それ以外については、(注19)参照。

以下）。もっとも、近年では、関係者の保護と社会の安全のために、関係機関で情報を共有することが求められる場面も増えており、社会的な要請も強いのであって、「相当な理由」が認められる事例も多い（平成17年から、子ども対象暴力的性犯罪に係る出所情報、凶悪重大犯罪等に係る出所情報、保護観察中の所在不明者の情報が、法務省から提供される仕組みが構築されているが、法的には「相当な理由」による法務省から警察への情報提供である。）。

　このほか、公務員は、職務を行うことにより犯罪があると思料するときは、告発をしなければならないことが刑事訴訟法（239条）に定められており、これに該当する場合には、個人情報であっても当然に捜査機関に提供すべきものとなる。

3　防犯カメラ等による情報の取得
⑴　人の容貌を含めた画像情報の直接的取得

　警察が、カメラ（ビデオを含む。）で画像情報を取得するのは、個々の事案への対応として行われる場合（例えば、事件の捜査過程で容疑者等を写真撮影する場合）(注28)と、あらかじめある場所に設置して何らかの事態が起きたときに撮影する場合（例えば、一定以上の速度違反行為があったときに自動撮影する場合）、その場所を常時撮影する場合（例えば、事件が多発する場所に撮影装置を設置し、モニターするとともに録画する場合）とがある。強制でないことは明らかであるが、個人の容貌や姿態（容貌等）が被写体に含まれている場合には、判例が認める「みだりにその容貌等を撮影されない自由」（撮影されて保存される対象とならない自由）(注29)との関係でその可否が問題となる。

　個別の事案への対応としての撮影に関しては、デモ行進に際して、いわゆる公安条例と道路交通法とに基づいて付された条件への違反があった際

（注28）　検証令状を得て物や身体の形状を検査し記録する手段として撮影する場合、令状を執行する過程の適法性を立証する手段として状況を撮影する場合、場所又は物に対する実況見分の方法として撮影する場合、逮捕した被疑者を撮影する場合などがあるが、いずれも法的な問題はないか、あっても刑事訴訟法で完結する問題（令状の執行過程の適法性立証の手段としての撮影行為の限界など）であるので、以下では取り上げない。
（注29）　判例は、写真撮影の事案で述べたものであり、撮影されたが保存されないという場合を想定していない。

に、違法状態の視察、採証の職務に従事していた警察官が行進状況を写真撮影した行為に対する公務執行妨害等の事件で、最高裁大法廷は、前記自由の存在を明らかにした上で、ⅰ現に犯罪が行われ又は行われたのち間がないと認められる、ⅱ証拠保全の必要性及び緊急性がある、ⅲ一般的に許容される限度を超えない相当な方法をもって行われる、という各要件を満たせば、承諾を得ない撮影行為も適法であるとした。また、犯罪捜査の過程で、疑いを持つ合理的な理由が存在する者を対象に、犯人特定のための証拠資料を入手するために公道及びパチンコ店内で容疑者の容貌等をビデオ撮影する行為についても、最高裁は、捜査目的を達成するために必要な範囲で、かつ、相当な方法で行われた、として適法と認めている。この決定では、前記大法廷判決が撮影が許容される場合を現行犯ないしその直後に限定したものではないことを明らかにするとともに、不特定多数の客が集まるパチンコ店内の撮影についても、人が他人から容貌等を観察されること自体は受忍せざるを得ない場所におけるものとして、公道上と別にしていない点が注目される。このほか、器物損壊（自動車に対する放火）事案の捜査中に被疑者方の玄関ドアをビデオ撮影することについて、犯罪を犯したと疑うに足りる合理的理由があることを理由に適法とした裁判例もある。(注32)(注32の2)

(注30) 最高裁大法廷判決昭和44年12月24日〈刑集、Ⓦ〉（京都府学連事件）。犯人の身辺又は被写体とされた物件の近くにいたため、これを除外できない状況にある第三者である個人の容ぼう等を含むことになっても、憲法13条、35条に違反しないことも、明言されている。

(注31) 最高裁決定平成20年4月15日〈刑集、Ⓦ〉。強盗殺人等の事件の捜査において、盗まれたキャッシュカードでATMから現金を引き出しているところが銀行の防犯ビデオに写っている人物と被告人との同一性を判断するために、公道上を歩行している被告人の容貌等を警察官がビデオ撮影したほか、同じ防犯ビデオに写った腕時計と被告人の腕時計との同一性を確認するため、パチンコ店の店長の承諾を得て、店内の防犯カメラと警察官の機器によってビデオ撮影し、これらの画像の鑑定書が証拠とされた。判決では、「被告人が犯人である疑いを持つ合理的な理由が存在していたものと認められ」かつ「犯人の特定のための重要な判断に必要な証拠資料を入手するため、これに必要な限度において、公道上を歩いている被告人の容ぼう等を撮影し、あるいは不特定多数の客が集まるパチンコ店内において被告人の容ぼう等を撮影したものであり、いずれも、通常、人が他人から容ぼう等を観察されること自体は受忍せざるを得ない場所におけるものである」ので、「これらのビデオ撮影は、捜査目的を達成するため、必要な範囲において、かつ、相当な方法によって行われたものといえ、捜査活動として適法なものというべきである」と述べている。

一定の速度違反があった場合に限って人の容貌等を自動的に撮影すること（自動速度違反取締装置による撮影）は、前記大法廷判決と同様に、ⅰ速度違反が現に行われている、ⅱ証拠保全の必要性・緊急性がある、ⅲ撮影する旨を表示しており撮影方法が相当である、として適法であるとの判断が最高裁で示されている。(注33)

警察が街頭に防犯ビデオを設置して、継続的に撮影し、録画することについては、最高裁の判例は存在しない。犯罪が行われていない段階で撮影

(注32) 東京地裁判決平成17年6月2日〈判時1930・174〉は、ビデオテープの証拠能力を認めている。本文に述べたもののほか、住宅地における放火という事案の重大性、他の方法の困難性といったことも挙げている。

(注32の2) ビデオ撮影の直接の捜査目的と異なる犯罪の証拠が撮影によって得られた事案で、適法とした裁判例と、否定した裁判例とが平成30年にあった。大阪地裁判決平成30年4月27日〈Ⓦ〉は、過激派の活動家を旅館業法違反容疑で捜査し、居住状況を確認するためにマンションの玄関ドア付近及び共用廊下を3月間ビデオ撮影していた（同派の活動家で殺人事件で逃走中の男が出入りしていたところが写っていたため、犯人蔵匿で起訴、ビデオ映像から採取した画像を証拠として提出した）ことについて、撮影された場所がプライバシー保護の合理的期待が高い場所ではなく強制処分に当たらない、当初の捜査目的と必要性に照らして不相当に長いとはいえず任意捜査としての相当性も認められるとした。

一方、さいたま地裁判決平成30年5月10日〈判時2400・103（①事件。なお、②事件は前記の大阪地裁判決である。）〉は、盗品等運搬事件で逮捕状が出ていた者の立ち回り先として、暴力団員の者の自宅前の公道及び玄関をビデオカメラで7か月以上撮影していた（放火事件の現場から発見されたものと同じ色のガソリン携行缶を運搬するところが映っていたので放火等の罪で起訴、ビデオ撮影を証拠として提出した。撮影は同人の逮捕まで続けられていた。）ことについて、当初の捜査の必要性は認めつつも、撮影開始から2月経過した後は立ち回りが確認されず、継続撮影の必要性が低下した後も約5か月間も漫然と撮影を継続していた点を不適切とし、玄関ドア内部の様子のほか、犯罪と無関係な人物などが含まれた映像を保存し続けていたことはプライバシーに対する配慮が不足していたとして、「任意捜査として相当と認められる範囲を逸脱した違法なもの」とし、他者の逮捕目的でのビデオカメラの設置という本件の特殊性に照らして、必要性・緊急性・相当性を適切に検討せずに漫然と撮影を続けていた点で違法性が重大であり、警察官の態度がプライバシーを軽視し、違法精神を大きく欠いていたことを指摘し、さらに裁判時においても本件捜査の問題点を理解していないので、将来の違法捜査抑止の観点からも証拠を排除する必要性が高いとして、証拠能力を否定した。判決も指摘するとおり、本人以外の犯罪の捜査として行われた撮影という特殊性があることに加えて、プライバシーの観点からの検討がまったくなされずに、長期間撮影が継続され、映像情報が保存されていることで、このような判断がなされたものといえる。

(注33) 最高裁判決昭和61年2月14日〈刑集、Ⓦ〉。なお、この事案で撮影する旨が表示されていることを撮影方法の相当性に挙げているのは、自動速度監視装置設置の目的が当該道路における速度規制の遵守にあることを踏まえた判断であり、機械装置による撮影の場合に事前表示が相当性の要件になるという主張は過度な一般化である。

をするものであるが、少なくとも、その場所で犯罪が行われる相当程度の高い可能性があり、犯罪が行われた場合に撮影した結果を利用する必要性が高く、防犯カメラで撮影録画していることを明確に表示し、得られた映像情報を厳重に管理して、犯罪予防及び犯罪捜査以外に用いず、かつ、短期間しか映像を保持しない（犯罪が届け出られるまでの期間を想定し、おおむね1週間程度を超えればその映像を消去する。その期間内に犯罪の届出等があって必要になったときは、その必要に応じて保存する。）といった限定を付すのであれば、違法なものとはならないとの考えの下で運用が開始された(注34)(注35)（開始する段階では、予想される批判を最少のものとし、スムーズに導入ができるように、必要性が明らかで確実に認められる範囲に限るのが通常であり、それ以外の場合を否定する趣旨ではない。）。なお、前記大法廷判決で述べられた要件については、現行犯で証拠を残すために撮影する場合について述べたものであって、一般的な基準を示したものではない（非現行犯の捜査に関して容認した前記最高裁決定参照）から、その要件を基にどの程度修正可能かを論ずるのではなく、実態に即して、どのような不利益が実際に相手方に生じるのかを吟味して、利益が上回り、不当な不利益が生じないようにする要件を設定すべきものである。

734　容貌等の撮影が認められる範囲は、撮影の目的、態様だけでなく、保存（一時的か確定的か、一時的保存の期間、確定的保存に移行する要件）によって異なる。(注36)防犯カメラの場合は、撮影された画像情報は一時的に保存されるだけであって、写真撮影のように確定的な保存が前提とされたものではなく、被撮影者の自由の制限の程度はそれほど大きなものではない。

（注34）　警視庁が設置している街頭防犯カメラシステムは、おおむねこのような考え方に基づいているほか、地元の要望があることを前提としている（都市防犯研究センター「コミュニティセキュリティカメラに関する調査研究報告書」（平成13年）参照）。亀井源太郎「防犯カメラ設置・使用の法律問題」東京都立大学法学会雑誌43巻2号は、保護されるべきプライバシーの権利・利益の大きさとその権利・利益に対する干渉の程度によって定まるものであって、防犯カメラの設置・使用は、目的の正当性、犯罪発生の高度の蓋然性、必要性（犯罪の予防・鎮圧にその防犯カメラがなければ相当困難になる程度）、設置・使用方法の妥当性（防犯目的としての保存の短期性、期間終了後の確実な消去を含む。）の各要件を満たすことが必要であるとしている。

（注35）　防犯カメラをめぐるそれまでの様々な論議を総括した優れた論稿として、末井誠史「防犯カメラの規制」レファレンス平成22年7月号がある。

厳格に映像情報が管理され、一定の事由がなければ短期間のうちに確実にデータが消去されるのであれば（☞755）、目的の正当性、客観的具体的必要性、撮影方法の相当性といった要件の下に、設置撮影が可能であると考える（犯罪の発生に高度の蓋然性がある場合のみに限られない。なお、防犯カメラは、犯罪企図者に撮影されていることを認識させて犯行を回避させることを目的としているので、撮影を表示するのは、適法性の要件に含めるまでもなく当然のことである。）。確定的保存に移行することができるのは、確定的保存のために個人の容貌等を新たに撮影することができるときと同様の要件がなければならない。犯罪捜査に限られないが、高い必要性が求められるものであり、設置目的として明らかにされるべきものである。

警察を含めた行政機関が自動的に撮影録画するのは、防犯カメラ以外にも、様々なものがあり得る。許されるかどうかは、行政目的達成上の必要性と被撮影者の権利利益侵害とを、撮影及び保存利用実態を踏まえて比較するという基本的な考えによるべきであり、他で求められる要件が当然に

(注36) 山本龍彦「警察による情報の収集・保存と憲法」警察学論集63巻8号（警察政策研究14号にも収録）は、アメリカの意識調査結果として、街頭カメラによる監視は、96時間後にテープが廃棄されるのであれば、路上の生ゴミ入れの調査などと同程度の侵害であって、衣服を透かして中を見る行為や、街頭で会話を傍受することよりも低いと認識されているが、テープが破棄されないのであれば、それらを上回る高い侵害と位置付けられる（典型的な侵害である寝室の捜索と近いものとなる。）ことを紹介している。

(注37) 警視庁の場合、回線を結んで常時モニターし、録画をしている街頭防犯カメラシステム（注34参照）が「犯罪が発生する蓋然性の極めて高い繁華街」に専ら設置されているのに対し、通信をせず、1週間で自動的に上書き消去される防犯カメラについては、住宅街等にも設置されている。民間団体（自治会や商店会）が路上に設置しているものと同じく、「犯罪が発生する高い蓋然性」がなくても設置が可能だという考えによったものといえる。

(注37の2) 星周一郎『防犯カメラと刑事手続』（弘文堂、平成24年）も、防犯カメラが犯罪予防のためのものであり、発生後の捜査目的のものとは異なることを指摘した上で、表示がされていることを前提に、目的の正当性、客観的・具体的な必要性、設置状況の妥当性、設置・使用の有効性、使用方法の相当性が求められるとし、高度の蓋然性は求められないとする（196頁以下）。なお、同書は、防犯カメラについての最も包括的な研究書であり、英米での現状と法的規制を踏まえた詳細な検討を行い、警察等の公的機関により設置・利用される街頭防犯カメラの許容性は行政警察活動における許容限界という観点から考察され、撮影データの保存期間を超えた抽出や分析は、刑事司法における捜査の適法性の視点や情報保護法により規定されると述べている（271頁以下）。

求められるものとはならない（現行犯への対応や、捜査目的以外のものでも、常に表示が必要だとはいえない。)。(注40)(注40の2)

736 　一方、テレビカメラで状況を撮影し、モニターするだけで、録画していない場合には、画像情報の取得には当たらず、最高裁大法廷判決の「撮影」には該当しない（「みだりに容貌等を撮影され、保存されない自由」を侵害するものではない。)。警察官が警らをして眼でみているのと基本的には同じであって、その態様が一般的な行動の自由ないしプライバシーに対する侵害の程度が大きい場合又は集会結社の自由や宗教の自由に影響を与える場合などに、問題となる場合があるのにとどまる。(注41)一般の公道ではなく、特定の施設の出入りを常時監視するとした場合には、暴力団の動向を把握するときなど、それだけの必要性がなければならない。

(2) 私人からの人の容貌を含む画像情報の取得

737 　今日、防犯カメラをはじめ多くの機器によって得た画像情報を私人が保

(注38) 警察の設置するスーパー防犯灯は、事件、事故が発生したときに、緊急通報ボタンを押すと赤色灯が点灯し、周囲に緊急事態が発生したことを知らせるとともに、警察署に画像が映し出され、警察官と相互に通話できる装置であるが、カメラが常時作動しており、一定期間の映像が記録されている（警視庁の場合は防犯カメラと同じ1週間で上書き消去される。)。目的実現のために、広く市民に存在が知らされることは当然である。そのほか、常時録画式交差点カメラが多くの交差点に設置されてきている。

(注38の2) 常時録画式交差点カメラは、信号機のある交差点に設置して、常時録画することにより、交差点内の交通事故が起きた場合に客観的で適正な事実認定を可能とする（事故当事者の負担の軽減にもなる）ほか、ひき逃げ捜査、車両を使用した各種犯罪対策等にも活用することができるものであるため、近時、設置が促進されている。特定の箇所を常時撮影するものであるので、事故等に係るデータ以外は短期間で確実に消去される必要がある。「防犯カメラ」としての機能を持たせるのであれば、設置が表示されることが前提となる。車両の動きが分かる程度の画像であれば、個人の容貌等を撮影するものに当たらず、表示が相当性の要件として求められるものとはならない。このほか、交通事故自動記録装置も運用されているが、これは交通事故の衝突音、スリップ音等を感知した場合に限って前後の数秒間を録画映像化するものであり、具体的な必要性のある場合の撮影と同視される。

(注39) 港湾施設管理者が、海上における人命の安全のための国際条約（SOLAS条約）を受けた国際航海船舶及び国際港湾施設の保安の確保等に関する法律に基づく保安措置の一つとして、監視カメラを設置している。また、廃棄物行政を主管する都道府県又は市において、不法投棄を監視するカメラが設置されている例がある。

(注40) 暴力団対策のために事務所の出入り状況を録画することや、個人を保護する（配偶者暴力被害者、ストーカー被害者などを保護する）ためにその場所に近づくものを録画することも考えられる。これらの場合には、表示が必要であるとはいえない。

有しており、それを警察が犯罪捜査等のために取得・利用している。警察が責務達成のために私人から取得をすること自体は、保有者が承諾していれば、強制や欺罔を用いていない限り、警察の取得行為としての法的な問題はない。問題となるのは、私人が撮影した行為とその画像を警察に提供する行為が写されている者との関係で違法視される可能性があるかどうかである。

まず、私人が自らの管理する空間において防犯カメラ等を設置し、自らの管理空間内の画像情報を取得することは、本来その私人の自由に属することである(注42)（個人情報保護法との関係は次の項で述べる。）。店舗の場合には万引き等の防止のために設置されるのが一般であるが、特殊な場所ないし角度から撮影しているものでなければ、撮影を表示し目的に従って利用する限り問題は生じない。公共空間の場合とは異なり、保有期間が特に短くなければならないという限定はない。

公共空間のうち、駅など施設内の場合には、基本的に施設管理権に基づいて防犯カメラを設置することが可能である。一方、道路上では、施設管

（注40の2）　パトカー（小型警ら車及び交通取締用の自動車を含む。）に搭載するビデオカメラ（車載カメラ）は、現に犯罪が行われた場合等における証拠の保全、警察官の適正な職務執行についての検証等に資することを目的としたもので、犯罪捜査、交通取締り（暴走族対策を含む。）に画像等を活用している。一般の防犯カメラと違い、表示することで犯罪行動を止める機能を目的としたものではなく、捜査等に用いるものであることから、表示を常に要するものとは考えられていない。管理に厳正な基準（捜査上必要な画像以外は早期に抹消されること等）が必要であることは当然である。

（注41）　大阪市西成区のあいりん地区の治安確保のためのカメラ設置・使用が争われた事件では、情報活動としてテレビカメラを利用することは基本的には警察の裁量によるものであるが、①目的が正当であること、②客観的かつ具体的な必要性があること、③設置状況が妥当であること、④設置及び利用に効果があること、⑤使用方法が相当であることなどが検討されるべきであるとし、侵害されるプライバシーの利益の実質、侵害の程度と、そのテレビカメラの設置及び使用の必要性等を比較して、適法性の判断が行われている（大阪地裁判決平成6年4月27日〈判時1515・116〉）。道路上、公園付近、公共施設付近の14箇所は適法としたが、労働組合等が使っている会館の出入り状況を監視できる位置に別の場所から移設された1箇所については違法とした。なお、犯罪発生前に録画をする行為は違法となると述べているが、本件では録画していないことを前提にした傍論であり、綿密な分析等がなされたものではない。

（注42）　自らの空間以外を撮影する場合には、問題となることがあり得る。例えば、近隣紛争で、相手方を監視する目的で私道を撮影するビデオについて、撤去を求めた訴えが容認された例もある（東京地裁判決平成21年5月11日〈判時2055・85〉）。

理権とは関係のない地元の町内会や商店会が犯罪防止のために設置しているものが多いが、カメラの設置を表示し、保有期間を短期間に限定し、厳重に保管し、警察の捜査に提供する場合等に利用を限るものであれば、違法にはならないものと一般に考えられている。一部の自治体で条例を定めているが、設置を違法視するものではない。(注44)

738　保有者が画像情報を第三者に提供することについては、個人情報保護法の適用の有無にかかわらず、公益性がない場合には、保有者が画像情報の本人からの賠償請求を受けることがあり得る。(注45)警察の正当な活動に協力する場合には、公益性があるので、本人からの請求があっても、違法とはされない。コンビニエンスストアに設置された画像情報を警察の捜査(当該店舗内で起きた犯罪以外の犯罪の捜査)のために提供したことが本人から争われた事件で、捜査機関の適法な任意捜査への私人の協力行為として公益目的があり、録画されているのが通常の物品を購入する姿に過ぎないものであることを考慮すれば違法性はないとされた裁判例がある。(注46)なお、こ

(注43)　町内会等の設置する防犯カメラ・ビデオについては、自治体の助成がある場合が多いが、その条件として防犯カメラの運営基準を定めるべきものとしている。この結果、管理責任者の設置、関与者の責務(知り得たことを第三者に知らせ、又は不当な目的に利用してはならないこと。)、盗難散逸の防止、保管期間(法令等に基づく場合又は捜査機関から犯罪捜査の目的で要請を受けた場合を除き、1週間程度とする。)、提供制限(法令等に基づく場合又は捜査機関から犯罪捜査の目的で公文書による照会を受けた場合に限定)といった都道府県の運用要綱が実質的な基準となっている。

(注44)　最初に制定された杉並区防犯カメラの設置及び利用に関する条例は、「防犯カメラの有用性に配慮しつつ、区民等の権利利益を保護する」ことを目的に、道路公園その他多数の者が来集する場所に商店会等が防犯カメラを設置する場合に、区への届出、管理者氏名等を含めた表示、秘密の保持、加工の禁止、安全管理のための必要な措置、法令に定めのある場合等以外の目的外利用・第三者提供の禁止、本人申立ての区長への苦情申立てと勧告などを定めている。なお、防犯カメラに関しては、このほかに、安全安心まちづくり条例に基づいてガイドラインを設定しているものもある(例えば埼玉県防犯のまちづくり推進条例19条とこれに基づく「防犯カメラの設置と利用に関する指針」がある。)。

(注45)　店舗が有名人の映った画像を週刊誌に提供し、それを掲載した行為が、違法とされた事例がある(東京地裁判決平成18年3月31日〈判タ1209・60〉)。

(注46)　名古屋高裁判決平成17年3月30日〈⑩〉は、店内の行動はそれほど秘匿性の高いものとはいえないし、元々人目に触れる状態のものであること、経営者は来店した客や従業員の安全を確保し、自らの財産を守るべき立場にあり、相当の措置を講ずる必要があること、来店は任意であって撮影録画に強制的要素がないことを指摘し、防犯カメラの目的の相当性(店内の強盗、窃盗等の犯罪や事故に対処する目的)、必要性、方法の相当性も認められるとして、設置、撮影録画を適法としている。

の事件は、個人情報保護法の適用がある前のものであるが、個人情報保護法を前提としても、次項で述べるように、適法性が認められるものと考えられる。

(3) 民間の防犯カメラ等に係る個人情報保護法の適用

本節は警察が情報を取得することに関して解説しているが、防犯カメラ画像の取得に向けた働きかけ（防犯カメラの設置促進を含む。）をすることが警察実務上重要であることを踏まえて、防犯カメラの個人情報保護法上の扱い（防犯カメラ設置者から見た防犯カメラによる画像情報の取得・保管と警察への提供）について、本項で解説をしておくこととする。

防犯カメラ画像は、それに写っている人物の名前は分からなくても、本人を判別することが可能なものであるので、個人情報に当たる。しかし、画像を保存しているだけの場合には、個人のデータとして検索可能な状態になっているわけではない（日時について検索することは可能でも、特定の個人を検索できるように体系的に構成されたものではない）ので、「個人情報データベース等」には当たらない（☞714）。このため、防犯カメラを設置している事業者が、それ以外に何らかの個人情報データベース等を保有している場合に個人情報取扱事業者として、個人情報保護法の規律を受けるとしても、第三者提供の制限、安全管理措置と漏えい時の報告、正確性の確保、保有データに関する事項の公表、本人からの開示・訂正請求といった個人データのみに関する規定は適用されない。適用されるのは、個人情報全体を対象とする規定、具体的には利用目的の特定（17条）、利用目的による制限（利用目的に必要な範囲を超えた個人情報取扱いの禁止、18条）、不適正な利用の禁止（19条）、適正な取得（20条）、取得に際しての利用目的の通知（21条）の各規定である。

一般的な防犯カメラによる画像情報の取得は、「もしそこで犯罪をすれば、画像が証拠となって、自分が警察に捕まる」と潜在的な犯罪企図者に思わせることによって、犯罪をそこで行うことを断念させることを目的としている。したがって、「犯罪の予防」の目的には、実際に犯罪が行われた場合にその画像情報を警察に提供することが含まれている。このため、その場で起きた犯罪の捜査に役立つように画像情報を警察に提供すること

には、目的外利用には当たらず、個人情報保護法上の制限はないことになる。一方、その場で行われていない犯罪について、警察の捜査に協力して提出することは、防犯カメラによる画像情報取得の目的ではないから、目的外利用として、法令に基づく場合（警察の捜査関係事項照会に応ずる場合）のほかは、警察が法令の定める事務を遂行する上で、民間事業者の協力を得る必要があり、かつ、本人の同意を得ることが当該事務の遂行に支障を及ぼすおそれがあると認められる場合に該当することを要する（本人の同意を得ようとすると警察の捜査に支障を及ぼすおそれがあるのでこの要件を満たすから、任意の捜査協力として可能であるのが通例であるが、個人情報取扱者として、要件を満たすという判断をした上で行うことになる。☞725)。

　本人の同意を得ない要配慮情報の取得は原則として認められない（適正な取得に反するものとなる）が、犯罪行為が映っている画像情報は、それ自体では犯罪経歴情報や刑事手続上の処分がされた情報とは異なり、要配慮個人情報に該当しない。また、現行犯逮捕されている画像や、障害がある外見が映っている画像については、要配慮個人情報であるが、「本人を目視し、又は撮影することにより、その外形上明らかな要配慮情報を取得する場合」として、本人の同意なく取得することができる（法の委任を受けた政令でその旨が規定されている。）ので、問題は生じない。

　個人情報を取得した場合にはあらかじめ利用目的を公表している場合を除き、速やかに、その利用目的を本人に通知し、又は公表しなければならないことになっている。しかし、「取得の状況からみて利用目的が明らかであると認められる場合」には、本人への通知・公表を要しないことが定められている（21条4項4号）。通常の防犯カメラであれば、これに該当するので、通知・公表は不要であると解されるが、「防犯カメラが作動中であることを店舗等の入口や設置場所等に掲示する等、防犯カメラにより自らの個人情報が取得されていることを本人において容易に認識可能とするための措置を講ずることが望ましい」ものとされている(注47)（個人情報保護委員会ガイドラインQ&A　1-12)。

　防犯カメラによって撮影した画像を基に顔認証データとし、データベー

ス化して用いる場合には、防犯目的であっても、一般の防犯カメラとは異なった扱いになる。当然に個人情報取扱事業者に該当し、利用目的をできるだけ特定し、それを公表する必要がある（本人への通知は物理的に無理なので事前又は事後に公表することを要する。）。単に「防犯カメラ作動中」と表示するだけでは不十分であり、「カメラ画像の取得主体、カメラ画像の内容、カメラ画像及び顔認証データの利用目的、問い合わせ先等を本人が確認できるよう」にする必要がある（これらを店舗の入口や設置場所等に明示するか、又は、これらを掲載したWEBサイトのURL又はQRコード等を示すといった方法によることが考えられる（前記Q＆A）。個人データだけを対象とした規制、具体的には、第三者提供の制限、安全管理措置と漏えい時の報告、正確性の確保、保有データに関する事項の公表、本人からの開示・訂正請求への対応義務の規定の適用を受ける。マーケティング等に用いるのであれば、最初から目的として明記していた場合を別として、本人の同意を要するのは当然である。防犯のためであっても、顔認証システムを導入するのであれば、個人情報保護の上で十分な注意を要することとなる。(注47の2)

　防犯カメラを個人情報取扱事業者以外の者（個人が使っている場合や事業者でも個人データベースを一切保有していなければ個人情報取扱事業者に当たらない。）が設置している場合には、個人情報保護法の適用はない。もっとも、撮影と使用によっては、写された者の権利利益（プライバシー）

（注47）　防犯カメラが作動中であることを掲示して容易に認識できるようにすることは、防犯カメラの本来の機能発揮において必要不可欠なことである。もし掲示をしないで「防犯カメラ」を用いているとすれば、それは一般の防犯カメラとは異なるものであり、「防犯カメラ」と偽って個人情報を取得している可能性がある。

（注47の2）　防犯目的のために、万引き・窃盗等の犯罪行為や迷惑行為に対象を限定した上で顔認証システムを導入しようとする場合について、特定された利用目的の達成のために必要最小限の範囲内において顔認証システムへの登録を行い、個人データを正確かつ最新の内容に保つ必要がある。「具体的には、各事業者においてどのような基準でデータベースに登録するか社内ルールを設定し、誤登録等を防ぐための適切な措置として、例えば被害届の有無により判断を行うなど客観的に犯罪・迷惑行為が確認されるケース等に限定するとともに、事業者内で責任を有する者により登録の必要性と正確性について確認が行われる体制を整えること等が重要」とされている（個人情報保護委員会ガイドラインQ＆A1—15)。

を侵害しているとして、民事上の訴訟の対象となり得る。保有者が争いを避けるために、目的外使用や第三者提供について慎重な態度になる場合でも、上記の個人情報保護法の規律と同程度の考え方によって対応すれば特段の問題が生じないことを伝えてよいものと思われる。

このほか、近年、多くの車両にドライブレコーダーが設置されている。ドライブレコーダーのうち、短時間で自動的に消去されるもの（事故の衝撃があったときのもののみを別途保存するもの）は、事故が起きた場合の適正な認定に資する（不当に自己に不利な認定をされない）ためのものである。一方、公的組織を含む事業者の場合、ある程度の期間保存し、事故時の事実認定に加えて、ヒヤリハット体験を含めて記録を残し、安全運転への意識付け（研修資料に用いる目的を含む。）に用いられていて、ドライブレコーダーの装着を示すものが車両に表示され、得られた情報の取扱基準等が定められている。(注47の3) 自らが事故被害にあった場合その他自らの運転の正当性が問題とされた際に用いる（警察への提供を含む。）のは、目的に従った使用であるが、それと異なる目的外使用に制限が加えられ、公務への協力等の場合に限って認められることは、防犯カメラと同様である。

column 公的空間における防犯カメラの社会的意義

公共の場所における防犯カメラに関しては、法学上の論議の場面では様々な問題点の指摘がなされているが、国民の間では商店街等への設置が圧倒的に支持されている。(注48) その背景には、多くの国民に犯罪リスクを重視する意識があるほか、近隣との濃密な人間関係を避けつつ、多様な生活を楽しみ、かつ、自らの安全を守る上では、価値観の強制を伴わない防犯カメラのような仕組みが好ましいとす

（注47の3）　個人情報保護法の適用を受ける事業者の場合、防犯カメラと同様に、取得の目的が明らかであるので、本人通知や公表までは要しないが、表示をすることが望ましいものといえる。多くの自治体では、自らの使用する車両にドライブレコーダーを設置し、運用することについて、個人情報保護審査会等の承認を得て、表示を含めた準則を定め、それに則った運用が行われている。なお、個人の場合でも、近時、あおり運転（妨害運転）対策のため、表示を行うものが増加している。

（注48）　例えば、朝日新聞の調査では、商店街や人の集まる場所への設置に賛成が89％、反対が7％であった（朝日新聞2004年1月27日記事）。同時期の読売新聞の調査でも、繁華街や商店街の設置に賛成が88％（賛成が63％、どちらかといえば賛成が25％）に達している（読売新聞2003年3月7日記事）。

る感覚があるように思われる。言い換えると、防犯カメラの設置は、「単に秩序維持のためのやむを得ないコストというにとどまらず、それを超えて、さらに、多様な価値観を持つ人々の共存を保障するための新たな方法として、より積極的な役割をも担う」ものと位置付けられるのである。(注49)

(4) 装置による人の容貌等を含まない情報の取得

　自動車ナンバー自動読取システム（Ｎシステム）は、道路を走行する自動車のナンバーを自動的に読み取り、手配車両と照合するとともに、記録化するシステムである。その目的は、「自動車利用犯罪が発生した場合に、交通検問による渋滞等を引き起こすことなく、現場から逃走した被疑者車両を速やかに捕捉し、犯人を検挙すること及び重要事件等に使用されるおそれの強い盗難車両を捕捉し、犯人の検挙及び被害車両の回復を図ること」にある。あらかじめ手配されていた盗難車両等のデータと照合することは、その内容に誤りのない限り問題はない。(注50)

　また、犯罪の発生から警察が事件の認知をし、さらに容疑車両を特定するまでにある程度の期間がかかる以上、走行する自動車についてのデータをある程度の期間は保存しておかなければ目的を達することはできないのであって、その限度内で、自動車の走行に関する限られた情報を蓄積することは、みだりに国民の情報を収集するということにはならない。人の容貌等が収集される対象となっていないこと、自動車ナンバーは元々他の者

(注49)　高橋直哉「防犯カメラに関する一考察」法学新報112巻1・2号（2005年）。なお、同氏は、カメラが公的領域における匿名性と人間関係の形成に関する自律的決定に影響を与えることを指摘しつつ、カメラによる監視が日常的で自然なものになりつつある中で、個人が持つ匿名性への期待が合理的だとみなされる範囲は徐々に狭まると同時に、犯罪のリスクが日常生活の中に偏在していると認識されているため、防犯カメラの使用が許容される範囲は拡大される傾向にあると分析している。

(注50)　ある県警察が誤って手配データを登録したため、同じ日に4回にわたってＮシステムに該当したとして他の都道府県警察の警察官から職務質問をされた者が賠償を請求した事件では、誤った登録をし、最初の職務質問時に手配内容に関して問い合わせを受けていたのに9時間近く登録を解除しなかったことによって、4回にわたって職務質問を受けることを余儀なくされるという精神的な苦痛を与えたとして、登録をした県の責任が認められている（東京地裁判決平成21年2月17日〈判時2052・53〉）。

(注51)　第142回国会衆議院建設委員会（平成10年5月22日、委員会議事録第14号）における岡田薫警察庁刑事企画課長答弁参照。

が容易に認識することができるようにしなければならないことが法律によって義務付けられているものであって、公権力に対して秘匿されるべき情報ではないこと、保存が目的の達成に必要な短期間に限られていて、その後に消去され、目的外に使用されないことから、裁判でも適法と判断されている(注52)。特定の犯罪と車両の通行事実の結び付きが具体的に明らかになったときは、その情報を確定的な保存とすることができる。

なお、犯罪捜査に支障を及ぼすおそれ（犯罪者側の対抗措置）を避けるために、保存期間等が明確にされないことはやむを得ないといえるが、それだけに、運用に疑義を招くことがないように、データと検索結果の保管について厳格な管理を行うとともに、使用目的の限定、期間経過後の消去措置とが確実に守られるようにしなければならない。

第3節　情報の保管と利用

1　情報の保管における基本原則

(1)　法の規律と利用目的原則

742　　個人情報の保管については、個人情報保護法によって、行政機関側の義務と本人の権利が定められている。コンピュータ化された情報とされていない情報のいずれもが対象となるが、コンピュータ化されることで個人情報保護上の問題は大きくなるので、個人情報ファイルの通知といった制度

（注52）　東京高裁判決平成21年1月29日〈判タ1295・193〉は、ⅰ情報を収集し管理する目的は正当なものであること、ⅱ収集管理される情報が公権力に対して秘匿されるべき情報ではないこと、ⅲ収集管理する方法は、有形力の行使ではなく、走行等に何らかの影響を及ぼすような国民に特別の負担を負わせるものではないこと、ⅳ取得されたデータは目的達成に必要な短期間保存されることはあるが、その後消去され、目的外に使用されることはないこと、を指摘して、「公権力がみだりに国民の情報を収集、管理するということはできない」と結論付けている。なお、GPSの装着による位置情報の長期的取得が強制であるとした最高裁大法廷判決平成29年3月15日〈刑集、㉒〉は、公道以外の場所で個人のプライバシーが強く保護されるべき場所や空間に関わるものが含まれることと個人の所持品に秘かに装着することを指摘し、「公道上の所在を肉眼で把握したりカメラで撮影」したりするような手法とは異なることを明言しているのであって、Nシステムのように、公道上の通行のみを機器の装着等をすることなく記録することについて、違法視するものではない。

が設けられている。(注53)個人情報以外は、同法の対象とはならないが、漏えい、滅失、毀損といった事態を招かないようにしなければならないことは当然である。なお、捜査に関する情報（捜査書類に記録されている情報及び押収物に記録されている情報並びに犯罪捜査のための情報）については、2及び3の内容は適用されないが、以下に述べる利用目的原則、保管における安全確保などの義務の対象であることに、特に留意しなければならない。

個人情報の保管は、利用目的達成に必要な範囲を超えて行ってはならない。利用目的を変更する場合でも、変更前と変更後の利用目的とが相当の関連性を有すると合理的に認められる範囲内でなければならない（61条）。また、正確性の確保として、利用目的達成に必要な範囲内で、保有する個人情報が、過去又は現在の事実と合致するように努めなければならないという義務が及ぶ（65条）。

(2) 安全管理措置

保管に当たっては、安全を確保しなければならない。保有する個人情報の漏えい、滅失、毀損を防止し、適切な管理のために必要な措置を講じなければならない（68条）。委託を受けた事業者に対しても、同様の義務が及ぶ。行政機関は、自らの職員に対する監督を行うとともに、委託先への監督も行う責任がある（十分な確保ができない限り、委託すること自体が許されない。）。警察の場合、秘密性の高い情報を扱うことが他の機関より多いことから、他の機関以上に安全確保の責任がある。(注54)管理体制の整備、教育研修、アクセス権限を有する者の制限・他目的アクセスの禁止、複製等（送信、記録媒体の持ち出しを含む。）の制限、記録媒体の管理、廃棄、取扱状況の記録、情報システムにおけるアクセス制御・アクセス記録・不正アクセス防止・コンピュータウイルスによる漏えい等の防止・暗号化・

（注53） コンピュータ化される情報の範囲に関して、法律の規定の上で限定は付されていないが、防犯カメラによる画像情報のように一時的な保存しかできないものについては、具体的な事件捜査に必要があるものとして確定的保存に移行したときを除き、コンピュータファイル化することはできないと考えられる。なお、交番や駐在所において、居住者や非常時の連絡先を尋ねた結果を記載したものは、これまでコンピュータファイル化される運用は行われていないが、災害時等における安否確認に用いる場合などを想定すると、法的にできないものとはいえない。

入出力情報の照合・バックアップ・システム設計書等の管理・端末の限定と盗難防止・第三者の閲覧防止、基幹的サーバ等の機器設置室の管理、業務委託や提供の場合の書面での取決め、問題事案発生時の事故報告と再発防止、監督と点検といったことが求められることになる。保管期間が満了した情報については、確実に抹消することが求められる。

保有する個人情報の漏えい等（漏えい、滅失、毀損等）が起きた場合のうち、個人の権利利益を害するおそれが大きいものが起きたときは、個人情報保護委員会に報告し、本人に通知しなければならないことになっている（本人への通知は、開示請求に対して不開示となる情報の場合は除かれる。）。報告すべき対象は、個人情報保護委員会規則で定められており、要配慮個人情報（地方公共団体の場合は要配慮個人情報及び地方要配慮個人情報）が含まれるとき、不正に利用されることにより財産的被害が生じるおそれがあるとき、不正の目的をもって行われたおそれがあるとき、100人以上についてのものであるとき、とされている。

(3) 従事者の義務と罰則[注54の2]

745　個人情報の取扱いに従事する者（行政機関の職員若しくは職員であった者又は受託業務に従事している者若しくは従事していた者）は、業務に関

（注54）　情報が流出した結果、精神的な苦痛を含む被害が関係者に生じた場合には、国家賠償法上の責任が生じる。流出した事実があれば、注意義務違反があったことが推認される（職務上の必要により、十分な保護措置が講じられている他機関に提供し、その機関から漏えいした場合には、自己の漏えいとはいえないが、それ以外の場合に注意義務違反がないことは想定し難い。）。東京地裁判決平成26年1月15日〈判時2215・30〉は、警視庁公安部の保有する情報がインターネット上に流出したと認定された事案で、東京都の責任を認めている。大阪地裁判決平成23年4月15日〈⑩〉は、捜索・差押え時に撮影された被疑者の手錠姿の写真を紛失した事案につき、大阪府の責任を認めている。大阪地裁判決平成22年11月29日〈判時2108・93〉は、税関の犯則調査部門の保有資料が、税関職員であれば誰でもアクセス可能なフォルダに保管されていたところ、ある職員がそれを複製し、関係者の本籍地に郵送した事案について、一定以上の規模の組織では「精神疾患患者を含め、犯則事件の調査に係る情報をあえて漏えいするという異常な行動を執る者も存在し得ないわけではなく、また、何らかの誤操作、誤送信等によって、犯則事件の調査に係る情報が外部に漏えいすることもあり得る」ことからすれば予見可能であったとし、国の責任を認めている。

（注54の2）　令和5年4月に地方公共団体も本法の対象となるが、その際に、罰則の条文が繰り下げられる。本文の刑罰の規定の条文は、繰り下げられた後のものを表記している。

して知り得た個人情報の内容を、みだりに他人に知らせ、又は不当な目的に利用してはならない（67条）。常勤の一般職公務員だけでなく、非常勤職員、特別職公務員も義務を負う（派遣労働者は職員ではないが、法律の規定で同様の義務を負うことが明記されている。）。職員が義務に違反した場合には、懲戒処分の対象となる。従事する者が、正当な理由がないのに、個人の秘密に属する事項が記録された個人情報ファイル（コンピュータ化されたファイル（電算処理ファイル）に限定される。全部又は一部を複製し、又は加工したものも含む。）を提供したときは、2年以下の懲役又は100万円以下の罰金の対象となる（176条）。国家公務員法及び地方公務員法の守秘義務違反（いずれも懲役の上限は1年、罰金の上限は50万円）よりも加重されている。同様に、その業務に関して知り得た保有個人情報を自己若しくは第三者の不正な利益を図る目的で提供し、又は盗用したときは、1年以下の懲役又は50万円以下の罰金の対象となる（180条）。秘密に当たらない個人情報も含まれる。行政機関の職員（職員であった者は含まれない。）が職権を濫用して、専らその職務の用以外の用に供する目的で個人の秘密に属する事項が記録された文書、図画又は電磁的記録を収集したときは、1年以下の懲役又は50万円以下の罰金の対象となる（181条）。

2　個人情報ファイルの事前通知とファイル簿の公表

行政機関がコンピュータ処理される個人情報ファイル（小規模（対象データが1,000人以下）のものは除かれるほか、1年以内に消去されるもののみのファイルも除かれる。）を保有しようとする場合には、事前に個人情報保護委員会にファイルの名称、利用目的、記録項目、記録される本人としての個人の範囲、記録情報の収集方法、記録情報に要配慮個人情報が含まれる場合はその旨、経常的に提供する場合はその提供先等を通知しなければならない（74条）。ただし、犯罪の捜査のために作成し、又は取得する個人情報ファイルについては、国の安全・外交上の秘密その他の国の重大な利益に関する事項を記録するファイルと並んで、通知の対象外とされている。

（注55）　自動車登録ファイルについては、自動車に関する犯罪の捜査、予防、盗品の早期発見回復等の観点から、提供を受けている。

747 　また、行政機関は、個人情報ファイル簿を作成して、前記の各項目を記載し、原則として公表しなければならない（75条）。通知対象とは異なり、コンピュータ化されていないマニュアル処理のファイルも含まれる(注56)。捜査のためのファイルなど、通知が除外されるものには適用されない。行政機関が掲載することで利用目的の適正な遂行等に著しい影響を及ぼすおそれがあると認めるときには、記録項目の一部を記載せず、あるいはその個人情報ファイルを個人情報ファイル簿に掲載しないことが認められる(注56の2)（コンピュータ処理されたファイルの場合には、個人情報保護委員会に通知する際にその旨を明らかにすることを要する。）。

　警察庁の保有する個人情報ファイル簿としては、警察職員（元職員を含む。）に係るもの（表彰関係、教育関係など）を除くと、許認可行政や給付金裁定に関わるものとして、「運転者管理ファイル」、「猟銃・空気銃等管理ファイル」、「古物商等管理ファイル」、「警備業者役員等ファイル」、「警備業資格者等ファイル」、「風俗営業等管理ファイル」、「探偵業管理ファイル」、「出会い系サイト事業者管理ファイル」、「オウム真理教犯罪被害者等ファイル」など、それ以外の警察の対応上に必要なものとして、「留置情報ファイル」、「相談情報ファイル」、「行方不明者ファイル」、「ストーカー情報管理ファイル」、「配偶者暴力情報ファイル」、「被保護者情報ファイル」、「110番アプリシステム事前登録者情報ファイル」などが存在し、公表されている。要配慮個人情報が含まれていることが多いことと、ほとんどの場合警視庁及び道府県警察本部に経常的に提供されているのが特徴である（「全事故情報ファイル」及び「死亡事故ファイル」については交通事故総

（注56）　一定の事務の目的を達成するために、氏名、生年月日、その他の記述等によって、特定の保有個人情報を容易に検索できるように体系的に構成したものを意味する。

（注56の2）　旧法（行政機関個人情報保護法が制定される前の「行政機関の保有する電子計算機処理に係る個人情報の保護に関する法律」）では、ファイル簿に掲載されないものとして、「犯罪の予防に関する事務」、「国際捜査共助に関する事務」などが具体的に列記されていたが、行政機関個人情報保護法（及びそれを引き継いだ現行法）には規定がない。これは、コンピュータ処理されていないマニュアル処理のものが含まれるようになったため、旧法に限定列挙されたもの以外でもファイル簿に掲載することによって著しい支障があるものがあり得ることを踏まえて、抽象的な除外規定となったものであり、「犯罪の予防に関する事務」、「国際捜査共助に関する事務」に関して常にファイル簿に記載しなければならないとするものではない。

合分析センターに提供されている。)。

3 本人開示、訂正及び利用停止

(1) 開示請求

何人も、自らを本人とする保有個人情報の開示を、行政機関に対して請求することができる（76条）。行政機関の保有する全文書が対象となる。個人情報ファイルに入っていない通常の文書に散在している情報も含まれる。ただし、訴訟に関する書類及び押収物に記録されている個人情報については適用されない（刑事訴訟法53条の2）。また、前歴チェックに用いられることを防ぐため、刑事事件や少年保護事件の裁判や司法警察職員の処分等の情報が適用対象とならないことも定められている（124条）。このほか、「まだ分類その他の整理が行われていないもので、同一の利用目的に係るものが著しく大量にあるためその中から特定の保有個人情報を検索することが著しく困難であるもの」については、開示請求に対して、保有していないものとする（不存在決定をする）ことが認められている（同条）。

開示の対象は、保有個人情報である。情報公開法の場合とは異なり、本人（未成年者の場合は、保護者が代理して請求する。）のみに認められるから、開示請求者の氏名とともに、本人であることの確認ができる書類の提示等が求められる。また、開示請求に係る保有個人情報を特定して行わ

（注57）　犯罪経歴に関する個人情報について本人が情報開示を求めることができる制度があると、部屋を貸す際の条件として相手方に開示された情報（自分の犯罪経歴）をもってくることを求めるといったことが起き、前科ないし前歴のある者の社会復帰が困難になるため、除外対象としている。なお、一部の外国で、移住を認め、あるいは特定の営業許可をする条件として本人に犯罪経歴のないことを求め、警察の証明書を必要とする国がある。この場合には、外国で必要とする理由があるときに限って、本人のために、警察が無犯歴証明書を発行している。自動車の運転における違反歴については、一般の犯罪経歴のような強い非難や排除の対象とはならず、その一方で違反歴の少ない者が社会的に求められることが違反の減少につながるので、自動車安全運転センター法によって、本人の求めに応じて、同センターが違反経歴に関する証明書（無事故・無違反証明書、運転記録証明書、累積点数等証明書）を発行することができることが定められている。

（注57の2）　刑事施設に収容されている者が収容中に受けた診療に関する保有記録は、これに該当しないで開示請求が認められるとするのが判例である（最高裁判決令和3年6月15日〈民集、⑳〉）。

（注57の3）　令和5年4月に地方公共団体も本法の対象となるが、その際に、106条以降の条文が繰り下げられる。本文の適用除外の条文は、繰り下げられた後のものを表記している。

なければならない。「その行政機関が保有する自分に関する保有個人情報」では、原則として特定されたことにならない。

749 　開示請求があった場合には、不開示情報がある場合を除き、開示しなければならない（78条）。開示する際には、その保有個人情報の利用目的も原則として開示される。不開示情報については、個人識別情報のうち、請求者本人に関わる情報については原則として不開示情報とはならず、第三者の個人識別情報の場合だけが不開示とされるという違いがあるが、そのほかは、国の安全等に関する情報、公共の安全等に関する情報、事務事業情報など、基本的に情報公開法と同じである（☞863～865）。不開示情報が含まれている場合の部分開示、裁量開示、存否を明らかにしない拒否、決定までの期間、不服申立てを受けた場合の審査会（情報公開・個人情報保護審査会）への諮問など、情報公開と同じである（☞857、861）。

(2) 訂正請求と利用停止請求

750 　開示された情報が真実でないと思う場合は、訂正請求の趣旨及び理由を示して、訂正請求（追加又は削除の請求を含む。）をすることができる。訂正請求及び利用停止請求とも開示がされていることが前提となるので、不開示情報については認められない（このため、警察の保有する個人情報の多くについては、適用されないことになる。）。請求に理由があると認めるときは、その情報の利用目的の達成に必要な範囲で、訂正をしなければ

（注58）　カルテのように、状況によって本人に開示するのが不適当なものや、児童虐待事案に関する情報で親が請求しているような場合には、不開示とすることが認められる。

（注59）　愛知県個人情報保護条例に基づいて死体見分調書の開示請求が死者の親によってなされた事件では、一審（名古屋地裁判決平成20年1月31日〈Ⓦ〉）が死因が自殺とされた以上捜査に支障が生ずるおそれがあるとはいえないなどとして非開示処分を取り消したのに対し、控訴審は、後に判明した事情に基づいて捜査が行われる可能性もあることに加え、犯罪に起因するものかどうかを検討し判断する際の着眼点や判断過程等が明らかになれば、犯罪を行い又は行おうとする者が証拠隠滅や対抗措置、防衛措置に利用されるおそれがあるとして、非開示とした警察の判断を認めている（名古屋高裁判決平成20年7月16日〈Ⓦ〉）。ただし、民事訴訟においてこれらの資料が裁判所から提出命令の対象となることはあり得る（注77参照）。

（注60）　手数料については、請求1件当たり300円（オンライン申請の場合は、200円）とされ、情報公開の場合のような開示に当たっての手数料（開示枚数に対応する手数料）はない。本人の情報のみが対象であり、量的に限られていることが背景にある。地方公共団体の場合の手数料は、条例で定められる。

ならない（保有目的が過去の事実を記録することにある場合には、現在の事実がそれと異なったとしても訂正する必要はない。）。訂正をした場合に、必要があれば、その個人情報を提供している先にも通知する。訂正をしない決定には、理由を付さなければならない。訂正に関して、他の法律に特別の定めがあれば、本法は適用されない。例えば、運転免許データの本人に係る部分で運転免許証に記載されているもの（例えば、住所）が真実と異なっている場合には、訂正請求としてではなく、道路交通法の免許証記載事項変更届を行わなければならない。

開示された情報について、適法に取得されたものでないとき、特定された利用目的の達成に必要な範囲を超えて保有されているとき、利用提供の制限の規定に違反してその行政機関によって利用されているときは、その情報の利用を停止し、あるいは消去するように求めることができる。利用提供の制限の規定に違反して他の者に提供されているときは、その提供を停止することを求めることができる。これらの理由がある場合には、行政機関は、利用の停止等をしなければならない。これらの理由以外の理由（例えば、本人の名誉を毀損する内容が含まれている場合）があっても、要求に応じる必要はない。 751

開示決定・不開示決定、訂正決定・拒否決定、利用停止等決定・拒否決定は、いずれも行政処分であり、不服がある者は行政不服申立てを行い、あるいは行政事件訴訟を提起することができる。不服申立てがあった場合には、審査会に諮問する。本人以外の者も、その処分で利益を侵害される場合（例えば、訂正された結果自らに不利益な内容の情報となる場合）には、不服申立てや訴えを提起できる。 752

4 警察による情報の利用

(1) 一般原則

情報は、取得目的に沿って利用される。警察の場合、運転免許に関する情報、盗難車両や行方不明者、配偶者暴力保護命令関係者等に関する情報が警察庁のコンピュータに登録され、都道府県警察の現場において、それぞれの目的に従って利用される。都道府県警察から警察庁に情報が送られ、警察庁から都道府県警察に伝えられることについては、情報の他機関提供 753

ではあるが、これらの情報のように元々全国警察を挙げて対応するために取得された情報については、目的に沿った利用であって、目的外の利用、提供には当たらない。(注61)

個人情報の場合には、個人情報保護法により、利用目的以外の目的のために自ら利用することは、法令の規定に基づく場合を除き、原則として禁じられる（69条1項）。運転免許データを交通違反の摘発に際して用いることは、免許制度が交通違反に対する抑止と違反があった場合の処分を予定しており、犯罪捜査と免許処分のための調査とが同じ事実を対象として一体となって行われていることから、目的外利用ではなく、目的のための利用である。

754　利用目的外の目的に用いることができるのは、法令の規定に基づく場合又は本人の同意に基づく場合のほかは、その行政機関が法令の定める所掌事務の遂行に必要な限度で内部で利用する場合であって、その保有個人情報を利用することについて相当な理由のあるときに限られる（69条2項2号）。「本人又は第三者の権利利益を不当に侵害するおそれがあると認められるとき」は許されない。「相当な理由」とは、社会通念上、客観的にみて、例外扱いを認めるだけの合理的な理由があることを意味する。行政機関の長（警察庁の場合は、警察庁長官）の判断すべきことであるが、開示請求が認められる情報の場合には本人から規定に違反しているとして利用停止請求が行われ、不服申立てがなされた場合には情報公開・個人情報保護審査会への諮問の対象となるほか、訴訟が提起されれば裁判所によって判断される。

ほかの目的で得られた情報を犯罪捜査に用いる場合には、刑事訴訟法の規定に基づく照会への回答として行われる限り、法令に基づくものであって、相当な理由や本人等の権利の不当侵害のおそれといったことを判断しないで提供すべきものである（運転免許データベースを交通違反以外の犯罪捜査のために、刑事訴訟法の規定に基づく照会への回答として提供する

(注61)　運転免許関係情報に関しては、道路交通法に都道府県公安委員会から国家公安委員会への報告義務規定がある（106条）が、規定がなければこれらの情報交換ができないというわけではない。

のは、これに当たる。)。

　ほかの個人情報ファイルとオンライン結合することについては、個別の規定はないが、本人又は第三者の権利利益を不当に侵害するおそれがないことや、相当な理由があることについて、一層厳密な判断が求められる。

(2)　警察の防犯カメラ等によって得られたデータの利用

　個人情報となり得るものについて、大量の情報を目的を明確にしないままに収集、保管し、照合することは、個人情報保護法に照らし、認められないことは明らかである。他方、必要な情報を得るためには、そうでない情報も含めていったん無差別的に収集し、事後に必要なもののみを保存するという方法をとらざるを得ない場合もある。

　防犯カメラの場合、画像情報を一時的に蓄え、被害届出の提出によって犯罪捜査上の必要が生じた場合等に、それに必要な範囲のものを選択的に保存し、他は一定期間経過後に消去する。犯罪捜査その他の具体的な保存の必要性が生じない限り、確定的な保存をすることはできない。前節3(1)で述べたように、原則として確定保存するものではないからこそ、具体的な犯罪捜査の必要性などがない段階でも撮影が認められるのであって、一定期間経過すれば確実に消去されるものであることが確保されなければならない（そうでなければ、当初の撮影自体が認められない。)。 ⁽注61の2⁾

　警視庁における防犯カメラに関しては、東京都公安委員会によって、「街頭防犯カメラシステムに関する規程」が制定され、設置場所の明示、責任者の指定等とともに、「データは、必要と認められる最小限度において、犯罪の捜査その他警察の職務遂行のため活用することができる。」ことを定め（5条）、データを活用した場合は、東京都公安委員会に報告するものとしている。また、同規程において、警視総監が運用状況を定期的に公表することとしている。警視庁の内規によって、データ保存期間は1週間とされ、警察署又は本部の所属から要請があった場合、犯罪の捜査等に特に必要と認められるときに提供し、その旨を公安委員会に報告することとなっている。データは、物と異なり、適正な取扱いに対する物理的な

（注61の2）　対象を無差別に録画している常時録画式交差点カメラや車載カメラの画像情報についても、同様のことが求められる。

(3) 犯罪捜査目的データの長期保存と利用

757　犯罪の捜査に用いるため、多くのデータが収集され、データベースとして用いられている。指紋及び掌紋については、被疑者から採取したものと、犯罪現場等に遺留されたものとがそれぞれ警察庁のデータベースに登録され、照合が行われる。DNA型情報についても、必要がある場合に被疑者の身体から収集した資料を鑑定した結果のDNA型記録と、犯罪現場等に遺留されたと認められる資料を鑑定した結果のDNA型記録とが、それぞれ警察庁のデータベースに登録され、自動照合が行われる。被疑者の写真についても、警察庁のデータベースに登録され、捜査のために必要がある場合に用いられる。身体に関わるもの以外では、特定の種類の事件で検挙された被疑者について作成する手口記録及び犯罪の認知の際に作成する被害記録が警察庁のデータベースに登録され、照会されている。

これらのデータベース登録に関して、特別の法的な規定はない。個人情報保護法上は、コンピュータ化された個人情報ファイルとして、利用目的に従って扱われることが求められるのにとどまる。権利自由の強制的な侵害を除けば、法律の個別根拠を要しないことが基本になっている。

(注62)　逮捕した被疑者については、指紋（掌紋を含む。）の採取は令状によらないで行うことができる（刑事訴訟法218条3項）。非逮捕被疑者についても、必要がある場合には、承諾を得て、指掌紋の採取、記録の作成が行われている（「必要がある場合」とは、将来の捜査のための記録保存の必要を意味するものと解される。）。そのほか、変死者等の指掌紋を採取して照会することも行われる。これらについて、指掌紋取扱規則（国家公安委員会規則、平成9年）が定められている。なお、協力者指紋及び掌紋（被疑者以外の者で犯罪現場等に指掌紋を残したと認められる者から採取した指掌紋）は、記録が警察庁に送られることはない（データベースに保存されない）ことが、同規則上明らかにされている。

(注63)　被疑者資料は、令状に基づいて強制採取されるほか、本人の承諾を得て、口腔内細胞が採取される。指紋と同じく、変死者等についても対象とされる。DNA型記録取扱規則（国家公安委員会規則、平成17年）が定められている。

(注64)　採取の根拠は、指紋の場合と同様である。被疑者写真の管理及び運用に関する規則（国家公安委員会規則、平成2年）が定められている。

(注65)　犯罪手口に関しては、捜査活動によって判明したデータであり、犯罪手口資料取扱規則（国家公安委員会規則、昭和57年）が定められている。

犯罪捜査目的のファイルについては、他のファイルとは異なり、保有に関する個人情報保護委員会への事前通知、個人情報ファイル簿の作成と公表の規定の適用を受けず、捜査に支障を及ぼすおそれがあると行政機関が認めることについて相当の理由がある限りは開示されない（したがって、訂正、利用停止の対象ともならない。）。犯罪行為を行い又は行おうとする者によって証拠隠滅や対抗措置、防衛措置が講じられるおそれがあるため、高い秘匿性が求められることがその理由となっている。

> **column　警察の捜査の継続性とデータの保存**
>
> 　刑事訴訟法に基づいて収集された個人データ（例えば、逮捕被疑者の指紋、写真）をデータベースに登録することについては、被疑者の本人特定（身元の確認と逃走された場合の同一性の確認）が必要である以上、確定判決までは当然に保存すべきものであるし、それまでの余罪の捜査も、同一人に対する一連の捜査過程として用いることができる。逮捕時点からみた将来の事件捜査のために保存し、照合することについても、逮捕の際における身元確認において過去の逮捕歴との照合が必要になる以上は、一つの制度として当然に予定されたものといえる。情報の保有の目的という面からすれば、警察の捜査は、個々人に対する一回限りの活動ではなく、次々に生起する事件を解明することを通じて、犯罪を抑止し、多くの潜在的被害者の正当な権利を守り、公共の安全と秩序を維持する活動であるので、その目的のために、個人データを集積し、コンピュータファイルとすることができるのである。(注67)(注67の2)(注67の3)

(注66)　山本前掲注36は、現在の実務が情報の取得時のみを問題としているのに対し、保存の問題を前景化する必要がある（組織的で長期的な保存（高度のデータベース化）に脆弱性・不確実性、萎縮効果、力の不均衡といった問題を生み出すとする見解を紹介する。）ことを指摘し、自己情報コントロール権ないし情報自己決定権の考えに立って、情報の保存、利用について、法律の明確な授権を要することと、情報の漏えいや濫用を防止する構造又は手続が構築されなければならないとの見解を示している。法律の根拠については、現在の判例理論を前提とする以上不要と解されるが、情報の保存や利用については、裁判統制が及びにくいことと踏まえて、より適切な実務規範の設定や公安委員会による統制など、民主的なコントロールを強めていくことが重要であると思われる。特に、犯罪捜査目的ファイルについては、実質的に個人情報保護制度による規制の及ばないものが多いので、より一層公安委員会による管理（適切な委員会規則の制定を含む。）等を通じて、警察による情報の保有の適切性が担保される仕組みが構築されることが求められる。

5 情報の提供

(1) 他の行政機関に対する個人情報の提供

759　他の行政機関（国の行政機関及び地方公共団体の機関）(注68)に対して個人情報を提供することは、法令の規定に基づく場合又は本人の同意に基づく場合のほかは、相手方行政機関の法令の定める所掌事務の遂行に必要な限度で利用する場合であって、その保有個人情報を利用することについて相当な理由のあるときに限られる（69条2項3号）。「本人又は第三者の権利利益を不当に侵害するおそれがあると認められるとき」は許されない（法令に基づく場合にはこの要件は不要であるが、そのほかの場合には、たとえ

(注67)　個人情報が保有されることになる本人との間でも、犯罪捜査の目的が将来の犯罪の抑止を含むものであり、その中には次に事件を犯せば早期に逮捕される状況を作出することで犯行を思いとどまらせるようにすることも含まれる。なお、被疑者についてのデータは引き続いて保存されるが、現場資料のデータは当該事件の確定判決の後は保存する必要がなくなるので抹消される。

(注67の2)　警察庁は、保管が不要になるまで（一定年齢に達するまで）は被疑者指紋を保管する、採取に至る捜査過程に瑕疵があれば抹消するが、無罪判決が確定してもデータから抹消しないとの立場である（平成26年4月16日栗生警察庁刑事局長答弁、第186回国会衆議院内閣委員会議事録13号20頁）。取得時に違法性がなければ保管が違法になることはない、という取得時主義の考えの反映といえる。なお、東京高裁判決平成26年6月12日〈判時2236・63〉は、任意捜査において被疑者の同意を得て指紋等を採取した場合において、その後の捜査の進展、公訴提起後の公判での審理の結果、犯罪の証明がなかったことに帰するときは、その捜査及び公判での審理で指紋等を使用したことは適法であっても、「犯罪の証明がなかったことが確定した後にまで、本人の明示的な意思に反して指紋等を保管して別の目的に使用することが直ちに許されるものと解するのは相当ではなく、本人の同意がある場合のほか、指紋等及び撮影した写真を保管して別の目的に使用することについて高度の必要性が認められ、かつ社会通念上やむを得ないものとして是認される場合に限られる」と述べ、人格権に基づく妨害排除請求として指掌紋記録及び写真記録の抹消を請求することができるとの解釈を示した上で、本件では軽犯罪法違反があったとして請求を棄却している。

(注67の3)　日・米重大犯罪防止対処協定（PCSC協定）実施法（☞649）は、アメリカ合衆国からの指紋による照会に対して、特定の者が識別される回答は、有罪判決確定者のほかは、逮捕された成人で、起訴されている者、起訴猶予となった者、処分未定の者及び指名手配中の者に限っている（保管する1,040万人分のうち約300万人に限られる。）。警察の判断と異なる公的判断が示されている場合（無罪判決、嫌疑不十分による不起訴）、少年で保護処分となった場合だけでなく、逮捕以外の被疑者は有罪確定者以外全て除かれている（任意捜査で起訴猶予という最も多数が除かれる。）。

(注68)　独立行政法人等（国民生活センター、自動車事故対策機構などの独立行政法人のほか、国立大学法人、預金保険機構、日本銀行などが含まれる。）及び地方独立行政法人については、行政機関と同様に扱われる。

本人の同意があっても、この要件を満たさなければならない。)^(注69))。

　法令に基づく場合としては、児童虐待を受けたと思われる児童を発見したときの通告(児童虐待防止法6条)など、一定の事態を発見した場合に警察官が権限を有する行政機関に通報・通告するものがある^(注70)。また、犯罪収益移転防止法に基づいて、疑わしい取引の届出を受けた都道府県公安委員会が主務大臣に通知し、国家公安委員会が捜査機関(検察官を含む。)や税務機関、証券取引等監視委員会に疑わしい取引に関する情報を提供することが行われている。このほか、警察に対して他の行政機関が協力を求め、それに警察ができるだけ応ずることを定めた規定(入国管理当局との間について定めた出入国管理及び難民認定法の規定、自衛隊員の採用についての協力を定めた自衛隊法の規定などが含まれる。)に基づいて、必要に応じて個人情報の提供をすることもある。

　「相当な理由」とは、社会通念上、客観的にみて、例外として提供するという扱いを認めるだけの合理的な理由があることを意味する(みだりに個人情報を第三者に提供されない自由があることを前提に、それを上回るだけの公益上の必要性がなければならない。)。提供する側の行政機関の長(警察庁の場合は、警察庁長官)が判断するが、開示請求が認められる情報の場合に、本人から利用停止(提供の停止)請求権が行使されることがあり得ることは、自らが他の目的に利用する場合と同様である。

　一方、警察を含めた多くの行政機関が様々な事態に対処するには、行政機関間の連携が不可欠であり、そのために積極的な情報交換が求められる。消費者の安全確保、環境保全、少年の立ち直り支援、児童虐待防止、テロ対策など、他の行政機関との情報交換(情報提供)が求められている。個人情報保護法は、「行政機関等の事務及び事業の適正かつ円滑な運営を図り(中略)その他の個人情報の有用性に配慮しつつ、個人の権利利益を保

760

761

762

(注69)　本人のみの情報については通常は同意があれば問題にならないが、他の者の情報が含まれている場合には他の者の権利利益を侵害することになり得る。
(注70)　同種の規定として、要保護児童を発見した場合の児童相談所等への通告(児童福祉法25条)、精神障害のために自傷他害のおそれがあると認められる者を発見した場合の知事(保健所長)への通報(精神保健法23条)、アルコールの慢性中毒者の疑いのある酩酊者を保護した場合における保健所長への通報(酩規法7条)などがある。

護する」ことを目的としている（1条）のであって、個人情報であるという理由で提供を拒否することが望ましいというものではない。法律の要件を満たすときには、個人情報を含めた適切な情報共有を行い、関係者の保護や社会公共の利益保護に当たるべきものである（児童虐待に関しては、児童福祉法（25条の2以下）に基づいて、要保護児童対策地域協議会が設置され、関係者間での情報共有を可能とする法的な仕組みが設けられており、同種の法的な枠組みが他の場合にも構築されることが期待されるが、個別の法的な規定がなくとも、「相当な理由」に当たることを根拠として、積極的な連携を図っていくべきものである。）。

　他の行政機関に提供する要件は、規定の上からは、自らが他の目的に利用する場合と同じである。しかし、その後の情報の管理保全をコントロールできないことから、提供が行われなくなるという傾向があり得る。それぞれの機関の管理保全のレベルを一層向上させることとともに、関係機関との相互信頼性の確保が、従来以上に求められるといえる。

column 暴力団排除のための他の行政機関への情報提供

　暴力団を社会の様々な業種や領域から排除することは、その業種等における暴力団による悪影響を防止する上でも、また、暴力団の勢力を弱体化させることによって暴力団による社会全体に対する悪影響を減少させる上でも、高い公益性がある。他の行政機関の権限行使などによって暴力団を排除するには、暴力団に関する情報、特にある者が暴力団の構成員に該当するという情報を警察から提供することが必要になる。法律で情報を提供することが直接的に定められている場合（債権管理回収業に関する特別措置法6条、27条等）に行うことができるのは当然である。暴力団の構成員が特定の事業を営むことが禁止されている場合には、提供に関する根拠規定はなくとも、個人情報保護法上、提供の「相当な理由」が認められる。そのほかの場合でも、行政機関の適正な権限行使あるいは予算の適正な執行の観点から、暴力団を排除することが法的に認められ、かつ、求められる場合であれば、排除のために情報を提供することが必要であり、提供することによって排除措置が講じられることが見込まれる限り、（注71）（注72）「相当な理由」に該当するといえる。提供行為によって、暴力団員は事業からの排除等の不利益を受けるが、その行政関係において排除されることが元々求められている以上は、本人の権利利益を「不当に侵害する」ことにはならない（暴力団に属していることは本

人の責任であることも、「不当」でないことにつながる。）。もとより、個人情報提供が法的に許されるとしても、内容の正確性が前提となるのは当然であり、誤った情報を基に他の行政機関が処分等を行った場合には、提供をした警察が責任を負わなければならない。

(2) 行政機関以外の者への個人情報の提供

　第三者への提供は、行政機関とその他の者の場合とが法的に区分される。行政機関相互の場合には、他の行政機関も秘密保持義務を負い、厳格な保管と利用制限がなされることが想定されているから、自らが他の目的に用いる場合と同様に、「相当な理由」があれば行うことができる。これに対し、行政機関以外の者の場合には、法的に秘密保持義務を持たない存在に情報を提供することになり、個人情報保護の観点から一層問題となるのであって、必要性等においてより一層厳格な制限が求められる。

　このため、行政機関以外には、法令に基づく場合及び本人の同意がある場合を除けば、個人情報を提供できるのは、ⅰ 専ら統計の作成又は学術研究の目的のために提供するとき、ⅱ 本人以外の者に提供することが明らかに本人の利益になるとき、ⅲ その他情報を提供することについて特別の理由のあるとき、に限られ（69条2項4号）、これらに該当するときでも、本人又は第三者の利益を不当に侵害することは許されない。災害や事故に遭った人の家族に連絡をすることはⅱの典型であって、当然に行うことができる。

　ⅰ及びⅱ以外では、他の行政機関に提供するときとは異なり、「特別の

（注71）　暴力団の排除という公益を実現し、情報の提供が有効かつ適正に行われるためには、相手方の行政機関と警察との間で、一定のルールが設けられることが望まれる。公営住宅における暴力団の排除、官庁発注工事からの暴力団の排除、生活保護の適用からの排除などに関して、警察庁と当該行政機関との間で合意した枠組みにのっとって行われている。

（注72）　暴力団以外の反社会的勢力についても、同様の取組が行われる場合がある。暴力団員であれば定義が明確であるが、そのほかの場合には、排除されるべき対象の特定を十分に行い、それが排除されることが当該行政係で求められる理由を明確にすることが前提となる。なお、過去に暴力団員であった者については、その事実が不許可事由として法定されている場合は当然可能であるが、そうでない場合には、更生を阻害するような結果を招くときなど、状況によっては提供することが不当に利益を侵害することにもなり得る。

理由」がなければならない。外国の行政機関や国際機関の場合には、情報を提供して国際的な事案に共に対処しなければならないこともあるし、相手方から情報の提供を受けるためには、こちらからも情報を提供しなければならないという関係にあるところから、「特別の理由」があると解されることになり得る。(注73)

765 　民間団体とも連携して対処しなければならない場合に、個人情報が提供できないとすれば効果をあげることができないが、他方で、情報が漏えいされると本人に被害を生ずることが予想されるときには、情報提供の可否の問題は深刻なものとなる。このため、一部の法律では行政機関以外の者に秘密保持義務を課し、情報交換を円滑化する仕組みを設けている(注74)。

766 　暴力団排除のために特定人が暴力団員であること等を行政機関以外の者に提供することについても、法令の規定に基づく場合のほかは、「特別の理由」が必要となる。事業者が暴力団排除条例上の義務を履行することを支援するために必要となる場合(注75)、暴力団からの被害の防止又は回復のために必要となる場合、その他暴力団対策に特に必要がある場合が該当する。(注75の2)

767 　民事上の紛争に関しては、弁護士法23条の2の規定に基づく弁護士会からの照会、民事訴訟法223条に基づく文書提出命令の制度がある。このう

（注73）　外国の機関との連携の観点から、日本の行政機関が外国の機関に提供することについて明文の根拠を置く法律も近年整備されてきている（警察に関して、例えば、犯罪収益移転防止法（14条）、国際捜査共助等に関する法律（18条）といった規定がある。他の機関については、例えば、出入国管理及び難民認定法（61条の9）がこれに当たる。）。

（注74）　児童福祉法では、要保護児童対策地域協議会の枠組みに行政機関以外の者が参加し、情報交換ができるようにするため、情報資料の提供の規定と併せて、守秘義務規定を設けている（25条の3、25条の5）。犯罪被害者支援法も、被害者早期援助団体の役職員に守秘義務を負わせ、被害者情報を警察から提供できる仕組みを設けている（ただし、同法では被害者情報の提供を本人の同意がある場合に限定している。）。

（注75）　暴力団排除条例では、事業者が一定の場合に契約の相手方等が暴力団員でないことを確認するよう努めることを定め、他方で都道府県が住民・事業者に対して情報の提供その他の必要な支援をするものとすることを定めている。これらの規定は、一般的抽象的なものであるが、暴力団排除における事業者と都道府県（警察）の行動規範を設定しているものであるから、事業者の暴力団排除義務の履行の支援に必要があれば、提供することの「特別の理由」があるといえることになる。

（注75の2）　警察庁から、「暴力団排除等のための部外への情報提供について」と題した方針（通達）が示され、実務上はそれにのっとって行われている（平成12年に定められたのが最初で、暴力団排除条例の制定等を受けて、改められている。）。

ち、照会に関しては、法令に基づく場合として、個人情報保護法上の例外にはなり得るが、実質的な観点から、公務員法上の秘密に当たるものを回答することは特段の事情がなければ違法と解されており（注20の２参照）、暴力団に対する民事訴訟への支援として回答するような場合を除き、秘匿性の高い情報を提供することはできない(注76)。民事訴訟法の命令は、民事訴訟における証拠収集の一環として、裁判所の判断によって文書の提出義務を課すものである。行政機関側は同法の除外事由に該当すると判断したときはその旨の意見を述べるが、裁判所において、その意見について相当な理由があると認めるに足りないと判断して提出が命じられる場合がある(注77)。

（注76）　暴力団に対する民事訴訟の支援は、暴力団の存在によって極めて不利な立場に置かれている当事者の正当な権利行使を可能にする（当事者対等の原則が働かなくなっている状態を是正する）ものであり、個人の保護として警察が行うべきものである。同時に、民事訴訟によって、暴力団の資金の減少、暴力団の事務所の存在がなくなることなど、暴力団による社会への害悪を減少させる効果を持つ。暴力団対策法において、代表者等の損害賠償責任（31条、31条の２）、損害賠償請求及び事務所の使用差止め請求の妨害の規制（30条の２、30条の３）の規定が置かれているのも、個人保護及び公的利益の確保という要請があるためであるといえる（これらの規定の存在は、暴力団に対する民事訴訟の公的な意義を明確にしているが、民事訴訟支援はそのほかのもの（例えば、街頭宣伝活動の禁止などの仮処分）に対しても行うことができる。）。民事訴訟への支援全般に関して、中川正浩「暴力団を相手方とした民事訴訟の支援について」警察学論集60巻12号参照。

（注77）　捜査のために作成された書類（鑑定関係書類を含む。）は、公訴時効が満了した後も、「訴訟に関する書類」に当たり（最高裁決定令和２年３月24日〈Ｗ〉参照）、原則として提出対象外とされるが、民事訴訟においてその文書を取り調べる必要性の有無・程度、文書が開示されることによる弊害（開示されることによる被告人、被疑者らの名誉、プライバシーの侵害等の発生のおそれ）の有無などの諸般の事情に照らし、提出の拒否が裁量権を逸脱し、又は濫用するものであると裁判所が判断すれば、提出を命じられる場合がある（最高裁決定平成31年１月22日〈民集、Ｗ〉参照）。警察は写しのみを保有し原本を検察官が保有していても、除外されない（同決定）。司法解剖の写真について、裁判所は遺族との関係で提出命令の対象となり得るものとしている（最高裁決定令和２年３月24日〈民集、Ｗ〉参照）。訴訟に関する書類以外は、「公務員の職務上の秘密に関する文書でその提出により公共の利益を害し、又は公務の遂行に著しい支障を生ずるおそれがあるもの」に該当する場合に限り拒むことが認められるが、犯罪の予防、捜査など公共の安全と秩序の維持に支障を及ぼすおそれがあるという意見を警察側が述べた場合には、裁判所はその意見について相当の理由があると認めるに足りるかどうかを判断する（警察側の第一次判断権を尊重するもので、情報公開法の不開示事由と同じ考えによるものである（☞863）。）。事故死の遺体を検索したが、捜査手続に移行しなかった事案における供述調書・死体検案書（写し）・写真撮影報告書について、提出が命じられた例がある（名古屋地裁決定平成20年11月17日〈Ｗ〉）。

> **column** 報道機関への個人情報の提供

　報道機関への個人情報の提供は、記者会見での発表、資料の提供、質問への回答のいずれであっても、個人情報保護法上、「特別の理由」がなければならず、また、本人又は第三者の利益を不当に侵害することがあってはならない。個人情報をみだりに公表されない自由が判例上認められているので、「特別の理由」があるかどうかは厳格に判断することが求められる。逮捕被疑者についての逮捕事実の公表は、公共的な性格が強いと考えられてきたことから、少年の場合の氏名等を除き、被逮捕者との関係で公表そのものが違法とはされないが(注79)、個人の属性に関して公表可能な範囲は限定的なものと考えるべきである。他方、被害者に係る個人情報の提供は、文字どおりの「特別の理由」がなければならない。被害者が公的な存在である場合には、特別の理由が比較的緩やかに認められるが、一般の私人の場合には極めて限られる（例えば、身の代金目的誘拐事件で、被害者の生命を守るために、警察が様々な情報を提供することを前提にして報道機関が取材活動をやめることがあるが、そういったときにおける情報の提供は、「特別の理由」があるといえる。ただし、この場合でも、本人又は第三者の利益を不当に侵害することとなってはならない。）。なお、殺人事件の被害者については、個人情報保護法上は生存している人の情報のみが保護対象となるため、この法律の規定は及ばず、一般的なプライバシー保護の上での限定が及ぶのにとどまることになる。もっとも、遺族の個人情報にも当たる場合は、遺族の個人情報として法律の規制が及ぶ。また、死者に関するものであっても、事実に反する公表が許されないことはいうまでもない(注79の2)。被害者である死者の氏名を警察が報道機関に伝える

(注78)　少年法では、審判に付された少年及び少年のとき犯した罪で公訴を提起された者（18歳又は19歳のときに犯した罪により公訴を提起されて公判廷で審理される対象となった場合は除かれる。）について、記事の掲載を禁止しており、公表をすべきものではないことになる（被害者に伝えることは禁止されていないし、可能であると解される。）。児童ポルノ法では、事件に係る少年について、記事の掲載が禁止されているが、被害少年に関する情報提供はこの場合以外も基本的に許されない。

(注79)　例えば、東京高裁判決昭和62年3月31日〈判時1239・45〉は、監禁等の罪で逮捕し、公表したことが争われたが、同種の犯罪の防止等の公益を図る目的にしたものとして、違法性は否定されている。個人情報保護法施行後も、例えば、女子中学生に淫らな行為をしたとして沖縄県青少年保護条例違反容疑で逮捕された（事件はその後、起訴猶予）教諭が報道機関に実名を発表されたことについて損害賠償を求めた事件では、訴えが退けられている（報道機関に係るものは那覇地裁判決平成20年3月4日〈判時2035・51〉、県に関しては那覇地裁判決平成21年3月3日で棄却されている（平成20年度・21年度沖縄県訟務年報）。）。なお、捜査や逮捕自体が違法とされるときは、公表を含めて違法と評価される。

(注79の2)　松山地裁判決平成22年4月14日〈判時2080・63〉は、警察が「ケンカの結果死亡した」との誤った発表をしたことで、死者の名誉が侵害され、遺族の死者に対する敬愛追慕の情が侵害されたとして、賠償請求が認められている。

ことは、それを受けた報道機関が正当な意図で取材・報道をしたとしても、取材の過程で遺族に負担が及び、報道の結果として広く知られることで人々の様々な反応があることから、精神的な苦痛や社会生活上の大きな悪影響が及ぶことになることが十分に予測される。報道側の主張はともかく、遺族の側が匿名発表を望むのであれば、それを尊重するべきものといえる。_(注79の3)

(3) 個人情報以外の情報の提供

　個人情報以外の情報を他の行政機関又はその他の者に提供する行為については、一般的な法規制は定められていない。したがって、何人にも不利益を与えず、かつ、警察の責務達成に支障とならない情報の場合には、特別の法的な制約はない。これに対し、関係者に何らかの不利益を与える情報や、犯罪捜査をはじめ様々な責務達成に支障を及ぼすおそれのある情報については、それを上回る公益的な必要性がある場合に限って、提供することができる。_(注79の4)

　犯罪の発生情報をめぐっては、例えば、犯行手口に関する情報が広がると捜査に支障があり得るほか、悪用されるおそれがあるので、広く提供すべきものではないが、関係者による対抗措置（その手口による犯罪を防ぐ措置）を確保する観点から、提供することがより良い場合もある。近年では、個々人が被害防止行動をとる見地から、犯罪の発生情報の提供を求める声も強い。このため、被害者が推知されるといったことが起きないようにすることを前提とした上で、同種被害を防ぐために、一部の情報を関係者あるいは広く希望者に提供することが行われている。関係する事業者に

（注79の3）　曽我部真裕「「実名報道」原則の再構築に向けて「論拠」と報道被害への対応を明確に」Journalism2016年10月（朝日新聞出版）は、「被害者がこのような被害を受けるいわれは全くないのであり、報道被害をできるだけ避けようとすれば、匿名発表を強く要望することしかできないとすれば、発表側がそれを尊重しようと考えるのはむしろ当然ではないか。（中略）実名報道を認めるか否か、どのような形で取材に応じるか等については、その意思が尊重されてしかるべきだとも思われる。」と述べる。

（注79の4）　警察庁長官狙撃事件の公訴時効完成に際し、警視庁が宗教法人名をあげて「信者グループが教祖の意思の下に、組織的・計画的に敢行したテロであったと認め」た旨の記者会見を行い、一定期間ウェブサイトで公表したことについて、東京高裁判決平成25年11月27日〈判時2219・46〉は、違法な行為であったとし、損害賠償請求を認めている。

対して、被害防止援助の観点から、必要な情報を提供することができることを定めた規定が法律に置かれる例もあり、さらに、ある程度秘密性のある情報を提供する上で提供を受ける側に守秘義務規定を設けている例もある。(注80)(注81)

このほか、警察が保管する物品を本人に返還する上で、公告等について定めのある場合がある。遺失物法では、物件の公告を定めるほか、警察本部長によるインターネットを利用した公表等についても定めている。

771　被害防止等の観点から、情報を提供することができる（求められる）場合であっても、不正確なもの又は誤解を招くようなものを提供することで、かえって被害防止に反することになったり、関係者に被害を生じさせることにならないよう、十分配慮することが求められる。(注82)人命等に関わる重大な被害を防止するために必要があり、急を要するときには、不確定な段階でも公表せざるを得ないこともある（そのようなときにまで未確定であることを理由に不公表とすることは、被害防止上の措置が不十分であったとして、違法とされることもあり得る。）が、その際にも、確定的なものでないことを明らかにし、その後に分かった段階で、迅速に修正するといった対応を行うことが求められる。

column　情報の取得と利用に関する組織法的統制の必要性

772　警察は、要配慮個人情報を含む多様な情報を大量に取得・保有し、犯罪捜査等に活用している。それは通常の行政機関ではあり得ないことである。一方、物の場合とは異なり、裁判統制は十分機能しない（物であれば取得された事実が分かり、訴え出を通じた裁判統制が及ぶが、情報の場合には、警察が取得したこと自体が本人にとって通常は分からないので、争われること自体が希である。）。また、警察の取得に根拠を与え、限界を画すような法律も、一部を除き整備されていない。個人情報保護法による統制も、個人情報ファイルの保有等に関する事前通知

（注80）　古物営業法27条、ピッキング防止法6条、携帯電話不正利用防止法16条、不正アクセス禁止法9条などがある。
（注81）　出会い系サイト規制法では、登録誘引情報提供機関に対して、警察からの情報提供と役職員の守秘義務規定が置かれている（20条、22条）。
（注82）　警察の行った行為ではないが、大腸菌O-157事件について、国家賠償が認められた例もある（東京高裁判決平成15年5月21日〈⑩〉）。

やファイル簿の公表の対象から捜査目的のファイルが除外され、その他のものも含めて、本人からの開示請求があっても不開示となることが多く、警察の場合には実質的に及んでいない。

　このように、組織外からの統制が及びにくいからこそ、正当な範囲を超える取得・利用が行われないようにし、かつ、国民からの疑念を抱かれないようにするために、組織内の統制を充実させることが必要になる。公安委員会による実務規範の設定、秘密保持義務を負う者による状況の確認と確認結果の公表（留置施設視察委員会のような第三者的機関の条例による設置）が制度として整備されることが強く望まれる。

　情報の取得と管理に関して問題とされた事例をみると、意図的なものが多いことが感じられる（人や物に対する権限行使をめぐって争われた事例が、流動的な状況の中での現場の判断と行動による限界的な事案であるのとは異なる。）。組織のそれなりの上位者が「バレなければいい」という考えで、内部的なルールを無視して情報の取得や利用をしていたのでは、警察の情報の取得と利用を認める根底がゆらぐこととなる。意図的な不適正取得と利用には厳しい責任追及をするべきものである。

第8章　国民・住民による警察の統制

　本章では、国民・住民による警察の統制という観点から、公安委員会制度、地方自治法上の制度及び情報公開制度について解説する。併せて、条例についても解説する。

第1節　警察組織の基本と国民・住民による警察の統制

1　警察組織の基本

　警察法は、「個人の権利と自由を保護し、公共の安全と秩序を維持するため、民主的理念を基調とする警察の管理と運営を保障し、且つ、能率的にその任務を遂行するに足る警察の組織を定める」ことを目的としている（1条）。

　警察の権限が濫用されることなく、国民・住民によって警察が統制されることが、「民主的理念を基調」とする観点から求められる。このため、警察事務の地方分権が行われる（都道府県警察が、警察の全ての実働を担当する。）とともに、民衆の代表である公安委員会が警察を管理することが定められている。

　同時に、警察組織は、現実的有効性（警察の活動による個人の保護と公共の安全秩序の維持機能の発揮）と効率性（納税者としての国民の負担を重くしないこと）という要請にも応えるものであることが求められる。規模の小さな警察を多数設けたのでは警察の機能を十分発揮することができず、効率性からも問題が大きい。また、地域的な事案に対処できるだけでなく、広域的、さらには国際的な警察事象にも対処できるものでなければ

（注1）　地域的な事案への対処に関しては、地域住民及び地域的行政組織の協力を得ることが重要であるため、現実的有効性の観点からも、地域住民の意思決定への参画が求められることになる。

ならない。このため、広域地方自治体である都道府県が警察事務を担当することとしつつ、国の警察機関が上級幹部の任命権を持ち、一定の範囲で指揮監督を行うこと等が定められている。

2 国民・住民による警察の統制のための諸制度

802 　警察を含めたあらゆる行政機関は、国民・住民（日本国籍を有する住民に限る。以下同じ。）の代表の監督に服し、国民・住民に対して説明する責務を全うし、国民・住民の的確な理解と批判の下で、国民・住民の代表の定めたルールにのっとって、公正公平に行政運営をしなければならない。警察の場合には、強力な権力機能を担う機関であるだけに、民主的な統制が実質的に及ぶことが特に求められる(注2)。国民・住民から選挙で選ばれた政治家に警察の統制を委ねるのでは、かえって政治的濫用を招きかねないという問題もあるので、警察は選挙によって選ばれた代表の直接的な指揮監督下にはないが、最終的に国民・住民の代表の下において、国民・住民の意思に従って活動すべきことに変わりはない。それだけに、他の手段を通じた国民・住民の統制に服することが、一層強く求められる。

　警察は、公安委員会の管理の下で活動を行う。公安委員会は、民衆の代表者としての委員（任命に国会の両議院又は都道府県議会の同意を要する。都道府県公安委員会の委員の場合には、住民による解職請求の対象ともなる。）で構成される。大臣や知事の指揮監督下にない警察が、国民・住民の統制を受けるのは、公安委員会の管理に服することを通じてである。警察は公安委員会に対して報告をする義務を負う(注3)。公安委員会制度については第2節で述べる。

803 　警察の活動は、国会の定める法律、都道府県議会の定める条例というルールにのっとって行われる。警察の組織は、警察法と都道府県の条例で定め

（注2）　警察以外の権力機関についても、同様の課題がある。インテリジェンス機関における民主的統制の確保が各国で課題となっていること、民主的統制と緊張関係にある政治的濫用の防止、秘匿性の確保とのバランスをとりつつ制度が設計される必要性を指摘し、その手法を紹介するものとして、小林良樹『インテリジェンスの基礎理論』（立花書房、2011年）があり、参考になる。

（注3）　高橋明男「警察法改正の検討」行財政研究46号は、「公安委員会という行政委員会を管理機構に置く制度が民主的なコントロールを意図している以上、警察からの公安委員会に対する情報提供は民主制原理から導かれる義務である」と述べる。

られる。警察の予算は、国においては内閣が策定して国会の承認を得、都道府県においては知事が策定して議会の承認を受ける。警察の活動を法的に統制すること、組織の在り方を定めること、財政面から規律することについて、いずれも国民・住民の代表が決定権を有している。

都道府県警察がそれぞれの地域において警察の責務に任じている。警察事務の地方分権は、権力の集中を防ぎ、大規模な濫用の弊害が起きないようにするものであるが、国民・住民にとって警察をより身近なものとし、地方自治法上の制度を通じた統制を及ぼすことができるようにするという意味からも、極めて重要である。警察は、住民の代表で構成される議会の監督や監査委員の監査を受け、住民請求や住民訴訟など地方自治に特有の制度を通じた住民の統制を受ける。特に、住民訴訟は、国にはない直接統制として有力な手法となっている。地方自治法上の制度については、第3節で述べる。

804

警察は、国民・住民に対して説明する責務を全うしなければならない。情報公開制度は、警察を統制する上で重要な意味を持つ。明らかにされた情報を基に、主権者としての国民・住民が警察行政を評価し、問題があるとすれば様々な方法を通じてその改善を求めるものとなる。情報公開制度については、第4節で述べる。警察の保有する情報には開示されると個人の名誉やプライバシーを害しかねないものや、犯罪を企てる者を有利にするおそれのあるものなどがあり、開示請求に応じられない場合もある。このため、情報公開制度に加えて、様々な手法を通じて、国民・住民に警察の運営状況を評価する上で意味のある情報が届けられるように努めていく必要がある。刑事収容施設法に基づく留置施設視察委員会のように、秘密保持義務のある機関が警察の実態を知って意見を明らかにし、警察がその意見を踏まえてとった措置を公表するといった手法は、基となる情報を公開できない場合において説明する責務を果たす上での有意義な手法の一つであるといえる。通達などで非開示事由のないものについては、開示請求を待つことなく、国民・住民に対して積極的に情報を提供していくことも重要である。警察の成果がどのようなものとなっているのかについては、個別の統計数値を示すだけでなく、客観的な分析を行い、国民・住民が評

805

価を加えやすいものとすることが望まれる。^(注4)

806 　国民・住民は、代表を通じた決定権だけでなく、警察を含めた行政の活動に関して意見を明らかにすることを通じて、事実上の影響を及ぼしている。いわゆるパブリックコメント制度が行政手続法で定められ、審査基準、処分基準及び行政指導指針を含めた命令等を制定する場合に意見を募集し、提出された意見を十分考慮すべきこととされている（都道府県でも、同様のことが条例で定められている。）のに加えて、命令等に該当しないものについてもこれに準じた意見募集が一部で行われている。交通規制や駐車等の取締り指針の設定は、関係住民等の意見を幅広く聴いて行われる。警察法では、警察署協議会が制度化され、警察署長の諮問に応じ、意見を述べることとされている。これら以外でも、行政運営において、国民・住民の意向がどこにあるのかが常に重視される。警察の責任者としては、国民・住民の多様な意見・批判を踏まえ、多くの国民・住民の納得支持が得られる方向での警察行政の運営を心掛けざるを得ない。^(注5)そのような事実上の影響も含めた統制につながる手法（公安委員会が国民・住民の意見を募集した上で、実務規範や内部管理的事項の基準を定めることを含む。）がより一層広められることが望まれる。

　警察に関する様々な情報が国民に提供され、警察に関してどのような制度を設けることが最適かということが幅広く国民によって論議され、代表を通じて決定されるというプロセスこそが、国民・住民による統制の最も重要な事柄である。

（注4）　政策評価法（行政機関が行う政策の評価に関する法律）により、国の行政機関は政策評価を行うこととされている。都道府県警察でも、それぞれの都道府県の条例等に基づいて、政策評価が行われる。警察の場合、数値的な政策評価が難しい面もある（数値的に評価されるものに警察力を傾斜することで、かえって警察運営を誤った方向に向ける場合もあり得る。）が、限界を踏まえつつ、可能な範囲で積み重ねていくべきものといえる。
（注5）　自らが民主的正統性を持つ知事等とは異なり、施策に関して住民の納得支持が得られるかどうかに一層敏感にならざるを得ない立場にあることを、筆者自身が警察本部長職を務めた際に実感させられている。

第2節　公安委員会と警察法上の制度

1　公安委員会による政治的中立の確保
(1)　公安委員会の独立性

　公安委員会は、大臣又は知事の指揮監督を受けることなく、独立して、警察を管理し、その他の権限を行使する。公安委員会制度は、政治的中立の観点から、占領当局の意向によって旧警察法で導入され、現行警察法でも維持されている。^{(注6)(注7)}

　国民主権（地方自治体の場合には、住民自治）の原理からすれば、行政機関は国の場合には内閣を構成する大臣、都道府県の場合には住民によって選ばれた知事が指揮監督すべきものである。^(注8)大臣等の指揮を受けない行政委員会（独立行政委員会）は、戦後の改革の過程で占領当局の方針によって設けられたが、国民主権の原理と反することが指摘されて多くが廃止され、その後は、個別事案の審査のみを担当するものを除けば、公安委員会のほか、公正取引委員会と地方公共団体の教育委員会などに限られてきた（地方公共団体には、ほかに選挙管理委員、人事委員会などがある。）。近年では、教育委員会については見直しもなされている。しかし、その一

(注6)　河合潔「警察の民主的統制という仕組みの現在とその課題」安藤忠夫ほか編『警察の進路』（東京法令出版、2008年）は、公安委員会が警察の民主的統制の方法として導入された経緯を詳述し、裁判所類似の立憲民主主義的要請（多数派による人権侵害防止）と、合理的選択制度理論による説明（反対派が政権を握ったときのマイナス回避のために多数派が政治非従属的制度を選択）を試みている。示唆に富むが、裁判所のような立憲民主主義的要請が委員資格に限定のない公安委員会制度の説明になるとは思い難い（今後の委員会の在り方として、少数派保護の機能を重視するのは一つの考えといえる。）。

(注7)　戦後の警察改革の在り方を検討した警察制度審議会（国会議員と関係行政機関責任者、学識経験者で構成され、昭和21年12月に答申を提出している。田村正博「昭和21年の警察制度審議会答申について（上、下）」警察学論集55巻7、8号参照。）では、警察の政治的中立性の必要性が多くの委員から強く主張され、過去の選挙違反取締りにおける警察の問題がしばしば言及されている。公安委員会制度は、占領当局の方針によるものであるが、日本側に歓迎する土壌が存在していたといえる。

(注8)　行政も司法と同じ法の執行過程であることを徹底すれば、行政執行機関も大臣から独立して権限を行使するという制度もあり得なくはない（交告尚史「スウェーデンにおける行政執行機関の独立性の原則について」小早川光郎・宇賀克也編『行政法の発展と変革（上巻）』（有斐閣、2001年）参照）が、日本国憲法の考えとは異なる。

方で、これまでの官僚制機構とは異なる立場からの行政が求められる分野については、原子力規制委員会など、合議制の機関の新たな設置も進められている。(注8の2)

808　公安委員会が設けられている理由は、政治的中立の確保である。政治的な理由で偏った事案処理が行われてはならないということは、他の行政でもあてはまることである（したがって、政治的中立の要請があることで委員会制度が必須なものとなるわけではない。）(注9)(注10)が、警察の場合には、戦前期において政権側が自らに有利なように警察を指揮していたことがあったこと、犯罪の捜査権限を持ち、かつ、実際に大多数の事件の捜査を行っていること、中でも選挙違反取締りを担当していることから、政治的中立の確保の重要性が広く認識され、他の制度ではなく、公安委員会制度が維持されてきたといえる。(注11)

（注8の2）　原子力規制委員会は、原発事故の反省を踏まえ、原子力規制行政について責任を有する機関として、平成24年に環境省に設置された。委員会の事務局として、原子力規制庁が置かれている。なお、消費者委員会などは、これと異なり、行政機関を監視し、諮問に応ずる等の限られた機能を担う機関である。

（注9）　検察庁も政治的中立が求められる組織であるが、法務大臣の下に置かれ、大臣の指揮権限が及ぶ（個々の事件の取調べ及び処分については、検事総長のみを指揮できることが規定されている（検察庁法14条）が、指揮の内容に限定はない。）。

（注10）　警察の政治的利用を防ぐ仕組みとして、昭和22年に内務省がまとめた警察法案では、警察官の身分保障を定め、罷免懲戒には警察官分限委員会（警視以上については、裁判官も構成員に含めた高等分限委員会）の審査を要するものとしていた。また、昭和28年に政府が国会に提出した警察法案では、国家公安委員会を廃止して大臣を長とする警察庁を置くが、国家公安監理会を設けて、政治的中立の点からの監視（勧告助言）を行うものとしていた。

（注11）　藤田宙靖「21世紀の社会の安全と警察活動」警察政策4巻1号は、政治権力と警察力の結合に対する不信感・警戒心が公安委員会制度に現れているとする。末井誠史「道州制下における警察制度に関する論点」レファレンス2009年1号も、「個人の権利と自由に関わる職権職務を遂行するマンパワーの実働組織である」ことを理由とする。もっとも、権力濫用の危険性という面だけからみて、警察が他の組織と本質的違いがあるといえるのかについては疑問もないわけではない（公職選挙法では、収税官吏及び徴税の吏員を、警察官と同様に、選挙運動を全面的に禁止する対象として定めているが、職務の権力性と影響の大きさによると思われる。）。注7で述べた選挙違反取締りにおける政治的偏向のおそれに対する懸念の存在が、少なくとも昭和20年代における公安委員会制度への評価の基になっていると思われる。佐藤英彦「警察の政治的中立性と公安委員会」前掲『警察の進路』も選挙運動規制法規の推移を踏まえつつ、同旨を述べている。

(2) 内閣の責任との調整

　行政権を有する内閣が、警察行政に関して国会に対して責任を負える制度とすることが憲法上求められる。内閣総理大臣は、国家公安委員会に対する指揮監督権を持たないが、主任の大臣として内閣に対して警察に関する法律案の国会提出と政令の制定を求め、内閣府の長として警察に関する内閣府令の制定と予算の執行を行う。これに加えて、警察法は、内閣総理大臣が国家公安委員会委員の任命権を持つこと、警察庁長官及び警視総監の任免に内閣総理大臣の承認を要することとして、任命権を通じた責任が確保できるようにしている。また、大規模な災害、騒乱等の緊急事態においては、内閣総理大臣が一時的に全警察を統制することができるものとしている（☞1017）。さらに、国家公安委員会委員長は国務大臣をもって充てることとし、内閣と国家公安委員会との意思の疎通を図っている。これら全体を通じて、国における内閣の治安責任が果たされる仕組みとなっている。

809

　警察の政治的中立性の確保と国民代表による責任体制の確保とは、ともに重要な課題であるが、現行制度は、政治的中立性の確保を中心にして構成したものといえる。現行制度は長期間にわたって定着しており、他の委員会制度のような見直し論が広がりをみせているわけではない。しかし、合議制の機関が警察を管理するのは世界的に異例であり、責任体制の確保

810

（注12）　内閣が行政権の行使について国会に対して責任を負うことが議院内閣制の本質であり（憲法65条、66条3項）、会計検査院を除いて、内閣から完全に独立した機関を設けることはできない。なお、国の独立行政委員会には、国家公安委員会のほか、公正取引委員会、個人情報保護委員会、公害等調整委員会、公安審査委員会、中央労働委員会、運輸安全委員会及び原子力規制委員会がある（このほか、人事院が内閣の下に置かれている。）。

（注13）　都道府県の場合も、住民自治の観点から、住民代表に対して責任を負わない機関を設けることはできない。委員を住民の選挙によって選任又は解任することとしない限り、知事又は議会の下に置くことが必要となる。

（注14）　警察庁関係予算については、財政法に基づき、歳出等の見積りに関する書類や予定経費要求書等が内閣総理大臣から財務大臣に送付され、財務大臣が調整を行って閣議にかけられる。執行については、各省各庁の長としての内閣総理大臣の権限に属する。

（注15）　著しく大きな災害が発生した場合には緊急災害対策本部が設置され、同本部長である内閣総理大臣が指定行政機関の長に対し指示を行う（災害対策基本法28条の6）が、国家公安委員会については、委員長に対して指示が行われ、委員長が国家公安委員会を招集して意思決定を求める。国家公安委員会委員長が意思疎通を図る例といえる。

の見地から大臣と委員会あるいは警察執行組織の長との役割分担を見直すべきとする見解も一部に存在するほか(注17)(注17の2)、選挙を通じた国民による警察運営方針選択の可否という視点からの論議も今後考えられる(注18)。現行法は、警察の政治的な濫用が実際に行われないようにするだけでなく、そのおそれが少しでも残ることのないようにするためのものであり、警察運営（と政治家）に対する警戒心を背景にしている。現行制度の趣旨にのっとった警察運営が実際に確保され、公安委員会の管理と様々な手法を通じて、国民に理解されることに向けた継続的努力が求められるといえる。

column 外国警察における委員会制度

警察組織は、一般の行政機関と同様に、国の場合には大臣（内務大臣）、市の場合には市長の指揮下に置かれるのが通例である。警察を管理する委員会の例は少ない(注19)。

(注16) 教育委員会については、責任体制が不明確（委員長と教育長のどちらが責任者か分からない。）、住民の民意が十分に反映されていない（首長（知事・市町村長）の果たす役割も不明確）などの問題が指摘され、任意設置にすべきとの論もあった。平成26年に地方教育行政の組織及び運営に関する法律が改正されて、教育長と教育委員長の権限を併せもった新教育長（首長が議会の同意を得て任命）、首長が招集する協議調整の場としての総合教育会議、教育に関する大綱（教育の目標及び施策の根本的な方針）の首長による策定などが定められた。新制度でも、教育委員会は、独立した執行機関としての権限を有しており、政治的中立性の確保が図られることとなっている。

(注17) 大臣、国家公安委員会及び警察庁長官の関係を明確化する必要性とその場合における一つの方向性を示したものとして、飯尾潤「警察行政における政官関係の課題」前掲『警察行政の新たなる展開（上巻）』がある。八木俊道「我が国行政における合議制行政委員会の可能性と限界」行政管理研究91号（行政管理センター、2000年）は、アメリカにおける連邦人事委員会の廃止（人事管理庁と公平審査及び公務員の権利保護機能を担当するメリットシステム保護委員会とを設置）及び28年警察法案を参照しつつ、国家公安委員会は監視と市民の苦情処理に特化させるべきとする。これらの見解への評価について、河合潔「警察の政治的中立性の確保についての論点整理」警察政策9巻参照。

(注17の2) 国家公安委員会の役割として、近年、警察組織の管理（都道府県警察の長等の任免を含む。）だけでなく、国の一つの政策分野の責任機関という位置付けがなされてきており、内閣の事務を助けることが任務に加えられ、閣議決定された基本方針に基づいて総合調整等を行うこととされた（☞1020）。近年の犯罪対策等における政策の重要性と「政治との協働」の進展（米田壮「警察の現在と将来－変えるべきこと、変えてはならないこと－」警察学論集67巻7号参照）と軌を一にするものといえる。もっとも、国家公安委員会は警察の政治的中立確保のために設けられた機関であり、警察組織の管理責任を全うし、疑念を抱かれないようにしなければならないことは当然である。今後、組織の在り方として、前注飯尾の見解も含め、様々な論議が求められると思われる。

アメリカでは、警察制度は統一されていないが、ほとんどの市警察の場合、長（コミッショナー又は警察長）が市長から任命され、市長の指揮権が及ぶ。公安委員会（Board of Police Commissioners）は、19世紀半ばに政治的中立確保のために導入されたが[注21]、合議体では意思決定に時間がかかり迅速さを要する警察の管理として適切でない、責任の所在が不明確になる、政治的駆け引きの場となる（異なる政党に属する者が委員となり、公安委員会の場が政党間の取引に用いられる。）という問題があり[注22]、20世紀の初頭にニューヨークで1人のコミッショナーが指揮をする制度に切り替えられて以降、一部の例外を除き、1940年代までには委員会による管理制度は廃止されている[注23]。

なお、イギリス（イングランド＆ウェールズ）では、これまで、地方議会議員と治安判事等で構成される委員会が警察を管理していたが、2011年に制定された法律によって廃止され、選挙で選ばれた単独の警察・犯罪コミッショナー（Police and Crime Commissioner）が警察を管理する制度になった[注24][注25]。

(注18) ニューヨーク市における治安改善に関して、「ゼロ・トレランス」（軽微な犯罪も許さない方針）が導入され、成果をあげたことが報じられている。方針の是非と治安改善効果に対する評価には論議があるが、重要なことは執行方針の転換が市長の選挙を通じて行われたことである。日本の制度では、有権者は警察に関する法令や予算の在り方の選択はできるが、執行方針の選択はできないし、公安委員会や警察本部長が大幅な執行方針の転換をすることもできない。もっとも、執行方針については、国民の良識を代表する者の討議によって徐々に変えることが望ましいとすれば、選挙による執行選択ができないのは問題ではなく、逆に公安委員会制度の利点と評価されることになる。

(注19) 独占禁止当局や通貨当局は合議体の組織であるのが通例であるが、警察を管理するのは、本文に述べたアメリカの例のほかは、カナダの一部の市（ブリティッシュコロンビア州の警察法では、市警察の管理機関として警察委員会（Police Commission）の設置を義務付けている。）を除きほとんどない。政治的中立の確保のために委員会が置かれる例としては、韓国の警察委員会（警察の人事、予算等に関する主要政策の審議・議決機関で、1991年法によって設けられた（古谷洋一「韓国の警察制度」前掲『警察の進路』参照）。）やインドネシアの国家警察委員会（大統領の助言機関で、2002年警察法によって設置された（竹内直人「インドネシアの警察制度」同参照）。）があるが、いずれも警察組織の管理機関ではない。

(注20) 多くの警察組織を調べたものとして、かなり古いが、上野治男『米国の警察』（良書普及会、1981年）がある。ロスアンゼルスなどのカリフォルニア州内の市（同州では、自治体に警察委員会の設置を義務付けている。）を除けば、ほとんどの市で独任制の警察管理者となっている（例外はデトロイトで、1974年に警察委員会が設けられた。また、ミズーリ州では州知事の下にある委員会が、市の警察を管理している。）。なお、ほかの市（例えば、シカゴ）にある委員会（Police Commission）は警察の管理機関ではなく、苦情事案について警察を監視することや警察長の任命候補者の選任といった特定の事項を担当している。

2 公安委員会による警察の管理
(1) 公安委員会の管理責任と説明責任

812　公安委員会は、警察の政治的中立性の維持と警察の独善的な運営の防止の観点から、警察（都道府県公安委員会は警視庁及び道府県警察本部、国家公安委員会は警察庁）を管理する。

　公安委員会の管理機能を強化・明確化する観点から、平成12年に警察法が改正され、警察との緊張関係を確保するための再任回数の制限とともに、(注26)

(注21)　日本では、政治的中立は主として行政府の長の介入防止の文脈で論じられるが、アメリカでは市議会の委員会による支配の問題が例に挙げられる（ブルース・スミス（中原英典・田中八郎訳）『米国警察制度』（警察協会、1952年）（原著は1949年、初版1940年）235頁以下参照）。また、高橋雄豺『新訂版英国警察制度論』（令文社、1956年）は、イギリスの市警察においても、市議会の委員会が警察官の任命、懲罰の権限を持っていたため、警察部長の部下統率を困難にし、規律維持に問題があったことを紹介している（445頁）。

(注22)　アメリカにおける公安委員会制度の問題点を日本に紹介した早い時点の文献として、土屋正三訳『北米合衆国警察行政論』（警察協会、1925年、警察大学校所蔵）がある。戦後のものとして、渡辺宗太郎・杉村敏正『新警察法と米国警察制度』（有斐閣、1948年）は、警察行政において委員会制度は適当でない（決断と行動の迅速さがなく、個人的及び政治的性格を有する意見の対立を生じやすく、警察の日常の手続と不断に接するのが困難である。）とするアメリカでの評価を紹介し（160頁）、警察法で導入された公安委員会の民主的性格を述べつつ、憂慮すべき弊害として、警察事務の能率低下、政党の影響、民衆への接近が非民衆的なものとなる危険（反民主的な者の影響を受ける危険）を紹介し、公安委員の気概と識見が要求されると述べている（17頁以下）。

(注23)　上野前掲注20は、残っている警察委員会が、直接の管理ではなく、市民代表による警察監視的なものに重点を移している（ロスアンゼルスでは、警察官への訴えの調査、警察規則の制定等を行い、許可等の権限を行使するが、個々の事件への介入はしない。警察局長以外への指揮命令をすることはない。）と述べるほか、ロスアンゼルス市やデトロイト市の公安委員の構成が人種的、民族的マイノリティに属する者や女性を含むようになっていることを紹介している（67頁以下）。その一方で、市長が交代したときに、任期中であっても委員を変えることが可能であるとしており（67頁）、委員会制度の利点とされていた選挙による影響が直ちに及ばないようにするという面はなくなっている。

(注24)　2011年警察改革及び社会責任法は、警察の説明責任の向上を図る観点から、警察管理者の公選制を導入したものである。公選制の導入には、政治的中立が損なわれるとする地方議員らの反対があった。警察・犯罪コミッショナーは、任期4年で、警察の管理責任を負い、旧来の委員会と同様に、警察の予算を定め、警察本部長の任免と監督を行う。警察・犯罪コミッショナーへの助言と監視を任務とする機関として、治安委員会（Police and Crime Panel）が設けられている。なお、ロンドン市（首都警察である警視庁）とシティについては、他の地域とは異なり、公選の警察・犯罪コミッショナーは設置されていない。

(注25)　改正前は、地方議会議員と治安判事らで構成する委員会が警察管理者（Police Authority）となっていた。改正前の制度については、近藤知尚「イギリスの警察制度」前掲『警察の進路』参照。歴史的経緯については、高橋前掲注21及び今野耿介『英国警察制度概説』（原書房、2000年）が詳しい。

公安委員会による監察の指示（12条の2、43条の2）と都道府県警察職員に懲戒事由に該当する事実がある場合の公安委員会に対する報告義務（56条3項）の規定が設けられ、都道府県公安委員会が市民からの苦情を受けて回答することに関する規定（78条の2（現79条））が設けられた。

公安委員会は、警察の管理（任命権など管理のための個別権限行使を含む。）について、国民、住民に対して責任を負う。(注27)警察庁長官及び警視総監・警察本部長は、公安委員会の管理に服することを通じて、国民、住民の統制を受ける。警察運営に政治的な偏りが生まれたり、国民、住民の意思と離れた独善的なものとなったりする事態が起きれば、公安委員会は管理責任を全うしていなかったとする批判を受けることとなる。(注28)(注29)

公安委員会は、警察組織の管理を含む自らの権限行使について、国民・住民に対して説明責任を負う。会議録の作成、公表は、公安委員会の責任で行われるべき重要な事柄である(注29の2)（会議の庶務に関することとして、警察庁・都道府県警察に調製させ、保管させることができるが、最終的な責任

（注26）　菅沼清高「警察行政をめぐる当面の問題についての一考察」森本益之ほか編『刑事法学の潮流と展望』（世界思想社、2000年）は、公安委員には、本来の目的に即して機能させるべく努力を続けている人もいるが、名誉職的な地位と認識している人が多く、警察機関側も「「良好な関係」を維持しておけば足りる」という認識になっていることが一般的であるとして、公安委員会と警察機関との間に適度の緊張関係と建設的で真摯な議論の関係を作り上げることが必要である、と述べている。

（注27）　山田英雄「警察刷新会議に異見あり」文芸春秋2000年9月号は、公安委員会は「政治に利用されないよう大まかな運営方針を示すのが仕事」であって、警察の個々の事案について指揮監督をするなら本旨から大きく逸脱する、公安委員会が本部長の完全な上部機関になると警察に様々な支障が生ずると批判し、さらに同「公安委員会の「管理」」現代警察123号では、個別の指示が含まれることを明示した法改正によって、大綱方針を示した管理という「民主的管理の実が失われていく」ことを懸念すると述べている。公安委員会を政治的意思の遮断だけのものと位置付け、警察の独善的な運営を防ぐという役割を実質的に無視した見解であるといえる。

（注28）　佐藤前掲注11は、平成12年の警察刷新会議の「警察刷新に関する緊急提言」で公安委員会が「国民の良識の代表として警察の運営を管理する機能が十分に果たされてない」と指摘されたことを紹介し、当時国民から批判された事案を全体としてみれば、「警察組織が独善化し、警察の意識が国民の意識と乖離していたと言わなければならず、公安委員会の管理は形骸化していると批判されたのは宜なることであった」と述べている。一部の都道府県警察の問題事例だけで公安委員会の管理のありようの全体を論ずることはできないが、前々注及び前注の委員側及び警察幹部側の姿勢に照らせば、少数の例外的な事態であったとは思われない。

は委員会にある。)。

(2) 警察本部長等に対する任命権

813　警察組織を統制する上で最も基本となるのは、任命権（罷免と懲戒を含む。）である。警察法は、都道府県警察の長（警視総監及び道府県警察本部長）及び警視正以上の警察官の任免について、国家公安委員会が都道府県公安委員会の同意を得て行うことを定めている（☞1007）。警察庁の長である長官についても、国家公安委員会が任免する。懲戒権も、同様に国家公安委員会に属する。国家公安委員会は、都道府県警察の長（及び警視正以上の警察官）並びに警察庁長官について、適任者を選任すべき義務を負い、任命権者として必要な監督を行う(注30)。それらの者の行動結果に対して、国家公安委員会は任命者としての責任が問われる(注31)。

814　都道府県公安委員会は、任命等に関して間接的な権限のみを有する。都

（注29）　大野真義「公安委員会の役割と在り方」現代刑事法45号は、元公安委員として、任期制限を評価しつつ、「はたして非常勤の委員によって、警察を管理する行政庁として充分にその役割を全うしうるかについては、いささか疑問といわざるをえない」と述べている。「警察刷新に関する緊急提言」でも公安委員は常勤化することが適当とされたが、地方自治体の委員は非常勤であることが原則とされていることに加え、人格識見に優れた人に委員になってもらう上で常勤化が支障になることから、行われていない（吉村博人『警察改革第3版』（立花書房、2009年）66頁参照）。なお、アメリカの委員会も、各市警察のウェブサイトによれば、非常勤で週1回の会議が基本である。

（注29の2）　教育委員会の場合には、透明化の観点から、会議の公開に加えて、議事録の速やかな作成と公表に努めるべきことが、平成26年の法改正によって明記された。会議自体の公開ができない公安委員会の場合、会議録の作成、公表の必要性は一層高いものがある。なお、公安委員会のウェブサイトにおける掲示が実質的な公表といえるが、短い期間しか対象とされていないものは、説明責任の履行として十分といえるか疑問がある。

（注30）　国家公安委員会による警察庁長官及び警視総監の任免には、内閣総理大臣の承認を要するが、国家公安委員会としての任命責任は変わるものではない。

（注31）　任命権者は、国家公務員法の懲戒事由や罷免事由があった場合に処分するだけでなく、訓戒や注意等を行うことができる。一般職の公務員を懲戒、罷免するには公務員法上の懲戒事由や罷免事由がなければならないが、その職を遂行させる上で問題があると判断した場合には、他の職に配置替え又は転任をすることが、実質的に罷免に代替する措置となる。なお、警視監までの階級にある警察官については、階級が同一である限り他の職に配置しても降任とはならないが、警察庁長官及び警視総監については、同格の職がなく、他の職に配置することが降任となるので、免職ないし降任事由に該当しない限り、本人の同意なく異動させることはできない（このような上位の職の場合にまで降任事由を厳格に限定し、特定の事由がなければ異動させることができないとする制度が合理的であるといえるかは疑問もある。）。

道府県警察の長及び警視正以上の警察官の任免に関する同意（又は拒否）をするほか、懲戒又は罷免の勧告を行うことができる。その意味では、国家公安委員会のような直接的な任命責任を負うわけではないが、都道府県の住民（とその代表である議会）に対して、勧告権等の行使の不実施についての責任を負う。そのほかの職員については、警視総監又は道府県警察本部長から意見を聞かれるほか、懲戒又は罷免の勧告を行うことができる。

　懲戒又は罷免の勧告を適切に行うため、懲戒事由に係る事案があったときの報告義務が警察法に定められている。警視総監・道府県警察本部長は、都道府県警察の職員について、懲戒事由（職務の遂行に当たって法令・条例に違反したとき、職務上の義務に違反し又は職務を怠ったとき、全体の奉仕者たるにふさわしくない非行のあったとき）に該当する疑いがあると認めるときは、速やかに事実を調査し、事由があることが明らかになったときは、都道府県公安委員会の定めるところにより、公安委員会に調査の結果を報告しなければならない。

(3)　大綱方針を示して行う管理

　公安委員会は警察業務の専門家ではなく、個々の事件の捜査をどのようにして行うべきか、といったことについて指揮監督を及ぼすことは想定されていない。個別事案の対応は、警視総監・警察本部長が都道府県警察の長として責任を担っている。大綱方針を示し、報告を受け、あるべき警察

（注32）　国家公安委員会から異動案（現任者の転出先と後任候補者）を示されて同意が求められることになるが、後任候補者について都道府県公安委員会は経歴以上の情報を持たないので、時期的な問題から異動自体の回避を求める場合を除き、同意権の行使に実質的なものを求めることは困難である。都道府県公安委員会としては、懲戒、罷免すべき事由があると判断した場合に勧告するほか、適格性に疑問があると判断するときは、国家公安委員会と密接な連絡をとる必要がある。都道府県公安委員会がより実質的な判断をすることが求められるのであれば、運用レベルにおいて、都道府県公安委員会の代表者も参加した適格者登録制度といったものを設けることも考えられる。

（注33）　いわゆる不祥事隠しがあったことが問題となったために設けられた規定であるが、これらの事案があったときに警察本部長等が調査をし、該当するときに管理権を有する公安委員会に報告すべきことは、当然のことといえる。

（注34）　個別事案への対処を公安委員会が行わないので、意思決定の遅れと責任の不明確というアメリカにおける公安委員会制度の問題点は、日本では生じていない（アメリカではこのほかに政治的取引が問題となったが、我が国の公安委員会がアメリカの複数政党代表的な構成ではなく、非政党的な構成であるため全く起きていない。)。

運営を示すことが基本となる。国家公安委員会では、「事務の運営の準則その他当該事務を処理するに当たり準拠すべき基本的な方向又は方法を示す」ものとしての大綱方針が示され、大綱方針に適合していないと認めるときは、長官に対して「大綱方針に適合するための措置に関して、必要な指示をする」、指示に基づいてとった措置について必要な報告を徴することを、運営規則で明らかにしている。(注35)

警察事務を直接的に担うのは都道府県警察であるから、警察事務の管理の中心となるのは都道府県公安委員会である(注36)(国家公安委員会は任命については直接的で主要な責任を負うが、警察事務に対しては国の関与自体が限られるので、国家公安委員会規則の制定など限られた範囲での関与の責任を負うにとどまる。)。大綱方針を示して管理をするのは国の場合と同じでも、都道府県警察という実働組織を管理する機関としてより立ち入った関与になることもあり得る。警察の運営方針のほか、個別の事案に関しても、住民からみて不適切な事態を生じさせたと判断される場合には、その原因を問いただし、再発防止を求めることが含まれるのは当然である。(注37)委員会は、委員会の意思決定という形式のほか、警察本部長等に対して示唆を与えることを通じて、警察組織の運営の方向を示すこともある。(注38)(注39)都道府県公安委員会は、これらの全体を通じて、管理の実を上げることが法的に

(注35) 荻野徹「国家公安委員会による警察庁の「管理」について」公共政策研究9号は、近年の国家公安委員会の管理が実質的な内容に関わるものとなっている例を紹介している。
(注36) その意味で、管理に関して、国家公安委員会を例に論じ、都道府県公安委員会の場合はこれに準ずるといった言説は、適切さを欠くと思われる。
(注37) 相当数の都道府県警察において、公安委員会による年間の運営方針(年間の運営指針と重点)の策定が行われており、その審議も実質的なものに及んでいる(田村正博「警察法の60年——理念とプラクティスの変化」警察学論集67巻7号参照。)。
(注38) 筆者が勤務した県警察において、職員の深刻な非違事案が続けて発生した際には、公安委員会から、具体的な項目が示されて抜本的な防止策が求められた(その対応については、田村正博「職員の意識に適合した組織管理」警察学論集63巻7号参照。)。
(注39) 警察本部長は、委員会が唯一の上位機関であり、委員の発言の重みを最も感じる立場にある(上司として警察本部長がいる部長以下の職員とは立場が異なる。)。佐藤前掲注11は、警察庁及び都道府県警察幹部として、「国民の良識の代表としてある公安委員との意見交換を積極的に行い、平素から警察行政に対する国民の意識や評価を知るべく努める」べきであると述べている。また、広畑史朗「警察幹部のリーダーシップ」(立花書房、2011年)は、警察本部長として、警察の不適正経理問題への対応に関して、公安委員の示唆、助言を得たことが、方向付けの大きな助けとなり、判断の過ちや世間の常識とのずれを是正させるものとなったことを述べている(39頁)。

求められている。

　国家公安委員会は、警察庁の施策が主な対象であるが、その前提となり得る個別の事案への警察の対応状況も対象として論議が行われる。都道府県警察において個別の事案の問題が事後的に取り上げられるのと同じく、個別の事案に関する警察庁の対応（長官の指揮監督を含む。）が事後的な検討対象となり得る（ただし、国の警察機関として関与できる範囲を超えることはできない。）。

⑷　監察の指示

　管理を具体化するものとして、監察の指示が警察法で定められている。(注40)都道府県公安委員会は、都道府県警察の事務又は都道府県警察の職員の非違に関する監察について必要があると認めるときは、管理権の行使としての指示を具体的又は個別的な事項にわたるものとすることができる（方面公安委員会も同様の権限を有する。）。監察が未実施である場合や不十分な場合に、個別の事案に関して、個々具体的な事項に関する調査を指示することができることになる。指示を受けた警視総監・警察本部長が従う法的義務を負うことは当然である。監察の指示をした場合で必要があると認めるときは、都道府県（方面）公安委員会は、委員を指名して、指示に係る事項の履行状況を点検させることができる。点検に関して、委員会は都道府県警察の職員に補助をさせることができる。国家公安委員会も、国の機関として有する監察の権限（☞1002、1027）の範囲内で、必要があると認めるときは、管理に基づく指示を具体的・個別的事項に及ぼすことができることが定められている。この場合、国家公安委員会は、指示の履行状況を自らが指名する委員に点検させ、その点検の補助を警察庁の職員に行わせることができる。

　監察は、事実を調べて、基準等に適合しているものかどうか、あるいは将来の望ましい結果に向けてどのように組織管理、職員管理を行っていくべきかを明らかにするものであり、公安委員会の管理が個別事案に及ぶことがなじむ態様のものといえる。

　　（注40）　監察に関しては、平成12年に監察に関する規則が国家公安委員会によって制定された。警察の能率的な運営及びその規律の保持に資することを目的としている。

(5) 苦情申出の処理

819　苦情申出の処理を都道府県公安委員会（重大サイバー事案対処のために警察庁の警察官が行った職務執行については、国家公安委員会）が行うことが、警察法で定められている。市民の代表として警察を管理する公安委員会の事務の典型といえる。都道府県警察の職員の職務執行について苦情がある者は、都道府県公安委員会に対し、文書により苦情の申出をすることができる。法の委任を受けた苦情の申出の手続に関する規則により、申出書には、ⅰ氏名・住所・電話番号、ⅱ苦情申出の原因となった職務執行の日時場所と事案の概要（警察職員の職務執行の態様等）、ⅲ申出者が受けた具体的な不利益の内容又は執務に対する不満の内容、を記載することが必要になる。

都道府県公安委員会は、苦情を誠実に処理し、処理の結果を文書により申出者に通知しなければならない。ただし、都道府県警察の事務の適正な遂行を妨げる目的で行われたと認められる場合は除かれる（住所が不明であるとき及び共同で行われた申出で他の者に既に通知したときも、通知は不要になる。）。

苦情申出の処理は、公安委員会が都道府県警察の事務に関して都道府県警察を管理する権限（法令によって公安委員会自身の事務とされたものに関しては、補佐機関である都道府県警察を指揮監督する権限）の行使として行われる。公安委員会の指示を受けた警視総監又は道府県警察本部長が事実を調査し、調査結果に応じた措置をとって、公安委員会に報告する。公安委員会は、文書での回答を決定する（法律で定められた除外事由に当たるかどうかの判断も併せて行う。）。

なお、公安委員会に対する苦情以外の苦情については、この規定の対象

（注40の2）　職務執行を行うのが都道府県警察だけであることから都道府県公安委員会のみの事務とされていたが、令和4年の警察法改正により、重大サイバー事案に対処する事務に必要な職務を行う警察庁の警察官が、その職務に必要な限度で職権を行うことができるようになった（⇨1005）ため、その場合の警察庁の警察官（及び警察庁に派遣された都道府県警察の警察官）の職務執行について苦情がある者は、国家公安委員会に対して苦情の申出ができることが警察法で定められた。

（注41）　アメリカで警察に関して市民を代表する委員会が置かれる場合、市民からの苦情への対応がその業務に位置付けられている（前掲注23参照）。

とはならないが、公安委員会として都道府県警察を管理する上で重要な事柄であるので、公安委員会に報告される扱いとなっている。

(6) 審査庁としての中立的な権限の行使

自らの処分又は警察署長等の処分に対して、行政不服申立てがあった場合には、公安委員会は、中立的な立場から、審査庁としての判断を行わなければならない。通常の行政機関であれば、審査請求を受けた場合には、行政不服審査会等の第三者機関に諮問してその判断を受けなければならないが、公安委員会を含めた行政委員会の場合には、諮問することなく、自らの判断だけで裁決をすることとなっている（☞1124）。処分に関与していない職員が審理員として公平に審理をするという制度も適用されない（☞1141）。したがって、公安委員会自らが、他の機関が行う場合以上に中正公平な判断をすることが求められるのであって、補佐機関である警察本部長以下に実質的な判断を委ねることは許されない。

3　公安委員会規則等の制定

(1) 国家公安委員会規則

国家公安委員会は、国家公安委員会規則という形式で、警察職員の活動等の基準を示している。行政規則の一種であるが、直接の管理下にある警察庁だけでなく、都道府県警察とその職員もこれに従うべきものとされる。(注42)

法的な権限行使に関して、国家公安委員会規則によって実務規範を明確にすることは、法のある程度抽象的な規定を遵守しやすいものに具体化し、権限の濫用防止と必要な場合の適切な権限行使をともに達成する上で有効なものである。また、個々の権限行使だけでなく、ある分野における警察の活動を、全体としてより有効かつ適切に行われるようにするために、警察の活動の指針を示し、様々な内部的管理手法を設け、それらを国民に明

（注42）　国の関与について、国のつかさどり事務、統轄事務及び調整事務（勤務及び活動の基準を含む。）の別がある（☞1003）。警察法施行令13条は、当初、警察職員の勤務及び活動の基準については、「準則」を国家公安委員会規則で定めることができると規定し、国家公安委員会が定めるのはあくまで準則であって、都道府県警察が具体化することを前提としていた（これに対して、つかさどり事務や統轄事務に関しては「その処理の要領」と規定し、国家公安委員会規則がそのまま当てはまるものとしていた。）が、その後の改正（昭和37年）によって改められ、直接適用される基準を作成できるものと解されるようになっている。

確な形で示すことは大きな意義がある。国家公安委員会規則の制定は、国家公安委員会として大綱方針を示して警察を管理する上での手段の一つであり、国民からすれば国家公安委員会を通じて警察を統制するものといえる。

822　拳銃規範は、拳銃を適正かつ的確に使用し、及び取り扱うために必要な事項を定めたものであり、武器の使用に関する法の規定を受けて、より分かりやすい形で実務上の準則を定めるとともに、法が規律していない使用以外の携帯等についても取扱い方を明確にして組織的な管理を図っている（☞576）。特殊銃については、実質的な差を踏まえて、警察官等特殊銃使用及び取扱い規範が制定されている。武器以外で人に危害を加え得るものについて、警察官等警棒等使用及び取扱い規範等が制定されている。

犯罪捜査に関しても、「警察官が犯罪の捜査を行うに当つて守るべき心構え、捜査の方法、手続その他捜査に関し必要な事項」を定めた犯罪捜査規範が制定され、合理捜査・適正捜査（逮捕権の慎重運用を含む。）・組織捜査を推進するとともに、時代状況の変化に対応して、被害者関係規定の追加、取調べに係る内部的統制の充実などが行われている。犯罪捜査に関連して、犯罪捜査共助規則、指掌紋取扱規則、ＤＮＡ型記録取扱規則、通信傍受規則などが制定されている。

このほか、被留置者の留置に関する規則、少年警察活動規則、警備実施要則、地域警察運営規則などが定められている。個々の法的権限行使への基準を含んでいないものも、組織運営を国家公安委員会が統制し、かつ、国民に明示する意義を持っている。

823　国家公安委員会が定める事項を拡大・深化していくことは、管理の実質化として意味がある[注43]。制定に当たって、国民の意見を公募し、提出された

（注43）　もっとも、国の警察として行うことのできる範囲には限界がある。調整や活動等の基準の場合には、その限度を超えてはならない。また、都道府県に対する新たな義務付けを行うことはできないことに注意を要する。竹内直人「「地方分権」及び「中央省庁等改革」以後における警察行政の課題」警察政策2巻1号は、新たな義務付けを地方自治体に行うには法律又は政令の定めが必要であり、法律の具体的な委任を受けていない国家公安委員会規則（警察法施行令13条による規則）では行うことができないことを指摘した上で、既に一般的に与えられている事務（ローエンフォースメントの事務）の実施基準として定めることのみが可能であるとしている。

意見に考慮した結果を公にする手続をとることも、民主的統制としての意義を持つ。少年警察活動規則を平成14年に新たに定めたこと、ぐ犯調査について規定を設ける（平成19年改正）際に意見募集を行ったことは、今後の方向性の一つを示したものといえる。

(2) 都道府県公安委員会の規則等

都道府県公安委員会では、国家公安委員会規則のような実務上の基準を示す規則を制定する例はあまりないが、管理権限の行使として、一定の行為を行う場合の基準を定め、警察本部長等に報告の義務を課すことは当然に行い得る[注44]。

警視庁の街頭防犯カメラシステムについて、東京都公安委員会は、警視庁に対する管理権に基づいて、設置場所の明示、責任者の指定と慎重な運用、データの活用の限定と報告、運用状況の定期的な公表を定めている[注45]。警察の活動を管理して適正さを確保し、住民に対してそのことを明確にする意味で、同種手法が今後広められることが期待される（情報の取得と管理に関して☞772）。

4 警察署協議会

警察署（管内人口が少ないなど、特別な場合を除く。）ごとに警察署協議会が設置される[注46]。警察署における事務の処理に、地域の人（住民に限らず、勤務場所としている人などを含む。）の考えを反映させるためのものであって、管轄区域内における警察の事務の処理に関し、警察署長の諮問

（注44）　地方分権の時代において、都道府県公安委員会が規則の制定等によって管理を充実化させる必要性は一層高まる。なお、竹内直人「個別作用法等による「警察事務」についての警察法の関係規定の働き方～特に警察機関相互の関係を中心として」北村滋ほか編著『改革の時代と警察制度改正』（立花書房、2003年）は、個別作用法上の権限に関しては作用法の下位法令によって事務処理の基準を定めるべきものとし、活動の基準によるべきではないとする。国家公安委員会規則による基準設定に限界があるのは指摘のとおりであるが、都道府県公安委員会が事務処理の基準を定めていくこととは矛盾しないものと考える（作用法体系が整備されると、反してはならない対象が増えるというのにとどまる。）。

（注45）　東京都街頭防犯カメラシステムに関する規程（平成14年2月、東京都公安委員会規程1号）

（注46）　警察刷新会議の提言で、「住民の意見を警察行政に」と題した項目の中で、地域における有識者からなる警察署評議会（仮称）を設置すべき（イギリスにおける「警察と地域の協議会」が参考とされている。）とされたのを受け、平成12年改正で設けられた（伊藤泰充「警察署協議会制度について」警察学論集54巻8号参照）。

に応ずるとともに、警察署長に対して意見を述べる機関である。警察署長の側から求められた事項について意見を述べるだけでなく、警察署長の側から求められていない事項についても、協議会として意見を述べることができる。意見を述べる前提として、十分な実情の説明が行われる必要がある。警察署長にとって、業務運営についての説明責任を果たす場の一つと位置付けられる。

協議会は意思決定機関ではない（意見は警察署長を拘束しない。）から、外国人の参加も可能であり(注47)、多数の外国人が居住し、あるいは勤務等で訪れる場所を管轄する警察署では外国人の参加を得ることが適切である。様々な意見を聴くことに意味があるのであって、協議会の意思が統一される必要はない。署長は、協議会の場で示された意見を十分踏まえ、尊重しつつ、他の様々な地域住民等に対しても説明責任を履行し、多くの要望、意見を聴いて、住民全体の意思に従って職務を遂行すべきものである。

協議会の委員は、公安委員会が委嘱する。委嘱を受けた委員は、非常勤の公務員となるが、特別職であるので地方公務員法の適用を受けない。協議会の設置等は、条例（議事手続については、都道府県公安委員会規則）で定められる。

第3節　警察事務の地方分権と地方自治法上の制度

1　警察事務の地方分権

(1)　地方自治の理念と都道府県警察の意義

826　憲法は、権力を分散することによって濫用を防止し、国民（住民）の意思が十分に反映されるようにするために、地方自治を保障している（憲法92条）。地方自治は、地方公共団体に自治権を与え、地域の行政をその住民の自主的な処理に委ねるものである。警察事務の地方分権は、地方自治

（注47）　重要な施策に関する決定を行うもの又はこれらに参画することを職務とするものの場合は「公権力行使等地方公務員」として日本国籍を有しない者を就任させることはできない（最高裁大法廷判決平成17年1月26日〈民集、⑲〉参照）が、協議会委員はこれに当たらない。

の理念に沿うものであるといえる。

　都道府県警察は、都道府県の機関として、その都道府県の区域について警察の責務に任ずる。職員は少数の例外を除き地方公務員で構成され、地方公務員である職員の定員と内部組織は条例で定められる。経費も、原則として都道府県が負担する(注48)。違法な活動を行った場合の賠償責任も、都道府県が負う（☞1117）。

　都道府県警察は、地方自治法の定める手法を通じた住民の統制を十分に受ける存在でなければならない。国は、緊急時の特例的な事態に対処する場合を除き、地方自治体である都道府県に設置した意義を失わせるような関与をすることはできない。

column　外国における警察組織

　アメリカは、典型的な分散型で、2万近くの独立した警察組織が存在し、約80万人の執行権限を有する職員が所属している(注49)。中心となるのは自治体の警察であるが、小規模なものが大半である（過半数の警察は、警察官10人未満である。）。ほかに、郡警察、州警察、連邦警察が存在する。郡警察は、郡保安官（シェリフ）の下で職務を執行し、自治体警察に次いで多数を占める。州警察は、ハイウェイパトロール等、限られた職務を行う。連邦警察は、連邦法を執行する機関であり、ＦＢＩ（連邦中央捜査局）などが存在する。

　フランスは、20世紀前半までは首都などを除き市町村警察であったが、今日ではともに内務省に属する国家警察（警察官15万人）とジャンダルムリ(注49の2)（要員10万人、元は国防省に属していた組織で、現在も軍人の身分を兼ね、一部の事務につ

（注48）　国が一部を支弁し、あるいは補助している（☞1010、1011）が、ほとんどは都道府県の負担である。地方財政制度上、警察に要するものとして都道府県が負担する費用（国庫補助金及び手数料収入を除く。）については、政令で定める警察官定数を基に算出され、基準財政需要額に算入されて、地方交付税の対象となる。

（注49）　アメリカで警察（Police）という言葉は、自治体における自己防衛組織を原型とするものを指し、ＦＢＩのような連邦機関は含まれていないが、各国比較をする場合にはこれらを含める。アメリカにおける警察組織について、小林良樹「アメリカ合衆国の警察制度」前掲『警察の進路』、丸山潤「米国の警察の現状と諸問題(2)」警察学論集56巻3号参照。

（注49の2）　業務の大半が一般治安維持であって、憲兵業務（軍隊内の秩序維持）はごく一部であるのに加え、国防省の組織でもなくなったので、旧版の「国家憲兵隊」という表現を改めた。ジャンダルムリ制度の経緯と現況に関して、浦中千佳央「フランスの警察とその指導原理について（上）」産大法学53巻3・4号参照。

き国防省の指揮を受ける。）とで構成されている。(注50)地域的治安責任は分かれている（都市部は国家警察、その他はジャンダルムリ）が、犯罪捜査等について両者の管轄は競合する。イタリアもフランスと類似した制度であるが、国の警察組織は、内務省警察、国防省警察、財務省警察の3系統となっている。

ドイツでは、警察は16ある州（ラント）の権限に属する。かつては、市町村の警察も存在したが(注51)、今日では全て州警察に一元化されている。連邦は、基本法によって連邦の事務とされた事項（国境警察など）を担当する警察組織を有している(注52)。連邦及び各州の内務大臣会合により、警察制度等の基本的統一性を保つ努力がなされている。

イギリス（イングランド＆ウェールズ）では、20世紀初頭には市警察を中心に200を超える警察が存在していたが、今日では43の警察機関がカウンティ（広域自治体）ごとに置かれ、14万人の警察官が所属している(注53)。国家的な警察事務は、国の機関である警視庁が担当する。警察本部長の任命に対する同意など、カウンティ警察に対して内務大臣の関与権限がある(注54)(注55)。

欧米諸国以外では、単一の国家警察が設けられるのが通例である。なお、韓国では、新たに自治体警察が設けられた(注56)。

（注50）　フランスでは、第二次世界大戦期に国家警察化が進められ、現在では市町村警察は防犯や交通取締りを行うのにとどまっているが、法的には現在も自治体が警察責任を負い、国家警察が置かれた場合に解除される。岡部正勝「フランスの警察制度」前掲『警察の進路』参照。

（注51）　19世紀のプロイセンでは、都市部には国家（ラント）警察が置かれ、小都市や町村では市町村長が委任を受けて警察事務を処理していた（明治期に制定された市制、町村制は、この制度をモデルにした規定を設けていた。田村正博「派出所駐在所制度の創設過程（下）」警察学論集47巻6号参照。）。また、第二次世界大戦後のアメリカの占領地では、日本と同様に全て自治体警察とされた。

（注52）　連邦と州を合わせた26万人余りの警察官のうち、連邦刑事庁と連邦警察とに合計約3万4,000人の警察官が所属している。今日のドイツの警察については、小島裕史「ドイツの警察制度」前掲『警察の進路』参照。

（注53）　歴史的経緯について、今野前掲注25、現状について、近藤前掲注25参照。

（注54）　内務大臣は、当初は警視庁以外に対してほとんど権限を有していなかったが、第一次世界大戦後以降、警察本部長の任命の承認と国庫補助の条件としての監察権限を持つようになった。もっとも、内務省は個々の業務遂行や具体的事案処理に関与することはない（近藤前掲注25は、全国的調整や基準策定に関し、上位階級の警察官が加入する「幹部警察官協会」が実質的な機能を果たすこともあるとしている。）。

（注55）　イギリスには警視庁以外の国家警察はなかったが、1990年代から薬物犯罪等に対する情報機関や捜査機関が設けられ、2006年に重大組織犯罪対策庁として統合された。

（注56）　韓国では、単一の国家警察であったが、2021年に道（特別市及び広域市を含む。）を単位とする自治警察制度が導入され、生活安全、交通、雑踏警備等を担当することとなった。

(2) 地方自治

　自治権を持って地域の行政を処理する地方公共団体は、市町村と都道府県である。^(注57)市町村は、基礎的自治体として広く一般的に事務を担当する。公共の秩序の維持、住民及び滞在者の安全の保持、犯罪の予防や交通安全の保持などのために一般的な取組を行うのは、市町村が本来行うべき事務に属する（☞235）。都道府県は、広域にわたる事務、一般の市町村が処理することが不適当な規模の事務などを担当している。

　地方公共団体の事務には、地方公共団体自身の事務（自治事務）^(注58)と、国が行うべき事務が法律によって地方公共団体に委託されたもの（法定受託事務）^(注59)とがある。警察事務は、犯罪被害者支援法等に基づく給付金支給の裁定を除き、全て自治事務である。^(注59の2)

　地方公共団体への国の関与には、法定主義の原則（法律又はこれに基づく政令に基づかなければならない。）、一般法主義の原則（地方自治法で類型ごとの一般的な立法指針が定められている。）及び公正・透明の原則がある。^(注60)地方公共団体の側から、国の関与を法的に争う制度も設けられている。^(注61)自治事務については、地方公共団体の責任と判断で処理されるべきであり、国の機関の関与は助言や指導といったものにとどまるのが原則であ

(注57)　憲法上の地方公共団体は、この2つである（東京都の特別区は、現状は市に近いがこれに含まれない。）。地方自治法は、特別地方公共団体として、特別区、地方公共団体の組合及び財産区を定めている。一部事務組合は、複数の地方公共団体が、消防、教育、清掃等の事務について共同して処理するために設立するものである。

(注58)　以前は、公共事務（公共施設の設置・管理などの非権力的事務及び地方公共団体の存立に伴って当然に処理されることが予定されている事務）、団体委任事務（法律又は政令によって公共団体に委任された事務）とその他の行政事務（権力的な事務であって国が行っていないもの）に区分され、警察事務は団体委任とされてきたが、平成11年に制定された地方分権一括法により、全て自治事務に統一されている。

(注59)　国が本来果たすべき役割に係る事務であって、国においてその適正な処理を確保する必要があるものとして法律又は政令で特に定めるものが法定受託事務である。国政選挙の執行、旅券の交付が典型である。かつては、機関委任事務として、国の事務を地方公共団体の機関（知事、市町村長）に委任し、国が包括的に指揮監督を及ぼすという制度があったが、地方分権一括法により廃止され、代わりにこの制度が設けられた。法定受託事務については、原則として、自治事務と同様に議会の調査権等の対象となり、条例を制定することも可能となっている。

(注59の2)　犯罪被害者支援法のほか、「オウム真理教犯罪被害者等を救済するための給付金の支給に関する法律」と「国外犯罪被害弔慰金等の支給に関する法律」に基づくものも含まれる。

る。法定受託事務については、法律によって、認可や指示、代執行等の権限が国の機関に認められているほか(注62)、処分に不服のある国民が国の機関に審査請求を行うことができる。

地方公共団体の組織については、基本的事項は地方自治法で定められているが、その範囲内では地方公共団体が自らの条例で定めるものとされている。また、地方自治法以外にも、警察法等の多くの法律において、地方公共団体の組織に関する規定が設けられている。

column 地方自治組織の在り方と警察組織

現在の地方自治組織は、広域自治体としての都道府県と基礎自治体としての市町村が存在し、国も限られた範囲ではあるが一定の関与を行うという構造になっている。これに対し、平成10年代の終わりには道州制が政府で検討され、平成20年代末以降には特別自治市制度が一部で強く主張されている(注62の2)。

道州制は、都道府県を廃止して道州を置き、国が行っている内政事務の多くを道州に移し（都道府県の事務も大幅に市町村に移す。）、全体として分権的で効率的な行政システムを構築しようとするものである。道州が大きな決定権を持つ地

（注60） 関与の類型として、助言勧告、資料提出の要求、協議、是正の要求、同意、許可・認可・承認、指示、代執行の8類型が規定されている。自治事務については助言勧告から是正の要求までが対象となり、法定受託事務については是正の要求を除く各類型が対象となる。なお、代執行は、法定受託事務の知事の管理執行に違法怠慢があり、是正の方法がなく、放置すると著しく公益を害する場合に、所管大臣が知事に是正勧告をし、指示し、所管大臣からの請求を受けた高等裁判所が知事に行うべきことを命ずる判決をしたにもかかわらず知事がその事務を行わないときに、大臣が代わって執行できるとするものである。

（注61） 国の関与が違法であるとき、又は自治事務についての国の関与が地方公共団体の自主性及び自立性を尊重する観点から不当であるときには、地方公共団体は、国地方係争処理委員会に審査の申出を行うことができ、その委員会の勧告等を受けた国の措置に不服があるとき等は高等裁判所に提訴することができる。

（注62） 犯罪被害者支援法に基づく給付金の支給に関する裁定事務については、法定受託事務であるが、同法において、国家公安委員会が都道府県公安委員会に対し、技術的な助言・勧告、資料提出の要求及び是正の指示を行うことができること並びに都道府県公安委員会の処分に不服のある者が国家公安委員会に審査請求ができることが定められている（犯罪被害者支援法20条の2による地方自治法の特例）。

（注62の2） 平成18年に、地方制度調査会（内閣総理大臣の諮問に応じ、地方行政における重要な事項を調査審議する機関）から「道州制のあり方に関する答申」が提出され、政府に道州制担当大臣が置かれて検討が進められた（平成20年に道州制ビジョン懇談会中間報告が公表された。）が、翌年に民主党政権になったことにより懇談会は廃止され、その後も具体的な検討課題とはなっていない。

域主権型制度が構想された。その場合の警察の組織は、一元的国家警察、道州警察国家関与、道州警察国家警察並列、国・道州・基礎自治体の三者警察といった形があり得る(注63)。一元的国家警察は最も効率的であるが分権と逆行する。道州警察国家関与は道州が国の関与を受けないとする基本的な考え方と対立する、道州警察国家警察並列は実効的なものとするために相当な費用を要する(一体的な運用をするための国の関与がなくなるので、実動部隊を国が持つとすればそれだけの体制を要する。)、三者警察は組織が複雑で管轄の重複、効率性の低下といった問題が一層大きくなるのに加え、小さな規模の警察では今日求められている警察機能を提供できない、という問題が生ずる。様々な危機への対応が一層求められる中で、警察に関しては、国の関与を全面的に否定する制度とするわけにはいかない(道州制の基本的な考え方の例外とせざるを得ない)ものと考える(注63の2)。

一方、特別自治市(特別市)制度は、大都市を道府県に含まれない地域とするものである。大都市が道府県の行政も行うので、二重行政を完全に解消し、効率的・効果的な体制の整備に資するほか、日本経済の発展を支えるため大都市側の政策選択の自由度が高まる点にも意義があるとされている(注64)。一方、警察に関しては、大都市警察が置かれることで、繁華街対策や交通分野、虐待事案対応などで大都市行政との連携が進展するメリットはあるとしても、警察組織が分離されると、人々の生活圏が大都市部と周囲とにまたがっているため、一つの警察組織で完結しない事案が増大し、事案対応能力が低下することが危惧される(注65)。大都市側は「広域犯罪への対応の運用としては、道府県と特別自治市が公安委員会・警察本部を共同設置する仕組みも考えられる。」としているが、それ以上の具体的な検討には至っていない(注65の2)。現行法制上警察については共同設置が認められていないが、特別自治市制度とは別の問題として、人口減少化社会の中における行政の一層の効率化の観点から、複数の都道府県で警察を共同設置することを許容することも将来的には考えられる。

(注63) 末井前掲注11がこの問題を論じており、現行法制上の仕組みの意義を理解する上でも参考となる。

(注63の2) 旧版では道州制の基本理念を前提として、道州警察国家警察並列型が適切である旨を述べていたが、道州制が論議されていたころと比べ、国家の危機管理の必要性が強く認識されるようになってきたことを踏まえ、記述を改めた。

(注64) 平成25年に、地方制度調査会から「大都市制度の改革及び基礎自治体の行政サービス提供体制に関する答申」が提出され、新たな大都市制度の一つとして、特別市(仮称)が挙げられた。その後、政令指定都市の市長会の設置した「多様な大都市制度実現プロジェクト」が、令和3年に特別自治市制度の効果と法制化案などをとりまとめた最終報告書を公表している。

(3) 警察事務における国家的性格との関係

830 　警察事務は地域的であるが、同時に国家的広域的性格を持つ。警察が対処する事象は、国全体の治安に影響を与えるようなものもあるし、複数の地方に関係し、広域的な調整を要する場合もある。ある地域の治安が悪化した場合の影響は、他の地域にも及ぶ。さらに、大規模な事案が発生したときなど通常の組織体制では対処できない場合に、予備的な執行力をどのように確保するか、ということも問題となる。(注66)

　警察事務の性格に応じて、国家と地方公共団体の双方に事務を配分し、それぞれが警察の実働部門を担当するとするのが一つの考えであるが、警察事象は流動的かつ多面的であって、国家的なものと地域的なものに厳密に分離できないので、管轄が重なり、組織も重なることが避けられない。重大な事案のみを担当する組織を設けることは、そのような事案がない場

(注65) 　前注の地方制度調査会答申では「特別市（仮称）についてさらに検討すべき課題」の一つとして、「例えば警察事務についても特別市（仮称）の区域とそれ以外の区域に分割することになるが、その場合、組織犯罪等の広域犯罪への対応に懸念がある。」と述べているが、一つの都道府県警察の内部で完結していた（警察本部の指揮下で処理できていた）事案の処理が複数の都道府県・特別市警察にまたがることになり、複数の組織の間での連絡調整のコストを要することの影響がより大きい。また、複数の組織を設置することでのコスト増も避けられない。現行警察法の制定時において、治安上の観点及び行財政改革の観点から大都市の警察を認めない判断をした（☞124）理由（警察法案の提案理由説明において「これを府県と並立させることは、大都市とその周辺地区とを遮断せしめ、このために警察対象としての両地区の一体性を阻害し、警察運営の有機的活動に著しき障害を来すのみならず、財政的にもきわめて不経済な結果となりますので、これを府県警察に一元化する必要を認めた次第であります。」と述べられている（衆議院地方行政委員会昭和29年2月19日）。）が、今日でも当てはまる。

(注65の2) 　注64の「多様な大都市制度実現プロジェクト最終報告書」9頁以下。「いずれにせよ警察事務に関しては、警察庁の指揮監督を受けることなどに鑑み、国とも意見交換し検討を深めていく必要がある。」と述べている（10頁）。なお、機関の共同設置は、複数の地方公共団体の協議により定められた規約で、委員会や機関を共同で設けるものである。いずれの団体の機関でもあり、それぞれの条例・規則が適用され、それぞれの団体の議会に対して説明責任を負うこととなる。警察の場合、流動的で広域的な警察事務をそれぞれの団体別に区分できるのか、政策決定を円滑にできるのかといった課題があり得ると思われる。

(注66) 　ドイツでは、連邦警察が州の要請があった場合の支援部隊の任務を持つほか、州の警察の機動隊が行政協定に基づいて統一された装備等を保有し、対応できるようにしている（小島前掲注52参照）。また、アメリカでは、連邦には現場実働部隊はないが、州兵がその機能を果たしているといわれている。イギリスでは、最大規模の警察である警視庁が国全体の公安に関わる業務を所管している。

合に何を行うのか、非効率ではないかという問題が生ずる。

このため、現行法は、皇宮警察と重大サイバー事案対処を除いて国の実働部門を設けず、都道府県の責任と判断で処理することとした上で、一定の事項については国の機関（警察庁）の指揮監督を受けること、都道府県警察の長を含む上級の警察官を国家公務員とし国家公安委員会が任免を行うこと、都道府県警察の警察官の定数に関する条例の基準を政令で定めるなどの国の関与を定めている（☞1006〜1017）。基準を定めるというような関与は他の行政分野でもあるが、国の機関による指揮監督を及ぼすこと、組織の長などを国の機関が任免することは、異例な制度であるといえる。(注67)しかし、現在の制度には、警察の実効性と効率性を踏まえた合理的な理由があることから、地方分権改革の中でも維持され、指揮監督の範囲は国際化等に対応して一層拡大されている。(注68)(注69)

国の関与が法律で定められた範囲内で適切に行われることと、都道府県公安委員会をはじめとする都道府県の機関による統制が十分に行われることが、ともに求められるといえる。

2　都道府県の機関
(1)　議会による統制

議会は、住民によって選ばれた議員によって構成される議事機関である。地方公共団体の条例の制定・改廃、予算の決定、決算の認定、一定以上の額の契約の締結、財産の取得・処分、訴えの提起、和解、損害賠償額の決定（判決で金額が確定している場合を除く。）等について、議決する権限を有する。議会の議決は、地方公共団体の意思を確定する。(注70)

（注67）　稲葉馨「行政組織法としての警察法の特色」警察政策4巻1号は、警察庁長官の指揮監督は機関委任事務の大臣の包括的な監督権と類似のものという見方も不可能ではなく、地方分権一括法後には法定受託事務でも一般的な指揮監督規定が廃止されたのに、残されたこと自体が異例のことであると指摘している。

（注68）　地方分権改革に際して、手数料の根拠規定の改定（政令規定を条例規定に変更）等が行われたにとどまり、それまでの制度が維持されている。

（注69）　成田頼明「警察法50年の回顧と展望」警察学論集57巻7号は、警察法について、「警察の民主制と能率性、警察の国家的性格と地方自治的性格、中央集権と地方分権、政府の治安責任と政治的中立性、など相互に矛盾対立するそれぞれの要因を巧みに両立・調和させた傑作と評価されてよい」とし、骨格を根本的に改めることは妥当でないとする。

議会は、執行機関（長及び委員会）による事務の執行を監視する権限を有する。議会は、書類・計算書を検閲し、長や委員会などの報告を請求して事務の管理、議決の執行及び出納を検査することができる。長や委員会は、議会から書類の提出・報告を求められた場合には、正当な理由がない限り、拒むことはできない。また、議会は、監査委員に監査を求め、監査結果の報告を求めることができる。さらに、調査権の行使として、特に必要があると認めるときは、関係人に出頭・証言、記録の提出を請求することができる。請求を受けた者が、正当な理由なく出頭・証言・記録提出を拒み、あるいは虚偽の供述をした場合には、刑事罰の対象となる。(注71)調査権の行使は、いわゆる100条委員会を設置して行われるのが通常である。

議会は、長が招集する。長、委員会の委員長や、それらから委任・嘱託を受けた者は、説明のため議長から出席を求められたときは、議場に出席しなければならない。(注72)議会は、委員会を設け、審議・調査させることができる。なお、議会の議員は、国会議員とは異なり、会期中の不逮捕特権を持たず、議会における発言についての免責特権も持たない。

警察に関しては、事務について都道府県議会の監視・調査の対象となるだけでなく、公安委員会の委員の任命が議会の承認を要することとされている。

(2) 知事との関係

833　地方公共団体の長として、都道府県に知事（市町村の場合は市町村長）が置かれ、住民の選挙によって選ばれる。知事は、直接住民によって選ばれた者として、議会とは独立し、議会に対して種々の権限を有している。(注73)

（注70）　契約等の場合に対外的に意思表示するのは長の権限であり、議会の議決は内部的に長を拘束するが、直接に対外的な効力を及ぼすものではない。
（注71）　公務員としての地位において知り得た職務上の秘密については、官公署は、証言等を行うことを拒ませることができる（官公署が公の利益を害する旨の声明をしたときは、証言を要しないこととなる。）。
（注72）　いずれの都道府県議会でも、警察本部長は議場に出席している。筆者も2回の警察本部長勤務で本会議の議場に出席し答弁をしたが、知事や議員と異なり、住民からの直接的な信任を得ていない立場にあることを実感した。
（注73）　議決すべき議案を議決しないとき等には、専決処分を行う権限を有する。議会が不信任の議決をしたときは、議会を解散する権限を有する。

知事は、都道府県を統轄し、代表し、都道府県の事務（法定受託事務を含む。）を管理し、執行する。知事は、委員会の権限とされたものを除き、都道府県の全ての事務について、行政の執行責任者としての職責を有する。知事の下には補助する多くの機関（副知事（市町村は副市町村長）等）が置かれる。知事は、補助機関である職員を指揮監督する。知事は、権限を補助機関に委任し、代理させることができる。

公安委員会などの委員会(注74)は、権限の行使においては知事の指揮監督を受けないが、知事の所轄の下にあり（組織上の上下関係にある。）、委員の任命が知事によって行われる。議会との関係及び財政運営の面では、執行機関の一体的な運営が行われることが必要であることから、議会の議決を受けるべきものに関し、議会に議案を提出すること、予算を調製・執行すること、地方税を賦課徴収し、分担金・加入金を徴収し、過料を科すること及び決算を議会の認定に付することについては、委員会の権限ではなく、知事の専管事項とされている。したがって、警察の所管行政に関係する条例案についても、公安委員会が議会に提案することはできず、知事が提案することとなる。委員会としては、知事に権限行使を求めるのにとどまる。

委員会は事務局を持ち、その職員の任命権等を持つのが通例であるが、公安委員会の場合には、事務局はなく、警視庁又は道府県警察本部が庶務を担当する。いずれの場合も、組織・職員の身分取扱い、予算の執行、財産管理等の組織の内部管理的な事務については、知事の総合調整権の対象となる（組織等については知事の勧告権の対象となり、課等の設置、職員の採用・昇任、昇給基準等に関する規則、規程等を制定変更するのには、事前に知事に協議しなければならないこととされている。）。

しかし、知事が予算等の権限を有していることによって、委員会の独立

（注74）　都道府県には公安委員会のほか、選挙管理委員会、教育委員会、人事委員会、収用委員会、地方労働委員会等が置かれ、市町村には選挙管理委員会、教育委員会、公平委員会（政令指定都市は人事委員会、人口15万人以上の市及び特別区では人事委員会又は公平委員会）、農業委員会等が置かれている。委員の任期が定められ、身分保障がされていること、委員の任命に議会が関与するのが通常であること等は国の委員会の場合と同様である。また、委員は、法律に特別の定めのあるものを除くほか非常勤とされ、その地方公共団体に対して請負等を行う法人の取締役等となってはならないこととされている。

性が実質的に損なわれる結果を生むことがあってはならない。事務局等が強大な知事の権限（予算等の権限とともに、人事交流などによって事務局職員への人事権が実質的に及ぶ事態を含む。）の影響によって独立性を失えば、委員会が形式的に独立していても、実質的な独立性は保てない。委員会を独立の組織としたのは、政治的中立などの必要に応えるためであるから、独立性に悪影響を及ぼす運用を避けることが求められる。予算の執行に関しては、法律上は知事の権限であるが、その権限を行使して実質的に委員会の独立性を損なうべきものではない。権限の委任等の制度を用いて、警察職員に予算の補助執行をさせる運用が行われるのは、その意味でも有意義である。

このほか、知事の下の審議会等の対象に公安委員会の事務を含ませることもあり得る。情報公開などを審議会の対象とするのが、その例である。

(3) 監査委員

836　監査委員は、委員会と同様に他から独立した機関であって、地方公共団体の財務に関する事務の執行と地方公共団体が経営する事業の管理の状況を監査する（財務監査）。これに加えて、必要があると認めるときには、事務の執行全般について監査する（行政監査）。監査委員は、毎会計年度に少なくとも1回は財務監査をするほか、必要があると認めるとき又は長から求められたときに監査をする。監査のために必要があると認めるときは、関係人の出頭を求め、帳簿その他の記録の提出等を求めることができる。監査結果に関する報告を決定し、長や関係する委員会に提出し、公表

（注75）　山代義雄「新・地方自治の法制度」（北樹出版、2000年）は、「運用実態からみれば、公安委員会を除けば、他の行政委員会の実情は、長部局の一つの部局に類するものといえる。」と指摘している（131頁）。

（注76）　知事は、その権限に属する事務の一部を、委員会と協議して、委員会又はその事務局等（委員会の管理下にある警察本部を含む。）の職員に委任し、又はそれらの職員に補助執行させることができる。なお、委員会の権限の一部を、知事と協議して、知事の補助機関たる職員等に委任し、行わせることができるという制度もあるが、公安委員会の事務については、政治的な中立性を維持する必要性が高いことから、対象外となっている。

（注77）　以前は、公安委員会には審議会等を置くことができないとされており、知事の下の審議会等の対象にもできないと解されていたが、現在では、条例等の定めによって公安委員会に審議会等を置くことが可能となり、同時に知事の下の審議会の対象となることも認められている。

する。結果に添えて、意見を提出することができる。監査結果報告の提出を受けた長や委員会は、監査結果に基づいて又は参考としてとった措置を講じたときは監査委員に通知する（監査委員は公表する。）。

都道府県の監査委員は4人で、うち2人（又は1人）は議会の議員から選任される。そのほかは行政運営に対して識見を有する者を、長が議会の同意を得て任命するが、元職員であった者は1人に限られる。個々の委員が独立して権限を行使するが、監査結果報告と意見の決定は監査委員の合議で行われる。事務局の職員の任免等は、代表監査委員が行う。

このほか、財務監査については、都道府県が外部の監査人（主に公認会計士）に監査契約を結んで委託できることが制度化されている。外部監査人は、監査委員と同じように調査をし、監査結果報告と意見を提出する。公表は、通知を受けた監査委員が行う。外部監査人には、秘密保持義務が課されている。

3　住民による統制

(1)　住民

地方公共団体の区域内に住所を有する者（外国人を含む。）を住民という。住民は、その属する地方公共団体の役務の提供を等しく受ける権利を有し、負担を分担する義務を負う(注79)。

住民は、地方公共団体の長及び議会の議員についての選挙権を有するだけでなく、直接請求及び住民訴訟の提起等の権利を有している（選挙権の行使及び直接請求については、日本国籍を有する住民に限って行うことができる。）。直接請求及び住民訴訟という制度は、国の場合には存在していないが、地域の住民の意思をその地方公共団体の行政に反映させる上で重

（注78）　住民が公の施設を利用することについて、不当な差別的取扱いをしてはならない。利用を拒否できるのは、使用料不納付や収容可能人員超過などのほか、他の利用者に重大な迷惑を及ぼす蓋然性が高い場合等に限られる。条例で「公の秩序をみだすおそれがある場合」という不許可事由を定めていても、集会への使用を拒否できるのは、公共の安全が損なわれる明らかな差し迫った危険の発生が具体的に予見される場合に限られる（最高裁判決平成7年3月7日〈民集、⑩〉・泉佐野市民会館事件）。なお、住民登録がなくとも、事務所を有するなど地方税を納付している場合には、住民と同じく差別的取扱いが禁止される。

（注79）　住民が税金や手数料等を負担することのほか、法律で行政機関の措置に協力する義務が定められている場合にその義務を果たすことも含まれる。

要なものといえる。

(2) 直接請求

838　直接請求は、選挙権を有する住民の連署によって、条例の制定・改廃、監査、議会の解散並びに長（知事・市町村長）、議員及び役員の解職を請求するものである。直接請求に必要な人数（有権者中の割合）及び請求による効果は、直接請求の種別に応じて異なる。都道府県（方面）公安委員会の委員についても、解職請求の対象となり、他の地方公共団体の役員の場合と同様に、有権者の3分の1以上の署名があり、かつ、議会の4分の3以上の同意があるときには解職される。

(3) 住民監査請求・住民訴訟

839　住民は、地方公共団体の長・委員会・職員の違法・不当な公金の支出や、公金の徴収の怠りなどの事態を予防・是正するため、監査請求をすることができる。ある程度特定された財務会計上の行為が対象となるのであって、何らかの不正がどこかにあるというのでは足りず、請求書とその他の書類、資料から判断して対象が特定の行為であると監査委員が判断できることを要する。違法な公金の支出等から1年を経過したときは、できない（怠っているときは、期間制限は適用されない。）。適法な監査請求が行われた場

(注80)　条例の制定・改廃請求は、有権者の50分の1以上の署名により、長がその案を議会に付する。監査の請求は、有権者の50分の1以上の署名により、監査委員が監査を行い、監査結果を請求者の代表者に通知し、公表し、議会等に報告する。長及び議員の解職請求は、有権者（議員のときはその所属の選挙区の有権者）の3分の1以上の署名により、選挙人（議員のときは選挙区の選挙人）の投票に付され、過半数の同意があれば失職する。議会の解散の請求の場合も同じで、有権者の3分の1以上の署名、選挙人の過半数の同意で議会が解散する。役員（副知事・副市町村長・選挙管理委員・監査委員・公安委員会委員）の解職請求は、有権者（方面公安委員会のときは方面本部の管轄区域内の有権者）の3分の1以上の署名により、長が議会に付し、議会の3分の2以上の者が出席し、その4分の3以上の同意があったときに失職する。

(注81)　地方公共団体の財務行政の適正な運営を確保することが目的であり、公金の支出のような行為が違法な場合だけが対象となる。違法な行為が原因となって、その支出が行われたものも含まれる（最高裁判決昭和60年9月12日〈Ⓦ〉は、懲戒免職処分をすべきであったのに分限免職にしたのが違法であるとして訴訟を提起することが可能としている（ただし、本件では分限免職にしたのが違法ではないと判断している。）。）。もっとも、支出行為をした長の賠償責任を問う上では、議会や教育委員会のように長とは独立の機関によって行われた行為が違法であることを理由にすることはできない（違法性が明らかで、予算執行の適正確保の観点から看過し得ない場合に限られる。）。

合には、監査委員は監査する義務を負う。監査委員は、請求に理由がないと認めるときはその旨を通知・公表し、理由があると認めるときは必要な措置を講ずべきことを勧告する（勧告を受けた機関において、是正措置がとられる。）。

監査を請求した者は、監査結果・勧告・措置等に不服があるとき（監査・勧告を60日以内にしなかったとき、執行機関などが措置を講じないときを含む。）には、行為の差止め等の訴訟（住民訴訟）を提起することができる。提起できる訴訟は、ⅰ行為の差止め請求、ⅱ処分の取消し・無効確認請求、ⅲ怠る事実の違法確認請求、ⅳ損害賠償請求等を行うことの義務付け請求^(注82)、である。

監査請求及び訴訟は、住民が誰でも（国籍を問わない。法人も行い得る。）、単独で行うことができる点で、直接請求とは異なっている。住民による行政の統制、行政担当者の責任追及として、国にはない大きな役割を担っている。住民は地方公共団体のために訴訟を提起するのであるから、勝訴した場合には、弁護士に払う報酬で相当な範囲の額の支払を地方公共団体に求めることができる。

4 条 例

(1) 条例の意義

地方公共団体は、自らの事務に関して、条例を制定する権能が憲法によって与えられている。法律の個別の授権（委任）がなくとも、住民等（一時滞在者などを含む。）の権利・自由を制限し、義務を課すことができる。地方公共団体が、住民等に義務を課し権利を制限するには、法令に特別の定めがある場合を除き、条例によらなければならない。

条例には、地方公共団体の組織・機構に関するもの、地方公務員の義務や処遇等（服務の宣誓、給料・手当・旅費の支給）に関するもの、公共施

（注82）　違法な行為で地方公共団体に損害を与えた長や職員に対して、被った損害の補塡のための損害賠償請求（不当利得請求）をすることを執行機関に求める請求である。以前は地方公共団体に代わって損害賠償を請求する訴訟であったが、被告となる側の長や職員の負担（個人として訴えられているので、応訴は個人の負担となる。）の問題等を踏まえ、平成14年の改正により、執行機関を相手にする義務付け訴訟に改められた（応訴は、執行機関として行うことになる。）。請求が認められた場合、執行機関はその損害賠償等を請求する訴えを60日以内に提起しなければならない。

設の設置等に関するもの、地方税の賦課徴収等に関するもの、手数料の徴収に関するもの、地域の実情に応じた各種の規制を行うためのもの（権力的に住民等の権利・自由を制限するもの）などがある。

　警察の組織について、都道府県警察本部の組織（部の設置）、警察署の名称・位置・管轄区域、地方警察職員の定員、警察官への被服の支給・装備品の貸与、警察署協議会に関すること、留置施設視察委員会の組織及び運営に必要な事項などは、条例で定めることが警察法などの国の法律によって求められている。また、いわゆる公安条例や、暴騒音規制条例、暴力団排除条例、迷惑防止条例などによって、都道府県公安委員会や警察官等に一定の権限が付与され、あるいは行為規制がなされている。風俗営業適正化法などの委任を受けた条例も制定されている。知事部局が中心となる条例でも、安全安心まちづくり条例や青少年保護育成条例など、警察の責務に関係の深いものもある。

　情報公開、行政手続などに関しては、都道府県の各行政機関に共通する規律が条例によって行われる。都道府県警察（都道府県公安委員会を含む。）は、その規定に従った開示等を行うべきこととなる。

(2) 条例の制定手続

842　条例の制定又は改廃は、地方公共団体の議会の議決によって行われる。提案するのは、地方公共団体の長と議員とに限られる（議員は単独ではなく、12分の1以上の賛成で提出が可能となる。）。都道府県の公安委員会や教育委員会は、条例の提出権はなく、知事によって提出される（警察において実質的に案を作成し、知事部局の法制審査部門の承認を得て、知事の決裁を受ける。）。都道府県によっては、条例案について、意見公募手続が義務付けられている。議会の議決がなされた場合には、議長から3日以内に長に送付され、長において再議に付すときを除き、20日以内に公布され

（注83）　地方公共団体の長が条例に反対の場合には、公布せずに再議に付すことができる。再議に付された議会が3分の2以上の賛成で再議決しないと、条例は不成立となる。法令に違反すると長が認めるときは、都道府県の場合は総務大臣に審査を申し立て、裁定に対して裁判所に訴える制度もある。長はこのほか、議会を招集する暇がない場合に自ら決定する専決処分の権限を有しているので、条例を専決処分で制定することも可能である（事後に議会に報告し、承認を求めなければならない。）。

る。公布の方式は、条例によって定められているが、公報に掲載することによって行われるのが通常である。条例の施行日は、条例で定めが置かれないときは、公布から10日を経過した日となる。

(3) 条例と法律の関係

　条例は、法律及び法律に基づく命令に反してはならない。国が何らの規制も行っていない行政分野については、地方公共団体が処理できる事務である限り、条例を制定することができる。公安条例、青少年保護育成条例等の多くはこれに当たる。また、国の法令がある場合でも、異なる目的で規制を行うことは、法令の規定の目的、効果が阻害されない限り認められる。この場合の「目的」とは、最終的な目的（警察に関係する様々な規制は、いずれも公共の安全と秩序の維持又は個人の生命・身体・財産の保護のためである。）ではなく、どのような事態を防ぐためにその規制を行うのか、という段階での目的を指すものとして理解しなければならない。
(注84)
(注85)(注86)

　同じ目的で規制することは、法令自体が条例で別の定めを設けることを許容するものであるとき（明文の規定があるときのほか、法令の趣意か

（注84）　大阪府安全なまちづくり条例では、鉄パイプ等使用犯罪による被害の防止のため、公共の場所・乗り物で、正当な理由なく、鉄パイプや金属バット等を携帯することを禁止し、処罰の対象としている。軽犯罪法の規定（1条2号）と比べて、公然携帯を処罰するので広いだけでなく刑罰も重いが、単なる秩序維持のためではなく、地域における安全を守るための地域の特性に応じた規制であって、異なった目的のためのものと考えられる。なお、軽犯罪法の規定は、一般的全国的な規制をしたものであって、同じ目的でも地域の実情に応じた規制を禁ずるものではない、と解することも可能であると思われる（まちづくりの観点からの規制は、地方公共団体の任務であって、国の法令がそれを害することのないように解釈することが求められる。鈴木庸夫「条例論の新展開」自治研究86巻1号は、次注の徳島市公安条例事件判決につき、法令と条例に重複がある場合に、条例における規制が特別の意義と効果を有し、分権適合的に理解することが必要であり、その合理性が肯定できるときは、法令は条例を排除しないという点を読み取るべきとし、条例制定の立法事実の合理性があることが核心的な部分であるとする。）。

（注85）　最高裁大法廷判決昭和50年9月10日〔刑集、㊱〕（徳島市公安条例事件）は、条例が国の法令に違反するかどうかについて、両者の対象事項と規定文言を対比するのみでなく、趣旨、目的、内容及び効果を比較し、両者の間に矛盾抵触があるかどうかによって決しなければならないとの判断基準を示し、道路交通法が道路交通秩序の維持を目的とするのに対し、公安条例が地方公共の安寧と秩序の維持という、より広範かつ総合的な目的を有するので、両者は規制の目的を全く同じくするものとはいえ、道路交通秩序維持のための行為規制をしている部分に限っては両者の規律が併存しているが、道路交通法は全国一律の規制を避けているのであって、集団行進について別個な規制を排斥する趣旨とは考えられないとして、抵触しないとの判断を示している。

同様に解されるときも含まれる。)でなければ認められない。国の法令が全国的な規制を統一する趣旨であるときや、国が特定の行為を規制すべきではないことを明らかにしているときには、条例を制定することはできない。また、条例が制定された後に、同じ事項について同じ目的で規制する法令が定められた場合には、法令で規制された範囲と重複する部分は失効する。

　国の法令で具体的な規制対象から除かれている行為を条例で規制することについては、規制対象とされていない趣旨によって異なる。例えば、ストーカー規制法は、「恋愛感情その他の好意の感情又はそれが満たされなかったことに対する怨恨の感情」を充足する目的でのつきまといなどの行為を規制しているが、それ以外の目的での同種行為を条例で規制することを禁じる趣旨ではないと解されており、多くの都道府県の条例で悪意の感情に基づいて行われるつきまといなどの行為を処罰する規定が設けられている。これに対し、売春防止法が売春行為を禁止しつつ、売春を助長する行為等に限って処罰しているのは、売春行為自体を処罰するのは適当でないとの判断によるものであるので、同じ目的で売春行為を処罰する条例を定めることはできない。

844　一方、国の法令の委任を受けて定める条例については、委任の範囲内で、かつ、委任の趣旨に沿った内容であることが求められる。委任を定めた法律の所管省庁の解釈、運用指針を十分踏まえなければならない。

(4)　条例による規制と刑罰

845　条例では、2年以下の懲役若しくは禁錮、100万円以下の罰金、拘留又

(注86)　佐々木俊夫「公安条例研究ノート(2)」警察学論集39巻1号は、目的の基礎（公共の安全と秩序の維持）ではなく、いかなる態様によってそれが制約されるのかという意味で目的をとらえる必要があり、公安条例の場合には「（集団行動の秩序を維持することによって）集団行動による侵害から公共の安全と秩序を維持すること」であると述べる。

(注87)　宝塚市の「パチンコ店等、ゲームセンター及びラブホテルの建築等の規制に関する条例」によって、パチンコ店の新設が差し止められ、設置を断念した者が宝塚市を訴えた事件では、条例が風俗営業適正化法と同じ目的であり、かつ、同法及びその下位法令の規制より厳しい規制であって無効であるとして、市に対して損害賠償が命じられ（神戸地裁判決平成17年3月25日〈⑭〉。平成19年2月16日に最高裁で上告が棄却され、確定している。)、市は利息を含めて4億8,800万円を支払っている。

は科料の刑を科する（没収を併科する）ことを定めることが可能である（地方自治法14条3項）。迷惑防止条例、青少年保護育成条例などの違反について、実際に条例違反としての罰則が適用されている。そのほか、条例では5万円以下の過料を定めることができる。過料は、行政上の秩序罰で、地方公共団体の長が科す。刑事手続とは関係がなく、警察は関与しない。

条例で刑罰を科す規定を置くことができることを定めた地方自治法の規定は、刑罰規定の委任ではなく、上限を画したものと解すべきである[注88]。刑罰の根拠規定は法律で定めることを憲法が求めているが、条例は自主立法であり、条例を基に処罰することは憲法に反しない。

同時に、条例による規制、とりわけ刑罰規定については、憲法の求める基本的人権の尊重に適合するものでなければならない。規制しようとする目的が正当であって必要なものであること（目的の正当性・必要性）、規制内容がその目的を実現する上で有効なものであること（規制の有効性）、ほかによりよい手段がないこと（制約の程度がより低い手段では同程度の効果が見込めないこと）、規制によって得られる公益がその規制によって生ずる相手方の不利益の程度を上回るものであること（比例原則を満たすこと）が求められる。その際、規制対象が規制手段との関係で規制をする必要があるものとなっているのか、他の既存の法令と比べて処罰の程度が不相当になっていないか、といった点が吟味される。

条例の規定は、できるだけ明確なものでなければならない。ことに刑罰規定の場合には、明確であることが憲法31条（適正手続の保障）によって

（注88）　最高裁大法廷判決昭和37年5月30日〈刑集、⑯〉は、大阪市売春勧誘行為等の取締条例に関して、地方自治法で事務についての具体的な定めがあることと、刑罰の範囲が限定されていることを指摘した上で、条例が公選の議員で組織する議会の議決を経て制定される自主立法であって法律に類するものであることから、法律の授権が相当程度具体的であり、限定されているので、憲法に違反しないとした。しかし、現行の地方自治法には、事務を特定した授権といえる規定は全くない（当時の地方自治法においては、地方公共団体の主な事務が列記され、その中に風俗のじゅん化に関する事項を処理することも定められていたが、地方分権一括法により、地域に関する事務は全て地方公共団体が行うのが原則とされ、個別の事務の列記はなくなった。）。したがって、判例が述べるような地方自治法の規定による委任があったと構成することはできない。法律に類似した性格を持つ条例で刑罰を定めることは、憲法自体が直接的に認めたものであり、地方自治法の規定はその枠を定めたものと解すべきである。

求められる。判例上、刑罰法規が曖昧、不明確であるとして憲法31条に違反するかどうかは、通常の判断能力を有する一般人の理解において、具体的場合にその行為が適用を受けるものかどうかの判断を可能にする基準が読み取れるかどうかで決すべきであるとされている。命令の根拠規定の場合には、直接の刑罰規定とは異なるが、相当程度には明確でなければならない。国の法律が不明確とされたケースはこれまでないが、条例の場合には、裁判所で問題が指摘されるケースがある。規定自体をできるだけ明確なものとするのが基本であるが、全ての場合を想定することが困難で包括的な規定を設けざるを得ないときは典型的な例を多く定めて「その他」の意味が限定されるようにする、細部を公安委員会規則に委任し、事象に応じて迅速に追加して定めるといった方法をとるべきものである。適用逃れの事態を避けるために様々なものが対象として含まれ得るようにすることは、規制対象の厳密性をなくし、条例自体の正当性、合理性に疑いを抱か

(注89) 最高裁大法廷判決昭和50年9月10日〈刑集、Ⓦ〉(徳島市公安条例事件)が明らかにした基準で、判決では、条例が定める「交通秩序を維持すること」が殊更な交通秩序の阻害をもたらすような行為を避けるべきことを命じているものであって、通常の判断能力を有する一般人が、具体的場合に、自己がしようとする行為がこれに当たるかどうかの判断にそれほどの困難を感じないはずであり、だ行進、うずまき行進、座込み、道路いっぱいを占拠するいわゆるフランスデモ等の行為が当たるものと容易に想定できるとして、違憲ではないとした。条例が恣意的な運用を許すおそれがあるとも考えられないことと、実際にも恣意的な運用は行われていないことが述べられている。もっとも、条例の規定の仕方については、「交通秩序を侵害するおそれのある行為の典型的なものをできる限り例示列挙することによって義務内容の明確化を図ることが十分可能」であり、「立法措置として著しく妥当を欠くものがあるといわなければならない。」と、厳しく指摘している。
(注90) 明確性が争われた事例としては、世田谷区の資源ごみの持ち去り規制を定めた条例の規定について、簡易裁判所が無罪としたものが高裁で有罪とされ、最高裁でも不明確とはいえないとされた例(最高裁決定平成20年7月17日〈判時2050・156〉)や、北海道のいわゆる迷惑防止条例の「卑わいな言動」という文言について、同規定柱書きの「著しくしゅう恥させ、又は不安を覚えさせるような」と相まって、日常用語として合理的に解釈すれば、ズボンを着用した女性の臀部を撮影する行為はこれに該当するとされた例がある(最高裁決定平成20年11月10日〈刑集、Ⓦ〉)。後者では、裁判官1名が条例の禁止行為に該当しないとして反対意見を述べている。
(注91) 福岡県青少年保護育成条例(現在の「福岡県青少年健全育成条例」)の「淫行」規定については、最高裁において限定解釈の上で合憲とされた(最高裁大法廷判決昭和60年10月23日〈刑集、Ⓦ〉)が、大阪府青少年健全育成条例ではより具体的に禁止行為を定めている。

条例の運用においても、制定された目的、趣旨に照らして、本来の対象となるものに限って、規制を及ぼすべきものである。広島市暴走族追放条例が規定の問題性を指摘されつつ合憲とされたのは、条例制定の理由となった典型的な対象に適用されたからであったといえる。徳島市公安条例事件でも、本来の対象以外に適用されていないことが、「規定の不明確さゆえに違憲」とはされなかった理由に挙げられている。国の法律の場合も目的、趣旨に即した運用をすべきものではあるが、条例の場合には、その点が一層強く求められる。

(5) 規則

地方公共団体の長が、権限に属する事務について制定するものを規則という。長は、国の行政機関とは異なり、直接民主的に選任されているので、法令又は条例の委任がなくとも、自らの権限に属する事務について規則を制定することができる（地方自治法15条）。規則は、条例と同様の方式によって公布される。規則には、違反した者に対して5万円以下の過料を科する規定を設けることができる。もっとも、住民等に義務を課し、権利を制限するのには、法令に特別の定めがある場合を除き、条例によらなければならないので、規則で定めることはできない。

都道府県の場合、知事の定める規則は、知事部局だけでなく、知事の権限の及ぶ範囲で警察にも適用される。予算の執行や公用財産の管理が知事の権限に属するので、財務関係の規則（手数料減免規則を含む。）が適用されることになる。

委員会は、法律の定めるところにより、その権限に属する事務に関し、規則その他の規程を定めることができる（地方自治法138条の4）。委員会

（注92） 最高裁判決平成19年9月18日〈刑集、⑭〉は、広島市暴走族追放条例について、市長による中止命令等の対象とするのにとどめて、命令に違反した場合に初めて処罰するという事後的かつ段階的な規制によっていること等を理由に、合憲としているが、「規定の仕方が適切でなく、本条例がその文言どおりに適用されることとなると、規制の対象が広範囲に及び、憲法21条1項及び31条との関係で問題がある」とし、本来的な意味における暴走族のほかは、服装、旗、言動などにおいて暴走族に類似し社会通念上これと同視することができる集団に限られるとの限定解釈をした（裁判官5人のうち2人はこのような限定解釈はできず、憲法に違反するとの反対意見を述べている。）。

規則その他の規程は、法令、条例及び規則に違反することはできない。委員会は独立であるから、長は原則として委員会規則制定に干渉することはできない（事務局等の内部組織に関する規則の場合は例外として、知事の総合調整権がある。）。委員会の規則その他の規程のうち、公表を要するものについては、条例及び規則と同様に、公布される。

850　都道府県公安委員会は、警察法により、その権限に属する事務に関し、法令又は条例の特別の委任に基づいて、都道府県公安委員会規則を制定することが認められている。公安委員会の運営及び都道府県警察の組織の細目的な事項（交番、駐在所の設置などが当たる。警察本部の組織は条例で定めることとされているので、本部組織の細目的なものは、条例の委任があって初めて委員会規則で定めることができる。）については、警察法により、都道府県公安委員会規則で定めることとされている。個別法では、道路交通法関係（運転者の遵守事項の追加、道路使用許可対象行為の追加など）、刑事訴訟法関係（司法警察員等の指定）、警備業法関係（警備業者の護身用具の携帯の禁止・制限、機械警備業者の即応体制の整備の基準）などについて、都道府県公安委員会規則で定めることが規定されている。このほか、条例によって、公安委員会規則に委任されているものも多い。これらの公安委員会規則の制定に当たっては、条例等によって、意見公募手続をとるべきものとされている。公安委員会規則ないしはそれに準じた規程による警察組織に対する管理について☞821、822。

（注93）　委員会の所管事項については、長は予算の執行等の財務的なものを除けば権限をほとんど有していないので、委員会規則と長の制定する規則の優劣が問題となることは通常は起きない（委員会の権限事項について長が規則を制定した場合には、その規則自体が無効となる。）。例外的に長の権限と委員会の権限とが重複し、双方が適法に規則を制定できる場合には、長の制定する規則が優先する。

（注94）　警察法施行令13条2項は、警察法81条（警察法の実施のために政令を制定できることを規定）を受けて、都道府県公安委員会が管理に係る事務又は他の法令でその事務とされたものを行うために必要な「手続その他の事項」については、都道府県公安委員会規則で定めることを規定している。この政令も「法令」に該当するので、実施命令的なものや行政命令を都道府県公安委員会が委員会規則として定めることができる。

第4節　情報公開制度

1　情報公開制度の意義

⑴　情報公開と警察

　情報公開法は、国の行政機関が保有する行政文書について、請求があれば原則として開示することなどを内容としている（平成11年に制定され、13年から施行されている。なお、民主党政権下の平成23年に改正法案が内閣から国会に提出されたが、不成立となっている。）。情報公開制度は、国の行政機関は主権者である国民に対して自らの諸活動を説明する責務（説明責任）を有するという考え方に立って設けられたものであり、国民の理解と批判の下で、公正で民主的な行政が推進されることに資することを目的としている。国の全ての行政機関（憲法上、内閣から独立の地位にある会計検査院も含まれている。）がこの法律の対象となる。警察の場合も、国家公安委員会と警察庁がともに実施機関とされている。

　地方公共団体は、条例で情報公開制度を設けている。都道府県では、国の情報公開法とほぼ同様の条例が定められており（一部の都道府県の条例は、不開示情報の定め方がやや異なる。）、都道府県の各機関は条例に定め

（注95）　改正法案は、情報公開法が「国民の知る権利」を保障する観点から定められたものであることを法の目的規定に定めるとともに、不開示事由の限定（開示対象の拡大）、開示請求手数料の原則廃止、開示決定等の期限の短縮、不開示決定における理由付記の充実、内閣総理大臣の権限強化を通じた不服申立ての迅速化、原告住所地管轄の全ての地方裁判所への提訴可能化、裁判所によるインカメラ審理手続の導入等を内容とするものであった。

（注96）　改正案の検討段階（平成22年7月9日の行政透明化検討チームのワーキンググループ）で、警察庁は、不開示事由の限定（特に国及び公共の安全等情報の不開示要件から「行政機関の長が認めることにつき相当の理由がある」を削除するという検討段階での案の部分と公務員氏名の原則開示の部分）、インカメラ審理の導入、開示決定期間の短縮、開示手数料の廃止などについて、問題があることを指摘している。

（注97）　国民主権に立脚した制度ではあるが、公開請求は、外国人を含めた何人も可能である。

（注98）　国会と裁判所はこの法律の対象とはならないが、衆議院事務局、参議院事務局及び最高裁判所の定める事務取扱規程や要綱によって、行政文書の情報公開制度が設けられ、第三者機関への諮問も制度化されている。なお、最高裁の裁判官会議の議事録不開示について、一審が違法として国家賠償請求を認め、二審が請求を否定した例がある（東京地裁判決平成16年6月24日〈判時1917・29〉、東京高裁判決平成17年2月9日〈Ⓦ〉）。

られたところに従って、情報公開を行う。(注99)

853 　警察も、国又は地方公共団体の行政機関の一つとして、自らの活動について国民（住民）に説明すべき立場にあることは他の機関と同様であり、情報公開請求に対して保有する文書を原則として開示しなければならない。一方、公開されるとその後の犯罪捜査を含む警察の行政運営に支障を来し、あるいは個人に不利益を与えるものについては、非開示としなければ、国民全体又は個人の利益を損なう。公開の原則に応えつつ、非開示とすべきものは確実に非開示とすることが求められる。不開示情報に該当するかどうかについては、申請を受けた行政機関が判断するが、不服申立てがあれば審査会において調査審議の対象となり、取消訴訟が提起されたときは裁判所によって最終的な判断がなされる。

(2)　関連する他の制度

854 　行政機関の保有する情報のうち、個人情報に関しては、個人情報保護が制度化されている（第7章で解説している。）。個人情報保護制度は、個々人の権利を保護するものであり、情報公開法とは目的を異にする。ただ、不開示情報の範囲については、本人情報の部分を除き共通していることもあり、同じ審査会（情報公開・個人情報保護審査会）が不服申立ての諮問機関となっている。不開示情報については、個人情報保護法の行政機関に係る規定に基づく不開示を含めて、3で解説する。

　国民又は住民に対する説明責任を果たすという観点からは、個人の請求に応じて情報を開示するものだけでなく、行政機関が積極的に自らの判断で行う情報提供制度を進めることが求められる。警察庁及び都道府県警察で、訓令及び通達について、広くウェブサイトで公表をしているのはその例である。

　情報公開に関連して、行政文書の適正な管理が求められる。国の行政機

(注99)　都道府県では、国が情報公開法を制定する前から情報公開条例（公文書公開条例）が制定されていたが、都道府県警察は実施機関とされていなかった。国の情報公開法で、存否を明らかにしない応答拒否、犯罪対応情報等における行政機関の長の第一次的な判断を尊重する仕組みなどが制度化されたことを受けて、都道府県の条例でも国とほぼ同様の制度が導入され、都道府県警察を実施機関に含める改正が行われている（国の不開示情報で特別の仕組みがあるのは、外交、防衛、犯罪の捜査・訴追・刑の執行等に関する場合であり、都道府県の機関では、警察以外はあまり問題とならない。）。

関は、行政文書の分類、作成、保存及び廃棄に関する基準を定めて公表するとともに、それに従って適正に文書を管理しなければならない。^(注100)

2 行政文書の開示手続と不服申立手続

(1) 開示の対象と開示請求

　行政文書(行政機関の職員が職務上作成し又は取得した文書であって、組織的に用いるものとして、行政機関が保有するもの。決裁を経たものには限定されず、未決裁文書も含まれる。市販されている書籍の類は除かれる。)については、何人も、開示を請求することができる。明確に公文書とされているものでなくとも、組織における業務上の必要によって保存されていれば、「組織的に用いるものとして、行政機関が保有」する行政文書に当たる(前任者から引き継がれている書類は、該当するとみてよい。)。紙の文書以外でも、電磁記録として保存されているものなどは対象に含まれる。

　開示請求は、文書を特定した上(特定するに足りる事項を記載した上)で、開示請求書を行政機関の長に提出して行う。^(注101)開示請求は、何人も行うことができる。^(注102)行政機関としては、誰が請求人であるかにかかわらず、同一の基準で開示、非開示の判断を行わなければならない。

(2) 開示又は不開示の決定

　行政機関は、開示請求があったときは、不開示情報が含まれているときを除き、その行政文書を開示しなければならない。開示は、その文書(写しを含む。)の閲覧又は写しの交付によって行われる。不開示情報が含ま

(注100) 平成21年に、行政文書の管理、歴史的文書の保存、公文書等管理委員会の設置などについて定める「公文書等の管理に関する法律」が制定された。現在使われている文書は情報公開法で開示等を行い、使われなくなった公文書は公文書館等に移管されて国民が利用できるようにすることで、国民主権にのっとった行政機関の説明の責務が果たされるという考えが基になっている。高橋滋「公文書管理法と警察文書」警察政策12巻は、都道府県警察の文書についての管理体制整備の必要を指摘している。

(注101) 開示を請求する際と、開示を受ける際には、それぞれ手数料(開示請求手数料と開示実施手数料)を納付する必要がある。

(注102) 開示請求をした者のリスト(氏名、住所、電話番号のほか、請求時の発言についても記載)を作成して情報公開担当部署以外にも配付した行為について、個人のプライバシーに係る情報を情報公開業務を行うために必要な限度を超えて保有し、他人に開示したとして、賠償請求が認められた例がある(東京地裁判決平成16年2月13日〈判時1895・73〉)。

れている場合でも、その部分を容易に除くことができるときは、部分開示をしなければならない。不開示情報を除くことができないときは、開示請求を拒否する決定（不開示決定）をする。開示請求された文書が存在しない場合（請求を受けた行政機関が保有しない場合）や、訴訟に関する書類などこの開示制度の対象とならない文書である場合にも、請求を拒否することとなる。請求を拒否する処分（部分開示する処分を含む。）については、行政手続法により、理由の提示をしなければならない。(注104)

858　具体的な人名を特定した上で、その者に係る逮捕歴が分かる書類（例えば、被留置者名簿）の開示請求が行われた場合のように、文書が存在するか否かが明らかになることで実質的に不開示とすべき情報が明らかにされてしまうとき（いわゆる「存否情報」が含まれているとき）には、存否を明らかにしないで請求を拒否することができる（存否応答拒否）。もし文書が存在しているなら存否応答拒否をすべきこととなる請求に対しては、文書がないときも同様に、存否応答拒否をしなければならない（ない場合に不存在として拒否すると、存否を明らかにしない拒否が文書の存在を意味してしまうことになる。）。

859　開示・不開示（請求拒否）の決定は、30日以内に行わなければならないが、事務処理上の困難など正当な理由がある場合には、期限を延長することができること、書面で請求者に通知すべきことなどが定められている。(注105)

　開示（又は不開示の決定）は行政文書を保有する行政機関が行うが、他の行政機関が作成した文書のように、他の機関の方が判断をより適切に行

　　（注103）　刑事訴訟法の規定により、捜査の過程で作成される供述調書（供述録取書）や捜査報告書、実況見分調書などについては、「訴訟に関する書類」として、証拠物とともに、情報公開法の適用の対象外とされている。
　　（注104）　最高裁判決平成4年12月10日〈⑩〉は、行政手続法制定以前であるが、東京都公文書の開示等に関する条例に基づく請求に対して、根拠条項のみを理由に付した書面で不開示を通知したことについて、同条例の理由付記制度が「非開示理由の有無について実施機関の判断の慎重と公正妥当を担保してそのし意を抑制するとともに、非開示の理由を開示請求者に知らせることによって、その不服申立てに便宜を与える趣旨」であるとした上で、記載された理由のみによって、開示請求者が、その文書の種類、性質あるいは開示請求書の記載に照らし、非開示事由のどれに該当するのかをその根拠とともに了知し得るものでなければならない（相手方が知っていたかどうかには関わらないし、後に口頭で非開示理由の説明がされても不備は治癒されない。）との判断を示している。

うことができる場合には、協議の上で事案を移送する（移送を受けた機関が開示又は不開示を行う）ことができる。

(3) 公益目的の開示と第三者の手続的保障

　行政機関の側で、不開示情報があるが公益上特に必要があると認める場合には、その文書を開示することができる（個人情報又は法人情報については、一定の公益性がある場合には不開示情報から除かれ、開示が義務付けられている。そのほかの場合には、行政機関の判断で開示がなされる。）。この場合には、情報が記録された第三者に、開示前に意見の提出をする機会を与えなければならない。第三者が反対意見を出した場合に、開示の決定をするときは、その第三者が争うことができるように、開示決定後直ちに反対意見を提出した第三者に書面で通知し、実際の開示をするまで少なくとも2週間の期間を置かなければならない（開示されたことで不利益を受ける者（通知を受けた第三者）は、その間に不服申立てをし、あるいは行政事件訴訟を提起して執行停止を求めることとなる。）。

　なお、上記の公益開示に当たらない場合でも、第三者に意見提出の機会を与えることが可能である（任意的意見聴取）。

(4) 不服申立手続

　開示請求に対して全部開示がなされない場合には、申請者は不服申立てをすることができる。自らの情報が含まれている文書（情報）を開示する決定が行われた場合には、その情報の当事者であって開示に反対した者は、その開示等の決定に対して、不服を申し立てることができる。

　不服申立てを受けた行政機関（会計検査院を除く。）は、申立てが不適法で却下する場合及び不服申立てを受けて全部を開示する場合（反対の意見書がないときに限る。）を除き、情報公開・個人情報保護審査会に諮問

860

861

（注105）　延長期間は30日以内で、開示請求者に延長後の期限と延長の理由を書面により通知しなければならない。また、著しく大量であるために60日以内にその全てについて開示決定等をすると事務の遂行に著しい支障が生ずるおそれがある場合には、特例として、相当の部分について期間内に開示決定等をし、残りについては相当期間内に開示決定等をすれば足りることになっている。

（注106）　情報公開・個人情報保護審査会委員15人は、国会の両議院の同意を得て内閣総理大臣が任命する。調査審議は、実質的に審査会が指名する3人の委員の合議体によって行われる。委員は、守秘義務を有し、それに違反すれば罰則の対象となる。

しなければならない。審査会は、不開示情報を自ら見分することを含む調査権限を有し、調査結果に基づいて答申を行う。審査会の審議は非公開であるが、答申は公開される。不服申立てを受けた機関は、審査会の答申を受けた後に、不服申立てに対する裁決を行う。最終的な判断の責任は不服申立てを受けた機関にあるのであって、審査会の答申自体が最終的な決定となるわけではない（答申は尊重すべきではあるが、行政機関はそれに拘束されない(注108)。）。

申請者は、処分に対して直接裁判所に訴えることも、不服申立てを行った後に裁判所に訴えることも可能である(注109)。

3 不開示情報

(1) 個人に関する情報

個人（事業を営む場合を除く。）に関する情報（１号情報）については、その個人が識別される場合には、例外規定に該当しない限り、不開示とされる。個人が識別されるものである限り、当事者のプライバシー等の利益を害するおそれがあるかどうか、といった個別の判断を行うことなしに、いわば自動的に不開示とされる。

ただし、法令や慣行によって公とされてきている情報や公務員の職に関する情報(注110)については、例外として開示の対象となる。また、人の生命、健

（注107） インカメラ審理と呼ばれる。審査会はその前に、情報の内容や該当理由等を分類整理した資料（ヴォーン・インデックスと呼ばれる。）の提出を求め、機密性の高い文書などインカメラ審理をするまでもなく判断が可能な場合には、インカメラ審理は行われない。

（注108） 大多数の場合には答申に従っているが、最終的な行政責任を負う立場にあるものとして、異なる判断をせざるを得ない場合もあり得る。全国的に実施された事柄について、どの自治体も不開示としていたところ、一部の自治体の情報公開審査会が公開すべきとの判断をしたのに対して、当該行政機関が不開示を維持した事例も存在している。

（注109） 訴えを提起する先は、被告の所在地のほか、原告所在地を管轄する高等裁判所の所在地にある地方裁判所である。なお、被告の所在地以外は、立法時には情報公開訴訟の特例であったが、平成16年の行政事件訴訟法の改正の結果、他の行政事件訴訟でも同様となっている（☞1165）。

（注110） 公務員の職務の遂行に関する情報については、その公務員の職や職務内容の部分は、個人を特定する場合であっても、行政側の説明責任を果たす意味から不開示とされない。公務員の氏名については、公表されている慣行があるときを除き不開示とされる。なお、条例では、規則に委任して、不開示の対象とする職員の範囲を指定しているものもある。

康、生活又は財産を保護するため、公にすることが必要であると認められる場合にも、公開の対象となる。

なお、情報公開は、不特定の者からの開示請求を前提とした制度であり、本人からの開示請求であっても他の者の請求と同様に扱われる。このため、本人からの開示請求に対しても、個人情報については不開示とすべき（本人が開示を望んでいても、個人情報であることを理由として不開示とすべき）こととなる。

これに対し、個人情報保護法に基づく開示請求の場合には、その本人の個人情報については、不開示情報とはならない。他の者の個人情報に限って、不開示情報となる。

(2) 公共の安全等に関する情報

犯罪の予防や捜査などに関連する情報（4号情報）については、他の情報とは異なり、開示された場合の悪影響が大きいだけでなく、犯罪等に関する予測などに関する専門的な判断を要するものであり、諸外国でも特別の対象とされていることが多い。

このため、情報公開法において、「公にすることにより、犯罪の予防、鎮圧又は捜査、公訴の維持、刑の執行その他の公共の安全と秩序の維持に支障を及ぼすおそれがあると行政機関の長が認めることにつき相当の理由がある情報」を不開示情報として規定している。これに該当するものについては、他の情報とは異なり、裁判所の司法審査においても、行政機関の長の第一次判断が尊重され、その判断が合理性を持つ判断として許容される限度内のものであるかどうかが審理、判断されるのにとどまることになる。裁判所は、行政機関の裁量権の行使を前提とした上で、判断要素の選択や判断過程に合理性を欠くところがないかを点検し、その判断が重要な事実の基礎を欠くか、合理性を持つものとして許容される限度を超えたと認められる場合に限って違法となる。(注111)(注112)

また、国防、外交などの国の安全等に関する情報（3号情報）についても、これと同様の扱いがなされている。(注113)テロ防止に関わる情報の場合には、この3号にも該当する。

なお、警察機関の保有する情報であっても、例えば、風俗営業の許可や

災害警備、道路交通法上の交通規制や行政処分に関わる情報などについては、この対象にはならず、他の一般的な行政上の支障等を理由とする不開示情報の対象となるのにとどまる。

(3) その他の不開示情報

864　法人その他の団体及び事業を営む個人に関する情報（2号情報）については、前記の個人に関する情報とは異なり、その正当な利益を害するおそれがある場合に限って、不開示情報とされる。人の生命等を保護するために公にすることが必要と認められる情報は、不開示とはされない。正当な

(注111)　捜査費等に係る領収書のうち、実名とは異なる名義で作成されたものに記載された名義人の氏名、住所等に関する情報を非開示としたことが争われた事例で、最高裁判所は、原審が実名と異なるので影響がないとしたのに対し、情報提供者に自己が情報提供者であることが事件関係者等に明らかになるとの危惧を抱かせ、その結果、捜査協力を受けることが困難になる可能性も否定できないので、犯罪の捜査、予防等に支障を及ぼすおそれがあると認めた警察の判断が合理性を欠くとはいえないとして、不開示決定を是認している（最高裁判決平成19年5月29日〈W〉）。警察とは異なるが、国の内閣官房報償費の支払記録について、協力先が分かり得る情報が開示されると、その者からの信頼が失われる、その者への不正な働きかけや安全が脅かされるといったことで、内閣官房の活動に支障が生ずるおそれがあるとし、日付や金額が明らかになれば、関心をもって他の情報と照合し、分析することで支払い相手方や具体的な使途についても相当程度の確実さをもって特定することが可能になる場合があるとして、不開示が認められている（最高裁判決平成30年1月19日〈W〉）が、警察の捜査費の場合にもこの考え方が参考となる。

(注112)　凶悪重大犯罪等に係る出所情報の活用に関する警察庁の通達（具体的な罪名、出所事由及び活用方針は公表されていなかったもの）の不開示の可否が争われた事例で、最高裁判所は、原審が被告側に立証責任があるとして請求を認めたのを破棄し、犯罪者側の対抗措置の可能性があることを否定できないとし、警察側の判断が「合理性を持つものとして許容できる限度を超えたもの」とはできないとして、非開示情報に該当することを認めている（最高裁判決平成21年7月9日〈W〉）。本件判例に関して、憲法問題も含めた評価を加えたものとして、大林啓吾「出所者情報の活用をめぐる情報公開訴訟」情報公開個人保護2010年36号がある。

(注113)　「公にすることにより、国の安全が害されるおそれ、他国若しくは国際機関との信頼関係が損なわれるおそれ又は他国若しくは国際機関との交渉上不利益を被るおそれがあると行政機関の長が認めることにつき相当の理由がある情報」と定められている。

(注114)　風俗営業や運転免許に関する行政処分などは、犯罪の予防、捜査等には該当しない。ただし、公開することによって犯罪捜査に支障を来し、犯罪を誘発するおそれがある場合には、該当することもあり得る。なお、不法な侵害行為からの人の生命、身体等を保護する活動については、一般の行政的な支障等とは異なり、この規定の対象となる。

(注115)　これに加えて、行政機関の要請を受けて、公にしないとの条件で任意に提供された情報（法的な権限に基づいて提供された情報は対象とならない。）については、その条件が合理的と認められれば、不開示情報となることが規定されている。

利益を害する「おそれ」の有無については、その法人及び情報の性格に応じて、個別に判断される。

行政機関の各種の事務、事業に関する情報（6号情報）については、その事務又は事業の性質から、適正な遂行に支障を及ぼすおそれがある場合に、不開示情報となる。監査・検査・取締り・試験で正確な事実の把握を困難にするおそれがあったり、違法・不当な行為を容易にし、その発見を困難にするおそれがあるもの、人事管理に関して公正円滑な人事の確保に支障を及ぼすおそれがあるものなどが列記されているが、それに限られるものではない。6号情報の対象は広範囲に及ぶが、「適正な遂行に支障を及ぼすおそれ」があるかどうかについては、実質的な支障がある場合であって、かつ、そのおそれの程度も法的保護に値するだけのものがなければならない（単なる可能性では足りない）とされている。監査や試験など、同種の行為が反復されて行われるものについては、個別のケースの情報を公開することによって、将来の同種業務に支障を生ずることがあり得るが、そういった将来の同種の業務への支障も不開示とされる理由になる。

上記のほか、最終的な意思決定前の情報について、不当に混乱を生じさせるようなものなどの場合に不開示とすることが定められている。[注116]

（注116）　国の機関の内部又は相互間（地方公共団体との間を含む。）における審議、検討又は協議に関する情報（5号情報）で、公にすることによって、率直な意見の交換や意思決定の中立性が不当に損なわれ、不当に国民の間に混乱を生じさせ、不当に特定の者に利益又は不利益となるおそれがある場合について、不開示情報として定めている。「不当に」という限定が付されており、公開による公益性を考えても、なお支障が見過ごせないときに限って不開示とする（具体的な支障がある特定の場合以外は公開する）こととなる。

第9章　都道府県警察

本章では、都道府県警察の組織と警察官の権限行使に関する組織法的規制及び都道府県警察の警察職員について解説する。

第1節　都道府県警察の組織

1　都道府県公安委員会

⑴　任務と権限

　都道府県公安委員会は、都道府県知事の所轄の下で、都道府県警察を管理する。都道府県知事の指揮監督は受けない。警察庁の所掌事務に関して、警察庁長官の指揮監督を受けるが、都道府県警察の管理の責に任ずることに変わりはない(注1)。都道府県公安委員会は、同じ管理機関である国家公安委員会及び他の都道府県公安委員会と常に緊密な連絡を保つべきこととされている。

　都道府県公安委員会は、都道府県警察を管理し、警察法に基づいて、警察職員の人事に関する権限（警察本部長などの地方警務官の任免についての同意及びその懲戒・罷免についての勧告、地方警察職員の任免についての意見及び懲戒罷免についての勧告）、諮問機関的部外者の委嘱・任命についての権限（警察署協議会委員の委嘱）、公安委員会自体の自主的運営に関する権限（公安委員会の運営に関する事項の決定）、公安委員会規則の制定に関する権限（☞824）、組織管理者としての他の都道府県警察等との関係に関する権限（警察庁又は他の都道府県警察に対する援助の要求（☞913）、管轄区域の境界周辺における事案の処理及び移動警察等に関す

901

902

（注1）　緊急事態の布告が発せられたとき（☞1017）だけは、警察庁長官（又は管区警察局長）から警視総監・道府県警察本部長に対する指揮命令がなされることになり、その限度で都道府県公安委員会の管理権限が縮小する。

る協議の権限（☞914、929））を有している。

903　公安委員会はまた、他の法律等の規定に基づく多くの権限を有しており、都道府県警察の補佐を受けて行使する。許可（免許を含む。）については、許可だけでなく、その取消し・効力の停止や関連する権限（営業許可に関しては、報告徴収等の権限を含む。）も有している。主な権限として、以下のようなものがある。(注2)

①　道路交通法に基づくもの　〜　道路における交通規制、運転者の遵守事項・道路における禁止行為の設定、放置違反金の納付命令、運転免許、指定自動車教習所の指定

②　風俗営業適正化法に基づくもの　〜　風俗営業の許可、店舗型性風俗特殊営業を営む者への指示・営業停止、飲食店営業を営む者等への営業停止等の監督措置

③　古物営業法及び質屋営業法に基づくもの　〜　古物商・市場主・質屋の許可(注3)

④　警備業法に基づくもの　〜　警備業の認定、警備員等の検定

⑤　銃砲刀剣類所持等取締法に基づくもの　〜　銃砲刀剣類の所持許可、銃砲等の仮領置、指定射撃場の指定

⑥　火薬類取締法に基づくもの　〜　火薬類の運搬に関する指示、猟銃用火薬類の譲渡等の許可

⑦　犯罪被害者支援法に基づくもの　〜　犯罪被害者給付金支給の裁定、犯罪被害者等早期援助団体の指定

⑧　暴力団対策法に基づくもの　〜　指定暴力団の指定、暴力的要求行為などに対する措置命令、対立抗争時の事務所の使用制限命令、暴力行為の賞揚等の規制、都道府県暴力追放運動推進センターの指定

⑨　ストーカー規制法に基づくもの　〜　つきまとい行為者への禁止命令

⑩　遺失物法に基づくもの　〜　施設占有者に対する報告要求

（注2）　それぞれの法律で、ほかにも権限規定が多く定められている。なお、これらのほかにも危険な物の運搬などに関する権限規定などが他の法律で定められている。

（注3）　古物営業法の許可を受けた者が貴金属商を営む場合には、公安委員会が犯罪収益移転防止法に基づく行政庁としての権限も行使する。

⑪　自動車の保管場所の確保等に関する法律に基づくもの 〜 自動車の運行供用制限命令
⑫　運転代行業法に基づくもの 〜 自動車運転代行業の認定
⑬　刑事訴訟法に基づくもの 〜 司法警察員の指定、逮捕状を請求できる警部以上の警察官の指定(注4)
⑭　刑事収容施設法に基づくもの 〜 留置施設視察委員会委員の任命
⑮　その他 〜 不正アクセス禁止法に基づく援助、出会い系サイト規制法に基づくインターネット異性紹介事業者に対する指示等、災害対策基本法に基づく交通規制、探偵業法に基づく命令など

column　方面公安委員会と方面本部

　北海道は、面積が広大であることから、その区域が方面に分けられ、道警察本部の所在地を管轄する方面（札幌方面）以外については方面本部が置かれている。方面本部の長（方面本部長）は、国家公安委員会によって、道公安委員会の同意を得て任免され、道警察本部長の指揮監督を受けつつ、方面公安委員会の管理の下に、その事務を統括し、警察署長に対する指揮監督権限を行使する。

　方面公安委員会は、道公安委員会の管理の下にあって、方面本部に関する民主的管理を行うことを任務とする(注5)。委員の人数は3人で、任命、任期、罷免、服務等については、県の公安委員会委員と同様とされている。方面公安委員会は、他の公安委員会と緊密な連絡を保ち、方面本部の管理のほか、法律等でその権限とされた事項（運転免許など法令の規定によって委任されたものを含む。）を処理する。なお、都道府県公安委員会とは異なり、方面本部長の任免についての同意権等の人事上の権限は持たない。

(2) 公安委員会の組織

　都道府県公安委員会は、都道府及び指定県（政令指定都市のある県(注6)。令和4年4月1日現在、宮城県、埼玉県、千葉県、神奈川県、新潟県、静岡

（注4）　同様のものとして、通信傍受法に基づく傍受令状を請求できる警視以上の警察官の指定、麻薬特例法に基づく没収保全命令を請求できる警部以上の警察官の指定がある。
（注5）　警察の活動の単位は地方公共団体としての都道府県であり、警察法が方面ごとに全く独立した警察運営がなされるのを想定しているとは考えられない。方面公安委員会も、北海道という地方公共団体の機関として、道公安委員会の管理の下にある。

県、愛知県、兵庫県、岡山県、広島県、福岡県及び熊本県。）は5人、それ以外の県は3人の公安委員で組織される。委員長は、委員の中から互選によって決められる。委員長の任期は1年で、再任が認められる。委員長は、委員会の会議の招集、開催等を行い、会務を総理し、委員会を代表する。委員長は、委員でもあるので、委員会の意思決定で表決権を持つ（国家公安委員会委員長とは異なる。）。委員会に事務局はなく、警視庁又は道府県警察本部がその庶務を処理する。委員会の運営については、法律に定めのあるもののほか、委員会が自ら定める。

906 　委員は、都道府県議会議員の被選挙権を有する者で任命前5年間に警察・検察の職務を行う職業的公務員の前歴がなく、欠格事由（破産者で復権を得ないもの、禁錮以上の刑に処せられた者）のない者の中から、都道府県知事が、都道府県議会の同意を得て任命する。道府及び指定県の公安委員のうち2人は、政令指定都市の住民の意思を反映させるため、政令指定都市の議会の議員の被選挙権を有する者で欠格事由のない者の中から、市長

（注6）　人口50万人以上で政令で指定された市（政令指定都市）は、都市計画、児童福祉、食品衛生等に関する多くの道府県の事務を処理する（☞125）。令和4年4月1日現在、大阪、名古屋、京都、横浜、神戸、北九州、札幌、川崎、福岡、広島、仙台、千葉、さいたま、静岡、堺、新潟、浜松、岡山、相模原、熊本の20市が指定されている（指定順）。以前は人口100万人以上（将来そうなる見込みを含む。）の市が指定されてきたが、静岡市以降は運用基準が変わり、そうでない市も含まれるようになっている。

（注7）　都道府県公安委員会の委員の数は旧警察法でも3人（市町村公安委員会も同じ。）で、任期は3年（毎年1人改選）であった。公安委員会は、民衆の代表として警察を管理する機関であり、良識を持ち、かつ、都道府県内の地域や性別、専門性など多様な立場、背景のある人が参加すれば、多様な意見が委員会に反映されることになるので、5人とすることも管理充実の方法といえる（都道府県教育委員会の委員は、5人である。）。

（注8）　事務局を別に設けることについては、警察組織の二重化を招き無駄と非効率をもたらすこと、事務の分配や指揮命令系統をめぐって事務局と警察との間で混乱が生じるおそれがあること、実際の警察活動をしていない事務局員では警察から遊離すること、といった問題点が指摘されている（吉村博人『警察改革第3版』（立花書房、2009年）参照）。公安委員会の事務全体に関わる事務局の設置には問題があるが、特定の事項に関して専門的な知見を基に公安委員会を助ける機能を有するスタッフ的な者又は組織を公安委員会の下に設けることはあり得ると思われる（国家公安委員会には、専門委員が置かれている（警察法12条の3）。）。なお、都道府県公安委員会には、他の執行機関と同様に、法律又は条例で、審議会、調査会等を置くことが可能となっている（地方自治法138条の4）。

（注9）　都道府県議会議員の被選挙権を有する者でなければならないから、その都道府県内の市町村の区域内に3月以上住所を有すること、禁錮以上の刑の受刑者・選挙に関する罪で執行猶予中の者・選挙権停止中の者に当たらないことが求められる。

が市議会の同意を得て推薦した者を、都道府県知事が任命する。(注10)市長推薦委員については、都道府県議会の同意を要しない。

　委員の任期は3年で、2回に限り再任が認められる。委員は身分が保障され、任期中は欠格事由に該当したとき等を除き(注11)、本人の意に反して罷免されない。委員が任命後に欠格事由に該当したとき及びその都道府県議会の議員の被選挙権を有する者でなくなったとき（指定都市の市長の推薦に係る者については、その市議会議員の被選挙権を失ったとき）には職を失う。委員が心身の故障のために職務の執行ができず、または委員たるに適しない職務上の非行があると都道府県知事が認めるときは、都道府県議会の同意（指定都市の市長の推薦に係る委員のときは、市議会の同意）を得て罷免される。委員の過半数が同一政党に属してはならないので、過半数の者が同一の政党に属することとなったときは、その状態に至ることとなった委員が罷免される。

　委員は、特別職の地方公務員であって、地方公務員法の適用を受けないが、同法の服務規定のうち、服務の根本基準、宣誓、法令等に従う義務、信用失墜行為の禁止、守秘義務及び営利企業等の従事制限に関する規定が、警察法によって準用されている。委員会の政治的中立性を確保するため、政党その他の政治団体の役員となり、あるいは積極的に政治活動を行ってはならないこととされている。

2　都道府県警察の実働組織

(1)　組織の構成

　都道府県警察（公安委員会を除く。狭義の都道府県警察ともいう。）は、

（注10）　政令指定都市推薦委員制度は、警察法の制定過程で、大都市警察存続主張を認めない代わりに、大都市の住民の意思を府県警察運営に反映させるものとして国会の修正で設けられた（☞124）。一種の政治的妥協の産物であるが、同じ府県の中で大都市側の意向が過大に反映される（府県議会にも大都市部選出議員が存在して、府県議会の意向に反映されているのに加えて、大都市独自の推薦枠を持つ。）という問題に加えて、政令指定都市自体がごく少数の大都市という特別な存在でなくなったことを踏まえると、この制度の合理性は疑問である（末井誠史「道州制下における警察制度に関する論点」レファレンス2009年1号も、道州制の導入がされた場合の議論としてではあるが、特定の地域の住民の意思を道州公安委員会の構成に反映させることとするのは、他の基礎自治体と比較した合理的説明は困難であると思われると述べている。）。

（注11）　これ以外に、住民の直接請求による解職の場合がある（☞838）。

都道府県公安委員会の管理の下において管轄区域内につき警察法2条1項の責務に任ずるとともに、都道府県公安委員会の権限行使について補佐する。

　警察法は、都道府県警察組織の主要な構成（警察本部長及び各部、警察署、警察学校）について直接定め、あるいは政令で定める基準に従って条例で定めることとしている。警察学校の組織、派出所（交番）・駐在所の位置等の組織の細目的事項については、都道府県公安委員会規則で定めることとされている。

908　都に置かれるものを警視庁、道府県に置かれるものを道府県警察本部という。警視庁は、道府県に置かれる道府県警察本部と法的には同様の機関である（管区警察局の下にないことと、組織の長が警視総監という名称で最上位の警察官であることが他と異なる。）が、歴史的経緯等から、名称が他と異なっている。警視庁及び道府県警察本部の内部組織は、政令（警察法施行令4条及び別表一）で定める基準に従い、条例で定められる。警務部、生活安全部、刑事部、交通部及び警備部が置かれるのが基本であるが、必要に応じ、総務部、地域部、公安部を置くことも可能である。組織犯罪対策ないし暴力団対策に当たる部を別に設けたところもある。

909　警視庁及び道府県警察本部の長は、警視総監及び道府県警察本部長である。警視総監及び道府県警察本部長は、警察事務の実施の最高責任者として、都道府県公安委員会の管理に服しつつ、警視庁及び道府県警察本部の事務を統括し、並びに所属の警察職員を指揮監督する。公安委員会は、大綱方針を示しそれに沿って警察運営が行われるように一般的な監督を及ぼすものであって、個別の事件についての指揮監督権（最終的な責任）は、

（注12）　都道府県の区域には、陸地だけでなく、河川湖沼の水面のほか、領海（⇨230）内の海面であって都道府県に属する部分と、それらの上空及び地下を含む。なお、青函トンネルの一部は公海の下にあるが、国際法上、我が国の管轄権（立法権、行政権、司法権）が及んでおり、中央が北海道と青森県との行政上の境界となっているため、その部分までが区域に当たる（昭和58年3月22日衆議院本会議での中曽根内閣総理大臣答弁及び昭和61年10月13日衆議院日本国有鉄道改革に関する特別委員会での小和田外務省条約局長答弁参照）。

（注12の2）　警察本部長の法的な位置付けと運用並びに警察本部長の果たしている機能について、田村正博「警察本部長の立場と機能」『社会安全・警察学』第8号（京都産業大学社会安全・警察学研究所、2022年）参照。

警視総監及び道府県警察本部長に属する。警視総監及び道府県警察本部長は、指揮監督権に基づいて、その下の機関及び職員に対する訓令・通達を発することができる。また、地方警務官以外の職員について、採用、懲戒など任命権者としての権限を有する。

警視総監及び道府県警察本部長は都道府県の機関であるが、任免は国家公安委員会によって行われる（警視総監については、内閣総理大臣の承認を受ける。）。都道府県公安委員会には、任免の同意権のほか、警視総監又は道府県警察本部長の懲戒・罷免について国家公安委員会に勧告する権限が認められている。

特定の道府県のみに置かれるものとして、北海道警察における方面本部(注12の3)（☞904）、政令指定都市のある道府県における市警察部がある。市警察部は、政令指定都市内における警察事務の一部を分掌する機関である。(注13)

column 首都警察

イギリスでは、警察はカウンティ（広域自治体）の機関であるが、首都警察である警視庁（スコットランドヤード）だけは国の機関であって、首都の治安だけ(注14)でなく、国の公安に関わる警察機能（王室の警備やテロ事件捜査などを含む。）及び全国警察のセンターとしての機能（指名手配、盗品登録など）を担っている。

（注12の3）　警視庁と一部の大規模府県警察にある「方面本部」は、都道府県公安委員会規則に基づいて設置された、本部と警察署との間及び警察署相互間における連絡調整等を任務とする組織であって、警察法に基づく北海道警察の方面本部とは異なる。なお、警察署長に対する指揮監督権限は、警察法上、警視総監・警察本部長のほかは、北海道警察の方面本部長と市警察部長のみが規定されている。

（注13）　市警察部は、警察法の制定に際しての国会の修正によって設けることとされたものである（☞124）。分掌させる事務の範囲について法律は特に定めておらず、実働の組織を有するものは少ない（北九州市警察部には実働部門がある。）が、警察を代表して市との連絡に当たる機能を有している。一方、政令指定都市以外でも、比較的大規模な市（例えば、令和3年3月31日現在人口40万人以上の中核市が22市存在し、保健所の設置など都道府県の事務の一部を担当している。なお、中核市になっていない人口40万人以上の自治体は4市と東京都の10特別区が存在する。）の場合には、通常の市よりも広い権限を有していると同時に、相当数の警察署が置かれているので、警察側を代表して市と連絡をとるための何らかの仕組みがあることが望まれる。成田頼明「地方自治史を掘る　第5回警察法改正」都市問題研究97巻8号（東京市政調査会、2006年）は、今後の問題として中核市あたりまで市警察部をつくったらどうかという意見があることを紹介している。

（注14）　ロンドン市の最も伝統的な中心地域であるシティは、警視庁ではなく、小規模で独立したロンドン市警察が管轄している。

フランスでは、警察は国の地方機関である県知事の下に置かれるが、パリ警視庁だけは県と同格の機関とされ、警視総監（警察知事）の下にある。一方、連邦制の国家では、首都警察であっても特別の規模や地位を持たない場合が多い。(注15)(注16)(注17)

･･････････････････････

(2) 警察署

911　警視庁及び道府県警察本部の下に、警察署が置かれる。警察署は、警察の実働組織の中心的な存在であり、管轄区域内の全ての警察事象に対処する。自治体（市町村）や他の関係行政機関と対応するのは、基本的に警察署である。警察署長は、警視総監又は道府県警察本部長の指揮監督を受け、所属の職員を指揮監督する。警察署長は、法律等に基づいて付与された権限のほか、一部の公安委員会の権限についても委任を受けて自らの権限として行使する。犯罪の捜査等に関しては、法的な権限は個々の警察官にあるが、警察署という組織として捜査等を適切に遂行することが求められる。警察署の名称、位置及び管轄区域については、政令の基準に従って、条例 (注18)(注19)(注20)

(注15)　パリ警視庁は、1966年までは内務省とは別の組織として中央政府直轄に位置付けられていた。現在では内務省警察総局の下にあるが、高い独立性を有している（岡部正勝「フランスの警察制度」前掲『警察の進路』参照（より詳細なものとして、岡部正勝・國本惣子「フランス警察行政法ノート」（第1回～第12回）警察学論集55巻4号～57巻2号がある。)。)。なお、戦前期の日本でも、警視庁は東京府と並ぶ機関であった。
(注16)　ドイツでは、警察は各州の機関であり、ベルリン市は州としての資格で警察を持つが、ハンブルグ市も同様であり、他と異なる特別の性格はない。
(注17)　アメリカやオーストラリアでは、連邦が首都の警察を保有するが、規模は小さい。
(注18)　関係機関との間で、連携を保つことが求められる。また、児童虐待に関わる児童相談所長等からの援助要請、高齢者虐待に関わる市町村長からの援助要請、水防管理者（市町村）からの警察官援助要求、精神科病院からの無断退去者の探索要請などを受けることが、法律に規定されている。
(注19)　道路使用許可、違法駐車車両の移動保管等（放置車両の確認・標章取付けと事務の委任を含む。)、制限外積載許可や通行禁止解除、違法工作物等の除去（道路交通法）、保管場所証明書面の交付（自動車の保管場所の確保等に関する法律）、遺失物に対する措置（遺失物法）、古物商等に対する品触れ・差止め（古物営業法、質屋営業法）、つきまとい行為等に対する警告（ストーカー規制法）、薬物譲渡などに用いられた携帯電話の契約者の確認の求め（携帯電話不正利用防止法）など、多くの権限が法律で定められている。留置施設に関しても、留置施設管理者としての権限を有し、義務を負う。このほか、犯罪被害者支援（犯罪被害者等早期援助団体に対する情報提供を含む。)、ストーカー行為等の相手方や配偶者からの暴力の被害を受けた者への援助が法律に定められている。

で定めることとされている。警察署の下部機構として、交番その他の派出所又は駐在所を設けることができる。

警察署には、その重要性から、住民の意見を反映させるために警察署協議会が設置されている（☞825）。

column 警察署の今後

警察署は、伝統的に、警察の実働を担う組織であり、管轄区域内の全ての警察事象に対処するものとされてきた。しかし、特殊犯をはじめ、高い専門性が求められるものについては、警察本部に設けられた専門的な実働組織が対応の中心とならざるを得ない。また、警察署で対応すべきとされてきた業務についても、近時、市民からの高度要求に対応する上では、特に小規模警察署の場合に、専門家の不在など困難な面が生じている。警察署の統廃合によって小規模警察署をなくすことは、警察業務運営の合理化・効率化という面以上に、市民に一定レベルのサービスを提供する上で必要なこととなっている。

警察官の迅速な職務執行が求められる警察事務については、今後も警察署が責任を有すべきものである。一方、公安委員会の権限事項に関しては、法的にいえば警察署に関与させる必要はない（運転免許行政の場合は、ほとんど警察本部で完結されている。）。警察業務だから全て警察署が第一次的に対応するというのではなく、より高いサービスをより合理的に市民に提供するという観点と、業務管理の適正の観点の双方から、警察署に何を担当させるべきかの検討が今後行われていくべきものと思われる。

3 都道府県警察相互の関係

(1) 協力の必要性と協力義務

都道府県警察は、都道府県の機関として、区域内における個人の生命等の保護に任じ、公共の安全と秩序の維持に当たることを責務とするものであって、他の都道府県警察とは独立した存在である。しかし、警察が対象

（注20） 短期間の交通規制（道路交通法）及び暴力団員の暴力的要求行為等に対する中止命令など（暴力団対策法）について、公安委員会から警察署長に委任できることが法律で規定されている。このほか、風俗営業、銃砲刀剣類所持営業に関する許可などについては、許可申請等を警察署を経由して行うものとされている（古物商、質屋、警備業、探偵業、銃砲刀剣類所持、猟銃用火薬類等の譲渡譲受、火薬類の運搬、風俗営業、インターネット異性紹介事業、運転代行業について、各法律の施行規則で定められている。）。

とする事象には、複数の都道府県にまたがる犯罪や広域暴力団など、都道府県の管轄を越えた広域的な性格を有するものが多数存在しているため、一つの都道府県の区域内だけで全てを処理することはできない。各都道府県警察が、区域内のみに視野を限ってバラバラに活動をしていたのでは、警察全体としての効率性が害されるだけでなく、自らの管轄区域内の治安責任を全うすることも不可能である。

このため、警察法は、都道府県警察が自らの管轄区域内における公安の維持等に必要な限度で管轄区域外で職権を行使することを認める（☞921）とともに、警察庁に都道府県警察の活動を調整するために必要な指揮監督権限を与え（☞1014）、さらに、各都道府県警察に相互に協力する義務を課す規定を設け、警察全体として効率的な活動が行われ、警察の責務が達成できるようにしている。捜査共助、犯罪等に関する情報交換、執務資料の提供等が都道府県警察相互間で行われている。

(2) 援助の要求

913 　都道府県警察の人員、装備などだけでは対処できない事象が生じたときには、都道府県公安委員会は、警察庁又は他の都道府県警察に援助（警察官の応援派遣や装備品の貸与など）の要求をすることができる。他の都道府県警察に援助を要求する場合には、あらかじめ（やむを得ないときには事後に）警察庁に連絡しなければならない。

　援助の要求によって派遣された警察官は、援助の要求をした都道府県公安委員会の管理する都道府県警察の管轄区域内で、派遣先都道府県警察組織の指揮監督の下に、その都道府県警察の警察官と同様に権限を行使する（☞931）。派遣は警察官の身分を変更するものではないから、派遣された警察官は、派遣元の警察庁又は都道府県警察の職員として給与等の支給を受ける(注21)。派遣を受けた都道府県警察は、人件費を負担しない(注22)。

（注21）　地方自治法に基づく職員の派遣の場合に、派遣を受けた地方公共団体の職員としての身分を併せ持ち、給与、手当（退職手当を除く。）及び旅費について派遣を受けた側が負担する（252条の17）のとは異なる。

（注22）　旅費その他の活動のための経費については、大規模な災害などの警備活動の場合や重要な事件の捜査の場合には国が支弁する制度（☞1010）によることとなる。それ以外の場合には、派遣を受ける都道府県が負担することとなる。

派遣を受ける側に人件費負担をさせないことで、必要な派遣要請を迅速に行うことを可能にする（財政負担を考慮して派遣要請をせず、あるいは要請が遅れるという事態を生じさせない。）という意義を持つが、派遣元の都道府県警察に負担をかけるものとなる。個々の事案ごとにみると不公平ともいえるが、派遣する側と派遣を受ける側とが相互に代わり得ることから、長期的にみれば有効かつ公平な仕組みであるといえる。したがって、継続的に人員装備が必要である場合には、その都道府県警察が職員をそれだけ雇用し、装備を購入すべきものであり、援助要求と派遣の制度で対応することはできない。

相互協力義務を具体化した制度であり、援助要求を受けた都道府県公安委員会は、できるだけ協力することが望まれる。警察庁は必要な調整を行うほか、その事案が国の公安に関わるようなものの場合には、要求に応ずるように指揮監督を行うこともあり得る。

(3) 境界周辺の事案の処理に関する協力

都道府県警察の境界周辺の事案については、地形、交通事情、警察官の配置状況等から、その地域を管轄する都道府県警察よりも、隣接する都道府県警察が処理することが能率的で住民の便宜であるような場合がある。また、都道府県の境界を越えた広がりを持った社会的経済的一体性のある地域も存在している。これらの場合には、都道府県警察が相互に管轄外に恒常的に権限を及ぼし得るようにすることが合理的である。このため、警察法は、政令（警察法施行令7条の2）で定める距離（原則として15キロメートル）内の事案に限って、隣接し、又は近接する都道府県警察間の協議により、相手方の都道府県警察の管轄区域内に権限を及ぼすことができることとしている。この場合には、他の都道府県警察の管轄区域内の事案であっても、自らの都道府県警察の管轄区域内のものと同様に取り扱うことが認められる。なお、この制度は、昭和39年の法改正で「管轄区域の境界付近における事案に関する権限」として盛り込まれたものが、平成6年

（注23） パトロール、犯罪の捜査、予防、交通指導取締り、保護等の事務（警察官が行う現場的な事務）は全て対象となる。これに対し、個々の法令によって公安委員会や警察署長に与えられた権限については、管轄を変更することはできない。

の法改正で既述のような内容に改められたものであり、広域捜査隊が編成、運用されている。

(4) 事案の共同処理の場合の指揮の一元化

915　複数の都道府県警察が事案を共同して処理する場合（例えば、広域重要犯罪で複数の都道府県警察が関与する場合。管轄区域外の権限行使を伴う場合と伴わない場合の双方がある。）に、統一的・能率的な処理の観点から、指揮を一元化する（全体を統制し、関与する複数の都道府県警察の各警察職員を指揮する者を選定する）ことが適切なときがある。このため、関係する都道府県警察の警視総監又は警察本部長が必要があると認めるときは、相互に協議して定めたところにより、関係する都道府県警察の1人の警察官（援助の要求によって派遣された警察庁の警察官を含む。）に、その事案の処理に関してそれぞれの都道府県警察の警察職員に対して必要な指揮を行わせることができるとする制度が設けられている。都道府県警察の権限を及ぼす範囲などを変更するものではなく、個別事案の処理の方法に関するものであるので、公安委員会ではなく、警察本部長の協議で決せられる。

警察官の指揮は、本部長間の協議であらかじめ定めた方針の範囲内で行われる。広域重要犯罪の捜査のために合同捜査本部を設置する場合や、隣接、近接する都道府県警察が広域初動捜査等を行うために広域捜査隊を編成する場合に、この制度が用いられる。なお、協議を行う場合には、援助の要求をする場合と同様に、あらかじめ（やむを得ない場合には事後に）警察庁に必要な事項を連絡しなければならないこととされている。

第2節　警察官の権限行使に関する組織法

1　警察官の適正な権限行使に向けた諸制度

(1) 警察官の教育訓練

916　警察官は、警察の事務を執行する主体である。警察官職務執行法、刑事訴訟法、道路交通法をはじめ、多くの法律によって与えられた権限[注24]を直接に行使するほか、警察の責務達成に必要な各種の任意活動を行っている。

警察官は、必要な場合には、事態を解決するのに最小限度での実力を行使する。物理的な抵抗に対しては、自らの肉体と所持する装備を用いて、制圧することが求められる。人を殺傷する武器である拳銃を使用することもあり得る。

　警察官は、一人ひとりが法律上の権限主体であり、自らの判断で権限を行使することができる（上官の指揮監督に従う存在であるが、急を要する場合には、状況に応じて、自らが判断しなければならない。）。警察官の権限は、国民の生命等を守るために必要な場合に行使することが強く求められるものであると同時に、人の拘束や武器の使用のように相手方の権利自由を大きく制約するものでもある。しかも権限行使の判断は、流動的な事態の中で、限られた情報を基に迅速に行わなければならない。

　このため、警察官については、他の職員とは異なり、採用後に長期間の研修を行い(注25)、法的な知識と判断力、武器の使用を含む執行力を育成して職務に従事させることとなっている。(注26)警察は警察官に対する教育訓練（「警察教養」と呼んでいる。）を組織として重視しており、警察法で都道府県警察に警察学校（警視庁警察学校、道府県警察学校）を置き、新任者に対する教育訓練その他所要の訓練を行うことを定めている（54条）。また、

（注24）　現場的な警察官の権限を定めた法律については、田村正博『現場警察官権限解説第三版（上・下巻）』（立花書房、2014年）参照。

（注25）　警察官の採用時教育制度については、池田泰昭「採用時教養の見直しについて」警察学論集58巻4号参照。採用時教養期間は警察学校入校と職場実習等の合計で15月間（大卒以外の採用は21月間）とされ、うち警察学校入校は初任科6月間（10月間）、初任補修科2月間（3月間）とされている。

（注26）　警察官としての適正な職務執行を確保するには、採用時教育だけでなく、適切な人材を採用することと、高い勤務意欲が継続されることとが共に求められる。このためには、警察官に対して職務にふさわしい処遇をすることが不可欠である。給与水準が他の公務員より高いことは、その意味で当然のことといえる（戦前期には、他の公務員より低い水準であった。1950年代において警察官の社会的な地位が低かったこと（村山眞維『警邏警察の研究』（成文堂、1990年）143頁参照）は、その前の時代の給与の低さが大きく影響を与えていると思われる。昭和21年の警察制度審議会答申でも、警察官の採用資格、待遇と教養等の改善が大きな課題とされている（田村正博「昭和21年の警察制度審議会答申について（上）」警察学論集55巻7号参照）が、この問題の重要性と今日に至る改善の大きさを示すものといえる。）。警察官のレベルに関して直接的な国際比較をすることは簡単ではないが、日本における採用後教育期間の長さ、採用時競争倍率と大学卒比率の高さ（新規採用の7割以上が大学卒である。）、途中退職者の少なさは、高いレベルを維持する条件を十分に満たしていることを示している。

自らが職務執行に当たる幹部も多数存在しており、昇任制度と昇任時における教育訓練（☞917）とが、能力向上に大きく寄与している。

(2) 上位者による指揮監督と組織的支援

917　都道府県の警察官は、警視総監、警視監、警視長、警視正、警視、警部、警部補、巡査部長及び巡査の9階級に分かれる（巡査長は、巡査のうち一定の監督的業務を行うこととされた者の職名であり、階級ではない。）。警視以下の警察官の階級別定員は、警察法施行令の基準に従って、条例で定められる。(注27)

警察官は、組織的な統制の下で（職務上の上司の命令を受けて）権限を行使する。現場で組織上の関係が錯綜するときには、上官（上位の階級にある者であって、職務上の上司とは限らない。）の指揮を受ける。警察法では、「警察官は、上官の指揮監督を受け、警察の事務を執行する」と規定されている（63条）。内部的な規則によって、責任者の判断を事前に受けることを定めている場合も多い。(注28)

組織的な統制を及ぼす上では、一定以上の判断権とそれに応じた能力を持った者を相当数確保することが必要となる。警察官の場合、上位階級への昇進を原則として試験で行うものとし、昇任の都度、管区警察学校又は警察大学校に入校して、それぞれの階級に求められる知識等を身に付けるための研修を受けるものとされている（管区警察学校は、幹部として必要な教育訓練を行う機関であり、巡査部長及び警部補昇任者が入校する。(注29)警察大学校は、上級幹部として必要な教育訓練を行う機関であり、警部昇任者が入校する。(注30)階級構成の是正により、上位階級の比率が高まった結果、これらの研修を受ける警察官は増大している。）。

(注27)　過去にはほとんどが低位階級であった（警察法制定時には巡査が約7割で、警部以上は6パーセント、警部補以上で15パーセントにすぎなかった。）が、数次にわたる階級構成の是正が行われた結果、警部以上が1割、警部補、巡査部長及び巡査がいずれもほぼ3割となった。その考え方については、三浦正充「地方警察職員たる警察官の階級別定員の基準の改正（階級構成の是正）について」警察学論集44巻12号参照。
(注28)　犯罪捜査規範や少年警察活動規則では、令状請求や呼び出し、送致・通告などに関して、警察本部長又は警察署長に報告して指揮を受けるものとしている。
(注29)　管区警察学校の教育訓練については、大石吉彦「警察教養制度の改善」警察学論集54巻8号参照。巡査部長任用科が6週間、警部補任用科が8週間となっている。

さらに、現場で行動する者への指揮監督及び組織的支援の上では、通信連絡手段及び移動手段の確保が重要である。警察本部とパトカー等を結ぶ車載通信系、警察署と所属警察官とを結ぶ署活系と呼ばれる無線通信系が、移動通信として確保されている。現場からの照会に応える警察情報管理システムも、現実の警察官の権限行使に不可欠である。^(注30の2)

(3) 装備と服制

警察官は、職務の遂行のため、小型武器を所持することが認められる。小型武器とは、拳銃、ライフル銃等の装備を意味する。拳銃については、銃砲刀剣類所持等取締法において所持が禁止されているが、警察法の規定によって警察官の所持が認められる（使用について☞563以下）。都道府県は、警察官に職務上必要な被服を支給し、拳銃、警察手帳、手錠、警棒等の装備品を貸与するものとされている。

このほか、警察官の服制、礼式及び表彰については、警察法に基づき、国家公安委員会が規則で定めて、全国的な統一が図られている。^(注31)

なお、警察職員の礼式及び表彰等についても、警察の業務に伴う特殊性があると同時に、全国的統一が図られる必要があるところから、警察法に基づき、国家公安委員会が規則（警察礼式及び警察表彰規則）で定めることとされている。

2　管轄区域と権限行使

都道府県警察は、都道府県の機関として、その区域について警察法2条の責務を負う（36条2項）ものであるから、管轄区域内での全ての事象に

（注30）　警察大学校における警部任用科については、約3月間の研修期間となっている。このほか、警察大学校では、所属長（警察署長又は警察本部の課長）に新たに就任する者に対する研修等も行われる。

（注30の2）　現場からの照会に応えるシステムは、人については昭和49年に指名手配照会業務、物については昭和50年に盗難車両等の車両照会業務が開始されたのが始まりである。飲食店でナイフを用いて危険な行動をしていた粗暴犯前科の多数ある男に対して銃砲刀剣類所持等取締法に基づく措置を講じなかったことが違法とされた事案（最高裁判決昭和57年1月19日〈民集、⑩〉）は、全国的な照会業務がまだなかった昭和45年に起きた事案であり、その者の前科前歴を分からないで対応したことも影響があったと思われる。

（注31）　国家公安委員会規則として、警察礼式、警察官の服制に関する規則、皇宮護衛官の服制に関する規則、警察表彰規則が定められている。なお、交通巡視員の被服については、政令（道路交通法施行令）で警察官に対するものについて定めるところに準ずるものとされ、交通巡視員の服制に関する規則が制定されている。

対応し、都道府県警察の警察官はその都道府県の区域内において職権を行使する。警察官の職権行使は、所属する警察署、更にはその中の課等で区分された職務の範囲で行われるのが通常であるが、法的には、都道府県の全域において行使することが可能である。(注33)

一方、警察が対応する事象には、都道府県の区域を越え、広域にまたがっているものが多数あることから、一定の場合には都道府県の区域を越えて権限を行使することが必要となる。また、都道府県警察の相互協力等の上から、警察官が他の都道府県警察の管轄区域内で職権を行使することが必要となる場合もある。

警察法は、警察官が自らの属する都道府県警察の管轄区域内で権限を行使する原則を定めた（64条）上で、①援助要求での派遣（60条）、②境界周辺の事案処理（60条の2）、③広域組織犯罪等の処理（60条の3）、④管轄区域内の関係者の保護と公安の維持（61条）、⑤現行犯人逮捕（65条）、⑥移動警察及び道路（66条）、⑦緊急事態での派遣（73条）という7つの場合に、管轄区域外における権限行使を認めている。

これらは、自らの都道府県警察のための管轄外権限行使（④）、全国警察を挙げた対処が求められる事案における管轄外権限行使（③）、事務処理合理化のための相互的な管轄外権限行使（②及び⑥）、警察官の派遣制度に伴うもの（①及び⑦）と現行犯への現場的対応（⑤）とに区分できる。

都道府県警察として他の都道府県警察の管轄区域に権限を及ぼす場合（前記②、③、④及び⑥の場合）には、その区域を管轄する都道府県警察と緊密な連絡を保つことが法律上義務付けられている（61条の2第3項）。

(注32) 管轄区域内での事象には、区域内で発生した事象や実質的な影響が及んでいる場合（被疑者がいる場合、実質的な被害が生じている場合）だけでなく、管轄区域内に存在する者又は物に対して権限を行使すべき場合を広く含む。共助の要請を受けた都道府県警察は、自己の権限として、自らの管轄区域内で参考人の取調べ等を行うことができる。自らの管轄区域内で犯罪とならない行為の場合（他の都道府県の独自条例違反の場合）も除外されない。対象が存在する限り、その都道府県の公共の安全と秩序の維持の作用に属するものとして、管轄区域内での捜査をすることができるといえる。
(注33) 警察署の地域課に勤務する警察官が、異なる警察署で捜査中の事件に関して告発状を提出していた者から現金の供与を受けた場合には、一般的職務権限があるとして、収賄罪が成立する（最高裁決定平成17年3月11日〈刑集⑲〉）。

column 　国外発生犯罪の捜査を担当する都道府県警察

　犯罪の捜査は、発生地の都道府県警察が行うのが通常である。他の事件で逮捕した被疑者の関連事件のように、被疑者の現在地も行うことができる。ところが、国外で起きた犯罪で被疑者が日本にいないときには、どの都道府県警察が捜査をすべきかが問題となる。発生地とつながる場所（公海上の船舶又は航空機内で起きた犯罪の場合における船籍又は航空機籍の所属地）、被疑者とつながる場所（被疑者の住所地）、犯罪の影響が及ぶ場所（被害者の住所地、被害者の仕事と関連する犯罪の場合は会社の所在地）を管轄する都道府県警察は、全て一応その管轄区域内に関わるものとし、捜査の便宜等を踏まえて、合理的と考えられる都道府県警察が中心となって捜査するように、警察庁で調整をするのが適切であると思われる。

　A県に船籍港のある船が公海上にあるときに、船内で、B県に住所のある人がC県に住所のある人を殺害して船長に拘束され、船は現在D県の港に寄港すべく進んでいることが会社の事務所のあるE県警察に届けられたという場合には、寄港した場所で身柄の受け取り、捜索等を行う必要があるので、D県警察が行うのが合理的であるといえる。もっとも、寄港先は変わり得るので、D県警察が令状請求をしていたところF県の港に入ることになったので急きょF県警察が令状請求をし直したという実例がある。なお、国外の犯罪でも、日本の重大な国益に関わるような場合には、広域組織犯罪等として、どの都道府県警察も管轄を持つことになる（☞924〜926）。

3　管轄区域外の権限行使

(1)　管轄区域内の公安の維持等のための権限行使

　都道府県警察は、管轄区域の関係者の生命・身体・財産の保護並びに管轄区域内における犯罪の鎮圧・捜査、被疑者の逮捕その他公安の維持に関連して必要がある限度において(注34)は、管轄区域外に権限を及ぼすことができる。警察活動の対象が広域的性格を有することから、自らの管轄区域内における責務を果たすために、その限度で管轄区域外で権限を行使することを認めたものである。「関係者の生命・身体・財産の保護」のための管

（注34）　犯罪の予防及び交通の取締りが明記されていないが、これらも公安の維持（公共の安全と秩序の維持）の一部であるから、必要かつ合理的に関連する限度で、権限を管轄区域外に及ぼすことも認められる。

外権限行使は、制定時には規定されていなかったが、保護対象者を同じ都道府県警察が続けて警戒することを可能にするため、平成6年の法改正で追加された。

　管轄区域で生じた事象や管轄区域の公共の安全と秩序に直接的に影響を与える事象に関して用いられることが多く、区域内で発生した事件（区域内で始まり又は及んだものを含む。）について、管轄区域外で権限を行使する（被疑者の逮捕、参考人の取調べ、捜索・差押え等を行う）ことが典型である。また、広域にわたる暴力団の構成員による犯罪については、暴力団の存在自体がその地域の公共の安全と秩序に重大な影響を与えるものであって、構成員を検挙することがその公安の維持につながるものであるところから、暴力団の本拠地を管轄する都道府県警察において、犯行場所が管轄区域外のものの場合でも、管轄区域外で捜査することができるものと解されている。

　管轄区域外における権限行使は、合理的に関連して必要となる限度に限って認められるものであって、何らかの関係があれば全て認められるというものではない。例えば、管轄区域内で犯罪を行った被疑者を検挙した場合に、その者の管轄区域外の犯罪を捜査することは、合理的に関連して必要なものといえるが、管轄区域外において発生した事件の参考人が管内に居住しているのにすぎない場合に管轄区域外にいる他の関係者の取調べを管轄区域を越えて行うといったことは、合理的に関連して必要なものとはいえない。

（注35）　犯罪捜査のために管轄区域外に権限を及ぼす場合でも、その際に行使できる権限は、刑事訴訟法上のものには限られない。関連する限り、警察官職務執行法等に基づく権限を行使し、あるいは必要な各種の任意活動を行うことができる。

（注36）　他の都道府県警察に共助を依頼することも可能である（各都道府県警察は、相互に協力すべき義務を有している。）から、常にこの規定に基づいて自らが他の都道府県警察の管轄区域に権限を及ぼすという方式をとるのではなく、警察全体としての効率性を重視した運営を行うべきものである。

（注37）　刑事訴訟法上、関連事件とされているもの（同一人の数罪、数人の共同による罪など）については、一括して捜査することに合理性があるといえる。なお、管轄区域内の公安の維持に実質的に必要がある場合には、裁判管轄のない事件であっても捜査することができる（裁判管轄があることは捜査をする合理性につながる理由となるが、裁判管轄のないことが管轄外における捜査を全て否定することにはならない。）。

権限を及ぼす先についての制限はない。領海内だけでなく、公海上でも可能である。自らの公安の維持に関連して必要となる限り、どの都道府県警察の管轄区域についても権限を及ぼすことができる。ただし、権限を及ぼす先の都道府県警察とは、緊密な連絡を保たなければならない。犯罪捜査の場合には、権限を及ぼされる先の都道府県警察においても捜査をすることができるのであるから、権限行使の調整を行う必要性が高い。このため、犯罪捜査共助規則において、他の都道府県警察の管轄区域内で捜査を行うときは、あらかじめその都道府県警察に連絡する（急速を要する等やむを得ない場合で、事前に連絡できないときは、事後速やかに連絡する）ものとされている。

column 国外での権限行使

公海上の場合（他の国の領海又は領土であって、その国が我が国の権限行使を認めた場合を含む。）にも、61条の規定を基にして権限を及ぼすことが認められる。警察法の制定当初には国外での権限行使が想定されていたわけではないが、犯罪の国際化が進み、国外に逃亡した犯人の捜査など国外で活動を行わなければならない事案が存在している中では、管轄区域内における公安を維持するために必要な活動は、国外であっても認めるべきものである。現行法は、警察事務を都道府県が行うこととしており、国の機関であれば行い得たはずのものの一部を除外したとは考えられない。領海外でも警察が捜査活動を行うことが、今日の法制の前提となっている(注39)。なお、この規定が「都道府県警察が公海及び外国で権限を行使することを認めた」という意味は、警察法上適法としたということにとどまるものであって、国際法上の制約があることはいうまでもない(注40)。

(注38) 警察法制定時には、61条は「都道府県警察相互の関係」の節にあり、権限を及ぼされる都道府県警察と連絡すべき義務が同条2項で定められていたことで、国内にしか適用されないという疑念があったが、平成6年の法改正によって、節の名称が「都道府県警察相互間の関係等」に改められ、権限を及ぼされる都道府県警察に対する連絡義務に関する規定が管轄区域外における権限についての規定と直接に対応するものでなくなった（61条2項は削除され、61条の2第3項として「他の都道府県警察の管轄区域に権限を及ぼすとき」についての規定が設けられた。）ことによって、61条を国外権限行使の根拠規定と解する上での文言上の制約は解消されている。

(注39) 排他的経済水域に関係する法律や放射性同位元素等による放射線障害の防止に関する法律などの施行令で、警察官が領海外で取締りをした場合に適用される規定が置かれている（第2章注23参照）。

(2) 広域組織犯罪等を処理するための権限行使

924　都道府県警察は、広域組織犯罪等については、必要な限度で、その事案の処理のために管轄区域外に権限を及ぼすことができる（60条の3）。都道府県警察の警察官は、自らの都道府県警察の事務として他の都道府県警察の区域内で職権を行使する。オウム真理教関連事件を受けた平成8年の警察法改正で設けられた規定であるが、平成16年改正によって国外事案の部分が追加されている。広域組織犯罪等に対処するためには、全国の警察を挙げた取組が必要であるところから、管轄区域外の権限行使の規定に併せて、警察の態勢（各都道府県警察の役割分担等）について警察庁長官が都道府県警察に指示できる規定が設けられている（61条の3）。

広域組織犯罪等のうちの全国的事案（5条4項6号イ）は、全国の広範な区域において個人の生命、身体及び財産並びに公共の安全と秩序を害し、又は害するおそれのある事案を意味する。広域に拠点を有する組織による組織犯罪（例えば、オウム真理教関連事件と同種のテロ事件や全国的な広域暴力団相互の対立抗争事件など）が典型であるが、組織性のない犯罪や組織性が不明なものであっても、全国の広範な区域の公共の安全等を害し、又はそのおそれが実際にあると認められるもの（例えば、全国に流通する食品に毒物を混入させる事件やネットワークを利用した児童ポルノ事件）であれば該当することになる。このような事案の場合、ある時点ではまだ事件の影響が及んでいない都道府県警察でも、公共の安全を害するおそれは既に生じている。このため、いずれの都道府県警察にとっても、処理に当たることは自らの利益につながるものであるといえる。その意味で、2

(注40) 自国の領域（領土、領海、領空）外で権限を行使することができるのは、相手国の了解がある場合のほかは、外国の領域外にある自国の船舶及び航空機内に限られるのが原則であるが、国際条約によって認められる場合もある。海洋法条約（海洋法に関する国際連合条約）とこれを受けて定められている領海及び接続水域に関する法律によって、領海から追跡をする場合及び接続水域（原則として24海里以内）で我が国の領域における通関、出入国管理等の法令に違反する行為（密輸、密入国など）の防止及び処罰のために必要な措置を講ずる場合には、我が国の公務員が権限を行使することができる（職務執行とそれを妨げる行為について、我が国の法令を適用する。）こととされている。また、排他的経済水域及び大陸棚に関する法律によって、排他的経済水域（原則として200海里以内）等に作られた人工島・施設・構築物に関しては、国内にあるものとみなすこととされている。

で述べた管轄区域内の公安の維持等のための管轄区域外の権限行使と共通の性格を有する。

925　広域組織犯罪等のもう一つの類型である国外重大事案（5条4項6号ロ）は、国外において日本国民の生命、身体及び財産並びに日本国の重大な利益を害し、又は害するおそれのある事案を意味する。国外での日本人を対象としたテロ事案が典型である。日本という国をターゲットにした事案を対象とする趣旨であり、単に外国で日本人が被害に遭った事件という意味ではない。国家として重大な事件であって、広い意味で全国警察を挙げて対処しなければならないものが対象となる。(注41)

令和4年の警察法改正により、重大サイバー事案が広域組織犯罪等に追加された。重大サイバー事案については、警察庁が自ら主体となって対処することを含め、警察庁が都道府県警察の役割分担を定めるので、警察庁の指示によって分担することとなった範囲で、必要に応じ、管轄区域外の権限行使をすることとなる（☞1005）。

926　広域組織犯罪等における管轄区域外の権限行使は、必要がある場合に限られるのであって、発生地等を管轄する都道府県警察や対処能力の高い他の都道府県警察が対処すれば足りるような場合には、そうでない都道府県警察が管轄区域外で権限を行使する必要があるとはいえないことになる。都道府県警察が判断して権限を行使することが法的には可能であるが、実態上からすれば、全国的な状況や外国での情勢を踏まえて、警察庁が判断して都道府県警察に連絡（又は指示）して役割分担等を定め、それに応じて必要な都道府県警察が管轄外の権限行使を行うこととなる。

（注41）　国外重大事案は、日本国にとって重要な事案であるので、すべての都道府県に直接又は間接的な影響が及び得るものである。国内の事案であれば、どこかに発生地が存在するので、間接的な影響が及ぶところにまで管轄を認める必要はないが、国外の事案の場合には発生地がないことを踏まえると、事案に対して個別の強いつながりを有する都道府県を特定することはできないので、一律にすべての都道府県に何らかの影響が及ぶものとして管轄が認められるという解釈を前提として、本制度が設けられたものと考えられる。旧版で疑問を述べたが、上記の理解に至ったので、記述を改めることとした。

> **column** オウム真理教関連事件を受けた警察法改正

927 　オウム真理教団（当時）は、サリンを製造して多数の人を殺傷したのをはじめ、多くの事件を起こした。警察はこれに対し、警視庁が平成7年3月に山梨県内の教団本拠を捜索したのを皮切りに、全国警察を挙げた取組を行って、一連の事件の全容を解明し、国民に対する脅威を取り除いた。このような広域組織犯罪に対しては、全国警察の力を結集して対処しなければならないが、当時の警察法では、実際に事件があった地域や本拠のある地域を管轄する都道府県警察以外は、個人の生命等の保護や公安の維持に対する影響が現実に生じていないので管轄区域外の権限行使をすることはできないと解されていた。警視庁が教団本拠を捜索する捜査を担ったのは、東京都内で発生した男性の拉致事件があったからであった。かりに、その事件がなかったとした場合には、教団所在地警察が中心となって、多数の捜査員の応援派遣を受けて捜査をすることも法的には可能であるが、長期間かつ大規模な応援を受けて捜査指揮を行うことの困難性、応援として危険な業務に当たることの限界、といったことを考慮すると、現実的であるとはいえない。全国警察が広域組織犯罪等に対処できることを可能にし、加えて国の責任で捜査の態勢を決めることができるように、警察法の改正が行われたのである。(注42)

(3) 境界周辺の事案の処理のための協定に基づく権限行使

928 　警察法は、隣接、又は近接する都道府県警察が協議して定めたところにより、境界から原則15キロメートル以内の事案を処理するために、他の都道府県警察の管轄区域に権限を及ぼすことができることとしている（☞914）。協定は、都道府県公安委員会の間で結ばれる。

　協定に基づいて、都道府県警察の警察官は、自らの都道府県内における事案の場合と同様に、自らの都道府県警察の事務として、他方の都道府県警察の管轄区域内（境界周辺だけでなく、全域に及ぶ。）で権限を行使することができる。なお、この制度は、事案処理の便宜を図るためのものであり、管轄区域と治安責任の所在自体を変えるものではない。(注43)

(注42) 平成8年の警察法改正内容と経緯に関して、「特集・警察法の改正」警察学論集49巻7号参照。

(注43) 境界周辺の他の都道府県内の事案処理自体は、都道府県警察にとって自らの公安の維持に必要なものではないので、61条の規定の対象にはならない（他方の都道府県警察の管轄区域を越えて、別の都道府県警察の管轄区域で権限を行使することはできない。）。

(4) 移動警察における協定に基づく警察官の職権行使

　二以上の都道府県警察の管轄区域にわたる交通機関の移動警察については、関係都道府県警察が協議して定めたところにより、警察官は、自らが属する都道府県警察の管轄区域の範囲を越え、関係都道府県警察の管轄区域内において、職権を行使することができる。「移動警察」とは、電車、バス、船舶、航空機等の旅客又は貨物の輸送機関（駅、港、空港等の施設を含む。）における警察活動（個人の生命・身体・財産の保護に任じ、犯罪の捜査・予防等の公共の安全と秩序の維持に当たること）を意味する。移動する公共輸送機関における事案に適切に対処するためには、関係する都道府県警察が自らの管轄区域に直接影響するかどうかを問わず、権限行使の相互乗り入れをすることが合理的であるためである。

929

　境界付近の事案の処理の場合と同様に、警察官は、自らが属する都道府県警察の事務として、その指揮監督の下に行う。職権行使の範囲、方法については、協議での合意（協定）によってあらかじめ定められる。

(5) 道路における協定に基づく警察官の職権行使

　二以上の都道府県警察の管轄区域にわたる道路における交通の円滑と危険の防止を図る場合も、公共輸送機関における移動警察の場合と同様に、関係都道府県警察の管轄区域において権限行使の相互乗り入れをすることが必要な場合があることから、政令で定める区域（高速道路では50キロメートル以内で協議して定めた区域、一般道路では原則4キロメートルまで）内の事案の処理に関して、移動警察の例により、関係都道府県警察の管轄区域内で職権を行使することが認められる。警察官の権限の行使は、移動警察の場合と同様に、関係都道府県警察が協議して定めたところに従って行われる。また、境界周辺における事案処理の場合と同様に、事案の発生地を管轄する都道府県警察（及びその他の都道府県警察であって、自らの公安の維持に関連してその事案の処理を行う必要があるもの）以外は、その事案処理のために関係都道府県警察の区域を越えた権限行使が必要となる場合でも、関係都道府県警察の管轄区域外で職権を行使することはできない（自らの都道府県警察の管轄区域内の道路上で発生した事件（例えば、道路交通法違反）について、他の都道府県警察の管轄区域まで追跡し、検

930

挙する行為は、この規定ではなく、自らの公安の維持のための管轄区域外の職権行使として、どの場所でも行うことができる。）。

(6) 応援派遣の場合の職権行使

931　警察機関の相互協力として、都道府県公安委員会から援助の要求があった場合に、警察官を派遣する制度が設けられている（☞913）。派遣された警察官（都道府県の警察官だけでなく、警察庁の警察官も含まれる。）は、派遣先の都道府県警察の管轄区域内において、派遣先の指揮下において、派遣先の都道府県警察の事務として職権を行使する。派遣される警察官からみれば管轄区域外の職権行使であるが、派遣制度に伴う当然のものといえる。(注43の2)

　一般の応援派遣とは別に、内閣総理大臣が緊急事態の布告を発した場合に、警察庁長官が布告地域を管轄する都道府県警察以外の都道府県警察の警視総監又は道府県警察本部長に対し、布告地域等に警察官の派遣を命ずる制度がある（☞1017）。これによって、布告区域に派遣された警察官（警察庁長官によって派遣された警察庁の警察官を含む。）はその布告区域内、布告区域以外の区域に派遣された警察官は派遣された区域内の全ての場所において、職権を行使することが認められる。

(7) 現行犯人の逮捕に関する職権行使

932　全ての警察官（警察庁の警察官を含む。）は、管轄区域を問わず、いかなる地域にあっても、現行犯人（刑事訴訟法上の準現行犯を含む。）の逮捕に関しては、警察官としての職権を行使することができる。勤務とは関係なくその場に居合わせただけでも、警察官としての身分で逮捕権限を行使する。現行犯人を逮捕する行為は職務行為として保護され（これに対する暴行等は、公務執行妨害に当たる。）、刑事訴訟法上の逮捕に伴う捜索・差押え及び警察官職務執行法上の被逮捕者の凶器捜検の権限を行使することも認められる。

　　（注43の2）重大サイバー事案対処のために、警察庁が直接捜査等を行うことができるようになったことを受けて、警察庁長官の指示により、都道府県警察の警察官が警察庁に派遣される制度が創設された。この場合、派遣された警察官は、国家公安委員会の管理の下で、その重大サイバー事案の処理に必要な限度で、全国において、国（警察庁）の事務として職権を行使することができる。

第3節　都道府県警察の職員

1　都道府県警察の職員に係る基本的事項

(1)　都道府県警察の職員

　都道府県警察に、警察官とその他の職員が置かれる（地方公務員法上は、「職員」と総称されるので、本節では警察官を含めた意味で「職員」の語を用いる。）。警視正以上の階級にある警察官（地方警務官）を除き、一般職の地方公務員として、地方公務員法によって規律される（地方警務官は国家公務員で、国家公務員法によって規律される。）。具体的なことは条例又は人事委員会規則で定められるが、地方警察職員（地方警務官以外の都道府県警察の職員）の任用、勤務条件（給与、勤務時間等）及び服務に関する事項については、警察庁の職員の例を基準とすべきことが警察法で定められている。

　地方警察職員の定員（階級別の割合を含む。）は、条例で定められる。警視以下の警察官の定員については、政令（警察法施行令）で定める基準に従うものでなければならないこととされている。なお、地方警務官の定員は、都道府県を通じた総数が政令で定められ、都道府県ごとの階級別定員については内閣府令で定められる。

(2)　職員の在り方

　地方警察職員は、他の機関の職員と同じく、全体の奉仕者として、公共の利益のために勤務し、職務の遂行に当たって、全力を挙げて専念しなけ

（注44）　一般職とは、地方公務員のうちの通常の職員を指す。特別職（公選の職、議会の同意を得ることを要する職、非常勤の委員、嘱託、消防団員など）を除いた職員であり、地方公務員法は一般職に限って適用されるのが原則である。

（注44の2）　警察における特別職の地方公務員には、都道府県公安委員会委員のほか、警察署協議会委員、留置施設視察委員会委員、少年指導委員、猟銃安全指導委員、地域交通安全活動推進委員などがある。特別職であるので地方公務員法の適用がなく、必要な場合には、個々に秘密保持に関する規定が置かれている。

（注45）　警察の事務は、国全体としての治安に影響するところが大きく、全国的にみて均衡のとれた警察力が整備される必要があることが理由である。都道府県は、基準に従う（定員が基準を下回らない）条例を制定する義務がある。

ればならない（地方公務員法30条）。地方公共団体と公務員との間では、公務員の国民全体の奉仕者としての地位と職務の特殊性（公共性）等により、一般国民との間にはない特別な義務を公務員に課す（それだけ権利・自由を制限する）ことが必要とされる場合があるのであって、単なる私企業の労使関係や、国・地方公共団体と一般国民との関係とは異なる。

(3) 地方公務員法の基本

935　行政活動は、職員が実際に判断し、行動することによって行われる。都道府県警察の側からは、適切な者を採用し、十分な能力を身に付けさせて、的確に職務を遂行させることが必要になる。職員がより良い行動をとるようにするには、義務付けをするだけでなく、能力を伸ばし、かつ、職員が安心して仕事に取り組めるように、その身分を保障し、適切な処遇が確保されなければならない。

　地方公務員法は、平等取扱いの原則と情勢適応の原則を、基本として定めている。平等取扱いの原則は、採用の際にも、採用後の公務員としての処遇等においても、国民を合理的な理由なく差別してはならないことを意味する。人種、信条、性別、社会的身分・門地という憲法に列挙されたものだけでなく、欠格事由に該当するものを除き、「政治的意見若しくは政治的所属関係」についても差別してはならないことが明示的に定められている。情勢適応の原則とは、職員の勤務条件について、社会一般の情勢に適応するように、随時、適当な措置が講じられなければならないことである。労働基本権の一部が制約された地方公務員が、民間企業に比べて勤務条件の改善がおろそかになってはならない。この考え方は、労働組合の結成も認められていない警察職員の勤務条件の改善について、一層強く当て

（注45の2）　警察官の場合、物理的な力で相手を制圧しなければならない事態に備えるという職務の特殊性から、性別によって採用枠を設定する（性別による採用試験を実施する）ことは必要性が認められるが、採用後は平等取扱いの原則が及ぶのであって、合理的な理由が十分にないのに性別によって差異を設けることは許されない。「合理的な理由」についての判断基準は、時代によって変化する。かつては合理的とされてきた差異も、平等の理念の実現がより強く求められるようになった今日においては、真に必要といえるものであるかどうかが厳しく吟味される。施設面等で対応できないことを理由に制限することは、その場面では合理的なものに見えても、長期的に見れば許されない（施設、設備等を改善しなければならないものである。）。

はまる。

　地方公務員法に基づいて、都道府県（及び一定規模以上の市）に人事委員会が置かれる。人事委員会は、公平公正に人事行政が行われることを確保することを担う専門機関であり、採用試験を実施するほか、給与勧告を行い、職員から不利益処分に対する不服申立てを受ける。警察署を含めた行政組織の各単位（事業所）を対象に、労働基準監督署に代わって、職員の勤務条件（労働安全を含む。）が適正に守られているかについて調査等を行っている。

(4) 職員に対する都道府県警察の責任

　都道府県警察は、職員の法的権利を尊重しなければならず、必要を超えて特別の義務を課したり、不当な負担を負わせたりしてはならない。労働基準法の規定は警察官を含めた警察職員にも他の労働者と基本的に同様に適用されるのであって、組織管理者は、労働組合がないからこそ、一層職員の正当な法的権利を侵害しないようにしなければならない。また、勤労者である警察職員に対して、警察組織の管理者は、職員の安全に配慮する義務を負う。近年問題となってきているパワハラやセクハラについても、そのようなことのない職場としなければならない義務を負っている（☞960、961）。

936

2　職員の採用・人事管理及び離職

(1) 公務員関係の発生

　ある職に人を就ける（「任命」又は「任用」という。）権限を有する者を、任命権者(注46)という。地方警察職員の任命権者は、警視総監又は道府県警察本部長である。任命権者は、部内の上級職員に任命権を委任することができる。任命権には、採用だけでなく、昇任・転任・休職・免職・懲戒等の身分上の処分を行う権限が含まれる。地方警察職員の任免には、都道府県公安委員会の意見を聞くことが警察法で定められている。

　公務員でない者を新たに公務員とすることを、採用という。採用は、能力本位でなければならないから、原則として競争試験によるべきものとさ

937

（注46）　地方公務員の任命権者は、地方公共団体の長、議会の議長、代表監査委員、教育委員会、人事委員会、警視総監・道府県警察本部長、市町村の消防長等である。

れている。採用試験は、受験資格を有する全ての国民に公開される。人事委員会が原則として試験を行い、採用候補者名簿に載せられた合格者の中から、任命権者が採用する。地方公務員法が欠格事由を定めているほか、(注47)日本国籍を有しない者は、警察官等の公権力を行使し、あるいは国家意思の形成に参画する公務員に採用することはできないものと解されている。(注48)これらの事由のある者を採用することは、違法・無効であり、採用後でそれらの事由が生じた場合は、公務員関係は当然に消滅する。

採用は、条件付きで行われ、原則として6月を超えて勤務し、(注49)その間良好な成績で職務を遂行することによって正式採用となる。正式に採用された後においては、本人が辞職する場合を除き、原則として定年まで勤務することが予定されている。(注50)

なお、条件付採用期間であるからといって、雇用者である警察機関が無制限に様々なことができるというわけではない。例えば、採用後に精密検査をすることはできるが、採取した血液を本人の同意を得ないで抗体検査を行うといったことは違法となる。(注51)

(注47) 禁錮以上の刑に処せられ、その執行を終わるまで又は執行を受けることがなくなるまでの者(執行猶予中の者など)、懲戒免職処分を受けその日から2年以内の者(その地方公共団体で懲戒処分を受けた場合に限る。)及び日本国憲法又はその下に成立した政府を暴力で破壊することを主張する政党その他の団体を結成し、又はこれに加入した者は、いずれも地方公務員になる資格を持たない。
(注48) 最高裁大法廷判決平成17年1月26日〈民集、Ⓦ〉は、公権力行使等地方公務員について、原則として日本国籍を有する者のみが就任することが想定されていることを明らかにしている。なお、公権力行使等地方公務員に当たらない管理職について、外国人を就任させてもよいが、地方公共団体が管理職から一律に排除することも認められるとしている。
(注49) 条件付期間は、人事委員会が1年を超えない範囲で延長できるため、警察官の場合には条件付きの期間が延長されている。
(注50) 条件付採用の期間中は、正規職員と同等の身分の保障はないが、国家公務員については、人事院規則によって、「勤務実績の不良なこと、心身に故障があることその他の事実に基づいてその官職に引き続き任用しておくことが適当でないと認める場合」であることが免職又は降任の要件とされており、地方公務員で条例が定められていない場合も同様の考えによるべきものとされている。適格性の有無の判断は、正式採用職員に比べれば広い裁量権があるとはいえ、分限するには、客観的に合理的な理由が存在し、社会通念上相当とされるものでなければならない(最高裁判決昭和53年6月23日〈判タ366・169〉参照)。

column 会計年度任用職員等

　行政組織は、基本的に、任期の定めのない常勤職員で構成される（再任用職員については後述する。☞941⑤）。常勤職員の定数は条例で定められる（地方自治法172条。警察職員に関しては警察法57条2項。）。一方、臨時の職（会計年度内に限って置かれる職）又は非常勤の職については、条例で定める定数の範囲外とされる。臨時・非常勤職員は、常勤職員の定数が厳しく抑制されてきた中で、拡大する行政需要に対応して増加してきた。その結果、本来の制度とは異なる運用も広がり、通常の職と変わらない仕事をしているのに、「特別職」のため地方公務員法が適用されなかったり、「臨時の職員」として期末手当の支給対象外となり強い不公平感がいだかれたりするといった問題が生じていた。

　このため、平成29年に、「地方公務員法及び地方自治法の一部を改正する法律」が制定され、「会計年度任用職員」という制度が創設された。臨時・非常勤職員を任用する場合には、会計年度任用職員制度が用いられることが基本的に想定されている。

　会計年度任用職員は、会計年度ごとに任用される(注51の2)。採用に当たっては、選考によることができるが、平等取扱いの原則があり、年齢、性別にかかわりなく均等な機会を与える必要がある。1月間は条件付採用となる。会計年度任用職員には、フルタイムのものと、パートタイムのものがある。フルタイムの会計年度職員については、給料、旅費、各種手当（時間外勤務手当、通勤手当、期末手当、退職手当等）の支給の対象となる。パートタイムの会計年度職員については、報酬、費用弁償（通勤に係る費用）及び期末手当の支給対象となる。いずれも一般職の

938

（注51）　HIV抗体検査を本人の同意なく行い、陽性であった警察学校入校生に退学するよう説得し、辞職に至ったことが争われた事件で、警察官が相対的にストレスの高い職務であり、警察学校で厳しい身体的訓練が行われるとしても、HIV感染者が当然に不適であるとはいえず、本人の同意も得ていないので違法であるとし、本人の意思を確認しないまま検査をした病院を含めて、賠償責任が認められている（東京地裁判決平成15年5月28日〈判タ1136・114〉）。

（注51の2）　職そのものがその会計年度ごとに設けられるという建前になっている。このため、実質的に同じ者を同じ職に継続して任用している場合でも、建前の上では、「会計年度ごとに新たに設けられる職に新たに任用した」ものとされ、1月間は条件付採用となる（期間が6月の場合にその年度内で延ばすことは更新であるが、会計年度を超える「更新」はできない。）。もっとも、再度の任用によって継続勤務の実態がある以上、年次有給休暇は繰り越されるし、引き続き1年以上在職していれば育児休業等の適用対象となる。また、再度の任用時の給与については、「昇給」ではないが、それまでの経験を踏まえた給与水準が新たに決定されるべきこととされている。結果として同一の者が実質的に同一の職に任用されることが繰り返されている場合には、能力実証の結果や業務の見直しによる業務自体の廃止といった合理的な理由によって再度の任用を行わないときは、十分な説明等が求められることになる。

公務員として、地方公務員法の服務に関する規定（法令及び上司の職務上の命令に従う義務、信用失墜行為の禁止、秘密を守る義務、職務に専念する義務、政治的行為の制限など。ただし、営利企業への従事等の制限は、フルタイムの場合だけが対象となっている。）が適用され、懲戒処分等の対象となる。労働基準法、労働安全衛生法等の適用を受けるほか、男女雇用機会均等法に基づいて、職場におけるセクシャルハラスメントに関する雇用管理上の措置（☞960）、妊娠出産等に関するハラスメントに関する雇用管理上の措置（☞962）を講ずべきことも他の職員の場合と同様である。

　臨時又は非常勤としては、このほかに、特別職、臨時的任用等がある。特別職である「臨時又は非常勤の顧問、参与、調査員、嘱託員等及びこれらに準ずる者の職」としての任用については、平成29年の改正法により、専門的な知識経験又は識見を有すること、当該知識経験等に基づき事務を行うこと、助言、調査、診断、その他総務省令で定める事務であることのすべてを満たすもの（学校医や統計調査員など）に限定されることとなった。警察においても、警察安全相談員、交番相談員、スクールサポーターといったもの（常勤以外の少年補導職員がいた場合にはそれを含む。）は、従来特別職として任用されてきたが、改正法施行後は会計年度任用職員制度の対象となる。

　臨時的任用については、それまでの臨時又は非常勤職員のうちの最も多数を占めてきたが、改正法によって、常時勤務を要する職に欠員が生じた場合で、緊急のとき、臨時の職であるとき等に限られることとされた。災害復旧に緊急の人手を要する場合や、産前・産後休暇の承認を受けた職員の業務を処理する職（その承認の期間に臨時に置かれるもの）の場合などに限られることとなる。

　なお、任期の定めのある常勤職員（任期付職員）がこれとは別に存在する。高度の専門性をもつ者（例えば弁護士資格を有する者）を一定期間活用するとき、一定期間内に限って業務量の増大が見込まれる（又は一定期間内に業務が終了することが見込まれる）とき、住民に直接提供されるサービスの提供体制の充実・維持の必要があるとき、育児休業等を取得する職員の業務の代替にあてるとき、に用いられる。フルタイムの場合とパートタイムの場合（任期付短時間勤務職員）があるが、本来的な業務を担うべきものであることに変わりはない。フルタイムの場合は定数条例の対象になる。

(2) 昇任と転任

939　採用に伴う配置（新任配置）以外の配置は、法律上、昇任、転任及び降任に区分される。昇任とは、それまでの職より上位の職に任命することを

意味する。階級を上位にすることのほか、職制上の上位にする（例えば、係長を課長補佐にする）ことが該当する。昇任は、任命権者が、職員の受験成績、人事評価（☞940）その他の能力の実証に基づいて、任命しようとする職のランク（職制上の段階）に見合った能力があり、かつ、任命しようとする職の適性を有する者を対象に行う^(注51の3)。一方、降任は、それまでの職より下位の職に任命することを意味する。不利益処分に当たるので、本人の同意がない限り、その官職に必要な適格性を欠くなどの分限処分の要件を満たさなければならない（☞952）。なお、一般の降任とは別に、定年延長との関係で60歳になった後に降任・給与減額が行われる（☞942）。

転任は、それまでの職と同格の職に任命することを意味する。法律の規定にはないが、異動の前後において任命権者が同じ場合を「配置換」とし、任命権者が異なる場合のみを転任と呼んで区別することもある。転任（又は配置換）は、「不利益処分」ではなく、職員の同意等は不要であり、任命権者の裁量に属するが、判断に著しく妥当性を欠くような場合には違法とされる^(注52)。

なお、他の行政機関との人事交流に際しては、相手先の機関に職員の身分を移す（職員は元の機関の身分を失う）ものを出向、両者の身分を併せ持つものを派遣（併任派遣）と呼ぶことが多い^(注52の2)。同じ地方公共団体の中に

（注51の3）　地方公務員法は、以前の規定では職階制（全ての職についてあらかじめ決めた種別とランクに分類するもの）を設け、昇任も採用と同じく試験で行うことが原則とされていたが、実態とは異なっていた。このため、平成26年の法改正により、職階制に関する規定を廃止し、給与条例の中に等級別基準職務表を定めるものとするとともに、昇任については、ランクごとの標準的な職の職務を遂行する上で発揮することが求められる能力（標準職務能力）があるかどうかを、試験の受験結果又は人事評価その他の実証に基づいて判断するという仕組みとした。人事委員会規則で定める職に昇任させる場合には、競争試験（昇任試験）又は選考が行われなければならないことになっている。

（注52）　高松高裁判決平成20年9月30日〈Ｗ〉は、警察で不正経理が行われているという内容の記者会見を行った警察官を対象に、通常の時期とは異なる時期に異動が行われたことについて、訓令の一部改正をして職を新設する緊急の必要性があるとは認め難いとし、職務上ないし人事上の必要性や合理性とは全く無関係に記者会見に端を発して実施されたものというほかなく、嫌がらせないし見せしめのためと推認され、明らかに社会通念上著しく妥当性を欠くとして、賠償請求を認めている（異動自体は、同様の理由で人事委員会から取り消されている。なお、当人が拳銃を所持できないように保管したことについては、違法とされていない。）。

おける出向は、法的には転任として行うことができるが、他の地方公共団体又は国の機関への出向は、公務員関係自体が異なるので、法的には退任と採用となる（本人の同意がなければ行うことはできない。）。

(3) 人事管理

940　人事管理は、適切な者を昇任させ、適材適所の人材配置をし、研修等を通じて人材を育成し、メリハリの効いた給与を支給して職員の士気を高め、全体として公務能率の増進を図る目的で行われる。能力・実績に応じた人事管理をすることが、組織管理者に求められる。

能力・実績主義の人事管理のために、能力評価と業績評価で構成される人事評価が実施される(注53)。任命権者は、人事評価の基準及び方法を定める。人事評価の結果は、任用（昇任）、給与（特別昇給、勤勉手当）、分限（降任等☞952）などに用いられる。

職員が法令違反をしたとき、その他の非違行為があった場合には、懲戒処分に至らない事案では、必要に応じ、非違行為を戒め、服務規律を維持し、将来にわたる職務改善に資する観点から、訓告、厳重注意といった矯正措置を講じることとなる。

(4) 公務員関係の消滅

941　公務員（条件付採用期間中の者を除く。）の身分は保障されているが、次の事由が生じた場合には、公務員としての身分を失い、離職となる。

① 失職。公務員となることのできる法律上の資格（☞937）を失った

(注52の2)　「派遣」という用語は、いろいろな場合に使われており、本文で述べたのは、公務員が一時的に他の行政機関の職員になる場合についてである。「公益的法人等への一般職の地方公務員の派遣等に関する法律」では、公益的法人への派遣について、勤務条件等をあらかじめ取り決めた上で職員の同意を得、地方公務員としての職は保有するが職務に従事しない、その間の給与は派遣先で支払われる、その間の共済組合の身分を保持する、という制度が定められている。また、同法では、第三セクターに一時的に勤務させる場合は、いったん退職して勤務し、その後に復帰して採用される制度を定めている。

(注53)　平成26年の地方公務員法の改正で導入された（国家公務員については、平成19年の国家公務員法の改正で導入されている。）。能力評価は、職員がその職務を遂行するに当たり発揮した能力の評価であり、その職制上の段階に応じて職務上発揮することが求められる能力（標準職務遂行能力）に照らし、職員が実際にとった行動が評価される。業績評価は、職員がその職務を遂行するに当たり挙げた業績の評価であり、職員が果たすべき役割を「目標」として初めに設定し、その果たした程度が評価される。評価結果は原則として本人に開示するとともに、助言・指導を行うこととなっている。

場合には、その時点で身分を失う（任命権者の意思表示なしに、法律上当然に離職の効果を生ずる。）。

② 依願免職。公務員が辞職を申し出た場合には、任命権者が承認して職を免じたときに離職となる（辞職の申出があっても、任命権者が承認して職を免ずるまでは、離職の効果は生じない。）。辞職の申出があった場合には、特に支障がない限り承認する義務がある。なお、免職の辞令の交付があるまでは、特段の事情がない限り、辞職の申出を撤回することができる。(注54)

③ 分限免職。公務員の勤務実績が良くない場合、心身の故障のためその職務に耐えず、又はその職務の遂行に支障がある場合、その他その職に必要な適格性を欠く場合には、本人の意に反して、罷免することができる（☞952）。定員の減少・予算の減少によって、過員となった場合も同様とされる。

④ 懲戒免職。公務員が、公金横領や違法薬物の所持、凶悪犯罪をしたときなど、悪質な非違行為をした場合には、任命権者は、懲戒処分として、免職することができる（☞950、951）。

⑤ 定年退職。職員は、特別の場合を除き、定年（国の職員の定年を基準として条例で定めたもの）に達した日以降における最初の３月31日に退職となる。なお、定年等によって退職した者について、再任用をすることができる（定年延長によって65歳定年になると、定年後の再任用制度は廃止される。）。再任用は、選考によって行われ、条件付任用期間の制度は適用されない。(注54の2) 再任用職員には、通常と同じ勤務をする職員と短時間勤務をする職員とがある。再任用の任期は１年以内で

（注54）　最高裁判決昭和34年６月26日〈民集13・６・846〉は、退職（辞職）願の撤回は、撤回することが信義に反するような特段の事情がある場合以外には、免職辞令の交付があるまでは自由に行うことができるとし、口頭で行われた撤回を有効と認めて解職処分を取り消した原審の判断を是認している。

（注54の２）　再任用に当たっては、任命権者において、任用をする法的な義務はなく、成績に応じた平等な取扱いが求められるものの、従前の勤務成績の評価については、基本的に任命権者の裁量に委ねられている（最高裁判決平成30年７月19日〈W〉。この判決は、国歌斉唱命令に違反して懲戒処分を受けた者を再任用において不合格とした（又は合格を取り消した）ことが違法だとした原審を破棄し、著しく合理性を欠くものであったとはいえないとして、損害賠償請求を棄却したものである。）。

あるが、更新をすることができる（65歳になった後の最初の3月末を超えることはできない。）。

> **column** 定年延長とそれに伴う不利益制度

国家公務員について、令和5年度から定年を延長する（それまでの60歳を2年に1年ずつ引き上げて、令和13年度に65歳とする。）ことが、令和3年に成立した国家公務員法の改正で決められ、地方公務員法でも必要な制度改正が行われた。これらを踏まえ、各都道府県で条例が制定され、同様の延長が令和5年4月から行われる。定年の引上げは、60歳を超える職員の能力・経験を本格的に活用するためのものであるが、同時に、新陳代謝を確保し組織活力を維持するための役職定年制と、民間の実情等を踏まえた給与の削減とが合わせて行われる。なお、定年が引き上げられる年度は定年退職者がいないこととなるが、一定の新規採用が継続的に確保できるように、一時的な調整のための必要な定員措置等が行われる。

管理監督職勤務上限年齢制（役職定年制）は、管理職（管理職手当の対象となる職）にある職員が60歳になった場合には、翌年の4月1日までの間に、管理職以外の職に降任され、以後は新たに管理職に就けることはできないとするものである。一般の場合とは異なり、降任又は降給を伴う転任を職員の意に反して行うことができる。なお、職務の特殊性や欠員補充の困難性がある職の場合に役職定年制の適用除外又は年齢の特例の措置をとることや、特別なプロジェクトの継続や欠員補充が困難な特別の事情がある場合に異動期間を延長する（引き続き留任させることができる）ことが例外として認められる。(注54の3)(注54の4)

給与は、非管理職で同じ職を続ける職員の場合、60歳に達した日の次の4月1日以降は、それ以前の7割の水準になる（それ以後の勤務成績に応じた変更はあり得る。）。なお、管理職から非管理職になった者の場合も、降任前の給与の7割となるように調整される。退職手当については、60歳になる前の給与が基本となるほか、延長された定年より前に本人の意思で辞めた場合も定年退職として計算される。

（注54の3）　都道府県警察に採用されて、順次昇任し、警視正以上になった警察官（特定地方警察官）については、その都道府県警察の警視以下の警察官として採用されることになる（国家公務員の身分を離れる）ことが警察法で規定されている。
（注54の4）　職務の内容が相互に類似する複数の管理監督職（国の例を挙げれば税務署の署長、副署長など）について、職員の年齢別構成その他のこれらの欠員を容易に補充することができない特別の事情がある場合には、それらを「特定管理監督職群」とし、元々就いていた管理監督職に引き続き留任させるか、同一の管理監督職グループに属する他の管理監督職に降任又は転任することができる（定年時まで延長が可能）。

60歳以降の勤務形態については、定年引上げにより、その年齢までフルタイムで勤務することが原則となるが、本人が希望すれば、定年前に常勤職員を退職し（その時点で退職手当の支給を受け）、短時間勤務の職で再任用されることも認められる。処遇等は現在定年退職者の再任用制度（短時間勤務）と同じである。

⑸　元職員の働きかけの規制と退職管理

　公務の公平さに対する住民からの疑惑や不信を防ぐため、退職者による働きかけが規制される(注54の5)。離職後に営利企業等に再就職した元職員は、離職前5年間に在職していた地方公共団体の執行機関の組織等の職員に対して、離職後2年間は、契約や処分等の事務に関して、職務上の行為をし、又はしない要求、依頼をすることが禁じられる（業務委託等を受けている場合で必要なときや、法的申請・届出に当たる行為、公開又は公開予定情報の提供を求める行為（一般公開前に開示を求めることは含まれない。）などは禁止の対象から除外される。）。働きかけた元職員については、不正な働きかけの場合は刑事罰、それ以外は過料の対象となる。また、働きかけを受けた職員は、人事委員会にその旨を届け出る義務がある。違反の疑いがある場合には、任命権者が調査するだけでなく、人事委員会も監視を行う。

　このほか、退職管理の適正確保に必要と認められる措置を各地方公共団体で講ずることが義務付けられている。再就職業状況の公表、職員による再就職あっせんの制限、職員が在職中に自らの職務と利害関係のある企業等に求職活動することの制限といった国家公務員法の規制と同様のものが設けられることになる。条例で、退職先の就職先の届出を義務化し、違反に過料を科すことが認められている。

3　公務員としての義務と不利益処分

　警察官（警視正以上の地方警務官を除く。）を含む警察職員は、全て、地方公務員法に基づき、一般職の公務員として、同法に規定する義務を負

（注54の5）　平成26年の地方公務員法の改正で導入された。働きかけの制限以外の措置は、条例等で具体化されることとなる。国家公務員については、退職管理の適正確保を含めて、平成19年の国家公務員法の改正で導入されている。なお、特定地方警務官については、警察法によって、地方公務員と同じ退職管理の対象となることが規定されている。

う。

(1) 職務上の義務

944　公務員は、勤務時間において全力をあげて職務に専念する義務（職務専念義務）を負う。

公務員は、職務を遂行するに当たって、法令及び上司の職務上の命令に忠実に従わなければならない（法令・職務命令に従う義務）。「上司の職務上の命令」とは、職務上の指揮監督権を有する者によってなされた職務に関する命令を意味する。文書によって一般的な形で示されたものはもとより、口頭によって個々的に命じられたことも含まれる。公務員は、権限のある上司の命令であれば、違法と考えられる場合でも従わなければならない（命令が違法なものかどうかを審査する権限を持たない。）が、違法性が重大明白である場合には、命令に従ってはならない。選挙において特定の候補者を支援し、あるいは、違法性阻却事由が全くないのに刑事上の犯罪行為を行うことを命令された場合などがこれに当たる。

(2) 公務に関連する義務

945　公務員は、職務上知ることのできた秘密を漏らしてはならない（守秘義務）。退職後においても、在職中に知った秘密を漏らすことは許されない。秘密を漏らした（公表に限らず、他の機関あるいは他の者に知らせることを総称する。）場合には、刑事罰の対象となる。報道機関による取材活動に対して、秘密を漏らす行為が当たることはいうまでもない。(注55)個人情報に関しては、個人情報保護法で職員が漏らしてはならないこと等が定められている（☞745）。裁判等の証人となった場合において、職務上の秘密（職務上知った秘密のうち、漏らすことが公共の利害に影響を与えるものをいう。秘密の大半は、これに当たる。）に係るものであるときは、所轄の機

（注55）　報道機関が公務員に説得・要請することは、判例上、真に報道の目的から出たものであって、手段・方法が法秩序全体の精神に照らして相当なものとして社会通念上是認されるものである限りは正当な業務行為として違法性を欠くものとされている（最高裁決定昭和53年5月31日〈刑集、⑳〉・外務省秘密電文漏洩事件。この事件では、到底是認できないものであることを理由に、有罪としている。）が、その場合でも、取材に応じて秘密を漏らした公務員については、犯罪が成立する。

（注55の2）　個人情報保護法への統合（令和5年4月に実施）の前までは、個人情報保護条例で定められている。

関の長の許可を受けなければならない（機関の長は、国の重大な利害を害する場合でなければ、許可を拒むことはできない。）。

　秘密とは、公に知られていない事実であって、公開されれば行政上の目的を達成する上で支障となり、あるいは個人の利益を侵害することとなり得るものを意味する。上司によって秘密とすべきことが指定される場合が多いが、指定がなくともこれに当たる限り漏らすことはできない。なお、(注56)行政機関は、通常は秘密に属する事項であっても、情報を他の者に伝えることによって生ずる不利益より大きな公益上の必要性がある場合には、その情報を公表し、あるいは特定の者に伝えることができる。この判断は、情報を保有する責任のある機関においてなされる（☞769以下）。

　なお、秘密の漏えいの禁止に関しては、特定秘密保護法が制定され、特定秘密に当たるものについては、故意の漏えいの刑罰の上限が引き上げられる（最高で懲役10年）とともに、過失による漏えいも刑罰の対象となっている（最高で禁錮2年）。このほか、個人情報保護法やマイナンバー法でも、他の場合に比べて、罰則が強化されている。

　公務員は、同盟罷業（ストライキ）、怠業（サボタージュ）その他の争議行為を行うことはできない（争議行為の禁止）。公務員も憲法上の勤労者として労働基本権を有するが、職務が公共的なものであって争議行為が行われれば国民生活に大きな支障が生ずること、勤務条件が予算、法律等によって定められており労使交渉で決することができないものであること等から、法律によって争議行為が全て禁止されている。争議行為の遂行を共謀し、唆し、若しくはあおり、又はこれらの行為を企てた者は、刑事罰の対象とされている。(注57)なお、一般の公務員の場合には、職員団体を結成し

946

（注56）　指定があっても、実質的な意味で秘密とすべきものでなければ、漏らしても刑事罰の対象とはならない。ただし、行政機関（上司）が秘密と指定したものを職員が漏らすことは、刑事罰の対象とはならない場合でも、職務上の上司の命令に違反したものとして、懲戒処分の対象になる。

（注57）　地方公務員の争議行為を禁止し、そのあおり等を行った者を処罰することが憲法に反しないことは、判例で明確にされている（最高裁大法廷判決昭和51年5月21日〈刑集、Ⓦ〉・岩手教組事件）。なお、昭和40年代に一律に禁止することが憲法に違反する疑いがあるとして処罰の対象を限定する判例もあったが、最高裁大法廷判決昭和48年4月25日〈刑集、Ⓦ〉（全農林警職法事件）を皮切りに、全て変更されている。

団体交渉を行うことが認められている（ただし、現業公務員以外は団体協約締結権はない。）が、警察職員、消防職員、自衛隊員、海上保安庁の職員及び刑事施設職員については、職務上高い規律が求められることなどから、職員団体を結成すること自体も禁止されている（☞956）。

(3) 公務外の義務

947　公務員は、その官職の信用を傷つけ、又は官職全体の不名誉となるような行為をしてはならない（信用失墜行為の禁止）。収賄、職権濫用のような職務に関係するものだけでなく、職務を離れた純然たる私生活上の非行（飲酒運転など）も含まれる。

公務員は、政治的中立を保持すべきものであるので、職務外においても一定の政治的行為を行うことが禁じられる。地方公務員の場合には、政党その他の政治的団体の結成に関与し、役員になること、その構成員になるように勧誘すること、特定の政党・政治団体・内閣・地方公共団体の執行機関を支持し、若しくはこれに反対すること又は選挙・投票において特定の人・事件を支持し、若しくは反対する目的をもって、その地方公共団体の区域内において一定の政治的活動を行うことなどが法律によって禁止されている（国家公務員の場合とは異なり、刑事罰の対象とはなっていない。）。警察官の場合には、これに加えて、公職選挙法によって、在職中選挙運動をすることが禁じられ、刑事罰の対象とされている。

948　公務員は、営利企業等に従事することが原則として禁止される（営利企業等からの隔離）。職務専念義務の履行と職務の公正さの保持を確保することを目的としたものである。営利企業の役員等となり、あるいは報酬を得て事業・事務に従事することについて、任命権者の許可を要することとされている。

(4) 公務員倫理の保持

949　公務員は、全体の奉仕者として、常に公正な職務の執行に当たらなければならず、その職務の公正さに対する国民の疑惑や不信を招くような行為を行ってはならない。国家公務員については、職務に関する倫理原則として、①国民全体の奉仕者であり、国民の一部に対してのみの奉仕者でないことを自覚し、職務上知り得た情報について国民の一部に対してのみ有利

な取扱いをする等国民に対して不当な差別的取扱いをしてはならず、常に公正な職務の執行に当たらなければならないこと、②常に公私の別を明らかにし、いやしくもその職務や地位を自らや自らの属する組織のための私的利益のために用いてはならないこと、③法律によって与えられた権限の行使に当たっては、その権限行使の対象となる者からの贈与等を受けること等の国民の疑惑や不信を招くような行為をしてはならないこと、が国家公務員倫理法に定められている（☞1045）。これを受けて、国家公務員倫理規程（政令）が定められ、各機関においても職員の職務に関する倫理に関する訓令を定めている。地方公務員については、この法律の対象ではないが(注58)、これに準じた施策を講ずべきことが同法で定められており、都道府県の条例等の定めによって規律される(注59)。

(5) **懲戒処分**

　任命権者は、懲戒事由があるときには、公務員関係の秩序を維持するために、懲戒処分をすることができる。懲戒事由は、①地方公務員法（地方公務員法に基づく条例、規則及び規程を含む。）に違反した場合（職務に関して公務員法以外の法令に違反した場合も、地方公務員法の「法令に従う義務」に違反したことになる。）、②職務上の義務に違反し又は職務を怠った場合、③全体の奉仕者としてふさわしくない非行があった場合、である。

　懲戒処分には、免職、停職、減給及び戒告がある。免職（懲戒免職処分）は、公務員関係を一方的に解消する行為であって、最も重い処分である。懲戒免職された者は、離職するだけでなく、退職手当の支給を受けられなくなることがある（☞954）ほか、一定期間は、再度公務員（地方公務員の場合は、その地方公共団体の職員）となる資格を喪失するという付加的不利益を受ける。停職は、懲戒として、一定期間職務に従事させないこととする処分である。停職中は、その間の給与を受けることができない。停職期間の最長は条例で定められる（国と同じ１年としているところもあるが、６月としているところも多い。）。減給は、懲戒として、期間を定めて、

（注58）　地方警務官は、国家公務員であるから、国家公務員倫理法の直接の対象となる。
（注59）　条例等の定めとは異なるが、国家公安委員会が、警察職員の職務倫理及び服務に関する規則を定めている。

その間の給与を減額する処分である。戒告は、懲戒として、その責任を確認し、将来を戒める行為である（単なる注意・指導とは異なり、成績区分が下がり、直近の勤勉手当に影響するほか、その後の昇任にも影響する。）。

これらの懲戒処分は、前記の要件の下で認められる。具体的にどの処分を選択するかは、任命権者の裁量によるが、その事態に則した合理的な処分でなければならない。懲戒処分は、公務員関係にある者に対してのみ行使できるのであって、離職後に現職中の不正等が判明しても行うことはできない。辞職の申出の段階では、まだ公務員関係は存在しているから、懲戒処分を行うことが可能である。なお、在職期間中に懲戒免職処分を受けるべき行為があったことが退職後に判明したときに、退職手当の返納を命ずることができるとする制度が設けられている（☞954）。

懲戒処分は、不利益処分であるから、次に述べる手続及び不服申立ての対象となる。

column 懲戒処分における任命権者の裁量権

951　懲戒処分は、「国民全体の奉仕者として公共の利益のために勤務することをその本質的な内容とする勤務関係の見地において、公務員としてふさわしくない非行がある場合に、その責任を確認し、公務員関係の秩序を維持するため、科される制裁」である。(注59の2) 法律には懲戒事由の定めがあるだけで、どのような場合にどの処分を行うのかは規定がない。「懲戒権者は、懲戒事由に該当すると認められる行為の原因、動機、性質、態様、結果、影響等のほか、当該公務員の上記行為の前後における態度、懲戒処分等の処分歴、選択する処分が他の公務員及び社会に与える影響等、諸般の事情を考慮して、懲戒処分をすべきかどうか、また、懲戒処分をする場合にいかなる処分を選択すべきかを決定する裁量権を有しており、その判断は、それが社会観念上著しく妥当を欠いて裁量権の判断を逸脱し、又はこれを濫用したと認められる場合に、違法となる」ものと解されている。(注59の3)

この判例の文言からすれば、任命権者の裁量が広く認められ、争われても行政側の判断を裁判所が認めるもののように見えるが、裁判所は、事案によっては、

（注59の2）　最高裁判決昭和52年12月20日〈民集、Ⓦ〉参照。労働争議を背景とした事案で、懲戒免職処分を違法とした原判決を取り消し、適法であると認定している。

（注59の3）　最高裁判決平成24年1月16日〈Ⓦ〉。この判決では、国歌斉唱の際に起立しなかった教員に対して行った戒告処分は適法であるとしつつ、繰り返したことから加重類型に当たるとして減給にした処分を違法としている。

かなり立ち入って実際の行為の与えた影響等を吟味し、「著しく妥当を欠く」という結論を導き出す場合がみられる。取り分け懲戒免職処分については、処分を受ける職員の不利益が大きいところから、公正な処分といえるのかについて、詳細な判断を行っている。

懲戒処分については、違法行為をした公務員を組織がかばっているのではないかとする国民の批判を受け、「厳正な規律の保持」の見地に立って、処分基準を定めて公開するといった取組がなされてきた。厳正な処分をすること自体は誤りではないが、処分は、公正で、平等なものでなければならない。内容を吟味して、処分が真に公正なものといえるのかを判断することが任命権者に求められるといえる。(注59の4)(注59の5)(注59の6)

(6) 不利益処分

公務員に対し意に反する不利益処分を行うのは、法律（条例を含む。）に規定のある場合に限られる。不利益処分には、懲戒処分のほか、分限免職、降任、休職、降給がある。

分限免職は、公務員関係を終了させる行為、降任は、より下の官職に任命する行為である。分限免職及び降任は、勤務実績が良くないとき、心身の故障のため職務の遂行に支障があり、又はそれに堪えないとき、その他

（注59の4）　飲酒運転をした職員を懲戒免職処分にしたことをめぐっては、酒酔い運転をして自損事故を起こした事案につき適法とした事例（高松高裁判決平成23年5月10日〈判タ1352・163〉）、基準を大幅に超える酒気帯び運転（呼気1リットル中0.54ミリグラム）をし、かつ、事実を申告していなかった事案につき適法とした事例（名古屋高裁判決平成25年9月5日〈Ｗ〉）がある。これに対して、処罰基準に該当する最小の数値の酒気帯び運転で、かつ、自ら申告した事案につき、懲戒処分歴等がないことを指摘し、一律に免職とするのは他の違反との均衡がとれていないなどとして、裁量権の濫用を理由に取り消した事例（神戸地裁判決平成20年10月8日〈判タ1319・87〉）がある。

（注59の5）　福岡高裁判決平成18年11月9日〈Ｗ〉は、学校教員が酒気帯び運転を2回行い、生徒の成績等を保存したMOディスクを紛失したことを理由に懲戒免職としたことについて、処分基準において教員を他より重くすることや、複数回を理由に加重することは許されるが、各非違行為が最も重いものでも停職である場合に、加重処分として免職を選択できるのは、あらゆる事情を総合的に考慮してなおその地位にとどめ置くわけにはいかない場合に限られるとして、処分を取り消している。

（注59の6）　悪質なセクシャルハラスメントと極めて悪質ないじめの隠ぺいについて、それぞれ停職6月とした処分について、裁量権の範囲の逸脱・濫用であるとした高裁判決を、いずれも最高裁が破棄し、適法性を認めている（最高裁判決平成30年11月6日〈Ｗ〉、最高裁判決令和2年7月6日〈Ｗ〉）。事案の内容を十分に吟味し、強い社会的非難の対象であることを踏まえて判断されたものといえる。

その官職に必要な適格性を欠くとき及び過員を生じたときに行われる。休職は、心身の故障のために長期の休養を要する場合及び刑事事件に関して起訴された場合に、公務員としての身分を一時的に留保したままで一時的にその職務を免ずる行為である。休職中の給与については、法律又は条例で特別の規定が設けられている。休職の事由が消滅した場合には、その時点で休職処分は終了する。降給は、条例で定める要件を満たす場合に行われる。なお、これらの不利益処分は、任命権者が行う必要があると認めた

(注60) 「その官職に必要な適格性を欠く場合」とは、「簡単に矯正することのできない持続性を有する素質、能力、性格等に基因してその職務の円滑な遂行に支障があり、又は支障を生ずる高度の蓋然性が認められる場合をいう」ものと解され（最高裁判決平成16年3月25日〈Ⓦ〉)、その有無は外部に表れた行動、態度に徴して判断されることになる（一連の行動、態度については、バラバラではなく、相互に有機的に関連付けて評価する必要がある。)。任命権者に一定の裁量権があるが、免職の場合には特に厳密、慎重であることが要求されるのに対して、降任の場合には、「公務の能率の維持及びその運営の確保の目的に照らして裁量的判断を加える余地を比較的広く認めても差し支えない」ものとされている（最高裁判決昭和48年9月14日〈民集、Ⓦ〉)。

(注61) 分限処分の要件は、国家公務員の場合も基本的に同じである。3年間の病気休職期間が満了し、心身の故障の回復が不十分で職務遂行が困難である場合（医師2名に受診させて、その結果心身の故障があると判断された場合）と1月以上の行方不明の場合には、それらの客観的な事実によって、従来から分限免職が行われている。これに対し、一応出勤している場合に、勤務実績不良又は適格性欠如を理由に分限処分が行われることは少ない。しかし、それを放置することは、公務の能率の維持及びその適正な運営に支障を来す。人事院では、人事院規則11-4（職員の身分保障)、同規則の運用通知に加えて、「分限処分に当たっての留意点等について」（平成21年3月18日人材局長通知）として、勤務実績不良又は適格性欠如と評価することの事実の例を挙げ、客観的な資料の収集（職員の職務上の過誤やその職員についての苦情等の具体的な事実が発生した場合には詳細に記録を作成する。指導等を行った場合はその内容を記録する。）などの実施のための留意点を明らかにしている。任命権者には、これらを踏まえた的確な運用が求められているといえる。

(注62) 起訴休職制度は、「公務に対する国民の信頼を確保し、かつ職場秩序を保持する」ためのものであって、「休職処分を行うか否かは、任命権者の裁量に任されている」と解されている（最高裁判決昭和63年6月16日〈Ⓦ〉)。一審で無罪とされても、その後に上訴がなされていれば、休職処分を継続することは可能である。

(注62の2) 降給には、降格と降号がある。降格は、警部補の階級を維持したまま給与の級を下げることや、課長補佐のままで5級の課長補佐から4級の課長補佐にすることである（階級のない職の場合に給与のランクを下げることは、以前は「降任」と考えられていたこともあったが、法改正によって降任の定義が「職員をその職員が現に任命されている職より下位の職制上の段階に属する職員の職に任命すること」とされたので、降給に当たることが明確になった。)。降号は、同じ級で号を下げることである。国において平成21年に職員の降給に関する人事院規則が新たに定められたので、地方公務員についても、これを参考とした条例整備が図られている。

場合に限って行うものであって、それらの事由があれば必ず行うべきというものではない。

不利益処分を行う場合（職員の意に反して、降給、降任、休職、免職その他これに対する著しく不利益な処分又は懲戒処分を行おうとする場合）には、任命権者は、処分の理由を記載した説明書を交付しなければならない。不利益処分を受けた者は、人事委員会に対してのみ、行政不服審査法による審査請求を行うことができる。人事委員会は、処分をした任命権者の上位機関ではないが、裁決によって、処分を取り消し、修正することができる。直接に裁判所に訴え出ることはできず、審査請求に対する裁決を経た後で、はじめて訴訟を提起することができるものとされている。

column 退職手当の支給制限と返還

退職手当については、かつては、離職の理由が懲戒免職処分を受けた場合及び欠格事由により失職した場合（刑事事件に関して禁錮以上の刑に処せられたときなど。）でなければ支給され、離職（退職）した後に在職中の不正事案が発覚しても、受給した者に返還等の義務は生じないものとされていた。昭和60年の国家公務員退職手当法の改正により、在職中の刑事事件に関して、禁錮以上の刑に処せられたときは、返納を命ずることができる制度となり、平成9年の改正で、在職期間中の刑事事件について、逮捕されたとき等には、一時差し止める制度も設けられた。しかし、懲戒免職事由があったことを理由とする返還制度はなく、在職中に処分を受けた場合との不均衡が生じていた。

平成20年の改正法によって、退職後に在職中の懲戒免職相当事案が発覚した（在職中であれば懲戒免職処分を受けるべき行為をしたと認められた）場合にも、退職手当の全部又は一部を返納させることができる、とする制度が設けられた。(注63)(注64)
同時に、在職中に懲戒免職処分を受けた場合や失職した場合について、全て支給対象外としてきたことが改められ、「退職をした者が占めていた職の職務及び責任、当該退職をした者が行つた非違の内容及び程度、当該非違が公務に対する国

（注63）既に死亡している場合には、遺族に対する支給の制限、返納命令を行うことができることとなった。

（注64）「懲戒免職処分を受けるべき行為をした」と認めて行う支給制限や、いったん支払った者への返納命令については、処分を受ける者の権利保護を図る観点から、国の場合には、退職手当審査会への諮問を要することとされている。都道府県では、条例で定めるところにより、人事委員会への諮問が行われる。

民の信頼に及ぼす影響その他の政令で定める事情を勘案して、当該一般の退職手当の全部又は一部を支給しないこととする処分を行うことができる」とする制度となった。懲戒処分や有罪判決の確定に伴って当然に支給対象でなくなるのではなく、個別に事情を踏まえて、一部支給を含めて判断されるものとなったといえる。地方公務員の場合にも、各地方公共団体における条例において、おおむね国の制度改正に合わせた制度改正が行われている。したがって、懲戒免職処分と退職手当不支給の双方が争われ、懲戒免職処分は裁量権を逸脱していないとしつつ、退職手当不支給処分が違法とされることもあり得ることになる」。

4 公務員としての権利と都道府県警察の義務

(1) 公務員としての権利

955　公務員（一般の常勤職員）は、身分上の保障を受けるほか、給与、手当、補償等を受ける権利を有する。給与は条例で定められる。給与は給料と手当に分かれる。給料は、正規の勤務時間の勤務に対する報酬である（職種ごとに給料表が定められている。警察官は公安職、警察官以外の職員は基本的に行政職である。）。手当には、職務に関連するもの（特殊勤務手当、

(注65)　政令では、法律に規定されているもののほか、その者の勤務の状況、当該非違に至った経緯、当該非違以後におけるその者の言動と、当該非違が公務の遂行に及ぼす支障の程度が、加えられている。

(注66)　原則として全部不支給になる（非違が過失による場合で特に参酌すべき情状のある場合、過失により禁錮以上の刑に処せられ、執行猶予が付された場合であって、特に参酌すべき情状のある場合などに限って一部支給が認められる）という運用方針が総務大臣から示されているが、継続的な非違行為や故意の刑法犯の場合はともかく、当然に不支給になるとまではいえない。大阪高裁判決平成24年8月24日〈LEX/DB25482589〉（全部不支給処分を違法とした京都地裁判決平成24年2月23日〈⑩〉の控訴審）は、退職手当法の改正の際の検討会報告書において「本人の過去の功績の度合いと非違行為によってそれが没却される程度とを比較衡量する必要がある」と述べていることを引用し、法の規定が当然に全部支給制限処分とする趣旨であると解することはできないとした上で、本件非違行為が呼気1リットル中0.7mgの酒気帯び運転であって極めて悪質かつ危険なものであったことを踏まえて、退職手当の全部支給制限が「社会観念上著しく妥当を欠き、裁量権を濫用したものとは認められない」と結論付けている。

(注67)　例えば、福岡高裁判決平成26年5月30日〈LEX/DB25504247〉は、酒気帯び運転を理由とした懲戒免職処分について、懲戒免職処分は適法とした上で、退職手当の全部支給制限処分は裁量権の行使を誤った違法な処分として取り消している。なお、全部不支給処分が裁判で違法とされた場合に、一部不支給とすることは可能である（盛岡地裁判決平成26年12月19日〈LEX/DB25505474〉は、前訴において退職手当の全部支給制限が違法として取り消された後に、7割を不支給とした処分を、適法と認めている。）。

時間外勤務手当、宿日直手当、管理職手当など)、生活に関連するもの(扶養手当、住居手当、単身赴任手当及び寒冷地手当)とその他のもの(通勤手当、退職手当など)がある。いわゆるボーナスは、期末手当と勤勉手当に分かれ、勤勉手当は勤務成績に応じて増減される。旅費についても受給する権利があり、条例に定めるところにより支給される。

　公務員の公務上の災害又は通勤災害に対しては、地方公務員災害補償基金から補償が行われる。職務遂行中に起きた事故で負傷した場合が典型である。その負傷が原因となって、疾病を起こし、障害、死亡した場合も含まれる。脳出血や心筋梗塞等の疾病については、その発症が公務と相当因果関係があることが認められる場合に限って対象となる。

　公務員は、原則として労働基準法の適用を受け、同法に定める労働者としての権利が認められる。年次休暇については、決められた日数(原則20日)の範囲内である限り、職員側の指定によって時季が定まる(始めと終わりを職員の側が自由に決めることができる。)。任命権者は基本的に拒むことはできないが、職務に支障がある場合に限って時季変更権を行使できる(その日について認めないことができる)ものの、使用者としての立場で、できるだけ休暇をとることができるよう状況に応じた配慮をしなければならない。(注68)

　公務員は、あらゆる勤務条件について、人事委員会に対し、適当な行政上の措置が行われるように請求することができる。請求を受けた人事委員会が措置をとることが必要であると認めるときは、自ら措置をとり、又は実行することができる。

(注68)　労働基準法の解釈として「年次休暇の承認」というものを観念する余地はない(労働者が指定した時点で、使用者側の行為がなくともその日の就労義務が消滅する(適法に時季変更権が行使された場合にのみ就労義務がある。)。最高裁判決昭和48年3月2日〈民集、⑩〉)とされ、休暇の利用目的を問わずに配慮をしなければならない(休暇をとれるように配慮をしないで時季変更権を行使することは違法である。)とされている(最高裁判決昭和62年7月10日〈民集、⑩〉)。特別休暇や病気休暇等については、理由を明らかにして申請をし、任命権者が承認の手続をとることになっているが、年次休暇の場合には、そのような扱いはできない(国家公務員については、労働基準法の適用がなく、一般職の職員の勤務時間、休暇等に関する法律において、年次休暇について承認を受けなければならない(公務に支障がある場合を除き、承認しなければならない)と定められているが、地方公務員については根拠法が異なるので、異なった扱いとなる。)。

column 労働組合に代わる組織

956　警察職員は、労働組合の結成が認められていない。イギリスでは、警察官の福利等の増進のために、労働組合に代わる組織として、警察官連合会（Police Federation）が設けられ、階級別に代表を選び、警察本部長や警察管理者等に対して意見具申をすることが認められている。戦後の警察制度改革に際しての検討に当たっては、イギリスの制度も参考として「勤務、待遇等についての警察官の意思を表明する機関を設ける」ことが提言され、昭和22年1月、内務省が作成した警察法案には警察官協議会の設置が盛り込まれていた。結果として内務省の警察法案は立法に反映されなかったが、一つのあり得る制度を示したものといえる。

(2) 都道府県警察の使用者としての義務

957　都道府県警察は、使用者として、法令及び条例等で定められた勤務条件を守り、警察職員に対して給与の支払いその他の義務を履行しなければならない。使用者としての都道府県警察は、労働関係法令（労働基準法、労働安全衛生法等）を守ることについて、労働基準監督機関としての人事委員会の監督を受ける。

勤務条件のうち、給与、勤務時間及び休日・休暇等に関しては、労働基

(注69)　国際労働機関（ILO）が採択し、日本が加盟した「団結権及び団体交渉権についての原則の適用に関する条約（98号）」でも、警察は軍隊と並んで、団結権の保障対象外とされているが、ヨーロッパ諸国などで、労働組合を認めているところもある。警察職員の労働組合が認められない理由として、組合が結成されることで、組織の指揮命令系統とは異なる指揮命令系統が生ずるが、警察の仕事の特性上、国民のための警察として問題があることが述べられている（昭和57年4月23日、衆議院地方行政委員会における金澤昭雄警察庁長官官房長答弁（会議録16号）参照。なお、他国との違いに関し、他国における警察以外の代替的な機関の存在を指摘したものとして、昭和50年3月26日、衆議院法務委員会における福田勝一警察庁人事課長答弁（会議録15号）がある。）。

(注70)　法案では、警察官協議会は、ⅰ警察官の勤務、待遇に関して、内務大臣又は各警察行政庁の長の諮問に答申すること、ⅱ警察官の勤務、待遇又は警察の施設改善に関し、内務大臣、各警察行政庁の長又は議会に対して意見を提出すること、ⅲ警察官の福利厚生施設に参画すること、ⅳその他警察活動の改善向上に関すること、の任務を有するものとされていた（国家地方警察本部総務部企画課『警察制度改革の経過資料編上』（警察協会、1950年）250頁以下）。

(注71)　消防職員については、消防組織法により、ⅰ消防職員の給与、勤務時間その他の勤務条件及び福利厚生、ⅱ被服及び装備品、ⅲ設備、機械器具その他の施設、に関して、消防職員から提出された意見を審議させ、その結果に基づいて消防長に対して意見を述べさせるために、消防本部に消防職員委員会が設置されている。

準法及び都道府県の条例で定めたところによる。公務のために必要がある場合には、正規の勤務時間外に勤務をさせることができる。通常の勤務をする職員について土曜日又は日曜日に勤務をさせる場合には、週休日を他の勤務日に振り替えるのが基本である。通常の勤務日に、その時間を超えて勤務をさせる場合も、勤務時間を振り替えるか、時間外勤務手当を支給しなければならない。なお、国民の祝日及び年末年始の休日は、勤務時間として割り振られているものの、勤務を要しないとされている日であるので、これらの休日に勤務をさせる場合には、代休日を与えるか、休日勤務手当を支給しなければならない。

　休暇は、勤務することを要する日に、職員の側の都合により、任命権者に申し出て、勤務をしないこととする（職務専念義務が免除される）ものである。年次休暇については、前記のとおり、職員の側の指定によって成立する。使用者は、権利が実現できるように配慮しなければならない。配慮をしても、公務の遂行上やむを得ない場合には、時季変更権を行使できるが、あくまでも例外でなければならない（いつも忙しいからとれない、という扱いは許されない。）。年次休暇以外に特別休暇や病気休暇などが認められているが、年次休暇とは異なり、個別の理由を審査して承認することになる。(注72)

　地方公務員法には、上記のほかに、研修と福祉に関する規定が置かれている。研修は、職員の能力を高めるものであり、警察組織としての必要性に応ずるものであるが、職員に研修を受ける機会が与えられなければならないとの規定が置かれており、職員の側の利益につながるものとの位置付けがなされていることに留意する必要がある。厚生に関しては、職員の保

（注72）　職員側の申出に基づいて職務専念義務が一部又は一定期間免除されるものとして、部分休業及び休業の制度がある。部分休業は、勤務時間の一部について勤務しない（その分だけ給与は減額される）ものであり、大学等で学ぶための修学部分休業と定年退職間近な職員のための高齢者部分休業がある。休業は、一定期間、職は保有するが勤務をしない（給与は支給されない。）こととするものである。自己啓発等休業、配偶者同行休業、育児休業及び教員の大学院修学休業がある。このうち、育児休業については、地方公務員の育児休業等に関する法律で定められている。男女を問わず、３歳未満の子を養育するため休業することができ、職員からの承認請求があった場合、任命権者は原則として承認しなければならない。

健(定期健康診断など)、元気回復(レクリェーション事業の実施など)などについて、地方公共団体が計画的に取り組むべきことが定められている(注73)。警察共済組合が法律に基づいて設置され、警察職員の病気や災害等に関して適切な給付をすることや、退職した場合の退職年金を支給することなどが行われている。

column 勤務時間に関する警察組織管理者の責任

警察官を含む警察職員は、一般の行政職員や企業に勤務する者と比べて、勤務の内容・強度などの違いはあるが、勤労者としての権利が守られなければならないことに変わりはない。警察官の場合、突発的な事象に対応するために時間外の勤務を命じられることが他の職員の場合以上にあり得る(そのこと自体はやむを得ない)が、それに見合うだけの勤務時間の振替えをするか超過勤務手当を支給しなければならないことは、他の職員や労働者の場合と全く同じである。突発的な事案に対応するために時間外勤務を命じた場合、その分だけ他の勤務時間を減らすことが本来である。「治安維持の必要があるので他の勤務時間を減らすことができなかったり、休暇がとれなくなってもやむを得ない」のではなく、「警察官の正規な勤務時間に見合った以上の労働を求めることはできず、年次休暇をとる権利が行使されるのは当然であるから、それだけの労働時間に見合うことしか求めることはできない」のである(その結果が不十分であるなら、都道府県又は国において、警察官を増やし又は業務能率を向上させる物的若しくは法的な手段を供給するべきものである。)。都道府県や国の責任で対応すべきことを、警察官を含めた警察職員の犠牲において実現しようとすることは、組織管理者として許されない。警察職員の労働組合結成が禁止されるのは、警察職員を犠牲にした組織運営を認めるためではない。労働組合結成を許さないからこそ、組織管理者において、警察職員の労働者としての権利に一層配意した(年次休暇を取ることができるようにし、正規な勤務時間以上の勤務を求めず又はどうしても必要があって超過勤務をさせる場合には超過勤務手当を支給する)組織運営をしなければならないのである。

(注73) 公務員がこれらの厚生事業によって利益を受けることに対して「公務員優遇」といった批判も存在するが、公務員が安心して職務に専念できる環境を設けることが、適切かつ能率的な公務の遂行につながり国民・住民の利益になる、という国会(国民代表)の判断によってこのような制度が設けられていることを軽視してはならない。もっとも、具体的な内容はそれぞれの地方公共団体に委ねられており、民間との均衡や財政負担なども考慮しながら進められるべきことは当然である。

column 超過勤務時間上限制の導入

　働き方改革（労働者がそれぞれの事情に応じた多様な働き方を選択できる社会を実現することを目指すもの）の一環として、官民共通のものとして、勤務時間上限が設定された。地方公務員の場合は、条例（職員の勤務時間、休日、休暇等に関する条例）と人事委員会規則（条例施行規則）で、月45時間、年360時間を超えてはならないものとされ、他律的業務（業務量、業務の実施時期その他の業務の遂行に関する事項を自ら決定することが困難な業務）の比重が高い職場に勤務する職員の場合は、月100時間未満、1年について720時間、5か月間の平均80時間が上限とされている。警察の場合は、事案への対応が求められるので他律的業務の比重が高い職場が多いと思われるが、そうであったとしても、超過勤務を命ずることが例外的なものでなければならない（日常的な業務において超過勤務を前提としてはならない。）。

　なお、大規模な災害への対応のように、重要な業務であって特に緊急に処理することを要するものとして任命権者が認めた特例業務に従事する職員については、上記の例外とすることが認められるが、超える部分の超過勤務を必要最小限のものとし、かつ、その職員の健康確保に最大限の配慮をするとともに、事後に要因の整理・分析・検証を行うことが任命権者に義務付けられている。

⑶　職員の尊重（職員の安全への配慮義務と人格的利益の保護）

　警察職員は、一人ひとりがかけがえのない存在である。警察組織は、個々の警察職員の安全が確保されるように配慮するとともに、その人格的利益を保護する責任を有する。

　都道府県警察においても、他の職場と同様に、労働安全衛生法が適用される。同法は、労働災害の防止のための危害防止基準の確立、責任体制の明確化等の総合的な対策を推進することにより、職場における労働者の安全と健康を確保し、快適な職場環境の形成を促進することを目的としている。事業者として、安全衛生管理体制を確立し、危険や健康障害から守るための措置を講じ、健康を保持増進するための措置（健康診断の実施、長時間労働者への医師による面接指導等の実施など）を講じなければならない。受動喫煙の防止も含まれる。特に、近年では、メンタルな面で不調に陥る前に、組織として対処することが強く求められている。[注74]

　都道府県警察は、使用者として、警察職員に対する安全配慮義務を負う。

安全配慮義務とは、公務遂行のための場所、施設等の設置管理や遂行する公務の管理に当たって、職員の生命及び健康等を危険から保護するよう配慮すべき義務である。安全配慮義務自体はいかなる場合にも存在するが、警察官が危険な事態に対処する場合と通常の業務や訓練の場合とでは、義務の具体的な内容は異なってくる（市民の安全を守る上で緊急の必要がある場面では、警察官の安全が常に守られるようにするまでの義務付けはできない。これに対し、訓練等の場合であれば、警察官の安全が十分に守られるようにする措置を講じなければならない。）。安全配慮義務を尽くしていた場合には、被災の結果が生じても、公務災害の対象にはなるが、都道府県が損害賠償責任を負うことにはならない。

（注74）　平成26年法改正により、労働者の心理的な負担の程度を把握するための医師、保健師等の検査（ストレスチェック）の実施が事業者に義務付けられ、検査結果を通知された労働者の希望に応じて医師による面接指導を実施し、医師の意見を聴いた上で必要な場合には、適切な就業上の措置を講じなければならないこととなった。なお、心の健康問題により休業した労働者の職場復帰については、職場復帰の支援プログラムを策定し、積極的に取り組むことが必要とされている。

（注75）　自衛隊員が業務中に大型自動車にひかれて死亡した事案において、最高裁は、国は「公務員に対し、国が公務遂行のために設置すべき場所、施設もしくは器具等の設置管理又は公務員が国もしくは上司の指示のもとに遂行する公務の管理にあたって、公務員の生命及び健康等を危険から保護するよう配慮すべき義務（以下「安全配慮義務」という。）を負つているものと解すべきである」ことを明言している（最高裁判決昭和50年2月25日〈民集、㉝〉）。この判決の中で、安全配慮義務の具体的内容は、公務員の職種、地位及び具体的状況等によって異なるべきものである（自衛隊員の場合には、通常の作業時、訓練時、防衛出動時、治安出動時又は災害派遣時のいずれであるかによって異なりうべきものである）が、「いかなる場合においても公務員に対し安全配慮義務を負うものではないと解することはできない」と述べ、公務員が職務専念義務や法令及び上司の命令に従う義務を安んじて誠実に遂行するためには、国が公務員に対し、安全配慮義務を負い、これを尽くすことが必要不可欠であることを指摘している。

（注76）　消防職員が高所訓練中の事故で死亡した事案では、安全配慮義務違反があったとして、賠償請求が容認されている（宮崎地裁判決昭和57年3月30日〈判時1061・97〉）。なお、この判決の中では、危難に立ち向かう職員が危難現場においてその職務を全うできるように、使用者は十分な安全配慮をした訓練を常日頃実施すべき義務があることが指摘されている。

（注77）　勤務中の交通事故によって同乗者が死亡した事案では、国は車両をきちんと整備し、運転者として適した技能を有する者を選任し、安全上の注意を与えて車両の運行から生ずる危険を防止すべき義務を負うが、運転者が通常の注意義務を怠ったことで事故が起きた場合には、安全配慮義務違反にはならないものとされている（最高裁判決昭和58年5月27日〈民集、㉝〉）。

警察職員は、職務内容や立場が何であれ、全て一人の人間として尊重されなければならない。人格的な尊厳が害される事態を招くことは、組織として許されない。職員のプライバシーを尊重する（プライバシーにわたることにみだりに干渉しない。公務の必要性などの理由で関与せざるを得ないときは、理由を説明し、本人の同意を得て行う。）とともに、職場にセクシャルハラスメント、パワーハラスメントやいじめに当たる行為が起きないようにし、起きた場合には適切な措置を講じなければならない。(注78)(注79)

column　セクシャルハラスメント

　セクシャルハラスメント（セクハラ）とは、職場において他の者を不快にさせる性的な言動と、職場外において職員が他の職員を不快にさせる性的な言動とを意味する。性的な関心や欲求に基づく発言（身体特徴を話題にする、ひわいな冗談をかわす、性的な噂をたてあるいはからかいの対象にする）、性的な関心や欲求に基づく行動（ヌードカレンダーを貼る、ひわいな写真や記事を他人が見えるところで読む、身体をしつように眺め回す、食事やデートにしつこく誘う、性的な内容の電話やメールを送る、身体に接触するなど）が該当する。性別による差別意識に基づく発言、行動（酒席でお酌等を強要することなどのほか、女性であることを理由にお茶くみを求めることも含まれる。）もこれに該当する。職場以外の場所で、勤務時間以外でも、職員間であれば対象になり得る。発言者や行為者の側が性的な意味があると思っていなかったとしても、受け手が不快に思うのであれば該当する。

（注78）　セクシャルハラスメントの防止については、男女雇用機会均等法（雇用の分野における男女の均等な機会及び待遇の確保等に関する法律）11条で、「事業主は、職場において行われる性的な言動に対するその雇用する労働者の対応により当該労働者がその労働条件につき不利益を受け、又は当該性的な言動により当該労働者の就業環境が害されることのないよう、当該労働者からの相談に応じ、適切に対応するために必要な体制の整備その他の雇用管理上必要な措置を講じなければならない。」とされ、厚生労働大臣が指針を定めるとする法律の規定を受けて、「事業主が職場における性的言動に起因する問題に関して雇用管理上講ずべき措置についての指針」が定められている。これらの規定は、地方公務員にも適用される。国家公務員には同法の規定は適用されないが、「セクシュアル・ハラスメントの防止等」についての人事委員会規則が制定されている。

（注79）　剣道特錬の警察官が自殺したことに関し、いじめが原因であったとして訴えが提起された事案で、部員らが当該警察官を孤立状態に置き、これを長期間継続させたこと及び故意に突き技を外して首筋を傷つける行為をしたことがあったことを認定し、自殺との因果関係を否定しつつ、請求の一部を容認した裁判例がある（熊本地裁判決平成23年2月16日〈LEX/DB25471157〉）。

もとより、「不快に思っている」と言われなくとも、上記のような行為であれば、当然に該当する。特に、職場の上位者の行動や、多数を占める者による行為については、その相手方は弱い立場にあり、不快であることを申し立てにくいのが通例であり、そのような行為を発見した監督者は直ちにやめさせなければならない。セクシャルハラスメントは、公務員としてふさわしくない非行に該当するので、懲戒処分の対象となり得る。(注80)放置して良好な勤務環境を確保できなかった監督者も、管理、監督責任を問われるべきものである。
　都道府県警察は、事業主として、セクシャルハラスメントをめぐる問題（性的言動問題）に対する職員の関心と理解を深め、職員が他の職員に対する言動に必要な注意を払うよう、研修の実施その他の必要な配慮をする法的義務を負っている。(注80の2)警察組織は、長い間、男性職員が大半を占め、女性職員は補助的な仕事、下位の職に位置付けられている場合がほとんどであったため、男性上位意識が極めて強く存在している。女性職員の中には、言えない状態が続き、諦める認識をもっている者も多い。慣行自体が問題である場合すら存在する。したがって、組織管理者は、他の職場以上にセクシャルハラスメントが起きやすいという認識を持ち、それまで当たり前のように行われていた行為についても見直し、兆候を看過しない行動が求められる。平等の立場で警察を支えるパートナーであるという意識を持つことが、セクシャルハラスメントの防止と、起きた事案への対処の前提となる。

column　パワーハラスメント

　パワーハラスメントについて、従来は法的定めはなかったが、令和2年に改正された労働施策総合推進法によって、ⅰ優越的な関係を背景とした、ⅱ業務上必要かつ相当な範囲を超えた言動により、ⅲ就業環境を害することを意味するものとされ（客観的にみて、業務上必要かつ相当な範囲で行われる適正な業務指示や指導は、パワーハラスメントに該当しない。）、事業主は、パワーハラスメント防

（注80）　セクシャルハラスメントは、本来行ってはならない行為であるから、厳しい措置が加えられて当然である。第三セクターの管理職職員がセクハラ行為を繰り返し、被害者が退社したことから、出勤停止処分と降格処分がされたことについて、処分の無効確認を求めた訴訟で、最高裁は、懲戒解雇に次ぐ処分をしたのは行き過ぎだとした原審の判決を取り消し、懲戒権を乱用したものとはいえないとして、訴えを退けている（最高裁判決平成27年2月26日〈Ⓦ〉）。

（注80の2）　男女雇用機会均等法の改正で、事業主及び労働者の責務が明記された（11条の2）。事業主への相談等を理由とした不利益取扱いの禁止も合わせて定められたが、当然のことである。

止のため、相談体制の整備等の雇用管理上の措置（パワーハラスメント防止の方針の明確化と周知啓発、苦情などに対する相談体制の整備、被害を受けた者へのケアや再発防止等）を講じることが求められることとなった。[注81]「優越的な関係」とは、受ける側が行為者に対して拒絶することができないような関係があることを意味し、職務上の地位が上位の者による言動だけでなく、同僚又は部下であっても、実質的に職場のボス的な人（業務上必要な知識や豊富な経験があってその人の協力がないと業務の円滑な遂行ができない人）による言動の場合や、集団による行為で抵抗・拒絶することが困難であるものも含まれる。ⅲの「就業環境を害する」とは、その言動によって労働者が身体的又は精神的に苦痛を与えられ、就業環境が不快なものになったため、「能力の発揮に重大な悪影響が生じる等労働者が「就業する上で看過できない程度の支障が生じること」を意味するものとされ、「この判断に当たっては、「平均的な労働者の感じ方」、すなわち、同様の状況で当該言動を受けた場合に、社会一般の労働者が、就業する上で看過できない程度の支障が生じたと感じた言動であるかを基準とすることが適当である、とされている。

　地方公務員には直接適用されるのは上記の労働施策総合推進法であるが、国家公務員に適用される人事院規則（パワー・ハラスメントの防止等）とそれを受けた人事院の通知や解説資料が公務員にとって分かりやすいので以下参照して述べる（上記の3番目の要件について、人事院規則は「職員に精神的若しくは身体的な苦痛を与え、職員の人格若しくは尊厳を害し、又は職員の勤務環境を害することとなるようなもの」と規定しているが、労働施策総合推進法もそれと実質的な違いがあるとは思われない。）。「業務上必要かつ相当な範囲を超える」言動には、明らかに業務上必要性がない言動、業務の目的を大きく逸脱した言動、業務の目的を達成するための手段として不適当な言動、その態様や手段が社会通念に照らして許容される範囲を超える言動が当たる。業務上の指示で内容としては適切なものでも、手段や態様が適切でないものは、パワーハラスメントになり得る。パワーハラスメントになり得る言動として、例えば、物理的な暴力（相手に物を投げつけることを含む。）、暴言（人格を否定するような口汚くののしる言葉を浴びせること、他の職員の前で「無能だ」と言ったり、侮辱する内容のメールを複数

(注81)　令和元年に制定された「女性の職業生活における活躍の推進に関する法律等の一部を改正する法律」により、ハラスメント対策の強化として、総合労働施策推進法（労働施策の総合的な推進並びに労働者の雇用の安定及び職業生活の充実等に関する法律）が改正され（令和2年施行）て、パワーハラスメントに関して規定が置かれることになった。同法の規定に基づいて厚生労働省が指針を定めている（本法に関する記述はその指針を基にしている。）。

の職員に送信することなど)、執拗な非難（長時間厳しく叱責し続けること、改善点を具体的に指示することなく何日にもわたって繰り返し文書の書き直しを命ずることなど)、威圧的な行為（書類を何度も激しく机にたたきつけることなど)、実現不可能・無駄な業務の強要、仕事を与えない・隔離・仲間外し、個の侵害（個人に委ねられるべき私生活に関する事柄について仕事上の不利益を示唆して干渉することや、人に知られたくない職員の個人情報をいいふらすなど）がある。パワーハラスメントは、法令に違反する行為であり、懲戒処分の対象になり得る。

　警察では、一瞬のちゅうちょや仕事上のミスが人命に関わるような場面、大きな人権侵害になってしまうような場面もあるので、厳しい指示・指導が必要なこともある。また、集団行動において規律を重んじることも必要となる。しかし、そうであるとしても、強い指導は必要な場面において、かつ、必要な程度の範囲にとどまらなければならない。警察組織の管理者は、警察組織がパワーハラスメントの起こりやすい職場であることを認識し、誰も他者の人格を踏みにじってはならず、指導を行う場面で行為を非難・否定しても、人格自体を非難・否定することは許されない(注82)ということを基本に、自らの行動を律するとともに、職場においてパワーハラスメントが起きていないか日常的に注意をしなければならない(注83)。

　このほか、法律上のパワーハラスメントに当たらなくても、同僚同士で特定の個人に対するいじめや嫌がらせが存在する場合もある。職場管理者として、注意し対応することが求められる。

column　妊娠出産等に関するハラスメント

　男女雇用機会均等法と育児・介護休業法により、妊娠・出産・育児休業等に関するハラスメントを防止することが事業者の法的な義務として定められている。職場の上司や同僚が、妊娠・出産・育児休業等に関する制度を利用することを妨

(注82)　護衛艦乗艦中に自殺したことが上官によるいじめが原因であるとして訴えた事案において、その機関科の隊員が技能練度において不足している面があり、執務中に居眠りをしたこともあるなど消極的な執務態度であり、事故が発生すると人命や施設に大損害が及ぶおそれがあり、場合によっては危険な任務に臨むことも想定されるため、できるだけ早期に担当業務に熟練することが要請されることを指摘し、「ある程度厳しい指導を行う合理的理由はあった」としつつ、技能練度に対する評価にとどまらず、「同人の人格自体を非難、否定する意味内容の言動であった」などとして、目的に対する手段としての相当性を著しく欠くもので、違法であったと認定し、国家賠償請求が一部容認された例がある（福岡高裁判決平成20年8月25日〈Ｗ〉）。

(注83)　筆者自身も過去を振り返り、不適切な行為を行ってきたことを反省している。これからの指導の具体的方法に関して、村木一郎「パワー・ハラスメントにならない叱り方のヒント」警察学論集74巻9号が参考となる。

げるような言動をすること（育児休業の相談に対して上司が「男のくせに育児休業をとるなんてあり得ない」と言う、取得した者に嫌がらせをするなど）や、妊娠等をしたことについての言動で就業環境を害することが該当する。組織の管理者は、職場におけるこの種ハラスメントが許されないものであることを広く伝えるとともに、相談・苦情に適切に対処し（行為者への処分を含む。）、それが起きる原因や背景を分析して再発を防止する責任がある（セクシャルハラスメントの場合と同様に、事業主の研修の責務等が、男女雇用機会均等法の改正及び育児・介護休業法の改正で追加されている。）。

第10章　国の警察機関

第1節　国の警察機関の事務と都道府県警察への関与

1　国の警察機関の事務
⑴　基本

　現行警察制度は、皇宮警察及び重大サイバー事案対処を除いて警察における執行的な事務を全て都道府県警察が行うものとし、国の警察機関は警察の制度の企画等に当たるほか、都道府県警察に対して限られた範囲で関与（指揮、支援）する、という考えを基にして作られている。

　国の法令で定められる制度の企画、国の予算、外国警察機関との連絡、国の行政機関同士で行われる調整のように、国の機関でしかできない事務が存在する。警察の共通基盤として、警察通信や幹部教育のように、全国的な観点から国が行うことが適切なもの（ないしは、全国的に一体となって行われることが必要であるもの）もある。さらに、国家的広域的な観点から、一定の限度で国が都道府県警察の行う行為に関わることもある。警察事象の広域化、国際化の中で、国の警察機関が担当する事務の範囲は拡大する傾向にある。

　国の警察機関が行うことは、国家公安委員会が警察庁を管理する事務として警察法に列記されている（5条4項）ほか、国家公安委員会が個別の法律（法律に基づく命令を含む。）に基づいて権限とされた事務を行うことが規定されている（5条5項）。5条4項には27の事務が列記され、制定当初の12項目の2倍以上となっている。内容と改正時期を略記すると、以下のとおりである（法律の規定は、いずれも最後に「に関すること」が付されている。）。

　①　警察に関する制度の企画・立案（当初は「企画及び調査」）
　②　警察に関する国の予算（当初と同じ）

③　警察に関する国の政策の評価（平成12年追加）
④　国の公安に係る事案についての警察運営（当初からあるが、平成12年改正等で対象となる事案が追加された。）
⑤　緊急事態に対処するための計画の策定と実施（当初と同じ）
⑥　広域組織犯罪等に対処するための警察の態勢（平成8年追加）
⑦　全国的な幹線道路における交通の規制（昭和33年追加）
⑧　犯罪収益に関する情報の集約等（平成19年の犯罪収益移転防止法で追加）
⑨　国際的な警察に関する関係機関との連絡（平成16年追加）
⑩　国際捜査共助（昭和55年の国際捜査共助法（制定時の名称）で追加）
⑪　国際緊急援助活動（昭和62年の国際緊急援助隊の派遣に関する法律で追加）
⑫　所掌事務に係る国際協力（平成13年施行の中央省庁改革の整備法で追加）
⑬　犯罪被害者等基本計画の作成及び推進（平成27年法（☞1020）で追加）
⑭　債権管理回収業に関する特別措置法に基づく意見の陳述等（平成10年の同法で追加）
⑮　無差別大量殺人行為を行った団体の規制に関する法律に基づく意見の陳述等（平成11年の同法で追加）
⑯　重大サイバー事案に対処するための警察の活動（令和4年改正法で追加）
⑰　皇宮警察（当初と同じ）
⑱　警察教養（当初と同じ）
⑲　警察通信（当初と同じ）
⑳　情報技術の解析（平成16年追加）
㉑　犯罪鑑識（当初と同じ）
㉒　犯罪統計（当初と同じ）
㉓　警察装備（当初と同じ）
㉔　警察職員の任用・勤務・活動の基準（当初と同じ）

㉕　警察行政に関する調整（当初と同じ）
㉖　前記各事務を遂行するために必要な監察（昭和33年追加）
㉗　他の法律（法律に基づく命令を含む。）の規定によって警察庁の権限に属させられた事務（平成13年施行の中央省庁改革の整備法で追加）

(2)　国の警察事務の区分

　国の警察事務は、国が責任を負うべき事務（つかさどり事務）、国が全体を統括し一体となった対応が行われる事務（統轄事務）、都道府県警察が行うことに対して国が全国的ないし広域的な観点から調整する事務（調整事務）に区分することができる。前記の①から⑰がつかさどり事務、⑱から㉓が統轄事務、㉔と㉕が調整事務に当たる(注1)。つかさどり事務の場合は、都道府県に任せきれない事項として国が自ら責任を負う。調整事務については、都道府県警察が主体となり、責任をもって行う事務であって、国は全体としての機能を増進させ、均衡を確保する観点から関わるものであり、都道府県警察の自主的、主体的な判断を害するものではない。統轄事務（警察教養・警察通信・情報技術の解析・犯罪鑑識・犯罪統計・警察装備）については、警察活動の基盤となる事務で、全国的に一体となって行われることが技術的な面などから必要又は合理的なものであるため、国の警察機関である警察庁において統一が図られている。

　国の警察事務に関しては、前記のほかにも、国が自ら行うものと都道府県警察の活動等に関与するもの、個別の事案ないし事態に関わるものとそうでないもの、国が行うことについて個別の法律があるものとないもの、といった観点からの区分も可能である。個別の事案・事態との関わりの観点からは、①、③、⑫、⑱及び㉒は個別事案等には関係がないもの、②、⑲、⑳、㉑及び㉓は個別事案等対応に間接的ないし支援的に国が関わる場

（注1）　竹内直人「「地方分権」及び「中央省庁等改革」以後における警察行政の課題」警察政策2巻1号の注17は、警察法が「国の公安にかかる警察運営をつかさどり」としている対象は3号から5号（現在の4号から6号）であり、皇宮警察までのその他の号は「国の公安にかかる警察運営」には当たらないが「つかさどり」の程度に関わる事務群であると述べる。筆者も1号から現在の3号までが「国の公安にかかる警察運営」に該当するとは考えていないが、皇宮警察までの事務が国の責任に属する事務であることは同じであるので、本文のように記載している。

面があるものに当たる。都道府県警察の行う個別事案・事態対応に国が直接的に関わるものとしては、④、⑤、⑥及び⑨（外国捜査機関等に依頼する場面に限る。）があるほか、一部㉕の調整の対象となる場合がある。⑯（重大サイバー事案対処）及び⑰（皇宮警察）は、国が自ら当たることのあるものである。

(3) 国の警察機関が自ら行う事務

1004　警察に関する制度の企画、国の予算及び国の政策評価については、国の警察機関（国家公安委員会及び警察庁）が自ら行う。5条4項にはないが、情報公開や個人情報保護法に基づく対応も、国の行政機関として当然に行わなければならないものである。

　外国の機関や国際機関（国際刑事警察機構を含む。）と連絡をとることは、国の警察機関が行うべきものである。外国に対して我が国の刑事事件の捜査のために協力を求めることや、外国で捜査活動をすることについての了解、協力を求めることは、国際的な警察に関する関係機関（外務省等を含む。）との連絡として行われる。一方、外国からの様々な要請に対応して、国際協力、国際捜査共助、国際緊急援助活動が国の警察機関の判断によって行われる（実施は、都道府県警察を含めて担当する。国際捜査共助及び国際緊急援助活動については、個別の法律で定められている。）。

　国の警察機関は、警察行政分野における責任を有する立場で、他の行政分野において責任を有する国の他の機関との間で連絡調整を行う。法律で明記されたものとして、債権管理回収業に関する特別措置法に基づく意見の陳述等及び団体規制法に基づく意見の陳述等があるほか、他の法律でも、危

　（注2）　都道府県警察に要する一部の経費について国の予算で直接支払う制度がある（☞1009）ので、国の予算の執行（適正に執行されていることを確認する監査等を含む。）に関しては、都道府県警察を指揮監督することも含まれる。

　（注3）　債権管理回収業に関する特別措置法（サービサー法）では、暴力団を排除する観点から、警察庁長官が法務大臣に意見を述べ、警察庁職員の債権回収会社への立入検査、債権回収会社の援助、法務大臣による警察庁長官への通報等が定められている。団体規制法では、公安調査庁長官が公安審査委員会に対して処分の請求をするに当たって警察庁長官の意見を聴き、警察庁長官が意見を述べる上で必要がある場合に都道府県警察に調査を指示し、立入検査について承認するといった規定を設けている。この2つの法律は、国家公安委員会ではなく、警察庁長官の権限として定めている。

険防止や犯罪防止の観点等から、相互協力等に関する規定が置かれている。(注4)

　国の警察機関が担当する行政事務は、近年、拡大する傾向にある。犯罪収益に関する情報の集約等は、犯罪収益移転防止法を主管する行政機関として、本人確認等を行う事業者への援助のほか、疑わしい取引として届け出られた情報を整理分析して、国内の捜査機関等や外国の機関に情報を提供するものである。(注5)

　執行事務（国民に対して直接権力的な関わりを行うこと）については、皇宮警察に関するもの以外は国の警察行政機関は担当していなかったが、(注6)近年では、警察庁職員による立入検査等が制度化されてきている（☞461）。(注7)

⑷　重大サイバー事案対処における直接執行

　令和4年の警察法改正によって、重大サイバー事案対処について、国が直接執行を含む関わりを持つこととなった。重大サイバー事案とは、サイ

（注4）　化学兵器禁止条約及び化学兵器の禁止及び特定物質の規制等に関する法律で特定物質の盗取・所在不明を防ぐことについての経済産業大臣との相互協力、携帯電話不正利用防止法で総務大臣との協力、配偶者暴力防止法で他の主務大臣と共同した基本方針の策定、などが定められている。このほか、放射性同位元素等の規制に関する法律、火薬類取締法などで、危険性のある施設の許可等を行う行政機関から、国家公安委員会に対する通報がなされること等が規定されている。

（注5）　犯罪収益移転防止法により、国家公安委員会は、法全体を所管するものとして、本文に述べたもののほか、行政庁に対する意見の陳述、都道府県警察に対する調査の指示、都道府県警察の立入検査への承認等を行うものとしている（なお、この法律では対象事業者ごとに行政庁が異なり、多くは他機関であるが、古物営業法の許可対象である貴金属商については都道府県公安委員会が行政庁、国家公安委員会が主務大臣となっている。）。制度の全体を国家公安委員会が主管することとなった意義については、米田壮「資金情報の充実と反社会的勢力の封圧」警察学論集60巻7号参照。

（注6）　旧警察法では、皇宮警察のほか、東京都内における国会、内閣、各省、会計検査院及び最高裁判所の使用する建物及び施設の警備を、各機関の要求があった場合に、国家地方警察本部が担当していた。国会法は、議長の要求により内閣が警察官を派出する旨を定めているが、現行法では国の機関に対応可能な警察官がいないので、内閣から警視庁に対して派出を要請するという扱いになっている。国家の中枢機関の警備は国家機関が担当するのが普通であり、日本の制度は異例に属する。

（注7）　認可法人や指定法人の監督に関しては、以前から国の機関が処分権限を持ち、警察庁職員による立入検査も定められていた。自動車安全運転センター法に基づく同センターの設立認可・役員の選任解任の認可・監督・立入検査等、風俗営業適正化法に基づく全国風俗環境浄化協会の指定、暴力団対策法に基づく全国暴力追放運動推進センターの指定、警備業法に基づく登録講習機関の登録と立入検査、出会い系サイト規制法に基づく登録誘引情報提供機関の登録と改善命令等、道路交通法に基づく交通事故調査分析センターの指定と立入検査等はその例である。

バー事案のうち、①国・地方公共団体の重要な情報管理・情報システムの運用や重要インフラ（情報通信、金融、航空、鉄道、電力など）に重大な支障が生じる（おそれのある）事案（サイバーテロ）、②高度な技術的手法が用いられる事案など対処に高度な技術を要する事案、③国外にいるサイバー攻撃活動を行う者が関与する事案、を意味する（5条4項6号ハ）。①は発生した場合における被害の国家的重大性（国民生活・社会経済活動上の重大性を含む。）に着目したもの、②は対処手段の技術的高度性に対応したもの、③は不法な攻撃を行う者が国外にいることに対応したものである。これに対し、広く被害が生じる事案でも、国・地方公共団体の機関や重要インフラに深刻な被害が生じるようなものではなく、技術的にそれほど高度とはいえず、外国からの攻撃ともいえないものについては、国による対処の対象とはならない。

　これらの事案への「対処」とは、事後的な刑事責任追及だけでなく、事案の解明と被害防止（被害の拡大防止や同種被害の再発防止）のための措置が含まれる。サイバー捜査と解析により、犯行主体や手口、目的を特定する活動も、国として対抗措置（相手国への非難表明を含む。）をとり、被害可能性のある対象に不正プログラムへの感染可能性や有効な対応策について注意喚起を行い、広く情報を発信して被害を防ぐことにつながるもので、極めて重要な意味を持つ。

　重大サイバー事案対処については、警察庁が直接の執行事務を担当する（執行組織としてのサイバー特別捜査隊が関東管区警察局に置かれる。）。警察庁は、広域組織犯罪等に対処するための態勢に関する指示（☞1013）の一環として、警察庁（特別捜査隊）と都道府県警察との分担を指示し、

（注8）　サイバー事案とは、サイバーセキュリティが害されることにより、又は情報技術を用いた不正な行為により、個人の生命・身体及び財産並びに公共の安全と秩序が害された（害されるおそれが生じた）事案を意味する。システムやネットワークの安全性・信頼性が害されたり、デジタル化された情報が漏えい・滅失・毀損されたりすることが当たる（物理的な損傷によって情報システム等に支障が生じた場合も含まれる。）ほか、行為者が自らの情報技術を悪用して犯行をするような場合が該当する。携帯電話やメールといった一般の通信サービスを犯罪に利用するだけでは、該当しない。
（注8の2）　場合によって、特定の国家機関の帰責性を対外的に明らかにする「パブリック・アトリビューション」が行われる。「警察のアトリビューションにより国家レベルの関与を明らかにしたサイバー攻撃事案」が警察白書令和3年版に掲載されている（20頁）のが典型といえる。

共同処理の場合の指揮官を定める。警察庁が捜査の中心となる場合には、都道府県警察から警察官を派遣させることも予定されている（61条の3）。

　都道府県警察がすべての執行事務を担当し、国は直接の執行を行わないとする現行警察制度は、どんな犯罪でも結果が生ずる場所があり、結果につながる行為も多くはその周辺で行われているので、結果が生じた場所（結果が生ずる前の段階ではその準備行為が行われている場所）を管轄する都道府県警察が事案の処理責任を負うこととすればよい（国内事案である限り必ず責任のある都道府県警察が存在するし、国家的な観点から任せきりにできないとしても、国はその都道府県警察を指揮監督し、人的技術的に不足するものがあったら他の都道府県警察又は警察庁から応援派遣すれば足りる。）という認識が元にあった。これに対し、サイバー事案では、サイバー空間という現実世界とは異なった地域性のない空間（都道府県に分けることのできない空間）を経由して、不法な働きかけ（攻撃）が行われるので、犯罪の地域性が希薄になる。結果が起きた場所と付近には実行行為に当たるものがまったくなく、サーバ設置場所など、他の地域の捜査が本体となる場合もあり得る。結果が発生する前の段階で未然に防ぐことを重視すると、同種の攻撃の分析、攻撃のツールの解明と対処など、地域分割的でない対処がより強く求められる。重大サイバー事案に国が直接対処する制度が設けられたのは、サイバー空間という警察法制定時にはまったくなかった空間が登場したことで生じた新たな必要性に対応して、新たな例外が設けられたものといえる。(注8の3)

> **column** 　国が直接執行する組織を設けるかどうかの考え方
> 　皇宮警察については、警察法制定当初から国が直接担当してきた。それは、国家の象徴の安全を確保するという国家的な性格の強さに加えて、皇居等の警備と御対象の側衛が一定のマンパワーを要する恒常的な事務であることと、専ら守りの事務で都道府県警察との実務上の担当区分を明確にすることができること（事務の競合、権限の重複による問題が生じないこと）が背景にある。

（注8の3）　国会でこの改正法案が主要野党を含む圧倒的多数の賛成で認められた（反対は日本共産党など極めて少数であった）ことは、重大サイバー事案対処における国の直接執行の合理性と重要性の反映であるといえる。

これに対し、国外事案については、結果が発生した場所を管轄する都道府県警察は存在せず、地域的管轄とのつながりが希薄であり、他国との連絡調整（場合によって共同オペレーション）など国家性の強い対応が求められるが、現行法制上特例は設けられていない。その背景の一つには、国内での同種事件の捜査を行っていない警察庁が国外での捜査を担当するだけの態勢を構築し、継続的に維持するのが困難であることがある。

重大サイバー事案対処については、国家的な被害防止の必要性が高く、国際連携が重要で地域との結びつきが弱いことに加えて、警察庁が有する情報通信技術を基にした解明のための高度な技術力を活かすことで、より専門性の高い態勢を構築することが見込まれる。警察庁と都道府県警察とで権限の重複が生まれるが、実際に対象となるのは限られた事案であり、広域組織犯罪等への対処としての役割分担を警察庁が指示することで、全体として最適な態勢で対処することが可能となる。国の機関として特別サイバー捜査隊を設けることとした判断には、サイバー空間の非地域性に加えて、上述の実態も背景になっているものと思われる。

もっとも、国家的性格が強い事務で、国の機関が行うのに適しているからといって、何でも国の機関が直接行うべきだということにはならない。現行警察法は、皇宮警察を除く事務は、国家的な性格のものでも都道府県警察が全て執行するとした上で、一定の範囲で国の関与を認めたのであって、国が直接執行するのはあくまでも例外的なものとすることが、現行警察法の基本的な考え方なのである。

警察事務の地方分権の意義（権力の集中を防ぐことで大規模な濫用の弊害が起きないようにするとともに、国民・住民にとって警察を身近なものとし、地方自治法上の制度を通じた統制を及ぼすことができるようにすること）は、今日でも決して軽視してはならない（☞804）。重大サイバー事案対処に関しては例外的に国が直接執行するのであるが、それだけに、国家公安委員会は、国民の代表として、苦情処理（☞819）をはじめ、他の事務への関わり方以上に、積極的に統制を及ぼすことが求められるものと考える。

2　都道府県警察への国の関与

(1)　国の関与の類型

1006　警察法は、国家的ないし全国的な要請に応える見地から、①国家公安委員会が都道府県警察組織の長である警視総監・道府県警察本部長と警視正以上の階級にある警察官を任免する、②都道府県警察に要する経費のうち一定の部分を国が支出する、③警視庁・道府県警察本部の内部組織、警視

以下の警察官の定員等を定める条例について政令の基準に従わなければならないものとする、④国家公安委員会が実務上の基準を定める、⑤警察庁の所掌事務について警察庁長官が指揮監督をする、⑥緊急事態のときは内閣総理大臣が統制する、という国の関与を定めている。日常的な事態に関しては、人事・予算・基準の設定を通じた間接的なコントロールによるとしているのが特徴である。③と④については既に説明している（組織の基準☞907、908及び911、定員の基準☞933、国家公安委員会規則☞821～823）ので、以下ではそれ以外について説明する。

(2) 任免権の行使

　都道府県警察組織の長である警視総監及び道府県警察本部長と上級幹部に当たる警視正以上の警察官（地方警務官）は、国家公安委員会が任免する。都道府県という地方自治体の職員を国家公務員とし、国が任免に関与する制度は、今日ではほかに存在しない。(注9)制度の理由として、ⅰ警察事務に係る国家的な要請に応えるため、都道府県の利害のみにとらわれることなく、国家的視野から警察事務が公正かつ円滑に遂行される（ことを確保する）必要があること、ⅱ全国的見地から広く人材を求めて人事管理の適正と水準の保持向上を図る必要があること、ⅲ最高幹部の適正な人事交流により人事管理の沈滞（停滞）を防止する必要があること、が挙げられている。(注10)もっとも、警察本部長と警務部長を除く地方警務官の多くは、その都道府県警察の出身者で占められており、(注11)ⅱの理由が一般的に成り立つと

(注9)　以前は、社会保険及び労働事務について、都道府県に国家公務員である地方事務官が置かれていたが、地方分権改革によって、国の機関の事務に改められている。また、都道府県教育委員会が教育長を任免することに文部大臣の承認を要するとする制度があったが、廃止されている。

(注10)　警察制度研究会編『全訂版　警察法解説』（東京法令出版、2004年）参照。このほか、都道府県警察の首席監察官を地方警務官にすることに関連して、警察本部長の任命権が及ばないものとすることが挙げられたことがある（田中節夫警察庁長官答弁（平成12年10月24日、第150回国会衆議院地方行政委員会議事録１号15頁））が、末井誠史「道州制下における警察制度に関する論点」レファレンス2009年１号が指摘するように、地方警務官制度の本来の目的とはいえないと思われる。

(注11)　実数として多数を占めるだけでなく、地元出身の地方警務官については、一部異なった扱いをする法的制度も設けられている（警察法56条の２は、その都道府県警察において巡査から順次警視まで昇任して引き続き地方警務官となった者を「特定地方警務官」とし、国家公務員法の退職後の就職規制の対象から除外している。）。

はいえない。ⅲに関して、警察本部長については、警察行政の中立性や人事の公平性を担保するために、地縁、血縁等のつながりのないその都道府県警察採用者以外のものを任用することが適当であると説明されている。^(注12)国が警察本部長の任命権を持つことは、現行警察制度の本質的な要素であるが、^(注13)地方警務官制度の対象については現行制度が唯一のものとはいえないと思われる。^(注14)

> **column** 警察本部長任命への国の関与をめぐる過去の論議

警察活動の一体性と中立性（政治的中立性だけでなく、地域における様々な人からの影響を受けないことを含む。）確保のために、現行法は、国家公安委員会が警察本部長を任命する制度を設けている。^(注15)一方、戦後の警察制度改革が論議された時期には、同じ目的のために、様々な制度が検討された。例えば、警察制度審議会では、道府県とある程度以上の規模の市が警察を持つ場合に、「自治体の警察部長は自治体で任免すべきものであるが、警察活動の一体性と中立性を保障するため、その任免は、中央に詮衡委員会を設け委員会の詮衡を経ることを要する」という制度を提案している。^(注16)内務省の警察法案では、警察部長の任命は、自

(注12) 安藤隆春警察庁長官官房長答弁（平成19年6月19日、第166回参議院内閣委員会議録20号3頁）参照。
(注13) 国の指揮監督の実効性を担保するのを、任命権に求めているのが本質的な要素であると思われる（立案担当者は、ⅰの目的が意識されていた。末井前掲注10参照。）。このほか、都道府県における行政委員会事務局等について、警察本部長が国によって任命されている公安委員会を除けば実質的に知事部局の1つとなっている、との指摘がある（山代義雄「新・地方自治の法制度」（北樹出版、2000年）131頁）ことに照らせば、警察組織の政治的中立性を実質的に確保する上で、国の任命制度の持つ意義は大きい。なお、警察本部長の任命実態とその機能面での影響に関して、田村正博「警察本部長の立場と機能」『社会安全・警察学』8号（京都産業大学社会安全・警察学研究所、2022年）参照。
(注14) 階級で区分するのを前提とするのであれば、警察本部長職相当である警視以上に限定することも合理性があると思われる。なお、理論的な問題であるが、警察本部長以外の職の設置権限は都道府県にあるので、国の機関が職と対応する任命をすることが常に可能とは限らないという問題も生ずる（警察本部長と本部長補佐を国家公安委員会が任命し、本部長補佐の補職を警察本部長が行う制度であれば、そのような問題は生じない。）。
(注15) 政府提案では、警察庁長官（警視総監については内閣総理大臣）が国家公安委員会の意見を聞いて任免するとなっていたが、国会の修正で改められた。
(注16) 内務省側の諮問内容説明では、警察部長の選任について、公選の是非、知事が選任する場合に中央の認可又は詮衡（選考）にかからせることの可否、が取り上げられていた（答申と諮問及び論議に関し、田村正博「昭和21年の警察制度議会答申について（上）（下）」警察学論集55巻7、8号参照。）。

治体の首長が行うが、一定の経歴資格を有する者の中から、中央高等考試委員会の考試を経て任命することを要するとしていた。(注17)

現行警察法案が提出された際、警察制度審議会の中心的メンバーであった元内務官僚からは、国家警察化であるとして強い批判が行われた。(注18)国会審議で、都道府県公安委員会に任命権を持たせる方法について、政府側は任命権が地方であると地方的な見地で任命がなされるという反対理由を述べているが、それだけの理由ではないと思われる。(注19)

(3) 経費の負担

都道府県が行う警察事務のうち、一部は国家的な性格を有する。また、全国的な影響が及ぶ事務に関わる経費については、その都道府県にだけ負担させるのが適当でないといえる。このため、一部の経費については国が支弁する(直接国が支払う)制度が、一般的な国庫補助とは別に設けられている。

国が支弁する対象は、①警視正以上の階級にある警察官の人件費(俸給その他の給与、地方公務員共済組合負担金及び公務災害補償に要する経費)、②警察教養施設の維持管理及び警察学校における教育訓練に要する経費、③警察通信施設の維持管理その他警察通信に要する経費、④犯罪鑑識施設

(注17) 警察官高等考試委員会(警察総局長官の下で、委員は高等試験委員、内閣の一級官、警察総局の一級警察官等から内閣が任命)は、要求がある都度、開催されるほか、毎年、警察部長資格者等をあらかじめ考試しておくことができることとされていた。
(注18) 土屋正三「警察法案批判」警察研究25巻5号。また、元内務省警務課長の高橋雄豺は、参議院地方行政委員会における公述人として、警察組織の基本条件(ⅰ憲法の精神に適合、ⅱ中立性の保持(戦前の選挙干渉につき付言)、ⅲ能率性(経費がかからないこと))を挙げて、都道府県の自治体警察に統一をすべきであるとしつつ、政府提案の法案では国家警察になっていると批判し、警察本部長の任命は都道府県公安委員会が行うべきであり、国の関与は、任免に国の機関の承認を要し、国の機関が罷免をすることができるとすれば足りる(併せて、警察庁の長官以下の職員は警察官とすべきでない。)と述べている(第19回国会参議院地方行政委員会議40号、昭和29年5月20日)。
(注19) 視野の狭さを防ぐのであれば、国が適任者として登録をした者以外は選任できないとする制度を設け、その要件を適切に定めることで足りるはずである。この答弁(昭和29年5月26日、第19回国会参議院地方行政委員会会議録45号25頁)をした斎藤昇国家地方警察本部長官が、その後に、公安委員会が人事権を持てば自治体警察の弊害が現れ、公安委員会が政治化すると述べている(斎藤昇『随想十年』(内敬図書出版、1956年)125頁)ことからすれば、立案当局の側では、国が人事権を持つことで都道府県公安委員会が権力を持ちすぎることによる問題を防ぐという考えが基本にあったと思われる。

の維持管理その他犯罪鑑識に要する経費、⑤犯罪統計に要する経費、⑥警察用車両及び船舶並びに警備装備品の整備に要する経費、⑦警衛及び警備に要する経費、⑧国の公安に係る犯罪その他特殊の犯罪の捜査に要する経費、⑨武力攻撃事態等における対処措置及び緊急対処事態における緊急対処措置並びに国の機関と共同して行うこれらの措置についての訓練に要する経費、⑩国際テロリスト財産凍結法の規定による措置に要する経費、⑪犯罪被害者等給付金に関する事務の処理に要する経費及び国外犯罪被害弔慰金等に関する経費である。具体的には、警察法施行令2条で定められる。このうち、①は国家公務員の人件費、②から⑥は国が統轄する事務に要する経費、⑦から⑩は国家的性格を有すること等により国が負担することが適当と考えられる経費である。国がこれらの経費を支払うのは、国の責任分担といえる。また、⑪は法律によって国から都道府県に委託した事務（都道府県にとっては法定受託事務）に要する経費である。

　これらは国が直接支払うので、都道府県の歳入・歳出には含まれない。国の支払う方法としては、警察庁が調達して都道府県警察に渡す場合（例えば、パトカーや警察用舟艇、ヘリコプターを国が買って都道府県警察に配分する。）と、都道府県警察の一定の職にある者が国の会計担当官としてその経費を支出する場合とがある。

　都道府県警察に要する他の経費は、都道府県が支出するが、国が予算の範囲内において一部を補助することとされている。国が補助する範囲は、政令（警察法施行令3条）によって、警察職員を置くことに伴って必要となる経費（警察職員の給与費、被服費など）を除くものとされている。それ以外の経費について、警察官数、警察署数、犯罪の発生件数等の事項を

（注20）　政令によって数都道府県の地域に関係のある重要な犯罪等の捜査に要する経費が国の支弁の対象とされていることは、都道府県警察が他の都道府県にも関係のある事件の捜査を積極的に行う上で、重要な意義を有している（一般に、自治体警察の場合には、自らの管内以外の事件の処理に関心を示さないという弊害が生じがちであるとされているが、我が国では国庫支弁制度等によりそういった問題は全く生じていない。）。

（注21）　オウム真理教犯罪被害者等を救済するための給付金の支給に関する法律による給付が一時的に行われたが、犯罪被害者等給付金の支給と同じく法定受託事務であり、その経費は国庫支弁の対象となった。

（注22）　統轄事務は国が支弁する対象とされてきたが、平成16年の改正法で統轄事務とされた情報技術の解析についてはその対象とはされていない。

基に所要額を算出し（実際にかかる額とは異なる。）、その2分の1を補助することとされている。なお、千葉県警察に設置されている成田国際空港警備隊については、特例として、警察官の人件費等の全額が国の補助の対象とされている。

(4) **警察法に基づく警察庁長官の指揮監督**

　国の公安に係る事案についての警察運営に関することについて、警察庁長官の指揮監督が行われる（5条4項4号）。対象となるのは、民心に不安を生ずべき大規模な災害に係る事案（イ）、地方の静穏を害するおそれのある騒乱に係る事案（ロ）及び国際関係に重大な影響を与え、その他国の重大な利益を著しく害するおそれのあるハイジャック、人質強要等の事案（ハ）である。このような事態は、国家的な利害に関わるものであって個々の都道府県警察の判断に委ねることはできないことから、事態に対処する責任を国の機関である警察庁長官が負い、指揮監督を及ぼすものである。指揮監督は、必要があれば、個別の事件に対処する上での具体的な内容にも及び得る。指揮監督をする相手方は、事案が生じている都道府県警察に限られない。例えば、民心に不安を生ずべき大規模な災害が起きた場合に、災害が起きていない都道府県警察に派遣要求に応ずるように命ずることも含まれる。警察庁長官の指揮監督は、都道府県公安委員会を拘束する。大きな自然災害によって複数の都道府県が同時に被害に遭った中で、被災の程度の軽い地域を管轄する都道府県警察に対して、甚大な被害を受けて多数の警察官を必要としている都道府県警察からの警察官の派遣要求に応ずるように命ずることもあり得る(注24)。制定当初からの規定に(注25)、国際テロに対処する観点から（ハ）が追加されている(注26)。

　広域組織犯罪等（6号。内容について☞924）については、それに対処

1012

1013

（注23）　人件費のうち、機動隊・管区機動隊の警備出動の際の超過勤務手当及び警視庁の警察官の超過勤務手当の一部だけは、国家的な性格の警察事務に当たることを踏まえて、国の補助の対象とされている。

（注24）　被災した地域を管轄する都道府県警察の公安委員会からすれば、自らの住民の利益を守るために応援要求を拒否することは合理的な判断である。しかし、より被害の大きな都道府県警察に応援派遣をさせることが国民の命を守るために必要と判断される場合には、警察庁長官が指揮監督を行い、都道府県公安委員会に対して応援要求に応ずるように命ずることとなる。

するための警察の態勢に関することについて国の警察機関が責任を負う。態勢とは、捜査等に当たる都道府県警察の範囲と役割分担を定めるなどして、全国警察を挙げた取組を可能にするための措置を意味する。個別の事件捜査の内容に関することは含まれない。警察庁長官は広域組織犯罪等に対処するために必要があると認めるときは、広域組織犯罪等の処理に当たる関係都道府県警察の範囲とその任務分担など警察の態勢に関する事項（61条の2の規定に基づく指揮の一元化などを含む。）について指示を行うこととなる（61条の3）。

全国的な幹線道路における交通の規制（7号）から皇宮警察に関すること（17号）までの事務については、国の警察機関が責任を負うものであるが、自ら行う事務（☞1004、1005）又は主として法律の定めた権限を都道府県警察に対して行使するもの（次項で述べる。）であるので、ここでは説明を省略する。警察教養（18号）から警察装備（23号）までの事務については、警察庁の事務の説明として解説する（☞1027）。

1014　警察行政に関する調整事務に関しては、基本的に都道府県警察の自主的な判断によって処理されるものに対して、全国的な活動水準の均質性を維持し、あるいは効率的な処理が行われるようにするために、警察庁において調整を行うものである。関係法令の統一的な解釈を定めること、処理基準を定めること、広域にまたがる犯罪捜査に関して分担を定めることなどが含まれる。指揮監督がなされるのは例外に属するが、必要な限度では個別の事案に及ぶ場合もあり得る。もとより、都道府県の自治事務に対して国が関与するのは最小限であるべきであり、警察庁長官の指揮監督は、警察事務の国家的な性格による例外として許されるものであるから、必要な

（注25）　旧警察法の当初にはなかったが、昭和27年の改正で、内閣総理大臣が、「特に必要があると認めるとき」に、国家公安委員会の意見を聴いて、都道府県公安委員会又は市町村公安委員会に対し、公安維持上必要な事項について指示できる、とする規定が設けられた。昭和28年の警察法案では、イとロのほか、ハとして「国の利害に係り、又は国内全般に関係若しくは影響のある事案」が対象とされていた。現行法案の検討において、ハについては不明確との批判があり、イとロだけが対象となったという経緯がある。
（注26）　ハイジャック事件や大使館等の占拠事件などの国際テロ事件については、国の重大な利益を著しく害するおそれがあるところから、平成12年の警察法の改正により、本号に加えられた。平成16年の改正で、例示の「航空機の強取、人質による強要」に「爆発物の所持」が追加されている。

限度を超えることは許されない。^(注28)

警察庁長官の指揮監督は、都道府県警察を拘束する。都道府県警察が、警察庁の関与が法律に定める範囲を超え、又は内容的に不当である^(注29)（自治事務としての都道府県警察の運用に対して過剰に介入するものである）と判断した場合には、都道府県公安委員会が国家公安委員会と密接な連絡をとることを定めた規定を用いて、国家公安委員会に都道府県公安委員会の判断を伝え、国家公安委員会が管理権を行使して、長官による指揮監督の適否を判断し、必要な場合には是正させることとなると思われる。

(5) 個別の法律に基づく都道府県警察への国の関与

警察法5条4項で列記された事務のうち、全国的な幹線道路における交

(注26の2) 警察法制定時には、調整事務に関して警察庁は指揮監督権限がないとの解釈がとられていた（制定時の国会で、斎藤昇国家地方警察本部長官は「調整には指揮監督は含まない、かように解釈をいたしております。」と明言している（参議院地方行政委員会昭和29年6月3日、委員会議録50号9頁））。その後、警察庁は調整事務にも指揮監督権が及ぶとの解釈に改めているが、その範囲と態様に制限があることは明らかである（山田英雄警察庁長官官房長は、「指揮監督権が五条二項各号の事務についてある」と述べた上で、「警察行政に関する調整が一番弱いものでございますが、強弱はありますけれども、都道府県警察への指揮監督権が公安委員会を通じて行われるということでございます。」と述べている（参議院地方行政委員会昭和53年4月18日、委員会議録7号13頁）。調整事務における国の関与の拡大とその評価に関し、田村正博「警察法の60年——理念とプラクティスの変化」警察学論集67巻7号参照。

(注27) 例えば、指名手配制度の運用において、複数の都道府県警察から手配された者が逮捕された場合の身柄引渡し先について、関係都道府県警察の協議が整わなかったときは、警察庁において決めて従わせる必要が生ずる（犯罪捜査共助規則9条参照）。

(注28) 国家的事態への対処の場合に指揮監督等が行われることは当然であるが、そうでない事態では、指揮監督権の行使以外の指導を含めて、実質的な国の関与が過大にならないよう、常に留意しなければならない。昭和54年当時、元警察庁長官の新井裕は「いまは少し中央集権的過ぎるんだ。昔はずっと地方に任せていましたね。だから地方に任せられるものはもう一遍検討して任した方がいいのではないか。」と述べ、以前より実質的な国の関与が強まったことへの懸念を示している（高橋雄豺・土屋正三・新井裕・山田英雄「我が国警察の歩み」警察研究50巻1号における新井発言（21頁））。

(注29) 都道府県警察への指揮監督は、警察という一つの組織の内部的な関係ではなく、都道府県という別の法人格を対象とした義務付けであるから、できるだけ要件等が明確にされることが、疑義を生じないためにも求められる。その意味で、5条4項に列記される事務が増加したことや、広域組織犯罪等の場合のように指揮監督を具体化する規定を設けたことは有益であり、個別法を設けることがより一層有用性を増してきているといえる（竹内前掲注1は、ローエンフォースメントの事務に属さないものは個別法の根拠を要するとし、積極的に法律を整備していくべきことを述べている。）。

通の規制に関すること（7号）については道路交通法の全国的幹線道路の交通規制を斉一にするため等の指示の規定（110条）、国際捜査共助（10号）については国際捜査共助等に関する法律の証拠収集の指示及び調査の指示の規定（6条及び18条）、国際緊急援助活動については国際緊急援助隊の派遣に関する法律の指示の規定（4条）、団体規制法の規定に基づくものについては同法の調査の指示の規定（14条）が置かれており、それらにのっとって指示等が行われる。(注30)それぞれの法律で定められた権限者が権限を行使する（国家公安委員会の権限であれば、国家公安委員会が行使し、警察庁は補佐をする。）。

1016　5条4項に列記されていないものとしては、犯罪被害者支援法に基づく都道府県公安委員会への是正の指示（地方自治法上の制度）、暴力団対策法に基づく指定暴力団の要件の該当性の確認、災害対策基本法に基づく通行禁止等に関する都道府県公安委員会への指示などが、法律で規定されている。また、情報を国に集めることが、国の機関又は他の都道府県警察への情報提供等のために必要があることから、処分等を行った公安委員会から国家公安委員会にその事実を通報する（暴力団の実態に関する情報の報告を含む。）旨を定めた規定が、法律に設けられている。(注31)

(6)　緊急事態の措置

1017　大規模な災害又は騒乱その他の緊急事態であって、治安維持のために特に必要がある場合（通常の警察体制では対応できない場合）には、内閣総理大臣は、国家公安委員会の勧告に基づいて、布告を発して一時的に警察(注32)

（注30）　法律で直接定めていない関連事務も、5条4項の対象となっている。例えば、7号に関しては、高速道路などの交通規制そのものに関しては道路交通法の指示として行われるが、関連する交通情報の提供や取締りに関しては、5条4項7号によって警察庁が責任を負い、国家公安委員会が管理を及ぼすこととなる。なお、このような報告の義務付けは、個別の法律又は政令の規定がなければ行うことはできない（竹内前掲注1参照）。

（注31）　道路交通法、風俗営業適正化法、暴力団対策法、出会い系サイト規制法などにこれらの規定が置かれている。なお、報告の受理や通報に関する権限については、法律と政令によって、警察庁長官に委任されている。

（注32）　布告には、区域、事態の概要及び布告の効力が発する日時を記載して、内閣総理大臣は、発した日から20日以内（国会が閉会中の場合は、その後最初に召集される国会で速やかに）に国会に付議してその承認を求めなければならない（不承認の議決があったときは、速やかにその布告を廃止しなければならない。）。

を統制することが制度化されている（71条以下）。布告が発せられると、内閣総理大臣は、緊急事態の収拾に必要な限度で警察庁長官を直接に指揮監督し、警察庁長官が布告区域を管轄する都道府県警察の警視総監又は道府県警察本部長に必要な命令を行い、指揮監督することになる。特別な事態を解決するために、平常時における警察の組織と全く異なる特別の制度を設けたものであり、公安委員会の管理権はその限度で制限される。国家公安委員会は、内閣総理大臣の権限の行使について、助言すべき義務が規定されている。緊急事態に備えた計画を策定するのは、国家公安委員会の管理の下で、警察庁が行う（5条4項5号）。

　なお、旧警察法では「国家非常事態」として規定を置いていたが、実質的な意味は現行法の「緊急事態」と異なるものではない。

第2節　国の警察組織と職員

1　国家公安委員会

(1)　国の行政組織における位置付け

　国の行政組織は、憲法上行政権の主体とされている内閣を頂点とし、内閣府及びその下位の機関と各省及びその下位の機関によって構成される。国家公安委員会は、内閣府に置かれ、内閣総理大臣の所轄の下にある。下位の機関は上位の機関の指揮監督を受けるのが本来であるが、国家公安委

（注33）　内閣は、国会によって指名された内閣総理大臣と、内閣総理大臣によって任命された国務大臣とで構成される合議制の機関である。国務大臣の多くは行政機関の長（各省の長である大臣と内閣官房長官、国家公安委員会委員長）に任命されるが、内閣府の特定の分野を担当する担当大臣（特命担当大臣）とされる場合もある。なお、国務大臣の数は本来は17人以内であるが、復興庁（東日本大震災からの復興施策の総合調整等を担当する時限組織で内閣に設置されている。）と国際博覧会（令和7年開催予定の大阪・関西万博）推進本部とが置かれている間は19人以内となっている。

（注34）　内閣自体に置かれる組織として、人事院、復興庁（令和13年までの時限設置）とデジタル庁がある。また、内閣を補助し、内閣のリーダーとしての内閣総理大臣を直接補佐・支援する機関として、内閣官房が内閣自体の組織として設けられている。内閣の庶務や内閣の重要政策に関する総合調整等のほか、情報の収集、危機管理、国家公務員人事行政等を担当する。国務大臣である内閣官房長官の下に、複数の内閣官房副長官と副長官補のほか、内閣危機管理監、国家安全保障局、内閣広報室、内閣情報調査室、内閣サイバーセキュリティセンター、内閣人事局等が置かれている。

員会の場合は、例外として、内閣総理大臣の指揮監督等を受けることなく、独立して職権を行使する（☞807、809）。

1019　国家公安委員会は、国の公安に係る警察運営をつかさどり、警察教養等を統轄し、警察行政に関する調整を行うことにより、個人の権利と自由を保護し、公共の安全と秩序を維持することを任務としている（5条1項）。組織の設置目的は、「個人の権利と自由を保護し、公共の安全と秩序を維持する」ことにある。

column 国の中央省庁と総合調整

1020　国の中央省庁として、かつては12の省と総理府及び総理府の外局で大臣を長とする9機関（8庁と国家公安委員会）が置かれていたが、平成13年に行われた中央省庁改革で、主として目的（任務）に着目した機能的な観点から、10省と内閣府及び大臣を長とする防衛庁と国家公安委員会に改編された。(注37)その後の省庁の新設等もあって、現在は、総務、法務、外務、財務、文部科学、厚生労働、農林水産、経済産業、国土交通、環境及び防衛の11省と内閣府及び国家公安委員会並び(注37の2)に内閣に置かれる復興庁とデジタル庁で構成されている。中央省庁は、いずれも大臣を長とし、国の事務を分担管理し、政策を立案する。大臣が不在の場合にその職務を代行する副大臣と、大臣を助けて政務を処理する大臣政務官が置かれて

（注35）　内閣府は、内閣総理大臣を長とし、内閣の重要政策に関する内閣の事務を助けることを任務とし、合わせて男女共同参画社会の形成の促進、災害からの国民の保護などを任務とする機関である。経済財政政策、防災、青少年の健全な育成などに関して総合調整を行うほか、防災に関する施策の推進、子ども・若者育成支援法に規定する推進大綱の作成・支援、市民活動の促進などの事務を担当している。国家公安委員会、公正取引委員会、個人情報保護委員会、金融庁、消費者庁及び子ども家庭庁が外局として置かれている（外局とは、自らの権限を行使する機関で、任命権等もその機関の長が行うものを意味する。）。宮内庁も内閣府に置かれる。内閣府の事務のうち、国家公安委員会及び特命担当大臣に係るもの以外については、内閣官房長官が統轄している。

（注36）　内閣府とその下の機関については内閣府設置法と各機関の設置法（国家公安委員会については警察法）で、各省とその下の機関については国家行政組織法と各省の設置法によって、組織の構成と任務等が定められている。

（注37）　防衛庁と国家公安委員会は、他の省と同等の重要性を有する事務を分担管理する「準省」として、省とともに第一次行政機関と位置付けられた（中央省庁改革の考え方とその中における国家公安委員会の位置付けについて、北村滋「中央省庁等改革と警察組織」北村滋ほか編『改革の時代と警察制度改革』参照）。

（注37の2）　海上保安庁、出入国在留管理庁、公安調査庁、国税庁など15庁と、原子力規制委員会、運輸安全委員会など5委員会が、それぞれ省の外局として置かれている。

いる（国家公安委員会には、政治的中立の観点から、副大臣や政務官は置かれない。）。

行政機関はそれぞれに与えられた任務を達成するべく、それぞれの分担管理する事務を遂行することから、省庁をまたがる政策課題への対応に問題が生じやすい。内閣官房及び内閣府が総合調整を行うが、調整を要する事項は一層増加する傾向にある。

このため、平成27年に「内閣の重要政策に関する総合調整等に関する機能の強化のための国家行政組織法等の一部を改正する法律」が制定された。内閣府から各省等（各省と国家公安委員会、金融庁及び消費者庁）に一部の事務を移管するとともに、各省等に総合調整権限を付与することを内容としている。国家公安委員会についても、犯罪被害者等施策についての事務の移管を受ける（5条4項13号に規定）[注38]とともに、自らの任務に関連する特定の内閣の重要政策に関する内閣の事務を助けることが任務に追加され（5条2項）、閣議で決定された基本方針に基づいて総合調整等を行うことが新たに定められた（5条6項）[注38の2]。

(2) 組織

国家公安委員会は、国務大臣である委員長と5人の委員で構成される。委員長は、内閣総理大臣によって任命される。委員長は、会議を招集、主催し、委員会の決定した意思に従って国家公安委員会を代表する。委員長は、委員会の意思決定について表決権を持たない（出席委員の過半数で決定される。可否同数のときだけは、委員長が裁決することができる。）。他の法律で「行政機関の長」という場合は、委員長を意味する[注39]。

国家公安委員会委員は、国会の両議院の同意を得て、内閣総理大臣が任命する[注40]。委員の任期は5年で、1期に限り再任が認められる。委員は、身

（注38） 犯罪被害者施策に関しては、政府全体の犯罪被害者等基本計画の案を警察庁が作成し、閣議決定された基本計画を推進することとなる（犯罪被害者等基本法参照）。同法では国及び地方公共団体による施策の推進が求められているので、警察庁は、この事務に関しては、都道府県や政令指定都市に働きかけを行う立場になる。

（注38の2） 国家公安委員会は、この事務の遂行のため必要があるときは、関係行政機関の長に対し、必要な資料の提出及び説明を求め、さらに、特に必要があると認めるときは勧告をすることができることが定められている（12条の3）。

（注39） 内閣府設置法及び国家行政組織法で、委員会の場合は委員長を行政機関の長とすることが定められ、委員会の事務局職員の任免と服務の統督をすること等の権限を有するものとされている（国家公安委員会の場合は事務局がないので、それらの場面はない。）。

分が保障され、任期中は、欠格事由に該当したとき(注41)等を除き、その意に反して罷免されない。委員は、特別職の国家公務員であり、国家公務員法の適用を受けないが、同法の服務の規定のうち、服務の根本基準、宣誓、法令に従う義務、信用失墜行為の禁止、守秘義務、私企業からの隔離及び他の事業・事務への関与制限に関する規定が、警察法によって準用されている。委員は、国家公安委員会が政治的中立性を保つための機関であることから、政党その他の政治団体の役員となり、あるいは積極的に政治活動を行ってはならないこととされている。また、委員のうち3人以上の者が同一政党に属することは禁じられる。

1023　国家公安委員会に事務局はなく、委員会の庶務は警察庁において処理される。警察庁を管理すること以外の国家公安委員会の権限の行使に関しては、警察庁の補佐を受ける。国家公安委員会には、犯罪被害者支援法に基づいて同委員会が行う審査請求の処理に関する専門事項の調査審議のための専門委員と、暴力団対策法に基づいて同委員会が行う指定の確認及び不服申立てについて専門事項を調査審議し、意見を提出するための審査専門委員が置かれている。

1024　国家公安委員会は、会議によって意思決定を行う。会議の招集が委員長（委員長代理を含む。）(注42)によって行われること、委員長及び3人以上の委員の出席を要すること等が法律で規定され、委員会の運営に関するその他の事項については委員会の自律に委ねられている（国家公安委員会運営規則が制定されている。）。

（注40）　国会が閉会中のために同意を得ることができない場合には、任命後の最初の国会で承認を求めなければならず、承認が得られなかったときは、委員を罷免しなければならない。
（注41）　任命の時点の前5年間に警察又は検察の職務を行う職業的公務員の前歴のある者、破産者で復権を得ない者及び禁錮以上の刑に処せられた者については、委員となることができない。任命後に欠格事由に該当したときには、その職を失う。委員が心身の故障のために職務の執行ができず、又は委員たるに適しない非行があると内閣総理大臣が認めるとき（国会の両議院の同意を要する。）、3人以上の委員が同一政党に属することになったときには、その委員は罷免される。
（注42）　委員の互選により、委員長に故障があった場合に委員長を代理する者が定められる。なお、委員長が外国出張等で不在の場合に、内閣総理大臣が他の国務大臣を国家公安委員長の代理者に指定したときは、その国務大臣が国家公安委員長の職権を行使するから、代理の国務大臣が出席する限り、他の委員による代理の必要がなくなる。

(3) 国家公安委員会の権限

国家公安委員会は、自らの任務を果たすために、警察に関する制度の企画・立案をはじめとする5条4項に列記された事務について警察庁を管理するほか、法令（法律、政令又は内閣府令）に基づいて、事務とされたことをつかさどり、警察庁の補佐を受けて自ら権限を行使する。[注43]

国家公安委員会は、権限に属する事務に関し、法令の特別の委任に基づいて、国家公安委員会規則を制定することができる。国家公安委員会規則には、一般国民を直接に拘束する法規命令と、警察機関又はその職員のみを拘束する行政規則とがある。法規命令に属するものとしては、風俗営業等の規制及び業務の適正化等に関する法律施行規則、古物営業法施行規則、暴力団員による不当な行為の防止等に関する法律施行規則、警備業の要件に関する規則などが制定され（☞491、493）、行政規則に属するものとしては、犯罪捜査規範、犯罪捜査共助規則、警察礼式、警察通信規則、犯罪統計規則、地域警察運営規則などが制定されている（☞821、822）。このほか、委員会は、所掌事務について公示を必要とする場合に告示を発し、命令・示達するために所管の機関、職員に対して訓令又は通達を発することができる。

2 警察庁

(1) 警察庁の位置付け

警察庁は、国家公安委員会と同じく、国の警察機関として、国の公安に係る警察運営をつかさどり、警察教養等を統轄し、警察行政に関する調整を行うことを任務としている。警察庁は、国家公安委員会の管理の下にその権限（都道府県警察に対する指揮監督権限等）を行使する機関であって、委員会の事務局とは異なる「特別の機関」に当たる。[注44] 情報公開などについ

（注43） 権限の行使は、委任を認める法律の規定がない限り、国家公安委員会の名で行われる。事務的な連絡等については、補佐機関としての警察庁が行うこともできる。行政手続法の聴聞や行政不服審査法の審理手続において、その行政庁の職員に一定の事項を行わせるとの規定があるが、国家公安委員会（都道府県公安委員会）の場合には、警察庁（都道府県警察）の職員が行うこととなる（警察庁の職員が行政不服審査法（全部改正前のもの）の「その庁の職員」に該当する（東京高裁判決平成7年5月30日〈Ｗ〉）。）。

（注44） 荻野徹「警察庁の法的性格に関する覚書」警察政策3巻1号に、警察庁の法的な位置付けを理解する上で参考になる各種の法律の規定等が紹介されている。

ては、国家公安委員会と並んで、実施する行政機関とされている。また、国家公安委員会と警察庁長官は、検事総長と常に緊密な連絡を保つべきことが、警察法で特に定められている（76条2項）。

(2) 所掌事務

1027　警察庁は、国の警察行政を担当する機関として、国家公安委員会の管理の下に、事務をつかさどり、自らの権限として都道府県警察を指揮監督する。警察法5条4項には、国家公安委員会の管理の下にある警察庁の事務が列記されている（☞1002）。警察庁が恒常的に担当しているのは、警察に関する制度の企画・立案、警察に関する国の予算、警察に関する国の政策の評価といった事務的なもの、高速道路の交通規制、国際的業務、皇宮警察、警察教養、警察通信、情報技術解析、犯罪鑑識、犯罪統計、警察装備のほか、調整事務とこれらを含めた監察である。監察は監督上の立場から事実を調査して、適否を検討し、問題点等を明らかにすることである。警察庁が行う監察は、警察庁の所掌事務の遂行に必要な範囲に限られるのであって、都道府県警察が自らの組織に対して行うのとは異なるより限定的なものである。

1028　皇宮警察に関しては、皇宮警察本部が担当する。警察教養については、警察大学校及び管区警察学校で幹部警察職員の教育訓練を行うほか、都道府県警察学校の施設の設置や教育内容の全国的な統一が図られる。警察通信については、警察庁（管区警察局）が直接担い、必要な通信機器を国が整備して配付する。情報技術の解析（犯罪の取締りのための電子情報処理組織及び電磁的記録の解析その他情報技術の解析）及び犯罪鑑識については、都道府県警察において日常的に行われるが、国が最も高度な能力を要請される部分を直接担当するほか、技術的基準を定め、機材を確保し、必要な場合には直接的な支援を行って、全国的な技術的水準を確保する。犯罪統計については、警察庁のシステムに警察庁が定めた項目に従って都道府県警察が情報を入力し、システムによって集計がなされる。警察装備については、被服、所持品や車両等に関して、警察庁が制式等を定めるほか、国の支弁対象となるものについては、直接調達して都道府県警察に貸与する（☞1010）。

都道府県警察に対しては、警察庁は、警察職員の任用・勤務・活動の基準に関することとその他の警察行政に関する調整に関すること及び警察庁の所掌事務の遂行に必要な監察に関することを行う。様々な基準のほか、関係法令の統一的な解釈を定めること、広域にまたがる犯罪捜査に関して分担を定めることなどが調整に当たる。

　警察庁は、このほか、政府部内における他機関に対する働きかけ、国民に対する広報活動などを自ら行っている。^(注45)

(3) 組織

　警察庁の長を警察庁長官という。警察庁長官の任免は、国家公安委員会が内閣総理大臣の承認を得て行う。警察庁長官は、国家公安委員会の管理に服し、警察庁の事務を統括し、警察庁の職員を任免し、職員の服務を統督（統率・監督）し、都道府県警察を指揮監督する^{(注46)(注47)}。国家公安委員会は、大綱方針を示し、長官を通じてその管理を行うが、都道府県警察に対して直接に指揮監督を及ぼすものではない。

　警察庁には、長官の補佐機関として次長が置かれる。警察庁の内部部局として、長官官房、生活安全局、刑事局、交通局、警備局、サイバー警察局^(注47の2)が置かれ、刑事局には組織犯罪対策部、警備局には外事情報部及び警備運用部が置かれている。官房・局・部には、官房長・局長・部長が置かれ、それぞれの事務の責に任じている。内部部局の設置及び所掌事務については、他の省庁では政令で定められているが、警察庁の場合は警察法で定め

（注45）　警察庁も、他の行政機関と同じく、任務を達成するために必要な限度で、国民に対する働きかけを行う。都道府県警察が行う犯罪捜査に対する協力を確保するために関連情報を国民に提供すること（懸賞金をかけることを含む。）、所管法令の解釈等に関して関係業界を指導し、あるいは特定の機器が適法なものないし優れたものであることを認定することなどは、警察庁として行うことができる。

（注46）　警察庁長官は、府省の外局としての庁の長官と同様に、庁務の総括、職員の服務の統督（統率・監督）、任命権等を有する。内閣府設置法及び国家行政組織法で規定されている告示及び訓令・通達を発する権限については、明文の規定はないが、監督権等を有する行政機関として当然に認められるものと解されている。

（注47）　警察庁長官は、債権管理回収業に関する特別措置法、団体規制法、出入国管理及び難民認定法等に基づいて、他の機関への意見を述べる等の権限を有している。このほか、風俗営業適正化法、道路交通法、暴力団対策法、犯罪収益移転防止法等によって、それらの法律に基づく国家公安委員会の権限（の一部）の委任を受けて行使している。

（注47の2）　サイバー警察局は、令和4年の警察法改正で設置された。同局設置の趣旨等に関して、河原淳平「サイバー警察局の課題と展望」警察学論集75巻7号参照。

られている（⇨203、1033）。また、警察庁組織令の定めるところにより、重要事項を総括整理すること等を行う総括審議官、技術に関する関係事務の総括整理等を行う技術総括審議官、監察に関する事務を担当する首席監察官などが長官官房に置かれているほか、官房及び局部に事務を分掌する課（課に準ずるものを含む。）が置かれている。

1031 　警察庁には、附属機関として、警察大学校、科学警察研究所及び皇宮警察本部が置かれている。これらの事務が、警察職員に対する教育訓練、科学捜査についての研究・鑑定等及び皇宮警察の事務であって、警察行政に関する企画や都道府県警察に対する指揮監督といった警察庁の内部部局の行う事務と異なったものであることによるものである。もっとも、附属機関であっても、長官の指揮監督を受けることに変わりはない（職員の任免は、委任を受けてその長が行っている。）。

1032 　警察庁には、その所掌事務の一部（警察制度の企画立案、重大サイバー事案対処、皇宮警察、犯罪統計及び警察装備に関するものを除く。）を地域ごとに分掌する地方機関として、管区警察局が置かれている。管区警察局は、ブロックセンターとして、複数の府県にまたがる広域的な警察事象（広域的な犯罪の捜査、広域的な交通規制、災害時の対応等）に関する関

（注48）　皇宮警察は、戦前は宮内省の所管とされていた（宮内省に皇宮警察部が置かれ、警衛・消防・衛生に関する事項を担当していた。）が、昭和22年に警視庁に移管され、旧警察法の制定に際して国家地方警察本部に移管され、現行警察法の制定においてもそのまま警察庁の附属機関として存置されている。宮内庁の事務と関係が深いことから、宮内庁長官が警察庁長官に対して皇宮警察の事務につき所要の措置を求めることができることが宮内庁法に定められている。

（注48の２）　重大サイバー事案対処については、関東管区（に置かれるサイバー特別捜査隊）だけが、全国を管轄地域として分掌し、他の管区警察局は事務を持たない。関東管区に置かれるサイバー特別捜査隊は、これまでのブロックセンターとしての管区警察局の事務とは異なるものである。

（注48の３）　旧警察法では国家地方警察本部の下に地方機関として「警察管区本部」が設置されていた（それ以前の内務省の警察には地方機関はなかった。）が、現行警察法により、管区警察局となった。現行警察法制定時には、管区警察局に警察庁本庁より多数の警察官が配置されていたが、その後は、警察庁本庁が強化される一方で、地方機関の体制は限定される傾向にある。警察改革の一環として、平成13年度には、首席監察官、監察課が設置され、監察体制が強化されたが、一方で、公安部が広域調整部となり、生活安全、刑事、交通、警備の４課であったものが、広域調整一課、同二課の体制となった。平成31年度には四国管区警察局が廃止され、四国警察支局が設けられた。なお、国の行政組織における同様の例として、中国四国行政評価局（四国行政評価支局）、中国四国厚生局（四国厚生支局）がある。

係府県警察の連絡調整・指揮監督、府県警察の監察、警察通信施設の管理と犯罪取締りのための情報技術の解析の実施（警察通信及び情報技術解析を担当する府県単位の下部機構として、府県情報通信部が設けられている。）、警察の中堅幹部の教育訓練（管区に附置される管区警察学校においてなされる。）等を主たる任務としている。なお、北海道及び東京都は、管区警察局の管轄区域外であるため、警察通信に関すること及び犯罪取締りのための情報技術の解析に関することを担当する国の地方機関としての北海道警察情報通信部及び東京都警察情報通信部が置かれている。管区警察学校で行われる教育訓練については、北海道警察の場合には北海道の警察学校が行うことが警察法に定められ(注49)、警視庁の場合には関東管区警察学校の教育対象に含む扱いとされている。

> **column** 組織を定める法形式

警察庁の内部部局の設置と所掌事務は、法律（警察法）で定められる（各府省等の場合、組織の弾力化の観点から、昭和58年の改正で政令で定められることになったが、警察庁の場合は法律で定めることが維持されている。）。局又は部には課が置かれるほか、事務の一部を総括整理する職（審議官、参事官など）や課長に準ずる職（国家公安委員会会務官、犯罪鑑識官など）が置かれる。これらの設置及び所掌事務は政令（警察庁組織令）で定められる。このほか、課の事務の一部をつかさどるものとして、内閣府令（警察法施行規則）で室や官が置かれている。(注50)

附属機関である警察大学校、科学警察研究所及び皇宮警察の設置と所掌事務は警察法で定められ、位置及び内部組織は警察法施行規則で定められる。警察大学校の場合、部（及び教務部の課）、国際警察センター、特別捜査幹部研修所等の附置機関の設置と事務（附属警察通信学校の場合は、その部を含む。）は警察法

（注49） 学校施設の費用と教育訓練に要する経費については国が負担するが、中堅幹部研修を担当する学校職員の人件費については、北海道が超過負担をすることになる。もっとも、他の地域の施設で教育訓練を受ける場合に比べて、往復旅費の負担は減少している。

（注50） これらを府令職と呼ぶ。府令職は課に置かれるが、課長に準ずる職で政令で置かれる官（犯罪鑑識官など）の事務の一部を担当するものの場合は局ないし部に置かれる（犯罪鑑識官などは局又は部の事務のうち各課に配分されていない事務を所掌するので、その事務の一部を担当する府令職は、局ないし部の事務を担当することになる。）。なお、府令職を警察法施行規則で定めることについての法律又は政令の委任はなく、警察法を実施するためとして制定されている。

施行規則で定められ、国際警察センターなどについては、さらにその内部組織が国家公安委員会規則で定められる。(注51)

地方機関である管区警察局については、担当する事務、名称、位置及び管轄区域並びに附置機関としての管区警察学校の設置が警察法で定められ、内部組織は警察庁組織令等で定められている。(注52)

3 国の警察職員

(1) 国の警察職員の種別と任命権

1034 　警察庁には、警察官、皇宮護衛官、その他の職員が置かれる。警察庁の職員は、一般職の国家公務員であって、任免、昇任、懲戒その他の人事管理に関する事項は、国家公務員法によって規律される(注53)。警察庁の職員の総数は、行政機関の職員の定員に関する法律及び同法に基づく行政機関職員定員令で定められる。

　警察庁の警察官は、警察庁の事務を行うものであるが、警察庁長官を除いて階級を持ち、都道府県警察に応援派遣された場合等には警察官としての職権を行使する(注54)。皇宮護衛官は、皇宮警察本部に置かれ、皇宮警察の事

(注51) 教育の内容については、国家公安委員会規則である警察教養規則に若干の規定があるのにとどまる。なお、今村哲也『ウィーン警察官教育の法と命令』(関東学院大学出版会、2005年) は、オーストリアにおける警察教育機関(安全アカデミー)における法制を紹介し、詳細な法令を定めることによる情報提供機能を指摘している。警察官教育の重要性(☞916、917) を踏まえれば、参考になるものと思われる。

(注52) 管区警察局の部は警察庁組織令で、首席監察官や課などの設置については警察法施行規則で定められる。府県通信部については、設置の根拠が警察法施行規則で、内部組織等は国家公安委員会規則で定められる。管区警察学校の名称、位置、内部組織に関しては警察法施行規則で定められる。

(注53) 国の職員は、一般職の公務員として、国家公務員法の対象となるのが原則である。地方公務員の場合とは異なり、非常勤でも一般職に該当するので、秘密保持義務等が及ぶ。特別な任用がなされる者(国会の同意を得て任用される国家公安委員会委員など)のほか、他の特別の法律による規律がなされる者(裁判官、自衛隊員)などは、特別職として、国家公務員法の適用を受けない(個々の法律によって、守秘義務等の規定が準用される場合があるのにとどまる。)。

(注54) 重大サイバー事案対処に当たる警察庁の警察官は、その職務に必要がある限度で、職権を行使する。そのほか、警察庁の警察官は、現行犯人を逮捕する場合、都道府県警察からの援助の要求を受けて派遣された場合又は緊急事態の布告地域等に派遣された場合には、警察官としての職権を行使できる。このほか、警察庁の警察官が、都道府県警察の警察官に併任され、都道府県警察の警察官としての資格で職権を行使する場合もある。

務に従事し、皇宮警視監から皇宮巡査までの8階級に分かれ、上官の指揮監督を受けて職務執行に当たる。警察官職務執行法の規定の一部が準用される（☞506）ほか、一定の犯罪に係る捜査権限が認められている。小型武器を所持できることは、警察官と同様である。また、被服及び装備品の貸与については、警察庁の警察官の規定が準用されている。皇宮護衛官と警察官は、その職務の執行に関して、相互に協力しなければならない。(注55)

　国の警察職員の任命権者は、警察庁長官については国家公安委員会、警察庁長官以外の職員については警察庁長官である。(注55の2) 任命権は、部内の上級職員に委任することが認められており、警察大学校長、科学警察研究所長、皇宮警察本部長、管区警察局長等に委任されている。任命権者は、職員を採用し、昇任・転任を行うほか、休職・免職・懲戒等の身分上の処分を行う権限を有している。任命権者は、単独で権限を行使するが、法律により他の機関の同意等を要するものとされる場合がある（国家公安委員会が警察庁長官を任免（任命・罷免）することについては、内閣総理大臣の承認を要することとされている。）。

　なお、都道府県警察の警視正以上の警察官（地方警務官）は、都道府県警察の職務を行うが、身分上は一般職の国家公務員であり、国家公務員法や国家公務員倫理法の適用を受ける。地方警務官の任命権者は、国家公安委員会である。

(2) 任用と離職

　採用の試験は人事院が行い、採用候補者名簿に載せられた合格者の中から任命権者が採用する。国家公務員法には公務員の欠格事由が定められているほか、明文の規定はないが日本国籍を有しない者は公権力を行使し、あるいは国家意思の形成に参画する公務員に採用することはできないもの

（注55）　皇宮護衛官は、天皇・皇族の生命・身体・財産に対する罪、皇室用財産に対する罪又は皇居・御所その他皇室用財産である施設若しくは天皇・皇族の宿泊の用に供されている施設における犯罪について、捜査権限を有する。かつては、司法警察職員等指定応急措置法で規定されていたが、平成12年の改正により、警察法で規定されることになった。

（注55の2）　平成26年に国家公務員法が改正され、各省庁の幹部人事の内閣総理大臣による一元管理が図られたが、警察庁の職員に関しては、規定の適用除外等の措置が講じられている。

と解されている。欠格事由に該当した者の採用は違法・無効であり、採用後でそれらの事由が生じた場合にもその時点で公務員関係は消滅する。公務員として採用された者は、公務員としての身分を有し、一定の権利を持ち、義務を負うこととなる。なお、国家公務員の場合には、給与の準則が別に法律で定められている（俸給、昇給の基準、時間外勤務・夜間勤務及び休日勤務に対する給与等を含む。）が、その一方で、労働基準法の規定は適用されないこととなっている。条件付採用期間に良好な成績で職務を遂行することによって、正式採用となる。条件付採用の期間中は、身分の保障はない。正式に採用された後においては、本人が辞職する場合を除き、原則として定年まで勤務することが予定されている。

　新任配置以外には、昇任、転任及び降任が行われる。昇任は上級の官に任ずること（公の名称のある上位の官職に任ずること及び給与上の上位のランクに昇格させること）を意味する。転任は、同格の間での異動である。なお、人事院規則では、法律上の転任のうち、異動の前後で任命権者が同じ場合を「配置換」、異なる場合を「転任」と呼んでいる。(注56)

1037　公務員（条件付採用期間中の者を除く。）の身分は保障されているが、公務員としての法律上の資格を失った場合（欠格事由に該当した場合の失職）、公務員が辞職を申し出た場合（依願免職。任命権者がそれを承認して職を免じたときに離職となる。）、その職に必要な適格性を欠く場合（分限免職。勤務実績が良くないとき、心身の故障のためその職務に耐えず又はその職務の遂行に支障があるときなどに行われるが、該当性は厳格に解されている（☞952）。定員の減少・予算の減少によって、過員となった場合も分限免職できる。）、公務員関係について定めた法律等に違反する懲戒事由がある場合（懲戒免職。懲戒事由があっても、免職をすべきかどうか

　　（注56）　国家公務員法は、全ての職について、あらかじめ職務の種類や責任の度合いなどに応じて分類しておき（職階制）、分類された職に欠員ができた場合に、採用等によって人が配置される、というアメリカの方式にのっとって制度が作られた。しかし、日本では、官民を問わず、組織の基幹的な職員については、組織の中で定期的な異動を繰り返していろいろなことを経験させ、徐々に昇格させていく、という人事システムがとられている。このため、全ての職をあらかじめ分類整理する職階制を決めた法律の規定は適用されないままに推移し、平成19年の改正法によって全て廃止された（給与等で示されるランクによって、昇任、転任と降任が区分されるという実態に変更はない。）。

は任命権者が判断する。）、定年の年齢に達した日以降における最初の3月31日の到来（定年退職）の場合には、離職となる（☞941、定年延長に関して942）。

(3) 国家公務員の義務

　国家公務員は、身分上の保障を受けるほか、給与を受ける権利等を国に対して有している。(注57)一方、公務員は、勤務時間において全力をあげて職務に専念する義務（職務専念義務）を負うことはもとより、職務の内外における活動に関し、地位と公務の特殊性に起因する義務を負う。 1038

　公務員は、その職務を遂行するのに当たって、法令及び上司の職務上の命令に忠実に従わなければならない。公務員は、権限のある上司の命令であれば、違法と考えられる場合でも、違法性が重大明白である場合を除き、従わなければならない。 1039

　公務員は、ストライキその他の争議行為を行うことはできない。争議行為が行われれば国民生活に大きな支障が生ずること、勤務条件が予算、法律等によって定められており、労使の交渉で決することができないものであること等から、法律によって、争議行為が禁止され、争議行為の遂行を共謀し、唆し、若しくはあおり、又はこれらの行為を企てた者は、刑事罰の対象とされている。一般の公務員の場合には、職員団体を結成し、団体交渉を行うことが認められている（現業公務員は、団体協約締結権もある。）が、警察職員の場合は、職務上高い規律が求められることなどから、職員団体を結成すること自体が禁止されている（国家公務員では、自衛隊員、海上保安庁の職員及び刑事施設において勤務する職員についても同様とされている。）。 1040

　公務員は、職務上知ることのできた秘密を漏らしてはならない。退職後においても、同様に、在職中に知った秘密を漏らすことは許されない。秘密を漏らした（他の機関あるいは他の者に知らせることを含む。）場合に 1041

（注57）　給与、手当、補償等を受ける権利がある。公務員は、あらゆる勤務条件について、人事院に対し、適当な行政上の措置が行われるように請求することができる。請求を受けた人事院が措置をとることが必要であると認めるときは、自ら何らかの措置をとり、又は他の機関にその実行を勧告することが認められている。

は、刑事罰の対象となる。裁判等の証人となった場合において、職務上の秘密に係るものであるときは、所轄庁（所轄の機関）の長の許可を受けて証言を行うべきこととされている。公務員は、また、その官職の信用を傷つけ、又は官職全体の不名誉となるような行為をしてはならない。

1042　公務員は、一党一派に偏してはならず、政治的中立を保持すべきものであるところから、職務外における活動としてであっても、一定の政治的行為を行ってはならないこととされている。政治的行為の制限に関しては、国家公務員と地方公務員とで大きな違いがある。国家公務員については、法律によって、公職の候補者となること、政党その他の政治的団体の役員（それと同程度の役割を持つ構成員を含む。）になること、政党又は政治目的のための寄付金・利益について要求・受領・関与することが禁止されているほか、人事院規則で定める多くの政治的行為を行うことが禁止され、違反は刑事罰の対象とされている（地方公務員については、禁止される範囲が法律によって定められており、刑罰の対象ともされていない。）。(注58)

1043　公務員については、営利企業等に従事することが原則として禁止される。職務専念義務の履行と職務の公正さの保持を確保することを目的としたものである。国家公務員の場合には、営利企業の役員等になり、あるいは自らそれを営むことについては、人事院の承認を受けなければならないこととされ、承諾なしに行うことは刑事罰の対象とされている。また、報酬を

（注58）　人事院規則において、選挙における投票についての勧誘運動、政治的目的のための署名運動・示威運動の企画、主催、指導、集会における拡声器を使用した政治的意見の表明、政治的目的を有する文書の発行・配付・掲示等の広い範囲の政治的行為が禁止の対象とされている。これらの制限については、「行政の中立的運営を確保し、これに対する国民の信頼を維持すること」を趣旨とするものであるから、「公務員の職務の遂行の政治的中立性を損なうおそれ」が実質的に認められる場合に限って規制していると解されており、これに当たるかどうかは「当該公務員の地位、その職務の内容や権限、当該公務員がした行為の性質、態様、目的、内容等の諸般の事情を総合して」判断される（最高裁判決平成24年12月7日〈刑集、⑳〉）。なお、この判決では、公務員の政治的活動の規制・処罰を認めた最高裁大法廷判決昭和49年11月6日〈刑集、⑳〉について、職員団体の活動として行われ、公務員が特定の政党の候補者を国政選挙において積極的に支援することが一般人に容易に認識されるものであったとして、管理職的立場や裁量がない者が、勤務時間外に、公の施設等を利用することなく行ったものであっても、実質的に政治的中立性を損なうおそれがあったと述べている。田村正博『警察官のための憲法講義（改訂版）』（東京法令出版、2021年）39頁以下参照。）。

得て営利企業以外の事業・事務に従事することについては、内閣総理大臣及びその所轄の機関の長の許可を要するものとされている。

このほか、国家公務員については、再就職の規制が行われている。再就職（営利企業以外の法人への再就職を含む。）のあっせんを行うことが禁じられるほか、在職中に利害関係企業等に対して求職活動を行うこと、再就職者が離職前に在職していた機関の役職員に職務上の行為に関して働きかけをすることが規制されている。また、在職中に再就職の約束をした場合及び管理職職員の経験のある者が離職後2年間に営利企業等に再就職した場合には、任命権者又は内閣総理大臣に届け出なければならないこととされている。

column 国家公務員倫理法

国家公務員については、国家公務員倫理法により、職員が遵守すべき職務に関する倫理原則として、以下が定められている。

① 国民全体の奉仕者であり、国民の一部に対してのみの奉仕者でないことを自覚し、職務上知り得た情報について国民の一部に対してのみ有利な取扱いをする等国民に対して不当な差別的取扱いをしてはならず、常に公正な職務の執行に当たらなければならない。

② 常に公私の別を明らかにし、いやしくもその職務や地位を自らや自らの属する組織のための私的利益のために用いてはならない。

③ 法律によって与えられた権限の行使に当たっては、その権限行使の対象となる者からの贈与等を受けること等の国民の疑惑や不信を招くような行為をしてはならない。

これを受けて、国家公務員倫理規程が政令として定められ、各省の長など（警察庁の場合は、警察庁長官）がその職員の職務に関する倫理に関する訓令を定めている。倫理規程では、職員が利害関係者との間で共に食事をすることの禁止・制限など、利害関係を有する者等との間で職員が遵守すべき事項を定めている。

（注59） 都道府県警察出身の「特定地方警務官」（その都道府県警察で巡査から警視まで昇任し、引き続いて地方警務官になった者）の場合には、国家公務員といっても、地方公共団体の職員との共通性が強いので、国家公務員法の再就職のあっせんを受けることの規制の適用は受けない。地方公務員法で退職者の規制が設けられ、平成28年から施行された（☞943）ことに伴って、地方公務員である職員とみなされる（地方公務員法の適用を受ける）ことになっている（改正後の警察法56条の3）。

また、同法では、幹部職員について事業者から一回5,000円を超える財産上の利益を受けた場合に報告すべきことや、各機関ごとに倫理監督官を置くことなどを定めている。この法律の規定やこれに基づく命令（倫理規程や訓令を含む。）の規定に違反した場合には懲戒処分の対象となるが、任命権者は、懲戒処分を行おうとするときは、あらかじめ審査会の承認を得なければならない。人事院に置かれる国家公務員倫理審査会も、例外的にではあるが懲戒処分を行う権限を有している。

(4) 不利益処分

1046 　公務員に対しその意に反する不利益処分を行うことは、法律（法律に基づく人事院規則を含む。）に規定のある場合に限られる。本人の意に反する不利益処分として法律等で認められた不利益処分には、既に述べた懲戒免職及び分限免職のほか、降任、休職、降給並びに懲戒処分としての停職、減給及び戒告がある。

　懲戒処分は違反行為があった場合等に公務員関係の秩序を維持するために、任命権者によって行われる。国家公務員法に基づく命令等に違反した場合（職務に関連して国家公務員法以外の法令に違反した場合は、法令に従う義務違反として国家公務員法違反となる。）、職務上の義務に違反し若しくは職務を怠った場合、又は全体の奉仕者としてふさわしくない非行があった場合のいずれか一つに該当するときが対象となる。免職、停職、減給及び戒告の別がある。休職に関しては、地方公務員の場合と同じである。降給は、人事院規則で定める要件を満たす場合に行われる。公務員の意に反して、降給、降任、休職、免職その他これに対する著しく不利益な処分又は懲戒処分を行おうとするときは、任命権者は、その者に処分の理由を記載した説明書を交付しなければならない。これらの不利益処分を受けた者は、人事院に対し、行政不服審査法に基づく不服申立てを行うことができる（直接に裁判所に訴え出ることはできず、審査請求に対する裁決を経た後で、はじめて訴訟を提起することができるものとされている。）。

(5) 公務員の権利

1047 　警察庁の職員は、国家公務員法等に基づき、身分保障を受けるほか、給

与を受ける権利、退職年金等を受ける権利を有し、旅費の支給を受ける。労働基準法の適用はないが、人事院規則によって、職員の保健及び安全保持について、健康安全管理体制、健康管理基準、安全管理基準等が定められている。

　国の警察機関が、安全配慮義務を負い、ハラスメントのない職場とする責任を有することは、地方公務員の場合と基本的に同じである（☞959以下）。ただし、国家公務員の場合、地方公務員や民間事業者の従業員の場合とは異なり、人事院規則が適用される。

　（注60）　一般職の職員の給与に関する法律の規定による。人事院の勧告が反映されることが原則になっている。なお、国家公務員の場合、給料に関する用語が地方公務員と一部異なっており、基本給に当たる部分は俸給、管理職であることによる手当が「俸給の特別調整額」、時間外に勤務をさせたことによる手当が「超過勤務手当」となっている。
　（注61）　警察庁の職員及び地方警務官については、国家公務員であるが、地方警察職員と同じく、地方公務員等共済組合法に基づいて設立された警察共済組合の組合員となる。警察共済組合は、組合員の退職・障害又は死亡に関して長期給付（退職共済年金、障害共済年金）を行い、組合員の病気、負傷、出産、死亡、休業若しくは災害又は被扶養者の病気等に関して短期給付を行う。

第11章　行政救済法

　本章は、国家賠償制度、行政不服申立て及び行政事件訴訟について解説する。いずれも、違法な活動によって被害を受けた国民の権利利益を回復させるための制度である。

第1節　国家賠償制度

1　意　義
(1)　行政救済制度と国家賠償制度の意義

　行政機関の活動は、法令の規定に従って適法になされるべきものである。違法な活動が行われた場合には、被害を受けた国民の権利・利益を回復させることが必要であり、そのための制度（行政救済制度）が設けられている。損害に対して金銭的な賠償を行うもの（国家賠償制度）、行政機関に申し立てて是正を求めるもの（行政不服申立て）、裁判所に訴えを提起して取消し等を求めるもの（行政事件訴訟）がある。国家賠償の要件を定めた国家賠償法、行政不服申立てに関する一般的な手続を定めた行政不服審査法、行政事件訴訟に関する手続を定めた行政事件訴訟法が、それぞれ制定されている。　　　　　　　　　　　　　　　　　　　　　　　　　1101

　国家賠償制度は、行政機関の違法行為によって被害を受けた国民に対する一般的な事後的救済手段として、重要な役割を果たしている(注1)。特に、行政事件訴訟等の対象とならない活動については、賠償請求が、国民にとっての唯一の救済方法であるとともに、唯一の違法性主張の場となっている（警察行政法の重要な判例の多くは、国家賠償訴訟によるものである。）。　　1102

（注1）　行政事件訴訟は、違法性の有無の判断の前に訴えを提起できるかどうかが問題となり、救済を得られない場合も多いことが問題とされてきた。これに対し、国家賠償訴訟は、訴訟要件の限定といった問題はなく、国民にとって使いやすい制度といわれている。

このため、金銭賠償を受けること自体よりも、その活動が違法であるとする裁判所の判断を受けることを実質的な目的とした訴訟が、しばしば提起されている。

(2) 国家賠償の性格

1103　他人の権利・利益を不法に侵害した者は、民事法上の不法行為の定めにより、損害賠償責任を負う。このうち、国又は地方公共団体の行政上の活動によって損害を与えた場合には、国家賠償法が適用される。物品の管理や契約に関するものであれば、一般の民法の定めるところによることとなる。

1104　国家賠償法は、公権力の行使に当たる公務員が不法行為を行った場合及び公の営造物の設置・管理に瑕疵があった場合の国又は地方公共団体の賠償責任について、要件、求償権、賠償責任者、外国人の場合の特則等を規定している。過失相殺や時効など、国家賠償法で直接に規定されていないことについては民法の規定が適用され、訴訟も一般の民事訴訟と同様に扱

(注1の2)　「権利又は法律上保護される利益」が侵害されることが要件である（民法709条）。刑事告訴した者が捜査・起訴によって得られる利益は「反射的にもたらされる事実上の利益にすぎず、法律上保護された利益ではない」として、適正な捜査がされず、不起訴になったことを理由にして国家賠償を請求することはできないとされている（最高裁判決平成2年2月20日〈Ｗ〉）。その後も、捜査によって事実が解明されていないとする訴えは、同様に退けられている（東京高裁判決平成22年11月2日〈LEX/DB25500021〉）。一方、検察官が被害者等通知制度に基づく公判期日の通知をしなかったために公判傍聴等ができなかったことについては、犯罪被害者等基本法などが制定され、被害者が刑事被告事件の審理の状況及び内容を知ることを保障するようになったため、その前提となる公判期日の通知を受ける利益も法律上保護される利益になったとして、国家賠償請求が認められている（大阪地裁判決平成24年6月14日〈判時2158・84〉）。

(注2)　民法により、行為者個人が損害賠償責任を負い、国又は地方公共団体は、選任・監督に相当な注意を尽くした場合を除いて、使用者としての立場で損害賠償責任を負うこととなる（民法709条、715条）。

(注3)　外国人が被害者である場合には、その外国人の本国において我が国国民がその国の違法行為によって損害を受けたときにその国が賠償責任を負うこととされているときに限って、国及び地方公共団体はこの法律上の賠償責任を負う（相互主義）。欧米のほか、韓国、中国、タイ、フィリピン、ブラジル、イラン、ナイジェリア等で相互主義が認められている（西野章『国家補償法概説』（勁草書房、2008年）172頁）。なお、朝鮮籍の場合には、韓国との一種の二重国籍状態と考えて、相互主義が認められるという扱いがなされている（京都地裁判決昭和48年7月12日〈判時755・97〉）。なお、難民については、難民条約に基づき、3年間居住していれば相互主義を適用されない。

われる。違法性のない行為や、無過失の行為（民法上も、無過失責任が認められている営造物の欠陥によって生じた損害の場合（☞1121）を除く。）についてまで、国や地方公共団体が賠償を行うこととしたものではない。

column　国家無答責と官吏に代わる国家賠償

　違法な活動を行った場合に国が賠償責任を負うのは、今日では当たり前のことと思われている。しかし、かつては、国家に対する賠償請求はできないものとされていた。イギリスのコモンローでは、主権免責として、国家の行為は裁判対象とならないものとされ、公務員個人への責任追及が行われた。ドイツでも、国家は責任を負わず、官吏が民法に基づいて責任を負うとされていた。

　他方、個々の公務員が賠償責任を負うのでは、責任を回避するために権限行使を抑制する結果、本来行われるべき公務がなされなくなるという問題が起きる。1910年、ドイツで官吏責任法が制定され、官吏に代わって国家が賠償責任を負うとする制度が導入された。その後、1919年に制定された憲法（ワイマール憲法）で国家賠償制度が規定され、1949年に制定された憲法（ボン基本法）にも受け継がれている。

　イギリスやアメリカでは、第二次世界大戦後に法律のレベルで国家が責任を負うこととなった。イギリスでは、国が職員の不法行為について責任を負う。アメリカの場合は、連邦や州が一部の賠償責任を負うとしつつ（一部では、免責も引き続き存在する。）、公務員個人を免責することが広がってきている。(注5)

　日本では、旧憲法下では、国家も公務員個人も原則として責任を負わないものとされていた(注6)（公権力行使以外の国家の活動について、国が民事法上の責任を負

1105

（注4）　不法行為による損害賠償の請求権は被害者（又は法定代理人）がその損害及び加害者を知った時から3年間（人の生命又は身体を害する不法行為の場合は5年間）で時効となるとする民法724条（及び724条の2）の規定は、国家賠償にも適用される。なお、現行民法では、一般の債権（契約等に基づく債権）の消滅時効は権利を行使することができることを知った時から5年間又は権利を行使することができる時から10年間（人の生命又は身体の侵害による損害賠償請求権の場合は20年間）とされているため、不法行為としての損害賠償請求権の時効消滅後に、職場での事故に関して職員が雇用主である国や地方公共団体に対して安全配慮義務違反を理由に訴えを提起することがあり得る（学校の生徒の事故や、刑事収容施設での被収容者の自殺事案についても同様の訴えを提起することが認められている。）。

（注5）　連邦公務員については、1988年法で原則として個人責任を負わないこととなった。もっとも、州によっては公務員の個人責任が消滅したわけではなく、行政機関が公務員個人に代わって支払う代位弁済などが行われてきている。近年の状況に関し、金山泰介「日米の公的賠償判例に見る警察活動の不作為について」警察政策12巻参照。

(3) 損害賠償の範囲

1106　損害賠償は、国又は地方公共団体の違法行為によって生じた損害に対して行われる。違法行為と因果関係（相当因果関係）のある範囲の損害に限られる。被害者の側に過失ないし責任がある場合には、損害賠償額は過失割合ないし責任の程度に応じて減額される。

　権限を行使しなかったことが違法とされる事件では、損害との因果関係の有無が問題となる。規制権限を行使していれば結果を回避し得たであろう高度の蓋然性があることが立証される必要があるが、高度の蓋然性があったとはいえない場合に、実際に回避できる可能性がどのくらいあったのかを踏まえて賠償額が認定される例もある。(注7)

(4) 損害賠償と損失補償

1107　損害賠償は、国又は地方公共団体が、違法な活動によって生じさせた損害を賠償するものである。国又は地方公共団体が適法な活動を行った結果として国民に損害を生じさせた場合には、損害賠償の対象とはならない。

　一方、適法な行為による損害であっても、責任のない者に特別の重い犠牲を負わせたときのように、公平の見地から、国又は地方公共団体が損失を補塡すること（損失補償）が適当と考えられる場合もある。財産を公に用いる場合（土地の収用など）は損失補償をすべきことが憲法で規定されているが、それ以外は個々の法律で規定されたときに限って損失補償が行(注8)(注9)

（注6）　明治初期には官吏個人への賠償請求は可能とされていたが、判例によって原則として否定されるものとなった（宇賀克也『国家補償法』（有斐閣、1997年）参照（9頁以下））。

（注7）　東京高裁判決平成19年3月28日〈判時1968・3〉は、警察が捜査をしなかったことと殺害された結果との相当因果関係を否定した上で、警察官が犯罪がある疑いを持つべき時期に適切な対応をとっていれば結果を回避できた可能性が3割程度であると認定し、さらに過失相殺の法理に準じてその5割についてのみ賠償責任を認め、死亡による損害額7,200万円の一部である1,100万円の支払を命じている。

われる。警察の活動による損害に関しては、事態の発生や解決に社会的責任があると認められる者に対して権限が行使されるのが大半であり、それ以外の場合も危険な事態があるときの応急的な措置として行われるものであるから、権利に内在する制限であって、受忍すべき限度内のものであり、損失補償を要しないとされている。しかし、警察の権限行使と同様のものでも、負担を公平にし、権限行使に伴う問題を軽減する見地から、政策的に損失補償制度が導入されている例もあり、(注10)警察に関しても、第三者に被害を生じさせた場合など、制度の必要性とコストなどを踏まえ、損失補償の要否が検討されることが望まれる(注11)(☞314)。

なお、学説の上では、損害賠償と損失補償とがともに国の何らかの責任によって金銭的な補塡を行うものであることを理由に、両者を国家補償として一括してとらえるものもある。両者に共通する面もなくはないが、法律による行政という観点からは、行政機関の違法な行為に対する救済である損害賠償と、適法行為であることを前提に負担の公平、調整を図るという損失補償とは、全く性格を異にするものである。小型無人機等飛行禁止

(注8) 損失補償が規定されていない場合には、憲法の規定自体から損失補償を求めることができると解されている(最高裁大法廷判決昭和43年11月27日〈刑集、Ⓦ〉)。なお、期限の定めなしに行政財産を使用させていたのを撤回する行為は、行政側の必要があれば撤回されるということを前提とした使用権であるので、財産を公に用いることには該当せず、特別の事情がない限り補償を要しない(最高裁判決昭和49年2月5日〈民集、Ⓦ〉)。

(注9) 逮捕勾留された者が無罪の判決を受けた場合の刑事補償請求権が憲法で定められているが、これも一種の損失補償に当たる。同様の趣旨から、少年の保護事件に係る補償に関する法律が制定されている。

(注10) 消防組織が消火のために工作物(火災が発生している物と延焼のおそれのある物を除く。)を使用、処分する場合(消防法29条3項)、立入検査に際して一部の物を収去する場合に、損失補償を規定している例がある。また、災害対策基本法では損失補償が一般的に制度化されており(82条)、警察官の行為も対象となっている(警察官が緊急通行車両の妨害となっている車両その他の物件を移動する等の措置をとる場合に、やむを得ない限度でその車両等を破損することができるが、これによって通常生ずべき損失については補償の対象とされている。)。

(注11) 例えば、警察の適法な追跡行為によって逃走していた自動車が事故を起こして第三者に被害を生じた場合については、公平性の要求、財政的負担の問題等を踏まえた総合的な判断を国民の代表である国会が行うべきものであるといえる。なお、警察官の職務に協力援助した者の災害給付に関する法律によって、警察官の援助の要請に応じた者がそのために災害を受けた場合について給付を行うこととしているのは、損失補償に類似する性格を有する。

法では、警察官の即時強制によって損害を受けた者（違法な行為を行った当事者を除く。）に対する損失補償が制度化されている（☞652）。

(5) 訴訟手続

1108 　国家賠償訴訟は、行政事件訴訟とは異なり、基本的に民事訴訟として扱われる。当事者の主張の範囲内でのみ争われ、当事者の間でのみ効力を持つ。

　ただし、許可の取消処分が違法無効であるとして国家賠償を請求するときのように、処分の効力の有無が争われている場合には、処分をした行政庁が訴訟に参加し、職権証拠調べが行われるといった行政事件訴訟法の規定が一部適用される（争点訴訟という。）。

2　公務員の不法行為による国家賠償

(1) 一般的要件

1109　国又は地方公共団体の公権力の行使に当たる公務員（国家公務員法や地方公務員法上の公務員に限らず、公権力の行使を委託された者も含まれる。）[注12]が、その職務を行うについて、故意又は過失によって違法に他人に損害を加えたときは、国又は地方公共団体が賠償責任を負う（国家賠償法1条1項）。「公権力の行使」とは、法律の規定に基づく命令・強制だけではなく、公の機関として、一般私人と異なる立場で公務を行うこと全体を意味する。職務質問等の任意活動や、報道機関に対する公表行為も含まれる[注13]。行政機関だけでなく、国会の立法活動や裁判所の司法権の行使についても対象となる[注14]。

1110　公務員の行為でも、「その職務を行うについて」とはいえない場合には、公務員個人の責任になり、国等は賠償責任を負わない[注15]。もっとも、被害者の救済の観点から、本来の職務の過程で行われた行為だけでなく、職務の外形を利用したのにすぎない場合も含まれるものと解されている[注16]。

（注12）　例えば、要保護児童を都道府県が児童養護施設に入所させた場合に、その児童養護施設の職員の行為は、国家賠償法の対象となる（最高裁判決平成19年1月25日〈民集、Ⓦ〉）。

（注13）　国公立学校における教育の場での事故などは、国家賠償法の対象とされる。これに対し、国公立病院の医療行為は国家賠償法ではなく民法が適用される。なお、医療でも、留置施設などに関わるものは、公権力の行使に当たる。

国又は地方公共団体の責任は、公権力の行使に当たる公務員が不法行為を行った場合における責任を公務員に代わって負うものである。公務員について不法行為が成立しない場合には、対象にならない。もっとも、どの公務員のどのような違法行為によるものであるかについては、必ずしも特定することを要しないものとされている。

(2) **違法性と故意過失**

　公務員の不法行為による国家賠償では、公権力の行使、職務関連とともに

(注14)　国会の立法行為（不作為）について、かつては「立法の内容が憲法の一義的な文言に違反しているにもかかわらず国会があえて当該立法を行うというごとき、容易に想定し難いような例外的な場合」でなければ違法とはならないという極端に限定した解釈を述べた例があった（最高裁判決昭和60年11月21日〈民集、Ⓦ〉）が、その後、在外邦人の投票を認める立法をしなかったことが、著しい不作為であるとして、国家賠償請求が認められている（最高裁大法廷判決平成17年9月14日〈民集、Ⓦ〉）。裁判についても、「当該裁判官が違法又は不当な目的をもって裁判したなど、裁判官がその付与された権限の趣旨に明らかに背いてこれを行使したものと認めうるような特別の事情があることを必要とする」と述べられている（最高裁判決昭和57年3月12日〈民集、Ⓦ〉）が、事案によって認められる場合もあり得ると思われる。

(注15)　交通取締中の警察官が道路交通法違反及び公務執行妨害で被疑者を逮捕し、虚偽の内容の報告をした上、公判で偽証し、実際は見ていない友人を目撃者に仕立てて虚偽の証言をさせたことに関して、警察官の逮捕と虚偽の報告は公務員として行ったものであって都が責任を負うが、警察官自身の証言と友人に偽証工作をしたのは個人の行為であって警察官個人が責任を負う（都はその部分の責任を負わない。）として、都と警察官個人と友人の三者に賠償を命じた事例がある（東京高裁判決昭和61年8月6日〈東高民時報37・〔8〜10〕・79〉）。

(注16)　警察官が非番の日に、管轄区域外で、制服を着用し、盗んだ拳銃を用いて行った強盗殺人について、職務行為の外形を利用したものも含まれることを理由に賠償請求を容認した判例がある（最高裁判決昭和31年11月30日〈民集、Ⓦ〉）。他方、無断で拳銃を持ち出して知人を射殺した事案では、職務行為の外形があるとはいえないことになるので、公権力の行使としての拳銃の管理保管上の責任が追及される（大阪高裁判決昭和62年11月27日〈判時1275・62〉は、公の営造物であるとしてその管理の欠陥を理由に国家賠償を認めているが、拳銃という物自体に欠陥があったわけではないので、本来からすれば管理の過失が問題になるべきではなかったかと思われる。）。

(注17)　国又は地方公共団体の自己責任（国民に損害を与える危険のある行政活動を国等が行う以上、結果として生ずる損害について国等は危険責任を負うべきである。）とする説もあるが、現行法は個々の公務員が不法行為責任を負う場合に限って国等が責任を負うとされていること及び国等が求償権を有することからみて、代位責任であると解される。

(注18)　一連の職務上の行為の過程において被害を生じさせた場合に、具体的にどの公務員のどの違法行為によるか特定できなくても、一連の行為のうちのいずれかに行為者の故意・過失による違法行為がなければ被害が生ずることがなかったであろうと認められ、いずれの者の行為であっても同じ国又は地方公共団体が賠償責任を負うのであれば、加害行為者が不特定であるということを理由に損害賠償責任を免れることはできない、とするのが判例である（最高裁判決昭和57年4月1日〈民集、Ⓦ〉）。

に、違法性と故意・過失が要件とされる。実質的には、違法性の有無の判断が中心となる。

　法律に定められた権限行使の場合、法律の趣旨に沿い、法律の要件に従って行われる限り、相手方又は第三者に損害を与えても、違法とはならない。逮捕した被疑者が裁判で無罪となった場合でも、逮捕自体が法律にのっとって行われていれば違法となるものではないのは当然である。法律で具体的な要件が定められていない各種の職務行為の場合には、一般的な限界を超えたときや、必要な注意を払わないことによって付随的な損害を負わせたときに、違法な活動として国家賠償の対象となる。国家賠償事件は民事訴訟ではあるが、違法性の判断は実質的にその後の行政機関の活動の在り方に大きな影響を与えるものであり、被害者が気の毒であるといった観点で損害賠償を拡大すべきものではない（その後の適正な公務遂行等を阻害し、国民の利益を損なう結果を招くものとなることを直視しなければならない。）。(注22)

(注19)　最高裁判決昭和53年10月20日〈民集、Ｗ〉（芦別事件）参照。逮捕や起訴に合理的な根拠が客観的に欠如していれば違法とされるが、現在の逮捕・起訴実務を前提とすればそのようなことはほとんどないと思われる（名古屋地裁判決平成22年2月5日〈Ｗ〉は逮捕・起訴とも合理的な根拠が客観的に欠如していたとして請求を容認したが、控訴審である名古屋高裁判決平成23年4月14日〈Ｗ〉は、警察官及び検察官の行為に合理的根拠が客観的に欠如しているとは認められないとして請求を棄却している。）。なお、これを「職務行為基準説」と呼び、行政処分の場合に後で要件に該当しないとして取り消されたときは違法とされるのと対比して、警察や検察の場合の特殊なものであるかのような記述をするものもあるが、要件に従ったかどうかで違法性の有無が判断されることにおいて両者は何ら異なるものではない（宇賀克也『行政法概説Ⅱ行政救済法（第七版）』（有斐閣、2009年）参照（452頁以下））。要件として、客観的な事実があったときに限って行うべきものとしている（命令や取消処分の場合など）のと、一定の嫌疑やおそれ、蓋然性があれば行うことができるとしている（捜査や行政調査での行為）のとの違いの結果である。危険防除の作用において、外観上の危険があれば違法とされないのも同様である。
(注20)　裁判官の令状を得ている場合には、令状主義の理念からすれば、請求した警察官等が責任を問われるのは、証拠をねつぞう・隠匿するなどによって令状裁判官の判断を誤らせたとき又は証拠の吟味や取捨選択に重大な過誤を犯した結果、令状裁判官の判断を誤らせたときに限られるとされている（福岡高裁判決平成17年9月27日〈判タ1208・111〉）。裁判官の判断を受けた行為については、制度上警察官等の違法性が限定されることとなる。
(注21)　交通法規に違反して逃走する車両をパトカーで追跡した結果、逃走車両が第三者に害を与えた場合については、その追跡が不要であったり、被害発生の具体的な危険性に照らし、追跡の開始継続や方法が不相当であるといった事情がない限り、違法となるものではないとされている（最高裁判決昭和61年2月27日〈民集、Ｗ〉）。

警察の活動の場合には、逮捕とそれに引き続く留置(注23)、捜索、制止、武器の使用などの強制権限の行使だけでなく、任意捜査、取調べ、任意同行、交通事故処理、報道発表等をめぐっても国家賠償請求訴訟が提起される(注24)。違法性の立証責任は、基本的に、原告側が負う(注25)。

職務行為を行った公務員に故意・過失があることも、違法性と並ぶ要件である。公務員は法律で定められた権限を適法に行使すべき義務を負っているのであるから、違法な公務を行った場合であれば過失の存在が認められるのが通常である。平均的な公務員ないし組織全体の判断として、違法であると認識できないことがやむを得なかったと認められるような特別の事情のある場合に限って、過失がないと判断される。処分時に一般的な解釈に基づいて職務行為を行ったが、その後に判例等が変わり、新たな解釈によれば違法となる場合などが該当する(注26)。

なお、事故の場合などは、注意義務違反の有無が問題となるので、違法

1113

(注22) 前注の判例参照。また、最高裁判決平成21年4月28日〈民集、Ⓦ〉は、公立小学校の教員が、女子数人を蹴るなどの行為をしていた男子を追い掛けて捕まえ、胸元をつかんで壁に押し当て大声で叱った行為について違法とした原審を取り消し、請求を棄却したが、保護者側の不当な抗議が横行する学校現場において重要な意味があるといえる。なお、注35も参照。

(注23) 屋外広告物条例違反で現行犯逮捕された者からの訴えに対して、逮捕は合法としつつ身元が判明した後一定時間経った後以降の留置の継続を違法とした原審判決に対し、留置の継続を合法として敗訴部分を破棄したもの(最高裁判決平成8年3月8日〈民集、Ⓦ〉。この中で、「留置の必要性を判断する上において、合理的根拠が客観的に欠如していることが明らかであるにもかかわらず、あえて留置したと認め得るような事情がある場合に限り、」国家賠償法上の違法となるとの判断を示している。職務行為基準説に立って国家賠償法上の違法性を限定したというとらえ方もあるが、刑事訴訟法203条の留置が短時間であることを踏まえて、留置の必要性の判断の裁量権を認めたものと考えられる。)、道路交通法違反で現行犯逮捕された者から逮捕の必要性がないことを理由にした請求を容認した原審判決を取り消して、請求を棄却したもの(東京高裁判決平成21年1月20日〈LEX/DB25450406〉)などがある。

(注24) 報道発表をめぐっては、詐欺(不起訴)及び宅地建物取引業法違反(無罪)の逮捕と発表には違法性がないとして請求を棄却したもの(大阪高裁判決平成6年11月11日〈判時1520・96〉)、交通事故の実況見分の作成と発表に過失があったとして請求を認めたもの(東京高裁判決昭和52年4月28日〈民集33・5・527〉)などがある。

(注25) 国家賠償訴訟は民事訴訟であり、請求原因を基礎づける事実は原告が主張立証すべきものである。したがって、公権力の行使に当たる公務員の職務行為が違法であることについての主張立証責任は、国又は地方公共団体に賠償責任があると主張する者において負担するものとされている(東京高裁判決平成11年4月26日〈判時1691・57〉)。

性と過失とを分けて認定するのではなく、実質的に過失があったかどうかだけが判断される。

(3) 権限不行使の場合の責任

1114 　権限の行使が義務であるとされる場合に、不行使によって生じた被害について、賠償責任が生ずる。一般的には、法的に権限を行使することが可能であったことに加えて、具体的な状況の下において結果を予見することが可能であったこと（結果の予見可能性）、その権限を行使することで結果を回避することができたこと（結果回避可能性）、行政の権限行使が社会通念上当然に行われるべきものと期待されることが要件となる。社会通念上の期待については、被侵害法益が重大であること、危害が切迫していることが強める要素となり、国民の側が回避できることが弱める要素となる。なお、過失の判断要素はこれらの中に含まれているので、違法性と過失とは一括して判断されることになる。

1115 　犯罪捜査を含む現場的な権限行使に関しては、危害が及ぶ可能性を容易に認識できたかどうかということが重要である。国民の生命や身体に対する加害行為が行われる具体的危険が切迫しており、警察官がそのような状況を容易に知ることができるときは、その時点で実際に可能な措置（適法に行うことができ、かつ、実体的にも行うことが可能な措置）を講ずることが求められることになる。

　警察に関しては、警察官がナイフの一時保管措置をとらなかったことが違法であるとして、その者からナイフで刺されて重傷を負った者からの請求を最高裁が認めたほか(注27)、捜査の不実施がその後の身体的な被害等を招い

（注26）　最高裁判決平成3年7月9日〈民集、㉖〉は、処分の根拠である監獄法施行規則の規定を法の委任を超えて無効としたが、処分を行った者の過失を否定している。また、最高裁判決平成16年1月15日〈民集、㉖〉は、在留資格のない外国人につき国民健康保険の対象から一律に除外したことを違法としつつ、法律の解釈を誤ったことについて過失がないとして、賠償責任を否定している。

（注27）　最高裁判決昭和57年1月19日〈民集、㉖〉。また、最高裁判決昭和59年3月23日〈民集、㉖〉は、旧軍の砲弾が毎年海浜に打ち上げられている状況において、警察が権限を行使し、あるいは他の機関に要請するなどして、砲弾類の回収等の措置を講じなかったことを違法として、その砲弾の爆発によって被害を受けた者からの賠償請求を認容している。昭和期に最高裁が権限不行使を理由に賠償を認めたのは、この2つの事件だけである。

た事案に関して賠償請求が認められている。(注28)(注29)警察の場合、個人の生命の保護等のために、積極的に職務を行うべきものとされているため、他の行政機関の場合以上に不行使が問題とされることとなる（☞332、350）。

　一般の規制権限行使に関しては、判例上、「その権限を定めた法令の趣旨、目的やその権限の性質等に照らし、具体的事情の下において、その不行使が許容される限度を逸脱して著しく合理性を欠くと認められたとき」に、被害を受けた者との関係において国家賠償法適用上違法となるものとされ、(注30)公害事案等に関連して、規制権限の不行使（法律の委任を受けた省令の改正不実施を含む。）が違法とされている。(注31)これまで、人の生命や身

（注28）　警察の権限不行使に関する国家賠償訴訟の概略に関しては、前注及び第6章注23の事案を含めて、中川正浩「警察権限不行使をめぐる国家賠償」警察学論集63巻1号参照。捜査権限不行使による死亡事案で違法性と因果関係が認定されたものとして、神戸大学院生殺害事件（大阪高裁判決平成17年7月26日〈Ｗ〉）がある。一方、桶川女子大生殺害事件（東京高裁判決平成17年1月26日〈判時1891・3〉）、姫路ストーカー殺人事件（大阪高裁判決平成18年1月12日〈判時1959・42〉）では、捜査をしていなかったことが違法であるとされたが、死亡についての責任は否定されている（桶川女子大生殺害事件では、名誉毀損事件の捜査不実施につき捜査への期待と信頼を裏切ったとして賠償を認めたが、殺人については、危害が切迫している状況を容易に知ることができたとすることは困難であるとして、予見可能性が否定されている。）。栃木リンチ殺害事件（東京高裁判決平成19年3月28日〈判時1968・3〉）では、死亡との因果関係は否定した上で、救えた可能性を3割程度と認定して損害額の一部の賠償を命じている（☞1106）。

（注29）　捜査不実施の違法性を否定したものは多い。例えば、乳幼児が認可外保育施設で虐待を受け死亡した事案をめぐって、それ以前に警察が知った他の児童の被害事案で捜査をしなかったことが争われたが、被疑者としての捜査権限の行使には一定程度の証拠を収集しなければならないことなどから、違法ではないとされている（高松高裁判決平成18年1月27日〈Ｗ〉。当該児童の親は被害届を提出せず、他の施設に移っていたもの。なお、県の福祉担当部署の権限不行使は違法として賠償が認められている。）。

（注30）　最高裁判決平成元年11月24日〈民集、Ｗ〉（注32参照）。この事例は、宅地建物取引業法が個々の取引関係者が被る具体的な損害の防止を直接的な目的としていないとの判断が前提となっている。他の事例でも、最高裁は同様の一般論を述べている。

（注31）　最高裁は、石炭鉱山におけるじん肺発生防止のための鉱山保安法上の権限（省令改正を含む。）を行使しなかったことを違法として賠償請求を容認した（最高裁判決平成16年4月27日〈民集、Ｗ〉）ほか、水俣病に関連して水質規制関係規制法等に基づく規制権限の不行使を違法として請求を認めている（最高裁判決平成16年10月15日〈民集、Ｗ〉）。また、アスベスト（石綿）製品の工場の労働者の被害に関連して、排気装置の設置を義務付ける省令（当時の労働基準法（現在の労働安全衛生法）の規定に基づくもの）を制定しなかったことを、同法の趣旨、目的やその権限の性質等に照らし、著しく合理性を欠くものであって違法であるとし、国の責任を認めている（最高裁判決平成26年10月9日〈民集、Ｗ〉。なお、粉じんマスク使用の義務付け等をしなかったことについては、著しく合理性を欠くとまではいえないとしている。）。

体を守るための規制の不実施が専ら問題とされてきたが、経済的な損害を与えたものについても一部で容認されている。(注32)

(4) 賠償責任の主体

1117　国又は地方公共団体は、公務員に代わって賠償責任を負う。民法に基づく場合の使用者の責任とは異なり、公務員の負うべき責任を代わって負うので、公務員の選任・監督に過失がなかったことを理由に賠償責任を免れることはできない。

　都道府県警察の警察官（警察職員）の違法行為については、その都道府県が賠償責任を負う。警察の事務が都道府県に委ねられている以上、当然のことである。国家公務員としての身分を有する警視正以上の階級にある警察官（地方警務官）の指揮・監督を受けて行われるものであっても、それらの者は都道府県の機関としての立場で指揮等を行うのであって、国が責任を負うことにはならない。(注33)

1118　公務員の選任又は監督を行うものと、俸給等の費用を負担するものとが異なる場合には、被害者救済の観点から、いずれにも賠償請求を行うことができることとされている。例えば、他の都道府県からの援助の要求を受けて派遣された警察官が違法な行為を行った場合には、監督を行うのは派遣を受けた側であるし、給与を負担するのは派遣をした側であるから、そのいずれの都道府県に対しても賠償請求することができることとなる。地方警務官が違法行為を行った場合も、勤務する都道府県と給与を負担する国のいずれにも賠償請求することができる。これらの場合には、損害を賠償した側は、内部関係で賠償責任のある者に対して求償権を取得すること

（注32）既述の判例のほか、野犬の捕獲等の権限を行使しなかったもの、造成宅地について適切な規制権限行使をしなかった（擁壁の工事命令等をしなかった）ものなど、人の生命、身体の被害の場合に容認されてきた。経済的事業規制の分野では、最高裁判決平成元年11月24日〈民集、⑩〉は、宅地建物取引業者の免許更新（拒絶の不実施）等によって被害を受けたとする訴えに対して賠償責任を否定した。これに対し、大阪高裁判決平成20年9月26日〈判タ1312・81〉は、抵当証券業の更新登録を拒絶しなかったことが「監督権の恣意的不行使」で裁量逸脱の程度が著しいとして、初めて賠償を認めている。

（注33）犯罪の捜査に関して、最高裁は、都道府県の事務であって、検察官が自ら行う捜査の補助をするようなときを除き、国ではなく都道府県が賠償責任を負うことを明らかにしている（最高裁判決昭和54年7月10日〈民集、⑩〉）。

になる（国家賠償法3条2項）。

(5) 公務員個人の責任

　違法行為を行った公務員は、責任を国又は地方公共団体が代わって負うことになるから、個人としては賠償責任を負わない。被害者保護上は国等が責任を負えば十分であり、個人に対する責任追及を認める必要性がないからである。このことは、法律で直接に規定されていないが、判例で明確に認められている。(注34)

　国又は地方公共団体は、公務員に故意又は重大な過失があった場合には、支払った賠償について求償することができる（国家賠償法1条2項）。故意や重大な過失がない場合には、公務員は国又は地方公共団体からの求償を受けない。公務員の通常の過失によって生じた損害に対する賠償についてまで公務員に求償するとすれば、公務員に酷であり、執務態度にも影響を与える（賠償＝求償を避けるために、ことなかれ的になるおそれがある。）ことから、求償権の範囲を限定したものである。

3　営造物の設置・管理の欠陥による国家賠償

　道路、河川その他の公の営造物の設置及び管理に欠陥（法文では瑕疵）があったために、他人に損害を与えた場合には、国又は地方公共団体は賠償責任を負う（国家賠償法2条1項）。「公の営造物」とは、公の目的に供用されている有体物を意味し、例示にある道路・河川のほか、庁舎や各種の公共施設が含まれる。

　営造物の設置及び管理において、通常有すべき安全性を欠いていた場合には、設置・管理をしている国等が賠償責任を負う。(注35)公務員の不法行為による賠償責任とは異なり、設置・管理に欠陥があり、それによって損害が発生すれば要件を満たすのであって、担当者に過失があることを要しない

　（注34）　個人が責任を負うことは全て否定される（最高裁判決昭和30年4月19日〈民集、Ⓦ〉）。もっとも、個人が職務外で行った行為を、職務の外形があることを理由に国家賠償の対象とした場合は、実質は個人の行為であり、個人を相手にした訴えも適法と解される。なお、いわゆる共産党幹部宅盗聴事件では、一審は公務としての保護を必要としない明白な違法行為であるとして警察官個人の責任も認めた（東京地裁判決平成6年9月6日〈判時1504・41〉）が、二審は国と県の責任のみを認め、個人の責任を否定している（東京高裁判決平成9年6月26日〈判時1617・35〉）。

（無過失責任(注36)）。他の者が欠陥を発生させた場合（例えば、他の者が信号機の赤の電球を壊したため、信号機が本来有するべき安全性を欠いた状態になったとき）でも、国等はそのことを理由に賠償責任を免れるわけにはいかず、賠償を行った後で、その欠陥を生じさせた者に求償することができるのにとどまる。

　公務員の不法行為による国家賠償の場合と同様に、事業の管理者と費用負担者が異なるときには、被害者はそのいずれにも賠償請求することができ、支払った者が内部的に負担を負うべきもの（通常は費用負担者）に求償することとされている。

　警察の場合には、主として、設置・管理する信号機及び道路標識の欠陥が原因となって交通事故が生じたときが、対象となっている。この場合、信号機の故障等、設置・管理に適切さが欠けていれば、担当者の過失の有無は問題とならないが、その欠陥が原因となって事故が生じたという因果関係があるかどうかが問題となる（因果関係がなければ、賠償責任は否定される。）。

第 2 節　行政不服申立て

1　意　義

(1) 行政上の不服申立制度の意義

　行政機関の違法又は不当な行為によって権利利益を侵害されている国民(注37)

（注35）　過剰な安全性を求めることが社会的悪影響を及ぼす場合もあるので、賠償を広く認めることが全て望ましいわけではない。例えば、5歳の子供が学校のテニスコートの審判台に上がって遊んでいたところ審判台が転倒して死亡した事案について、原審が賠償を認めたのに対し、最高裁は本来の用法に従って安全であるべきという範囲で責任を負うとして請求を棄却したが、その中で責任をあまりに強調すると校庭が閉ざされ、幼児がより危険な路上で遊ぶことを余儀なくされることを指摘している（最高裁判決平成5年3月30日〈民集、⑩〉）。

（注36）　民法でも、土地の工作物の設置・保存に欠陥（瑕疵）があった場合の責任については、同様に無過失責任とされている。

（注37）　外国人や法人も含まれる。一方、行政主体としての地方公共団体は、訴訟や不服申立てを提起することはできない（国による地方自治体への関与をめぐる争いについては、地方自治法で紛争処理の制度が設けられている。）。

が、行政機関に対して、自らの権利として、違法・不当な状態の解消を求めることを、不服申立て（又は狭義の行政争訟）という。

行政機関に対する不服申立ては、簡易迅速に救済を図るための制度である。法的拘束力をもった解決が行われるものであり、単なる苦情申出とは異なる。国民の側からすれば、裁判所の判断を求めて訴え出るのと比べて、中立かつ慎重な判断を受けるという点では劣っていても、簡易迅速で、かつ、安価に行うことができること（訴訟と異なり手数料の納付を要しない。弁護士に依頼しなくとも一般の人が行うことができる。）、行政機関の処分の適法性だけでなく妥当性も争うことができること（裁判所の裁判の場合には違法なときにしか取消し等を行うことができないのに対し、行政不服申立ての場合は、不当であるときに取消し、変更等を行うことができる。）という利点がある。

国民は、まず不服申立てをしてそれが認められなかった場合に訴訟を提起することも、最初から訴訟を提起することも、あるいは両者を同時に行うこともできる。公務員に対する不利益処分の場合など、一部の例外的なものについては、不服申立てをしないと訴訟の提起ができないことが特に法律で定められている。(注39)

(2) 行政不服審査法

行政上の不服申立てについて規定した一般法が、行政不服審査法である。行政不服審査法は、昭和37年に制定されたが(注40)、平成26年に、公正性の向上、使いやすさの向上、国民の救済手段の充実・拡大の観点から、全部を改正

(注38) 行政争訟は行政上の法律関係に関する争いを裁く制度の総称で、そのうち行政機関が裁くものを狭義の行政争訟という。当事者間の争いを第三者としての行政機関が裁くもの（土地収用の裁決など）や、行政機関相互間の争いを裁くもの（議会と長との争いに関する総務大臣の裁定など）も含む意味で用いられることもある。

(注39) 訴訟を提起する前に不服申立てをしなければならないとする制度（不服申立て前置）は、行政側にとっては判断の統一を図る機会としての意義があるが、早期に裁判所の判断を得たい当事者には不都合なものである。このため、大量の不服申立てがあり裁判所の負担軽減に必要な場合（税や社会保険など）、第三者的機関の高度な専門的判断を取り入れる必要がある場合などに限定される。警察職員に対する不利益処分、犯罪被害者等給付金支給に関する裁定、暴力団対策法に基づく指定については、第三者的機関の判断を受ける（職員に対する処分については人事院又は人事委員会が審査請求を受ける、犯罪被害者等給付金支給に関する裁定等については審査請求を受けた国家公安委員会が専門委員等の判断を受ける）ことから、前置が義務付けられている。

する法律が制定され、平成28年4月に施行された。一般の行政機関（委員会以外の機関）の場合には、処分に関与しない職員である「審理員」が請求者側と処分者側の主張を公平に審理し、第三者機関（国の場合は行政不服審査会、地方自治体の場合はそれに相当する機関）が諮問を受けて審査庁の判断をチェックする制度を導入することで客観性・公平性を高める、不服申立ての手続を「審査請求」に一元化することで手続保障の水準を向上させる、審査請求可能な期間を60日から3か月に延ばす、といった点が主な改正事項となっている。

なお、以下本書では、改正前後の内容を比較する場合には、全部改正前の行政不服審査法を「旧法」、全部改正後の行政不服審査法（現行法）を「新法」と記載する。

行政不服審査法の目的は、国民の権利利益の救済を図るとともに、行政の適正な運営を確保することである（注41）。行政庁（行政機関）の違法又は不当な処分その他公権力の行使に当たる行為に関し、国民が簡易迅速かつ公正な手続の下で、広く行政庁（行政機関）に対する不服申立てをすることができることが目指されている（旧法の「簡易迅速な手続」が、新法では「簡易迅速かつ公正な手続」と改められている。）。

警察の場合には、独立した行政機関である公安委員会の下にあるところから、審理員制度や行政不服審査会等への諮問の規定の対象とはならない（国、地方公共団体のいずれも、委員会が審査庁になる場合には、審理員制度や行政不服審査会への諮問の対象外となる。）が、公正な手続が求められるという新法の趣旨にのっとって運用すべきことは当然である（注41の2）。

行政機関の処分に対する不服申立てについては、原則としてこの法律が適用されるが、特別の事情のある場合には、他の個別の法律で、不服申立

（注40）これ以前は、明治時代に作られた訴願法のほか、多くの法律が種々の制度を設けていた。行政不服審査法（旧法）は、統一的で国民の権利・利益の救済に適した不服申立制度を設けることを目的に制定された。
（注41）行政の適正な運営を確保することは制度の二次的な目的である（不服申立人の不利益になるような処分の変更は禁じられる。）。なお、個人の不利益の救済ではなく、違法・不当な行政の改善・防止のみを目的とした「客観争訟」（選挙又は当選の効力に関する争訟、行政機関相互間の争訟、直接請求の署名・選挙人名簿に関する争訟などがある。）は、法律の個別の根拠規定がある場合に限って認められる。

先、方法等に関する特別の規定が置かれ、あるいは特別の不服申立制度等が設けられている。(注42)

> **column** 行政不服審査会

新法では、委員会以外の国の行政機関が不服申立て（審査請求）を受けた場合には、原則として、行政不服審査会に諮問し、その答申を受けた上で、請求に対する判断（裁決）を行うという制度が導入された。行政不服審査会は、総務大臣が国会の両議院の同意を得て任命する9人の委員で組織され、3人ずつの部会で、諮問された事案を審理し、答申をする。審理では、審査請求人等の申立てがあれば、口頭で意見を述べる機会が与えられる。答申は審査請求人に送付され、内容が公表される。答申には法的拘束力はないが、審査庁は、答申と異なる判断をした場合には、その理由を裁決書に記載しなければならない。行政不服審査会には、専門委員が置かれるほか、事務局が置かれる。

中立的な第三者機関の判断を受ける機会を設けることで、公正性を確保することがこの制度の目的である。行政委員会や外部の有識者で構成される審議会が審査庁である場合や、それらの議を経て処分がなされている場合（又は他の法律によってこれらの意見等を受けて不服申立てに対する裁決が行われる場合）(注43)には、中立的な第三者の判断を受ける機会があったといえるので、行政不服審査会に対する諮問の必要はないものとされている。

地方自治体の場合も同様で、行政委員会等が関係していない場合には、行政不服審査会と同様の立場の機関に対して、諮問が行われ、答申の内容が公表されることとなる。実際にどのような機関を設けるかは、条例によって定められる。小規模な自治体では、他の自治体と共同設置し、あるいは事件ごとに審査会を設けることで対応することも認められる。

(注41の2) 審理員の制度（☞1141）は適用されないが、国家公安委員会審査請求手続規則により、審理関係人からの主張の整理等を行う「審理官」が制度化されている。審理官についても、審理員と同様に、処分に関与していない職員等が指名される。都道府県公安委員会も、同様の手続規則が制定されている。
(注42) 留置施設における留置業務管理者の措置に関しては、刑事収容施設法で警察本部長に対する審査の申請及び公安委員会に対する再審査の申請の制度が定められている。対象処分が列記されていること、申請期間が30日に限られることなどの違いがある。また、公務員への不利益処分に対する人事院等への不服申立てについては、口頭審理が公開されるほか、人事院規則等で手続が定められている。
(注43) 行政機関情報公開法や個人情報保護法により、不服申立てを認容しない判断をする場合に、行政情報公開・個人情報保護審査会に諮問することが義務付けられている（同様の規定が各都道府県の条例でも設けられている。）のがその例である。

(3) 教示

1125　行政不服申立制度については、行政不服審査法が一般法であるが、特別の規定が他の法律で定められ、あるいは一部異なる制度も設けられている。また、何が「処分」として不服申立てができるものであるのか、どの機関に対して不服申立てを行うべきであるのかといったことは、行政の活動の多様さと組織の複雑さから、簡単に分からない場合も多い。国民にとっては、個々の処分ごとに、不服申立てを行うことができるか、いつまでに、どこに申し立てればいいのかを正確に知ることは極めて困難である。

このため、行政不服審査法は、行政機関が不服申立て可能な処分を書面で行う場合には国民に不服申立先と期間を教示する、という制度を設けている（82条）。これは、行政機関が不服申立て（行政不服審査法以外の不服申立て（名称を問わない。）を含む。）のできる処分を行う際に、書面で教示する義務を負うものであって、処分時の手続としての性格を有する。教示に関する規定は、行政不服審査法による不服申立てができない（これとは異なる不服申立ての対象となる）処分を行う場合にも適用される。

1126　教示を行うべき事項は、不服申立てをすべき機関及び不服申立てをすることのできる期間である。行政機関が誤った不服申立先又は不服申立期間を教示したときには、その教示に従ってなされた不服申立ては、適法なものとして扱われる。教示がなかった場合には、不服申立先については、その処分をした機関（処分庁）に不服申立書を提出すれば、適法な不服申立てとして扱われることとなる（他の機関に審査請求をすべきであった場合には、処分庁はその不服申立書を審査庁に速やかに送付しなければならない。）。

また、行政機関は、利害関係人から教示を求められた場合にも、教示を行う義務を負う。この場合には、不服申立てを行うことができるかどうかを教示し、行うことができるときには更に不服申立期間と不服申立先を教示すべきこととなる。利害関係人から、書面で教示するように求められた場合には、教示を書面で行わなければならない。

(4) 苦情申立て

1127　国民の声を行政に反映させるための事実上の制度として、苦情の申立てや行政相談(注44)といったものがある。申立て等の内容が正当であり、行政機関

の活動が違法・不当なものであれば、行政機関において自主的に是正することが期待されている。不服申立て等の制度が整備されたといっても、対象とならないものも存在しているのであって、苦情の申立て等の実質的な必要性は、依然として存在している。

警察法は、都道府県公安委員会に対して苦情の申立てが文書であった場合には、公安委員会が調査を行い、その結果を文書で通知する制度を設けている（☞819）。また、留置施設に関して、刑事収容施設法で、違法な有形力の行使があったこと等についての被留置者による警察本部長に対する事実の申告及び公安委員会に対する事実の申告に加えて、自己が受けた処遇についての被留置者による警察本部長に対する苦情の申出、監察官に対する苦情の申出及び留置業務管理者に対する苦情の申出について、規定を設けている。留置業務管理者は、これらの申告や申出が行われるに当たって、留置業務に従事する職員に秘密にすることができるように必要な措置を講じなければならず、留置業務に従事する職員は申告等を行ったことを理由に不利益な取扱いをしてはならないことが、法律で明記されている。

1128

2　不服申立ての対象
(1)　原則

行政庁の処分は、原則として、全て不服申立て（審査請求）の対象となる。「処分」には、行政処分だけでなく、「その他公権力の行使に当たる行為」が含まれる。(注45)

1129

行政処分とは、行政庁（行政機関）が、法律（条例を含む。）に基づいて、国民の権利・義務を変動させる行為（行政行為）を意味する（☞401）。

（注44）　行政相談委員法によって、総務大臣の委嘱を受けた行政相談員が各市区町村に置かれ、国民から苦情を受け付けて助言を行い、行政機関に苦情を通知し、その機関における処理結果を申出人に通知することとなっている。また、法務省の人権担当部門と人権擁護委員による人権擁護の観点からの対処も、行政側の行為が問題とされているときは、一種の苦情処理となる。このほか、地方自治体によって、苦情処理のための仕組みが設けられている場合がある。

（注45）　旧法では、「公権力の行使に当たる事実行為で、人の収容、物の留置その他その内容が継続的性質を有するもの」が処分に含まれるとする規定であったが、行政事件訴訟法や行政手続法と同じ規定に改められた。人の収容、物の留置といった公権力的行為で継続性を持つ事実行為は当然に該当する。

申請を拒絶する処分も含まれる。運転免許の取消し・効力の一時停止、風俗営業の変更許可申請に対する不許可処分、店舗型性風俗特殊営業の廃止命令等が、いずれもこれに当たる（☞422、430、433）。行政機関の行為でも、法的権利・義務の変動を生じさせないもの（行政指導や職務質問などの任意活動）、対等当事者間の契約として行われるもの（庁舎の建設工事の発注など）、行政機関内部の行為（職務命令、権限の委任の解除など行政機関相互間の行為）、法規範の制定作用（政令、内閣府令、都道府県公安委員会規則等の制定）などは含まれない。不服申立てを行うためには申立人にそれを行うだけの法的な利益がなければならない（☞1133、1134）から、法的な効果が継続しない行政処分（例えば、警察官職務執行法4条の措置命令など）の場合には、行政処分として一応は不服申立ての対象になるが、不服申立てを行う法的利益がすぐになくなるため、結果的に不服申立てはできないことになる。また、交通規制のような一般処分についても、個々人を対象としたものではないので、不服申立てを行うことはできない。

1130　「その他公権力の行使に当たる行為」とは、即時強制で継続的な効果を生じさせるものが典型である。違法駐車車両の保管も該当する。継続性を持たない事実行為（例えば、警察官職務執行法5条の犯罪の制止など）については、除外されているわけではないが、行政処分の場合と同じく、不服申立ての利益が失われるので、結局は対象とならない。

1131　不作為について、行政不服審査法は、行政庁（行政機関）が、法令に基づく申請に対し、相当な期間内に処分（公権力の行使に当たる行為を含む。）をしなかった場合に、不服申立て（審査請求）ができることを定めている。法令に基づいて申請がなされている場合に限られ、それ以外の不作為は含まれない。

(2)　除外事項

1132　行政不服審査法は、処分については、原則として不服申立て（審査請求）を行うことができることとしている。しかし、行政庁（行政機関）の処分の中には、その性質から不服申立てになじまないものもあり、またこの法律の定める手続と異なる手続によって処理することが適当なものもある。このため、行政不服審査法は、他の法律で行政不服審査法の不服申立てが

できないとされているもの（緊急な事態に対応するための処分など）（注46）のほか、一般的な除外事由を定めている（除外事由に該当するものは、個別の規定がなくとも、この法律の不服申立ての対象とはならない。）。不服申立て対象からの除外は、行政不服審査法の一般的除外事由に該当するか、個別の法律で定めなければならない。条例で不服申立てを認めないとすることはできない。

　除外される一つの類型は、国会や裁判所等の関与する処分である。国会（議院）若しくは地方公共団体の議会の議決によって行政機関が行う処分又はそれらの議決を経て（同意・承認を得て）行政機関が行う処分は、不服申立ての対象とはならない。行政機関だけの判断ではなく、それだけ慎重な判断がなされていることから、処分の取消し等を行政機関に求めても意味がないと考えられ、除外されている。裁判所（裁判官）の裁判によって行う処分又はその裁判の執行として行う処分についても同様とされている。公安委員会委員の任免や、同行状等の執行などがこれに当たる。

　除外される二つ目の類型は、他に特別の手続のある処分である。行政不服審査法による不服申立てよりも、その事柄に対応した適切な手続によって不服が処理されることとなっているものについては、この法律の対象とする必要はない。このため、刑事事件に関する法令の規定に基づいて司法警察職員・検察官・検察事務官が行う処分と、国税・地方税の犯則事件及び金融商品取引の犯則事件に関する処分については、対象外とされている。

　除外される三つ目の類型は、処分の性質に照らして行政不服審査法の審査手続の対象とすることが適当でないものである。学校等において教育・

（注46）　道路交通法に基づいて警察官（交通巡視員を含む。）が現場において行った処分（警察官の行う交通規制、危険防止のための応急の措置等）は、不服申立ての対象とならないとされている（道路交通法113条の３。もっとも、このような警察官の行為は、一時的性格のものであるから、この規定がなくとも実際に不服申立ての対象となることはほとんどないと思われる。）。火薬類取締法45条の２に基づく火薬類を運搬する者に対する警察官の措置命令等についても同様である（火薬類取締法56条）。また、災害、騒乱等の事態に際し、許可を受けた銃砲等の授受・携帯・運搬が公共の秩序を維持する上で直接危害を及ぼすと認められるとして、都道府県公安委員会がこれらを禁止・制限した場合に、銃砲等の提出を命じ、仮領置する行為も、不服申立てを行うことができないこととされている（銃砲刀剣類所持等取締法29条の２）。

講習・訓練・研修の目的を達成するために学生、研修生等に対してなされる処分、刑務所等において被収容者に対してなされる処分、外国人の出入国・帰化に関する処分、試験・検定の結果についての処分は、行政機関の高度な専門的・技術的・政策的な判断を要するものや、処分を受ける者が他の場合と同様の権利を持つとはいえないこと等から、除かれている。運転免許試験の不合格決定、警察学校における教育上の処分などはこれに含まれる。

なお、これらの各類型に関しては、不作為に対する不服申立てについても、行政不服審査法の対象外となる。

このほか、行政不服審査法自体に基づく処分（審理の過程での命令や裁決など）については、不服申立ての対象とはならない。

3 不服申立人と申立先

(1) 不服申立人（不服申立ての利益）

1133 処分に対する不服申立て（審査請求）は、直接に自らの法的権利・利益を害された者（不作為に対する不服申立てについては、処分の申請をした者）に限って提起することができる。単に事実上の利益（法律で保護される個別的・具体的な利益以外の利益）が害されたにすぎない者は、不服申立てを行うことはできない。[注47] 不利益な処分の相手方が不服申立てを行うことができるのは当然であるが、処分の相手方以外の者の場合には、法律の趣旨等からその第三者に法的に保護される利益が認められる場合に限って行うことができる。例えば、営業の許可の要件に違反して他の者に許可がなされた結果、既存事業者が経済的な損失を被ったとしても、その許可制度が既存事業者の保護を目的としたものでない限り、既存事業者が他の者

（注47）　判例は、「当該処分により自己の権利若しくは法律上保護された利益を侵害され又は必然的に侵害されるおそれのある者」のみが不服申立てを行うことができ、「法律上保護された利益とは、行政法規が私人等権利主体の個人的利益を保護することを目的として行政権の行使に制約を課していることにより保障されている利益であって、それは、行政法規が他の目的、特に公益の実現を目的として行政権の行使に制約を課している結果たまたま一定の者が受けることとなる反射的利益とは区別されるべきものである。」ことを明言している（最高裁判決昭和53年3月14日〈民集、Ⓦ〉。なお、この判決は不当景品類及び不当表示防止法（景表法）の不服申立てについてのものであるが、判決の中で、同法の不服申立てが一般の行政処分についての不服申立てと同じであるとした上で、前記の一般論を述べている。)。

に対する許可処分についての不服申立てを行うことはできない(注48)。これに対し、行政機関の情報開示に際し、申請者とは異なる第三者に関する情報が含まれている場合には、その第三者は、自らの法的な権利・利益を害されるものとして、開示決定に対して不服申立てを行うことができる。

　不服申立てを行う利益は、申立てを行う時点から裁決が行われるまでの間、存在していなければならない。処分が失効した場合など、不服申立てによって権利・利益の侵害を回復することができなくなってしまえば、不服申立てを行うことはできないこととなる。警察官が現場で行った命令などは、一時的性格を有することから、不服申立てを行う利益は認められない。営業等の停止命令についても、停止期間が経過してしまえば、停止命令による法的不利益がその後に及んでいる場合を除き、不服申立てを行う利益が消滅することとなる。その間における損害などは、国家賠償を請求することができることは当然である。

(2) 不服申立先

　不服申立て(審査請求)は、上級行政庁(処分をした機関に指揮命令権を有する機関)に対して行う。上級機関が複数ある場合には、原則として最上位の機関に対して行うこととされている(注49)(注50)。

(注48)　風俗営業の許可については、病院等の施設から一定の距離内にあってはならないとされているが、これに違反して許可がなされた場合でも、経済的な損失を受けた近くの既存業者はこの要件を欠く。これに対し、病院等の施設の設置者については、その利益を保護することも法の目的と解されることから、要件を満たす(☞639、1162)。

(注49)　旧法で「直近上級行政庁」に対して行うとされていたのが改められた。これにより、警察署長の行った処分について都道府県公安委員会に対する審査請求を認めることの理由付けに関する問題(警視総監又は道府県警察本部長が警察署長に対する指揮監督権限を持つこととの関係をどう説明するのか、という問題)がなくなった。

(注50)　旧法では、裁決に不満な者がより上位の機関に対して「再審査請求」をする制度を設け、権限の委任があった場合に委任元の機関の判断を受けるときなどがその対象となっていた(例えば、運転免許に関して、北海道公安委員会から方面公安委員会に権限が委任され、免許の効力の停止を方面本部長に行わせることができることから、方面本部長が行った運転免許の効力の停止の処分については、方面公安委員会への審査請求が行われ、その裁決に不満があるときに、北海道公安委員会に再審査請求をすることが認められる。)。新法では、最上位の機関に審査請求を行うことが原則となったため、再審査請求は、一般的な制度としては不要となり(上記の例では北海道公安委員会に審査請求する。)、社会保険審査会など専門的第三者機関に対するものなど、法律が特に認めた場合に限られることとなった(その場合も再審査請求をしないで訴訟を提起することは可能である。)。

上級行政庁があるかどうかは、処分庁がその事務を行うことについて、指揮監督する権限を有する機関があるかどうかによって定まる。通常の場合には組織上の上下関係と一致するが、機関及び事務の性格によっては、上下関係とは異なる場合がある。例えば、都道府県の機関の行った処分は、都道府県知事に対する審査請求が行われるのが通常であるが、国の法定受託事務については、国の大臣に審査請求をすべきものとされる。(注51)また、国の機関の処分については、原則として、府省の長である大臣に対して審査請求を行うこととされるが、外局の事務については、外局の長を最上位の機関とみなす(大臣ではなく、外局の長に対して審査請求を行う)ことが法で定められている。

地方公共団体においては、長(知事・市町村長)に対して審査請求がなされる。一方、委員会のように、独立して権限を行使する機関(長が指揮監督権を持たない機関)については、委員会に対する上級行政庁は存在しない。したがって、都道府県警察の事務については、都道府県公安委員会が最上級機関である(知事は、公安委員会に対する指揮監督権を持たないから、上級行政庁には当たらない。また、警察の事務は、都道府県に委ねられているから、国の警察機関が警察法に基づいて一定の範囲で指揮監督権を持ってはいるが、上級行政庁には当たらない。)。都道府県警察の事務に関しては、全て都道府県公安委員会に対する審査請求を行うこととなる。(注52)

例外として、法律(条例に基づく処分の場合は条例)で上級行政庁以外の第三者的な機関に対して審査請求を行うこととされている場合もある。

(注51) 従前は国の「機関委任事務」について、都道府県知事の場合は国の主任の大臣、市町村長の場合は都道府県知事が、上級行政庁になるものとされていた。平成11年の地方分権一括法により、「機関委任事務」制度は廃止されたが、国が本来果たすべき役割に係る事務は「法定受託事務」とされ、原則として従来と同様に国の機関等への審査請求を行うべきものとされている。

(注52) 犯罪被害者支援法に基づいて都道府県公安委員会が行う裁定については、法定受託事務とされ、同法において、国家公安委員会に対する審査請求をすべきものとされている。また、暴力団対策法に基づいて行われる指定暴力団の指定については、国の法定受託事務ではないが、指定が国家公安委員会の確認を経て行われることを踏まえ、国家公安委員会に対する審査請求をすべきことが同法で規定されている。

国税に関する処分についての国税不服審判所、公務員に対する不利益処分についての人事院、人事委員会（又は公平委員会）がこれに当たる。

　審査請求を受けることが想定される機関（審査庁となるべき機関）は、審査請求がその事務所に到達してから裁決をするまでに通常要すべき標準的な期間（標準審理期間）を定めるように努めること、定めた場合にはこれを公にすることが、義務付けられている。標準期間は、多くの事案においてその期間内に終了することが見込まれる期間の意味であるから、それを超えても遅延と評価されるわけではない。

column　処分庁に対する「審査請求」制度の意義（旧法の「異議申立て」との違い）

　旧法では、処分を行った行政庁（行政機関）と異なる機関に不服を申し立てるものを審査請求、処分を行った機関に申し立てるものを異議申立てとして区分し、上級行政庁がある場合には審査請求を行い、上級行政庁がない場合には異議申立てを行うこととしていた。その背景には、第三者に判断を求めるものと、処分庁に再考を求めるものとは、本質的な違いがあるという考えがあった。手続においても、審査請求の場合には、審理の場に、処分庁からの弁明書と不服申立人の反論書が出され、提出された書類等について不服申立人が閲覧を求めることができたのに対し、異議申立ての場合には、弁明書・反論書ともなく、不服申立人の側から書類や証拠等を提出するだけで、申立てを受けた側が書類や証拠等を提出するということもなかった（判断する者が元々持っているから改めて「提出する」という行為がない。この結果、証拠書類の閲覧等についても対象とならない。）。

　旧法下における異議申立ては、処分を受けた者の側から処分前に十分伝えることのできなかった理由付けや証拠を出して、処分庁に再考を求めるものにすぎなかった。このため、聴聞を経て行われた処分については、処分を受ける側からの主張や証拠を踏まえた慎重な判断がなされているのであるから、再考を求める必要性が乏しいと考えられ、異議申立ての対象から除外されていた（その結果、運転免許の取消し又は90日以上の効力の停止処分のうち、病気等を理由とした処分の場合には聴聞が行われるので異議申立てはできないが、いわゆる点数処分の場合には聴聞ではなく意見の聴取（道路交通法104条）を受けただけなので異議申立てができる、といった分かりにくい事態を招いていた。）。

（注53）　課税処分に関しては、大量性に鑑みて、処分庁に対する不服申立てである「再調査の請求」の制度が設けられている。再調査の請求をした場合には、それに対する決定があった後でなければ国税不服審判所への審査請求ができないことになっている。

新法は、処分庁に対するものも「審査請求」に一元化し、手続も基本的に同様とした。処分を行った行政庁が不服申立てを受けるということに変わりはないが、考え方（姿勢）として、「自分が行った処分について異議を申し立てられたので、自分に間違いがなかったかどうかを点検する。」というのではなく、「他人が行った処分がそれで良かったかどうかを判断するのと同様に審査する。」というものに改められたといえる。審査庁としての立場は、自らが処分庁であったことを離れた判断が求められる（提出された資料（処分庁としての立場で自らが提出したものと、申請者側からの新たな書類等）及び審査庁の立場で調査して得られた資料を基に、処分庁の判断を審査する。審理の場に提出されなかった資料は判断の基礎に使うことができない。）。そのような新たな位置付けのものであるからこそ、聴聞を行った処分についても、不服申立てを認める実質的な必要性があることになるのである。

4 審査請求に対する審理と裁決

(1) 審査請求書の提出

1138　審査請求は、法律（条例に基づく処分の場合は条例）によって口頭でできるとされている場合を除き、書面を提出して行わなければならない。書面（審査請求書）には、請求人の氏名・住所（法人の場合には名称・住所及び代表者の氏名・住所）、審査請求に係る処分、処分があったことを知った年月日、審査請求の趣旨及び理由、処分庁の教示の有無及び内容、並びに審査請求の年月日を記載しなければならない（不作為についての審査請求書には、請求人に係る事項と審査請求の年月日のほかは、不作為となっている処分の申請の内容及び年月日を記載する。趣旨及び理由に関することの記載は要しない。）。審査庁が別であっても、処分庁を経由して提出することができる。

審査請求は、原則として、処分があったことを知った日の翌日から起算して3か月以内に行わなければならない（不作為の場合は、不作為の間は常に可能である。）。知らなかった場合も、正当な理由がある場合を除き、

（注54）　訴訟における請求の趣旨及び理由と同じく、どのような不服があってどのような裁決をなぜ求めるのか、元の処分にどのような取り消すべき事由（違法又は不当なもの）があるのかを、ある程度具体的に記載しなければならない。

処分から1年以内に限られる。その期間を経過すれば、審査請求を行うことはできなくなる。ただし、処分を行った行政機関（処分庁）が誤った不服申立先・期間を教示した場合には、その教示に従ったものであれば、適法なものとして扱われる。

　審査請求は、多数人が共同して行うことも、代理人（弁護士等の資格を有する者に限られない。）を使って行うことも認められる。代理人等については、その氏名及び住所を請求書に記載する。(注56)

　なお、審査請求の取下げは、いつでも可能であるが、必ず書面でしなければならない。

(2) 審査庁の対応

　審査請求を受けた機関（審査庁）は、審査請求書が記載事項に係る規定に違反している場合には、相当の期間を定めて補正を命ずる。補正に応じない場合には、却下する。不服申立ての利益の存在、期間内の申請といった要件（及び他の特別の法律の規定によって定められた要件）を満たすかどうかを審査し、要件を満たさない不適法なものであって補正可能でないものは、却下する。適法な審査請求に対しては、審査庁は、審理を行い、判断をする義務を負う。

　審査請求があっても、処分の効力や執行、その後の手続の続行は妨げられないが、審査庁が必要と認める場合には、その判断によって、処分の執行停止（執行等を一時停止し、あるいは手続の続行を止めるなどの措置）をすることができる。審査請求人の申立てがあった場合で、処分、処分の執行又は手続の続行によって生ずる重大な損害を避けるために緊急の必要があるときは、審査庁は執行停止をしなければならないことになっている（重大な損害を避けるために緊急の必要があっても、公共の福祉に重大な影響を及ぼすおそれのあるとき又は本案について理由がないとみえるときは、執行停止をしないものとすることができる。）。

（注55）　旧法下で60日であったのが、新法では3か月に延長されている。また、旧法では天災などの「やむを得ない理由」がない限り期間経過は容認されなかったが、新法では、行政事件訴訟の場合と同じく、「正当な理由」があればこれを超えていても認められる。

（注56）　法人でない社団又は財団で代表者又は管理人の定めがあるものの場合には、その名で審査請求することができる。

(3) 審理

1140　審査庁（一般の行政機関の場合には指名された審理員）は、処分庁に審査請求書の写しを送付し、相当の期間を定めて弁明書の提出を求める（自らが処分庁であるときは、相当の期間内に弁明書を作成する。）。弁明書には、処分の内容と理由（不作為の場合には、処分をしていない理由と予定される処分の時期・内容・理由）が記載されるほか、その処分の事前手続で作成された聴聞調書等（聴聞の場合の聴聞調書と報告書、弁解の機会の付与の場合の弁明書）を添付することとされている。処分庁から提出された弁明書は、審査請求人に送付される。審査請求人は、弁明書に記載された事項に対する反論を記載した書面（反論書）を提出することができる。提出された反論書は、処分庁に送付される。

　利害関係人（審査請求人以外で、処分の根拠法令の規定に照らし、その処分について利害関係を有すると認められる者）は、審査庁の許可を得て、参加することができる。参加人は、以下で述べる審理手続において、審査請求人と対等な権限が認められている。

　審理は、原則として書面によってなされるが、審査請求人から口頭で意見を述べることの申立てがあれば、その機会を与えなければならない。口頭意見陳述に際し、申立人（審査請求人）は、許可を受けて、処分庁側に質問を発することができる。審査請求人は、証拠書類又は証拠物を提出することができる。処分庁側も処分の理由となる事実を証する書類その他の物件を提出することができる。審査庁は書類その他の物件の所持人に対して提出を求め、提出された物件を留め置くことができる。審理員の指名がない場合（委員会等が審査庁である場合）には、審査庁は、その職員に、審査請求人の意見の陳述や参考人の陳述を聴かせ、検証をさせ、審査請求人及び処分庁の双方の側に対する質問をさせ、審理手続に関する意見の聴取を行わせることができる。

　審査請求人は、審理手続が終結するまでの間、それまで提出された書類

（注57）　都道府県公安委員会の場合は都道府県警察の職員（国家公安委員会の場合は警察庁の職員）が「その職員」に該当する。なお、法の規定では、審理員の場合とは異なり、元の処分に関わっていた職員であっても除外されないと規定されているが、審査請求人から見た公平さを確保する上で、できるだけ避けるべきものである。

等(弁明書に添付された聴聞調書等を含む。)について、閲覧を求め、写しの交付を求めることができる。審査庁は、第三者の利益を害するおそれがあると認めるときその他正当な理由があるときを除き、閲覧、交付を拒むことができないものとされている。(注58)

> **column** 審理員制度

一般の行政機関(委員会や審議会以外の機関)が審査庁である場合には、審査庁は審理員を指名し、審査請求の審理を主宰させる。審査請求を受ける立場の行政機関で委員会等でないものは、あらかじめ、審理員となるべき者の名簿を作成するよう努め、名簿を作成したときはこれを公開することが義務付けられている(名簿の作成は努力義務であるが、作成したときは必ず公開しなければならない。)。審査庁は、名簿に載っている者の中から、審理員を指名し、審査請求人と処分庁(審査庁と同じ場合を除く。)に通知する。処分に関わった者や審査請求人の関係者等を指名することはできない。

審理が終結した段階で、審理員は、審査庁のすべき裁決に関する審理員意見書を作成し、事件記録とともに審査庁に提出する。審理関係人(審査請求人と処分庁等)に、意見書を送付する。審査庁が審理員意見書と異なる裁決をする場合には、裁決書にその理由を記載することが求められる。

(4) 裁決

委員会等である審査庁は、審理が終われば、遅滞なく、裁決をしなければならない(一般の行政機関の場合は、審理員意見書を受けた後、原則として行政不服審査会等に諮問し、その答申を受けてから裁決をする。審査請求が違法であるとして却下するとき、請求の全部を認容する裁決をするときや、審査請求人が諮問を希望しない旨の申出がなされているときなどは、諮問をすることなく裁決をする。)。裁決は、審査庁が書面(裁決書)(注59)

(注58) 旧法でも審査請求の場合の閲覧の規定はあったが、新法では、第三者の提出した書類等も対象とされ、交付についても新たに認められた(交付には手数料を支払う。)。

(注59) 主文、事案の概要、審理関係人(審査請求人、参加人及び処分庁)の主張の要旨と理由を記載する。主文の内容が、審理員の意見書又は行政不服審査会等の答申書若しくは他の法律等による審議会等の答申書と異なる内容になるときは、その理由を記載しなければならないこととされている(公安委員会の場合はこの問題は生じない。)。審理員制度が用いられ、かつ、行政不服審査会等への諮問を要しない場合には、審理員意見書の添付を要するものとされている。

に記名押印し、審査請求人に謄本(とうほん)を送達することによって効力を生ずる。裁決は、関係行政庁を拘束するだけでなく、裁決をした機関自身もそれに拘束される（取消し、変更等をできない。）。裁決は、行政処分の一種ではあるが、取消訴訟においては、処分についての取消訴訟とは別に扱われる（☞1149、1150）。裁決には、却下、棄却、認容の別がある。

1143　却下は、審査請求が法定期間を過ぎている場合、補正を求めたのに応じない場合など、不適法なものに対して行う（申請から相当な期間を経過していないでなされた不作為についての審査請求は、不適法として却下される。）。申立ての内容については判断しない。

1144　棄却は、審査請求は適法であるが、対象となっている処分が違法又は不当とはいえない（申立ての理由がない）場合に行う。処分時に理由とされたことに加えて、新たな理由を処分を維持するのに用いること（理由の追加、差替え）については、審査請求人が新たな理由に十分反論する機会が与えられることを前提に、違法とはならないものと解されている。このほか、違法又は不当であっても、処分の取消し又は事実行為の撤廃が公の利益に著しい障害を与える場合（著しく公益を害する場合）において、審査請求人の損害の程度、損害賠償又は防止の程度・方法などの一切の事情を考慮した上で、取消し・撤廃が公共の福祉に適合しないと認めるときは、処分・事実行為が違法又は不当であることを宣言した上で、審査請求を棄却すること（いわゆる事情裁決）も、例外として認められている。

1145　認容は、審査請求に理由があると認める場合に行う。事実行為でない処分についての裁決の場合、その処分の全部若しくは一部を取り消し、又は変更する（審査庁は、処分をした行政機関ないしその上級機関であるので、処分を変更すること（審査請求人の不利に変更することは許されない。）ができる（上級機関でない第三者的な機関の場合には、他の法律で特別の規定がない限り、変更することはできない。）。）。申請を却下し、又は棄却したことを取り消す場合で、一定の処分をすべきものと認めたときは、上級機関である審査庁は処分をするように命ずる（処分庁の場合には処分をす

（注60）　人事院や人事委員会の場合には、国家公務員法及び地方公務員法で、修正する権限が認められているほか、是正するための指示も行うこととされている。

る。)。

　事実行為についての認容の裁決の場合には、事実行為を行った行政機関に対して、事実行為の全部若しくは一部の撤廃（その事実行為を止めること）又は変更を命じるとともに、その旨を宣言する。自らがその事実行為を行っている場合には、撤廃し、又は変更するとともに、その旨を宣言する。

　不作為についての審査請求の場合には、申請を受けている機関に対し、不作為が違法又は不当であることを宣言し、一定の処分をすべきものと認めたときは、上級機関である審査庁は処分をするように命ずる（処分庁の場合には処分をする。)。

第3節　行政事件訴訟

1　意　義

(1)　行政事件訴訟制度と行政事件訴訟法

　行政機関の違法な処分によって権利・利益を侵害された者は、憲法で保障された「裁判を受ける権利」の行使として、処分の取消し等を求める訴えを裁判所に提起することができる。訴訟や不服申立てをすることができる処分を行う場合に、訴訟等が可能な機関と提訴等の先を行政機関が教示するという制度があるのは、国民が裁判を受ける権利を有する以上、行政機関の活動について訴訟等が提起されることがあるのは、行政機関にとっても国民にとっても当然のことであって、行政機関の側は訴訟等が提起されることを前提に処分等を行うべきことを意味しているといえる。

　行政事件に関する訴訟（行政事件訴訟）は、基本的には民事訴訟の一種であって民事訴訟に関する法規の適用を受けるが、行政機関の処分の有す

　（注61）　事実行為以外の処分の場合には、取消し又は変更の裁決は、法的効果を変動させるものとして、直接に効力を生ずる（処分庁の行為を要しない。)。一方、事実行為の場合には、事実状態を変動させることが必要であるから、行為を行った機関にその行為を止め、あるいは変更することを義務付けることとなる。
　（注62）　旧憲法下では、行政事件は一般の民事・刑事事件とは別のものとして、一般の裁判所の管轄外とされ、行政組織に属する行政裁判所に、定められた事項に該当する場合に限って提起することが許されていたにとどまる（ほかの場合は、提訴自体不可能であった。)。

る公的性質（それが取り消された場合における他の者への影響等）から、手続上の特則が行政事件訴訟法等の法律で定められている。

行政事件訴訟法は、行政事件訴訟の類型を定めるとともに、主として抗告訴訟（処分の取消し等の訴え）について、原告適格（訴えを提起できる者）、出訴期間の制限、執行停止制度等に関する規定を設けている。(注63)この法律は、行政事件訴訟に関する一般法として、他の法律で特別の定めのない限り、あらゆる行政事件訴訟に適用される。平成16年の改正法によって、国民の権利利益の実効的救済を図るために、救済範囲の拡大、裁判所での審理の充実・促進、国民にとっての利用の容易化、仮の救済制度の整備といった観点から、改正がなされている。

1147　行政事件訴訟は、法律の適用によって解決されるべき権利・義務に関する争い（法律上の争い）が対象となるので、行政機関の処分の当・不当をめぐる争いや行政機関相互の争いなどは、個別の法律の規定のない限り、対象にはならない。また、行政機関の裁量権の行使に係るものは、裁量権の範囲を超え、又はその裁量権が濫用されている場合だけが、実質的な違法の問題として、対象となるのにとどまる。

(2) 不服申立てとの関係

1148　行政機関の違法な行為によって自らの権利利益を侵害されている者は、裁判所に行政事件訴訟をすることも、行政機関に対する不服申立て（審査請求）を行うことも可能である。不服申立てをして認められなかった場合に訴えを提起することも、最初から訴えを提起することも、不服申立てと同時に訴えを提起することもできるのが原則である。

公務員に対する不利益処分の場合などについては、例外として、審査請求を行い、裁決があった後でなければ裁判所に訴えを提起できないことと(注63の2)

（注63）憲法制定直後には、出訴期間の限定がなされただけであったが、その後に行政事件訴訟特例法が制定され、訴願前置（訴えの提起前の不服申立ての義務付け）、執行停止制度（仮処分の適用の排除）と内閣総理大臣の異議等の規定が設けられた。現在の行政事件訴訟法は、昭和37年に、訴訟類型を明確化するなど、制度を整備する観点で、特例法を全面的に改正するものとして制定されたものである。

（注63の2）警察行政では、職員に対する不利益処分のほか、暴力団対策法に基づく指定、犯罪被害者等給付金の支給に関する裁定が対象となる。不服申立て前置の対象について、前掲注39参照。

されている。この場合でも、審査請求をしてから3か月を経過しても裁決のないときや、著しい損害を避けるために緊急の必要があるとき、その他裁決を経ないことについて正当な理由があるときには、裁決を受けないで訴えを提起できるものとされている。

2　行政事件訴訟の種別

(1)　行政事件訴訟の種別と抗告訴訟

　行政事件訴訟法は、行政事件訴訟を抗告訴訟、当事者訴訟、民衆訴訟及び機関訴訟の4種類としている。

　このうち、抗告訴訟は、行政機関の公権力の行使に関する不服の訴訟である。「公権力の行使」とは、行政機関の活動のうち、国民の権利・義務に直接影響を与える行為を意味する。行政処分（行政行為）が典型である。行政処分以外でも、不服申立ての対象となるような行為（国民に対して一方的・強制的に行う事実行為（行政強制）であって、継続的な性質を有するもの。例えば、人の拘束、物の留置など。）であれば含まれる。任意活動等は例外的なものを除き、含まれない（国家賠償法における「公権力の行使」が、行政機関の活動のうち一般私人と異なる立場での行為を広く指しているのとは異なる。）。

　抗告訴訟は、処分の取消訴訟、裁決の取消訴訟、無効等確認の訴え、不作為の違法確認の訴えの4種類に、平成16年の改正法によって、義務付けの訴えと差止めの訴えが追加された。

(2)　従来からの抗告訴訟

　処分の取消訴訟は、裁決以外の処分について、取消しを求める訴訟である。行政事件訴訟のうち、最も重要なものであり、3で解説する。

　裁決の取消訴訟は、不服申立てに対する裁決（行政不服審査法以外による不服申立てに対するものを含む。）について、取消しを求める訴訟である。裁決の取消訴訟と元の処分（原処分）についての取消訴訟の双方を提起することができる場合には、裁決手続についての違法性のみを主張すべきものとされ、原処分の違法性を主張することはできない（原処分の違法性は、処分についての取消訴訟で主張しなければならない。）として区分されている。

1151　無効等確認の訴えは、処分・裁決の効力の有無（又はその処分自体の存否）の確認を求める訴訟である。有効であること・存在することの確認を求めるものも一応は含まれるが、実質的には、行政処分の無効（又は処分自体が存在しているとはいえないこと）の確認を求めるものである。無効となるのは、行政処分に重大明白な瑕疵（欠陥ないし違法性）がある場合であるのが通常である（☞419）。取消訴訟の場合とは異なり、出訴期間の制限はない（無効が主張される場合の多くは、出訴期間が過ぎたため取消訴訟を提起できないときである。）。無効な処分については、何人も無視することができるのであるから、常に確認訴訟を提起する必要があることにはならない（取り消し得る処分については、裁判所又は権限ある行政機関が取り消すまでの間は国民として従う義務を負っているため、取消訴訟を提起する必要があるが、無効な処分については、何人も訴訟等を提起しなくとも無効であることを主張することができ、処分に従う義務はないから、確認訴訟をわざわざ提起する必要はない。）。このため、現行法では、無効等確認訴訟を提起できる場合を、その処分に続く処分によって損害を受けるおそれがあるときと、他の訴訟によっては目的を達成できないときとに限っている。(注64)

1152　不作為の違法確認の訴えは、法令に基づく申請を受けた行政機関が相当な期間内に何らかの処分・裁決をすべきであるのにもかかわらず、処分等をしなかったときに、その不作為が違法であることの確認を求める訴訟である。この訴えは、申請をした者だけが行うことができる。訴えを受けた裁判所は、不作為が違法であることを確認することはできるが、それを超えて、何らかの処分等を行うように命ずることはできない。次に述べる義務付け訴訟と併せて訴訟を提起することが認められる。

　（注64）　免職処分が無効であればその無効を理由とした公務員の地位確認訴訟（公法上の当事者訴訟）を提起し、土地収用裁決が無効であれば土地所有権確認訴訟を提起すればよいから、いずれも無効確認訴訟を提起する必要はないことになる。もっとも、無効確認訴訟も実質的にみれば、期間を過ぎた取消訴訟という性格があるので、裁判所は、実際に処分に起因している紛争を解決する上で、無効確認訴訟の方がより適切であるといえる場合には、他の方法が可能であっても、無効確認訴訟を認めている。また、執行停止も使うことができる。

(3) 義務付けの訴えと差止めの訴え

　平成16年の法改正で、義務付けの訴えと差止めの訴えが新たに認められた。これらの訴えに関する仮の救済制度も認められている。(注65)

　義務付けの訴えは、行政機関が一定の処分をすべきであるにもかかわらず、なされていないときに、その処分を行うことを命ずるように求める訴訟である。自らの利益になる処分を申請した者がその処分を行うように求めるもの（申請拒否対応型）と、それ以外のもの（権限発動型）とに分かれる。許可申請が拒否された場合、取消訴訟だけでは、訴えが認められても、それだけでは許可されない（拒否処分が取り消されるだけで、許可申請の段階に戻るが、行政機関が改めて許可するかどうかを判断する。）。これに対し、義務付け訴訟の場合には、裁判所が許可すべきだと判断したときは、許可するように命ずることができる。義務付け訴訟を単独で提起することはできず、拒否処分の取消訴訟（若しくは無効等確認訴訟、処分がされていないときには不作為の違法確認訴訟）を同時に提起しなければならない。裁判所の判断で、取消し（無効確認、不作為の違法確認）判決だけをすることも、取消し等をした上で処分を命ずる判決をすることもできる。(注66)

　これに対し、権限発動型の義務付け訴訟は、処分がなされないことにより重大な損害が生ずるおそれがあり、損害を避けるために他に適当な方法がないときに限って、訴えを提起することができる。裁判所は、法律上その処分をすべき場合（処分をすべきことが法令の規定から明らかなとき又は処分をしないことが裁量権の逸脱、濫用になるとき）に、行政機関に処

　（注65）　仮の義務付け、仮の差止め制度があり、いずれも償うことのできない損害を避けるための緊急の必要がある場合に限られる。例えば、障害のある児童の保育園入園について、仮の義務付けが容認されている（東京地裁決定平成18年１月25日〈Ⓦ〉）。その後、東京地裁判決平成18年10月25日〈Ⓦ〉で、義務付け判決がなされている。）。

　（注66）　処分を命ずる判決は、拒否処分又は不作為が違法であることに加えて、その行政処分をすべきことが根拠法令上明らかと認められる場合又はしないことが裁量権の逸脱若しくは濫用と認められる場合のいずれかに該当しなければならない。例えば、運転免許証の更新においては、違反歴がなければ優良運転者としなければならないから、違反歴の存在を理由に一般運転者として更新したことについて、違反事実がなかったとして、一般運転者とする部分を取り消し、優良運転者である旨を記載した運転免許証を交付することを命じた裁判例がある（大阪高裁判決平成25年６月27日〈LEX/DB25501464〉）。

分を行うよう命じることになる。

1154　差止めの訴えは、行政機関が一定の処分をすべきでないにもかかわらず、処分がされようとしている場合において、その処分をしてはならないことを命ずる（差し止める）ように求める訴訟である。処分により重大な損害が生ずるおそれがあり、他に適当な方法がないときに限って、訴訟を提起することができる。裁判所は、法律上その処分をしてはならない場合（処分をすべきでないことが法令の規定から明らかなとき又は処分をすることが裁量権の逸脱、濫用になるとき）に、差止めを命じることになる。処分が行われれば、直ちに重大な結果をもたらす場合や、処分後に取消訴訟を提起しても意味がなくなってしまっているような場合が、差止め訴訟の働く場面となる。例えば、情報が開示されると自らの権利を侵害される者が、本来非開示とすべきものであることを理由に開示を差し止めることがこれに当たる。

(4)　その他の行政事件訴訟

1155　当事者訴訟とは、公法上の法律関係に関する当事者間の訴訟及び法令の規定によって処分・裁決に直接に利害を持つ当事者相互間で争うこととされた訴訟を意味する。公務員の地位の確認や給与の支払請求などに関する訴訟や、土地収用裁決に関する当事者相互間の訴訟（損失補償の額についての起業者と土地所有者等との争い）などがこれに当たる。平成16年の改正法によって、「公法上の法律関係に関する確認の訴え」が当事者訴訟に含まれることが明記されている。(注67)抗告訴訟の場合とは異なり、対等な当事者間の争いとして、手続のほとんどは民事訴訟と同様とされ、処分・裁決をした行政機関にその旨を通知するといった規定が設けられているのにとどまる。なお、一部の当事者訴訟については、出訴期間が制限されている。

1156　民衆訴訟とは、国民（住民）が自らの法的権利・利益とは関係のない行

(注67)「公法上の法律関係に関する確認の訴え」が含まれることが明示されたのは、「処分」といえるものがないため取消訴訟に当てはまりにくい場合に、義務がないことを確認するといった訴訟を提起するという手段によって裁判上の救済を得ることを明確にするためのものといえる。例えば、在外邦人が次の衆議院総選挙において小選挙区での選挙権を有することの確認等を求めたことが適法とされている（最高裁大法廷判決平成17年9月14日〈民集、⑩〉）。

政機関の違法な行為について是正を求める訴訟を意味する。通常の訴訟は自らの権利・利益の実現（救済）を裁判所に求めるものであるが、民衆訴訟は、自己の法律上の利益とは無関係に、違法な行政を是正すること自体を目的とした訴訟である。法律で特に規定を置いた場合に限って認められる。地方自治法による住民訴訟（☞840）、公職選挙法による選挙訴訟・当選訴訟などがこれに当たる。住民訴訟が監査委員の勧告の通知等があったときから30日以内とされているなど、出訴期間は限定されている。

機関訴訟とは、国又は地方公共団体の機関の間の争いについての訴訟である。法律の特別の規定がある場合に限って認められることは、民衆訴訟の場合と同様である。国の機関（主任の大臣）から知事に対して行う代執行訴訟のほか、逆に知事等から国の関与を争う訴訟や、地方公共団体の長と議会との争いについての訴訟などがこれに当たる。

3　取消訴訟

行政事件訴訟の中で、実質的に最も重要なものが、処分の取消訴訟である。以下では、処分の取消訴訟の特徴的な事項について述べる。

(1) 排他的管轄

行政処分の取消しを裁判所に求めるのは、取消訴訟の方式によらなければならない。行政処分が違法であっても、重大明白な違法性があって無効とならない限り、取消訴訟以外の訴訟において、法的効果を否定することはできない（☞418）。土地の収用処分に違法性があっても、無効でない限り、旧所有者が直接土地の返還を求める民事訴訟を提起し、その中で収用処分が違法であることを主張しても認められない（これに対し、無効な場合には、直接に民事訴訟を提起して、その中で違法無効であることを主張することができる。）。

取消訴訟が排他的な管轄を持つことについては、明文の規定はないが、他の訴訟でもその効果を争うことができるとすれば、取消訴訟について出訴期間を制限し、仮処分を禁止した意味がなくなることなどから、解釈上当然とされている。違法な行政処分は、無効でない限り（違法性が重大明白でない限り）、権限ある行政機関又は裁判所によって取り消されるまでは有効である（これを「公定力」という。）が、これは、取消訴訟制度が

設けられていることの反映である（☞418）。

　なお、処分自体を取り消すこと（処分の効果を否定すること）は取消訴訟によらなければならないが、国家賠償請求訴訟等において処分の違法性を主張することは、処分の法的効果を直接に否定するものではないから、排他的管轄に抵触しない。したがって、国家賠償請求をする場合に、事前に処分の取消しを求める必要はない。

(2) 取消訴訟の対象となる処分

1159　行政機関の処分であって、違法性がある（と主張される）ものが取消訴訟の対象となる。不服申立ての場合とは異なり、妥当かどうかにとどまるものは対象とはならない。

　「処分」とは、相手方の権利・義務を直接変動させる行為を意味する。行政処分はもとより、即時強制も相手方に受忍すべき義務を課すことから処分に含まれ得るが、それ以外の行政機関の活動（任意活動、私法上の契約、行政の内部手続行為など）は、通常であれば対象にならない。例えば、道路交通法に基づく警察本部長の反則金の納付の通告については、反則金納付の義務を課すものではない（任意に反則金を納付すれば公訴が提起されないという法的効果を生ずるが、納付するかどうかは本人の自由である。）から、処分には当たらない（☞619）。これに対し、指導でも、応じなければ法的不利益を受けることに直結するものの場合には、対象となり得る。(注68)

1160　なお、法的な効果を持つものでも、個々人の具体的な権利の変更といえないものは、処分に含まれない。例えば、信号機を設置して交通の規制を行うことは、法的な効果を発生させるものではあるが、個々人への具体的な処分には当たらないから、取消訴訟の対象とはならない。これに対し、具体的な私権制限が及ぶ場合には、名宛人が明示されていなくとも処分に当たるものとされる。(注69) 法令の制定は処分には当たらないが、特定の者に具体的な効果を直ちに生じさせるような例外的場合には、処分に該当する。(注70)

（注68）　病院の開設許可申請に対して、中止を勧告し、従わない場合には保険診療の対象とならない旨の通知を行ったことについて、根拠法上は指導であるが、最高裁は、相当程度の確実さをもって健康保険の保険医療機関の指定を受けられないという結果をもたらし、実際上病院の開設を断念せざるを得ないことになるという実態を踏まえて、取消訴訟の対象となるとの判断を示している（最高裁判決平成17年7月15日〈民集、Ⓦ〉）。

処分の取消訴訟は、違法な処分によって生じた法的効果を解消することを目的としているので、処分が行政機関の判断で取り消され、期限付きの処分の期限が満了したような場合には、取消訴訟を提起できないのが原則である（それによって生じた損害の回復は、国家賠償の問題であり、取消訴訟の問題ではない。）。しかし、過去に処分がなされたことが事後においても法的な不利益を与える場合には、その不利益を解消するために、取消訴訟を提起することが認められる。例えば、運転免許の効力の停止処分は、停止期間が経過した後も、一定期間は前歴として残り、その間は前歴のない者よりも次の処分において不利になることから、その間に限って取消訴訟を提起することができる。(注71)(注71の2)

1161

(3) 原告適格（訴えの利益）

　違法な処分によって、自己の法律上の権利・利益を侵害される者（取消しを求めるにつき法律上の利益を有する者）のみが取消訴訟を提起することができる。不利益処分を受けた者や、許可等を申請して拒否された者が該当する。処分の名宛人以外で、その処分で不利益を受ける者、例えば、以前から許可を受けて営業している事業者が他者への許可によって営業上の利益を失う場合、許可された事業によって生活環境等に悪い影響が及ぶ場合、あるいは許可された事業によって将来悪い影響が及ぶ可能性がある

1162

（注69）　禁猟区の設定のように、ある地域での人の行為を制限することは処分に当たらない（最高裁判決昭和40年11月19日〈Ⓦ〉）。これに対し、道路の区域決定のように、土地に建物の建築ができなくなるような物的な具体的私権制限が及ぶ場合には処分に当たる。

（注70）　水道料金の改定をする条例は処分には当たらない（最高裁判決平成18年7月14日〈民集、Ⓦ〉）が、特定の保育所を廃止する条例は入所中の児童及び保護者との関係では具体的な効果を直ちに生じさせるものであって処分に当たる（最高裁判決平成21年11月26日〈民集、Ⓦ〉）。

（注71）　処分後無違反無処分で1年間を経過したとき（又は3年間経過したとき）は、処分によって生じた法的不利益はなくなる（次の処分に際して、前歴としての対象でなくなる。）から、取消訴訟を提起することはできない。最高裁判決昭和55年11月25日〈民集、Ⓦ〉は、一審が処分を受けたことがあることによって取締官から事実上不利益な扱いを受け、社会生活上の有形無形の不利益を被るおそれがあることを理由として、取消訴訟の対象となるのを認めたのに対し、そのような事実上の効果を理由に取消訴訟を提起することはできないとして、訴えを却下している。

（注71の2）　風俗営業の営業停止処分についても、公表された処分基準において、過去3年以内に処分歴のある場合には次の処分を重くすることが定められているので、その期間内は、取消請求をすることが認められる（最高裁判決平成27年3月3日〈Ⓦ〉）。

場合などが問題となるが、認められるかどうかは、処分の根拠法規によって異なる。

　処分の根拠法規が個々人の個人的な利益をも保護すべきという趣旨を含んでいれば、処分によって利益を侵害された（あるいは必然的に侵害されるおそれがある）者について、原告適格が認められる。それ以外の場合（公益達成のために行われる規制によって反射的な利益を得ているにすぎない場合）には、原告適格は認められない。平成16年の改正法により、法律上の利益に当たるかどうかは、「当該法令の趣旨及び目的並びに当該処分において考慮されるべき利益の内容及び性質を考慮するものとする。」との規定が設けられ、その根拠法令と目的を共通する関係法令の趣旨・目的を参考とし、処分が根拠法令に違反した場合に害される利益の内容・性質、害される態様・程度をも勘案することが明記された。平成17年に最高裁が判例変更を行い、都市計画事業（鉄道の高架化）について周辺住民の原告適格を認めるなど、生活環境に大きな影響を及ぼすような事業の許可の場合を中心に原告適格が認められる範囲は拡大している。(注72の2)

　警察行政に関しては、風俗営業の許可について、法律及び条例で診療所等から一定の距離内にあることを不許可事由としている場合には、付近の診療所等について「善良で静穏な環境の下で円滑な業務を運営するという利益をも保護している」ことを理由に、診療所等の設置者に許可の取消しを求める原告適格が認められている。(注73)

(4)　取消訴訟の提起に関するその他の規定

（注72）　最高裁大法廷判決平成17年12月7日〈民集、Ⅳ〉。鉄道の高架化が実施されることで騒音、振動等による健康又は生活環境に係る著しい被害を直接的に受けるおそれのある住民については、取消訴訟の原告適格を有するものとした。

（注72の2）　産業廃棄物処理業の許可に関し、最終処分場の周辺（中心地点から1.8キロメートル以内）に居住する住民について、有害物質が排出された場合に健康又は生活環境に係る著しい被害を直接受けるおそれがある者として原告適格を認めている（最高裁判決平成26年7月29日〈民集、Ⅳ〉）。その他の類型では、一般廃棄物の既存許可事業者について、一般廃棄物の許可制度が需給調整の仕組み等を設けていることを踏まえ、既存の許可事業者の個別的利益としても保護すべきものとの趣旨を含んでいるとして、原告適格を認めている（最高裁判決平成26年1月28日〈民集、Ⅳ〉）。これに対し、医療法による病院の開設許可に関して、付近で医療施設を開設している者については、その利益を法律が考慮していないとして、原告適格を有しないとしている（最高裁判決平成19年10月19日〈Ⅳ〉）。

1163 「取消訴訟は、処分があった日から6月以内に提起しなければならない。(注74)(注74の2) 本人が知らなくとも、処分の日から1年間を経過すれば、もはや訴えを提起できない。このように出訴期間が制限されているのは、行政庁の処分は公共の利害にも関係するところが大きいので、その効力を長期間不安定な状態に置くことは避けるべきであるからである。不服申立てを行った場合には、この期間は、それぞれ不服申立てに対する裁決のあることを知った日と裁決のあった日から起算される。出訴期間を経過した後は、国民の側から処分の取消しを求めることはできなくなるが、行政機関の側から取り消すことは可能である。国家賠償請求訴訟は、この期間とは関係なく、権利が存在する間は可能である。

1164 処分の取消訴訟は、処分をした機関が属する国や都道府県という行政主体を被告として提起する(注75)(注76)。従前は処分を行った行政機関を被告としていたが、平成16年の改正法により改められた（都道府県公安委員会の処分に対

(注73) 最高裁判決平成6年9月27日〈Ⓦ〉参照。一方、風俗営業の許可に関して、近隣住民については原告適格が否定されている（最高裁判決平成10年12月17日〈民集、Ⓦ〉）。法改正時の国会審議で風俗営業適正化法について「公的な環境の保護といいながら、やはり周りの方々の生活の安全の保護、これも行っているというふうに解釈されるだろう」との説明があった（衆議院法務委員会平成16年4月27日、山崎司法制度改革推進本部事務局長答弁、議事録20号19頁）が、場外車券発売施設の設置許可をめぐって争われた事件で最高裁判決平成21年10月15日〈民集、Ⓦ〉が一般住民や医療施設等の利用者の原告適格を否定している（場外車券発売施設の設置、運営に伴い著しい業務上の支障が生ずるおそれがあると認められる区域に医療施設等を開設している者にのみ原告適格が認められるとした）ことに照らすと、風俗営業の許可に対して住民の原告適格が認められる可能性は、法改正後も高くないものと思われる。

(注74) 以前は3月であったが、改正で6月以内に延長され、正当な理由があればその後でも訴えを提起できるものとされた（ただし、1年内に限られることは変わっていない。）。

(注74の2)「処分があったことを知った」とは、「処分があったことを現実に知った」ことをいい、処分の内容の詳細や不利益性等の認識までを要するものではない。最高裁判決平成28年3月10日〈Ⓦ〉は、個人情報の開示請求に対する一部不開示事案に関して、実際の開示文書が到達していなくても、決定通知書（不開示部分を特定し、理由も記載していた。）が到達した時点で「処分があったことを現実に知った」ものとして、出訴期間が起算される（実際の開示文書が到達してから6か月以内であっても、6か月を超えたことについての「正当な理由」にも当たらない。）との判断を示している。

(注75) 機関がどこに所属するかということで定まる。事務が国の事務か地方公共団体の事務か、といったことで分けるものではない。

(注76) 国家賠償請求訴訟などと同じ被告になったことで、取消訴訟と国家賠償請求訴訟との間で訴えの変更なども容易になるという効果がある。

する訴訟は、これにより、都道府県公安委員会ではなく、都道府県を被告とすることになった(注77)。）。

1165 　また、訴えを提起する裁判所についても、同じ改正法により、被告となる都道府県の所在地にある地方裁判所だけでなく、原告の住所地を管轄する高等裁判所の所在地にある地方裁判所（札幌、仙台、東京、名古屋、大阪、広島、高松及び福岡の各地方裁判所）にも提起できることとされている。

(5) 執行停止制度

1166 　行政機関の処分については、取消訴訟が提起されても原則としてその効力等は停止されない。公益上の支障を避けるため、単に訴訟が提起されただけでは効力が停止されないことが明文で規定されている。したがって、取消訴訟等が提起されても、行政機関は、その処分を有効なものとして執行し、その後の処分等を行うことができる。

　しかし、違法な行政によって現実に国民の権利・利益が侵害されているおそれが強い場合までも、裁判の確定までこれを放置しなければならないとするのは妥当でない。このため、取消訴訟等については、一定の要件を満たす場合に、仮の救済として、裁判所が処分の執行等を停止することができるとする制度（執行停止制度）が設けられている（民事上の仮処分等はできない。）。執行停止は、将来に向けて執行等を停止するものであって、取消判決のように遡って効力を発生するものではない。

　処分の執行等の停止（処分の効力の停止・処分の執行の停止・続行処分の全部又は一部の停止）は、処分の取消しの訴えがなされ、原告から申立てがあって、「その処分・処分の執行・手続の続行によって生ずる重大な損害を避けるために緊急の必要がある」場合に裁判所が決定で行う(注78)。ただ

(注77)　都道府県を一般的に代表するのは知事であるが、処分の争いで知事が代表するのでは公安委員会の処分を知事が実質的に変更することが可能になるという問題が生ずる。このため、警察法が改正され、都道府県公安委員会の処分又は裁決（都道府県警察の機関が行った処分を含む。）に関する抗告訴訟等については、都道府県公安委員会が都道府県を代表することが警察法上規定された（警察法80条）。

(注78)　平成16年改正前は「回復困難な損害」がある場合に限られていたが、狭すぎるとの批判を受けて、「重大な損害」に改められた。併せて、重大な損害に当たるかどうかの解釈に当たっては、損害の回復の困難の程度を考慮するものとし、損害の性質及び程度並びに処分の内容及び性質をも勘案するとの規定が設けられている。

し、公共の福祉に重大な影響を及ぼすおそれがあるときや、その取消しの訴え自体に理由がないと思われるときには、行うことができない。

執行停止については、公共の福祉に重大な影響を与えることを防止するために、内閣総理大臣が異議を述べることができ、裁判所は異議が述べられたときには決定を取り消さなければならないとする制度が設けられている。
(注79)

(6) 審理

原告の側が、行政処分が違法である旨（根拠法に違反すること又は手続に法的欠陥があること）を主張する。ただし、自己と関係のない違法性は主張できない。なお、行政側は、処分の際の理由を基に適法性を主張することが基本であるが、それ以外の理由を主張することもできないわけではない。
(注80)
(注81)

平成16年改正で、審理を充実、促進させるため、裁判所は、訴訟関係を明瞭にするために必要があると認めるときは、処分をした行政機関に、処分の内容、根拠となる法令、処分の原因となる事実その他処分の理由を明らかにする資料の提出を求めることができることとなった。行政側が提出する法的義務があるわけではないが、正当な理由なく提出しないと、裁判

（注79） 内閣総理大臣の異議には、理由を付さなければならず、その中で処分の効力を存続し、処分を執行し、又は手続を続行しなければ、公共の福祉に重大な影響を及ぼすおそれのある事情を示さなければならない。異議は、やむを得ない場合でなければ述べてはならないものとされ、行ったときは国会に報告すべきことが規定されている。これまでに、デモ行進の許可に際して公安委員会が付した条件（進路変更）を裁判所が執行停止したのに対し、内閣総理大臣が異議を述べ、執行停止決定が取り消された例がある。

（注80） 最高裁判決平成元年2月17日〈民集、Ⓦ〉は、周辺住民が事業の免許の基準に適合しないことを主張したことについて、自己の法律上の利益に関係のない違法であるとして、主張自体が失当であるとしている。

（注81） 最高裁判決平成11年11月19日〈民集、Ⓦ〉は、情報開示請求を拒んだ処分の取消訴訟において、理由の追加は認められないとした原審の判断を否定し、新たな理由を主張することを認めている。申請拒否処分に関しては、原告側からしても、行政側に理由の追加を認める実益がある（訴訟で主張されていない理由に基づいて、改めて申請を拒否されることを防ぐことができる。）。これに対し、処分理由を差し替えることで、処分自体が別のものと構成されるようなことは許されない（不利益処分の場合には、処分理由に該当する事実があって処分が行われるものであるところから、理由を替えることで実質的に別の処分となるので許されないことが多いと思われる。例えば、公務員の懲戒処分は、個別の非違行為に対して行われるので、対象となる行為自体を変えることはできない。）。

所の心証形成に不利となる可能性がある。

1169　審理は基本的に民事訴訟と同じである（裁判所は職権で証拠調べをすることができるという規定はあるが、通常は行われず、民事と同様に釈明権行使にとどまる。）。なお、民事訴訟法では、公文書に関する文書提出義務・文書提出命令の制度があり（☞767）、行政事件でもその規定が適用されることになる。

　証明責任（事実が明らかにならなかった場合に、裁判所が事実の有無をいずれかと仮定して判断することで不利益を負う立場）については、処分の性質や立証が求められる事項によって異なるが、基本的な要件の存在は行政側が負い、裁量処分についてはその限界を超えたことなどは原告側が負うのが基本であるが、資料の偏在性などから行政側により立証を求める傾向がうかがえる。(注81の2)(注82)

(7) 判決

1170　訴えが不適法である場合には訴えは却下され、訴えが適法であるが理由がない（訴訟の要件を満たしているが、その処分自体に違法性がない）場合には訴えが棄却される。

　これに対し、訴えが適法であり、理由がある（処分に違法性がある）場合には、その処分を取り消す判決が言い渡される。処分を取り消す判決が確定すれば、処分は遡って効力を失う。申請を棄却した処分が取り消されれば、関係する行政機関は、判決の趣旨に沿って、改めて処分を行わなけ(注83)(注84)

（注81の2）　不利益な処分をした場合や、相手方の権利を前提とした上でそれを拒否する処分を行った場合には、行政側が不利益処分等の根拠規定に該当することを主張、立証するのが通例である。これに対し、情報公開法に基づいて開示請求された行政文書を保有していないことを理由とする不開示決定に対する取消訴訟では、文書の存在が開示請求権の成立要件であることから、取消しを求める側が行政機関がその文書を保有していたことについての主張立証責任を負うとされている（最高裁判決平成26年7月14日〈⑳〉）。

（注82）　最高裁判決平成4年10月29日〈民集、⑳〉（伊方原発事件）では、不合理なことがある点の主張立証責任は本来は原告にあるとしつつ、原子炉施設の安全審査資料は全て行政側にあるので、まず行政側において審査基準と判断過程に不合理な点のないことを、相当な根拠資料に基づいて立証する責任があるものとしている。

（注83）　処分の違法性の有無は、基本的に、処分を行った時点であったかどうかが問題となり、判決時の状況によるものではない。ただし、処分時の事実をどう評価すべきかについては、現在の水準に照らして判断される（例えば、危険性の評価については、その後の科学の進歩が反映されることになる。）。

ればならない。取消訴訟だけが提起されている場合には、裁判所は、処分を取り消すことはできるが、前の処分と違う処分を命ずることはできない。これに対し、取消訴訟とともに義務付けの訴えも合わせて提起されている場合には、裁判所は、取り消した上で、処分をすべき旨を命ずることもできる。

なお、処分が違法な場合でも、取り消すことによって公の利益に著しい障害を生じ、取り消すことが公共の福祉に適合しないと裁判所が認めるときは、判決で、その処分が違法であることを宣言しつつ、取消請求を認めない（取り消さない）とすることができる。この判決を、「事情判決」という。

(8) 教示

取消訴訟を提起できる処分を書面でする場合には、国民が行政事件訴訟をより利用しやすく、分かりやすくするため、不服申立ての教示と同じように、訴訟の被告とすべき者、訴え出ることのできる期間等を書面で教示することが義務付けられている（平成16年改正で取消訴訟の教示制度が設けられた。）。教示すべき内容は、ⅰその処分に対して取消訴訟を提起する場合に被告とすべき者、ⅱ取消訴訟の出訴期間、ⅲ審査請求を経た後でなければ訴えを提起できないこととなっている（審査請求前置）場合はその旨、である。ただし、処分自体を口頭でする場合には、教示を行う必要はない。

（注84）　一般の民事訴訟の場合には、判決は当事者間で効果を生ずるだけであるが、処分を取り消す判決の場合には、当事者の間でだけ処分が取り消される（他の者との間では有効である）というわけにはいかず、他の全ての者との間でも処分の取消しの効果が及ぶこととされている（行政事件訴訟法32条は、「処分又は裁決を取り消す判決は、第三者に対しても効力を有する。」と定めている。）。

事項索引

〈あ〉

赤切符 ……………………………… 163
芦別事件 …………………………… 530
アメリカの警察 ………………… 391・403
安全安心まちづくり条例 ……… 9・300
安全確保のための制度 …………… 55
安全配慮義務 …………………… 481・525

〈い〉

委員会規則その他の規程 ………… 421
委員会の独立性 …………………… 411
家出少年の保護 …………………… 224
威嚇射撃 ………………………… 259・262
依願免職 …………………………… 465
異議申立て ………………………… 547
イギリスの警察 ………………… 391・404
育児休業 …………………………… 479
違警罪 ……………………………… 12
意見公募手続
　　………………… 77・113・188・416・422
意見聴取（暴力団対策法の）……… 111
意見の聴取（道路交通法の）… 111・288
遺失物法 ………………… 176・380・434
異常な挙動 ……………………… 202・225
泉佐野市民会館事件 ……………… 413
一時的な実力行使 ………………… 205
一時保管 …………………………… 145
一時保護（児童福祉法の）……… 65・144
位置情報アプリ無承諾インストール
　ル ……………………………… 270

位置情報無承諾取得等 …………… 268
一般概括条項（ドイツ法の）……… 87
一般職 …………………………… 457・514
一般職の公務員 …………………… 467
一般処分 …………………………… 101
移動警察 …………………………… 455
委任条例 …………………………… 418
委任命令 …………………………… 189
違法性の立証責任 ………………… 531
医療保護入院 ……………………… 234
インカメラ審理 …………………… 428
インターネット異性紹介事業を
　利用して児童を誘引する行為
　の規制等に関する法律⇒出会
　い系サイト規制法

〈う〉

疑わしい取引の届出 … 300・345・373
訴えの利益 ………………………… 561
運転記録証明書 …………………… 365
運転代行業法（自動車運転代行
　業の業務の適正化に関する法
　律）………………… 21・150・435
運転免許 …………………………… 286
運転免許証と個人番号カードの
　一体化 …………………………… 289
運転免許証の更新 ………………… 289
運転免許証の提示要求 ……… 156・181
運転免許の効力の停止 ……… 164・561
運転免許の取消し ………………… 164
運搬証明書 …………………… 127・280

運輸安全委員会 …………………… 39

〈え〉

営業禁止地域 …………………… 306
営業の停止命令 ……………… 128・306
営業の廃止命令 ……………… 121・306
映像送信型性風俗特殊営業 ………… 307
営造物の設置・管理の欠陥によ
　る国家賠償 …………………… 535
営利企業従事の禁止 …………… 518
営利企業等からの隔離 ………… 470
エックス線検査 ………… 92・333・334
閲覧 ……………………………… 551
Ｎシステム ……………………… 333・359
ＮＰＯ …………………………… 8
ＦＢＩ …………………………… 403
遠隔操作型小型車（自動配送ロ
　ボット） ……………………… 293
遠隔の離島 ……………………… 41
援助 ……………………………… 272
援助の要求 ……………………… 442

〈お〉

応援派遣 ………………… 442・456
応急の救護を要する者 ………… 225
応急の措置 ……………… 212・291
押収物に記録されている個人情
　報 ……………………………… 365
オウム真理教犯罪被害者等を救
　済するための給付金の支給に
　関する法律 …………………… 312
ＯＥＣＤ８原則 ………………… 318
大阪府安全なまちづくり条例
　………………… 53・300・417

大阪府公衆に著しく迷惑をかけ
　る暴力的不良行為等の防止に
　関する条例⇒迷惑防止条例
大阪府特殊風俗あっせん事業の
　規制に関する条例 …………… 307
公の営造物 ……………………… 535
公の施設の利用 ………………… 413
屋外広告物法 …………………… 138
オンライン結合 ………………… 369

〈か〉

外観規制 ………………………… 307
階級 ……………………………… 446
会計年度任用職員等 …………… 461
戒告 ……………………………… 471
外国公館及び外国要人等の来訪
　に関わる場所 ………………… 309
外国人である住民 ……………… 413
外国人の保護 …………………… 27
外国における警察組織 ………… 403
開示請求 ………………………… 365
解釈 ……………………………… 88
解釈運用指針 …………………… 53
解釈基準 ………………………… 113
海上保安庁 ……………………… 40
海上保安庁法 …………………… 256
解職請求 ………………………… 414
街宣屋 …………………………… 272
街頭防犯カメラシステム ……… 318・350
街頭防犯カメラシステムに関す
　る規程 …………………… 54・369
ガイドライン（安全安心まちづ
　くりの） ……………………… 300
解剖 ……………………………… 302

事項索引　571

顔認証データ ……………………356
加害要件 …………………………259
科学警察研究所 …………………512
確認的な規定 ……………………175
確認標章 …………………………286
核燃料物質等 ……………………157
学問上の警察 ………………………79
瑕疵（営造物設置・管理の）……535
瑕疵ある行政処分 ………………114
貸金業法 …………………… 153・297
過小な保護の禁止 ………………48
過積載の疑いのある車両の停止
　　　　　　　　…………156・290
河川法 ……………………………236
家族間暴力事案 …………………63
偏った権限行使の禁止 …………92
課徴金 ……………………………167
株主代表訴訟 ……………………172
火薬類取締法
　　…………19・152・236・280・434
仮の義務付け ……………………557
仮の救済 …………………………564
仮の差止め ………………………557
仮の命令 …………………………296
過料 ………………………165・419
仮領置 ……………………145・157
過労運転 …………………………156
簡易裁判所への通知 ……………233
簡易除去 …………………………138
管轄区域 …………………438・447
管轄区域外の権限行使 …………449
管轄区域内の公安の維持等のた
　　めの権限行使 ………………449
管区警察学校 ……………446・513

管区警察局 ………………………512
勧告 ……………………… 169・308
勧告（ピッキング防止法の）……182
監査委員 …………………………412
監察 ………………………397・510
監察の指示 ………………………397
間接強制 …………………………149
感染症の病原体等 ………………157
感染症予防法（感染症の予防及
　び感染症の患者に対する医療
　に関する法律）…………………57
管理監督職勤務上限年齢制 ……466
管理者等（公開の場所の）………252
管理者不在物件 …………………148

〈き〉

議院警察権 ………………………192
議院内閣制 ………………………389
議会による統制 …………………409
議会の調査権 ……………………410
機関委任事務 ……………………405
機関訴訟 …………………………559
棄却 ………………………………552
企業経営者の責任追及 …………171
危険概念（ドイツ法の）…………84
危険時の措置 ……………………235
危険時の立入り …………………249
危険な事態 ………39・67・236・249
危険な物の運搬規制 ……………267
危険物 ……………………………157
危険防止の措置 …………………290
技術上の基準 ……………………118
基準の策定・公表 ………………105
規制権限の不行使 ………………533

事項索引

起訴休職 …………………………… 474
基本的人権の尊重 …………………… 48
義務付けの訴え …………………… 557
却下 ………………………………… 552
旧警察法 ………………………… 13・387
求償権 ……………………………… 534
休職 ………………………………… 473
給付金支給の裁定 …………… 130・405
給付命令 …………………………… 126
教育委員会 ………………………… 390
境界周辺の事案の処理 ……… 443・454
凶器捜検 …………………………… 221
狭義の都道府県警察 ……………… 437
教示 ………………………… 540・567
供述拒否権の告知 ………………… 207
強制 ………………………………… 92
行政委員会 ………………… 387・389
行政機関以外の者への個人情報
　の提供 ………………………… 375
行政機関が行う政策の評価に関
　する法律⇒政策評価法
行政機関個人情報保護法（行政
　機関の保有する個人情報の保
　護に関する法律） …………… 21・320
行政機関の裁量権 …… 112・429・554
行政機関の任務分担 ……………… 68
行政機関の保有する情報の公開
　に関する法律⇒情報公開法
行政機関の保有する電子計算機
　処理に係る個人情報の保護に
　関する法律 …………………… 320
行政規則 …………………………… 114
行政強制 …………………………… 134
行政警察 ………… 11・57・198・223

行政警察規則 ……………………… 193
行政刑罰 …………………………… 160
行政契約 …………………………… 190
行政権の濫用 ………………… 117・306
行政事件訴訟 ……………………… 553
行政事件訴訟法 …………………… 553
強制執行 …………………………… 135
行政執行 …………………………… 163
行政執行法 ………… 12・135・141・193
行政指導 ………………………… 159・181
行政指導指針 ……………………… 185
行政指導における書面交付義務 …… 184
行政指導における責任者明示義
　務 ……………………………… 184
行政指導の中止の申出 …………… 185
行政上の強制執行 ………………… 135
行政上の秩序罰 …………………… 166
行政処分 ……………………… 99・541
行政処分の撤回 …………………… 116
行政処分の取消し ………………… 114
行政相談員 ………………………… 541
行政代執行法 ………………… 19・136
行政庁 ……………………………… 101
行政調査結果の犯罪捜査への使
　用 ……………………………… 154
行政手続条例 ………………… 106・183
強制手続への移行段階 …………… 221
行政手続法 … 21・51・105・183・188
行政罰 ……………………………… 166
行政不服審査会 ………… 538・539・551
行政不服審査法 …………………… 537
行政不服審査法の一般的除外事
　由 ……………………………… 543
行政文書 …………………………… 425

行政立法 …………………………… 188
共同命令 …………………………… 189
京都府学連事件 …………………… 348
許可 ………………………………… 117
許可後の基準の変更 ……………… 121
許可事業者の事業所等への立入
　り ………………………………… 149
許可の更新 ………………………… 120
許可の取消し ……………………… 120
記録の保存 ………………………… 345
緊急災害対策本部 ………………… 389
緊急事態 …………………………… 389
緊急事態の布告 …………………… 504
緊急避難 ……………………… 95・261
禁止命令 ……………………… 130・271
勤務時間 …………………………… 478
勤務実績不良 ……………………… 474
金融機関本人確認法（金融機関
　等による顧客等の本人確認等
　及び預金口座等の不正な利用
　の防止に関する法律） ………… 301

《く》

苦情の申立て ……………………… 540
苦情の申出 ………………………… 53
（被留置者による）苦情の申出 … 541
苦情申出の処理 …………………… 398
国の安全等に関する情報 ………… 429
国の公安に係る事案についての
　警察運営 ………………………… 501
ぐ犯少年の調査 …………………… 180
クロスボウ ………………………… 275
訓告 ………………………………… 464
訓令・通達 ………………………… 511

《け》

警戒区域の設定 …………………… 45
警戒検問 …………………………… 211
警告 …………………… 238・241・270
警察改革 …………………………… 17
警察学校 ……………………… 445・510
警察官が現場で行う行政指導 …… 185
警察官職務執行法 …………… 19・191
警察官等警棒等使用及び取扱い
　規範 ……………………………… 256
警察官の教育訓練 ………………… 444
警察官の現場的な権限 …………… 51
警察官の制服に関する規則 ……… 447
警察共済組合 ………………… 480・521
警察行政法 ………………………… 1
警察教養 ……………………… 445・509
「警察権の限界」論 …………… 49・77
警察公共の原則 …………………… 79
警察刷新に関する緊急提言 ……… 393
警察事務の国家的性格 …………… 408
警察署 ……………………………… 440
警察消極目的の原則 ……………… 79
警察署協議会 ……………………… 401
警察職員の勤労者としての権利 … 480
警察職員の職務倫理及び服務に
　関する規則 ……………………… 471
警察職員のプライバシーの尊重 … 483
警察署長 …………………………… 440
警察署長への援助要請 …………… 251
警察責任の原則 …………………… 79
警察装備 …………………………… 510
警察組織管理者の責任 …………… 480
警察大学校 ………………… 446・510・512

警察庁 …………………………… *10・509*
警察庁職員の立入検査 ………… *153*
警察庁長官 …………………… *389・511*
警察庁長官の指揮監督 ………… *501*
警察庁の警察官 ………………… *514*
警察庁の所掌事務規定 ………… *24*
警察通信 ………………………… *510*
警察の援助 ……………………… *147*
警察の責務 ……………… *14・23・96*
警察の地方分権 …… *4・14・385・402*
警察犯処罰令 …………………… *12*
警察表彰規則 …………………… *447*
警察比例の原則 ………………… *80*
警察法 …………………………… *16*
警察礼式 ………………………… *447*
刑事施設 ………………………… *43*
刑事収容施設法（刑事収容施設
　及び被収容者等の処遇に関す
　る法律）…*21・53・144・435・541*
警視総監…*389・438・446・459・497*
刑事訴訟法 ……………… *19・35・435*
警視庁 …………………………… *438*
警視庁（旧憲法下の）………… *11*
刑事補償請求権 ………… *54・527*
携帯規制 ………………………… *278*
携帯電話不正利用防止法（携帯
　音声通信事業者による契約者
　等の本人確認等及び携帯音声
　通信役務の不正な利用の防止
　に関する法律）……… *38・176・345*
刑罰消極主義 …………………… *60*
軽犯罪法（変事非協力の罪）……… *239*
警備員の検定 …………………… *187*
警備業法 ……………… *187・299・434*

警備情報収集 …………………… *337*
警部 ……………………………… *446*
警部補 …………………………… *446*
警棒 …………………… *243・255*
警保局 …………………………… *11*
契約者確認 ……………………… *176*
結果回避可能性 ………………… *532*
欠格事由 ………………………… *118*
結果の予見可能性 ……………… *532*
減給 ……………………………… *471*
権原 ……………………………… *122*
権限行使の過剰の禁止 ………… *48*
権限行使の義務 ………………… *89*
権限の委任 ……………………… *102*
権限の代理 ……………………… *103*
権限の目的外行使の禁止 ……… *88*
権限発動型義務付け訴訟 ……… *557*
権限不行使の場合の責任 ……… *532*
権限濫用の禁止 ………… *6・91・195*
権限濫用防止 …………………… *50*
現行犯状態 ……………………… *95*
現行犯に対する制止 …………… *245*
現行犯人の逮捕に関する職権行
　使 ……………………………… *456*
原告適格 ………………………… *561*
検査 ……………………………… *278*
検察官 …………………… *10・14・42*
検察庁 …………………………… *42・388*
検視 ……………………………… *302*
拳銃 ……………………………… *255*
拳銃規範（警察官等拳銃使用及
　び取扱い規範）
　…… *53・256・262・263・264・400*
厳重注意 ………………………… *464*

事項索引　575

拳銃等 …………………………274
原処分の違法性 ………………555
原動機付歩行補助車等の型式認
　定 ……………………………187
権力的介入 ……………………60

〈こ〉

故意・過失 ……………………531
高圧ガス保安法 …………145・236
公安委員会 …………14・387・538
公安委員会による管理 ………370
公安委員会による統制を通じた
　権限濫用の防止 ………………53
公安委員会の管理 ……………384
公安委員会の管理責任 ………392
公安委員会の説明責任 ………393
公安委員会の任命権 …………394
公安条例 …………………241・417
公安調査庁 ……………………43
広域捜査隊 ……………………444
広域組織犯罪等 …………452・501
公益上の必要性 ………………96
公益通報者保護法 ……………343
公益目的の開示と第三者の手続
　的保障 ………………………427
公開の場所への立入り ………252
降給 ………………………466・474
興行場営業の規制 ……………303
公共の安全等に関する情報 …429
公共の安全と秩序の維持 ……28
皇宮警察 ………………………510
皇宮警察本部 …………………512
皇宮護衛官 ………194・256・514・515
皇宮護衛官の武器の使用の根拠 …256

公権力行使等地方公務員 …402・460
公権力の行使 …………………524
公権力の行使に当たる行為 …541
公権力の行使に当たる公務員 …528
抗告訴訟 ………………………555
工作物等に係る応急措置 ……290
公私協働 ………………………8
公職選挙法に基づく投票管理者
　の請求 ………………………191
更生保護法に基づく引致状の執
　行 ……………………………144
拘束・連行・答弁強要の禁止 …200
拘束衣 …………………………144
交通安全対策基本法 …………40
交通規制 ……………88・101・281
交通検問 ………………………211
交通事故自動記録装置 ………352
交通事故の場合の措置 ………290
交通事故の報告義務 ……291・344
交通巡視員 ……………………282
交通整理 ………………………282
交通の安全と円滑 ……………281
交通の取締り …………………31
交通反則制度 ……………163・283
公定力 ……………………115・559
公的懸賞金制度 ………………343
口頭意見陳述 …………………550
降任 ………………463・466・473・516
交番その他の派出所 …………441
公表 ………………………169・308
公文書等の管理に関する法律 …425
公法上の法律関係に関する確認
　の訴え ………………………558
公務員個人の責任 ……………535

公務員としての権利 …………………476
公務員に対する不利益処分 …………547
公務員の欠格事由 ……………………515
公務員の職に関する情報 ……………428
公務員倫理の保持 ……………………470
公務災害 ………………………………477
公務執行に対する抵抗の抑止 ………258
公務執行妨害 …………………………251
公務執行妨害罪 …………………139・149
行旅病人及行旅死亡人取扱法 ………232
高齢者 …………………………………229
高齢者虐待防止法（高齢者虐待
　の防止、高齢者の養護者に対
　する支援等に関する法律）…156・251
小型武器 ………………………………447
小型無人機等飛行禁止法（重要
　施設の周辺地域の上空におけ
　る小型無人機等の飛行の禁止
　に関する法律）………21・130・312
呼気検査 ………………………………291
国外重大事案 …………………………453
国外での権限行使 ……………………451
国外発生犯罪の捜査 …………………449
国外犯罪被害弔慰金等の支給に
　関する法律 ………………130・273
国際緊急援助隊の派遣に関する
　法律 ………………………………504
国際刑事警察機構 ……………………492
国際捜査共助 ……………………………32
国際捜査共助等に関する法律 ………504
国際的な協力の下に規制薬物に
　係る不正行為を助長する行為
　等の防止を図るための麻薬及
　び向精神薬取締法等の特例等

に関する法律⇒麻薬特例法
国際的な警察 …………………………492
国際テロ ………………………………501
国際テロ防止 …………………………338
国際テロリスト財産凍結法（国
　際連合安全保障理事会決議第
　1267号等を踏まえ我が国が実
　施する国際テロリストの財産
　の凍結等に関する特別措置法）
　……………………………21・310
告示 ……………………………………511
国税徴収法 ……………………………139
国税犯則事件 …………………………163
告知と聴聞 ……………………………105
国民・住民による警察の統制 …9・383
国民主権の理念 …………………………9
国民の権利・自由に関連する事
　実行為 ……………………………177
国民の自由と権利の保護 ………5・293
国務大臣 ………………………………505
古式銃砲 ………………………………276
個室付浴場 ……………………………306
個人識別情報 …………………………366
個人識別符号 …………………………324
個人情報 ………………………………324
個人情報データベース等 ……………327
個人情報取扱事業者 …………………327
個人情報の取扱いに従事する者 ……362
個人情報の利用目的 …………………329
個人情報の漏えい ……………………362
個人情報ファイルの事前通知 ………363
個人情報ファイル簿 …………330・364
個人情報保護 …………………………424
個人情報保護委員会 …………………325

個人情報保護条例 …………………320
個人情報保護法 …………………324
個人データ ………………………328
個人に関する情報 ………………428
個人に関する情報をみだりに第
　三者に開示又は公表されない
　自由 ……………………………316
個人の自律の尊重 ………………71
個人の生命、身体及び財産の保
　護 ………………………………26
個人保護型捜査 …………………65
国会議事堂等静穏保持法（国会
　議事堂等周辺地域及び外国公
　館等周辺地域の静穏の保持に
　関する法律） ………………68・308
国会の両議院の同意 ……………507
国会法 ……………………192・493
国家行政組織法 …………………506
国家公安委員会 ……497・505・511
国家公安委員会委員 ………389・507
国家公安委員会委員長 …………507
国家公安委員会運営規則 ………508
国家公安委員会規則 …189・399・509
国家公安委員会に対する審査請
　求 ………………………………546
国家公安監理会 ……………15・388
国家公務員法 ………………320・514
国家公務員倫理規程 ……………471
国家公務員倫理法 …………471・519
国家地方警察本部 ………………15
国家の介入による個人保護 ……56
国家賠償請求訴訟 ………………560
国家賠償制度 ……………………523
国家賠償法 ………………………524
国家無答責 ………………………525
国庫支弁制度 ……………………499
国庫補助 …………………………500
古物営業法 ………151・298・434
古物商 ……………………………298
古物競りあっせん業者 …………299

《さ》

災害 ………………………44・237
災害対策基本法 …………40・44・55・
　　　　　　　148・236・504・527
再議 ………………………………416
裁決 ………………………………551
裁決書 ……………………………551
裁決の取消訴訟 …………………555
債権管理回収業に関する特別措
　置法 ……………………153・492
再就職の規制 ……………………519
再審査請求 ………………………545
再審査の申請 ……………………539
裁定 ………………………………273
再任用 ……………………………465
サイバー事案 ……………………494
サイバー特別捜査隊 ……………512
裁判所法 …………………………192
再犯防止推進法（再犯の防止等
　の推進に関する法律） ………44
裁判を受ける権利 ………………553
採用 ………………………………459
裁量 ………………………………112
裁量権 ……………………………113
裁量権の逸脱及び濫用 ……113・554
催涙ガス …………………………255

酒に酔つて公衆に迷惑をかける
　行為の防止等に関する法律⇒
　酩規法
差止め ……………………… 128・299
差止めの訴え ……………………… 557
参加人 ……………………………… 550
三者即日処理方式 ………………… 163

〈し〉

GDPR ……………………………… 319
GPS機器等 ………………………… 269
GPS捜査 ……………… 93・333・334
死因・身元調査法（警察等が取
　り扱う死体の死因又は身元の
　調査等に関する法律）……… 21・302
自衛隊 ……………………………… 42
自衛隊法 …………………………… 256
時間外勤務手当 …………………… 479
指揮監督（都道府県警察に対す
　る）……………………………… 511
指揮の一元化 ……………………… 444
事業の停止 ………………………… 307
事業を営む個人に関する情報 …… 430
市警察部 ……………………… 18・439
私権保護規定 ……………………… 73
事後的責任追及 …………………… 59
自己若しくは他人に対する防護 … 258
自殺しようとする者 ……………… 225
自殺をしようとする行為の阻止 … 95
指示 ……………………… 128・129・305
指示（警察庁長官の）……………… 502
指示（公安委員会の）……………… 396
（被留置者による）事実の申告 …… 541
死者の氏名 ………………………… 378

事情裁決 …………………………… 552
事情判決 …………………………… 567
指掌紋取扱規則 …………………… 370
辞職の申出 ………………………… 465
地すべり等防止法 ………………… 236
私生活の尊重 ……………………… 62
施設管理権 ………………………… 143
事前介入 ……………………… 56・59
事前通告 …………………………… 155
死体の検査 ………………………… 302
自治事務 …………………… 405・502
自治体警察 ………………………… 14
質屋営業法 …………… 151・298・434
市長推薦委員 ……………………… 437
市町村 ………………………… 43・405
市町村警察 ………………………… 14
執行機関 …………………………… 410
執行態勢 …………………………… 69
執行停止 …………………………… 549
執行停止制度 ……………………… 564
執行罰 ……………………………… 166
執行命令 …………………………… 189
失職 ………………………………… 464
実務規範 …… 54・77・371・386・399
質問 ………………………………… 206
質問に付随する行為 ……………… 206
実力行使 ……………………… 91・97
指定 ………………………………… 131
指定県 ……………………………… 435
指定暴力団 ………………………… 294
私的自治 …………………………… 72
私的独占の禁止及び公正取引の
　確保に関する法律⇒独占禁止
　法

自転車への措置 …………………291	社会安全政策論 …………………61
自動運行 …………………………292	社会通念上責任を負うべき者
自動運行装置 ……………………292	……………… 50・55・75・83
自動運転 …………………………292	社会的相当性 ……………75・215
児童虐待防止法（児童虐待の防	車検拒否制度 ……………………286
止等に関する法律）	車庫証明 …………………122・133
………… 52・64・147・251・373	車載カメラ ………………353・369
自動車安全運転センター法 ………365	車内の検索 ………………………214
自動車運転代行業の業務の適正	車両検問 ……………………25・210
化に関する法律⇒運転代行業	車両の停止 ………………156・208
法	集会の自由 ………………………337
自動車検査証の返付 ……………168	収去 ………………………………152
自動車検問⇒車両検問	住居の平穏 …………………………62
自動車ナンバー自動読取システ	重大凶悪な罪 ……………………261
ム⇒Nシステム	重大サイバー事案 ………………453
自動車の保管場所の確保等に関	重大サイバー事案対処
する法律 ………122・124・435	……………… 398・456・493
児童自立支援施設 …………………44	重大明白な瑕疵 …………115・556
児童相談所 …………………………44	銃砲等 ……………………………275
自動速度違反取締装置 …………349	銃砲刀剣類及び刃物の一時保管 ……181
児童福祉法 ………………………374	銃砲刀剣類所持等取締法
品触れ ……………………133・298	……… 19・145・155・274・434
事変 ………………………………237	銃砲刀剣類等の一時保管 ………279
司法警察 …………12・32・198・223	銃砲刀剣類に係る許可証等の提
司法警察職員として行う行政指	示要求 …………………………157
導 ………………………………185	銃砲刀剣類の仮領置 ……………158
司法執行 …………………………134	住民監査請求 ……………………414
市民生活の安全と平穏 ……………29	住民自治 …………………………389
市民の責務 …………………………9	住民訴訟 …………………414・559
事務、事業に関する情報 ………431	住民による統制 …………………413
事務所使用制限命令 ……………296	収容令書 …………………………142
事務代理 …………………………103	酒気帯び運転 ……………………156
事務取扱い ………………………103	出向 ………………………………463
事務の委託 ………………………190	出訴期間 …………………556・563

580　事項索引

首都警察 …………………… *439*
守秘義務⇒秘密を守る義務
受理 ……………………… *124*
準空気銃 ………………… *274*
巡査長 …………………… *446*
巡査部長 ………………… *446*
照会 ………………… *176・344*
障害者虐待防止法（障害者虐待
　の防止、障害者の養護者に対
　する支援等に関する法律）… *156・251*
上級行政庁 ……………… *545*
常勤職員 ………………… *461*
条件 ………………… *118・283*
条件付採用期間 …… *460・516*
常時録画式交差点カメラ … *352・369*
情勢適応の原則 ………… *458*
承諾 ………………………… *93*
昇任 ………………… *462・516*
少年院 ……………………… *43*
少年院法 ………………… *144*
少年法 …………………… *378*
消費者安全委員会 ………… *39*
消費者庁 ………………… *164*
消防 ………………… *11・42*
情報技術の解析 ………… *510*
情報共有 ………………… *374*
情報公開・個人情報保護審査会
　………………… *366・427*
情報公開条例 …………… *424*
情報公開法（行政機関の保有す
　る情報の公開に関する法律）
　……………… *21・170・321・423*
情報の取得 ……………… *333*
情報の保管 ……………… *360*

情報の利用 ……………… *367*
消防法 ……………… *236・527*
証明 ……………………… *133*
証明責任 ………………… *566*
条例 ………………… *3・136・415*
条例に基づく過料 ……… *166*
条例の運用 ……………… *421*
条例の刑罰規定 ………… *419*
条例の提出権 …………… *416*
条例要配慮個人情報 …… *322*
職員 ……………………… *457*
職員団体結成の禁止 …… *517*
職員の法的権利 ………… *459*
触法少年に対する警察の調査権
　限 ………………………… *21*
職務質問 …………… *33・198*
職務質問としての車両の停止 … *208*
職務専念義務 ……… *468・517*
所持品検査 ……………… *213*
所掌事務 ………………… *174*
処分 ………………… *99・559*
処分基準 ………………… *113*
処分庁 …………………… *550*
処分等の求め …………… *112*
処分の取消訴訟 …… *555・559*
処分理由の告知 ………… *108*
資料の閲覧 ……………… *109*
審議会（都道府県の） … *412*
人権の制限の程度の低い手段の
　選択 ……………………… *90*
信号機 ……………… *282・536*
審査基準 …………… *106・113*
審査請求 ……… *406・475・520・547*
審査請求書 ……………… *548*

審査請求前置 …………………………567
審査請求人 ……………………………550
審査専門委員 …………………………508
審査庁 …………………………399・549
審査の申請 ……………………………539
人事委員会 …………459・475・477
人事院 …………………………515・520
人事評価 ………………………………464
心神喪失者医療観察法（心神喪
　失等の状態で重大な他害行為
　を行った者の医療及び観察等
　に関する法律）……………143・234
申請拒否対応型義務付け訴訟………557
申請者以外の者の意見 ………………111
申請に対する処分に関する手続……106
身体検査 ………………………………144
深夜飲食店営業 ………………………302
信用失墜行為の禁止 …………………470
審理員制度 …………………538・551
審理官 …………………………………539
心理的強制 ……………………………204

〈す〉

スーパー防犯灯 ………………………352
ストーカー規制法（ストーカー
　行為等の規制等に関する法律）
　…………1・21・57・60・268・434
ストーカー規制法の禁止命令 ………104
ストーカー規制法の警告 ……………182

〈せ〉

生活安全局 ……………………………29
生活安全条例 …………………………9
請願巡査 ………………………………13

制限地域 ………………………………304
制裁金 …………………………………167
政策評価法（行政機関が行う政
　策の評価に関する法律）……………386
制止 ……………………………228・243
政治的行為の禁止 ……………………470
政治的行為の制限 ……………………518
政治的中立 ……………………………388
精神科病院の無断退去者 ……………227
精神錯乱 ………………………………225
精神保健法（精神保健及び精神
　障害者福祉に関する法律）…228・233
制動装置不良自転車 …………………292
政党の主たる事務所 …………………309
正当防衛 ………………………95・259
整備不良車両の停止 ………156・290
性風俗営業等に係る不当な勧誘、
　料金の取立て等及び性関連禁
　止営業への場所の提供の規制
　に関する条例 ………………………308
性風俗関連特殊営業 …………………306
政令 ……………………………………188
政令指定都市 …………………18・435
責務 ……………………………70・175
責務達成義務 …………………………48
セクシャルハラスメント ……………483
接客業務受託営業 ……………………303
接客従事者 ……………………………303
設権 ……………………………………130
接待飲食等営業 ………………………304
説得 ……………………………178・204
説得活動 ………………………………97
説明責任 ………………10・402・423
選挙運動の禁止 ………………………470

選挙訴訟 …………………………… 559
専決 …………………………………… 102
専決処分 …………………………… 416
全国的な幹線道路における交通
　の規制 …………………………… 503
センシティブな情報 ……………… 335
全体の奉仕者 ……………………… 457
全体の奉仕者としてふさわしく
　ない非行 ………………………… 471
専門委員 …………………………… 508

〈そ〉

争議行為の禁止 ………… 469・517
総合調整 …………………………… 507
相互主義 …………………………… 524
捜査関係事項照会 …… 342・346・368
捜査の不実施 ……………… 36・532
相当因果関係 ……………………… 526
騒乱 ………………………………… 501
即時強制 …………………………… 139
組織的犯罪処罰法（組織的な犯
　罪の処罰及び犯罪収益の規制
　等に関する法律） ……………… 301
訴訟に関する書類 …… 365・377・426
措置入院 …………………………… 234
損害賠償 …………………………… 526
損害賠償請求等の妨害に関する
　命令 ……………………………… 296
損失補償 …………………… 54・526
存否応答拒否 ……………………… 426

〈た〉

代位責任 …………………………… 529
第一次捜査機関 …………………… 19

大規模な災害 ……………………… 501
退去強制令書 ……………………… 142
代決 ………………………………… 102
大綱方針 …………………………… 395
第三者への提供 …………………… 339
代執行 ……………………………… 136
退職管理 …………………………… 467
退職手当の支給制限 ……………… 475
退職手当の返納命令 ……………… 475
大臣政務官 ………………………… 506
代替的作為義務 …………………… 137
大都市警察 ………………………… 17
滞納処分 …………………………… 138
滞納処分の例 ……………………… 139
逮捕 ………………………… 30・222・261
他機関による立入りへの援助 …… 251
立入り ……………… 65・145・149・247
立入検査 …………………………… 150
立入調査 …………………………… 63
建物のオーナー規制 ……………… 308
他の行政機関に対する個人情報
　の提供 …………………………… 372
タンクローリー …………………… 157
団結権 …………………………… 478・517
団体委任事務 ……………………… 405
団体規制法（無差別大量殺人行
　為を行った団体の規制に関す
　る法律） …………… 43・154・492
団体交渉権 ………………………… 517
探偵業法（探偵業の業務の適正
　化に関する法律） ………………… 21

〈ち〉

治安警察法 ………………………… 19

知事 ································ 410
知事の専管事項 ················· 411
知事の総合調整権 ·············· 411
地方警察職員 ····················· 457
地方警務官 ··········· 457・497・515
地方公共団体の規則 ············ 421
地方公共団体の長 ··············· 410
地方公務員法 ············· 320・457
地方自治法
 ··········· 44・166・402・419・504
地方事務官 ························· 497
地方出入国在留管理局 ·········· 43
地方分権一括法 ······· 44・166・405
地方要配慮個人情報 ············ 362
中央省庁改革 ····················· 506
駐在所 ··························· 11・441
中止命令 ············ 130・272・295・307
駐車監視員 ························ 286
懲戒事由に係る事案があったと
 きの報告義務 ·················· 395
懲戒処分 ···························· 471
懲戒又は罷免の勧告 ············ 395
懲戒免職 ··················· 465・471
超過勤務時間上限制 ············ 481
鳥獣保護法（鳥獣の保護及び管
 理並びに狩猟の適正化に関す
 る法律）·························· 157
調整事務 ··················· 491・502
町内会等の設置する防犯カメラ ····· 354
聴聞 ·································· 108
聴聞調書 ··························· 550
聴聞の主宰者 ····················· 108
直接強制 ··························· 136
直接請求 ··························· 414

〈つ〉

通信の秘密 ························ 342
通知 ·································· 133
つかさどり事務 ··················· 491
つきまとい等 ····················· 270

〈て〉

出会い系サイト規制法（インター
 ネット異性紹介事業を利用し
 て児童を誘引する行為の規制
 等に関する法律）····· 21・280・380
ＤＮＡ型記録取扱規則 ········· 370
停止 ·································· 203
停止命令権 ························ 212
停職 ·································· 471
泥酔 ·································· 226
訂正請求 ··························· 366
定年延長 ··················· 463・466
定年退職 ··························· 465
テーザー銃 ························ 255
データ取得（保存）による正義
 の実現 ···························· 317
データ・マッチング ············ 332
適格性欠如 ························ 474
適格都道府県センター ········· 295
適正手続 ··························· 104
適正手続の保障 ·················· 419
適性評価 ··························· 331
デジタル社会形成整備法 ······ 321
撤回 ·································· 120
点数処分 ··························· 288
点数付加 ··························· 287
転任 ··························· 462・516

店舗型性風俗特殊営業 …………………306

〈と〉

ドイツの警察 ………………………404
統轄事務 …………………491・500
東京都街頭防犯カメラシステム
　に関する規程 ……………………401
刀剣類 ………………………………274
同行要求 ……………………………218
当時者訴訟 …………………………558
道州制 ………………………………406
道府県警察本部長 ……438・459・497
登録誘引情報提供機関 ……………380
道路交通取締法 ……………………19
道路交通法 …………148・156・212・
　　　　　　　　　　236・281・434
道路交通法に基づく車両の停止 ……212
道路使用許可 ………………………282
道路占有の許可 ……………………283
道路における違法工作物の除去 ……139
道路における協定に基づく警察
　官の職権行使 ……………………455
道路の交通に起因する障害の防
　止 …………………………………281
道路標識 ……………………………282
徳島市公安条例事件 ………………417
特殊開錠用具の所持の禁止等に
　関する法律⇒ピッキング防止
　法
独占禁止法（私的独占の禁止及
　び公正取引の確保に関する法
　律） ………………………………146
督促 …………………………133・139
特定管理監督職群 …………………466

特定小型原動機付自転車（電動
　キックボード） …………………281
特定商取引に関する法律 …………164
特定性風俗物品販売等営業の規
　制 …………………………………302
特定地方警務官 ………466・497・519
特定非営利活動促進法 ………………8
特定秘密保護法 ……………331・469
特定遊興飲食店営業 ………………302
特別自治市（特別市） ……………407
特別司法警察職員 ……………………38
匿名通報ダイヤル制度 ……………343
匿名発表 ……………………………379
特高警察 ………………………………11
都道府県議会の同意 ………………436
都道府県警察相互の関係 …………441
都道府県警察の協力義務 …………442
都道府県公安委員会
　　　　　　……433・454・459・546
都道府県公安委員会委員 …………436
都道府県公安委員会規則 ……401・422
都道府県公安委員会による抗告
　訴訟における代表 ………………564
都道府県公安委員会の管理 ………396
都道府県知事 ………………433・436
届出 …………………………………123
留め置きの限界 ……………………220
ドライブレコーダー ………………358
取消し ………………………………116
取消訴訟 ……………………115・559
取消訴訟の排他的管轄 ……………559
ドローン ……………………………313

〈な〉

内閣 …………………………………… *505*
内閣官房 ……………………………… *505*
内閣総理大臣 …………………… *389・504*
内閣総理大臣の異議 ………………… *565*
内閣総理大臣の承認 ………………… *511*
内閣府令 ………………………… *189・389*
内務省 ………………………………… *11*
成田国際空港の安全確保に関する緊急措置法 ……………………… *136*
何人も行うことのできる行為 ……… *95*

〈に〉

二重処罰 ……………………………… *167*
日・米重大犯罪防止対処協定（PCSC協定）実施法（重大な犯罪を防止し、及びこれと戦う上での協力の強化に関する日本国政府とアメリカ合衆国政府との間の協定の実施に関する法律）………… *21・309・372*
入院措置 ……………………………… *233*
入院措置のための移送 ……………… *234*
任意活動 ………………… *25・97・173*
任意手段 ………………………… *177・211*
任意同行 ……………………………… *218*
任意入院 ……………………………… *234*
認可 …………………………………… *118*
任期付職員 …………………………… *462*
妊娠出産等に関するハラスメント …………………………………… *486*
認定 …………………………………… *123*
任務 ……………………………… *23・174*

〈な〉（続き）

任命権者 ………………… *394・439・459*
任用 …………………………………… *459*
認容 …………………………………… *552*

〈ね〉

年次休暇 ………………………… *477・479*

〈は〉

廃棄物の処理及び清掃に関する法律 …………………… *161・164・297*
廃業命令 ……………………………… *128*
配偶者暴力事案 ………………………… *74*
配偶者暴力防止法（配偶者からの暴力の防止及び被害者の保護等に関する法律）……… *56・60・64*
賠償責任の主体 ……………………… *534*
配置換 …………………………… *463・516*
破壊活動防止法 ………………… *43・293*
派遣（併任派遣） …………………… *463*
派出所 ………………………………… *11*
パブリックコメント … *113・188・386*
刃物の携帯禁止 ……………………… *279*
パワーハラスメント ………………… *484*
番号法 ………………………………… *323*
犯罪鑑識 ……………………………… *510*
犯罪経歴に関する個人情報 ………… *365*
犯罪収益移転防止法（犯罪による収益の移転防止に関する法律）…………………… *21・154・300・345・373・493*
犯罪捜査 … *14・20・30・32・74・196*
犯罪捜査規範 ………………………… *400*
犯罪捜査共助規則 ……………… *451・503*
犯罪捜査のために保有する情報 …… *37*

犯罪捜査目的ファイル ……………… 371
犯罪の鎮圧 ………………………… 29
犯罪の予防 ……………………… 28・240
犯罪被害者 ………………………… 5・61
犯罪被害者支援法（犯罪被害者
　等給付金の支給等による犯罪
　被害者等の支援に関する法律）
　……………… 6・20・70・273・434・504
犯罪被害者等基本計画 ……………… 507
犯罪被害者等基本法 ……… 6・274・524
犯罪被害者等給付金支給法⇒犯
　罪被害者支援法
犯罪被害者等早期援助団体
　………………………… 8・131・274
反則金の納付の通告 ……………… 560
反則告知 …………………………… 283
犯則調査 …………………………… 154
判断基準 …………………………… 108
犯人の逮捕若しくは逃走の防止 …… 258

《ひ》

被害者早期援助団体 ……………… 376
被害者の意思 ……………………… 74
引取りの手配 ……………………… 232
美術刀剣類 ………………………… 276
非常勤職員 ………………………… 461
非訟事件手続法 …………………… 166
ピッキング防止法（特殊開錠用
　具の所持の禁止等に関する法
　律） ………………… 21・153・299
必要最小限度の措置 ……………… 90
必要性のない場合の権限行使の
　禁止 ……………………………… 90
避難等の措置 ……………………… 238

非犯罪化 …………………………… 166
秘密を守る義務 …………… 320・468
標準処理期間 ……………………… 106
平等原則 …………………………… 48
平等取扱いの原則 ………………… 458
標章 ………………………………… 127
病人 ………………………………… 229
比例原則 ………………… 49・83・419
広島県不当な街宣行為等の規制
　に関する条例 …………………… 273
広島市暴走族追放条例 …………… 421

《ふ》

風俗営業 …………………………… 304
風俗営業適正化法（風俗営業等
　の規制及び業務の適正化等に
　関する法律）
　………… 2・149・151・302・434
風俗営業取締法 …………………… 19
風俗営業者に対する指示 ………… 164
ヴォーン・インデックス ………… 428
不開示決定 ………………………… 426
不開示情報 ………………… 366・428
不可争力 …………………………… 115
附款 ………………………………… 119
武器等製造法 ……………………… 145
武器の使用 ………………………… 254
付近の住民等の申出 ……………… 278
福岡県青少年保護育成条例事件 … 420
副大臣 ……………………………… 506
府県（旧憲法下の） ……………… 11
府県情報通信部 …………………… 513
不作為 ……………………………… 542
不作為の違法確認の訴え ………… 556

負傷者 …………………………………229
不審者 …………………………………201
付随的強制 ……………………………195
不正アクセス禁止法（不正アク
　セス行為の禁止等に関する法
　律）……………………21・30・299
不当な勧誘料金の取立て等の禁
　止 ………………………………308
不服申立て ……………………537・563
不服申立て前置 ………………………537
不服申立ての利益 ……………………545
部分開示 ………………………………426
フランスの警察 ………………………403
不利益処分（公務員への）……473・520
不利益処分に関する手続 ……………107
分限免職 ………………………465・473

〈へ〉

弁護士法に基づく照会 ………………376
弁明書（処分庁の）…………………550
弁明の機会の付与 ……………109・166

〈ほ〉

包括的な排除規定 ……………………277
報告徴収 ………………………………150
防止措置命令 …………………………296
法執行機関 ………………………………20
放射性同位元素等 ……………………157
防声具 …………………………………144
暴騒音条例 ……………………155・309
放置違反金 ……………………167・285
放置違反金の納付命令 ………………127
放置車両の確認等の事務の民間
　委託 ……………………………285

法治主義 …………………………………3
法廷警察権 ……………………………192
法定受託事務 …………………273・405
法的効果を持つ任意活動 ……………176
報道機関への個人情報の提供 ………378
防犯カメラ ……………317・347・355
方面公安委員会 ………………102・435
方面本部 ………………………………435
法律による行政の原理 …………3・47
法律の根拠 ……………3・25・174・333
法律の根拠のない強制 …………………94
法律の留保 ………………………3・25
暴力行為の賞揚等に関する命令 ……296
暴力団対策 ……………………………296
暴力団対策法（暴力団員による
　不当な行為の防止等に関する
　法律）………2・20・58・155・171・
　　　　　　272・293・434・504
暴力団に対する民事訴訟の支援 ……377
暴力団の代表者等の損害賠償責
　任 ………………………………295
暴力団排除条例 ………………297・376
暴力団排除のための他の行政機
　関への情報提供 ………………374
暴力追放運動推進センター …………295
暴力的要求行為 ………………………272
法令化 ……………………………………48
法令・職務命令に従う義務 …………468
法令としての命令 ……………………113
法令に根拠のある行政指導 …112・183
法令や慣行によって公とされて
　きている情報 …………………428
保管における安全確保 ………………361
保護………………………………65・223

保護観察所 …………………………43
保護命令 ……………………………64
補正 ………………………………549
ぼったくり防止条例 ………………308
保有個人情報 ………………………329
保有個人情報の開示請求 …………365
本人確認 …………………300・345

《ま》

マイナンバー法 ……………………323
マネー・ロンダリング ……………301
麻薬特例法（国際的な協力の下
　に規制薬物に係る不正行為を
　助長する行為等の防止を図る
　ための麻薬及び向精神薬取締
　法等の特例等に関する法律）……301
迷い子 ……………………………229

《み》

みだりに容貌等を撮影されない
　自由 ………………93・316・347
身分を示す証票 ………151・250・254
民間委託 …………………132・286
民事訴訟の支援 ……………………171
民事訴訟法に基づく文書提出命
　令 ………………………………376
民事不介入 …………………72・83・85
民衆訴訟 …………………………558
民主的正当性確保 …………………76
民主的正当性の付与 ………………196

《む》

無過失責任 ………………………536
無効等確認の訴え …………………556

無効な行政処分 ……………………115
無差別大量殺人行為を行った団
　体の規制に関する法律⇒団体
　規制法
無店舗型性風俗特殊営業 …………307
無犯歴証明書 ………………………365
無免許運転 ………………………156
無令状逮捕（アメリカの）…………74

《め》

明確性の要請 ………………………419
名義貸し …………………………305
酩規法（酒に酔つて公衆に迷惑
　をかける行為の防止等に関す
　る法律）…………20・228・241・250
酩酊者 ……………………………228
命令（下命）………………………125
迷惑防止条例 …………269・307・420
免許 ………………………………118
免職 ………………………………471
免許情報記録個人番号カード ………290

《も》

申出（銃砲刀剣類所持等取締法
　の）………………………………164
黙示の承諾 ………………………214
目的外の利用 ……………………368
持ち回り方式 ……………………102
元職員の働きかけの規制 …………467

《や》

役職定年制 ………………………466

《ゆ》

遊技機の認定 ……………………187
有形力の行使 ……………………92
行方不明者 ………………………225

《よ》

要配慮個人情報 ……………326・362
要保護児童対策地域協議会 …374・376
予告（拳銃使用の）………………259
予算の執行 ………………………411
予算の補助執行 …………………412
米子銀行事件 ……………………215
予防検束…………………………12・141

《り》

リーニエンシー制度 ……………168
立証責任 …………………………566
留置施設 …………………………144
留置施設視察委員会 ……………385
理由の追加 ………………………565
理由の追加、差替え ……………552
理由の提示 ……………105・106・110
領海 ………………………………41
猟銃 ………………………………276
猟銃安全指導委員 ………………275
猟銃用火薬 ………………………280
利用提供の制限 …………………367
利用停止請求 ………366・368・373
両罰規定 …………………………160
利用目的原則 ……………………361
利用目的の特定 …………………336
臨検 …………………………146・251
臨時職員 …………………………461

《れ》

令状主義 …………33・141・147・530
連行 ………………………………219

《ろ》

労働安全衛生法 …………………481
労働基準法………459・477・478・516
労働組合に代わる組織 …………478
労働施策総合推進法 ……………484

《わ》

早稲田大学江沢民事件 …………340

第三版　あとがき

　筆者は、現在、京都産業大学法学部教授として、多くの警察官志望の学生に対して、警察行政法と社会安全政策を講義し、合わせて演習も担当している。学んでいる彼ら、彼女らが活躍することのできる警察組織、多くの国民にとっても、警察官にとっても、良いものと感じられる警察組織が形成されることを願わずにはいられない。

　そのためには、個々の警察官において、適正な権限行使とそれによる国民・住民の安全確保に努めることが重要であるのは当然であるが、国民・住民の代表である公安委員会によって、権限の濫用や情報の不正取得・使用が防止・是正されることと、現在の権限と体制で何ができ、何ができないのかを国民・住民に伝えることが、一層進められる必要がある。同時に、警察官の職員としての権利が尊重され、安心して仕事ができる職場づくりが、警察組織の管理者に求められる。これらは、いずれも警察行政法の示すものである。

　筆者は、長年、警察大学校で講義を行ってきた。課程によって、その題名は「警察行政法」と「警察の在り方」に分かれているが、筆者にとって両者は同じものであり、ほぼ同内容の講義を行っている。本書を含む著作と講義とを通じて、警察行政法の示すより良い警察の実現に向けて、引き続き寄与していきたいと考えている。

　東京法令出版の工藤敦氏と林純子氏には、編集の労をとっていただいた。記して感謝する次第である。

　　令和4年7月

　　　　　　　　　　　　　　　　　　　　　　　　　　田村　正博

第二版　あとがき

　筆者は、本書初版出版以降、警察大学校長を最後に退官し、縁あって京都産業大学法学部教授となった。大学では、多くの警察官志望者を含む学生に社会安全政策と警察行政法を講義し、合わせて同大学の社会安全・警察学研究所長として研究と社会の結びつきに努めている。一方、退官後も、警察大学校常任講師として、警部任用科、警察運営科、教官養成科など多くの課程で、幹部警察官を対象に警察の在り方に関する講義を続けている。また、弁護士として登録し、虎門中央法律事務所の客員弁護士ともなっている。

　警察庁に勤務しているときから比較的自由に警察の在り方を論じてきたつもりであったが、立場が変わると、違うものが見えてくることも否定できない。もっともそれは、筆者の場合、研究者的になったというより、現場職員を一層身近に思うようになったという面が強い。自分の講義を聞いた学生が新任警察官となっていく中で、彼ら彼女らに役立つ警察行政法を論述したい、という気持ちである。

　本書第二版は、このためもあって、現場に近いところの記述に重点が向かっている。もとよりそれは、単に警察の実情を追認するものではない。国民にとってあるべき警察をどうやって実現するのか、というのが警察行政法の変わらない課題である。自分たちと同じ人間が警察官の職にあるという等身大の理解を前提に、警察官に無理をさせないでそれなりの社会の安全が保たれることと、国民が統制感をもてる警察であることが大事であり、そのためには、警察職員の権利の尊重される組織づくり、適切な権限行使の枠組づくり、特に現場への責任の押しつけでない分かりやすい準則の設定、公安委員会による管理と説明責任の履行が求められることが、筆者の強調したかったことである。

今回も東京法令出版の工藤敦氏には、編集の労をとっていただいた。記して感謝する次第である。

　平成27年8月

田村　正博

あとがき

　筆者は、旧著出版以降、警察庁総務課企画官、警察大学校警察政策研究センター所長等としての勤務を通じて、警察行政研究会の諸先生方をはじめとする多くの研究者の方々のご厚誼をいただき、行政法のみならず、多くの学問分野を学ばせていただいた。本書を出版するにあたり、まず、教えをいただいた先生方に御礼を申し上げたい。

　また、縁があって早稲田大学大学院法務研究科（ロースクール）で、警察法の講義をする機会が与えられ、3年間講義を担当したが、講義と学生の質問を通じて、それまでの自らの考えの狭さを痛感させられた。権限の付与と組織法的統制の一体的な論議が求められるという本書の記述は、このときの経験の賜物である。機会を与えていただいた方々と適切な質問によって理解を深めさせてくれたロースクール生に御礼を述べたい。

　本書の記述は筆者の個人的な見解であることは言うまでもないが、多くの同僚の方々との論議の賜物でもある。末井誠史氏（国立国会図書館調査専門員）と中川正浩氏（総務省人事局参事官・前早稲田大学法務研究科客員教授）には、草稿に目を通していただき、多くの点で示唆をいただいた。記して謝意を表したい。

　筆者は、内閣法制局参事官補として勤務して以降、自分なりに警察行政法とその関連領域の研究に当たるとともに、警察官向けの解説書等を書き、警察大学校でも多くの幹部警察官に講義をしてきた（その経緯等については、田村正博・磯部力ほかの座談会「エンジョイ！行政法　第10回警察行政法」（法学教室2007年10月号）で述べている。）。警察庁の行政官として犯罪被害者施策の開始や運転免許制度の改正等に当たり、さらには公安委員会の管理下における警察本部長としての組織運営に当たっても、自分なりに、警察行政法の理念を反映させるべく努めてきたつもりである。警察

庁での勤務を終える前に、本書を執筆したことで、私なりの警察行政法の全体像を示すことができたと思っている。もとより、不十分な点が多々あることも事実であり、今後も引き続き、研究を続けていきたい。

　最後に、本書出版にあたり、編集等の労をとっていただいた東京法令出版　工藤敦氏に謝意を述べておきたい。

　　平成23年9月

　　　　　　　　　　　　　　　　　　　　　　　　　　田村　正博

著者紹介
田村正博（たむら　まさひろ）

鳥取県米子市出身。昭和52年警察庁入庁。徳島県警察捜査二課長、京都府警察捜査二課長、内閣法制局第一部参事官補、警視庁公安総務課長、警察庁総務課企画官、秋田県警察本部長、警察庁運転免許課長、警察大学校警察政策研究センター所長、内閣参事官（内閣情報調査室国内部主幹）、警察大学校特別捜査幹部研修所長、福岡県警察本部長、早稲田大学客員教授等を経て、平成25年１月、警察大学校長を最後に退官。現在、京都産業大学法学部教授、社会安全・警察学研究所長。警察大学校講師兼任。弁護士（虎門中央法律事務所）。『警察官のための憲法講義（改訂版）』、『重要条文解説警察法』（以上、東京法令出版）、『現場警察官権限解説［上・下］（第三版）』（立花書房）など、警察権限の行使における考え方を分かりやすく解説した著書多数。

本書の内容等について、ご意見・ご要望がございましたら、編集室までお寄せください。FAX・メールいずれでも受け付けております。
〒112-0002　東京都文京区小石川5-17-3
TEL 03(5803)3304
FAX 03(5803)2560
e-mail police-law@tokyo-horei.co.jp

全訂　警察行政法解説〔第三版〕

平成23年11月25日	初　版　発　行	
平成27年11月15日	第　二　版　発　行	
令和元年10月15日	第二版補訂版発行	
令和４年９月20日	第　三　版　発　行	

著　者　田　村　正　博
発行者　星　沢　卓　也
発行所　東京法令出版株式会社

112-0002	東京都文京区小石川５丁目17番３号	03(5803)3304
534-0024	大阪市都島区東野田町１丁目17番12号	06(6355)5226
062-0902	札幌市豊平区豊平２条５丁目１番27号	011(822)8811
980-0012	仙台市青葉区錦町１丁目１番10号	022(216)5871
460-0003	名古屋市中区錦１丁目６番34号	052(218)5552
730-0005	広島市中区西白島町11番９号	082(212)0888
810-0011	福岡市中央区高砂２丁目13番22号	092(533)1588
380-8688	長野市南千歳町1005番地	

〔営業〕TEL 026(224)5411　FAX 026(224)5419
〔編集〕TEL 026(224)5412　FAX 026(224)5439
https://www.tokyo-horei.co.jp/

©MASAHIRO TAMURA Printed in Japan, 2011

本書の全部又は一部の複写、複製及び磁気又は光記録媒体への入力等は、著作権法上の例外を除き禁じられています。これらの許諾については、当社までご照会ください。

落丁本・乱丁本はお取替えいたします。

ISBN978-4-8090-1444-4